D1319312

# CÔTE D'AZUR
## Principauté
## de Monaco

| | |
|---|---|
| **Direction** | David Brabis |
| **Rédaction en chef** | Nadia Bosquès |
| **Édition** | Stéphanie Vinet |
| **Rédaction** | Sabrina Bailleul |
| **Informations pratiques** | Catherine Rossignol, Philippe Gallet, Nicolas Borg, Isabelle Foucault |
| **Documentation** | Eugenia Gallese, Yvette Vargas, www.insee.fr *(chiffres de population)* |
| **Cartographie** | Alain Baldet, Michèle Cana, Véronique Aissani, Philippe Cochard, Marie-Christine Defait, Evelyne Girard, Marc Martinet, Patrick Matyja, Denis Rasse, Laurence Sénéchal, Jean-Daniel Spies, Dominique Defranchi |
| **Iconographie** | Cécile Koroleff, Stéphanie Quillon |
| **Secrétariat de rédaction** | Pascal Grougon, Jacqueline Pavageau, Anne Duquénoy, Danièle Jazeron |
| **Correction** | Marion Enguehard |
| **Mise en pages** | Didier Hée, Jean-Paul Josset, Frédéric Sardin, Renaud Leblanc, Cécile Lisiecki |
| **Maquette intérieure** | Agence Rampazzo |
| **Création couverture** | Laurent Muller |
| **Marketing** | Ana Gonzalez, Flora Libercier |
| **Ventes** | Gilles Maucout (France), Charles Van de Perre (Belgique), Fernando Rubiato (Espagne), Philippe Orain (Italie), Jack Haugh (Canada), Stéphane Coiffet (Grand Export) |
| **Relations publiques** | Gonzague de Jarnac |
| **Remerciements** | Patrick Berger, Jean-François Mesplede |
| **Régie pub et partenariats** | michelin-cartesetguides-btob@fr.michelin.com *Le contenu des pages de publicité insérées dans ce guide n'engage que la responsabilité des annonceurs.* |

| | |
|---|---|
| **Pour nous contacter** | Le Guide Vert Michelin<br>Michelin Cartes et Guides<br>46, avenue de Breteuil 75324 Paris Cedex 07<br>☎ 01 45 66 12 34 – Fax : 01 45 66 13 75<br>LeGuideVert@fr.michelin.com<br>www.ViaMichelin.fr |

**Parution 2007**

**Note au lecteur**

L'équipe éditoriale a apporté le plus grand soin à la rédaction de ce guide et à sa vérification. Toutefois, les informations pratiques (prix, adresses, conditions de visite, numéros de téléphone, sites et adresses Internet…) doivent être considérées comme des indications du fait de l'évolution constante des données. Il n'est pas totalement exclu que certaines d'entre elles ne soient plus, à la date de parution du guide, tout à fait exactes ou exhaustives. Elles ne sauraient de ce fait engager notre responsabilité.

# Le Guide Vert,
## la culture en mouvement

Vous avez envie de bouger pendant vos vacances, le week-end ou simplement quelques heures pour changer d'air ? Le Guide Vert vous apporte des idées, des conseils et une connaissance récente, indispensable, de votre destination.

Tout d'abord, **sachez que tout change**. Toutes les informations pratiques du voyage évoluent rapidement : nouveaux hôtels et restaurants, nouveaux tarifs, nouveaux horaires d'ouverture… Le patrimoine aussi est en perpétuelle évolution, qu'il soit artistique, industriel ou artisanal… Des initiatives surgissent partout pour rénover, améliorer, surprendre, instruire, divertir. Même les lieux les plus connus innovent : nouveaux aménagements, nouvelles acquisitions ou animations, nouvelles découvertes enrichissent les circuits de visite.

Le Guide Vert **recense** et **présente ces changements** ; il réévalue en permanence le niveau d'intérêt de chaque curiosité afin de bien mesurer ce qui aujourd'hui vaut le voyage (distingué par ses fameuses 3 étoiles), mérite un détour (2 étoiles), est intéressant (1 étoile). Actualisation, sélection et appréciation sur le terrain sont les maîtres mots de la collection, afin que Le Guide Vert soit à chaque édition le reflet de la réalité touristique du moment.

Créé dès l'origine pour **faciliter et enrichir vos déplacements**, Le Guide Vert s'adresse encore aujourd'hui à tous ceux qui aiment connaître et comprendre ce qui fait l'identité d'une région. Simple, clair et facile à utiliser, il est aussi idéal pour voyager en famille. Le symbole 👥 signale tout ce qui est intéressant pour les enfants : zoos, parcs d'attractions, musées insolites, mais également animations pédagogiques pour découvrir les grands sites.

Ce guide vit pour vous et par vous. N'hésitez pas à nous faire part de vos remarques, suggestions ou découvertes ; elles viendront enrichir la prochaine édition de ce guide.

**L'ÉQUIPE DU GUIDE VERT MICHELIN**
LeGuideVert@fr.michelin.com

# ORGANISER SON VOYAGE

# COMPRENDRE LA RÉGION

## VILLES ET SITES

À l'intérieur du premier rabat de couverture, la carte générale intitulée « Les plus beaux sites » donne :
- une **vision synthétique** de tous les lieux traités ;
- les **sites étoilés** visibles en un coup d'œil ;
- les **circuits de découverte**, dessinés en vert, aux environs des destinations principales.

Dans la partie « **Découvrir les sites** » :
- les **destinations principales** sont classées par ordre alphabétique ;
- les **destinations moins importantes** leur sont rattachées sous les rubriques « Aux alentours » ou « Circuits de découverte » ;
- les **informations pratiques** sont présentées dans un encadré vert dans chaque chapitre.

L'**index** permet de retrouver rapidement la description de chaque lieu.

# SOMMAIRE

## DÉCOUVRIR LES SITES

*Voiliers croisant au large d'Antibes.*

S. Sauvignier / MICHELIN

# ORGANISER SON VOYAGE

# OÙ ET QUAND PARTIR

La Côte d'Azur est un bout de Provence tourné vers l'Italie. Cette mince frange coincée entre les montagnes et la mer est devenue, grâce à son climat protégé, le jardin d'hiver de l'aristocratie européenne. De cette vogue du « grand tourisme » est né un rivage digne des *Mille et Une Nuits*, une suite de villes s'égrenant le long d'une côte enchanteresse, tout en avancées et en retraits, en îles, en rades, en caps et en baies. En saison, on se presse sur ses plages étroites partagées entre espace public et privé. En soirée, l'animation bat son plein dans les stations qui cultivent le goût de la fête « branchée ». Mais il est des îlots, où les familles profiteront tranquillement du bord de mer. En outre, si vous venez hors-saison, vous ne serez pas déçu : vous apprécierez le beau temps, le calme ambiant, une certaine douceur de vivre en somme.

Si vous souhaitez prendre un peu de recul, oublier les paillettes et l'apparat, tournez-vous vers l'arrière-pays aux multiples facettes. Dans les Alpes-Maritimes, les rafraîchissantes vallées ponctuées de ravissants villages perchés restent authentiques, tout comme les localités varoises aux accents provençaux, plus discrètes.

Là, les amateurs d'activités sportives et de loisirs en plein air s'en donneront à cœur joie. Quant aux amoureux du « petit » patrimoine, ils se réjouiront de découvrir des savoirs-faire préservés et des traditions cultivées.

Venez donc, vous verrez qu'au-delà des clichés et des artifices, la Côte d'Azur réserve bien des surprises.

*Plage de Juan-les-Pins.*
S. Sauvignier / MICHELIN

## Nos conseils de lieux de séjour

Pour plus d'informations sur les types d'hébergement, les services de réservation, les adresses que nous avons retenues dans ce guide, reportez-vous au chapitre suivant, « S'y rendre et choisir ses adresses ».

### SUR LA CÔTE

La côte attire à elle toute la vie de la région, c'est là que se concentrent les villes les plus importantes, ainsi que les lieux de séjour les plus variés et les mieux équipés. Revers de la médaille, de très nombreuses constructions envahissent le littoral. Beaucoup de propriétés se sont établies sur la côte même, bien qu'en principe, selon la loi du littoral, l'accès reste libre partout. Le parcours du sentier des douaniers réserve de belles promenades.

Le littoral des **Alpes-Maritimes** regroupe, entre Cannes et Menton, les stations balnéaires les plus prestigieuses. Malheureusement, l'afflux touristique en été y masque la vie locale. Si c'est ce que vous recherchez, il faudra venir en-dehors de cette période ou préférer l'arrière-pays. Le reste de la **côte varoise** offre un espace plus vaste, parfois plus sauvage, et compose une contrée digne d'être célébrée par les écrivains et les peintres qui la découvrirent.

La plupart des villes et des villages de la côte sont devenus des **stations balnéaires** avec leurs plages aménagées (y compris Toulon avec la presqu'île de Saint-Mandrier), leur port de plaisance, leurs commerces et leurs services. Des marinas ont été bâties sur l'eau, telles Port-Grimaud, les Marines de Cogolin, la cité marine de Port-la-Galère. Il n'y a pas de grands **ports de pêche**, mais, disséminés le long de la côte, des petits ports : Sanary-sur-Mer, Bandol, Saint-Tropez, Le Lavandou, Saint-Raphaël, Villefranche-sur-Mer se sont équipés pour accueillir les bateaux de plaisance. Sainte-Maxime est une station très à la mode, protégée par le massif des Maures. Mer ludique, la Méditerranée offre une panoplie étendue d'activités nautiques : voile, planche à voile, funboard, ski nautique et, bien sûr, baignade. Plages de sable ouvrant mollement le littoral, petites criques serrées entre les rochers de porphyre rouge : il y en a pour tous les goûts ! En effet, la Côte d'Azur, comprise au sens large de Saint-Cyr-sur-Mer à Menton, réunit une extraordinaire diversité de sites, due à la rencontre de la montagne et de la mer. De Menton au fort carré d'Antibes, le galet règne en maître ; le sable apparaît sur le littoral ouest, à partir de Juan-les-Pins.

## DANS L'ARRIÈRE-PAYS

Dans la **Provence varoise**, les vallées fertiles, où dominent les cultures méditerranéennes, bordées de collines couvertes de garrigue, alternent avec les chaînons courts, arides et âpres, comme au nord de Toulon. Sur les plateaux calcaires, les tons vert tendre de la vigne se mêlent au vert argenté des oliviers. Cette nature protégée, c'est aussi le pays des églises romanes, des campaniles en fer forgé, des places où la vie s'écoule dans le bruissement des fontaines, des parties de pétanque et des spécialités à base de miel et de châtaignes, de l'huile d'olive et du nougat des Maures que l'on trouve sur les marchés, des crus de côtes-de-Provence que l'on déguste aux Arcs ou à Brignoles (ceux de Bandol le seront à La Cadière-d'Azur ou au Castellet). Les possibilités de loisirs sont multiples avec le circuit du Castellet, les randonnées, l'escalade, les sports d'eau vive, le golf ou le VTT. Le lac de Saint-Cassien, rendez-vous des pêcheurs, est une base nautique d'où les moteurs sont bannis.

Dans le **haut pays varois**, certains villages sont des centres d'artisanat : Salernes est la capitale de la céramique et Varages s'enorgueillit de ses faïenceries. Plus à l'est, le **pays de fayence** (de Seillans à Montarraux, en passant par Tourrettes) abrite des céramistes, des santonniers, des verriers, des ferronniers, des tailleurs de pierre, des sculpteurs et tourneurs sur bois d'olivier. Mais elle est surtout

la capitale du vol à voile, favorisé par une excellente visibilité.

On aborde alors le **pays grassois**, le « balcon de la Côte d'Azur », la campagne des fleurs et des parfums qui inspira écrivains et peintres. Les croupes onduleuses de l'arrière-pays de Cannes et de Nice se propagent jusqu'au pied des Préalpes de Grasse, où les vallées entaillent les plateaux en gorges et coupent les chaînons montagneux en « clues ». La nature calcaire du terrain permet les découvertes spéléologiques, mais le pays de Grasse est surtout celui des randonnées équestres et pédestres, du vol libre et des golfeurs. Le **pays vençois** offre des villages ravissants, qui retiennent artistes et artisans (Saint-Paul, Tourrettes-sur-Loup, Gourdon), ses gorges (du Loup) et ses cascades (de Courmes, des Demoiselles, du Saut-du-Loup), l'escalade du baou de Saint-Jeannet qui domine tout le littoral azuréen. Des défilés et des villages perchés au bord d'à-pics impressionnants jalonnent la basse vallée du Var.

Enfin, derrière la Riviera s'élèvent, jusqu'à 2 000 m d'altitude, les **Préalpes de Nice**. Sur les versants des vallées et les pentes des collines, des murettes en terrasses (restanques) soutiennent d'étroites bandes de céréales, deux ou trois rangs de vigne et quelques oliviers et arbres fruitiers. On traverse de petites villes un peu endormies ou de vieux villages en nid d'aigle quelquefois désertés. L'arrière-pays propose d'étonnantes possibilités de randonnée pédestre (4 000 km d'itinéraires balisés dans les Alpes-Maritimes), de VTT, d'escalade, de pêche (97 % des 1 200 km de cours d'eau des Alpes-Maritimes sont classés en 1re catégorie).

Plus au nord et au nord-est, c'est le domaine de la haute montagne. La douceur hivernale de la côte niçoise cède la place à l'air glacé des champs de ski, l'ardeur du soleil estival sur le littoral se substitue à la délicieuse fraîcheur des stations d'altitude. Les via ferrata, voies d'escalade équipées, offrent leurs parcours au cœur des parois rocheuses ; les sports d'eau vive se pratiquent dans la **vallée de la Roya** ; celle de la **haute Tinée** abrite les principales stations de ski du département (La Colmiane-Valdeblore). La **vallée de la Vésubie**, le massif de l'Authion, la forêt de Turini, aux hêtres et aux sapins centenaires, sont le domaine

*Maisons colorées à Brignoles.*

E. Baret / MICHELIN

de la montagne « verte », des lacs et des pêcheurs. La vallée de la Gordolasque et le lac du Boréon, près de Saint-Martin-Vésubie, constituent le point de départ des randonneurs vers le Mercantour. La **vallée des Merveilles** et le val de Fontanalbe demandent au moins trois jours de randonnée pour découvrir les gravures stylisées datant en grande majorité du bronze ancien (entre 2800 et 1300 av. J.-C.). La nature est intacte, les paysages préservés : sommets sauvages et grandioses, multiples lacs, forêts et alpages. L'arrière-pays de l'ancien comté de Nice présente les derniers témoignages d'une vie rude et précaire, où les **villages perchés** comme Peillon, sur la route de l'Italie, possèdent des chapelles décorées de fresques merveilleuses.

# Nos propositions d'itinéraires

Si vous souhaitez visiter dans le détail un secteur limité mais marqué par une identité particulière, nous vous proposons ci-dessous **6 itinéraires** qui regroupent les principales curiosités de la région.

Pensez à consulter également la **carte des plus beaux sites** (dans le rabat de la couverture) qui vous invitera sans doute à faire tel ou tel crochet en fonction de vos goûts.

## LE HAUT VAR

**Circuit de 3 jours au départ de Draguignan (170 km).**

**1er jour** – Après une promenade dans la vieille ville de Draguignan, rendez-vous au musée des Arts et Traditions populaires de moyenne Provence qui constituera une bonne introduction à votre périple dans le haut Var. En route à travers ces paysages vallonnés et boisés, commencez par la visite de l'abbaye cistercienne du Thoronet. Dirigez-vous ensuite vers le paisible village de Cotignac, étonnamment niché au cœur d'une falaise.

**2e jour** – De bon matin, en passant par Villecroze, rendez-vous à Tourtour. Étiré sur la crête d'une colline, ce village a conservé son allure médiévale. Aups mérite un arrêt particulièrement les jours de marché (mercredi et samedi) : vous pourrez alors vous approvisionner en délicieux produits du terroir (miel, olives, etc.). Les amateurs de faïence apprécieront

Varage, où il est possible de visiter des ateliers. Enfin, Barjols offre une halte rafraîchissante avec ses nombreuses fontaines et son quartier du Réal.

**3e jour** – Le vieux Brignoles invite à la flânerie, mais ceux qui souhaitent une approche plus culturelle, se rendront au modeste musée du Pays brignolais. Cheminant à travers le vignoble, si vous envisagez de goûter ou d'acheter des côtes-de-provence, vous aurez le choix entre Le Luc ou Les Arcs. Ultime pause avant de rentrer à Draguignan, la chapelle Sainte-Roseline, vestige d'une ancienne abbaye.

## ANTIBES, PAYS VENÇOIS ET PRÉALPES DE GRASSE

**Circuit de 4 jours au départ d'Antibes (115 km).**

**1er jour** – En déambulant dans les charmantes ruelles de la vieille ville d'Antibes, vous ne manquerez pas le marché provençal quotidien (excepté le lundi hors saison) très animé. Amateurs de yachts, faites un tour au port où, passées les embarcations traditionnelles se trouvent des géants des mers. De là, vous aurez une vue sur le Fort carré qui se visite. L'après-midi, rendez-vous à Biot, réputé pour ses artisans verriers et moins connu pour ses céramiques.

**2e jour** – Premier arrêt à Cagnes où la maison de Renoir sert de cadre à un musée consacré à l'artiste. Grimpez ensuite au Haut-de-Cagnes, pour arpenter les ruelles qui mènent au château. Une tout autre ambiance vous attend à Saint-Paul, où la foule bat le pavé sur les traces des peintres et artistes qui élirent domicile ici. Les amateurs d'art moderne se dirigeront sans hésiter vers la fondation Maeght. À Vence, vous pourrez souffler, retrouvant le calme d'une vieille ville lovée derrière ses remparts.

D. Pazery / MICHELIN

*Fontaine à Gourdon.*

*Poteries de Vallauris.*

**3ᵉ jour** – Suivez sans crainte le Loup ! À Tourrettes, capitale de la violette, vous pourrez faire quelques emplettes dans les petites boutiques artisanales. Le Bar-sur-Loup, où l'on cultive l'oranger, ne manque pas d'air du haut de sa colline. Enfin, Gourdon, superbe village perché en gardien des gorges, vous accueille en beauté. Faites un arrêt dans la cité avant de rejoindre le plateau de Caussols, lunaire et truffé d'avens qui créent un univers très particulier. À Saint-Cézaire, la visite de grottes aménagées vous permettra de découvrir l'envers de ce décor. Pour finir, faites un saut à Cabris.

**4ᵉ jour** – Poursuivez le parcours des Préalpes provençales, adossées aux sommets alpins et coupées de gorges abruptes, qui forment une palette de couleurs et de senteurs où les roses, le jasmin et les violettes se disputent la faveur aux oliviers et aux agrumes. Grasse doit une partie de sa renommée à cette richesse, et vous devez absolument commencer par visiter une parfumerie avant d'aller flâner dans la ville. Redescendant vers la côte, une halte à Mouans-Sartoux s'imposera pour les amateurs d'art contemporain, les autres trouveront peut-être L'Espace de l'art concret déroutant et préfèreront directement filer vers Mougins, visible de loin. Une dernière pause, si vous voulez rapporter de la céramique, à Vallauris qui n'oublie pas Jean Marais.

## LITTORAL VAROIS ET ÎLES D'OR

### ⊙ Circuit de 4 jours au départ de Toulon (130 km).

**1ᵉʳ jour** – Le Toulon des Toulonnais est une ville à découvrir lentement, au fil de ses rues étroites et à l'ombre de ses platanes. C'est pour cela que vous lui accorderez au moins la matinée.

Après avoir fait le plein de fruits et de douceurs au marché Lafayette, partez à la découverte de la « plus belle rade » de la Méditerranée par la pointe du fort Balaguier et le cap Sicié. Changement de décor l'après-midi, en abordant Sanary et Bandol, que prolongent les îles des Embiez et de Bendor, aux airs de paradis sur terre. Si vous aimez l'histoire, faites un détour par La Madrague, près de Saint-Cyr-sur-Mer pour découvrir l'étonnant musée gallo-romain du Tauroentum.

**2ᵉ jour** – Les superbes villages perchés du Castellet, du Beausset et d'Évenos ponctueront votre route, avant d'atteindre le mont Faron qui offre une vue impressionnante sur le Grand Toulon. Rejoignez le jardin des Oiseaux de La Londe-les-Maures, pour clôturer la journée sur une touche d'exotisme.

**3ᵉ jour** – Impossible de résister à une escapade d'une journée dans les îles d'Or : Porquerolles et Port-Cros !

**4ᵉ jour** – Partez vous promenez dans la vieille ville d'Hyères. Après le déjeuner, direction le Pradet où il faut visiter le musée de la Mine Cap-Garonne, pour découvrir une activité insoupçonnée à première vue… Si vous avez encore un peu de temps devant vous avant de revenir à Toulon, allez cheminer sur le sentier du littoral.

## MASSIF DE L'ESTEREL ET PAYS DE FAYENCE

### ⊙ Circuit de 4 jours au départ de Cannes (160 km).

**1ᵉʳ jour** – Prenez la direction de Mandelieu pour rejoindre la route des villages perchés du Tanneron : Auribeau-sur-Siagne, Tanneron se succèdent dans une explosion d'odeurs et de couleurs. Si vous venez en février, mois où les mimosas sont en fleurs, ce sera un véritable océan jaune qui vous accueillera. Passé le lac de Saint-Cassien, vous entrez dans le pays de Fayence moins touristique mais bien plus authentique, comme vous le constaterez à Montauroux, Caillan, Tourettes, avant d'arriver à Fayence pour y faire étape.

**2ᵉ jour** – Après une nuit réparatrice, la lumière du matin vous fera découvrir un relief insoupçonné depuis le panorama du château. Reprenez la route et laissez-vous séduire par Seillans dont les ruelles ne connaissent que la pente par Bargemon, célèbre pour ses fontaines et ses chapelles, puis Callas, dont les rues en calade invitent à la flânerie. Rejoignez le littoral par Bagnols-en-Forêt. À l'approche de la cité romaine de Fréjus, vous êtes accueillis par les témoignages militaires de toutes les époques : mosquée sénégalaise, musée des Troupes coloniales et vestiges d'aqueduc romain.

**3e jour** – Consacrez votre matinée à la visite du groupe épiscopal et flânez dans la vieille ville. Ceux qui sont réfractaires aux vieilles pierres iront longer les canaux de Port-Fréjus ou se balader le long de Fréjus-Plage, la plus longue plage de sable de la Côte d'Azur. Ceux qui apprécient le coup de crayon de Cocteau feront un aller-retour à la chapelle Notre-Dame-de-Jérusalem. Vous finirez votre journée à Saint-Raphaël, où vous pourrez déguster les spécialités de poissons à la terrasse d'un des restaurants.

**4e jour** – Bien réveillé ? Les yeux grands ouverts pour admirer un spectacle haut en couleur ? Alors engagez-vous sur la corniche de l'Esterel. Multipliez les arrêts chaque fois que la route vous le permet (dégagements aménagés) : vous ne le regretterez pas, chaque point de vue est différent. L'apparition du château de la Napoule annonce la longue plage rectiligne menant à Cannes…

*Détail de la Vierge immaculée par Brea, église Saint-Michel (Sospel).*

S. Sauvignier / MICHELIN

## MENTON, HAUT PAYS ET LIGURIE

▶ **Circuit de 4 jours au départ de Menton (180 km).**

👁 **Bon à savoir** – Avant de partir, prévoyez le nécessaire pour une randonnée en montagne (crème solaire, lunettes de protection, lainage, jumelles) et vos papiers d'identité, pour l'Italie.

**1er jour** – Prenez la route en direction du village de Sainte-Agnès qui surplombe tout le rivage azuréen jusqu'à San Remo., mais prudence tout de même. Allez ensuite à Castillon, agréable village d'artisans, qui domine le fond de la vallée de Menton. Dernière vue sur le rivage avant de parvenir à la vallée de Sospel, qui sera une excellente étape pour votre soirée.

**2e jour** – Avant de quitter Sospel, prenez le temps de visiter l'église plus connue sous le nom de cathédrale Saint-Michel car elle abrite des œuvres de Bréa. Rejoignez la vallée de la Roya sauvage et torrentueuse, en passant par Breil, ancienne ville frontière, puis visitez Saorge, véritable village tibétain qui, vu de la route, s'étale vertigineusement à flanc de montagne. Vous pourrez vous y restaurer agréablement. Situé un peu plus haut dans la vallée, La Brigue est un rendez-vous incontournable pour les amateurs d'art. Le village représente avec Notre-Dame-des-Fontaines, située à 4 km, un haut lieu de l'art primitif. La journée s'achèvera à Saint-Dalmas-de-Tende, agréable station d'altitude disposant d'une énorme gare ferroviaire.

**3e jour** – Consacrez toute cette journée à la vallée des Merveilles (attention : pensez à vous renseigner auparavant auprès des organismes compétents sur les conditions de visite guidée des sites rupestres). À l'issue de la visite guidée des gravures préhistoriques qui émaillent les versants rocheux, il est possible, si l'on a pris la précaution de réserver, de passer la nuit dans un des deux refuges pour bénéficier à l'aube d'un magnifique lever de soleil sur la vallée.

**4e jour** – Retour sur la vallée en faisant étape à Tende pour visiter le musée des Merveilles qui prolongera la découverte du site. Dans le vieux village, prenez votre courage à deux mains pour grimper les marches qui vous conduiront jusqu'aux ruines vertigineuses de l'ancien château des comtes de Lascaris. Vue étonnante sur le village ! Retour à Breil avant de passer la frontière italienne pour quelques heures. Les villages perchés sont noyés dans un paysage où domine l'olivier. L'arrivée par la voie rapide à Vintimille vous autorise une dernière halte pour savourer tout le charme ligure de la vieille ville médiévale et ses produits régionaux. Puis *ciao* Vintimille, et retour à Menton.

# La Côte d'Azur à 2 pas de chez vous.

Avec TGV, évadez-vous sans encombre ni stress, et découvrez toute
la région en réservant à des conditions avantageuses votre voiture
de location AVIS en même temps que votre billet de train. ✳ ✳ ✳
✳ ✳ ✳ ✳ ✳ ✳ ✳ ✳ ✳ ✳ ✳ ✳ ✳ ✳ ✳ ✳ ✳ ✳ ✳ ✳ ✳ ✳ ✳ ✳ ✳ ✳
✳ ✳ ✳ ✳ ✳ ✳ ✳ ✳ ✳ ✳ ✳ *Organisez votre voyage sur tgv.com*

Prenez le temps d'aller vite

## L'ARRIÈRE-PAYS NIÇOIS

▶ **Circuit de 4 jours au départ de Nice (235 km).**

**1er jour** – Engagez-vous dans la vallée du Var d'où vous apercevrez les cimes tardivement enneigées des hauteurs de la Tinée. Les routes en corniche qui dominent le lit du Var traversent un chapelet de villages qui semblent aux antipodes de l'agitation de la Côte. Ici le temps semble s'être arrêté : Saint-Jeannet, Gattières, Carros, puis sur l'autre versant Castagniers, Aspremont, dominés par le mont Chauve. Poursuivez vers Levens et Duranus pour vous pencher sur les gorges de La Vésubie au saut des Français. Continuez jusqu'à Utelle avant d'escalader (ou presque !) les lacets conduisant à la Madone d'Utelle où l'on se sent plus près du ciel… Après cette ascension vertigineuse, allez vous reposer à Saint-Martin-Vésubie.

**2e jour** – Reprenez la route en direction de Bollène-Vésubie, accroché vertigineusement au flanc de la montagne avant de rejoindre l'Authion. Faites-en le tour par le circuit des Mille-Fourches pour embrasser l'un des plus vastes pamoramas du secteurs. Ouvrez grands les yeux sur les vallées sauvages à la lisière du Parc national du Mercantour est tout simplement exceptionnel. Engagez-vous ensuite dans les gorges sauvages du Plaon, et après l'insolite chapelle de Notre-Dame-de-la-Menour, vous atteindrez Sospel et son pittoresque vieux pont à péage, excellente étape où vous pourrez apprécier les spécialités du pays.

**3e jour** – Rejoignez le col de Braus pour arriver à l'Escarène et gagner Lucéram. Tout en charme et doté d'une des plus belles églises baroque de l'arrière-pays, la visite de ce village vous donnera l'occasion de goûter la cuisine locale à base de farcis et d'huile d'olive du village. Reprenez la route pour rejoindre Coaraze où vous ne manquerez pas la chapelle peinte, puis Contes, dont l'église renferme un retable de l'école niçoise.

**4e jour** – Commencez par le village perché de Berre-les-Alpes. Le vaste panorama depuis le village vous fera oublier les mille et un virages de la route : tout le littoral vous est offert en un seul coup d'œil… Le long de petites routes sinueuses, les villages jumeaux de Peille et Peillon montrent leurs charmes cachés à qui sait les apprécier, et dévoilent la splendeur des fresques de leurs chapelles. Redescendez vers la côte par le col de Guerre et La Turbie, où vous irez admirer le célèbre trophée d'Auguste.

🚶 Combiné avec notre proposition de week-end à Nice (*voir p. 16*), cet itinéraire pourra constituer le programme d'une semaine.

---

### Info pratique

**EN SAVOIR PLUS SUR LA FLORE**

🚶 Vous pouvez également vous procurer le livret de la **Route des jardins de la Riviera** auprès du comité régional du tourisme Riviera-Côte d'Azur (*voir p. 22*) ou consulter l'itinéraire sur le site du conseil général des Alpes Maritimes (www.cg06.fr).

🚶 Lors de la période de floraison (janvier à mars), suivez la **Route du mimosa**, un circuit en 8 étapes (130 km) de Bormes-les-Mimosas à Grasse, à parcourir à votre rythme. Renseignements auprès des offices de tourisme de Bormes-les-Mimosas, Sainte-Maxime, Saint-Raphaël, Mandelieu-la-Napoule et Grasse (*voir ces noms dans la partie « Découvrir les sites »*).

---

# Itinéraires à thème

## JARDINS EXOTIQUES

La douceur du climat et les abris offerts par le relief ont favorisé des microclimats permettant le développement d'espèces exotiques uniques en métropole : citronniers, orangers, palmiers se sont maintenant si bien fondus dans le paysage qu'on peut les croire d'origine.

Voici, d'ouest en est, les principaux espaces exotiques, décrits dans la partie « Découvrir les sites » de ce guide : à **Sanary-Bandol**, le Jardin exotique du zoo ; à **La Londe-les-Maures**, le jardin d'oiseaux tropicaux ; à **Bormes-les-Mimosas**, les parcs municipaux ; à **Hyères**, le jardin Olbius-Riquier ; au Rayol, le **domaine du Rayol** ; à **Grasse**, le jardin de la princesse Pauline ; au **cap d'Antibes**, le jardin Thuret ; à **Nice**, le parc Phœnix ; au **cap Ferrat**, les jardins de la villa Ephrussi-de-Rothschild ; à **Èze**, le jardin exotique ; à **Monaco**, le jardin exotique et le jardin japonais ; à **Menton**, les jardins du Val Rameh et Serre de la Madone.

## ART MODERNE ET CONTEMPORAIN

Si Paris est une des plus prestigieuses vitrines de l'art moderne et contemporain, la Côte d'Azur s'avère une rivale de qualité. Forte de sa lumière, qui ne pouvait qu'envoûter les peintres, la Côte a illuminé les toiles de Dufy et de Matisse, de Léger et de Picasso. Rien d'étonnant à ce que cet éden touristique soit aussi celui des arts, avec une école de Nice pleine d'exubérance et une concentration unique de musées, de collections et de fondations de renom. Reportez-vous à la partie « Découvrir les sites » de ce guide à : **Antibes** : musée Picasso ; **Biot** : musée Fernand-Léger ; **Cagnes-sur-Mer** : musée Renoir ; **Fréjus** : chapelle de Notre-Dame-de-Jérusalem conçue par Cocteau ; **Le Cannet** *(voir Cannes)* : chapelle Saint-Sauveur décorée par Tobiasse ; **Menton** : musée des Beaux-Arts, musée Jean-Cocteau ; **Mouans-Sartoux** *(voir Mougins)* : Espace de l'Art Concret ; **Nice** : musée Marc-Chagall, musée Matisse, musée d'Art moderne et d'Art contemporain, et musée des Beaux-Arts ; **Saint-Paul** : Fondation Maeght ; **Saint-Tropez** : musée de l'Annonciade ; **Vallauris** : musée Magnelli et musée national « La Guerre et la Paix » (Picasso) ; **Vence** : chapelle du Rosaire décorée par Matisse ; **Villefranche** : chapelle Saint-Pierre décorée par Cocteau, musée Volti.

## FORTIFICATIONS DES ALPES-MARITIMES

L'intérêt stratégique de la zone frontalière du sud-est, révélé par **Vauban**, a été mis en valeur à partir de 1880 par le système de défense promu par **Séré de Rivières**, système complété et amélioré dès 1929 par l'intégration de ce secteur à la **ligne Maginot** qui a fortifié les frontières de Dunkerque à Menton. L'ensemble des ouvrages constitue un panorama intéressant de l'architecture militaire des 19e et 20e s. Certains forts, désarmés et restaurés par des associations, sont accessibles aux visites ; ils sont décrits dans ce guide : fort de **Sainte-Agnès** *(voir Menton)*, fort **Saint-Roch** à Sospel *(voir ce nom)*, fort **Suchet**, du 19e s. *(voir forêt de Turini)*. Le secteur hautement stratégique de **L'Authion**, près du col de Turini *(voir forêt de Turini)* conserve plusieurs exemples de l'architecture Séré de Rivières accessibles depuis la route en boucle qui ceinture le massif : le fort des Mille-Fourches, celui de la Forca et la redoute des Trois-Communes qui fut le premier ouvrage construit en béton armé en 1897.

Au nord de Nice, le **mont Chauve d'Aspremont** *(voir Nice)* offre un superbe point d'observation où, lors de conditions anticycloniques idéales, le littoral se dévoile jusqu'à l'horizon. Le sommet (854 m) est coiffé d'un fort Séré de Rivières à la façade sud monumentale, typique de l'époque. Il est occupé par des services des Télécommunications. Plus au nord, on distingue la hauteur du mont Chauve de Tourrette, également coiffé d'un ouvrage de la même époque.

À proximité du **col de Tende** (ce secteur est resté italien de 1860 à 1947), l'imposant système défensif italien du 19e s. est surtout remarquable par le fort central. Situé au sommet même du col et accessible par la petite route du col qui part de l'entrée du tunnel routier, il présente une architecture différente sur chacune de ses façades.

👁 **Bon à savoir** – Le visiteur respectera les règles de prudence et de respect des lieux car les ouvrages de l'époque Maginot, en apparence en bon état, recèlent des puits intérieurs dissimulés ou des passages dont l'accessibilité reste dangereuse. De même, certains de ces bâtiments ont été acquis par des particuliers et doivent être à ce titre considérés comme des propriétés privées.

### Autres pistes

🚶 **Route du baroque nisso-ligure** – ☏ 04 93 04 22 20. Itinéraire également consultable sur le site du conseil général des Alpes-Maritimes (www.cg06.fr). Églises, chapelles, fortifications et palais des Alpes-Maritimes vous ouvrent leurs portes, du littoral au haut-pays.

🚶 **Route des Brea** – ☏ 04 93 27 27 01. Itinéraire également consultable sur le site du conseil général des Alpes-Maritimes (www.cg06.fr) et sur www.cerclebrea.com. Partez à la découverte d'œuvres datées de la Pré-Renaissance et issues des primitifs niçois, parmi lesquels les peintres de la famille Brea, en empruntant les chemins de l'ancien comté de Nice et de la Ligurie du Ponant.

🚶 **Route Napoléon** – Voir les Préalpes de Grasse à Grasse.

# Nos idées de week-ends

## NICE

C'est la destination idéale pour un premier contact avec la Côte d'Azur. Commencez par l'incontournable promenade des Anglais. Vous la longerez tranquillement en regardant alternativement la mer et les villas. Voilà, vous êtes à Nice, station balnéaire, animée à toute heure de la journée et fréquentée par des touristes du monde entier ! Une fois au port, montez au château pour le calme et la vue sur la baie des Anges avant de redescendre dans les ruelles fraîches du vieux Nice, où vous n'aurez que l'embarras du choix pour savourer la « cuisine nissarde ». Après un bon déjeuner, allez mesurer l'opulence discrète des notables niçois en visitant le palais Lascaris et la cathédrale Sainte-Réparate. Alors que l'après-midi sera déjà bien avancé, remontez les siècles en parcourant la colline embaumée de Cimiez : son monastère abritant de vénérables œuvres de Brea, les ruines de la cité romaine et son musée. La fin de journée vous retrouvera sur la place Masséna, typique, avec ses arcades empruntées à l'architecture piémontaise et haut lieu du carnaval. Vous rejoindrez la vieille ville, à deux pas, pour faire du shopping et vous approvisionner comme les Niçois : marchands d'herbes, d'olives… Le soir, vous goûterez la douceur du climat à la terrasse d'un restaurant du vieux Nice ou, un peu plus loin, vers les rochers de Villefranche, dans l'un des établissements très « select » proposant des menus de la mer avec vue sur la Corniche !

Le lendemain matin sera culturel, le choix est tel que vous trouverez forcément un lieu répondant à votre sensibilité artistique : musée d'Art naïf, musée d'Art moderne et d'Art contemporain, musée des Arts asiatiques, musée des Beaux-Arts… à vous de voir. Cependant, il serait dommage de passer à côté du musée Marc-Chagall et du musée Matisse. Le plus simple pour le déjeuner sera de rejoindre le quartier Masséna, central, où se trouvent nombre de restaurants. L'après-midi, rendez-vous au parc Phœnix où presque toutes les variétés végétales se côtoient. Mais peut-être ne résisterez-vous pas à l'appel de

*Jardin Albert 1ᵉʳ à Nice.*

la grande bleue ! Au terme de ces deux jours vous aurez eu un aperçu de la ville qui vous aura certainement donné envie d'y revenir !

### Prolonger votre week-end

👁 **Bon à savoir** – Pour cette escapade aux alentours, il vous faudra un véhicule (pensez à réserver la location de voiture).

Le premier jour, partez à la découverte de la Riviera par la Grande Corniche accrochée à flanc de montagne. Si le beau temps le permet (et il le permet souvent !), n'hésitez pas à vous arrêter sur les aires de dégagement aménagées le long de la route. Elles sont généralement très bien exposées et vous offrent des vues merveilleuses. Soyez en fin de matinée à Èze pour apprécier le jeu d'ombre et de lumière dans les ruelles qui mènent au Jardin exotique, un des plus riches de France. La vue de ce nid d'aigle vous coupera le souffle mais sûrement pas l'appétit pour apprécier les recettes locales dans les restaurants réputés du village. Revenez vers Nice par la Basse Corniche qui se faufile entre les somptueuses villas. Marquez un arrêt à Beaulieu-sur-Mer pour visiter la surprenante villa grecque Kérylos et longer le bord de mer sur la promenade Maurice-Rouvier. Vous voilà au Cap-Ferrat pour le deuxième jour : allez flâner dans les superbes jardins de la villa Ephrussi-de-Rotschild ou suivez le sentier du littoral qui fait le tour du cap. Une dernière halte à Villefranche pour visiter la citadelle comprenant quatre musées (gratuits) et pour admirer les fresques de la chapelle des pêcheurs décorée par Jean Cocteau, puis vous atteignez le col de Nice juste à temps pour admirer la baie des Anges au soleil couchant. Une dernière vision féerique avant de partir…

## CANNES

Et pour commencer, pourquoi ne pas jouer les stars sur la terrasse du Carlton en savourant un copieux petit-déjeuner ? Plus sérieusement, la première journée sera consacrée aux sites remarquables qui ont fait la réputation de Cannes, bien avant que la fée cinéma n'ait posé sa baguette sur la Croisette : la vieille ville blottie au pied du Suquet et le musée de la Castre (collections ethnographique, archéologique et de peintures). Un petit tour au port puis retour sur la Croisette : la promenade est un agréable lieu de flânerie (particulièrement hors saison). Autrement, vous pourrez aller vous promener au vieux Cannet. Le soir, vous n'aurez que l'embarras du choix pour vous restaurer. Le bord de mer est agréable et chic en toute saison, les restaurants du centre, moins tape-à-l'œil, vous réserveront quelques bonnes surprises culinaires.
Le lendemain les îles de Lérins vous inviteront à prendre le large : profitez-en pour alterner baignade et visite au fort Sainte-Marguerite habité par le souvenir de son hôte, le mystérieux « Masque de fer », ou pour vous recueillir dans le monastère de l'île Saint-Honorat.

*Citadelle de Saint-Tropez.*

S. Sauvignier / MICHELIN

## Prolongez votre week-end

👁 **Bon à savoir** – Des services de cars relient Cannes à Saint-tropez par la corniche de l'Esterel ; il existe également une liaison Cannes-Grasse.

Si l'air du large est bénéfique à votre teint, après une première journée passée à quelques encablures du port de Cannes, renouvelez l'expérience par beau temps de Cannes jusqu'à Saint-Tropez : sensation unique que celle de longer les côtes dentelées de porphyre rouge de l'Esterel. Cette escapade jusqu'à Saint-Trop' vous permettra de dénicher des œuvres intéressantes au fameux « marché aux croûtes » du vieux port après avoir mesuré la subtilité des coloris des maîtres exposés au musée de l'Annonciade. Traversez la pinède qui domine la ville pour monter à la citadelle : si vous aimez la photo, c'est le moment de mettre à l'épreuve votre talent. Avant de partir, laissez-vous aller à rêver devant les somptueux yachts. Ceux qui préfèrent l'intérieur des terres consacreront plutôt leur journée à l'arrière-pays et notamment à Grasse, sa vieille ville et la visite de ses parfumeries, ou au massif du Tanneron à la saison du mimosa (entre janvier et mars).

## SAINT-TROPEZ

Un week-end dans la cité du Bailli, comme la dénomme les vieux Tropéziens, peut paraître une formule à mi-chemin entre snobisme et détente de star. Mais c'est sans aucun doute une journée de plaisir… Consacrez les premières heures de la matinée à déambuler (une première fois) sur les quais du vieux port à l'heure où les locataires (et parfois propriétaires) des somptueux yachts sont en train de s'éveiller. Croiser une star à la terrasse du *Sénéquier* pour une soupe à l'oignon après une nuit blanche est toujours possible (c'est une histoire de hasard !) mais laissons cette quête aux paparazzi. Voici l'instant de profiter en solitaire des anses de la Ponche et des ruelles fraîches et désertes avant d'aller faire du « lèche-étals » au marché des Lices, puisque nous sommes samedi, jour le plus couru pour ce marché réputé. Appréciez en connaisseur les produits artisanaux ou faites-vous expliquer l'usage des nombreuses herbes en vente. Vous ne rentrerez pas bredouille ! Désaltérez-vous ensuite tout en comptant les points des joueurs de boules qui sont les seuls à s'échauffer à cette heure. Vous trouverez forcément un endroit pour déjeuner selon vos envies, chemin faisant vers la citadelle. Après une promenade digestive dans cette enceinte, partez découvrir, entourée d'un agréable patio, l'étonnante maison des Papillons du peintre Lartigue, le fils du célèbre photographe de stars J.-F. Lartigue. Le soir, à vous de choisir : soirée disco ? Il y en a pour tous les goûts mais prévoyez une tenue soignée. Soirée flânerie ? Les quais du port vous accueillent, une animation s'y tient entre les fameux marchands « de croûtes », dont vous emporterez un exemplaire, sans aucun doute… Mi-Mai, pendant les bravades, l'ambiance est détonante aux sons des pétoires et autres tromblons. La ville revêt alors les couleurs blanc et rouge des corsaires.

Le lendemain matin, accordez-vous une matinée culturelle pour ne plus rien ignorer du pointillisme et des nabis : direction le musée de l'Annonciade. La fin de la matinée approchant, vous vous dirigerez vers Ramatuelle, en faisant une halte (selon la saison) pour vous restaurer dans un des établissements de Pampelonne. L'après-midi à Ramatuelle sera un moment inoubliable. Village lové sur lui-même, il garde la mémoire de Gérard Philipe mais aussi le caractère intact des villages provençaux authentiques.

*Cap Taillat près de Ramatuelle.*

## Prolongez votre week-end

👁 **Bon à savoir** – Pour cette escapade dans les terres, il vous faudra un véhicule (pensez à réserver la location de voiture). Venez de préférence à l'automne ou au printemps.

Loin de l'animation du littoral, accordez-vous une journée entière pour vous laisser gagner par le calme des bois de chênes-lièges et les parfums dégagés par les diverses essences de la forêt des Maures, qui a malheureusement connu les ravages des incendies d'été. Après une promenade dans Grimaud, passez par la Garde-Freinet avant de vous arrêter au Village des tortues à Gonfaron, royaume du liège. Passé Collobrières, capitale du marron, rendez-vous à l'arboretum de Gratteloup qui réunit chênes, châtaigniers, eucalyptus et cèdres. Revenant vers Saint-Tropez, vous pourrez faire une halte à Cogolin, où l'on fabrique pipes, et où se trouve surtout l'espace Raimu qui intéressera les cinéphiles.

## MONACO/MONTE-CARLO

Ici tout n'est que luxe, calme et parfois… volupté. Si vous êtes venu pour renflouer vos poches au casino, nous vous souhaitons bonne chance ! Pour tous les autres, qui ne manqueront cependant pas de tenter le sort à un « manchot », débutons ce court séjour par une visite du Rocher, siège du gouvernement monégasque. À 11h55 exactement, rendez-vous au Palais princier : c'est l'heure de la grande relève de la garde ! Partez ensuite à la découverte du musée des Souvenirs napoléoniens et de la collection des Archives historiques du Palais, du jardin Saint-Martin, de la cathédrale, puis du fameux musée océanographique qui enchantera petits et grands avec son aquarium immense et ses squelettes imposants d'animaux. Cette journée s'achèvera par le quartier moderne de Fontvieille, à l'urbanisme futuriste, où vous pourrez vous émerveiller devant deux collections princières confiées à des musées : celui des timbres et celui des vieilles voitures ; à moins que vous ne préfériez vous amuser des grimaces des multiples chimpanzés et autres animaux qui peuplent le jardin animalier au pied du Rocher. Le soir, vous choisirez entre une restauration classique dans le cadre ancien du Rocher, ou plus sophistiquée à la terrasse d'un des grands restaurants de Monte-Carlo en contemplant le carrousel des limousines, pour peu que ce soit une soirée de gala…

Le lendemain, prenez de la hauteur en attaquant le contrefort de la Tête de Chien et visitez le jardin exotique, la grotte et le musée d'Anthropologie préhistorique. Par le biais des ascenseurs publics qui facilitent bien les déplacements, rejoignez Monte-Carlo, retrouvez au casino (interdit aux mineurs !) les joueurs invétérés puis, touche d'exotisme finale, en poursuivant votre descente, rendez-vous au jardin japonais et au musée national.

👁 **Bon à savoir** – Cette suggestion de week-end à Monte-Carlo se combine aisément avec celle de Menton pour former un séjour de 3 à 4 jours.

## MENTON

Autre perle de la Riviera, Menton peut à juste titre prétendre marier tous les genres et toutes les nationalités. La station la plus abritée de France bénéficie d'une exceptionnelle douceur de climat. Résultat, elle a vu affluer les plantes les plus étranges et les plus rares dans une multitude de jardins. Et les touristes les plus cosmopolites viennent les admirer ! Commencez par vous rendre au vieux port et visitez le musée Cocteau, logé dans l'unique vestige militaire de Menton, bastion du 17e s. Ensuite, mettez à profit la matinée, si elle n'est pas trop chaude, pour vous attaquer au sommet de la vieille ville jusqu'au vieux cimetière peuplé de somptueuses tombes de nobles russes et anglais. Là, vous rêverez devant le spectacle de la baie et du cap de Bordighera en Italie. Juste en dessous, l'église Saint-Michel cache un magnifique décor intérieur. Faites-y un tour, puis laissez-vous porter au gré de votre curiosité jusqu'au rivage. En chemin, les nombreuses échoppes d'artisanat sauront vous attirer. Vous consacrerez votre après-midi au musée des Beaux-Arts ou au musée de la Préhistoire régionale, un des plus complets de la région qui saura passionner ceux qui désirent mieux connaître la vie de nos lointains ancêtres, déjà nombreux sur la Côte ! Allez enfin apprécier la végétation du jardin Biovès, théâtre de magnifiques expositions d'agrumes lors de la fête des Citrons.

Le lendemain, journée verdure et senteurs : vous allez parcourir les plus beaux spécimens d'anciens jardins exotiques privés devenus la fierté de la cité du citron : jardin du Val Rameh, jardin Maria Serena *(accessible en visite guidée uniquement)*. Amateurs de belles histoires humaines, ne manquez pas le jardin Serre de la Madone, sauvé in extremis de la spéculation immobilière. C'est un havre de paix, au milieu d'espèces tropicales et exotiques chères à Sir Jonhston, son créateur. Pour peu que vous arriviez au moment d'une visite guidée, vous ne voudrez plus en partir. En revenant vers le centre-ville de Menton, faites un détour jusqu'à la chapelle de l'Annonciade qui vous offre, de sa terrasse à plus de 200 m d'altitude, un incomparable panorama où vous pourrez noter les destinations de votre prochain séjour à Menton !

# Escapade transalpine

L'Italie n'est pas loin : vous pouvez y aller en train en en peu de temps ou même à pied, au cours d'une randonnée. Voilà une échappée intéressante, l'occasion de faire des emplettes et de rencontrer nos voisins européens à portée de la main…

## EN TRAIN DE NICE À CUNEO

La ligne SNCF à voie unique qui relie Nice, à travers le comté, à Cuneo est une des plus belles de toutes les Alpes et doit être parcourue pour elle-même *(voir le train des Merveilles dans la rubrique « Trains touristiques » p. 48)*. Ses tracés hardis et tourmentés, créés à partir de 1920 au prix de remarquables ouvrages d'art (tel le viaduc de Scarassoui), révèlent d'admirables paysages et donnent du haut pays des aperçus originaux que la route ne peut pas toujours offrir, notamment entre Breil et Tende le long des gorges sauvages de la Roya, et entre l'Escarène et Sospel. Longue de 119 km, la ligne s'élève sur 85 km du niveau de la mer à 1 279 m, à l'entrée du tunnel creusé sous le col de Tende. L'ensemble du tracé français, qui avait subi d'importantes destructions à la fin de la Seconde Guerre mondiale, a été remis en état seulement en 1980. Le versant italien, moins accentué, descend doucement vers Cueno par la pittoresque vallée de la Vermegnagna. La fréquence des allers et retours permet d'utiliser cet accès au massif du Mercantour pour profiter d'une journée à la station italienne de sports d'hiver de **Limone-Piemonte** *(voir l'encadré pratique de Tende)*.

## RANDONNÉE AU-DELÀ DES CRÊTES

L'ancienne réserve de chasse royale de la monarchie sarde s'étendait jusqu'à la Seconde Guerre mondiale sur les deux versants du Mercantour et du Marguareis. La partie italienne a fait, depuis, l'objet d'une politique de préservation des espèces et des biotopes. Deux grands parcs naturels ont vu le jour : le **parco delle Alpi Marittime** (anciennement de l'Argentera), et celui de l'Alta Valle Pesio, plus à l'est. Le Parc national du Mercantour et le parc delle Alpi Marittime qui partagent 33 km de frontière et 10 000 ha, jumelés depuis

## Info pratique

### Adresses utiles

**Office du tourisme** (azienda di turismo) **de Vintimille** – *Via Cavour 61 - 18039 Ventimiglia (IM) - en sortant de la gare, première grande artère à gauche -* ✆ *0039-0184 351 183.*

**Office du tourisme** (azienda di turismo) **de Limone-Piemonte** – *Via Roma 38 - 12015 Limone Piemonte (CN) -* ✆ *0039-0171 92 6254. Consultez aussi le site Internet* www.royabevera.com

**Parco naturale delle Alpi Marittime** – *Piazza Regina Elena 30 - 12010 Valdieri (CN) -* ✆ *0039-0171 97 397 - www. parcoalpimarittime.it*

**Parc national du Mercantour** – *Voir p. 22.*

### Transports

👁 **Bon à savoir** – Pour visiter l'**arrière-pays**, procurez-vous la carte Michelin Local n° 561. Accessible par plusieurs routes étroites, il renferme de nombreux villages encore actifs, souvent nichés dans des oliveraies et qui semblent vivre au seul rythme des saisons : Pigna, Apricale, Castelvittorio… (l'office du tourisme de Vintimille propose une brochure des environs en français). Plusieurs disposent de chambres d'hôte et d'une cuisine familiale chaleureuse.

**Horaires de trains** – Une ligne régulière dessert **Vintimille**, renseignez-vous dans les gares ou à la SNCF *(voir p. 26).*

1987, s'associent sur de nombreux dossiers *(voir vallée des Merveilles).* Dans le parc delle Alpi Marittime, de nombreux sentiers botaniques, dits royaux, donnant sur des dizaines de lacs, ont été aménagés et sont aisément accessibles aux randonneurs depuis les cols frontaliers : le col de la Lombarde *(voir Le Guide Vert Alpes du Sud)* et celui de Tende. Du col de Tende, deux sentiers suivent les crêtes vers la Rocca dell'Abisso (2 755 m) vers l'ouest et vers la Cima di Pepino (2 335 m) vers l'est.

## IDÉES DE VISITE

### Jardins botaniques Hanbury★★ (Giardini botanici Hanbury)

✆ *00 39-0184 22 92 92 - de mi-juin à fin sept. : 9h-19h ; de déb. avr. à mi-juin. et oct. : 10h-18h ; nov.-mars : 10h-17h (la billetterie ferme 1h av.) - fermé mer. (hiver) - 7,50 €.*
Le plaisir des sens vous attend juste de l'autre côté de la frontière en passant par le pont Saint-Louis à **Mortola Inferiore** (restez vigilant pour ne pas le manquer. En outre, il faudra vous garer en bord de route.). Créé à la fin du 19e s. par Sir Thomas Handbury, ces jardins disposés en terrasses au-dessus de la mer, réunissent une végétation exotique très variée. La poésie que l'on découvre au long de ses allées entrecoupées de bassins et de bancs est en harmonie avec le paysage qui l'entoure et que l'on peut sans aucune exagération qualifier de paradisiaque.

### Vintimille (Ventimiglia)

Le marché du vendredi est un incontournable ! D'ailleurs, si vous souhaitez limiter votre escapade italienne à ce grand rassemblement,

venez plutôt en train (cela vous évitera de tourner en rond et en vain pour trouver à vous garer). Les lignes Nice-Breil ou Mandelieu-Vintimille du TER vous y mèneront tranquillement. À la sortie de la gare, suivez la troupe (c'est tout droit). Ce marché draine les produits de l'arrière-pays ligure mais surtout une foule cosmopolite où l'autochtone devient minoritaire. À noter l'intérêt du marché aux fleurs et des productions artisanales régionales de qualité (parfois inégales malgré tout).

### Contrefaçons

Nous conseillons au visiteur de rester vigilant sur les produits de grandes marques dont les contrefaçons sont couramment (on frôle même le harcèlement) proposées à la vente. La perspicacité des douaniers transformera la bonne affaire en cuisant souvenir.

Si ce marché vous déçoit ou si vous souhaitez plus de cachet et de tranquillité, passez de l'autre côté de la rive pour faire un tour dans la **ville haute médiévale** (Città Vecchia), constituée d'un lacis de ruelles étroites (prenez un plan à l'office de tourisme, sinon vous risquez de vous perdre !) où s'élèvent un Dôme des 11e et 12e s., un baptistère octogonal du 11e s., l'église S. Michele (11e-12e s.) et l'oratoire des Neri (17e s.).

### Bordighera

*Après Vintimille, suivre la route côtière.*
Cette célèbre **station balnéaire**, longtemps fréquentée par la noblesse britannique, compte de nombreuses

villas et hôtels disséminés parmi des jardins fleuris qu'ombragent de superbes palmiers. La vieille ville aux ruelles tortueuses possède encore ses portes d'enceinte.

# Les atouts de la région au fil des saisons

Pendant longtemps, la Côte d'Azur ne reçut de visiteurs qu'en hiver et au printemps. Ils s'y pressent maintenant en été. La « saison » touristique dure ainsi presque toute l'année. Une première explication ? Il n'y a en moyenne que 86 jours de pluie à Nice (contre 162 à Paris), mais les précipitations sont plus fortes. Sauf en plein été, l'atmosphère pure donne une grande netteté aux reliefs. Les silhouettes se découpent et prennent aisément un caractère architectural, les couleurs vibrent : bleu de la mer et du ciel, vert des forêts, gris argenté des oliviers, rouge des porphyres, blanc des calcaires, jaune des mimosas…

## Printemps

Quelques pluies violentes mais courtes caractérisent le printemps. C'est la saison de la pleine floraison qui ravit tous les sens. Mais c'est aussi en cette saison que le **mistral** souffle le plus fréquemment, surtout à l'ouest de Toulon. Ce vent vient du nord-ouest, par froides rafales. Après quelques jours – trois, six ou neuf, dit-on – le jet puissant d'air pur a tout assaini : le ciel, balayé, est encore plus bleu !

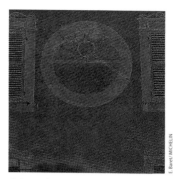

*Cadran solaire.*

E. Baret/ MICHELIN

## Été

Le coup de chaud arrive avec l'été, la végétation, accablée par la sécheresse, sommeille. La Côte offre alors son azur invariablement pur et ses 26 °C de moyenne en juillet-août. La chaleur reste toutefois supportable parce qu'elle est tempérée par la brise qui souffle pendant la journée. On fait la grimace quand arrive, du sud, le souffle de feu du **sirocco**. L'arrière-pays offrant toute la gamme des séjours d'altitude jusqu'à 1 800 m. Donc, plus on aime le frais, plus on goûte l'air vif, et plus on montera !

## Automne

L'automne, enfin, est la saison des orages violents après lesquels le soleil reparaît, brillant et chaleureux, donnant aux fleurs une nouvelle occasion de montrer le bout de leur nez ! Les belles journées ne manquent point pendant l'arrière-saison.

## Hiver

La douceur de l'hiver sur la Côte reste proverbiale. Elle s'explique par une latitude déjà basse, la présence de la mer qui modère les écarts de température, l'exposition en plein midi et l'écran de montagne qui atténue les vents froids. La moyenne de janvier est de 8 °C à Nice (alors qu'elle est de 3 °C à Paris). Le soleil peut faire monter le thermomètre jusqu'à 22 °C, mais au crépuscule et pendant la nuit, la température baisse subitement et fortement. Sur la côte, les feuillages persistants et les premières fleurs donnent à la nature un air de fête. Dès janvier, il faut sillonner la rayonnante « route du mimosa » et en février vivre au rythme joyeux des corsos fleuris ou fruités. Quand on pénètre dans l'arrière-pays, le froid et la neige réapparaissent, mais l'atmosphère reste pure et le soleil brillant. C'est le climat rêvé pour les sports d'hiver.

---

### Quel temps pour demain ?

**Services téléphoniques de Météo France** – Taper **3250** suivi de :
**1** – toutes les prévisions météo départementales jusqu'à 7 jours (DOM-TOM compris) ;
**2** – météo des villes ;
**3** – météo plages et mer ;
**4** – météo montagne.
**Accès direct aux prévisions du département** – ☏ **0 892 680 2** suivi du numéro du département concerné (0,34 €/mn).
**Prévisions pour l'aviation ultralégère** (vol libre et vol à voile) – ☏ 0 892 681 014 (0,34 €/mn).
Toutes ces informations sont également disponibles sur **3615 météo** et **www.meteo.fr**

# S'Y RENDRE ET CHOISIR SES ADRESSES

## Où s'informer avant de partir

Ceux qui aiment préparer leur voyage dans le détail peuvent rassembler toute la documentation utile auprès des professionnels du tourisme de la région, qui disposent de cartes touristiques, brochures sur l'hébergement et la restauration, dépliants sur les activités, etc.

Outre les adresses indiquées ci-dessous, sachez que les coordonnées des offices de tourisme ou syndicats d'initiative des villes et sites décrits dans ce guide sont données systématiquement dans l'**encadré pratique** des villes et sites, sous la rubrique « Adresses utiles ».

### ADRESSES UTILES

**Un numéro pour la France, le 3265** – Un nouvel accès facile a été mis en place pour joindre tous les offices de tourisme et syndicats d'initiative en France. Il suffit de composer le 3265 (0,34 €/mn) et de prononcer distinctement le nom de la commune. Vous serez alors directement mis en relation avec l'organisme souhaité.

#### Comités régionaux de tourisme

**Provence-Alpes-Côte d'Azur** – 10 pl. de la Joliette - Les Docks - Atrium 10.5 - BP 46214 - 13567 Marseille Cedex 02 - ✆ 04 91 56 47 00 - www.decouverte-paca.fr

**Riviera-Côte d'Azur** – 400 prom. des Anglais - BP 3126 - 06203 Nice Cedex 3 - ✆ 04 93 37 78 78 - www.guideriviera.com

#### Autres organismes

**Comité départemental du tourisme du Var** – 1 bd du Mar.-Foch - 83003 Draguignan Cedex - ✆ 04 94 50 55 50 - www.tourismevar.com

**Direction du Tourisme et des Congrès de la principauté de Monaco** – 2^A bd des Moulins - 98000 Monaco - ✆ 377 92 16 61 16 - www.visitmonaco.com

**Union départementale des offices de tourisme des Alpes-Maritimes** – 2 r. Gustave-Deloye - 06000 Nice - ✆ 04 92 47 74 15 - www.cotedazur-en-fetes.com

**Union départementale des offices de tourisme du Var** – Valgora - centre Hermès - Bât. 12 - R. Laurent-Schwartz - 83160 La Valette - ✆ 04 98 01 64 63.

**Parc national du Mercantour** – 23 r. d'Italie - 06000 Nice - ✆ 04 93 16 78 88 - www.parc-mercantour.fr

**Info pratique**

**SUR INTERNET**

Voici quelques adresses pour faire le plein d'informations avant de partir :

**www.cg06.fr** et **www.cg83.fr** – Musées, environnement, sports et loisirs... Pour tout savoir sur ces deux départements, côté mer et côté terre.

**www.la-provence-verte.net** – Idéal pour découvrir les facettes les plus provençales du Var.

**www.golfe-infos.com** – Une mine d'informations pratiques sur le golfe de St-Tropez ou le pays des Maures.

**www.dracenie.com** – Un large éventail des activités et des intérêts aux alentours de Draguignan.

**www. provence-azur.com** – Plongez dans les secrets de Hyères et sa région.

**www.riviera-francaise.fr** – De La Turbie à Sospel en passant par Menton, la Riviera française dévoile ses charmes.

**www.royabevera.com** – En toute saison, les atouts de ces hautes vallées à 1h de Nice.

**www.vesubian.com** – Ski, randonnée, spéléo, thermalisme... : une vallée à l'état pur.

### TOURISME DES PERSONNES HANDICAPÉES

Un certain nombre de curiosités décrites dans ce guide sont accessibles aux personnes à **mobilité réduite**, elles sont signalées par le symbole ♿. Le degré d'accessibilité et les conditions d'accueil variant toutefois d'un site à l'autre, il est recommandé d'appeler avant tout déplacement.

#### Accessibilité des infrastructures touristiques

Lancé en 2001, le label national **Tourisme et Handicap** est délivré en fonction de l'accessibilité des équipements touristiques et de

**www.toyota.fr**

Toyota Prius.
La première berline dont la motorisation électrique
se recharge toute seule.

# Toyota Prius. Technologie HSD
## hybride essence/électricité.

Grâce à sa technologie hybride, la TOYOTA PRIUS est une voiture dont la motorisation électrique est entièrement autonome. Alliance d'un moteur essence et d'un moteur électrique, la TOYOTA PRIUS permet de combiner les performances d'une berline familiale et les consommations d'une petite citadine (**4,3 L/100 km** en cycle mixte). De plus, en produisant **une tonne de $CO_2$ en moins par an** [1], la TOYOTA PRIUS vous permet de faire un véritable geste pour l'environnement qui vous fera bénéficier **de 2 000 € de crédit d'impôt** [2].

TODAY **TOMORROW TOYOTA**
Aujourd'hui, demain.

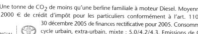

(1) Une tonne de $CO_2$ de moins qu'une berline familiale à moteur Diesel. Moyenne calculée sur 20 000 km/an. (2) 2000 € de crédit d'impôt pour les particuliers conformément à l'art. 110 de la loi n° 2005-1720 du 30 décembre 2005 de finances rectificative pour 2005. Consommations L/100km (Normes CE) : cycle urbain, extra-urbain, mixte : 5,0/4,2/4,3. Emissions de $CO_2$ (Normes CE) : 104 g/km en cycle mixte. *Garantie 3 ans ou 100 000 km. La première des deux limites atteinte.

## Info pratique

### LES SITES LABELLISÉS SUR LA CÔTE D'AZUR

Parmi les sites labellisés **Tourisme et Handicap** : les Jardins du Cap de Roquebrune Cap Martin, l'office du tourisme de Menton, le Grimaldi Forum de Monaco et le Comité régional du tourisme Riviera Côte d'Azur à Nice, tous accessibles aux handicapés moteur.

Les sites **Handiplages** concernent les plages du Ponteil et de la Salis à Antibes, le Bijou plage à Cannes, la plage le Cigalon à Cagnes-sur-mer, la plage de Larvotto à Monaco, l'esplanade des goélands à Saint-Laurent-du-Var. D'autres plages dites accessibles sont à retenir : la plage la Marquet au Cap d'Ail, la plage du Centenaire à Nice, la plage du Casino à Bandol, la plage de la Favière à Bormes-les-Mimosas et la plage du parc à Cavalaire-sur-mer.

loisirs au regard des quatre grands handicaps : auditif, mental, moteur ou visuel. À ce jour, plus d'un millier de sites labellisés (hébergement, restauration, musées, équipements sportifs...) ont été répertoriés en France. Vous pourrez en consulter la liste sur le site Internet : **www.franceguide.com**

Le magazine *Faire Face* publie chaque année, à l'intention des personnes en situation de handicap moteur, un hors-série intitulé *Guide vacances*. Cette sélection de lieux et offres de loisirs est disponible sur demande *(5,30 €, frais de port non compris)* auprès de l'**Association des Paralysés de France** (APF) - Direction de la Communication - 17 bd Auguste Blanqui - 75013 Paris - www.apf.asso.fr

Pour de plus amples renseignements au sujet de l'accessibilité des musées aux personnes atteintes de handicaps moteurs ou sensoriels, consultez le site **http://museofile.culture.fr**, qui répertorie nombre de musées français.

### Accessibilité des transports

**Train** – Disponible gratuitement dans les gares et boutiques SNCF ou sur le site www.voyages-sncf.com, le *Mémento du voyageur handicapé* donne des renseignements sur l'assistance à l'embarquement et au débarquement, la réservation de places spéciales, etc.
À retenir également, le numéro vert **SNCF Accessibilité Service** : ✆ 0 800 154 753.

**Avion** – Air France propose aux personnes handicapées le service d'**assistance Saphir**, avec un numéro spécial : ✆ 0 820 012 424. Pour plus de détails, consulter le site Internet www.airfrance.fr

# Pour venir en France

Voici quelques informations pour les voyageurs étrangers en provenance de pays francophones comme la Suisse, la Belgique ou le Canada.

♿ Pour en savoir plus, consultez le site de la Maison de la France **www.franceguide.com**

En cas de problème, voici les coordonnées des ambassades :

**Ambassade de Suisse** – 142 r. de Grenelle - 75007 Paris - ✆ 01 49 55 67 00 - www.eda.admin.ch/paris

**Ambassade du Canada** – 35-37 av. Montaigne - 75008 Paris - ✆ 01 44 43 29 00 - www.amb-canada.fr

**Ambassade de Belgique** – 9 r. de Tilsitt - 75017 Paris - ✆ 01 44 09 39 39 (en cas d'urgence seulement) - www.diplomatie.be/paris

## FORMALITÉS

### Pièces d'identité

La carte nationale d'identité en cours de validité ou le passeport (même périmé depuis moins de 5 ans) sont valables pour les ressortissants des pays de l'Union européenne, d'Andorre, du Liechtenstein, de Monaco et de Suisse. Pour les Canadiens il n'y a pas besoin de visa mais d'un passeport valide.

### Santé

Les ressortissants de l'Union européenne bénéficient de la gratuité des soins avec la **carte européenne d'assurance maladie**. Comptez un délai d'au moins deux semaines avant le départ (fabrication et envoi par la poste) pour obtenir la carte auprès de votre caisse d'assurance maladie. Nominative et individuelle, elle remplace le formulaire E 111 ; chaque membre d'une même famille doit en posséder une, y compris les enfants de moins de 16 ans.

### Véhicules

Pour le conducteur : permis de conduire à trois volets ou permis international. Outre les papiers du véhicule, il est nécessaire de posséder la carte verte d'assurance.

## QUELQUES RAPPELS

### Code de la route

Sachez que la **vitesse** est généralement limitée à 50 km/h dans les villes et agglomérations, à 90 km/h sur le réseau courant, à 110 km/h sur les voies rapides et à 130 km/h sur les autoroutes.

Le port de la **ceinture** de sécurité est obligatoire à l'avant comme à l'arrière. Le taux d'**alcoolémie** maximum toléré est de 0,5 g/l.

### Info route

**CHANGEMENT DE NUMÉRATION**

Sur de nombreux tronçons, les **routes nationales** passent sous la direction des départements. Leur numérotation est en cours de modification. La mise en place sur le terrain a commencé en 2006 mais devrait se poursuivre sur plusieurs années. De plus, certaines routes n'ont pas encore définitivement trouvé leur statut au moment où nous bouclons la rédaction de ce guide. Nous n'avons donc pas pu reporter systématiquement les changements de numéros sur l'ensemble de nos cartes et textes.

👁 **Bon à savoir** – Dans la majorité des cas, on retrouve le n° de la nationale dans les derniers chiffres du n° de la départementale qui la remplace. Exemples : N 16 devient D 1 016 ou N 51 devient D 951.

### Argent

La monnaie est l'**euro**. Les chèques de voyage, les principales **cartes de crédit** internationales sont acceptées dans presque tous les commerces, hôtels, restaurants et par les distributeurs de billets.

### Téléphone

En France tous les numéros sont à 10 chiffres.

Pour appeler la France depuis l'étranger composer le **00 33** et les neufs chiffres de votre correspondant français (sans le zéro qui commence tous les numéros).

Pour téléphoner à l'étranger depuis la France composer le **00** + l'indicatif du pays + le numéro de votre correspondant.

**Numéros d'urgence** – Le **112** (numéro européen), le **18** (pompiers) ou le **17** (police, gendarmerie), le **15** (urgences médicales).

# Transports

## PAR LA ROUTE

### Les grands axes

Les autoroutes A 6 et A 7 relient Paris à Lyon. L'A 8 parcourt le littoral azuréen de Marseille à la frontière italienne. Elle est raccordée au réseau autoroutier italien sans interruption jusqu'à Gênes. Accès depuis les Alpes de Haute-Provence par la route Napoléon (N 85) via Castellane et Grasse, et depuis le Piémont par l'axe du col de Tende et de la vallée de la Roya (N 204), jusqu'à Menton.

**Informations autoroutières** – 3 r. Edmond-Valentin - 75007 Paris - informations sur les conditions de circulation sur les autoroutes au ℘ 0 892 681 077 - www.autoroutes.fr

### Les cartes Michelin

En automobiliste prévoyant, munissez-vous de bonnes cartes. Les produits Michelin sont complémentaires : ainsi, chaque ville ou site présenté dans ce guide est accompagné de ses références cartographiques sur les cartes Local. Nous vous proposons de consulter également les différentes gammes de cartes.

Les **cartes Local** ont été conçues pour ceux qui aiment prendre le temps de découvrir une zone géographique plus réduite (un ou deux départements) lors de leurs déplacements en voiture. Elles disposent d'un index complet des localités et proposent les plans des préfectures. Pour ce guide, consultez les cartes Local **340** (Bouches-du-Rhône/Var) et **341** (Alpes-Maritimes).

| Distances en km | Menton | Nice | Toulon |
|---|---|---|---|
| Bordeaux | 836 | 811 | 711 |
| Lille | 1183 | 1158 | 1057 |
| Lyon | 505 | 480 | 379 |
| Marseille | 236 | 211 | 66 |
| Paris | 965 | 940 | 840 |
| Strasbourg | 765 | 787 | 869 |
| Toulouse | 596 | 571 | 471 |

Les **cartes Régional** couvrent le réseau routier secondaire et donnent de nombreuses indications touristiques. Elles sont pratiques

| Distances en km | Antibes | Cannes | Draguignan | Fréjus | Monaco | Nice | Toulon |
|---|---|---|---|---|---|---|---|
| Antibes | – | 13 | 73 | 49 | 45 | 30 | 132 |
| Cannes | 13 | – | 61 | 37 | 57 | 41 | 120 |
| Draguignan | 73 | 61 | – | 31 | 112 | 97 | 79 |
| Fréjus | 49 | 37 | 31 | – | 88 | 73 | 90 |
| Monaco | 45 | 57 | 112 | 88 | – | 20 | 172 |
| Nice | 30 | 41 | 97 | 73 | 20 | – | 157 |
| Toulon | 132 | 120 | 79 | 90 | 172 | 157 | – |

lorsqu'on aborde un vaste territoire ou pour relier des villes distantes de plus de cent kilomètres. Elles disposent également d'un index complet des localités et proposent les plans des préfectures. Pour ce guide, utilisez la carte n° **527** (Paca).

Les **cartes Zoom**, sont utiles pour se déplacer dans une zone à forte densité géographique ou touristique. Pensez à la carte n° **114** pour le Pays varois et la carte n° **115** pour la Côte d'Azur.

Et n'oubliez pas, la **carte de France n° 721** vous offre la vue d'ensemble de la région Côte d'Azur au 1/1 000 000, avec ses grandes voies d'accès d'où que vous veniez.

## Sur Internet et Minitel

Le site **www.ViaMichelin.fr** offre une multitude de services et d'informations pratiques d'aide à la mobilité (calcul d'itinéraires, cartographie : des cartes pays aux plans de villes, sélection des hôtels et restaurants du Guide Michelin…) sur la France et d'autres pays d'Europe.

Les calculs d'itinéraires sont également accessibles sur le **3615 ViaMichelin** et peuvent être envoyés par fax (3617 ou 3623 Michelin).

## EN TRAIN

### Le réseau grandes lignes

Depuis Paris (gare de Lyon), le **TGV** permet de rejoindre via Lyon les principales villes de la Côte d'Azur que sont Toulon (4h), Hyères (4h20), Saint-Raphaël (4h50), Cannes (5h), Antibes, Nice (5h30), Monaco et Menton (6h).

### Informations et réservations

Ligne directe : ☏ 36 35 (0,34 €/mn)
Minitel : 3615 SNCF (0,20 €/mn)
Internet : www.voyages-sncf.com

### Le réseau régional

Le **TER** assure les liaisons interrégionales, permettant d'aller d'une ville à l'autre sans encombre :

- Ligne n° 1 : Marseille/Toulon/Hyères.
- Ligne n° 2 : Marseille/Toulon/Les Arcs-Draguignan.
- Ligne n° 3 : Les Arcs-Draguignan/ Fréjus/St-Raphaël/Cannes/Nice.
- Ligne n° 4 : Mandelieu/Grasse/ Cannes/Nice/Ventimiglia.
- Ligne n° 5A : Nice/Breil-sur-Roya/ Cueno/Torino.
- Ligne n° 6 : Marseille/Toulon/Nice/ Ventimiglia.

### Informations et réservations

Ligne directe : ☏ 36 35 (0,34 €/mn)
Minitel : 3615 TER (0,20 €/mn)
Internet : www.ter-sncf.com

## Les bons plans

Les tarifs de la SNCF varient selon les périodes : -50 % en période bleue, -25 % en période blanche, plein tarif en période rouge (calendriers dans les gares et boutiques SNCF).

### Les cartes de réduction

Différentes réductions sont offertes grâce aux cartes suivantes, valables un an, en vente dans les gares et boutiques SNCF :
- **carte enfant** pour les moins de 12 ans ;
- **carte 12-25** pour les 12-25 ans, qui peut être achetée la veille de ses 26 ans pour l'année suivante ;
- **carte senior** à partir de 60 ans.
Ces différentes cartes offrent une réduction de 50 % sur tous les trains dans la limite des places disponibles et sinon 25 %.

Les familles ayant au minimum 3 enfants mineurs peuvent bénéficier d'une **carte famille nombreuse** (16 € pour l'ensemble des cartes, valables 3 ans) permettant une réduction

### Info pratique

**À VOS CALCULATRICES**

Du 1er juillet au 30 septembre, entre Fréjus et Vintimille, ainsi que Nice et Tende, la **« Carte Isabelle »** (12 €) permet un nombre de voyages illimité dans la journée.

individuelle de 30 à 75 % selon le nombre d'enfants (la réduction est toujours calculée sur le prix plein tarif de 2$^e$ classe, même si la carte permet de voyager également en 1$^{re}$). Elle ouvre droit à d'autres réductions hors SNCF (*voir p. 28*).

La **carte Grand Voyageur**, valable 3 ans, permet de gagner des points et d'avoir des réductions exclusives. Elle donne aussi accès à certains services comme le transport des bagages.

La **carte Escapade** permet une réduction de 25 % sur tous les trains pour des allers-retours d'au moins 200 km, comprenant une nuit sur place du samedi au dimanche.

### Les réductions sans carte

Sur Internet, profitez des **billets Prem's** : très avantageux pourvu que vous réserviez suffisamment à l'avance, ils s'achètent uniquement en ligne mais ne sont ni échangeables ni remboursables.

Les **billets Découverte** offrent quant à eux des réductions de 25 % pour les moins de 25 ans, les plus de 60 ans, et sous certaines conditions entre 25 et 60 ans. Si vous effectuez un aller-retour d'au moins 200 km et si votre séjour comprend une nuit du samedi au dimanche, vous pouvez profiter du tarif **Découverte Séjour**. Si vous êtes de 2 à 9 personnes à effectuer un aller-retour, que vous ayez ou non un lien de parenté, et si votre voyage comprend au moins une nuit entre l'aller et le retour, vous pouvez bénéficier du tarif **Découverte à deux**.

## EN AVION

Certes, le temps de trajet intrinsèque est réduit mais il faut ajouter les transferts entre les aéroports. En outre, il vous en coûtera plus cher que le train à moins que vous ne trouviez des vols promotionnels plus intéressants qu'un voyage en train à plein tarif. Cherchez sur Internet les vols dégriffés où renseignez-vous auprès des compagnies aériennes.

### Les compagnies aériennes

**Air France** – ☎ 36 54 (*0.34 €/mn*) - www.airfrance.fr. La compagnie assure des liaisons quotidiennes entre Ajaccio, Bastia, Biarritz, Brest, Lyon, Nantes, Rennes... et l'aéroport de Nice. Paris-Orly est relié quotidiennement à l'aéroport de Toulon.

**Easyjet** – ☎ 0 825 082 508 - www.easyjet.com. Env. 7 vols AR Paris-Nice.

## Les aéroports de la région

Deux grands aéroports proposent des liaisons régulières directes avec d'autres villes françaises.

**Aéroport international de Nice-Côte d'Azur** – BP 3331 - 06206 Nice Cedex 03 - ☎ 0 820 423 333 (0,12 €/mn) - www.nice.aeroport.fr Service de navettes pour rejoindre le centre-ville par les lignes de bus n° 98 (Nice-centre-ville/gare routière en 30mn) ou 99 (Nice-Gare SNCF/Port en 50mn, pass 1 jour : 4 €).

**Aéroport international de Toulon-Hyères** – Bd de la Marine - 83418 Hyères Cedex - ☎ 0 825 018 387 - www.toulon-hyeres.aeroport.fr Service de navettes pour rejoindre le centre-ville de Hyères en 10mn et le centre-ville de Toulon en 30mn (1,40 €).

## EN BATEAU

Le **port de Nice** assure des liaisons toute l'année avec la Corse. ☎ 0 820 425 555 (0,12 €/mn) - www.riviera-ports.com Vous pouvez vous renseigner directement auprès des deux compagnies : **SNCM** – ☎ 3260 (0,15 €/mn)- www.sncm.fr **Corsica Ferries** – ☎ 0825 095 095 (0,15 €/mn) - www.corsicaferries.com

La **gare maritime de Toulon** offre des liaisons permanentes avec la Corse et saisonnières avec la Sardaigne. Renseignements auprès de la SNCM (*voir ci-dessus*).

*Embarquez pour les îles d'Hyères.*

☝ Pour connaître les conditions de traversée par bateau vers les îles qui longent la côte, reportez-vous aux « encadrés pratiques » des villes concernées (*voir aussi le tableau récapitulatif des traversées ci-après*).

| PROMENADES EN MER | |
|---|---|
| **Port d'embarquement** | **Destinations** |
| Bandol | Îles des Embiez<br>Île de Bendor<br>Toulon par le cap Sicié<br>Cassis et la calanque d'En-Vau par La Ciotat<br>Journée complète au château d'If et les îles du Frioul |
| Toulon | La Seyne-sur-Mer, Les Sablettes, Tamaris, St-Mandrier (navettes)<br>Rade et port de Toulon<br>Île d'Hyères |
| Le Lavandou et Cavalaire | Île du Levant.<br>Îles d'Hyères. |
| Saint-Tropez | Îles d'Hyères<br>Ste-Maxime (navettes)<br>Les Issambres (navettes)<br>Port-Grimaud (navettes)<br>Baie des Cannebiers |
| Cannes | Îles de Lérins |
| Saint-Raphaël | St-Tropez (navettes)<br>Îles de Lérins<br>Fréjus, St-Aygulf.<br>Saint-Tropez<br>Port Cros<br>Île Ste-Marguerite<br>Calanques du Massif de l'Esterel |
| Nice | La Riviera<br>Monaco<br>Corse |
| Menton | La Riviera<br>Monaco |

# Budget

## FORFAITS TOURISTIQUES INTÉRESSANTS

**Le Var, Pass Sites** – Valable dans 22 sites (parcs et jardins, musées, édifices religieux), il est remis gratuitement lors de la première visite et donne droit au tarif Pass dès le deuxième site. Si vous visitez 8 sites, une balade nature accompagnée dans le massif des Maures vous est offerte. Liste des sites disponible auprès du Comité départemental du tourisme du Var (voir p. 22).

« **Bon week-end en ville** » – **Hyères** et **Toulon** participent à l'opération, dont le principe est d'offrir deux nuits d'hôtel pour le prix d'une dans les principaux lieux d'hébergement de la ville, ainsi que de nombreux avantages sur les activités culturelles. Demandez la liste des hôtels où vous pourrez réserver dans les offices de tourisme de ces villes ou consultez le site Internet **www.bon-week-end-en-villes.com**

## LES AUTRES BONS PLANS

### Les chèques vacances
Ce sont des titres de paiement permettant d'optimiser le budget vacances/loisirs des salariés grâce à une participation de l'employeur. Les salariés du privé peuvent se les procurer auprès de leur employeur ou de leur comité d'entreprise ; les fonctionnaires auprès des organismes sociaux dont ils dépendent. On peut les utiliser pour régler toutes les dépenses liées à l'hébergement, à la restauration, aux transports ainsi qu'aux loisirs. Il existe aujourd'hui plus de 135 000 points d'accueil.

### La carte famille nombreuse
On se la procure auprès de la **SNCF** (voir p. 27). Elle ouvre droit, outre les billets de train à prix réduits, à des réductions très diverses auprès des musées nationaux, de certains sites privés, parcs d'attraction, loisirs et équipements sportifs, cinéma et même certaines boutiques. Mieux vaut l'avoir sur soi et demander systématiquement s'il existe un tarif préférentiel famille nombreuse.

## NOS ADRESSES D'HÉBERGEMENT ET DE RESTAURATION

Au fil des pages, vous découvrirez nos **encadrés pratiques**, sur fond vert. Ils présentent une sélection d'établissements dans et à proximité des villes ou des sites touristiques

# Pierre & Vacances

*se redécouvrir*

Cannes Villa Francia

## Redécouvrez
## les vacances en famille.

Quoi de mieux que de partir se reposer
en famille au bord de la Méditerranée et
découvrir des paysages sauvages et
plein de charme...
Dans des lieux uniques, Pierre & Vacances
vous offre des appartements et des maisons
confortables, les pieds dans l'eau, pour profiter
de vacances sans contrainte et être libre
de se consacrer aux siens.

informations et réservations
**0 891 701 101**\*
(0,225 € la minute de France Métropolitaine)
www.pierreetvacances.com

remarquables auxquels ils sont rattachés. Pour repérer facilement ces adresses sur nos plans, nous leur avons attribué des pastilles numérotées.

## Nos catégories de prix

Pour vous aider dans votre choix, nous vous communiquons une **fourchette de prix** : pour l'hébergement, les prix communiqués correspondent aux tarifs minimum et maximum d'une chambre double ; il en va de même pour la restauration et les prix des menus proposés sur place. Les mentions « *Astuce prix* » et « bc » signalent : pour la première les formules repas à prix attractif, servies généralement au déjeuner par certains établissements de standing, pour la seconde les menus avec boisson comprise (verre de vin ou eau minérale au choix). Les prix que nous indiquons sont ceux pratiqués en **haute saison** ; hors saison, de nombreux établissements proposent des tarifs plus avantageux, renseignez-vous… Dans chaque encadré, les adresses sont classées en quatre catégories de prix pour répondre à toutes les attentes *(voir le tableau ci-contre)*.

**Premier prix** – Choisissez vos adresses parmi celles de la catégorie ⊖ : vous trouverez là des hôtels, des chambres d'hôte simples et conviviales et des tables souvent gourmandes, toujours honnêtes.

**Prix moyen** – Votre budget est un peu plus large. Piochez vos étapes dans les adresses ⊖⊖. Dans cette catégorie, vous trouverez des maisons, souvent de charme, de meilleur confort et plus agréablement aménagées, animées par des passionnés, ravis de vous faire découvrir leur demeure et leur table. Là encore, chambres et tables d'hôte sont au rendez-vous, avec également des hôtels et des restaurants plus traditionnels, bien sûr.

**Haut de gamme** – Vous souhaitez vous faire plaisir, le temps d'un repas ou d'une nuit, vous aimez voyager dans des conditions très confortables ? Les catégories ⊖⊖⊖ et ⊖⊖⊖⊖ sont pour vous… La vie de château dans de luxueuses chambres d'hôte pas si chères que cela ou dans les palaces et les grands hôtels : à vous de choisir ! Vous pouvez aussi profiter des décors de rêve de lieux mythiques à moindres frais, le temps d'un brunch ou d'une tasse de thé… À moins que vous ne préfériez casser votre tirelire pour un repas gastronomique dans un restaurant renommé. Sans oublier que la traditionnelle formule « tenue correcte exigée » est toujours de mise dans ces élégantes maisons !

# Se loger

Les villes sont bien pourvues dans la large gamme des hôtels et des pensions. Il en est de même pour les stations balnéaires dont le parc hôtelier, souvent cossu, reflète le prestige de la clientèle qui a fait la réputation de la Côte d'Azur. Plus haut pourrait-on dire, dans la majesté des altitudes du haut pays niçois, et à proximité du parc du Mercantour, les chambres d'hôte et les gîtes ruraux règnent en maître, mais, rançon de leur succès, ils sont pris d'assaut dès le printemps. Une infinité de stations de séjours au bord d'un lac, au fond d'un vallon couvert d'oliviers ou dans le pli d'un plateau sauront agrémenter vos vacances et vous étonner par de multiples activités : bases d'eaux vives au bord des petits torrents des Préalpes, centres équestres de randonnées de la Haute-Tinée, etc. Mais les séjours au bord de la « Grande Bleue » demeurent la destination favorite avec, bien sûr, les sports nautiques. Tout le monde est sûr d'y trouver son compte…

## NOS CRITÈRES DE CHOIX

### Les hôtels

Nous vous proposons, dans chaque encadré pratique un choix très large en terme de confort. La location se fait à la nuit et le petit-déjeuner est facturé en supplément. Certains établissements assurent un service de restauration également accessible à la clientèle extérieure.
Pour un choix plus étoffé et actualisé, **Le Guide Michelin France**

*Façade à Valbonne.*

S. Sauvignier / MICHELIN

| NOS CATÉGORIES DE PRIX | | | | |
|---|---|---|---|---|
| | Se restaurer (prix déjeuner) | | Se loger (prix de la chambre double) | |
| | Province | Grandes villes Stations | Province | Grandes villes Stations |
| ⊖ | jusqu'à 14 € | jusqu'à 16 € | jusqu'à 45 € | jusqu'à 65 € |
| ⊖⊖ | plus de 14 € à 25 € | plus de 16 € à 30 € | plus de 40 € à 80 € | plus de 65 € à 100 € |
| ⊖⊖⊖ | plus de 25 € à 40 € | plus de 30 € à 50 € | plus de 80 € à 100 € | plus de 100 € à 160 € |
| ⊖⊖⊖⊖ | plus de 40 € | plus de 50 € | plus de 100 € | plus de 160 € |

recommande des hôtels sur toute la France. Pour chaque établissement, le niveau de confort et de prix est indiqué, en plus de nombreux renseignements pratiques. Le symbole « **Bib Hôtel** » signale des hôtels pratiques et accueillants offrant une prestation de qualité à prix raisonnable à moins de 72 € en province (88 € grandes villes et stations balnéaires).

## Les chambres d'hôte

Vous êtes reçu directement par les habitants qui vous ouvrent leur demeure. L'atmosphère est plus conviviale qu'à l'hôtel, et l'envie de communiquer doit être réciproque : misanthropes, s'abstenir ! Les prix, mentionnés à la nuit, incluent le petit-déjeuner. Certains propriétaires proposent aussi une table d'hôte, en général le soir, et toujours réservée aux résidents de la maison. Il est très vivement conseillé de réserver votre étape, en raison du grand succès de ce type d'hébergement.

👁 **Bon à savoir** – Certains établissements ne peuvent pas recevoir vos compagnons à quatre pattes ou les accueillent moyennant un supplément, pensez à le demander lors de votre réservation.

## Le camping

Le **Guide Camping Michelin France** propose tous les ans une sélection de terrains visités régulièrement par nos inspecteurs. Renseignements pratiques, niveau de confort, prix, agrément, location de bungalows, de mobile homes ou de chalets y sont mentionnés.

## LES BONS PLANS

## Les services de réservation

**Fédération nationale des services de réservation Loisirs-Accueil** – 280 bd St-Germain - 75007 Paris - 📞 01 44 11 10 44 - www.loisirsaccueilfrance.com

La Fédération propose un large choix d'hébergements et d'activités de qualité. Elle édite un dépliant regroupant les coordonnées des 54 services Loisirs-Accueil et, pour tous les départements, une brochure détaillée.

**Fédération nationale Clévacances France** – 54 bd de l'Embouchure - BP 52166 - 31022 Toulouse Cedex - 📞 05 61 13 55 66 - www.clevacances.com
Cette fédération propose près de 27 000 locations de vacances (appartements, chalets, villas, demeures de caractère, pavillons en résidence) et 3 500 chambres dans 22 régions réparties sur 89 départements en France et outre-mer, et publie un catalogue par département.

## L'hébergement rural

**Maison des Gîtes de France et du Tourisme vert** – 59 r. St-Lazare - 75439 Paris Cedex 09 - 📞 01 49 70 75 75 - www.gites-de-france.com
Cet organisme donne les adresses des relais départementaux et publie des guides sur les différentes possibilités d'hébergement en milieu rural (gîtes ruraux, chambres et tables d'hôte, gîtes d'étape, chambres d'hôte de charme, gîtes de neige, gîtes de pêche, location de chalets camping à la ferme, gîtes Panda).

### Info pratique

**Stations vertes de Vacances et Villages de Neige**
Dans le **Var**, les communes du Beausset/Le Castellet, La Garde-Freinet et Montauroux. Dans les **Alpes-Maritimes** : Breil-sur-Roya, Saint-Étienne-de-Tinée/Auron, Saint-Martin-Vésubie, Sospel, Valdeblore/La Colmiane et la station de Valberg regroupant (Guillaumes, de Peone et de Beuil-les-Laumes).

**Fédération des Stations vertes de Vacances et Villages de Neige** – BP 71698 - 21016 Dijon Cedex - &#9742; 03 80 54 10 50 - www.stationsvertes.com.

Situées à la campagne et à la montagne, les 588 Stations vertes sont des destinations de vacances familiales reconnues tant pour leur qualité de vie (produits du terroir, loisirs variés, cadre agréable) que pour la qualité de leurs structures d'accueil et d'hébergement.

## L'hébergement pour randonneurs

Les randonneurs, mais aussi les amateurs d'alpinisme, d'escalade, de ski, entre autres peuvent consulter le guide *Gîtes d'étapes, refuges*, de A. et S. Mouraret (Rando Éditions La Cadole, 74 r. A.-Perdreaux - 78140 Vélizy - &#9742; 01 34 65 11 89) et le site www.gites-refuges.com

## Les auberges de jeunesse

**Fédération Unie des Auberges de Jeunesse (FUAJ)** – 27 r. Pajol - 75018 Paris - &#9742; 01 44 89 87 27 - www.fuaj. org. La carte FUAJ est délivrée en échange d'une cotisation annuelle de 10,70 € pour les moins de 26 ans, de 15,30 € au-delà de cet âge et de 22,90 € pour les familles.

&#128065; **Bon à savoir** – Vous trouverez des auberges de jeunesse dans les villes suivantes : Menton, Nice, Le Trayas/Théoule-sur-mer et Fréjus.

## POUR DÉPANNER

### Les chaînes hôtelières

L'hôtellerie dite « économique » peut éventuellement vous rendre service. Sachez que vous y trouverez un équipement complet (sanitaire privé et télévision), mais un confort très simple. Souvent à proximité de grands axes routiers, ces établissements n'assurent pas de restauration. Toutefois, leurs tarifs restent difficiles à concurrencer (moins de 50 € la chambre double). En dépannage, voici donc les centrales de réservation de quelques chaînes :

**Akena** – &#9742; 01 69 84 85 17.
**B & B** – &#9742; 0 892 782 929.
**Etap Hôtel** – &#9742; 0 892 688 900.
**Villages Hôtel** – &#9742; 03 80 60 92 70.

Enfin, les hôtels suivants, un peu plus chers (à partir de 68 € la chambre), offrent un meilleur confort et quelques services complémentaires :

**Campanile** – &#9742; 01 64 62 46 46.
**Kyriad** – &#9742; 0 825 003 003.
**Ibis** – &#9742; 0 825 882 222.

*Terrasse de restaurant à Cannes.*

# Se restaurer

## NOS CRITÈRES DE CHOIX

Pour répondre à toutes les envies, nous avons sélectionné des **restaurants** régionaux bien sûr, mais aussi classiques, exotiques ou à thème… Et des lieux plus simples, où vous pourrez grignoter une salade composée, une tarte salée, une pâtisserie ou déguster des produits régionaux sur le pouce.

Pour un choix plus étoffé et actualisé, **Le Guide Michelin France** recommande des restaurants sur toute la France. Pour chaque établissement, le niveau de confort et de prix est indiqué, en plus de nombreux renseignements pratiques. Le symbole « **Bib Gourmand** » signale les tables qui proposent une cuisine soignée à moins de 28 € en province (36 € grandes villes et stations balnéaires). Quelques **fermes-auberges** vous permettront de découvrir les saveurs de la France profonde. Vous y goûterez des produits authentiques provenant de l'exploitation agricole, préparés dans la tradition et généralement servis en menu unique. Le service et l'ambiance sont bon enfant. Réservation obligatoire !

---

### Info pratique

&#128065; **Bon à savoir** – Si, d'aventure, vous n'avez pu trouver votre bonheur parmi toutes nos adresses vous pouvez consulter ces différents sites Internet :

**www.lastminute.com** vous propose en toutes saisons de nombreuses offres de séjours sur la Côte d'Azur.

**www.envergure.fr** est le portail idéal pour réserver votre hébergement à votre budget.

## LES GRANDS CHEFS

### Grasse

Dix ans déjà que **Jacques** et **Odette Chibois** se sont transportés dans une magnifique bastide du 17ᵉ s. sur les hauteurs de Grasse. Un anniversaire dignement célébré en juin 2006 au milieu des oliviers qui croissent dans le parc de trois hectares qui ceint la maison. C'était un pari que de s'installer ici dans une ville en retrait de la Côte. Mais, têtu, Chibois qui quittait les cuisines du Gray d'Albion à Cannes, tenait à le faire. Son parcours professionnel tient en peu de ligne : à dix-huit ans il commence son apprentissage à Limoges, sa ville natale. Un an plus tard il débarque chez Michel Guérard à Eugénie-les-Bains et arrive à Cannes en 1981. Il restera douze ans au Gray d'Albion avant de se lancer dans l'aventure personnelle. Déjà doublement étoilé, il retrouve son bien et récolte même, en 2001, la « victoire des autodidactes » décernée par le Harvard Business Club de France. Sa cuisine ? « Chaque cuisinier veut créer son identité et l'exemple vient de nos maîtres. Il faut innover dans un style qui correspond à sa cuisine et à sa région. » Belle philosophie !
👁 *La Bastide Saint-Antoine* – 📞 *04 93 70 94 94.*

### Mougins

Enfin chez lui ! En début d'année 2004, **Alain Llorca** ouvrait sa malette de couteaux et déposait ses bagages au Moulin de Mougins. Définitivement. Arrivé en droite ligne du Chantecler, le restaurant du prestigieux hôtel Negresco de Nice, il avait réussi la gageure de succéder à Jacques Maximin et Dominique Le Stanc. Rien n'était évident pour ce jeune homme de 28 ans, ancien élève du lycée Paul Augier de Nice qui avait fait ses premières armes à Cagnes-sur-Mer, à quelques kilomètres de là. Et le voilà donc, désormais, installé dans une maison mythique, peut être la plus prestigieuse de la Côte d'Azur. En ce fameux Moulin que Roger Vergé – à qui vibrant hommage fut rendu par ses pairs à l'automne dernier en sa ville d'adoption – porta au sommet étoilé et où il forma des chefs talentueux. Le pari de lui succéder est audacieux, mais il n'effraie pas celui qui avoue que, gamin, il décortiquait les livres de Paul Bocuse et Joël Robuchon pour y trouver matière à réflexion.

👁 *Alain Llorca - Le Moulin de Mougins* – 📞 *04 93 75 78 24.*

### La Napoule

Comptez-les trois ! Stéphane, François et Antoine, vrais frangins gourmands de la Côte. Les **Raimbault**, complices dans la prestigieuse Oasis de La Napoule que Louis Outhier porta jadis sur les sommets étoilés. Dix-huit ans durant, cet ancien de La Pyramide à Vienne, figura parmi les meilleures tables du monde avant de renoncer symboliquement à ses trois étoiles en 1988. À cette époque là, Outhier pensait déjà à Raimbault pour assumer l'héritage. Mais Stéphane se trouvait bien au Japon où il était arrivé en 1982 sans intention précise de le quitter si tôt. L'affaire se fit pourtant en 1991, lorsque le groupe japonais qui avait repris l'Oasis lui proposa d'en refaire l'ouverture après trois ans de fermeture. En janvier 1999, Stéphane Raimbault était définitivement chez lui, se partageant avec François et Antoine, la cuisine, la pâtisserie et la boulangerie. Aujourd'hui, la fratrie porte son discours culinaire dans les trois directions qui ont marqué Stéphane : la tradition, la Méditerranée et l'Orient. Et nul client du mythique restaurant ne semble s'en plaindre.
👁 *L'Oasis* – 📞 *04 93 49 95 52.*

### La Turbie

Étonnant pararadoxe : c'est un Strasbourgeois qui signe l'une des cuisines les plus ensoleillées de France ! En fait, dès sa sortie de l'école hôtelière de sa ville natale, **Bruno Cirino** n'a pas hésité longtemps à mettre le cap sur le sud. Après un parcours dans de belles maisons de la Côte (Jo Rostang à la grande époque de la Bonne Auberge d'Antibes, Roger Vergé au Moulin de Mougins, Jacques Maximin au Chantecler de Nice et Alain Ducasse au Juana) et deux détours aux États-Unis puis à Paris, il s'installe enfin dans une maison haut perchée à La Turbie. C'est la plus ancienne du village, estampillée 13ᵉ s., où quelques célébrités, de Napoléon à Charlie Chaplin, ont séjourné. Cette maison, transformée en restaurant par Paul Jérôme en 1950, est acquise aux enchères par Bruno Cirino en 1996. Là, il exprime son talent. Et Alexandre Dulière, qui a cotoyé Enrico Bernardo Meilleur Sommelier du Monde au George V, fait découvrir les meilleurs vins d'ici et d'ailleurs.
👁 *L'Hostellerie Jérôme* – 📞 *04 92 41 51 51.*

## Nice

« Tabourets inconfortables, pas de téléphone et règlement en espèces. Que dire de plus ? Que l'on fait salle comble tous les jours avec une authentique cuisine niçoise. » En quelques mots le Guide Michelin France résume la situation et situe cet improbable restaurant où **Dominique Le Stanc** a trouvé son bonheur. On avait connu cet ancien élève d'Alain Senderens, couvert de lauriers, de toques et d'étoiles, au Chantecler, le restaurant gastronomique du prestigieux hôtel Negresco. Et le voilà qui décide, un beau jour, de tourner le dos aux ors du prestigieux palace pour s'installer dans ce petit estaminet du Vieux Nice, à deux pas du cours Saleya où il va faire son marché. Désormais, tout le patrimoine niçois (tripes, daubes, ratatouilles, pâtes au pistou) se tient dans une petite échoppe authentique dont on se communique le nom de bouche à oreille et dont on ignore avec précision les jours d'ouverture. Venir s'attabler ici tient parfois d'un pari que l'on est rudement content de gagner !

👁 *La Merenda* – 4 rue Raoul Bosio.

## Vence

Le culte de l'amitié ! Voilà la raison de vivre de **Jacques Maximin**, talentueux cuisinier atypique, qui a un jour choisi de fuir les ors des palaces (Le Negresco à Nice en l'occurrence), pour retrouver la maison familiale de Vence et la transformer en restaurant. Depuis, ce Meilleur Ouvrier de France au talent fou dont les trouvailles culinaires ont été si souvent copiées, fait vivre sa cuisine ensoleillée. Ce qui n'est pas un mince paradoxe pour un chef natif du pays des corons qui peut se vanter d'avoir formé quelques belles « pointures » de la cuisine française (Franck Cerutti au Louis XV de Monte-Carlo, Bruno Cirino à La Turbie ou Philippe Gauvreau à La Rotonde dans la périphérie lyonnaise, entre autres). Surtout pas carriériste, celui qui affirme toujours que « la cuisine c'est sa vie » n'a pas suivi un parcours professionnel rectiligne. D'un palace donc, au retour chez lui, en passant par quelques bonnes et mauvaises expériences qui ne l'ont surtout pas traumatisé. Fou de football, on prétend qu'il recrutait les gars de son équipe à travers le talent démontré balle au pied. Faut-il le croire ?

👁 *La Table d'Amis* – 📞 04 93 58 90 75.

# LES VINS

La **visite des caves** coopératives est partout possible dans les régions de vignobles : pays de Bandol, pays de Brignoles, Le Luc, Hyères et ses îles, golfe de Saint-Tropez, pays de Fréjus, pays dracenois (Draguignan) et pays niçois. Pour obtenir les adresses des caves et des domaines, s'adresser aux syndicats et maisons des vins.

**Vins de Bandol** – Maison des Vins de Bandol - 22 allée Alfred-Vivien - 83150 Bandol - 📞 04 94 29 45 03 - www.maisondesvins-bandol.com Un circuit permet également de découvrir les crus des vins de Bandol.

**Coteaux varois** – Maison des Vins Coteaux Varois en Provence - 83170 La Celle - 📞 04 94 69 33 18. Ce vignoble AOC s'étend sur 28 communes autour de Brignoles, des contreforts de la Sainte-Baume aux Bessillons. La Maison des vins est installée dans l'enceinte de l'Abbaye Royale de la Celle, où vous pourrez découvrir les vins des vignerons de l'appellation.

**Côtes-de-Provence** – Maison des vins des Côtes de Provence - RN 7 - 83460 Les Arcs-sur-Argens - 📞 04 94 99 50 10 - www.cote-de-provence.fr C'est la plus importante zone AOC de la région Provence-Alpes-Côte d'Azur. Elle s'étend de l'arrière-pays aixois à l'Esterel et de la côte provençale aux contreforts des gorges du Verdon. L'île de Porquerolles fait partie de ce territoire. Outre la vente et la dégustation des vins AOC côtes-de-provence, la maison des vins propose des stages de dégustation.

**Vins de Bellet** – Les collines de l'arrière-pays niçois abritent à Saint-Roman-de-Bellet le cru vin de Bellet, réputé et rare, qui s'étend sur 50 ha seulement. Se renseigner sur www.vinsdebellet.com

## Info pratique

🔦 Le comité régional du tourisme de Provence-Côte d'Azur propose une brochure « **Routes des vignobles** » très complète.

🔦 Vous trouverez des **adresses** de domaines dans les encadrés pratiques des villes ou sites.

🔦 Pour connaître les dates des **manifestations** liées au vignoble, s'adresser aux offices de tourisme.

24h/24, 7j/7
... des astuces imparables pour
des recettes inratables...

# CUISINE.TV

p o u r   ê t r e   b i e n   c u i s i n e z   m i e u x

# À FAIRE ET À VOIR

## Activités et loisirs de A à Z

Les **comités départementaux** et **comités régionaux** de tourisme *(voir p. 22)* disposent de nombreuses documentations et répondront à vos demandes d'informations quant aux activités proposées dans leur secteur.

☝ Pour trouver d'autres adresses de prestataires, reportez-vous aux rubriques « Visite » et « Sports & Loisirs » dans les encadrés pratiques de la partie « Découvrir les sites ».

## ARTISANAT

Des stages d'initiation à l'artisanat peuvent être entrepris en saison dans de nombreux villages et lieux de séjours. Les associations proposant des stages sont répertoriées auprès des comités régionaux du tourisme.

*Pétales de roses (Grasse).*

S. Sauvignier / MICHELIN

À **Grasse**, les principales parfumeries organisent des stages d'initiation aux techniques de création de parfums en compagnie d'un « nez », avec la possibilité d'emporter le parfum que l'on a soi-même créé *(voir l'encadré pratique de Grasse)*.

À **Vallauris**, vous pourrez faire un stage de poterie *(voir l'encadré pratique de Vallauris)*.

Ceux qui souhaitent simplement découvrir les artisans de la région, se rendront plus particulièrement dans les villes labellisées « **Ville et Métiers d'Art** » : Biot, Cagnes-sur-Mer, Fréjus, Ollioules, Vallauris.
Informations – ✆ 01 48 88 26 56 - www.vma.asso.fr

## BAIGNADE

### Dans la mer

Avec plus de 300 km de littoral, des centaines de plages de galets et de sable fin dont la liste serait trop longue à dresser, une eau dont la température ne peut que rassurer les plus frileux, la baignade est l'activité reine de la Côte d'Azur. Pour connaître la météo des plages consultez le site Internet **www.infosplage.com**

Si l'eau est presque toujours chaude, elle n'est pas toujours propre. Si vous désirez connaître le résultat des contrôles de qualité des eaux de baignade effectués chaque mois à partir de juin pour toutes les plages du littoral, vous pourrez consulter le site du ministère de la Santé **http://baignades.sante.gouv.fr**. Sachez que les plages sont classées en 4 catégories, de A (bonne qualité) à D (mauvaise qualité).

### Dans les lacs et plans d'eau

Pour ceux qui veulent se rincer de l'eau de mer, les lacs et plans d'eau aménagés de l'arrière-pays sont des lieux de baignade parfaits, où la sécurité fait bon ménage avec les joies du pédalo, de la planche à voile et du pique-nique…
**Lac de Saint-Cassien** – Le plus vaste plan d'eau de l'Esterel, avec une superficie de 430 ha, joue un rôle très diversifié : énergétique par l'alimentation électrique et en eau de l'Est varois, sécuritaire par l'approvisionnement des canadairs (écopage) lors des incendies de forêts et réserve biologique sur la partie ouest où une roselière accueille l'hivernage des oiseaux d'eau de passage (plus de 150 espèces y sont recensées). Les baigneurs pourront apprécier les joies de la planche à voile, du canoë et du pédalo® en s'équipant auprès des guinguettes qui bordent ses berges parfois abruptes. Une base nautique offre des stages d'initiation. Possibilité également de faire de l'aviron *(voir l'encadré pratique de Fayence)*.

## CANOË-KAYAK

De nombreux cours d'eau des Alpes-Maritimes offrent d'intéressantes possibilités de descente en canoë-kayak, particulièrement au printemps. Les secteurs de la **Roya** (classe 2 à 4) et de la **Tinée** (classe 3) disposent de structures d'encadrement et d'accueil permettant l'initiation à cette pratique. L'**Argens**, rivière sauvage, se prête également à ce sport *(voir les encadrés pratiques d'Entrecasteaux et des Arcs)*.

**Fédération française de canoë-kayak** – 87 quai de la Marne - 94344 Joinville-le-Pont - ℘ 01 45 11 08 50 - www.ffcanoe.asso.fr. La Fédération édite un livre *France canoë-kayak et sports d'eaux vives* et, avec le concours de l'IGN, une carte *Les rivières de France*, avec tous les cours d'eau praticables.

**Comité régional de canoë-kayak Côte d'Azur** – 50 av. du 11-Novembre - BP 137 - 06603 Antibes Cedex - ℘ 04 92 91 45 40.

## CANYONING

La technique du canyoning emprunte à la fois à la spéléologie, à la nage en eaux vives et à l'escalade. Il s'agit de descendre, en rappel ou en saut, depuis des parois abruptes jusqu'au lit de torrents dont on suivra le cours au fil de gorges étroites (clues) et de cascades.

Deux techniques de déplacement sont particulièrement utilisées : le **toboggan** (allongé sur le dos, bras croisés) et le **saut** (hauteur moyenne 8 à 10 m), plus délicat, où l'élan du départ conditionne la bonne réception dans la vasque. Il est impératif qu'un participant se « sacrifie » et descende effectuer un sondage de l'état et de la profondeur du plan d'eau avant tout saut. C'est le manquement à cette règle élémentaire qui constitue le cas le plus fréquent d'accident.

L'**initiation** débute par des parcours n'excédant pas 2 km, avec un encadrement de moniteurs. Ensuite, il demeure indispensable d'effectuer les sorties avec un moniteur sachant « lire » le cours d'eau emprunté et connaissant les particularités de la météo locale.

### Les sites

Les rivières des Alpes-Maritimes offrant les parcours les plus attrayants sont situées dans le périmètre du Parc national du Mercantour et de Saint-Martin-Vésubie. La **vallée de la haute Roya** dispose de deux sites exceptionnels près de Saorge : la **Maglia** (passage en grotte) et la **Bendola** (48h de randonnée

### Prudence

Il est bon de rappeler que de nombreuses clues (notamment des Alpes-Maritimes) peuvent en étiage estival masquer les risques inhérents à cette pratique ; malgré un bon équipement des parois, ces vallons étroits nécessitent un long engagement (de l'ordre de 5 km) sans échappatoire, avec des marmites et vasques souvent comblées ; dans ces conditions, les violents orages, fréquents dans la région, transforment un paisible torrent en toboggan tumultueux d'une hauteur de plusieurs mètres emportant tout sur son passage.

aquatique pour ce dernier). La pratique du canyoning est strictement interdite dans la zone centrale du Parc national du Mercantour.

De Saint-Martin-Vésubie au confluent avec le Var, La **Vésubie** offre des canyons très variés : Duranus, le site plaisant de l'Imberguet, la Bollène et le canyon très technique de Gourgas. Sur la rive gauche du Var, un autre affluent, l'**Estéron**, propose des parcours classiques dans des sites exceptionnels s'étageant de Roquestéron à Saint-Auban.

Son réseau hydrographique accidenté fait du département du Var un haut lieu de canyoning. L'aménagement de onze sites correspondant à des niveaux d'aptitude différents permet de proposer à tous cette activité. Pour le niveau initiation et découverte, les gorges du **Destel**, du **Caramy** à Carcès, le cours inférieur du **Jabron** (en aval de Trigance), l'Artuby, affluent du Verdon, dans sa partie amont et les gorges de **Pennafort** sont parfaits. D'autres sites comme la Siagnole (près de Mons), les gorges de la Nartuby et le Desteou dans les Maures exigent de bonnes connaissances techniques.

**Guide « Clues et Canyons »** – Cette précieuse brochure répertoriant 37 sites praticables s'accompagne de judicieux conseils. Éditée par le conseil général des Alpes-Maritimes, elle est disponible dans les offices de tourisme du département et consultable sur Internet **www.randoxygene.org**

## CYCLOTOURISME

La diversité du relief de l'arrière-pays et l'aménagement de sentiers praticables sur le littoral, ainsi que dans les massifs de l'Esterel et des Maures, dirigent la pratique du cyclisme vers le VTT.

**Centre VTT Haut-Pays-Varois/ Verdon/Estérel** - ☎ 04 94 67 96 14.

**Centre VTT « Azur-Maures- Estérel »** - ☎ 04 94 51 83 83.

**Centre VTT de la Provence verte** - ☎ 04 94 59 01 31.

## Documentations

Le conseil général des Alpes-Maritimes édite un guide « **Rando VTT** », disponible dans les offices de tourisme, proposant 30 itinéraires. Vous pouvez aussi les consulter sur le site Internet **www.randoxygene.org**.

Le **comité régional du Var** publie une brochure, disponible dans les offices de tourisme, reprenant 22 itinéraires balisés pour les cyclotouristes. Parmi les principaux, aux noms évocateurs, « le toit du Var » (71 km), « la route de la bauxite » (80,5 km), « l'ubac des Maures » (82,5 km) ou « les châtaigneraies des Maures » (93 km). En outre, 102 km de côte, aménagés sur l'ancien tracé du chemin de fer de Provence reliant Toulon à Saint-Raphaël, sont réservés aux cyclistes.

👁 **Bon à savoir** – De septembre à juin, les Maisons du tourisme de la Provence verte *(voir encadré pratique Brignoles)* et de la Provence d'Azur *(voir encadré pratique du Pradet)* proposent des balades à vélo, gratuites et thématiques, ponctuées par des dégustations de produits de terroir.

*Porquerolles ou l'île aux cyclistes.*

H. Le Gac / MICHELIN

## Où s'informer

**Fédération française de cyclotourisme** – 12 r. Louis-Bertrand - 94207 Ivry-sur-Seine Cedex - ☎ 01 56 20 88 88 - www.ffct.org

**Comité départemental de cyclotourisme des Alpes-Maritimes** – M. Brink - 2 bd Settimelli Lazare - 06230 Villefranche-sur-mer - ☎ 04 93 01 81 85 et 06 23 67 05 34.

**Comité départemental de cyclotourisme du Var** – L'Hélianthe - R. Émile-Ollivier - 83000 Toulon - ☎ 04 94 36 04 09 - www.cyclotourisme83-ffct.org

# ESCALADE

L'escalade offre un large éventail de possibilités dans tout l'arrière-pays, depuis les Préalpes niçoises jusqu'aux contreforts du Verdon, en passant par les falaises escarpées des *baous* de la vallée du Var et le rocher de Roquebrune-sur-Argens.

## Où s'informer

**Comité régional Montagne-Escalade Côte d'Azur** – ☎ 04 92 97 46 81 - Maison régionale des sports - Immeuble Estérel Gallery - 809 bd des Écureuils - 06210 Mandelieu.

**Comité départemental Montagne-Escalade des Alpes Maritimes** – 805 av. Rhin-et-Danube - 06140 Vence - ☎ 04 93 24 98 34 - www.ffme.fr/cd/06

**Comité départemental Montagne et Escalade du Var** – Maison départementale des sports L'Hélianthe - R. Émile-Ollivier - 83000 Toulon - ☎ 04 94 46 27 61 - www.cdffme83.com

🧗 Consultez également le *Guide des sites naturels d'escalade en France*, par D. Taupin (Éd. Cosiroc/FFME), pour connaître la localisation des sites d'escalade dans la France entière.

**Bureau des guides de la Côte d'Azur** – 71 bd de la Rocade - 06250 Mougins - ☎ 04 93 75 27 39 ou 06 08 47 55 07 - www.altitude06.com

**Bureau des guides du Mercantour** – 75 r. du Dr-Cagnoli - 06450 St-Martin-Vésubie - ☎ 04 93 03 28 28 ; à Tende - ☎ 04 93 04 77 85.

**Association des guides et accompagnateurs des Alpes méridionales** – Roquebillière - ☎ 04 93 03 44 30/51 60 ; St-Martin-Vésubie - ☎ 04 93 03 26 60.

**Club alpin français** – Pour les adhérents, des sorties accompagnées sont organisées en escalade, mais aussi en alpinisme, randonnées pédestres, ski de randonnée, raquette, canyoning et spéléo.

**Section du Var** – 41 r. Charles-Poncy - 83000 Toulon - ☎ 04 94 62 19 16 - http://clubalpin.toulon.online. fr - permanence merc. 19-20h.

**Section des Alpes-Maritimes** – 14 av. Mirabeau - 06000 Nice - ☎ 04 93 62 59 99 (tlj sf w.-end et j. fériés 16h-20h) - www.cafnice.org

## Via ferrata

À mi-chemin entre l'escalade, l'alpinisme et la randonnée, la pratique de la via ferrata constitue une découverte du monde vertical de l'escalade sans l'astreinte d'un long entraînement que justifiera une pratique soutenue, ici absente. Mais les règles de sécurité prescrites doivent être néanmoins respectées.

### Les sites

Au col de la Colmiane, sur le parcours de la via ferrata du **baus de la Frema** *(voir Saint-Martin-Vésubie)*, le néophyte désireux de « tâter » de l'escalade dispose d'un étonnant ensemble d'équipements propre à susciter l'émotion. Les plus expérimentés apprécieront l'ascension du Baus à 2 246 m qui offre un magnifique panarama sur le Mercantour.
À **Lantosque**, la via ferrata prend des airs de jungle rocheuse. Dans une végétation luxuriante, l'itinéraire est marqué par la descente de l'étroit canyon du Riou et l'ascension des gorges de la Vésubie *(voir vallée de la Vésubie)*.
Le circuit via ferrata des « Comtes de Lascaris » compte deux sites : **Tende** et **Peille** *(voir ces noms)*. Dominant les villages, ces circuits offrent d'étonnantes sensations en toute sécurité.
La Ciappéa à **La Brigue** est un parcours parculièrement sportif : toutes les dalles, verticales, surplombent des grottes. Enfin, la **via souterrata** de Caille au pied de l'Audibergue, dans les Préalpes de Grasse propose un parcours reliant deux avens. La configuration souterraine est identique à la via ferrata, en y ajoutant une combinaison de protection et un éclairage spécifique.
♿ Le conseil général des Alpes-Maritimes édite le guide « **Rando Via Ferrata** », disponible dans les offices de tourisme et consultable sur le site internet **www.randoxygène.org**

## GASTRONOMIE

La première approche, la plus simple, consistera à vous rendre sur les marchés *(voir les rubriques l'encadré pratique des villes)* ou chez les producteurs !

Le comité départemental du tourisme du Var propose une brochure « **À la découverte des Terroirs du Var** », découpée en 6 secteurs et répertoriant les producteurs de la région qui vous recevront sur leurs exploitations. Sachez, en outre, que le Var est classé parmi les 5 premiers départements « bio » de France.

Pour goûter à la savoureuse cuisine traditionnelle, il vous suffira de pousser la porte des petits restaurants (suivez votre flair). À **Nice**, pour vous repérer, un label « **Cuisine Nissarde** » est apposé sur la devanture des établissements qui servent des menus du terroir.

## Stages de cuisine

Pour connaître les prestataires qui organisent des stages de cuisine du terroir, contactez le comité régional du tourisme Provence-Côte d'Azur. Entre autres adresses :
**École de cuisine du Moulin de Mougins** – Restaurant l'Amandier - Pl. du Cdt-Lamy - 06250 Mougins - ☎ 04 93 90 00 91. Cours de 2h30 destinés aux cuisiniers amateurs. Démonstration de deux plats et dégustation.

## Stages d'œnologie

**Maison des vins des Côtes-de-Provence** – RN 7 - 83460 Les Arcs - ☎ 04 94 99 50 20. Outre la présentation et la vente de 750 vins d'appellation côtes-de-provence dont une sélection de 16 vins, la Maison des vins propose tous les jours une dégustation gratuite et des stages de dégustation.

**Domaine de Lauzade** – Rte de Toulon - 83340 Le Luc - ☎ 04 94 60 72 51 - www.lauzade.com. Dégustations des vins de Provence tous les jours sauf samedi après-midi et dimanche.

**La Cave du Moulin** – 50 av. Charles-Mallet - 06250 Mougins-Village- ☎ 04 92 92 06 88. Initiation à l'œnologie, à la cuisine (au moulin de Mougins, ☎ 04 93 75 35 70) et dégustation de vins.

## JET-SKI

La pratique du jet-ski, sur des portions du littoral peu accessibles par terre et judicieusement choisies, constitue une superbe expérience de navigation autonome. Ce sport est néanmoins régi par des règles strictes : 150 m entre deux appareils, navigation diurne entre 300 m à l'extérieur des chenaux et jusqu'à 1 mille nautique, et désormais nécessité pour le pilote d'être titulaire d'un titre de conduite « mer ». La plupart des grandes stations assurent la location des jet-skis à l'heure ou à la demi-journée.

## NAUTISME

Le littoral varois offre de longues étendues de plages aux coups de boutoir du mistral. C'est tout naturellement sur ses côtes que les adeptes des sports nautiques de vent (planche à voile, funboard, dont la planche plus courte autorise figures de saut et surf) ont trouvé un des meilleurs sites de la Méditerranée pour exercer leur passion. Sur la côte occidentale de la presqu'île de Giens, la **plage de l'Almanarre** est devenue un haut lieu du funboard et accueille les épreuves françaises du championnat du monde de cette spécialité. D'autres sites présentent un aspect plus technique : Six-Fours-les-Plages et les deux faces du cap Nègre.

👁 **Avis aux véliplanchistes** – Ils doivent respecter les chenaux balisés, ne pas s'éloigner au-delà de la limite de 1 mille de la côte, s'abstenir de sortir lorsque le pavillon noir et blanc (vent de terre) est hissé et enfin ne jamais quitter leur flotteur en cas de difficulté.

*Planche ou voilier, à vous de choisir.*

S. Sauvignier / MICHELIN

## Label « Station nautique »

Il distingue des villages côtiers, des stations touristiques ou des ports de plaisance qui s'engagent à offrir les meilleures conditions pour pratiquer l'ensemble des activités nautiques. Dans ce guide, les stations labellisées sont : Antibes-Juan-les-Pins, Bandol, Cannes, Hyères, Mandelieu, Saint-Raphaël, Six-Fours, île des Embiez.

**France Stations Nautiques** – 17 r. Henri-Bocquillon - 75015 Paris - 📞 01 44 05 96 55 - www.france-nautisme.com

### Voile

La plupart des stations balnéaires possèdent une École française de voile qui propose des stages. Il est possible de louer des bateaux avec ou sans équipage, en saison. Renseignez-vous à la capitainerie de chaque port.

**Fédération française de voile** – 17 r. Henri-Bocquillon - 75015 Paris - 📞 01 40 60 37 00 - www.ffvoile.org

## PARACHUTE ASCENSIONNEL

Pour modifier l'habituelle vision de sa plage préférée, vous pourrez vous exercer sans crainte aux joies du **parachute ascensionnel**. Il s'agit de voler sur l'eau accroché à un parachute tracté par un hors-bord. L'intérêt consiste à rester en l'air le plus longtemps possible à la hauteur la plus élevée. Pratiquement toutes les plages aménagées et bien ventées disposent de prestataires proposant des baptêmes et des découvertes de cette activité.

## PÊCHE

### Au gros

Possibilité de s'exercer à la pêche au gros en louant des embarcations avec pêcheurs professionnels ou de participer à des matinées de pêche au large (généralement en saison de 6h à 10h) organisées par des sociétés de promenades en mer à : **Sanary, Marine de Cogolin, Sainte-Maxime**. Renseignez-vous dans les offices de tourisme *(voir ces noms)*.

**Fédération française des pêcheurs en mer** – Résidence Alliance - centre Jorlis - 64600 Anglet - 📞 05 59 31 00 73 - www.ffpm-national.org

### En rivière

Pour la pêche en rivière (Gapeau, Real Martin, Argens, Roya, Bévera) et dans les lacs (Carcès, Saint-Cassien, lacs de montagne du secteur Roya-Bévera), il convient d'observer la réglementation nationale et locale et de s'affilier pour l'année en cours dans le département de son choix à l'association de pêche et de pisciculture agréée en acquittant les taxes afférentes au mode de pêche pratiqué ou, éventuellement, d'acheter une carte journalière auprès des vendeurs attitrés.

*Bateau de pêche dans le port d'Hyères.*

**Conseil supérieur de la pêche** – Immeuble Le Péricentre - 16 av. Louison-Bobet - 94132 Fontenay-sous-Bois Cedex - ✆ 01 45 14 36 00.

## Réglementations

Quelques particularités de la nouvelle réglementation locale applicable depuis 1995 : la pêche à la truite est permise du 2e samedi de mars au 3e dimanche de septembre, celle au brochet n'est autorisée que du 31 janvier au 15 avril. Dans la Siagne, la pêche à l'ombre commun est interdite toute l'année.

Il est conseillé de s'adresser à la **Fédération départementale pour la pêche et la protection du milieu aquatique** pour obtenir les dernières modifications concernant la législation locale.

**Var** – R. des Déportés - 83170 Brignoles - ✆ 04 94 69 05 56 - www.fedepechevar.com

**Alpes-Maritimes** – Immeuble Le Quadra - l'Arénas - 455 prom. des Anglais - 06299 Nice Cedex 03 - ✆ 04 93 72 06 04 - www.peche-cote-azur.com

## Sous-marine

La pratique de ce sport, dont les multiples criques du littoral paraissent propres à satisfaire toutes les exigences, répond à une **réglementation** très stricte. Voici les éléments essentiels :
- la capture et la pêche des mérous et des nacres sont interdites en permanence ;
- la pêche sous-marine des oursins est interdite de mai à septembre dans le Var, de novembre à février dans les Alpes-Maritimes, la capture est limitée à 4 douzaines par plongeur et par jour ;
- la pêche sous-marine est interdite à moins de 100 m de tous les établissements de cultures marines ;
- la détention d'un fusil sous-marin

armé est interdite à moins de 100 m d'une plage et à moins de 50 m d'un baigneur ;
- la pratique de la pêche sous-marine est interdite aux personnes âgées de moins de 16 ans ;
- il est interdit de poursuivre et capturer (même sans intention de les tuer) des mammifères marins (dauphins, marsouins) ;
- il existe une taille réglementaire des prises pour chaque espèce ;
- en toutes circonstances, il est interdit de détenir simultanément un fusil sous-marin et un équipement tel que scaphandre autonome ou non permettant la respiration en plongée. D'autre part, pour pouvoir pêcher, le plongeur doit faire une déclaration aux affaires maritimes en présentant une pièce d'identité et une attestation d'assurance stipulant sa couverture pour la pratique de la pêche sous-marine.

Certaines zones sont totalement interdites de pêche sous-marine toute l'année : dans le Var, une partie de l'île de Porquerolles, l'île de Port-Cros et ses îlots, le cantonnement du cap Roux (secteur de Saint-Raphaël), le cantonnement de l'Argentière (secteur de La Londe-les-Maures), et l'intérieur de tous les ports. Dans les Alpes-Maritimes, les secteurs de Golfe-Juan, Beaulieu et Roquebrune-Cap-Martin sont des réserves marines (balisées par des bouées). La rade de Villefranche-sur-Mer et du cap Ferrat ainsi que l'aéroport de Nice sont classés zones de protection.

Pour installer un mouillage (corps-mort), il est obligatoire d'avoir une autorisation d'occupation temporaire (payante) délivrée par le service maritime de la DDE.

Renseignez-vous au préalable auprès de la **direction départementale affaires maritimes**.

**Var** – 244 av. de l'Infanterie-de-Marine - 83000 Toulon - ✆ 04 94 46 92 00.

**Alpes-Maritimes** – 22 quai de Lunel - BP 4139 - 06303 Nice Cedex 04 - ✆ 04 92 00 41 50.

## PLAISANCE

L'engouement pour la navigation de plaisance a conduit à l'aménagement de gigantesques surfaces d'amarrage dont le confort satisfera les plaisanciers les plus exigeants. Parmi ces dernières, on retiendra les ports dont la capacité excède les 1 000 postes : Bandol, Bormes-les-Mimosas, Toulon, Hyères (port Saint-Pierre), La Londe (port Miramar), Le Lavandou, Port-Grimaud, Saint-Raphaël (Sainte-Lucia), Cannes (Port-Canto et le vieux port), Saint-Laurent-du-Var et actuellement le plus vaste : port Vauban à Antibes.

Le *Bloc Marine Méditerranée*, (Intervalles Éd.), répertorie toutes les réglementations, les ports et plans et tous les services disponibles dans chaque port. Renseignements ℰ 04 91 54 38 97 et sur le site Internet www. blocmarine.com

## Label « Pavillon bleu »

Ce label, décerné chaque année par la Fondation pour l'éducation à l'Environnement en Europe, récompense les ports de plaisance et les communes répondant à un certain nombre de critères écologiques dans leur gestion. Consultez la liste des lauréats sur **www.pavillonbleu.org**

## Quelques règles

La vitesse est limitée à cinq nœuds sur toute la bande littorale à moins de 300 m du rivage et l'usage des scooters de mer est interdit à moins de 300 m du rivage (sauf dans les chenaux d'accès) et dans les secteurs des îles d'Hyères, de Lérins et dans la baie de Villefranche. Ne vous approchez pas à moins de 100 m d'un pavillon (blanc et bleu ou croix de Saint-André) signalant la présence de plongeurs.
La direction départementale des Affaires maritimes des Alpes-Maritimes *(voir p. 42)* diffuse une plaquette répertoriant les principales réglementations locales et les zones littorales réglementées.

## Promenades en mer

Outre les lignes maritimes régulières desservant les îles de Bendor, des Embiez, d'Hyères et de Lérins *(voir ces noms)*, des promenades en mer sont organisées en saison au départ des stations citées dans le tableau. Vous trouverez les adresses des compagnies dans les encadrés pratiques des villes concernées.

## PLONGÉE

De nombreux clubs nautiques proposent des forfaits d'initiation et de perfectionnement de plongée avec bouteilles, accompagnés de moniteurs. Les principaux centres d'activités subaquatiques se situent sur l'**île de Bendor** (ce Centre international de Plongée est l'un des plus importants d'Europe (ℰ 04 94 29 55 12 ou www.cipbendor.com), au Pradet (plage de la Garonne), à Giens (la Tour Fondue), Sanary, Cavalaire, Ramatuelle (l'Escalet), Saint-Tropez, Sainte-Maxime, Saint-Raphaël, La Napoule, Cannes et Villefranche.
Le **Centre du Rayol-Canadel** et le **Parc national de Port-Cros** *(voir ces noms)* proposent des découvertes initiatiques de la faune et de la flore méditerranéennes.

**Fédération française d'études et de sports sous-marins** – 24 quai de Rive-Neuve - 13284 Marseille Cedex 07 - ℰ 04 91 33 99 31 ou 0 820 000 457 - www.ffessm.fr
Elle regroupe un grand nombre de clubs nationaux et publie un ensemble de fiches présentant les activités subaquatiques de la fédération.

**Comité régional des sports sous-marins de la Côte d'Azur** – Sur le port - Cap Blanc - 83233 Bormes Cedex - ℰ 04 94 00 40 71 - www.ffessmcotedazur.com

## Règles de sécurité

Le succès croissant pour la découverte des superbes paysages sous-marins que propose la Côte d'Azur ne doit cependant pas faire oublier le respect par le plongeur occasionnel des règles élémentaires de sécurité qui éviteront des accidents aux conséquences souvent graves :
- ne jamais plonger seul, ni après un repas copieux ou arrosé, ou après avoir pris des boissons gazeuses, et en état de fatigue ;
- éviter impérativement les chenaux de passage des embarcations et les lieux d'évolution des véliplanchistes ;
- matérialiser correctement les points de plongée : pavillon alpha ou pavillon rouge à diagonale blanche ;

H. Le Gac / MICHELIN

*Des fonds marins appréciés des plongeurs.*

## Découvertes archéologiques

Tous les biens culturels maritimes (amphores, sites, épaves, etc.) situés dans le domaine public appartiennent à l'État. La **nouvelle réglementation** édictée en 1996 stipule que toute personne qui découvre, au cours d'une plongée, un vestige archéologique, même isolé, est tenue de le laisser en place et de ne pas y porter atteinte.

Dans le cas où l'on a fortuitement effectué un enlèvement (dans les filets, par exemple), il est interdit de s'en séparer et obligatoire d'en avertir, dans les 48h, les Affaires maritimes les plus proches ou l'organisme de tutelle : la DRASSM à Marseille (département des Recherches archéologiques et sous-marines). Les contrevenants sont passibles du tribunal de grande instance.

Enfin, petite consolation, les plongeurs ayant déclaré la découverte d'épaves ou de vestiges archéologiques pourront bénéficier d'une récompense en espèces dont le montant, fixé par l'administration, est fonction de l'intérêt scientifique de la découverte.

- signaler aux secours à terre la nature de l'accident afin qu'ils préparent des soins en milieu hyperbare, seul remède aux accidents de décompression même minime.

### Plongée « archéologique »

Les anfractuosités du littoral varois des Maures et de l'Esterel, la limpidité des fonds aux îles d'Hyères sont autant d'invites à retrouver l'ambiance du *Grand Bleu* et du *Monde du silence*. La fréquence du trafic maritime au cours des siècles a transformé les fonds en véritable musée d'épaves ; une centaine de bateaux et près de vingt avions ont été dénombrés au large du littoral azuréen. La plupart reposent par des profondeurs supérieures à 20 m, accessibles uniquement à des plongeurs chevronnés participant à des stages de découverte. En revanche, certaines épaves, situées à moins de 20 m de profondeur, peuvent être aisément repérées et « visitées » par des débutants. La fédération des sports sous-marins à Marseille fournit les coordonnées des centres proches des épaves.

## RANDONNÉE ÉQUESTRE

Des circuits aménagés de tourisme équestre existent dans les Alpes-Maritimes et le Var. Renseignements et documentation auprès des comités départementaux de tourisme.

**Comité national de tourisme équestre** – 9 bd Macdonald - 75019 Paris - ☏ 01 53 26 15 50 - cnte@ffe.com. Le comité édite une brochure annuelle, *Cheval nature, l'officiel du tourisme équestre,* répertoriant les possibilités en équitation de loisir et les établissements accueillant cavaliers et chevaux.

**Comité régional de tourisme équestre Pays d'Azur** – Immeuble le Weldom - 2 rte de Nice - 06650 Le Rouret - ☏ 06 81 58 84 70 - http://cheval.d.azur.crte.free.fr/

**Itinéraire équestre des Espaces naturels Franco-Italiens** (Itinerario Equestre degli Spazi Naturali Franco-Italiani) – Une forme originale de découverte du **massif du Mercantour** : des randonnées équestres de montagne sont pratiquables sur un itinéraire balisé reliant Saint-Martin-Vésubie à Certosa di Pesio au travers des parcs italiens delle Alpi Marittime et d'Alta Valle Pesio. Une dizaine de haltes sont aménagées pour les cavaliers et leur monture. Les renseignements pratiques sont fournis par les Maisons du Parc national du Mercantour et du parc delle Alpi Marittime.

**Massif de l'Esterel** – *Voir l'encadré pratique à ce nom.*

## RANDONNÉE PÉDESTRE

### Sentiers du littoral

Le fameux sentier des douaniers qui longeait l'ensemble du littoral azuréen avant l'expansion immobilière a réussi à préserver plusieurs tronçons de son parcours. Ces derniers ont fait l'objet d'un aménagement par le Conservatoire du littoral.

### Parcs forestiers départementaux

Les fiches pratiques de ces parcs sont consultables sur **www.cg06.fr**, ainsi que le programme des animations (sorties de découverte ou thématiques et ateliers de sensibilisation) qui s'y déroulent. Vous pouvez également le demander au conseil régional des Alpes-Maritimes (Direction du Patrimoine - BP 3007 - 06201 Nice Cedex 3).

**Parc de la pointe de l'Aiguille** – Parking sur la N 98 à la sortie de Théoule *(voir massif de l'Esterel).*

**Parc de la Grande Corniche à Èze** – Accès depuis le col d'Èze sur la

Grande Corniche *(voir corniches de la Riviera)*.

**Parc de Vaugrenier** – Accès par la N 7 entre Antibes et Marina-Baie-des-Anges *(voir Villeneuve-Loubet)*.

**Parc de la vallée de la Brague** – À la sortie nord de Biot *(voir ce nom)*.

**Parc du San Peyre** – De La Napoule, prendre la direction de l'autoroute A 8, puis à gauche la route du cimetière *(voir Mandelieu-la-Napoule)*.

## Balades dans l'arrière-pays

De nombreux sentiers balisés permettent de découvrir la région. Les sentiers de grande randonnée (GR) qui sillonnent l'arrière-pays niçois sont réservés aux randonneurs confirmés qui maîtrisent l'expérience de la montagne. Ils ne sont praticables que de fin juin à début octobre.

**GR 5** – Le plus ancien et le plus majestueux, il aboutit à Nice après une traversée de l'Europe. En reprenant la dernière section de Nice à Saint-Dalmas-Valdeblore, on traversera Aspremont, Levens, les gorges de La Vésubie et la Madone d'Utelle.

**GR 52** – De Saint-Dalmas-Valdeblore à Menton par le Boréon, la vallée des Merveilles, la forêt de Turini, Sospel. Il aboutit au Jardin exotique de Val Rameh.

**GR 52**[A] – Il contourne par les cimes le Parc national du Mercantour dans sa partie orientale depuis le col de Tende. D'autres sentiers sont praticables toute l'année par des randonneurs de tout niveau :

**GR 4** – Au départ de Grasse, il rejoint les gorges du Verdon par Gréolières.

**GR 51** – Surnommé « le balcon de la Méditerranée », il domine la côte depuis la première ligne de crêtes. Il permet de découvrir de remarquables panoramas entre le col de la Cadière (Esterel) et Castellar (à l'est de Menton).

**GR 510** – Entièrement dans les Alpes-Maritimes, il propose en 10 jours une intéressante variante transversale de vallée en vallée depuis Breil-sur-Roya jusqu'à Saint-Cézaire-sur-Siagne en passant par Sospel, Villars-sur-Var, Puget-Rostand, Roquestéron, Saint-Auban et Escragnolles, chaque étape permettant la découverte d'une nouvelle vallée ponctuée de villages perchés.

**GR 9** – Il traverse le massif des Maures de Signes à Saint-Pons-les-Mûres.

**GR 99** – Il relie Toulon aux gorges du Verdon en traversant le pays brignolais.

**GR 90** – C'est le plus petit ! Il permet de traverser les Maures depuis Le Lavandou jusqu'à Notre-Dame-des-Anges d'où l'on peut reprendre le GR 9.

**Fédération française de la randonnée** – 14 r. Riquet - 75019 Paris - 📞 01 44 89 93 93 - www.ffrp.asso.fr.
La Fédération donne le tracé détaillé des GR, GRP et PR, le calendrier des randonnées, ainsi que d'utiles conseils.
♿ *Voir la liste des topoguides, p. 56.*

**Comité départemental de randonnée pédestre des Alpes-Maritimes** – Maison des associations - 4 av. de Verdun - 06800 Cagnes-sur-Mer - 📞 04 93 20 74 73 ou www.cdrp06.org

## Info pratique

**ACCÈS AUX MASSIFS FORESTIERS**

Afin de lutter contre les incendies, dans certaines zones boisées ou d'écosystème particulièrement fragile, l'**accès aux massifs est réglementé** par arrêté préfectoral. À partir des prévisions de risque de Météo France, la préfecture émet quotidiennement, du 21 juin au 30 septembre une carte matérialisant le niveau de risque incendie par massif. Sur la base de cette carte, consultable tous les jours, à partir de 19h, sur les sites internet de la préfecture et de la direction départementale de l'agriculture et de la forêt, l'accès à chacun des massifs est réglementé de la manière suivante :
- couleur jaune : niveau de risque incendie modéré. La prudence est de mise.

- couleur orange : niveau de risque incendie sévère. L'accès aux massifs est déconseillé.

- couleur rouge : niveau de risque incendie très sévère ; l'accès aux massifs est fortement déconseillé ; certains accès routiers sont interdits à la circulation (signalisations spéciales).

- couleur noire : niveau de risque incendie exceptionnel. Les accès routiers et pédestres aux massifs sont formellement interdits.

Cela concerne l'Esterel, le Haut-Var, les îles d'Hyères, les Maures, la corniche des Maures, le plateau de Canjuers, les monts toulonnais jusqu'à la Sainte-Baume.

## Info pratique

**SUIVEZ LE GUIDE**

⚹ **« Balades Nature accompagnées au cœur du massif des Maures »** – *Voir l'encadré pratique du massif des Maures.*

⚹ **Visites accompagnées du massif de l'Esterel** – *Voir l'encadré pratique du massif de l'Esterel.*

**Comité départemental de randonnée pédestre du Var** – L'Hélianthe - R. Émile-Ollivier - 83000 Toulon - ℘ 04 94 42 15 01 - http://cdrp83.free.fr

### Autres itinéraires

**« Le sentier des villages perchés »** – L'association touristique des vallées Roya-Bévéra édite ce livret qui propose un itinéraire de 6 jours de Tende à Menton. ℘ 04 93 04 92 05 - www.royabevera.com

**Guides « RandOxygène »** – Le conseil général des Alpes-Maritimes diffuse trois guides de randonnées intitulés *Haut Pays, Moyen Pays et Pays côtier*, regroupant des itinéraires et des renseignements pratiques. Ils sont disponibles auprès des principaux offices de tourisme, des maisons du Parc national du Mercantour et des bureaux des guides. On peut également se les procurer gratuitement par courrier sur simple demande au conseil général des

Alpes-Maritimes (direction de la communication - BP 3007 - 06201 Nice Cedex 3), ou les consulter sur www.randoxygene.org

## SKI

### Ski de piste

À moins de deux heures de route de la Côte, il est possible de goûter aux plaisirs des sports d'hiver dans des stations qui bénéficient d'une réputation régionale :

**Colmiane-Valdeblore** – ℘ 04 93 23 25 90.

**Turini-Camp d'Argent** – ℘ 04 93 91 57 61. Ski de fond également.

**L'Audibergue** – ℘ 04 93 60 78 41. Ski de fond également.

**Gréolières-les-Neiges** – *Voir l'encadré pratique de la vallée du Loup.*

Dans la haute Roya, la station italienne de **Limone-Piemonte** est aisément accessible par navette ferroviaire *(voir l'encadré pratique de Tende).*

### Ski de fond

**Tende-Val Casterino** – *Voir l'encadré pratique de Tende.*

**Boréon-Saint-Martin-Vésubie** – *Voir l'encadré pratique de Saint-Martin-Vésubie.*

👁 **Bon à savoir** – Le conseil général des Alpes-Maritimes *(voir ci-dessus)* édite un guide *RandoNeige*.

## SPÉLÉOLOGIE

L'ensemble des plateaux et des Préalpes calcaires renferme de multiples opportunités pour les spéléologues de tout niveau.
Le **Var** présente des sites originaux de par leur configuration : le plateau de Siou Blanc est un véritable catalogue des variantes de gouffres et avens que l'amateur peut rencontrer. On y trouvera notamment l'aven le plus profond du département à -350 m. À proximité de Draguignan, la grotte de Mouret permettra à tous de s'entraîner.
Dans les **Alpes-Maritimes**, le pays grassois et le plateau de Caussols proposent de belles occasions de s'exercer pour les amateurs aguerris. De même, le légendaire massif de Marguareis (au nord-est de Tende), qui vit les exploits « hors du temps » du spéléologue Michel Siffre dans les années 1960, reste le paradis de la spéléologie de haut niveau. Cet

## Attention aux vipères !

Dans les garrigues et sur les causses, les pierres, la rocaille et les broussailles sont autant d'abris pour les vipères. Lorsqu'elles se sentent menacées, elles peuvent mordre celui qui vient de les déranger. Quelques minutes après, une bulle portant une petite tache rouge apparaît sur la cheville puis se transforme en œdème. Pour éviter la diffusion du venin et les complications qui s'ensuivent, il faut tout d'abord calmer le blessé et l'allonger. Mieux vaut ne pas poser un garrot, inciser la plaie ou aspirer le venin par la bouche ; d'autre part, il faut savoir que l'*aspivenin* n'est pas efficace à 100 %. La meilleure chose à faire est de transporter le blessé à l'hôpital dans les plus brefs délais ; c'est là que le sérum antivenimeux sera administré. Pour éviter ce genre d'accident, il faut tout d'abord porter de bonnes chaussures de marche protégeant éventuellement la cheville. Pour ne pas réveiller les vipères, évitez de soulever les pierres. Frapper le sol du pied, faire un peu de bruit fera fuir les vipères les plus audacieuses.

immense plateau calcaire truffé de dolines, de parois vertigineuses dominant le versant italien renferme des gouffres dépassant la profondeur de 900 m.

## Où s'informer

Adressez-vous aux sections « Spéléologie » du Club alpin français de Toulon et de Nice (voir la rubrique « escalade »), aux **Comités départementaux de spéléologie**.

**Var** – L'Hélianthe - R. Émile-Ollivier - 83000 Toulon - 📞 04 94 31 29 43 - http://speleocds.cdos83.org

**Alpes-Maritimes** – Chez M. Madelaine - 10 chemin de Cambarnier-Nord - 06650 Opio - 📞 06 77 14 75 20 ou 06 87 47 99 80 - http://cds06.ffspeleo.fr

## Les grottes azuréennes

Le relief karstique du pays grassois (plateau de Caussols notamment) offre d'intéressantes possibilités de découverte de phénomènes géologiques à des étapes différentes de leur constitution : des grottes « mortes » à **Saint-Cézaire** (voir Grasse), des avens au sein de gigantesques lapiaz comme la **grotte des Audides** (voir Cabris) ou des grottes originales constituées d'une succession de gours telle la **grotte de Baume Obscure** (voir Saint-Vallier-de-Thiey). Près de Draguignan, les **grottes de Villecroze** (voir ce nom) sont constituées de tuf. Ces grottes sont aménagées pour la visite touristique, il n'est plus question, là, de spéléologie.

## THALASSOTHÉRAPIE ET BALNÉOTHÉRAPIE

La Côte d'Azur voit apparaître ses premiers hivernants au 18ᵉ s. poussés vers la clémence de son climat par les médecins. Ces malades fortunés, tuberculeux ou phtisiques d'alors vont constituer la première vague du tourisme. Depuis, celui-ci a pris l'essor que l'on connaît, et la fatigue et le stress sont devenus les maux d'aujourd'hui. L'eau de mer et le climat maritime étant par ailleurs deux sources de jouvence indispensables pour une bonne cure, il n'y a rien d'étonnant à ce que la Côte se soit mise au goût du jour en proposant des cures de thalasso et de balnéothérapie. Parmi les nombreuses villes proposant des soins, citons : **Antibes** (remise en forme), **Bandol** (thalassothérapie), **Hyères** (remise en forme), **Saint-**

**Raphaël** (« thalasports »), **Fréjus** (thalassothérapie), l'**île des Embiez** (balnéothérapie).

**Fédération internationale Mer et Santé** – 57 r. d'Amsterdam - 75008 Paris - 📞 01 44 70 07 57 - www.thalassofederation.com

## THERMALISME

Les Alpes-Maritimes ne prétendent pas rivaliser sur ce plan avec les régions alpines à la longue tradition thermale ; cependant, la petite station de **Berthemont-les-Bains** (voir vallée de La Vésubie), par la source sulfureuse d'eau radioactive, traite avec succès les affections des voies respiratoires et les troubles articulaires ( 📞 04 93 03 47 00).

**Conseil national des Exploitants Thermaux** – 1 r. Cels - 75014 Paris - 📞 01 53 91 05 75 - www.thalassofederation.com

## TRAINS TOURISTIQUES

### Train des Pignes

Le célèbre « train des Pignes » (l'appellation proviendrait des pignes, pommes de pin, utilisées comme combustible de la chaudière des locomotives), qui va de **Nice à Digne-les-Bains**, parcourt l'arrière-pays niçois et la haute Provence sur 151 km. Construite de 1890 à 1911, sa voie métrique et unique franchit une soixantaine d'ouvrages d'art remarquables : ponts métalliques, viaducs, tunnels (dont un de 3,5 km). Le train des Pignes est le vestige d'un vaste réseau régional qui desservait au début du 20ᵉ s. tout l'arrière-pays jusqu'à Toulon via Draguignan. En un peu plus de 3h, ce voyage permet, en suivant le cours de cinq vallées, de découvrir de très beaux paysages et des villages perchés, qui sont parfois difficilement accessibles par la route. Toute l'année, ce train permet de rejoindre le lac de Castillon et les gorges du Verdon ainsi que les stations de sports d'hiver des Alpes-Maritimes et des Alpes-de-Haute-Provence. La vallée de La Vésubie aux multiples possibilités de randonnées est accessible depuis la station de Plan-du-Var.

👁 **Bon à savoir** – À l'extérieur des gares, l'aménagement de haltes, indiquées par une signalisation, permet au randonneur d'organiser son itinéraire en quittant le train à un point donné pour le reprendre en fin de journée à un autre arrêt.

**Renseignements :** Chemin de fer de Provence - 4 bis r. Alfred-Binet - 06000 Nice - ℰ 04 97 03 80 80 - www.trainprovence.com.

## Train des Merveilles

Ce train touristique circule entre **Nice** et **Tende**, traversant les vallées du Paillon et de la Roya-Bévéra *(voir la ligne Nice-Cueno, p. 19)*. Il s'arrête dans toutes les gares du parcours. Vous pourrez visiter deux villages dans la journée (dernier TER au départ de Tende à 17h05).

👁 **Bon à savoir** – Ne manquez pas le train de 9h28 au départ de Nice (arrivée à Tende à 11h06), animé par un **guide conférencier**, tous les jours entre juin et septembre et le week-end le reste de l'année.

**Renseignements :**
**SNCF** – ℰ 3635 - www.ter-sncf. com/paca.

**Association Développement touristique Roya Bévéra** – ℰ 04 93 04 92 05 ou www.royabevera.com.

## Train des Neiges

C'est l'autre appellation du train des Merveilles *(voir ci-dessus)* pour la saison hivernale. Depuis la gare de Nice, rejoignez tous les dimanches de janvier à mars le centre de Tende-Castérino pour vous adonner à une journée de ski de fond ou à une balade à thème poudrée.

## VISITES GUIDÉES

La plupart des villes proposent des visites guidées. Elles sont organisées toute l'année dans les grandes villes ou seulement en saison dans les plus petites. Dans tous les cas, informez-vous du programme à l'office de tourisme et pensez à vous inscrire. En général, les visites ne sont pas assurées en deçà de quatre personnes et pendant la période estivale, les listes sont rapidement complètes.

♿ Reportez-vous aussi à l'encadré pratique des villes, dans la partie « Découvrir », où nous mentionnons les visites guidées qui ont retenu notre attention sous la rubrique « Visite ».

## Villes et Pays d'art et d'histoire

Sous ce label décerné par le ministère de la Culture et de la Communication sont regroupés quelque 130 villes et pays qui œuvrent activement à la mise en valeur et à l'animation de leur architecture et de leur patrimoine. Dans ce réseau sont proposées des visites générales ou insolites (1h30 ou plus), conduites par des guides-conférenciers et des animateurs du patrimoine agréés par le ministère. Renseignements auprès des offices de tourisme des villes ou sur le site **www.vpah.culture.fr.**

*Les Villes et Pays d'art et histoire portent ce logo.*

Les Villes et Pays d'art et d'histoire citées dans ce guide sont **Fréjus**, **Grasse**, **Menton** et **La Provence Verte** (37 communes dont Brignoles).

♿ Voir également le chapitre suivant, « La destination en famille ».

## VUE DU CIEL

### Vol libre, deltaplane, parapente et ULM

Une vingtaine de sites sont propices à la pratique de ces sports aériens. Pour obtenir la liste à jour des centres de vol libre et des lieux de pratique contactez les organismes suivants :

**Envol de Provence** – Domaine de la Limatte - 83870 Signes - et 6 pl. du marché - 83870 Signes - ℰ 04 94 90 86 13 ou 06 07 28 93 41 - www.envolprovence.com.

**Fédération française de vol libre** (deltaplane, parapente, cerf-volant et kite) – 4 r. de Suisse - 06000 Nice - ℰ 04 97 03 82 82 - www.ffvl.fr.

**Fédération française de planeur ultra-léger motorisé** – 96 bis r. Marc-Sangnier - 94704 Maisons-Alfort Cedex - ℰ 01 49 81 74 43 - www.ffplum.com.

# Découvrez
# la France

Avec
**Jean-Patrick Boutet**
**«Au cœur des régions»**

**Frédérick Gersal**
**«Routes de France»**

## Vol à voile

Le principal centre de vol à voile se situe à **Fayence** où il bénéficie de conditions aérologiques exceptionnelles. Ce centre, animé par l'Association aéronautique Provence-Côte d'Azur, est devenu le premier centre de vol à voile en Europe. Il contribue à l'essor d'une discipline spectaculaire, la voltige en planeur.

**Association aéronautique Provence-Côte-d'Azur** – 83440 Fayence-Tourrettes - ℘ 04 94 76 00 68 - www.aapca.net

**Fédération française de Vol à Voile** – 29 r. de Sèvres - 75006 Paris - ℘ 01 45 44 04 78 - www.ffvv.org

# La destination en famille

Pour se faire pardonner quelques visites de musées « pour les grands » ou pour changer un peu de la plage, nous avons sélectionné pour vous un certain nombre de sites *(voir le tableau récapitulatif ci-contre)* qui intéresseront particulièrement votre progéniture. Vous les repérerez dans la partie « Découvrir les sites » grâce au pictogramme 👫.

## LES LABELS

### Villes et Pays d'art et d'histoire

Le réseau des Villes et Pays d'art et d'histoire *(voir la rubrique « Visite guidée »)* propose des visites-découvertes et ateliers du patrimoine aux enfants, les mercredis, samedis ou durant les vacances scolaires. Munis de livrets-jeux et d'outils pédagogiques adaptés à leur âge, ces derniers s'initient à l'histoire et à l'architecture et participent activement à la découverte de la ville. En atelier, ils s'expriment à partir de multiples supports (maquettes, gravures, vidéos) et au contact d'intervenants de tous horizons : architectes, tailleurs de pierre, conteurs, comédiens.

👁 **Bon à savoir** – En juillet-août, dans le cadre de l'opération « L'Été des 6-12 ans », ces activités sont également proposées durant la visite des adultes.

# Que rapporter

Les choix sont vastes et se limitent à la place disponible dans vos bagages, sauf si vous « craquez » pour une magnifique mais énorme jarre vernie qu'il ne vous restera plus qu'à tenter de caser dans le coffre de la voiture ! Nos quelques idées n'ont d'autre ambition que vous aider à faire votre choix en toute connaissance, car la production artisanale authentique peut côtoyer des articles manufacturés diffusés comme partout ailleurs…

♿ Nous avons sélectionné pour vous une série de boutiques proposant des produits artisanaux et du terroir : retrouvez ces adresses dans la rubrique « Que rapporter » des **encadrés pratiques** de la partie « Découvrir ».

## MARCHÉS PROVENÇAUX

Les marchés typiques, qui fleurent bon l'ail, la farigoulette et l'estragon, sont indissociables, au même titre que les cigales et la lavande, de l'image que l'on se fait de la Provence. En saison estivale, le moindre village de l'arrière-pays accueille, à l'ombre de ses platanes, des maraîchers proposant le produit de leurs cultures.

Nous citons les principaux marchés, présentant les produits du terroir et qui mettront en éveil tous vos sens, dans l'**encadré pratique** des villes.

👁 **Bon à savoir** – Les **« marchés paysans »** regroupent uniquement des producteurs en vente directs agréés « produits de la ferme » par la chambre d'Agriculture.

## POUR LES PAPILLES

### Épicerie fine

Pour l'**huile d'olive** vierge, rendez-vous de préférence dans les moulins à huile encore en activité à Aups *(voir ce nom)*, Opio *(voir Grasse)*, Cadière-d'Azur *(voir Bandol)* ou encore à Flayosc *(voir Draguignan)*, haut lieu de l'oléiculture varoise. D'une part vous visiterez le lieu de fabrication, d'autre part vous dégusterez le produit avant l'achat. Ces sites proposent également une sélection de produits régionaux. Vous rapporterez également des bocaux d'olives vertes ou noires de Nice, marinées aux piments ou aux herbes, de la **tapenade**, de l'**anchoïade**, idéale pour accompagner des légumes crus (chou-fleur, fenouil, tomates, radis, carottes… auxquels on peut rajouter un œuf dur), de l'**aïoli** en petits (ou en gros…) pots de verre, voire de la **rouille** pour accompagner les soupes de poisson. Vous trouverez tout cela sur les marchés bien sûr et

| 👥 SITES À VOIR OU ACTIVITÉS À FAIRE EN FAMILLE | | | |
|---|---|---|---|
| **Villes** | **Nature** | **Musées** | **Loisirs** |
| **Antibes** | Marineland | | Parc aquatique, parc d'attraction, mini-golf |
| **Bandol** | Jardin exotique et zoo | | Aquascope |
| **Barjols** | | Maison régionale de l'eau | |
| **Beaulieu-sur-Mer** | | Villa Kerylos | |
| **Breil-sur-Roya** | | Éco-musée du Vieux-Pays | |
| **Brignoles** | | Musée du santon, Musée des jouets (le Val) | |
| **Cabris** | Grotte des Audides | | |
| **Cap Ferrat** | Zoo | Villa Ephrussi | |
| **Draguignan** | | Musée des Arts et Traditions populaires | |
| **Îles des Embiez** | | Institut Océanographique Paul Ricard | Aquascope |
| **Fayence** | | Écomusée agricole | Lac de St-Cassien |
| **Fréjus** | Zoo | | Luna Park (parc d'attractions), Aqualand (parc aquatique), base nature |
| **Grasse** | Grottes St-Cézaire | | |
| **Hyères** | Jardin d'acclimatation | | |
| **Îles d'Hyères** | | | Aquascope |
| **Juan-les-Pins** | | | Visiobule |
| **Le Lavandou** | | | Seascope |
| **Lucéram** | | Musée des vieux-outils, Musée de la Crèche | |
| **Mandelieu** | | | Domaine de Barbossi (activités de loisirs) |
| **Maures** | Jardin d'oiseaux tropicaux (Lalonde-les-Maures), Village de tortues (Gonfaron) | | |
| **Menton** | | | Koaland (parc de loisirs) |
| **Monaco** | Jardin animalier | Historial des Princes de Monaco, Musée national (automates et poupées), Musée océanographique | Aquavision |
| **Mougins** | | Musée de l'automobiliste | |
| **Nice** | Parc Phœnix | Musée d'histoire naturelle, Musée Lou Ferrouil (Gilette) | |
| **Le Pradet** | | Musée de la Mine de Cap-Garonne | |
| **Domaine du Rayol** | Jardins | | |
| **Saint-Cyr** | | | Aqualand (parc aquatique) |
| **Saint-Martin-Vésubie** | Parc Alpha-Loup (le Boréon) | | Colmiane Forest (parcours dans les arbres) |
| **Saint-Raphaël** | | | École de cirque à Cap Esterel |
| **Saint-Tropez** | Maison des papillons | | |
| **Saint-Vallier-de-Thiey** | Souterroscope de la Baume Obscure | | |
| **Sanary-sur-Mer** | | | Aquascope |
| **Tende** | | Musée des Merveilles | |
| **Toulon** | Zoo du Mont Faron | Musée de la Marine | |
| **Forêt de Turini** | | | Peïra-Cava Aventures (parcours dans les arbres) |

*Marché provençal à Lorgues.*

dans les épiceries *(voir Cannes, Nice, Tourtour).*

## Gourmandises

Les gourmands sont particulièrement gâtés sur la Côte d'Azur ! Entre les **marrons** : marron glacé, crème de marron et marron au naturel, de Collobrières *(voir massif des Maures),* la **violette** (violettes en sucre parfumées) de Tourrettes-sur-Loup, le **nougat** de Roquebrune-sur-Argens *(voir ce nom),* les spécialités de **fruits confits** et de **pâtes de fruits** dans toutes les confiseries niçoises *(voir ce nom)* mais aussi au Pont-du-Loup *(voir vallée du Loup),* ils n'auront que l'embarras du choix ! La région compte nombre d'apiculteurs, les amateurs de **miel** se rendront à Bandol, Cotignac, ou dans le massif du Tanneron *(voir ces noms).*

En déambulant dans Toulon *(voir ce nom),* vous vous régalerez de **chichi fregi** ! Quant aux pâtisseries, la fameuse **tarte de Saint-Tropez** (qui a, en fait, été créée à Cogolin !) sera aussi à consommer sur place… à Saint-Tropez ou Sainte-Maxime *(voir ces noms),* tout comme la **fougasse mentonnaise** parfumée à la fleur d'oranger. Si vous passez dans le Var entre Noël et l'Épiphanie, pourquoi ne pas ramener une **couronne des rois** qui changera de la sempiternelle galette à la frangipane, d'autant que

vous y trouverez encore des fèves faites de petits sujets en porcelaine.

## Vins et liqueurs

Voici les villes dans lesquelles vous trouverez une sélection de domaines dans l'encadré pratique :

**Côtes-de-Provence** – Les Arcs, Draguignan (vin bio), Fréjus, Gassin *(voir Ramatuelle),* Le Luc (vin bio), l'île de Porquerolles (trois domaines), Lorgues.

**Coteaux varois en Provence** – *Voir Brignoles.*

**Vins de Bandol** – *Voir Bandol.*

**Vins de Bellet** – *Voir Nice.*

**Liqueur de Lérina** – Aux îles de Lérins, les moines de l'abbaye Saint-Honorat élaborent cette célèbre liqueur.

**Liqueur à la violette** – Spécialité de Tourrettes-sur-Loup.

Il existe aussi de nombreux vins de pays, essentiellement en rouge et en rosé : dans le Var, le domaine des Embiez, les vins de pays du Var, des Maures, de Grimaud et du Golfe de Saint-Tropez ; dans les Alpes-Maritimes, les vins des Baous de Saint-Paul, très agréables.

♿ Reportez-vous à la rubrique « Les vins » *(voir p. 34)* pour les maisons des vins et à « La table provençale » pour la présentation des vignobles *(voir p. 91).*

## POUR LA MAISON

### Parfums et fleurs

Toute la Côte d'Azur propose des variétés superbes de bouquets de fleurs dont les plus remarquables sont les **mimosas** (en février) et les **œillets**. À noter, outre Ollioules *(voir Sanary-sur-Mer),* les marchés d'Antibes *(voir ce nom)* et du cours Saleya à Nice *(voir ce nom)* dont certains commerçants assurent l'expédition en paquets conditionnés.

À **Grasse**, vous ne pourrez pas éviter de tomber sur une parfumerie, ainsi qu'à Èze et Gourdon *(voir ces noms).*
À **Menton**, dans la rue Longue, de multiples boutiques d'artisanat proposent parfums et toutes sortes de savons, de produits pour le bain ou pour le massage, mais aussi sachets de lavande pour les armoires, bougies parfumées, parfums d'ambiance (également pour la voiture), etc.
À **Tourrettes-sur-Loup**, les savons, parfums et autres bougies d'ambiance sentent bon la violette.

## Linge de maison

Nappes (toile cirée ou non) et sets de table, torchons, maniques et gants de cuisine en tissu provençal. L'engouement pour les **tissus provençaux** se retrouve dans le large choix des boutiques.

## Poteries et verreries

Outre les innombrables artisans qui peuplent les villages perchés à forte fréquentation touristique et chez qui le pire côtoie allègrement le meilleur (mais il en faut pour tous les goûts !), les **poteries** sont incontournables à Vallauris. Salernes *(voir Aups)*, dans le haut Var, est réputé pour ses poteries, ses carreaux de faïence et surtout ses **tomettes**. Varages *(voir Barjols)* est connu pour ces **faïences**. Quant à Biot, qui pendant longtemps fabriqua des jarres, c'est le haut lieu de la **verrerie** depuis les années 1960.

## Santons

Vous en trouverez notamment à Fréjus et Toulon *(voir ces noms)*, ainsi qu'au Val *(voir Brignoles)*, à côté du musée… du santon ! Ne manquez pas non plus les foires spécialisées.

**Fréjus** – La semaine qui précède Noël. Cette foire est animée par les membres d'un groupe folklorique « La Miougrano » qui présentent et vendent les productions des plus grands santonniers de Provence.

**La Garde-Freinet** – De la semaine qui précède Noël à début janvier. Cette foire est animée par des artisans santonniers qui vendent leurs productions.

**Bormes-les-Mimosas** – 1er week-end de décembre.

**Le Lavandou** – 1er week-end de décembre.

**Draguignan** – En novembre.

## Autres

**Sandales** – À Saint-Tropez *(voir ce nom)*.

**Pipes et tapis** – C'est la spécialité de Cogolin *(voir ce nom)*.

**Objets en bois, en liège** – L'arrière-pays niçois est plus spécialisé dans les objets tournés dans le bois d'olivier (couverts). À Gonfaron, objets manufacturés en liège.

# Les événements

De nombreuses associations adhèrent à la Fédération française des fêtes et spectacles historiques. Un guide est disponible sur le site **www.loriflamme.com**

### Janvier

**Barjols** – Fête de la Saint-Marcel (mi-janvier).

**Bormes-les-Mimosas** – Mimosalia : fête du mimosa.

**Monaco** – Fête de la Sainte-Dévote (le 27). Festival international du Cirque (mi-janvier).

**Monaco et arrière-pays** – Rallye automobile de Monte-Carlo (fin du mois).

**Valbonne** – Fête de la Saint-Blaise, du raisin et des produits du terroir (dernier week-end).

### Février

**Menton** – Fête du Citron, corso des Fruits d'or (3 semaines autour de Mardi gras). ℘ 04 92 41 76 95.

**Nice** – Carnaval : corsos carnavalesques et batailles de fleurs (2 semaines autour de Mardi gras). www.nicecarnaval.com

**Villefranche-sur-Mer** – Combat naval fleuri : défilé de pointus, bataille de fleurs (lun. gras). ℘ 04 93 76 33 40.

### Mars

**Golfe-Juan** – Reconstitution historique du débarquement de Napoléon à Golfe-Juan (1er week-end).

**Gonfaron** – Fête de l'âne (dernier week-end) : défilé du troupeau et bénédiction.

**Nice** – Festins des cougourdons (fin du mois, voire début avril). Paris-Nice : course cycliste, arrivée sur la promenade des Anglais.

## Avril

**Hyères** – Festival des Arts de la mode (dernier week-end). ℘ 04 98 08 01 98.

**Monaco** – Printemps des arts. ℘ (00377) 93 25 58 04. www. printemps desarts.com Masters Series Monte-Carlo (mi-avril). ℘ (00377) 97 98 70 00.

**Mouans-Sartoux** – Fête du miel (dernier dimanche).

**Roquebrune-Cap-Martin** – Procession du Christ mort (le soir du Vendredi saint).

## Mai

**Cannes** – Festival international du film : réservé aux professionnels, mais l'ambiance qui règne autour du palais des Festivals vaut le déplacement.

**Fréjus** – Bravade Saint-François (3$^e$ dimanche après Pâques). ℘ 04 94 51 83 83.

**La Garde-Freinet** – Fête de la transhumance. ℘ 04 94 43 67 41.

**Monaco** – Grand Prix automobile de Formule 1 (3$^e$ week-end).

**Nice** – Fête des Mais (tous les dimanches) : groupes folkloriques, vente de produits locaux au parc des Arènes de Cimiez.

**Saint-Tropez** – Bravades (du 16 au 18).

## Juin

**Saint-Tropez** – Bravade des Espagnols (le 15). Fête de la Saint-Pierre (le 29).

## Mi-juin – mi-juillet

**Toulon et sa région** – Festival-Estival de musique. ℘ 04 94 93 55 45.

## Juillet

**Antibes** – Fêtes de Notre-Dame de Bon-Port (du 1$^{er}$ jeudi jusqu'au dimanche suivant) : fêtes mariales.

**Cannes** – Nuits musicales du Suquet (2$^e$ quinzaine). ℘ 04 92 99 33 83.

**Îles des Embiez** – Les Voix du Gaou (2$^e$ quinzaine) : salsa, rock, soul, reggae, polyphonies corses, raï. www.voixdugaou.com

**Hyères** – Les vignades (mi-juillet). ℘ 04 94 00 79 74.

**Juan-les-Pins** – Festival international de jazz (autour de la 2$^e$ quinzaine). ℘ 04 97 23 11 10.

**Nice** – Nice Jazz Festival (2$^e$ quinzaine). dans les jardins et les arènes de Cimiez. ℘ 0892 707 407.

**Ramatuelle** – Les Temps Musicaux : musique classique (2$^e$ quinzaine). ℘ 04 98 12 64 00.

**Tende** – Fête de la Saint-Éloi, patron des muletiers (2$^e$ week-end). ℘ 04 93 04 73 71.

**Abbaye du Thoronet** – Rencontres de musique médiévale (3$^e$ semaine). ℘ 04 94 60 10 94.

**Toulon** – Festival de Jazz (2$^e$ quinzaine). ℘ 04 94 09 71 00.

**Vallées de la Roya et de la Bévéra** – Les Baroquiales : festival d'art baroque en Roya-Bévéra (1$^{er}$ quinzaine). ℘ 04 93 04 15 80 ou 04 93 04 73 71.

**Villefranche-sur-Mer** – Moments musicaux de la citadelle (jeudi).

## Juillet – août

**Cotignac** – Festival de théâtre du Rocher. ℘ 04 94 04 61 87.

**Monaco** – Festival international de feux d'artifice.

**Nice** – Musicalia, concerts gratuits de musiques du monde. au théâtre de verdure (mercredi et samedi). ℘ 0892 707 407.

**Vence** – Les Nuits du Sud : festival de musiques du monde. ℘ 04 93 58 40 10.

## Juillet – octobre

**Vallauris** – Biennale internationale de céramique contemporaine (années paires).

## Août

**Brignoles** – Festival Jazz (début du mois).

**Collobrières** – Principaux aïolis de l'été (autour du 15). ℘ 04 94 48 08 00.

**Fréjus** – Fête du raisin (début du mois). ℘ 04 94 51 83 83.

**Hyères** – Festival de la chanson française. ℘ 04 94 06 79 74.

**Menton** – Festival de musique de chambre sur le parvis de la basilique Saint-Michel. ℘ 04 92 41 76 95.

**Ramatuelle** – Festival de théâtre (1$^{er}$ quinzaine). ℘ 04 98 12 64 00. Festival Jazz (2$^e$ quinzaine). ℘ 04 94 79 10 29.

**Roquebrune-Cap-Martin** – Procession de la Passion dans les rues du vieux village (le 5).

**Vallauris** – Fête de la poterie (2$^e$ dim.). ℘ 04 93 63 82 58.

**Varages** – Fête de la céramique (2e dimanche). ☎ 04 94 77 60 39.

## Septembre

**Cannes** – Régates royales (dernière semaine). ☎ 04 93 43 05 90.

**Fayence** – Principaux aïolis de l'été (lors de la fête de Notre-Dame). ☎ 04 94 76 20 08.

## Octobre

**Ollioules** – Fête de l'olivier (1er week-end). ☎ 04 94 63 11 74.

**Roquebrune-sur-Argens** – Fête du Miel (1er week-end).

**Collobrières** – Fête de la châtaigne (les 3 derniers dimanches). ☎ 04 94 48 08 00.

**La Garde-Freinet** – Fête de la châtaigne (3e et 4e dimanches). ☎ 04 94 43 67 41.

**Gonfaron** – Fête de la châtaigne et foire artisanale (avant-dernier dimanche du mois). ☎ 04 94 78 30 05.

**Vence** – Le Moyen Pays fête ses traditions : festival des métiers, musiques et danses du pays de Vence (début du mois). ☎ 04 93 58 06 38.

**Fayence** – Quatuors à cordes du pays de Fayence (fin du mois). Dans les villages du canton. ☎ 04 94 76 02 03.

**Saint-Tropez** – Les voiles de Saint-Tropez, course de voiliers (début du mois).

**Fréjus** – Roc'Azur : courses de VTT (début du mois). ☎ 04 94 51 91 10.

### Festivités de Noël

Dès le 4 décembre, jour de la Sainte Barbe, chaque foyer sème dans une coupelle du blé ou des lentilles en invoquant la protection divine sur sa maison. À la Sainte-Luce, le 13 décembre, la lumière et les bougies illuminent les façades des maisons, les balcons. La veille de Noël, on installe la crèche provençale. S'ensuit en famille le gros souper, composé de 7 plats locaux, de 7 vins et de 13 desserts laissés sur la table 3 jours durant. Après la messe de minuit, la dinde farcie régale les convives le 25 décembre, avant le traditionnel aïoli du 26. Après la Saint-Sylvestre et l'Épiphanie, la Chandeleur ponctue ces fêtes, on défait la crèche. Dans les villages, les animations sont aussi de bon ton. À Ollioules, ne manquez pas la crèche en son et lumière, à Sanary la crèche grandeur nature (la « coustiero flourido »), à Nice et au Lavandou la crèche vivante.

## Novembre

**Cannes** – Festival international de la danse (années impaires), la dernière semaine.

**Monaco** – Fête nationale monégasque (le 19).

## Décembre

**Bandol** – Fête du vin (1er dimanche). ☎ 04 94 90 29 59.

**Lucéram** – Pastorale des bergers, circuit des crèches (de début décembre à mi-janvier). ☎ 04 93 79 46 50.

**Vallée de la Roya** – La vallée des santons : crèches dans les villages (de mi-décembre à mi-janvier). ☎ 04 93 04 92 05.

# Nos conseils de lecture

## OUVRAGES GÉNÉRAUX

*Beauté de la Côte d'Azur*, J. Mathe, Minerva, 2001.

*La Côte d'Azur des jardins*, S. Greggio, Ouest-France, 2002.

*La Côte d'Azur des écrivains*, C. Arthaud, Édisud, 1999.

*La Côte varoise*, A. Gérard, H. Daries, Édisud, 1997.

*Voyages en Provence, Alpes, Côte d'Azur*, E. Temime, Gallimard, 1997.

## HISTOIRE – ART

Les **éditions Serre** à Nice publient de nombreux ouvrages traitant de l'histoire d'un village du comté ou d'une vallée.

*Les Années Fitzgerald - La Côte d'Azur 1920-1930*, X. Girard, Éd. Assouline, 2004.

*L'Invention de la Côte d'Azur*, M. Boyer, coll. Monde en cours essais, Éd. de l'Aube, 2002.

*Itinéraires niçois*, Sylvie T., Serre, 2003.

*Histoire de la Provence*, M. Agulhon et N. Coulet, P.U.F., coll. « Que sais-je ? », 2001.

*Cannes Cinéma*, S. Toubiana, G. Traverso, L'Étoile/Les Cahiers du Cinéma, 2003.

*Cannes, ses lointaines origines*, P. Cosson, Serre, 2000.

*Promenades en Provence romane*, J.-M. Rouquette, G. Barruo, Zodiaque, 2002.

## NATURE – RANDONNÉES

*Toutes les fleurs de la Méditerranée*, C. Grey-Wilson, Delachaux & Niestlé, 2004.

*30 balades en famille autour des Merveilles : Haute-Vésubie, Roya*, M. Bricola, Glénat, 2005. *Parc National du Mercantour*, C. Michiels, B. Dodin, L. Nucera, Milan Éditions, 1998.

*Canyons méditerranéens*, B. Barbier, B Ranc, GAP, 1996.

### Pour les randonneurs

FFRandonnée édite des topoguides : Panoramique du Mercantour ; Tinée-Vésubie : vallée des Merveilles ; La Côte d'Azur à pied® ; Le Var à pied® ; La côte varoise et les îles à pied® ; Le pays de Fayence à pied®.
♿ www.ffrandonnee.fr.

## GASTRONOMIE

*Les Recettes de Réparate,* C. Bourrier-Reynaud, Serre, 2006.

*Cocotte d'Azur, recettes niçoises et de la côte*, J. Roure, coll. Carrés Gourmands, équinoxe éditions, 1997.

*Les Recettes de la Riviera*, A. Ducasse, Albin Michel, 1997.

*La Cuisine provençale et niçoise*, M. Roubaud, éd. Jeanne Laffite, 1999.

*Les vins de Bandol*, S. Maurice, Autres Temps, 2006.

## LITTÉRATURE

*Avenue des diables bleus* ; *Chemin de la lanterne* ; *Le Ruban rouge*, L. Nucera, Grasset. Plusieurs quartiers populaires de Nice, pendant l'entre-deux-guerres, servent de cadre à une puissante fresque de la vie des Niçois et des émigrés italiens.

*La Baie des anges* ; *Le Palais des fêtes* ; *La Promenade des Anglais*, M. Gallo, Robert Laffont. Une trilogie sur Nice, de la Belle Époque à nos jours.

*La Douceur de la vie* (tome 3 de la série « Les Hommes de bonne volonté »), J. Romains, coll. Bouquins, Robert Laffont. L'action se passe à Nice et dans l'arrière-pays dans les années 1920.

*Le Frère de la côte*, J. Conrad, « Folio », Gallimard. Étude d'un vieux marin provençal.

*Maurin des Maures*, J. Aicard, Phébus. Histoire romancée d'un forestier, adaptée ensuite en série télévisée (1996).

*Le Procès-Verbal*, J.-M.-G. Le Clézio, « Folio », Gallimard. Plusieurs autres livres de l'écrivain niçois traitent de sa ville natale.

*Le Parfum*, P. Süskind, Le Livre de Poche.

*Sept garçons*, A. Wiazemsky, Gallimard.

*Dimanches d'août*, P. Modiano, « Folio », Gallimard.

*Les Amants du paradis*, R. Mille, Grasset.

*Lettres de Cannes et de Nice (1856-1857)*, M. M. Brewster, Tac Motifs.

Pour les amateurs de romans policiers :

*Super-Cannes*, J.-G. Ballard, Fayard.

*Nice Baie d'aisance*, S. Livrozet, série « Le Poulpe », La Baleine.

*La Clé de Seize* ; *Nice 42e rue*, P. Raynal, « Folio policier », Gallimard.

# APPORTEZ VOTRE PIERRE
# À L'ÉDIFICE DE LA SAUVEGARDE
# DU PATRIMOINE
## NE L'EMPORTEZ PAS DANS VOS BAGAGES

ICCROM

*Un cœur transpercé d'une flèche et deux prénoms se jurant l'amour éternel, le tout gravé dans la pierre d'un monument historique ; emballages de pellicules, mégots de cigarettes ou bouteilles vides abandonnés sur un site archéologique. Comment confondre notre patrimoine culturel avec un carnet mondain ou une poubelle ? Pour la plupart d'entre nous, ces agissements sont de toute évidence condamnables, mais d'autres comportements, en apparence inoffensifs, peuvent également avoir un impact négatif.*

*Au cours de nos visites, gardons à l'esprit que chaque élément du patrimoine culturel d'un pays est singulier, vulnérable et irremplaçable. Or, les phénomènes naturels et humains sont à l'origine de sa détérioration, lente ou immédiate. Si la dégradation est un processus inéluctable, un comportement adéquat peut toutefois le retarder. Chacun de nous peut ainsi contribuer à la sauvegarde de ce patrimoine pour notre génération et les suivantes.*

**Ne considérez jamais une action de façon isolée, mais envisagez sa répétition mille fois par jour**

- Chaque micro-secousse, même la plus inoffensive, chaque toucher devient nuisible quand il est multiplié par 1 000, 10 000, 100 000 personnes.

- Acceptez de bon gré les interdictions (ne pas toucher, ne pas photographier, ne pas courir) ou restrictions (fermeture de certains lieux, circuits obligatoires, présentation d'œuvres d'art par roulement, gestion de l'affluence des visiteurs, éclairage réduit, etc.) Ces dispositions sont établies uniquement pour limiter l'impact négatif de la foule sur un bien ancien et donc beaucoup plus fragile qu'il ne paraît.

- Évitez de grimper sur les statues, les monuments, les vieux murs qui ont survécu aux siècles : ils sont anciens et fragiles et pourraient s'altérer sous l'effet du poids et des frottements.

- Aimeriez-vous emporter en souvenir une tesselle de la mosaïque que vous avez tant admirée ? Combien de visiteurs avec ce même désir faudra-t-il pour que toute la mosaïque disparaisse à jamais ?

**Faites preuve d'attention et de respect**

- Dans un lieu étroit et rempli de visiteurs tel qu'une tombe ou une chapelle décorées de fresques, faites attention à votre sac à dos : vous risquez de heurter la paroi et de l'abîmer.

- Les pierres sur lesquelles vous marchez ont parfois plus de 1 000 ans. Chaussez-vous de façon appropriée et laissez pour d'autres occasions les talons aiguilles ou les semelles cloutées.

**N'enfreignez pas les lois internationales**

- L'atmosphère de certains lieux invite à la contemplation et/ou à la méditation. Évitez donc toute pollution acoustique (cris, radio, téléphone mobile, klaxon, etc.).

- En vous appropriant une partie, si infime soit-elle, du patrimoine (un fragment de marbre, un petit vase en terre cuite, une monnaie, etc.), vous ouvrez la voie au vol systématique et au trafic illicite d'œuvres d'art.

- N'achetez pas d'objets de provenance inconnue et ne tentez pas de les sortir du pays ; dans la majorité des nations, vous risquez de vous exposer à de graves condamnations.

Message élaboré en partenariat avec l'ICCROM (Centre international d'études pour la conservation et la restauration des biens culturels) et l'UNESCO.

Pour plus d'informations, voir les sites :

http://www.unesco.org

http://www.iccrom.org

http://www.international.icomos.org

Villefranche-sur-Mer invite à une halte
sur la corniche de la Riviera.

S. Sauvignier/MICHELIN

# NATURE

Contrastée, la Côte d'Azur l'est dans son climat, sa végétation et son animation. La tiédeur hivernale de la côte niçoise tranche avec l'air glacé des champs de ski de Valdeblore, les hêtres et les sapins de la forêt de Turini se distinguent des chênes-lièges et des pins typiquement méridionaux de l'Esterel, l'isolement des villages perchés rompt avec la cohue des stations balnéaires… Une multiplicité d'impressions qui se comprend au regard d'un relief pluriel.

*Paysage spectaculaire du massif de l'Esterel érodé par la Méditerranée.*

## Une terre de contrastes

Entre mer et montagne, la Côte d'Azur présente un relief subaérien complexe. Toutes les topographies représentées sont dessinées et modifiées au gré des phénomènes d'érosion naturelle, littorale et anthropique.

### LES CHAÎNONS PROVENÇAUX

Ils constituent un ensemble de courtes chaînes calcaires, hautes de 400 à 1 150 m, accidentées et arides. Les chaînons les plus méridionaux sont ceux du **Gros Cerveau** (429 m), entaillés par les gorges d'Ollioules, et du **mont Faron** (542 m), qui domine la ville de Toulon. Entre eux se nichent des bassins fertiles où s'associent les trois cultures classiques : le blé, la vigne, l'olivier.

La côte toulonnaise, très découpée, offre d'excellents abris pour les ports : baie de Bandol, baie de Sanary, et surtout la merveilleuse rade de Toulon. Elle n'est pas abrupte partout (cap Sicié) et d'excellentes plages y favorisent le tourisme balnéaire. De Cannes à Nice, nouveau changement d'aspect. La côte d'Antibes n'est plus escarpée ni fouillée par la mer ; elle s'aplanit, s'ouvre en larges baies. C'est une côte calme et régulière, dont la presqu'île du cap d'Antibes est la seule saillie.

### LES MAURES ET L'ESTEREL

Deux systèmes montagneux ont constitué la Provence : l'un, très ancien : Maures et Esterel ; l'autre, beaucoup plus jeune : chaînons provençaux, d'origine pyrénéenne, Préalpes, d'origine alpine. Les **Maures** sont un massif cristallin de faible altitude (point culminant : la Sauvette, 779 m), baignant dans la mer au sud et limité au nord par une longue dépression. La côte des Maures offre ses festons multiples entre Hyères et Saint-Raphaël. Le rivage dessine de grosses saillies (cap Bénat et presqu'île de Saint-Tropez), des caps effilés (cap Nègre, cap des Sardinaux), de larges baies (rade de Bormes ou golfe de Saint-Tropez). La presqu'île de Giens est rattachée à la terre ferme par deux isthmes de sable ; elle est voisine des îles d'Hyères, couvertes d'une magnifique végétation. La plaine de Fréjus est, quant à elle, un ancien golfe comblé par les alluvions de l'Argens.

L'**Esterel**, séparé des Maures par la vallée inférieure de l'Argens, est, depuis très longtemps, également raboté par l'érosion : le point culminant, le mont Vinaigre, n'atteint que 618 m. Des collines ? Les profonds ravins qui découpent le massif, ses crêtes déchiquetées chassent vite cette impression ! Abrupts et chaotiques, les porphyres rouges de la côte de l'Esterel contrastent avec la mer bleue. La montagne lance des promontoires puissants encadrant des **calanques** ou des baies minuscules. En avant de la côte pointent des milliers de rochers, d'îlots, que les lichens teintent parfois de vert ; des récifs transparaissent sous l'eau limpide dessinant sur la surface turquoise des taches plus foncées qu'on appelle ici des « silaques ». Tout le long de cette côte de feu s'égrènent les stations et les points de vue qui font la réputation universelle de la **corniche d'Or**.

## LES PLANS DE PROVENCE

Du **plan de Canjuers** (Haut Var) au col de Vence, les Préalpes sont ourlées d'un glacis de plateaux calcaires accidentés, véritables « causses », où les eaux s'infiltrent, disparaissent dans les avens et vont alimenter des résurgences comme celle de la Siagne. Le Loup y a découpé des gorges très pittoresques.
En contrebas s'étire une zone de dépression, le « pays d'en bas », que jalonnent Vence, Grasse, Draguignan. À partir de l'Argens, cette dépression s'étend vers Fréjus d'une part, Brignoles de l'autre, mais son axe principal s'oriente vers Toulon au pied du versant septentrional des Maures (bassin du Luc).

### Grottes et avens

Le **plateau de Caussols** déroule ses vastes solitudes pierreuses. Cette sécheresse du sol est due à la nature calcaire de la roche qui absorbe comme une éponge toutes les eaux de pluie. Chargées d'acide carbonique, celles-ci dissolvent le carbonate de chaux contenu dans le calcaire. Alors se forment des dépres-

sions, généralement circulaires et de dimensions modestes, appelées **cloups** ou sotchs. Lorsque les cloups s'agrandissent, ils forment des **dolines**.
Pour plus d'information sur le plateau de Caussols, voir Saint-Vallier-de-Thiey. Si les eaux de pluie s'infiltrent plus profondément, la dissolution de la roche crée des puits ou abîmes naturels appelés **avens**. Peu à peu, les avens se ramifient, communiquent entre eux et s'élargissent en **grottes**. Les eaux d'infiltration finissent par former des rivières souterraines à circulation plus ou moins rapide. Lorsqu'elles s'écoulent lentement, elles forment de petits lacs en amont, des **gours**, barrages naturels édifiés peu à peu par dépôt du carbonate de chaux. Il arrive qu'au-dessus des nappes souterraines se poursuive la dissolution de la croûte calcaire : une coupole se forme, dont la partie supérieure se rapproche de la surface du sol. Lorsque la voûte de la coupole devient très mince, un éboulement découvre brusquement la cavité et ouvre un **gouffre**.

## LES PRÉALPES

Entre le Verdon et le Var, une série de chaînons parallèles orientés ouest-est, et dont l'altitude varie entre 1 100 et 1 600 m, forment les **Préalpes de Grasse** ; ils sont parfois coupés par des gorges étroites et sauvages (gorges du Loup ou gorges de la Siagne), les « clues » (clue de Gréolières). Les **Préalpes de Nice**, du confluent de l'Esteron à la Roya, étagent, depuis la côte jusqu'à plus de 1 000 m d'altitude, les sites riches en contrastes de l'arrière-pays niçois et mentonnais. Les chaînons, d'origine alpine, s'orientent du nord au sud, puis brusquement se courbent parallèlement à la côte.
De Nice à Menton, les Préalpes plongent brusquement dans les eaux. Le front de mer, espalier merveilleusement exposé, ouvre la **Riviera**, terme passé dans le langage géographique, sur la Méditerranée, en l'éloignant de son arrière-pays. Les presqu'îles du cap Ferrat et du cap Martin forment les deux promontoires principaux du rivage. Une triple route s'agrippe en corniche aux versants raides que peuplent villas et immeubles.

## LES CIMES DU MERCANTOUR

Au nord-est du pays, l'horizon est barré par l'épaisse masse montagneuse des Alpes méditerranéennes (altitude : 1 500 à 2 900 m), compartimentée par les hautes vallées du Var, de la Tinée, de La Vésubie et de la Roya qui servent de difficiles régions de passage. Elle vient

### Des crues dévastatrices

L'été réduit les rivières à leur lit caillouteux ; surviennent l'automne ou le printemps, les pluies s'abattent soudain avec violence, les moindres rivières deviennent en quelques heures des torrents dont le flot impétueux est lancé à la vitesse d'un cheval au galop. Aux grandes crues, le Var, dont le débit oscille entre 17 et 5 000 m³/s, coule sur une largeur de 1 km et son flot limoneux se distingue sur la mer jusqu'à la hauteur de Villefranche.

*Le Boréon dans la haute vallée de La Vésubie.*

buter, à la frontière italienne, contre l'important massif cristallin du Mercantour-Argentera dont les sommets dépassent 3 000 m (cime du Gélas, 3 143 m).

# Le jardin de la Méditerranée

Palmiers et agaves, aloès et figuiers de Barbarie, oliviers, orangers et citronniers, mimosas et jasmins, roses et œillets : ils symbolisent l'exotisme et la luxuriance végétale de la Côte, comme ils sont les témoignages d'un climat exceptionnel. Effectivement, les fleurs poussent au printemps, repoussent en automne, restent épanouies en hiver, et ne se reposent qu'en été.

## LE PAYS DE L'OLIVIER

La culture de l'olive marque traditionnellement la limite septentrionale du Midi : « Où l'olivier renonce finit la Méditerranée » écrivait Georges Duhamel. Importé en Provence par les Grecs il y a 2 500 ans, l'olivier compte plus de soixante variétés. On le trouve dans le fond des vallées comme sur les pentes jusqu'à 600 m d'altitude. On l'a appelé « l'arbre immortel », car, sauvages ou greffés sur des troncs sauvages, ils repartent indéfiniment de leur souche.

La production oléicole régionale représente plus des deux tiers de celle du pays et demeure bien implantée dans le Var (secteurs de Draguignan et Brignoles) et dans les vallées de la Bévéra et de la Roya (Breil-sur-Roya). À la suite des gels de l'hiver 1956, les oliveraies ont été progressivement replantées avec deux

espèces plus résistantes : l'**aglandau** et la **verdale**. De nombreuses autres variétés existent et la tradition veut que l'on en cultive plusieurs dans la même oliveraie. La récolte débute, selon les régions, à partir de la fin août ; les olives sont cueillies à la main lorsqu'elles sont destinées à la table, ou gaulées et ramassées dans des filets pour être envoyées au moulin. En pays niçois, le gaulage est l'unique technique employée.

## PINS ET CYPRÈS...

Les trois types de pins rencontrés sur la Côte d'Azur se distinguent par leurs silhouettes : le **pin maritime**, au feuillage sombre et bleuté et à l'écorce rouge violacé ; le **pin parasol**, souvent isolé et à la forme facilement reconnaissable ; le **pin d'Alep**, au tronc souvent tordu et à l'écorce grise, qui se plaît sur le littoral.

Sur les variétés de pins, voir Le Massif de l'Esterel.

*Pins parasols.*

Les **platanes** et les **micocouliers** ombragent les « cours » et les places des villages. La silhouette effilée du noir **cyprès** marque le paysage méditerranéen. L'**amandier** commun, très répandu, présente une superbe floraison blanche très précoce. Dans les Maures se trouvent de puissants **châtaigniers**, dans les Alpes, des sapins et des **mélèzes** de haute montagne.

## LA GARRIGUE ET LE MAQUIS

Il est des terrains calcaires si pierreux que les broussailles épineuses ou parfumées (thym, lavande, romarin) n'ont pu s'y installer que par endroits, laissant largement apparaître la roche nue : cette couverture végétale dégradée est la **garrigue** qui doit son nom au « garric », le chêne kermès qui en a fait son royaume, partagé avec plusieurs espèces de chênes à feuilles persistantes

## Risques d'incendies

Après les incendies qui ont ravagé en 2003 le Var et les Alpes-Maritimes, respectivement 2e et 3e départements les plus boisés de France, les collectivités territoriales ont pris des mesures drastiques de **prévention et de lutte contre le feu**. Au programme : réhabilitation et équipement des zones sinistrées, incitation à la responsabilité civique, entretien et surveillance, balades pédagogiques et développement des agricultures locales « coupe-feu » (vignes, oliveraies et pastoralisme).

comme le chêne blanc, ou pubescent, le chêne vert plus développé, trapu, à l'écorce gris-noir. Propre aux sols siliceux, le **maquis** forme un tapis végétal dense, souvent impénétrable. En mai-juin, la floraison des cistes sur l'Esterel offre un merveilleux spectacle. Le **chêne-liège** se reconnaît à son écorce crevassée. Le prélèvement, sur le tronc, de sa couche de liège laisse apparaître un bois de couleur brun-rouge ; cette opération, le « démasclage », se pratique tous les 8 à 12 ans. Parmi les autres arbustes, on observe le lentisque, le pistachier térébinthe, qui peut atteindre 4 ou 5 m de hauteur, et le chardon en boule.

## UNE RÉGION QUI FLEURE BON

La culture des fleurs coupées et du mimosa s'est prodigieusement développée depuis 1865 grâce à l'irrigation, à l'utilisation de serres chauffées et aux débouchés commerciaux permis par le chemin de fer. Elle se concentre dans des noyaux agricoles aux exploitations modernes : Hyères (75 % de la production nationale de fleurs coupées), Fréjus, plaine d'Ollioules, Antibes.

La plupart des fleurs coupées sont encore cueillies manuellement : les **œillets** dans la région niçoise (la moitié de la production française), les **roses** (20 % de la production nationale) à Antibes et dans la région de Grasse, le **mimosa** (75 % de la production nationale) sur le massif cristallin du Tanneron où il fleurit plusieurs fois par an (mais principalement en janvier-février). Les **violettes** poussent à l'ombre des oliviers à Tourrettes-sur-Loup.

## UN « PAYSAGE IMPORTÉ »

Les falaises maritimes entre Nice et Menton constituent un remarquable coupevent qui en fait l'aire la plus chaude de France. Les Anglais l'ont bien compris en acclimatant des essences tropicales dans de superbes jardins à Menton et à Nice à partir de 1830, tandis que les cactées ont trouvé refuge dans la principauté de Monaco.

Le long des avenues, dans les parcs et les jardins se dressent de magnifiques **eucalyptus**, arbres robustes et de grandes dimensions, originaires d'Australie, qui se sont fort bien acclimatés dans le Midi. Le **palmier** règne sur la région d'Hyères ; deux espèces sont répandues sur la Côte d'Azur : le palmier-dattier au tronc lisse et élancé et le palmier des Canaries, plus rustique et au port majestueux. Enfin, **orangers** et **citronniers**, présents depuis la fin du Moyen Âge, apparaissent de Cannes à Antibes, de Monaco à Menton. 70 % des citrons cultivés en France proviennent de cette dernière ville. Quant aux **plantes grasses**, elles poussent en pleine terre, tels le cactus, l'aloès, dont on extrait des feuilles un

Le jardin exotique d'Èze rassemble une belle collection de cactées.

D. Pazery / MICHELIN

suc amer très employé en médecine, le figuier de Barbarie, plante originaire d'Amérique centrale aux feuilles hérissées d'épines, l'agave. Les ficoïdes, aux larges fleurs roses et blanches, envahissent les vieux murs.

# En direct de la mer

De Bandol à Menton s'étend 300 km de littoral d'une incomparable beauté. Sa couleur « bleu de cobalt » provient de la très grande limpidité de l'eau, dont la température, variable en surface sous l'influence du soleil, est constante en profondeur : 13 °C de 200 m à 4 000 m de profondeur. Facteur important du climat puisque cette énorme masse liquide rafraîchit l'été et réchauffe l'hiver, la mer réjouit les baigneurs, comme elle sait étonner ceux qui se lancent à la découverte de ses fonds.

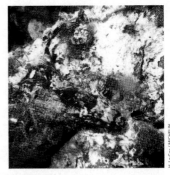

*La rascasse.*

atteint 10 kg, elle se transforme en un mâle taciturne. Pendant le reste de sa longue vie (environ 50 ans), le mérou habite des cavités rocheuses à plus de 50 m de profondeur. Ce redoutable carnivore, que sa position à l'extrémité de la chaîne alimentaire marine garantit contre les gêneurs, peut atteindre la taille de 1,20 m pour 30, voire 40 kg.

## MÉROUS ET MÉDUSES...

La Méditerranée est la moins poissonneuse des mers bordant le littoral français, ce qu'explique l'étroitesse du plateau continental. Toutefois, les poissons de roche y pullulent et les bancs de sardines, anchois, daurades, loups et thons passent en nombre au large. La vie animale de la Méditerranée ressemble à une étrange cohabitation d'êtres dotés de caractéristiques parfois peu banales. Au fil de ses promenades sous-marines, le plongeur curieux pourra découvrir quelques-unes de ces étonnantes créatures.

Touché par le vedettariat après le film *Le Monde du silence*, le **mérou** s'était fait très rare en Méditerranée, car le jeune mérou est une candide femelle qui, fréquentant les fonds rocheux à faible profondeur (moins de 10 m), devient une proie facile pour les chasseurs sous-marins et autres prédateurs. Si elle a survécu jusque-là, vers l'âge de neuf ans, lorsque son poids

👁 **Bon à savoir** – Un moratoire interdit la capture du mérou et l'animal bénéficie de surcroît d'un périmètre de protection autour de l'île de Port-Cros *(voir le Parc national des îles d'Hyères)*.

La présence saisonnière des **méduses** sur le littoral entraîne périodiquement des désagréments pour les vacanciers. L'espèce la plus fréquente, la pélagie, possède des cellules urticantes sur ses bras buccaux, ses tentacules et son ombrelle. La toxine, destinée à immobiliser les proies, provoque rougeurs et brûlures sur la peau des baigneurs : mais leur ballet est d'une beauté si étrange, lorsque, bien à l'abri dans un navire d'observation sous-marine, on les découvre flottant entre deux eaux, qu'on peut bien leur pardonner ce désagrément ! Leur prolifération suit un cycle d'environ 12 ans, conditionné par les modifications climatiques ; leur arrivée est généralement précédée d'un printemps très sec.

## Trois zones marines protégées

Les côtes de Vallauris-Golfe-Juan, Beaulieu-sur-Mer et Roquebrune-Cap-Martin font l'objet de mesures de protection (interdiction du mouillage, du dragage, de la plongée et de la pêche sous toutes ses formes), afin de permettre à la biodiversité de se reconstituer. Dans ces zones, herbiers de posidonie et gorgones sont surveillés, et des récifs artificiels sont mis en place.

La pollution de la grande bleue est au cœur des préoccupations environnementales locales. Pour protéger les eaux de baignades et les milieux marins, les mesures de contrôle et de protection se multiplient : prélèvements d'eau quotidiens en haute saison, amélioration de la qualité des eaux rejetées en mer via les stations d'épuration, surveillance aérienne du littoral et répression sévère des pollueurs. L'opération « Ports propres » vise à lutter contre toutes les pollutions maritimes et terrestres des ports.

## ... ET PRAIRIES SOUS LA MER

Les **herbiers de posidonies**, plantes à fleurs constituées de bouquets aux longues feuilles vert foncé, jouent un rôle primordial dans les biotopes méditerranéens. La croissance lente des rhizomes permet à la posidonie de fixer les sédiments du littoral et de créer un biotope riche en oxygène, favorable au développement de nombreuses espèces animales. Quand les posidonies meurent, les espèces animales, qui y avaient trouvé domicile, disparaissent ou migrent.

### Info pratique

**OBSERVER LE MILIEU AQUATIQUE**

Admirer la faune marine sans se mouiller ? C'est possible en montant à bord d'un bateau à fond de verre.

Reportez-vous à notre sélection d'adresses dans la rubrique « Sports & Loisirs » des encadrés pratiques de : Bandol, Embiez, Îles de Hyères, Juan, Lavandou, Monaco, Sanary.

Une promenade au-dessus du monde bigarré des herbiers offrira au plongeur occasionnel la possibilité d'étonnantes rencontres. Le **concombre de mer**, ou holothurie, véritable éboueur des fonds sableux, se reproduit uniquement dans les herbiers. Une limace de mer, la **doris maculée**, endémique en Méditerranée, est un mollusque blanc tacheté de marron qui tranche sur le rouge des éponges. La **vive rayée** habite les fonds sableux proches des herbiers ; enfouie dans le sable, elle ne laisse dépasser que la tête. L'épine de sa nageoire dorsale est particulièrement venimeuse : la piqûre, très douloureuse, peut avoir des conséquences graves. Enfin, pour compléter ce tableau, l'**hippocampe** aime se nicher à proximité de son cousin le **poisson-aiguille**, ou syngnathe, dont l'étonnante morphologie filiforme, avec une bouche en trompette, lui permet de se dissimuler par mimétisme dans les feuilles de posidonie.

### Un milieu menacé

Les **constructions côtières** et les **travaux portuaires** ont provoqué une importante sédimentation et une pollution mettant en péril ce fragile biotope.

Selon le Medam, organisme spécialisé dans l'inventaire et l'impact des aménagements sur la côte, 10 % des petits fonds auraient disparu, du fait de l'avancée artificielle de la terre sur la mer. Cette pollution irréversible et sous-estimée n'est qu'à demi-mot évoquée, pour des raisons politiques évidentes de développement territorial. Et pourtant, elle menace tragiquement la vie des milieux et de leurs espèces, chaque aménagement sur la mer détruisant ou modifiant un habitat de vie sous-marin. Les surfaces agricoles ne cessent de diminuer en milieu littoral, au profit d'une « consommation foncière » toujours plus importante. Pour contenir l'hémorragie et le dépaysement, **le Conservatoire du littoral**, organisme environnemental public, a acquis plusieurs milliers d'hectares (environ 100 km de côtes de Saint-Cyr-sur-Mer à la Riviera) qu'il protège de ce type de pollution. En 2006, la société Paul Ricard, propriétaire de terres, lui a légué pour 1 € symbolique 83 ha de végétation surplombant l'anse de Cavalière dans le Massif des Maures.

En outre, depuis 1989, l'une des six espèces d'algues caulerpes d'origine tropicale déjà signalées en Méditerranée, la **taxifolia** (non toxique pour l'homme), a rapidement proliféré sur le littoral azuréen. Qualifiée d'« algue tueuse » elle est particulièrement difficile à éradiquer, grignotant petit à petit la flore et réduisant la biodiversité d'origine. Un vrai dilemme qui a trouvé peu de solutions efficaces à ce jour.

### Une pêche réglementée

Pour ne pas accentuer les déséquilibres d'un écosystème déjà particulièrement fragilisé, les municipalités condamnent la pêche à excès qui menace le renouvellement et la diversité des espèces. Très règlementée, la pêche professionnelle est dans cette région concurrencée par la pêche de plaisance, difficile à contrôler et tout aussi dangereuse pour l'équilibre de l'écosystème.

Concernant la raréfaction des oursins, voir Six Fours-les-Plages.

### Info pratique

**AVIS DE VIGILANCE**

Plongeurs, pêcheurs ou plaisanciers, si vous voyez des algues de l'espèce **taxifolia**, contactez le Laboratoire Environnement Marin Littoral : 04 92 07 68 46 ou www.caulerpa.org

# HISTOIRE

Théâtre de conflits et de revendications multiples, la Côte d'Azur est née d'une histoire tumultueuse qui a laissé sur ses terres de nombreuses traces. Pour preuves, la fondation de villes dont les vestiges contribuent à la fierté de la région aujourd'hui. Les grands peuples et les hommes qui ont fait l'histoire de France y sont passé, l'ont occupée ou y ont bataillé, rendant les principaux comtés tantôt indépendants, tantôt rattachés à des empires ou duchés voisins.

## Une histoire du sud

Voici quelques jalons pour mesurer une construction lente et complexe, teintée d'une extrême singularité.

### AV. J.-C.

**Paléolithique inférieur** – La Côte d'Azur a, de bonne heure, attiré l'homme, comme l'atteste, entre autres, le site de **Terra Amata** à Nice (400 000 av. J.-C.).

**1800-1500** – Gravures de la vallée des Merveilles.

**900-600** – Les Ligures occupent le littoral méditerranéen.

**600** – Fondation de **Massalia** (Marseille) par les Phocéens. Ils importent entre autres l'olivier, le figuier, la culture de la vigne et substituent, dans les échanges, la monnaie au troc.

**5e-4e s.** – Les colons grecs de Marseille (Massaliotes) établissent des comptoirs commerciaux : Hyères, Saint-Tropez, Antibes, Nice, Monaco. Les Celtes envahissent la Provence et se mêlent aux Ligures.

### LA PROVENCE GALLO-ROMAINE

**2e s.** – Rome intervient pour protéger Marseille et ses comptoirs des Celtes (défaits en 124), des Cimbres et des Teutons (écrasés par Marius près d'Aix en 102). La province narbonnaise fait la jonction entre l'Espagne et l'Italie.

**58-51** – Conquête de la Gaule par Jules César qui fonde **Fréjus** en 49.

**6** – La pacification des peuples des Alpes est commémorée par le trophée d'Auguste à **La Turbie**.

### APR. J.-C.

**1er-3e s.** – L'agriculture et les villes s'épanouissent sous l'Empire. Les Romains organisent le négoce du vin dans toute la Gaule. La **voie aurélienne** est l'artère du pays. Fréjus (colonie de vétérans), Cemenelum (Cimiez), la capitale des Alpes maritimes, et Antibes se parent de monuments.

**4e-5e s.** – En 410, **saint Honorat** s'installe dans les îles de Lérins, centre rayonnant du monachisme. Le christianisme se diffuse des villes du littoral vers l'intérieur.

**5e-6e s.** – Vandales, Wisigoths, Burgondes, Ostrogoths, Francs envahissent tour à tour la Provence qui avait été jusque-là relativement épargnée par les invasions.

**8e s.** – La Provence est une province périphérique de l'empire carolingien.

### LE COMTÉ DE PROVENCE

**843** – Le **traité de Verdun** règle le partage de l'empire de Charlemagne. La Provence, qui échoit à Lothaire en même temps que la Bourgogne et la Lorraine, est érigée en royaume en 855.

**883** – Les **Sarrasins** s'installent dans les Maures (Fraxinetum) et restent, un siècle durant, la terreur du pays.

**974** – Le comte d'Arles, Guillaume « Le Libérateur », chasse les Sarrasins.

**10e-11e s.** – La Provence, passant de main en main, est finalement rattachée au **Saint Empire romain germanique**, mais jouit d'une indépendance de fait.

**12e s.** – Les comtes de Provence tiennent à Aix une cour raffinée, mais leur autorité est limitée par l'autonomie communale. Les villes, enrichies par le commerce, se dotent de consuls.

**1229** – **Raymond Bérenger V**, de la dynastie catalane, s'inquiète de l'expansion génoise sur le littoral (fortification de Monaco en 1215). Nice est contraint de se soumettre.

**1246** – **Charles d'Anjou**, frère de Saint Louis, succède à Raymond Bérenger V, dont il est le gendre. Sous l'administration des Angevins, **Nice** est pleinement intégré à la Provence (le viguier est le représentant du comte).

**1254** – Débarquement à Hyères de **Saint Louis**, de retour de la VII$^e$ croisade.

**1260-1265** – Les liens avec l'Italie du Nord sont renforcés par l'occupation d'une partie du Piémont et de Vintimille. En 1265, **Charles I$^{er}$** devient roi de Sicile. Les ambitions angevines dans le sud de l'Italie favorisent les intérêts des marchands et des armateurs niçois, mais vont se réaliser aux dépens de la Provence.

**1295** – Charles II fonde **Villefranche** dans une rade bien abritée.

**1308** – La seigneurie de **Monaco** est achetée aux Génois par un membre de la famille Grimaldi.

**1343-1382** – Règne de la reine Jeanne I$^{re}$. Celle-ci laisse un souvenir populaire, car, à court d'argent, elle est obligée de revendre des droits aux communautés urbaines. Les bandes armées dévastent la Provence atteinte par la **peste** (1347) et frappée par les mauvaises récoltes. À la fin de ce siècle difficile, la Provence a perdu la moitié de ses habitants.

**1388** – Sédition de Nice qui est officiellement cédée au **duc de Savoie** en 1419.

**1436-1480** – René d'Anjou, le « bon roi René », ne réside que les dix dernières années de son règne à Aix où il laisse le souvenir d'un mécène fastueux, dans un contexte de renouveau économique.

**1481** – Charles du Maine, neveu de René d'Anjou, lègue la Provence à Louis XI. Floraison artistique en pays niçois.

**1486** – La réunion de la Provence à la France est ratifiée par les **États de Provence** (assemblée des représentants des trois ordres). La Provence est rattachée au royaume, « comme un principal à un autre principal ».

**1489** – L'**indépendance de Monaco** est reconnue, mais restera « protégée » par les puissances. Pour se repeupler, la Provence et le comté de Nice font appel à l'immigration (« actes d'habitation » conclus avec les seigneurs).

## LA PROVENCE DEPUIS LA « RÉUNION »

**1501** – Institution du parlement d'Aix (ou parlement de Provence), cour souveraine de justice qui s'arroge par la suite certaines prérogatives politiques.

**Début 16$^e$ s.** – Lors des guerres qui opposent François I$^{er}$ (1515-1545) à Charles Quint, la Provence est envahie par les Impériaux, que commande le connétable de Bourbon en 1524, puis en 1536. La trêve de Villefranche met fin à ces déprédations en 1538.

**1539** – **Édit de Villers-Cotterêts** : l'usage du français est imposé pour les actes administratifs.

**1543** – Nice est assiégé par les Français alliés aux Turcs. La défense menée par Catherine Ségurane oblige ceux-ci à lever le siège.

**1589-1610** – Les guerres de Religion prolongent l'insécurité. Sous le règne d'Henri IV, la première darse du port de guerre de Toulon est aménagée.

**1639** – Richelieu crée une **marine militaire**, armée à Toulon pour la flotte du Levant.

**1643-1715** – L'avènement de Louis XIV marque la fin du particularisme provençal. Pendant les guerres qui marquèrent la fin du règne, Nice est occupé de 1691 à 1696, puis de 1707 à 1713. En 1707, la Provence est envahie par le prince Eugène de Savoie (siège de Toulon qui résiste victorieusement).

## Les grandes dates

**5$^e$-4$^e$ s. av. J.-C.** – Fondation d'Hyères, Saint-Tropez, Antibes, Nice et Monaco par les Massaliotes.
**49 av. J.-C.** – Jules César fonde Fréjus.
**5$^e$ s.** – La Provence est envahie par des barbares : vandales, Wisigoths, Burgondes, Ostrogoths et Francs.
**855** – La Provence devient un royaume.
**1246** – Nice est intégré à la Provence.
**1388-1419** – Nice est cédé à la Savoie.
**1486** – La Provence devient française.
**1790** – Les Bouches-du-Rhône, le Var et les Basse-Alpes composent la Provence.
**1860** – Nice et le duché de Savoie reviennent à la France.
**1865** – Réunion de Roquebrune et Menton à la France.
**15 août 1944-5 mai 1945** – Libération de la région par les alliés.

*Débarquement de Napoléon à Golfe-Juan.*

**1718** – Le duché de Savoie, dont dépend le comté de Nice, devient le royaume de Sardaigne.

**1720-21** – La dernière **grande peste** d'Occident décime les populations provençales.

**1746** – L'offensive austro-sarde est brisée devant Antibes (guerre de succession d'Autriche).

**1787** – Réunion des États de Provence.

## LA RÉVOLUTION ET L'EMPIRE

**1790** – La Provence forme **trois départements** : Bouches-du-Rhône, Var, Basses-Alpes. Les nobles émigrés affluent dans le comté de Nice.

**1793** – **Bonaparte** se distingue au siège de Toulon, rebaptisé « Port-la-Montagne » pour s'être livré aux Anglais. **Nice** est réuni à la France. Les « barbets » ultra-royalistes sèment la terreur dans les hautes vallées.

**1799-1814** – Revenant d'Égypte le 9 octobre, **Bonaparte** débarque à Saint-Raphaël. Les préfets nommés par Napoléon (Dubouchage à Nice) restaurent l'ordre en Provence, mais le blocus continental ruine son économie. La **route de la Grande Corniche** est réalisée jusqu'à Menton.

**1814** – Napoléon abdique le 6 avril à Fontainebleau et s'embarque le 28 à Saint-Raphaël pour l'île d'Elbe. Le comté de Nice est rendu au roi de Sardaigne : **traité de Paris**.

**1er mars 1815** – Débarquement de **Napoléon** à Golfe-Juan, début des « Cent-Jours ». Évitant Marseille et la vallée du Rhône, qu'il sait hostiles, Napoléon gagne Grenoble, où l'opinion lui est favorable, par un sentier étroit et difficile, parfois enneigé. Il traverse les Alpes en un temps record et surprend la monarchie restaurée de Louis XVIII.

**18 juin 1815** – Bataille de Waterloo.

## 19e SIÈCLE

**1851-1852** – Troubles paysans dans le Var à la suite du coup d'État du 2 décembre 1851. La tradition républicaine se maintient sous le Second Empire.

**1860** – Retour du comté de **Nice** à la France en échange de l'aide apportée aux débuts de l'unité italienne par Napoléon III (1852-1870). Le département du **Var** conserve sa dénomination, mais perd le territoire qui borde le fleuve : l'arrondissement de Grasse. Ce dernier, avec l'ancien comté de Nice, forme le département des **Alpes-Maritimes**.

**1865** – Les droits sur les villes de Roquebrune et de Menton, qui avaient proclamé leur autonomie lors de la révolution de 1848, sont rachetés au prince de Monaco.

**1878-1879** – Le casino de Monte-Carlo est rebâti par Charles Garnier. Développement du tourisme d'hiver sur la « Côte d'Azur ».

**Fin 19e s.** – Paul Signac s'installe à Saint-Tropez et y attire un grand nombre de peintres.

## 20e SIÈCLE

**1940** – Occupation de Menton par les Italiens. Le Midi, en zone libre, est relativement épargné.

**1942** – Invasion de la zone libre par les Allemands. Sabordage de la flotte de Toulon (27 novembre).

**1944-1945** – La 7e armée américaine du général Patch, composée principalement de la 1re armée française, débarque le **15 août 1944** sur la côte des Maures (opération « Dragon »). En moins de quinze jours, la Provence est libérée. Les Américains, épaulés par les forces de la Résistance, refoulent les Allemands vers les Alpes italiennes ; mais le **massif de l'Authion**, transformé en camp retranché, est conquis par la 1re division française libre après huit mois de très durs combats (13 avril). Tende n'est libéré que le 5 mai 1945, trois jours avant l'armistice.

**Depuis 1946** – Reprise du festival de Cannes (créé en 1939). Développement du tourisme d'été sur la Côte d'Azur.

**1947** – Rattachement à la France de la haute vallée de la Roya avec Tende.

**1960-1963** – L'art moderne connaît un rayonnement international sur la Côte d'Azur avec le « nouveau réalisme » (Arman, César, Raysse, Klein) et l'École de Nice (Ben, Viallat).

**1969** – L'université de Nice, ouverte en 1965, développe le centre de haute technologie de Sophia-Antipolis sur le plateau de Valbonne.

**1980** – La région est désenclavée par l'autoroute « La Provençale » qui relie le réseau du Rhône au réseau italien.

**1991-1998** – **Nice**, capitale historique de la Côte d'Azur et porte d'entrée du tourisme international, confirme son rôle culturel en inaugurant le musée d'Art moderne et d'Art contemporain et le musée des Arts asiatiques.

# La côte mytique

**Rivage propice à l'inspiration pour les écrivains, la Côte fut aussi, pour les cinéastes, les acteurs, les chanteurs à la fois un tremplin vers le succès et la marque de celui-ci, ainsi qu'un lieu de rencontre. Parler du cinéma sur la Côte d'Azur, c'est aller au-devant d'un mythe que l'on touche du doigt pendant le festival de Cannes et pendant la saison estivale, focalisé sur Saint-Tropez et ses fêtes et grossi par la presse à sensation.**

## LES PREMIERS AMOUREUX

Les écrivains furent, avec les peintres, les premiers à succomber aux charmes de cette nouvelle Arcadie. **Maupassant** évoqua dans *Sur l'eau* les beautés de la Côte ; Gaston Leroux s'en enthousiasma dans *Le Parfum de la dame en noir* ; Guillaume Apollinaire y fut attaché dès l'enfance. Gide, Roger Martin du Gard (prix Nobel en 1937), les surréalistes, dont Paul Éluard, très lié à Picasso, s'y retrouvèrent, tandis que **Colette** se retira dans sa villa de Saint-Tropez, entre 1925 et 1938.

Les Anglo-Saxons vinrent y respirer un air plus pur et frivole comme la Néo-Zélandaise **Katherine Mansfield** qui laissa dans son *Journal* une vision enchanteresse de Menton. **Édith Warthon** écrivit à Hyères *Le Temps de l'innocence*, Aldous Huxley rédigea *Le Meilleur des mondes* à Sanary en 1931. David-Herbert Lawrence, l'auteur de *L'Amant de lady Chatterley*, mourut à Vence en 1930. Les Américains de la « génération

## Des personnalités marquantes

**DANS LE VAR**

👁 Pendant le coup d'État de 1851, **Césarine Ferrier**, épouse de 21 ans du maire de Grimaud, rallia les femmes à sa cause insurrectionnelle et marcha en tête de la colonne des Arcs-sur-Argens.

👁 En 1870-1871, **Joseph Gallieni**, varois de cœur participe aux combats de Bazeilles.

👁 **Georges Clemenceau** fut député réélu puis sénateur du Var.

👁 Pendant la Seconde Guerre mondiale, **Franck Arnal**, pharmacien, participe activement à la résistance varoise.

👁 C'est à **Honoré d'Estienne d'Orves**, ancien lieutenant de vaisseau à Toulon que revient la création des premiers réseaux de renseignements.

**DANS LES ALPES MARITIMES**

👁 Le Grand Duc **Michel de Russie**, oncle du Tsar Nicolas II et frère d'Alexandre III, s'exile à la fin du 19e s. à Mandelieu-la-Napoule. Il participe au développement de la ville (golf, tramway, nouveau port, etc.).

👁 Depuis 700 ans, la **famille Grimaldi** règne sur le rocher. Louis II, Rainier III (1949-2005) et Albert II en sont les figures principales.

## L'œil du photographe

**Jacques-Henri Lartigues** (1894-1986), fut familier de l'Hôtel du Cap d'Antibes avec sa femme « Bibi ». En 1960, il s'installa à Opio, dans l'arrière-pays grassois et il mourut à Nice. Il est l'auteur d'inoubliables clichés de la Côte d'Azur conçue comme un art de vivre. En passionné de cinéma, il photographia des tournages et couvrit aussi chaque Festival de Cannes.

perdue » : Miller, Fitzgerald, Hemingway, animèrent la plage de Juan-les-Pins et le cap d'Antibes.

Mais les nuages s'amoncelèrent, avec le début de la guerre et Sanary-sur-Mer devint le refuge d'**écrivains allemands** fuyant le nazisme. Heinrich Mann se mariera à Nice avant de s'exiler aux États-Unis en 1940, Klaus Mann se suicidera à Cannes en 1949.

Plus tard, **Jules Romains** mettra à l'honneur Nice, y poursuivant jusqu'en 1947 la rédaction des *Hommes de bonne volonté*. Chantée par Max Gallo et le délicieux **Louis Nucéra**, la ville continue d'enfanter des écrivains de talent comme Jean-Marie Gustave Le Clézio ou Didier van Cauwelaert.

## LUMIÈRE SUR LE CINÉMA

Depuis *La Côte d'Azur vue d'un train* (1903) des frères Lumière, la Riviera a joué un rôle déterminant dans l'industrie cinématographique et dans l'imaginaire français et mondial.

D'une part, l'omniprésence de la lumière était indispensable au cinéma à ses débuts ; d'autre part, les **studios de la Victorine** (aujourd'hui studios Riviera) à Nice ont activement participé à l'essor du 7e art sur la Côte. Très vite, celui-ci puise son inspiration dans la tradition locale. **André Hugon**, réalisateur du premier film parlant français, campe les person-

nages typiques de la Provence adaptés des romans de Jean Aicard : *Maurin des Maures* (1932), *L'Illustre Maurin* et *Gaspard de Besse* (1936). Le vieux village du Castellet sert de décor à *La Femme du boulanger* (1938).

Durant la Seconde Guerre mondiale, le repli de toute une frange du cinéma français est à l'origine du dernier âge d'or : **Marcel Carné** tourne *Les Visiteurs du soir* (1942), puis *Les Enfants du Paradis* (1944), sur des textes de Prévert. Hommage à une époque révolue, **François Truffaut** placera un tournage dans les studios de la Victorine au cœur de *La Nuit américaine (1972)*.

*Les palmes du Festival de cinéma à Cannes.*

### Diverses approches

Les années 1950 sonnent le glas d'une certaine image de la Côte d'Azur, dont **Jean Cocteau**, peintre, écrivain, cinéaste, est le dernier magicien. Villefranche-sur-Mer accueille, dans l'intimité de sa pittoresque « rue Obscure », son *Testament d'Orphée* (1960). Le cadre médiéval de Sospel se prête au *Masque de fer* (1962) d'Henri Decoin, dans lequel **Jean Marais** endosse un de ses rôles de cape et d'épée.

Avec le tournage mythique, en 1956, de *Et Dieu créa la femme*, **Roger Vadim** lance sur les écrans à la fois Brigitte Bardot et Saint-Tropez. La Nouvelle Vague déferle et J.-P. Belmondo incarne *Pierrot le Fou* (1965) de **Jean-Luc Godard**, dans l'île de Porquerolles. Mais plusieurs films prennent le contre-pied d'une vision trop attendue : *La Collectionneuse* (1967) d'Éric Rohmer, *La Piscine* (1969) de Jacques Deray, avec le mémorable couple Alain Delon-Romy Schneider, *Les Biches* (1968) de Claude Chabrol, où Stéphane Audran évolue parmi la faune artificielle et fortunée d'un Saint-Tropez hivernal. Par ailleurs, tourisme de masse et comique grand public vont de pair dans les six épisodes, tournés entre 1964 et 1982, de

## Silence, on tourne !

Les **studios de la Victorine** à Nice ont résisté aux feux et aléas financiers… Devenus **studios Riviera**, après leur rachat en 1999, ils accueillent toujours des tournages de cinéma (*Anthony Zimmer* et *Brice de Nice* en 2005) mais aussi de télévison (*Nice People* en 2003). Par ailleurs, depuis 1991, **la Commission du Film du Var** participe activement à la promotion du département à travers le cinéma en proposant un soutien logistique aux réalisateurs désirant monter un projet dans le Var (*Le Schpountz* de Gérard Oury et *Lolita* d'Adrien Lyne.).

## Grace Kelly (1928-1982)

Elle fascine par sa retenue, sa distinction. À contre-courant du cinéma américain des années 1950, elle incarne une aristocrate un peu lointaine qui évolue dans un monde de bienséance. Durant sa carrière cinématographique assez brève, elle travaillera avec les plus grands d'Hollywood (Hathaway, John Ford, Zinnemann), mais c'est sa collaboration avec le maître du suspense, **Alfred Hitchcock**, qui laissa d'elle l'image la plus marquante. *Le crime était presque parfait* (1954), *Fenêtre sur cour* (1954) et *La Main au collet* (1956) ont une atmosphère inoubliable de mystère, d'angoisse et de charme. Dans ce dernier film, les aplombs de la **Grande Corniche** ont merveilleusement servi les scènes interprétées par Cary Grant. C'est en allant promouvoir ce film au festival de Cannes que l'actrice américaine rencontra le prince Rainier de Monaco, ouvrant ainsi un nouveau chapitre (et non des moindres) de la légende de la Côte.

la série du *Gendarme de Saint-Tropez* de Jean Girault, avec **Louis de Funès**.

### Une atmosphère

La **principauté de Monaco** est un gigantesque décor qui, depuis le passage de **Max Linder** (*Max à Monaco*, 1913), fascine les cinéastes. Le casino de Monte-Carlo et l'Hôtel de Paris ont même été reconstitués, pour un coût faramineux, à Hollywood en 1924, pour le film d'Erich von Stroheim *Folies de femme*, mais les tables de jeux inspirent d'une façon plus profonde le *Roman d'un tricheur* (1936) à **Sacha Guitry** et *Vingt-quatre heures de la vie d'une femme* (1927) à Stefan Zweig. **Jacques Demy** mêle les passions et l'enfer du jeu sous les traits de Jeanne Moreau dans *La Baie des Anges* (1962).

La Riviera dessine une frontière entre le bien et le mal qu'incarnent le personnage d'Alain Delon dans *Les Félins*, de René Clément (1963), recueilli par un couple de jeunes femmes (dont Jane Fonda), elles-mêmes bien mystérieuses. Toute une tradition du **film noir** fait partie de l'image de la Côte d'Azur. Les amateurs de thrillers seront captivés par le tandem J. Gabin-A. Delon et par le dénouement inoubliable avec le casse du casino du Palm Beach, à Cannes, dans *Mélodie en sous-sol* (1962) d'**Henri Verneuil**. *Vivement dimanche !* (1983), le dernier long métrage de **François Truffaut** (tourné à Hyères), est un hommage à ce genre non dénué d'humour. La même année, James Bond, alias Sean Connery, revient dans *Jamais plus jamais* et affronte une redoutable (et ravissante) tueuse jusqu'aux abords de Monte-Carlo.

### Aujourd'hui encore

Sur la Côte d'Azur, le 7e art semble être un éternel recommencement, servant de toile de fond à tous les styles : films à l'accent du sud, productions à gros budgets, parodies, scénarios intimistes, thrillers. Yves Montand interprète un excellent « Papet » dans *Jean de Florette* et *Manon des sources* (1985-1986) que Claude Berri choisit de tourner autour de Riboux, dans le Var. Le galion *Neptune*, souvent amarré dans le vieux port de Cannes rappelle les exploits des *Pirates* (1986) de Polanski. *La Cité de la peur* (1994) d'Alain Berbérian dresse une parodie burlesque du Festival de Cannes. *Le Fils préféré* de Nicole Garcia, peinture délicate d'un trio masculin (1994) a pour cadre Nice, Menton et Grasse. *Blanche* (2001) de Berni Bonvoisin, tourné au Fort Napoléon, à la Seyne-sur-Mer renouvelle le genre du film de cap et d'épée. Le casino de Monte-Carlo est au centre de *Vingt-quatre heures de la vie d'une femme* (2003) de Laurent Bounhik. En 2005, l'intrigue d'*Anthony Zimmer* conduit le couple Sophie Marceau-Yvan Attal sur la Riviera pour un thriller haletant tandis que le très populaire *Brice de Nice* se déroule à Nice, Beaulieu-sur-mer et Mandelieu-la-Napoule.

## LE RENDEZ-VOUS DES STARS

La carrière de **Johnny Hallyday** fut lancée, durant l'été 1960, au cabaret *Le Vieux Colombier* de Juan-les-Pins. Spectacle permanent, la Côte devient le rendez-vous de tous ceux dont la réussite se doit d'éblouir. Une pléiade d'acteurs et de vedettes de la chanson y élisent alors domicile : **Gérard Philipe** à Ramatuelle (avant que Johnny Hallyday y héberge sa collection de Harley-Davidson), Jean Marais à Cabris, puis Vallauris, Yves Montand à Saint-Paul, en grand amateur de parties de pétanque et de belote, Jean-Paul Belmondo à Saint-Jean-Cap-Ferrat, **Eddy Barclay**, producteur de disques et « dénicheur » de stars à Saint-Tropez, où il organisait de fastueuses soirées. Quant au réalisateur Francis Veber, le célèbre papa des Pignon, il a choisi la tranquillité du Pradet pour y élire domicile durant l'été. À présent, si l'engouement pour la Côte d'Azur se fait plus discret, il n'en reste pas moins réel.

# ART ET ARCHITECTURE

Un bâti emblématique préservé s'accomodant de constructions récentes, un patrimoine artistique riche alliant passé et présent : la région affiche une certaine personnalité. Est-ce cette lumière incomparable ou une ambiance particulière qui stimule la création ? Toujours est-il que la Côte d'Azur possède les expressions les plus anciennes et les plus modernes de l'art, de l'âge du bronze aux représentations contemporaines.

*Maison baroque sur la place le l'Île-de-Beauté à Nice*

## L'architecture

Les villes balnéaires et l'arrière-pays sont le théâtre d'un patrimoine d'exception. En flânant dans les ruelles des villages pittoresques perchés sur des éperons rocheux ou accrochés à la côte, vous saurez apprécier les nombreuses réalisations issues des principaux courants architecturaux.

### ANTIQUITÉ GALLO-ROMAINE

La réutilisation ultérieure des matériaux n'a laissé que des traces fragmentaires de la prospérité que connut la Provence gallo-romaine. **Cimiez** (*voir Nice*) a conservé d'importantes ruines romaines, **la Turbie**, son trophée, témoignage presque unique de ce type de monument, **Fréjus**, ses arènes et des vestiges de ses installations portuaires. Dans les cantons de Fayence, Fréjus et Saint-Raphaël, les ouvrages d'adduction d'eau romains sont encore utilisés.

### ART ROMAN

Des périodes mérovingienne et carolingienne subsistent d'intéressants monuments comme le baptistère de **Fréjus**, la **chapelle Notre-Dame-de-Pépiole**

aux alentours de Six-Fours ou la Trinité de **Saint-Honorat de Lérins**.

Au 12e s., la Provence connaît une véritable renaissance architecturale qui conduit à l'éclosion d'**églises**, dont l'appareil de pierres régulièrement taillées et liées par un mince mortier est remarquable. La façade est souvent pauvre. De puissants contreforts rompent la monotonie des flancs. Le clocher carré et le chevet sont décorés d'arcatures plaquées, dites « bandes lombardes », qui témoignent de l'influence de l'Italie du Nord. Lorsqu'on pénètre à l'intérieur, on est frappé par la simplicité et l'austérité du vaisseau, qui comporte le plus souvent une nef unique et un transept peu saillant. Si l'édifice comprend des bas-côtés, l'abside se termine par un hémicycle flanqué de deux absidioles.

### LE « GOTHIQUE PROVENÇAL »

L'art gothique n'a laissé que peu d'édifices dans la région. Le « gothique provençal » est un art de transition, mal dégagé des traditions romanes, qui s'affirme avec les puissantes voûtes aux robustes ogives de **Fréjus** (le cloître est remarquable) ou de **Grasse**. Dès la fin du 15e s., le roi René attira en Provence de nombreux artisans italiens. Mais, fait curieux, si la Renaissance devait marquer de son influence la peinture provençale, elle eut peu de prise sur son architecture.

## LES VILLAGES PERCHÉS

Du 11e au 15e s., les paysans regroupent leurs habitations et leur église sur une hauteur qui constituait un site défensif de premier ordre. Semblable prudence n'était pas superflue aux temps des razzias des pirates et des méfaits des gens de guerre du Moyen Âge et de la Renaissance. Toutefois, la sécurité recoupait la volonté des seigneurs féodaux de rassembler la population sous leur autorité et le souci des paysans de préserver les terroirs. La multiplication des villages perchés aux 12e et 13e s. est aussi la conséquence de la croissance démographique.

Bâtis avec la pierre de la colline, parfois au bord d'un piton rocheux, ils se confondent presque avec elle. Le dédale des rues et des ruelles (calades) sinueuses, dallées ou caillouteuses, en pente et coupées d'escaliers tortueux (car elles suivent les courbes de niveau), ne peut être suivi qu'à pied. Des voûtes et des arcs les enjambent. Parfois, des arcades au rez-de-chaussée des maisons mettent le passant à l'abri du soleil et de la pluie. De vieilles portes aux clous en pointes de diamant, des pentures de fer forgé, des heurtoirs de bronze signalent les habitations bourgeoises. Certains de ces petits bourgs sont ceints de remparts et on y pénètre par une porte fortifiée.

L'amélioration des communications et l'évolution agricole au 19e s. parvint à rompre l'isolement : les villages se développèrent en plaine, se dédoublant parfois. Le paysan vivant au milieu de ses terres y bâtit sa maison. Gourdon, Èze, Utelle, Peille et bien d'autres bourgs témoignent encore de l'ancienne économie de type provençal.

## À LA FRONTIÈRE DU BAROQUE ET DU CLASSICISME

Les modèles romains, piémontais ou génois marquent surtout les édifices religieux du comté de Nice. Les façades d'église s'ornent de frontons, de niches, de statues, mais se distinguent par une ordonnance équilibrée. À l'intérieur, les innombrables retables, les lambris et les baldaquins sont d'une grande richesse. La façade du palais Lascaris (1648-1680) et l'ordre colossal (élévation des pilastres ou des colonnes sur plusieurs étages) de l'ancien Sénat de Nice exaltent le pouvoir, comme l'urbanisme régulier à portiques, qui fixe (place Garibaldi, 1782-1792), sur le modèle des voies de Turin, les grandes lignes de l'extension de Nice.

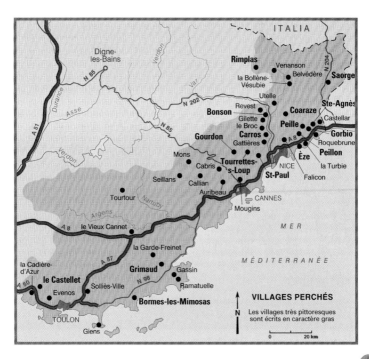

**VILLAGES PERCHÉS**

Les villages très pittoresques sont écrits en caractère gras

0    20 km

## Pierre Puget (1620-1694)

Né à Marseille, c'est l'un des plus grands sculpteurs français du 17ᵉ s. Les *Atlantes* soutenant le balcon d'honneur de l'ancien hôtel de ville de Toulon sont, avec *Milon de Crotone* exposé au musée du Louvre à Paris, ses compositions les plus célèbres. Le « Michel-Ange français » sut allier, dans ses œuvres, la puissance, le mouvement et le sens du pathétique, expression de l'art baroque.

## LE TRIOMPHE DE L'ÉCLECTISME

L'édification à Cannes, en 1835, du château Éléonore par le promoteur de la station, **lord Brougham**, lance la mode de l'éclectisme. Chaque villégiature a son urbaniste : Chapoulard marque Hyères, Pierre Audié, Saint-Raphaël, où il introduit le romano-byzantin ; le Niçois Charles Delmas et le Danois Hans-Georg Tersling dressent les plans de nombreux palaces à Nice et à Menton (où œuvra également Charles Garnier) et de villas qui parsèment les caps.

Prolongeant l'intérêt des romantiques pour l'Orient, les architectes inventent des villas dites « mauresques », caractérisées par l'abondance de carreaux de faïence, d'arcs outrepassés et de tours-minarets. L'engouement pour le style néomédiéval ou troubadour fait fleurir merlons et créneaux (château Scott, Cannes, 1868-1872). Parfois, les styles se mélangent en une synthèse originale dans des villas habitées par d'anciens administrateurs des colonies françaises ou britanniques, telle la « folie » du colonel Smith à Nice, dit « château de l'Anglais » (1856-1858).

Les nobles et industriels russes reconstituent des « petites Russies » dans les vastes domaines acquis, où l'influence méditerranéenne, en particulier dans le choix des matériaux, se mêle à l'art slave.

De nombreuses façades de Nice et Menton sont peintes pour masquer la pauvreté des matériaux. Cette mode, qui s'étend de 1850 à 1920, dénote l'influence des **maçons piémontais**, conséquence d'une forte immigration italienne. Le décor se réduit à des couleurs nuancées et à des motifs architecturaux en trompe l'œil. L'Art nouveau s'empare des frises, dont le dessin de fleurs stylisées est tracé à l'aide d'un pochoir.

## URBANISATION ET TOURISME BALNÉAIRE (1920-1935)

L'**Art déco** soumet l'ornementation (mosaïques, vitraux, ferronnerie, dallages) aux lignes géométriques de l'architecture. Mais les bâtiments les plus intéressants des années 1920 et 1930 se caractérisent par la maîtrise du béton armé : l'église Sainte-Jeanne-d'Arc, « Notre-Dame-des-Œufs » (1932), bâtie par **Jacques Droz** à Nice, en est le meilleur exemple. Les immeubles paquebots déploient la pureté et la blancheur de leurs volumes, parcourus de coursives, le long de la Méditerranée : l'Hôtel Latitude 43 (1931-1933, reconverti en copropriété), construit par **Georges-Henri Pingusson** à la sortie de Saint-Tropez, et les courbes dynamiques de l'escalier de l'immeuble Gloria Mansions (1930), à Nice, sont les chefs-d'œuvre de cette période. Par le jeu des lignes pures et son adaptation au site, l'**architecture**

*Façade Belle Époque de l'hôtel Negresco à Nice.*

D. Pazery / MICHELIN

*Bâtiment de la Fondation Maeght à Saint-Paul dû à J. L. Sert, collaborateur de Le Corbusier.*

**fonctionnaliste** (Le Corbusier) trouve une application dans la réalisation de villas luxueuses. Le projet initial de la villa de Noailles (1924), construite par **Mallet-Stevens** à Hyères, a été modifié mais le vitrail compartimenté du plafond du grand salon donne une idée de l'inspiration originale.

## L'ÉVOLUTION CONTEMPORAINE

La reconstruction s'impose dans le paysage : **Jean de Mailly** œuvre à Toulon avec de grands ensembles. À la transformation brutale des sites, qui a laissé quelques exemples déplorables, succèdent la recherche de la transparence et la volonté de se fondre dans le paysage. Les ports de Bormes et de Monte-Carlo restent les témoins de l'intense spéculation immobilière, mais le laboratoire IBM de La Gaude (1963, Marcel Breuer), l'ensemble de Marina-Baie-des-Anges (1970, André Minagoy) à Villeneuve-Loubet, le village lacustre de Port-Grimaud (1966, François Spoerry), la marina de Cogolin témoignent d'une réflexion sur l'intégration de l'architecture au site. La lumière méditerranéenne rehausse la polychromie de la fondation Maeght (1963-1964, José Luis Sert) à Saint-Paul ; elle est ménagée dans le musée Chagall (1972, André Hermant) à Nice. Les années 1980 sont encore marquées par le gigantisme (palais des Festivals et des Congrès de Cannes, surnommé le « bunker », 1982), et d'audacieux mélanges de matières (brique, acier, verre, béton clair) rendent la masse architecturale plus ludique, plus souple (musée d'Art moderne et d'Art contemporain à Nice, voire Forum Grimaldi à Monte-Carlo).

Les années 2000 sont synonymes de grands travaux d'aménagement alliant fonctionnalité et écologie. **Nice** profite de l'arrivée du tramway pour repenser tout son paysage urbain (création de zones piétonnes, de pistes cyclables et d'espaces verts). L'asphyxie automobile en centre-ville décourageait les visiteurs à venir s'y balader. La modification des voies de circulation permet à la ville de faire valoir ses atouts commerciaux et son patrimoine qui se révèle dans un espace agréable et propre. L'ancienne gare du sud, avec sa verrière, sa halle métallique et sa façade classée, sera conservée et servira de centre névralgique, en abritant à la fin de la décennie des bâtiments administratifs, le nouvel hôtel de ville, des commerces, un plan d'eau et un jardin. Autre sauvegarde partielle, derrière la façade Art déco du palais de la Méditerranée, restaurée en 2004, a été édifié un casino-hôtel.

Le **Rocher monégasque** continue de gagner sur la mer. L'extension du port Hercule, sur une digue semi flottante, et l'aménagement jusqu'en 2015 de quatre hectares de terrain libérés par la mise en sous-sol de la voie ferrée (nouvelle gare inaugurée en 1999) permettent d'envisager de nouvelles infrastructures (logements, espaces verts, bureaux).

Dans le Var, la ville de **Toulon** envisage aussi pour 2013 la mise en service d'un tramway. À **Saint-Raphaël**, l'espace Bonaparte a donné un nouveau souffle au centre-ville et à la mer. Lieu de stationnement et de promenade, cet édifice des temps modernes qui s'inscrit dans le paysage littoral rafaélois est posé sur une presqu'île, entre centre et port.

# ABC d'architecture

Les dessins présentés dans les planches qui suivent offrent un aperçu visuel de l'histoire de l'architecture dans la région et de ses particularités.

Les définitions des termes d'art permettent de se familiariser avec un vocabulaire spécifique et de profiter au mieux des visites des monuments religieux, militaires ou civils.

## Architecture antique

### LA TURBIE – Trophée des Alpes (1er s. avant J.-C.)

Grandiose construction élevée à la gloire d'Auguste (27 av. J.-C.) vainqueur des campagnes des Alpes, ce monument est un des rares trophées hérités du monde romain. Il a connu mille vicissitudes avant d'être restauré par l'architecte Formigé dans les années 1930.

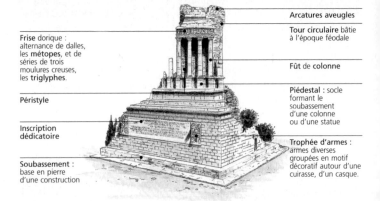

Arcatures aveugles

Tour circulaire bâtie à l'époque féodale

Fût de colonne

Piédestal : socle formant le soubassement d'une colonne ou d'une statue

Trophée d'armes : armes diverses groupées en motif décoratif autour d'une cuirasse, d'un casque.

Frise dorique : alternance de dalles, les **métopes**, et de séries de trois moulures creuses, les **triglyphes**.

Péristyle

Inscription dédicatoire

Soubassement : base en pierre d'une construction

## Architecture religieuse

### FRÉJUS – Intérieur du baptistère (5e s.)

Cet édifice paléochrétien se présente sous l'aspect d'un bâtiment carré de 11 m environ de côté. À l'intérieur, s'inscrit un octogone dont les côtés comportent de petites niches séparées par des colonnes de granit noir. Certains éléments antiques proviennent de bâtiments romains. Une restauration, au début du 20e s., lui a rendu son aspect d'origine.

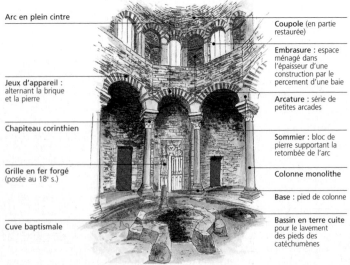

Arc en plein cintre

Coupole (en partie restaurée)

Embrasure : espace ménagé dans l'épaisseur d'une construction par le percement d'une baie

Arcature : série de petites arcades

Jeux d'appareil : alternant la brique et la pierre

Chapiteau corinthien

Sommier : bloc de pierre supportant la retombée de l'arc

Colonne monolithe

Base : pied de colonne

Grille en fer forgé (posée au 18e s.)

Cuve baptismale

Bassin en terre cuite pour le lavement des pieds des catéchumènes

R. Corbel / MICHELIN

### LE THORONET – Plan de l'église abbatiale (11ᵉ s.)

Le large transept et l'absence de décoration caractérisent les édifices élevés par les moines de l'ordre de Cîteaux. Ces derniers privilégiaient le chevet plat, mais la voûte en berceau brisé et l'abside semi-circulaire reflètent la manière de bâtir des maîtres d'œuvre locaux. N'ayant pas de vocation paroissiale, l'église ne possède pas de portail central.

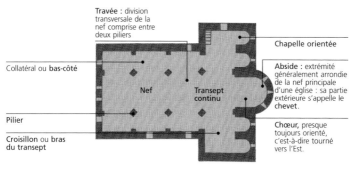

Travée : division transversale de la nef comprise entre deux piliers

Chapelle orientée

Collatéral ou bas-côté

Abside : extrémité généralement arrondie de la nef principale d'une église : sa partie extérieure s'appelle le chevet.

Nef — Transept continu

Pilier

Croisillon ou bras du transept

Chœur, presque toujours orienté, c'est-à-dire tourné vers l'Est.

### Coupe en élévation d'une église romane provençale

Nous proposons deux variantes de l'église romane provençale telle qu'on la rencontre le plus souvent.

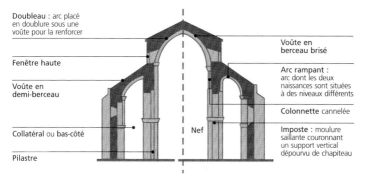

Doubleau : arc placé en doublure sous une voûte pour la renforcer

Voûte en berceau brisé

Fenêtre haute

Arc rampant : arc dont les deux naissances sont situées à des niveaux différents

Voûte en demi-berceau

Colonnette cannelée

Collatéral ou bas-côté — Nef

Imposte : moulure saillante couronnant un support vertical dépourvu de chapiteau

Pilastre

### GRASSE – Portail de la chapelle de l'Oratoire (14ᵉ s.)

La porte ainsi que la fenêtre gothiques de cette chapelle ont été récupérées sur l'ancienne église des Franciscains. Elles furent intégrées en 1851 à la façade de l'Oratoire.

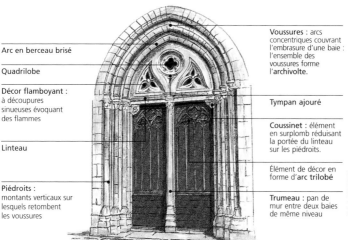

Arc en berceau brisé

Voussures : arcs concentriques couvrant l'embrasure d'une baie : l'ensemble des voussures forme l'archivolte.

Quadrilobe

Décor flamboyant : à découpures sinueuses évoquant des flammes

Tympan ajouré

Linteau

Coussinet : élément en surplomb réduisant la portée du linteau sur les piédroits.

Élément de décor en forme d'arc trilobé

Piédroits : montants verticaux sur lesquels retombent les voussures

Trumeau : pan de mur entre deux baies de même niveau

R. Corbel / MICHELIN

## NICE – Cathédrale Sainte-Réparate (17ᵉ s.)

À l'origine, Sainte-Réparate était une chapelle, construite au 13ᵉ s. Sa façade et son plan actuels, de style baroque, sont l'œuvre de l'architecte niçois Jean-André Guibert. La façade répond à un schéma traditionnel : deux étages divisés en trois sections par des pilastres conduisent à une recherche sobre du mouvement. La composition reste claire et respecte une certaine rigueur des lignes.

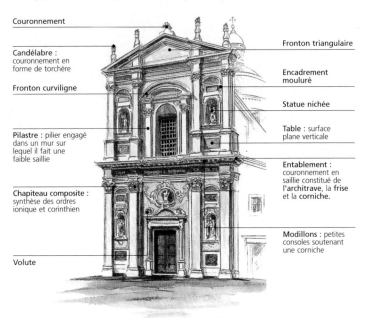

Couronnement

Candélabre : couronnement en forme de torchère

Fronton curviligne

Pilastre : pilier engagé dans un mur sur lequel il fait une faible saillie

Chapiteau composite : synthèse des ordres ionique et corinthien

Volute

Fronton triangulaire

Encadrement mouluré

Statue nichée

Table : surface plane verticale

Entablement : couronnement en saillie constitué de l'architrave, la frise et la corniche.

Modillons : petites consoles soutenant une corniche

## LES ARCS – Retable de la chapelle Sainte-Roseline (début du 16ᵉ s.)

En fait de retables baroques, Nice et sa région privilégient les marbres de couleur et les stucs ; le bois doré domine de l'autre côté du Var.

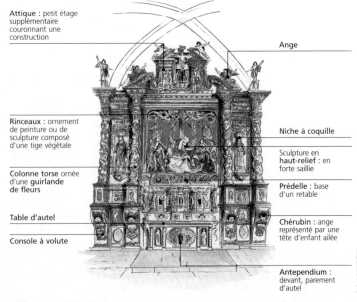

Attique : petit étage supplémentaire couronnant une construction

Rinceaux : ornement de peinture ou de sculpture composé d'une tige végétale

Colonne torse ornée d'une guirlande de fleurs

Table d'autel

Console à volute

Ange

Niche à coquille

Sculpture en haut-relief : en forte saillie

Prédelle : base d'un retable

Chérubin : ange représenté par une tête d'enfant ailée

Antependium : devant, parement d'autel

R. Corbel / MICHELIN

## Architecture traditionnelle

### SAINT-TROPEZ – Maisons sur le port

Étroites et hautes, les petites maisons serrées les unes contre les autres et les teintes vives des façades caractérisent les ports de la Côte d'Azur.

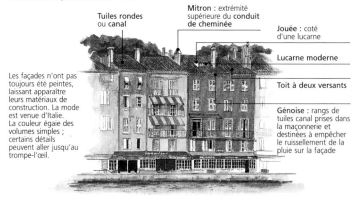

**Tuiles rondes ou canal**

**Mitron :** extrémité supérieure du conduit de cheminée

**Jouée :** coté d'une lucarne

**Lucarne moderne**

**Toit à deux versants**

Les façades n'ont pas toujours été peintes, laissant apparaître leurs matériaux de construction. La mode est venue d'Italie. La couleur égaie des volumes simples ; certains détails peuvent aller jusqu'au trompe-l'œil.

**Génoise :** rangs de tuiles canal prises dans la maçonnerie et destinées à empêcher le ruissellement de la pluie sur la façade

### LE VIEUX-CANNET – Campanile

Les campaniles apparurent au 16ᵉ s. au sommet des clochers et beffrois. Leur complexité et leurs dimensions sont très variables.

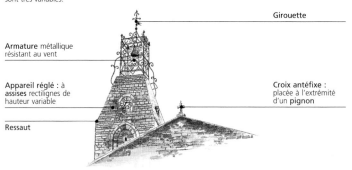

**Girouette**

**Armature** métallique résistant au vent

**Appareil réglé :** à **assises** rectilignes de hauteur variable

**Ressaut**

**Croix antéfixe :** placée à l'extrémité d'un **pignon**

### LORGUES – Fontaine de la Noix (1771)

Chaque ville ou village possède sa ou ses fontaines, du modeste filet d'eau au monument sculpté et souvent daté.

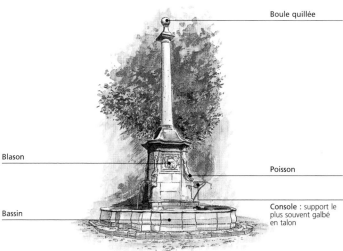

**Boule quillée**

**Blason**

**Poisson**

**Bassin**

**Console :** support le plus souvent galbé en talon

R. Corbel / MICHELIN

## Architecture balnéaire

### HYÈRES – Villa « tunisienne » (1884)

Les villas des stations balnéaires du 19ᵉ s., elles-mêmes créées de toutes pièces, sont un résumé des architectures du monde et un hymne à l'extravagance, bien que l'intérieur conserve une distribution conforme au mode de vie bourgeois. Cette architecture aujourd'hui réhabilitée est volontiers orientaliste. Chapoulart, architecte d'une villa « mauresque » à Hyères, construisit pour lui-même cette variante avec patio, dite « algérienne », puis « tunisienne ».

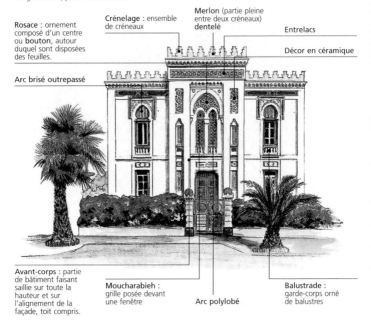

**Rosace :** ornement composé d'un centre ou **bouton**, autour duquel sont disposées des feuilles.

**Crénelage :** ensemble de créneaux

**Merlon** (partie pleine entre deux créneaux) **dentelé**

Entrelacs

Décor en céramique

Arc brisé outrepassé

**Avant-corps :** partie de bâtiment faisant saillie sur toute la hauteur et sur l'alignement de la façade, toit compris.

**Moucharabieh :** grille posée devant une fenêtre

Arc polylobé

**Balustrade :** garde-corps orné de balustres

### MONTE-CARLO – Salle du casino (2ᵉ moitié du 19ᵉ s.)

Monte-Carlo s'est construit autour du casino, caractéristique du style éclectique qui fleurit sur le littoral à la fin du 19ᵉ s. La luxueuse décoration intérieure fait écho à celle du dehors.

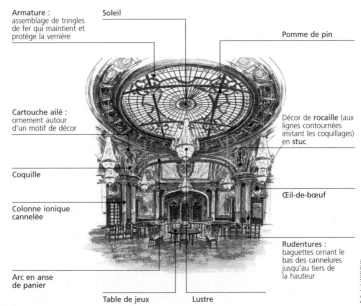

**Armature :** assemblage de tringles de fer qui maintient et protège la verrière

Soleil

Pomme de pin

**Cartouche ailé :** ornement autour d'un motif de décor

Décor de **rocaille** (aux lignes contournées imitant les coquillages) en **stuc**

Coquille

Œil-de-bœuf

Colonne ionique cannelée

**Rudentures :** baguettes ornant le bas des cannelures jusqu'au tiers de la hauteur

Arc en anse de panier

Table de jeux

Lustre

## Architecture militaire

### ANTIBES – Fort Carré (16ᵉ s.)

Les remparts d'Antibes ont été démolis en 1895. En subsiste ce fort, terminé en 1585 et dont le plan bastionné préfigure les étoiles du système défensif de Vauban au siècle suivant.

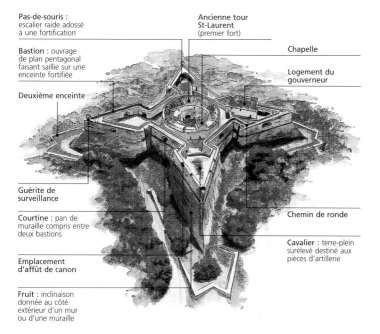

**Pas-de-souris :** escalier raide adossé à une fortification

Ancienne tour St-Laurent (premier fort)

Chapelle

**Bastion :** ouvrage de plan pentagonal faisant saillie sur une enceinte fortifiée

Logement du gouverneur

Deuxième enceinte

Guérite de surveillance

Chemin de ronde

**Courtine :** pan de muraille compris entre deux bastions

**Cavalier :** terre-plein surélevé destiné aux pièces d'artillerie

Emplacement d'affût de canon

**Fruit :** inclinaison donnée au côté extérieur d'un mur ou d'une muraille

## Architecture contemporaine

### SOPHIA ANTIPOLIS – Bâtiment d'entreprise (1978)

Les bâtiments de la technopole de Valbonne ont été construits à partir du milieu des années 1970. La déclivité du terrain est utilisée pour éviter toute monotonie et intégrer discrètement le paysage à l'architecture. Les baies vitrées et les patios permettent un éclairage important. Le mélange des matériaux et la recherche de la transparence dessinent une structure légère et « high-tech » qui mêle prestige et modernité.

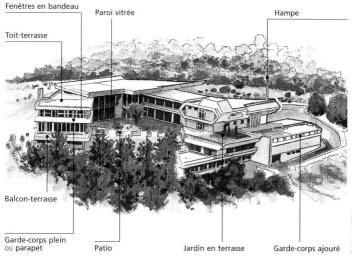

Fenêtres en bandeau

Paroi vitrée

Hampe

Toit-terrasse

Balcon-terrasse

Garde-corps plein ou parapet

Patio

Jardin en terrasse

Garde-corps ajouré

E. Baret / MICHELIN

*Fresque de Jean Canavesio dans chapelle Notre-Dame-des-Fontaines à La Brigue.*

# L'art

**L'inspiration n'a jamais manqué sur la Côte. Tous les courants artistiques y ont laissé des traces et des œuvres splendides. Son indéniable dynamisme en la matière, son cadre idyllique et son évidente douceur de vivre en ont fait le pôle de création le plus important en France, après Paris.**

## ÂGE DU BRONZE

Les gravures rupestres qui ont donné leur nom à la **vallée des Merveilles** n'ont pas encore livré tous leurs secrets. Les représentations de bovidés, d'armes et d'outils, de figures anthropomorphes ou géométriques datent toutes du bronze ancien (1800-1500 av. J.-C.) et ont été dessinées par des bergers.

## LES « PRIMITIFS NIÇOIS »

Du milieu du 15e s. au milieu du 16e s., une école de peinture d'abord toute gothique, puis inspirée de la Renaissance italienne, fleurit dans le comté de Nice. Elle est illustrée par la dynastie des **Brea** (Louis, son frère Antoine et son neveu François) et Jacques Durandi. Ces peintres travaillent surtout pour les confréries de pénitents, ce qui explique la dissémination de leurs tableaux en

### Du Style

La douceur du modelé de **Louis Brea** (né à Nice vers 1450), habile à faire sentir l'humanité des sujets qu'il traite, trahit une influence flamande ; son style simple et ses tonalités sourdes s'accommodent du faste des retables.

de nombreuses églises et chapelles de pèlerinage. On en voit à Antibes, Bar-sur-Loup, La Brigue, Grasse, Lucéram, Nice, Monaco, Sospel.

Au même moment, dans l'arrière-pays niçois, des artistes souvent itinérants, d'origine piémontaise, ornent, du 14e au 16e s., les plus humbles sanctuaires de peintures murales très vivantes, aux coloris remarquablement préservés. Elles composent une sorte de catéchisme illustré, destiné aux fidèles illettrés. Les saints intercesseurs sont souvent représentés, en particulier saint Sébastien, des plus utiles en cas d'épidémie de peste. Ces chapelles ont essaimé dans les vallées de la Roya, du Paillon et de la basse Tinée : Coaraze, Lucéram, Peillon, Venanson, et surtout La Brigue, à la chapelle Notre-Dame-des-Fontaines, où **Jean Canavesio** (1420-début du 16e s.), à côté de **Jean Baleison**, son élève, a laissé une œuvre exceptionnelle.

## CLASSICISME

Aux 17e et 18e s., les Parrocel, les Van Loo, Joseph Vernet, Hubert Robert ont laissé de fort belles toiles, mais c'est surtout **Fragonard** (1732-1806) qui est l'orgueil de la région. Les paysages baignés de lumière et les jardins de Grasse, sa ville natale, sont les sources où il a souvent puisé le décor des scènes libertines, qu'il peignit dans un style exquis.

## LE ZÉNITH DE L'ART MODERNE

Autrefois isolée, mal desservie, la Côte d'Azur fut d'abord perçue comme une contrée pittoresque que l'on découvre par la mer mais où se révèle l'éblouissement de la lumière méditerranéenne.

Source d'inspiration pour un Paul Huet, un Félix Ziem ou un Dunoyer de Segonzac, dessinateur inlassable du pays de Saint-Tropez, elle a conduit les peintres de la modernité à de nouvelles recherches picturales. En cela, et parce qu'elle a donné naissance à une génération d'artistes, la Côte d'Azur peut être considérée comme l'un des grands rivages civilisateurs du 20e s.

## Impressionnisme, fauvisme…

Le retour de **Cézanne** en Provence (1881) est déterminant pour les impressionnistes, adeptes de la peinture de plein air. Monet et Renoir lui rendent visite et poussent plus loin le long du littoral azuréen. Les œuvres de **Monet** réalisées à Antibes marquent l'apparition de la Côte d'Azur dans la peinture : « Je m'escrime et lutte avec le soleil. » (lettre de Monet à Rodin, janvier 1888). Elles amorcent un tournant dans la carrière du peintre qui se consacre, à partir de cette période, aux « séries », enregistrant les variations de la lumière sur un même sujet. **Renoir** s'installe à Cagnes, où il passe les dernières années de sa vie, peignant sans cesse les oliviers de son domaine des Colettes. **Signac**, continuateur de Seurat, s'établit à Saint-Tropez en 1892, où il attire quelques amis, dont Manguin, Bonnard, l'« ermite » du Cannet, et **Matisse** (*Luxe, calme et volupté*, 1904, musée d'Orsay, Paris) qui aborde la Côte d'Azur par des intérieurs épurés, ouverts sur la mer, puis suggère le rivage niçois à travers le tamis des fenêtres, des persiennes. À Nice, **Dufy** dépeint la scène côtière en spectateur après avoir acquis à Vence son style pictural original. Le passage de **Picasso** à Saint-Raphaël pendant l'été

1919 ouvre le cubisme sur le grand large et débouche sur les géométries lumineuses de Juan-les-Pins à partir de 1920.

**Soutine**, qui séjourne sur la Côte d'Azur entre 1918 et 1921, décèle, dans la lumière et le jeu des ombres, un « pathétique intense » qui se déploie dans des formes en torches.

Au mythe édénique de Matisse, Bonnard et Dufy succèdent le cycle du Minotaure (à partir de 1927-1928), les faunes et les centaures de Picasso, repris dans les céramiques de Vallauris. Marcel Duchamp, Masson (tableaux de sable à Sanary en 1926, sable également employé par Kandinsky, hôte de La Napoule), Cocteau, Picabia qui s'installe à Mougins pratiquent le détournement de l'objet et les assemblages.

Installé à Antibes, **Nicolas de Staël** ne séjourna pas, hélas, très longtemps dans la région, mais son passage laissa des traces inoubliables dans sa peinture.

## Cubisme, surréalisme…

Pendant les années de guerre, Jean Arp, sa compagne Sophie Taeuber, et Sonia Delaunay, désemparée après la mort de son époux Robert Delaunay en 1941, trouvent refuge dans la villa qu'Alberto Magnelli possède à Grasse. Travaillant avec des matériaux de fortune, le « **groupe de Grasse** » débouche sur des œuvres d'une grande liberté d'inspiration. Arp et Taeuber rencontrent Max Ernst qui s'est enfui du camp des Milles, près d'Aix, où étaient internés tous les ressortissants allemands.

Alors que le monde de l'art s'internationalise et que les artistes européens sont revenus de leur exil américain, nombre de peintres s'installent dans l'arrière-pays : Picasso à Mougins,

S. Sauvignier / MICHELIN / © Adagp, Paris 2007

*Salle d'exposition de la Fondation Maeght, où sont présentées des œuvres contemporaines.*

Braque au Cannet, **Fernand Léger** à Biot, Dubuffet à Vence. Il n'y aurait peut-être pas eu *La Guerre et la Paix* de Picasso à Vallauris sans la chapelle du Rosaire à Vence (1951), œuvre d'art totale de Matisse. Le rapport à l'architecture engendre une interpénétration des disciplines. **Marc Chagall**, établi à partir de 1950 à Vence, étend son art à de nombreuses techniques : lithographie, vitrail, sculpture, céramique et mosaïque (fondation Maeght). La nouvelle génération d'artistes peut donc compter sur un patrimoine important, à l'origine d'institutions comme la fondation Fernand Léger à Biot (1960) et la fondation Maeght à Saint-Paul (1964), qui en font le second lieu d'initiation à l'art moderne après Paris : « La modernité prenait un visage méridional. » (André Chastel).

## Big Ben

Ben, alias **Benjamin Vautier**, « nissart » d'adoption, est une figure emblématique de l'art français. Tout le monde connaît ses « slogans-revendications » manuscrits en blanc sur fond noir qui s'affichent sur des tee-shirts, des verres, des biberons… et des toiles. Car Ben est avant tout peintre de son état et de son temps. Contestataire ludique, lié au Fluxus, à l'Ethnisme, descendant aussi des dadaïstes, il arbore un art nouveau qui propose via l'écriture, un style de peinture à part entière.

## Création contemporaine

Toute une génération d'artistes est née en Provence : César en 1921 à Marseille, Yves Klein et Arman en 1928 à Nice, Martial Raysse en 1936 à Golfe-Juan. Arman et Klein développent le concept d'« actions » ou « happenings » à partir de 1953. Le **Nouveau Réalisme**, qui regroupe Arman, César, Dufrêne, Hains, Klein, Raysse, Rotella, Spoerri, Tinguely et Villeglé, auxquels se joignirent ensuite Niki de Saint-Phalle, Deschamps et Christo, naît à Nice en 1960. Les nouveaux réalistes réagissent à l'abstraction dominante des années d'après-guerre et travaillent sur le « réel perçu en soi » du monde moderne, industriel et médiatique. À côté d'eux, l'**école de Nice** voit s'épanouir les recherches très différentes de **Ben**, qui acclimate à Nice le mouvement « Fluxus », Bernard Venet,

Sacha Sosno ou encore Bernard Pagès et Claude Viallat, dont les travaux sur l'art conceptuel mèneront à la création du groupe « Supports/Surfaces » dans les années 1970.

Depuis, la Riviera n'a pas failli à sa réputation. La prestigieuse « école de Nice » perdure. **Jean Mas**, membre atypique s'inscrit dans la mouvance niçoise depuis 1973. Il s'illustre à cette époque par la production de Cages à Mouches, objet autour duquel il organise toute sa démarche artistique. Instigateur du Festival du P… à Bonson en juillet 2003, il décline à l'infini depuis 1989 *Le Peu*, phonème de la lettre « p » qu'il découpe dans de l'aggloméré. Il fait appel à différentes techniques (collages, peinture, assemblages divers) pour nous offrir un « Peu de miroir », un « Peu de dame », un « Peu d'échec ».

**Nice** tient parfaitement son rôle de ville d'art, la seconde après Paris. Elle fait preuve d'un dynamisme culturel hors paire par sa dizaine de musées, ses galeries et ateliers d'artistes, très dynamiques. Pour preuve, la Villa Arson *(voir Nice)*, véritable lieu de culte et d'expression, située sur les hauteurs, fait office de galerie d'exposition, de résidence et d'école pour les élèves artistes du monde entier. De leur côté, les nombreuses galeries situées au cœur du Vieux Nice promeuvent la jeune création. Quant aux sculpteurs, peintres et autres créateurs, ils ouvrent largement les portes de leur atelier pour présenter leurs œuvres à un public amateur. L'exemple le plus marquant de l'art contemporain dans la ville se dresse sur la grande bibliothèque Louis Nucera, inaugurée en juillet 2002. Ses 10 000 m² dédiés à la culture sont surveillés par la « Tête Carrée », prouesse architecturale de **Sacha Sosno**.

Autre haut lieu mythique de la Côte, l'Espace de l'Art Concret à Mouans-Sartoux *(voir Mougins)*. Inauguré en 1990, dans un château du 16e s., ce lieu dévolu à l'art contemporain (abstraction géométrique, minimalisme et art design) fut créé dans un but de sensibilisation à l'art d'aujourd'hui. Un nouvel espace a été édifié au cœur du parc afin de mettre en valeur les expositions, qui incitent à une réflexion sur l'Art et la Société et suscitent des confrontations entre tous les Arts. « Apprendre à regarder », voici le leitmotiv des lieux, via les problématiques artistiques contemporaines.

# LA CÔTE D'AZUR AUJOURD'HUI

Seconde destination touristique de France, la Côte d'Azur connaît depuis quelques années une forte croissance démographique. Sur le plan économique, Toulon et Nice sont devenues des métropoles dynamiques. La région reste aussi le haut lieu de la *dolce vita* à la française, laissant à ses activités traditionnelles, agricoles, artisanales et viticoles, une place prépondérante.

*Retour de pêche au port du Lavandou.*

## Les activités de la région

La Côte rayonne de tout son long, grâce au tourisme, bien sûr, mais aussi à un large panel d'activités traditionnelles et innovantes.

### LES PRINCIPALES RESSOURCES

### Dans le Var

L'**agriculture** occupe une place économique importante, offrant des productions de qualité. En effet, encouragée par le département afin de promouvoir les produits locaux, l'agriculture représente 14 % de la superficie totale du département, soit 7 600 exploitants et 26 000 personnes qui en vivent directement. Premier département français pour l'exploitation de fleurs coupées, de miel, de figues et de truffes, le Var occupe aussi la place de premier producteur mondial de vins rosés. Autre spécificité, il est l'un des premiers départements « **bio** » avec plus de 5,1 % de sa surface agricole exploitée et certifiée contre 1,75 % de moyenne nationale.

Au point de vue **industriel**, le département s'appuie sur sa tradition navale. La Marine nationale emploie un industriel sur quatre à Toulon, dans les branches production de navires, sous-traitance (mécanique, chaudronnerie) ou sur l'un des pôles à forte valeur ajoutée : ingénierie, informatique, électronique, robotique, automatismes marins, etc. L'industrie nautique et de plaisance a le vent en poupe : construction et réparation de navires, fabrication de planches à voile, voileries, cordages en découlent. Enfin, de façon anecdotique, certaines activités traditionnelles se sont maintenues et parfois développées comme l'industrie de la céramique à Salernes, des tomettes à Vallauris *(voir Aups)*, la production de liège pour la décoration, et la fabrication d'anches pour instruments de musique à partir de la canne de Provence, appelée à tort roseau varois. Grâce à son taux de création d'entreprises de 8 % contre 6,5 % à l'échelle nationale, le Var continue d'attirer de nombreux actifs en quête de douceur de vivre. Par conséquent, les activités liées au commerce et aux services se sont largement développées. Le secteur tertiaire rassemble aujourd'hui 75 % de la population active du département.

### Dans les Alpes-Maritimes

Département rural à 90 %, l'agriculture reste notable, encouragée par les acteurs locaux. C'est elle qui a façonné les paysages. Au total, 2 620 exploitations de petites tailles produisent olives, légumes et fruits de pays, fleurs, vignes et autres plantes à parfums.

Le secteur phare des services se concentre sur la Baie des Anges et ses alentours. Large pôle de compétence et de matière grise, Sofia Antipolis a servi d'exemple pour créer et initier de nouvelles zones tertiaires. Procédant à une opération de séduction auprès des entreprises, Nice espère bientôt accueillir des entreprises à haut potentiel technologique : *high tech*, medias, chimie fine avec le pôle aromatique voisin de Grasse et toute la filière santé (projet de technopole urbain *Nice Méridia*).

*Un rivage fréquenté par les plaisanciers.*

D. Pazery / MICHELIN

## LA PÊCHE EN MÉDITERRANÉE

Les activités sont relativement limitées avec environ 1 000 marins et une production de l'ordre de 8 000 t (soit à peine 2 % de la production nationale). Au-delà de ces pêches traditionnelles, le secteur de l'aquaculture s'est développé sur la Côte d'Azur : la **mytiliculture** (élevage de moules) qui se pratique dans la baie du Lazaret (la Seyne-sur-Mer) revendique une production de 100 t de moules par an. La **pisciculture marine** concerne essentiellement le loup (bar) et la daurade royale. Une quinzaine d'exploitations réparties sur le Var et les Alpes-Maritimes produisent 1 500 t de poissons par an. Les seules **fermes aquacoles** élevant du loup « label rouge » sont toutes localisées dans le Var.

## LE TOURISME

La Côte d'Azur est la région la plus fréquentée de France. Avec plus de 66 000 nuitées dans le **Var**, le chiffre d'affaires s'élève à 1,8 milliard d'euro. Le département offre aux visiteurs une large palette d'activités : nautisme et farniente sur des plages de sable ou de galets, activités de plein air (randonnées pédestres et équestres, cyclotourisme, etc.), balades culturelles et découverte du terroir préservé.

Dans les **Alpes-Maritimes**, les plages de la Riviera et les séjours nature (randonnées pédestres, vtt, canyoning, *via ferrata*, parcs naturels et routes à thèmes) séduisent 4,5 millions de visiteurs (dont 59 % d'étrangers) chaque année. À noter que le massif enneigé ou ensoleillé du Mercantour fait double saison.

## LES HAUTS LIEUX DE L'ARTISANAT

Dans les villages de l'arrière-pays, de nombreux artisans se sont installés, permettant de faire revivre des métiers traditionnels parfois séculaires. Deux d'entre eux se distinguent : Ollioules (Var) rassemble 23 métiers d'art et Castillon (Alpes-Maritimes) compte 10 ateliers.

### La céramique

La présence de bancs d'argile d'excellente qualité explique que la poterie ait été une activité importante. La fabrication de jarres à Biot remonte à l'époque des Phocéens et la céramique se développa à Vallauris dès le 11$^e$ s. La production fut relancée au 15$^e$ s. par l'arrivée de potiers italiens venus repeupler les deux villages décimés par la peste. Biot connut son apogée au 18$^e$ s. avec le développement de la poterie d'art ; le village comptait alors 32 fabriques ; mais, à la fin du siècle, les potiers de Vallauris ajoutèrent aux traditionnels ustensiles de cuisine en argile vernissée une fine vaisselle Louis XV, et l'emportèrent sur ceux de Biot au cours du 19$^e$ s. Vallauris connut une renommée internationale au lendemain de la Seconde Guerre mondiale, lorsque Picasso vint y travailler en 1946, attirant une foule d'amateurs, comme Fernand Léger qui s'installa à Biot à partir de 1951, ou encore Jean Cocteau.

### Les tissus

Après avoir été au Moyen Âge un centre important de tissage, Tourrettes-sur-Loup a retrouvé cette activité après la Seconde Guerre mondiale. Les tisserands exécutent à la main des étoffes de très belle qualité, mais en petite quantité. Plusieurs échoppes, installées dans des ruelles tortueuses, proposent une gamme très variée de tissus. Des reproductions d'anciennes étoffes provençales, des tissus aux couleurs chatoyantes destinés à la haute couture ou à l'ameublement, des cravates tissées retiennent l'attention.

## Le verre soufflé

Depuis la fondation en 1956 de la Verrerie de Biot, la réputation du village s'est accrue grâce à ses objets artisanaux. Au cours de la visite, on suit la fabrication du verre bullé d'après les techniques anciennes. Remarquez les « calères » provençales et les « porrons », sortes de cruches à long bec pour boire à la régalade.

## UN BOUQUET DE PARFUMS

À Grasse, capitale de la parfumerie de renommée mondiale, les pétales de fleurs – roses de mai, jasmin, fleurs d'oranger et lilas – forment la matière première de précieuses essences et de somptueux parfums. Les bouquets fleurissent aussi à Bar-sur-Loup, Golfe-Juan, Le Cannet, Vallauris et Seillans, centres importants de fabrication de matières premières aromatiques naturelles.

## Des gants aux parfums

Installée dans une plaine riche et fertile, Grasse tient peut-être son nom de Crassus, riche propriétaire terrien. L'arrière-pays était plutôt une région d'élevage et rien, dans la tannerie qui fit la fortune de la ville à l'origine, ne laissait supposer l'essor des parfums (du provençal *perfum* et du latin *fumare* : « fumer ») au 16e s. Or, le gant, signe de noblesse, va tout changer. La mode des gants parfumés vient d'Italie et Catherine de Médicis en est une adepte. Masquer l'odeur forte du cuir s'accorde bien au savoir-faire local et le microclimat dont bénéficie la ville permet de cultiver les fleurs les plus délicates : l'industrie du parfum est lancée. Les **gantiers-parfumeurs** grassois se constituent en un corps doté de statuts propres au début du 18e s., siècle au cours duquel apparaît l'art du flaconnage. Mais au début du 19e s., la concurrence des maisons parisiennes, récemment créées, oblige les parfumeurs grassois à abandonner le commerce des produits finis et à se tourner vers celui des matières premières. En 1850 apparaissent les essences de fleurs, dont Grasse devient le plus important producteur mondial avant l'apparition des parfums de synthèse. Cette industrie de luxe compte actuellement une trentaine d'usines (7 % du chiffre d'affaires mondial de l'industrie du parfum) et travaille beaucoup pour l'étranger, les principaux clients étant les États-Unis, le Japon, l'Allemagne et la Grande-Bretagne. Mais le secteur des fleurs à parfum est en nette régression, dépassé par l'industrie des parfums de synthèse et des arômes alimentaires.

## Les fleurs de Grasse

Les deux cultures dominantes sont la rose et le jasmin. La **rose de mai** à fleurs simples est la même que celle qui se cultive en Orient, mais elle donne des produits plus fins. Le **jasmin** est la variété à grande fleur, greffée sur du jasmin officinal. C'est une culture très coûteuse (330 kg de fleurs sont nécessaires pour obtenir 1 kg d'essence absolue) et délicate. Puis vient l'**oranger**. C'est l'arbre à fruits amers, le « bigaradier », qui donne ses fleurs à la parfumerie. L'eau de fleur d'oranger provient directement de la distillation de la fleur. La feuille seule de la **violette** est utilisée pour la parfumerie ; Tourrettes-sur-Loup en est la capitale. Le laurier-cerise, l'eucalyptus, le cyprès sont distillés pour l'essence ou pour l'eau. Les **mimosas** servent à faire des essences par extraction. Le basilic, la sauge sclarée, l'estragon, la mélisse, la verveine, le réséda, le géranium donnent des produits employés en parfumerie, en confiserie et en pharmacie. Les plantes odoriférantes : lavande, aspic, thym, romarin, sauge, etc. font l'objet d'une production importante, ainsi que de nombreuses plantes médicinales.

Cueillette de roses de mai à Grasse.

## L'alchimie du parfum

On connaissait bien le principe de la distillation en Provence au Moyen Âge, mais les huiles essentielles étaient considérées comme des sous-produits indésirables. Cette tradition des « eaux parfumées » étaya la théorie du médecin suisse Paracelse (1493-1541) qui fit de la *quinta essentia* (quintessence) la partie efficace de chaque drogue et le but de la pharmacopée.

La **distillation** est donc le plus ancien des procédés. L'eau et les fleurs sont portées à ébullition dans un alambic à vapeur. L'eau et l'essence condensée s'écoulent dans la bouteille dite « florentine », où leur différence de densité et leur insolubilité les séparent.

Au 18e s. fut inventé l'**enfleurage à froid**. Ce procédé utilise la propriété qu'ont les graisses de se charger en matières odoriférantes. On dispose, à plusieurs reprises, les pétales des fleurs fraîches les plus fragiles (jasmin, jacinthe) sur une couche de graisse, autrefois étalée sur un châssis de verre. Par un lavage à l'alcool éthylique, les matières odoriférantes sont séparées des graisses : on obtient l'« absolu de pommade ». Cet alcool est ensuite distillé sous vide. Peu de firmes utilisent aujourd'hui ce procédé qui nécessite une main-d'œuvre importante.

Le procédé le plus récent est l'**extraction**, qui permet de prélever le parfum des fleurs avec un maximum de concentration et de puissance. Les fleurs sont mises en contact avec un solvant qui est ensuite évaporé. On obtient l'essence de « concrète » qui renferme de la cire (inodore) et des constituants odorants. Il faut une tonne de fleurs de jasmin de Grasse pour obtenir 3 kg de « concrète ». Puis la cire est éliminée au moyen d'alcool éthylique et les 40 % restants constituent l'essence « absolue de concrète », le parfum concentré à l'état pur.

# À l'ombre des platanes

Dans ce pays, on vit hors de la maison, maintenue obscure, et on aime la vie de société, la conversation, la politique. Le cœur du village, c'est la petite place ou le « cours », ombragé de platanes et décoré d'une fontaine. C'est là que se tiennent les marchés et que l'on se réunit dans les cafés autour d'un verre de pastis ou d'une partie de cartes.

## JEU DE BOULES

Le jeu de boules est la distraction populaire par excellence. Les parties se font par équipes de trois (triplettes) ou de quatre (quadrettes). Les « **pointeurs** » lancent leurs boules le plus près possible du cochonnet (ou bouchon), envoyé au bout du terrain de jeu ; les « **tireurs** » doivent déloger les boules de l'autre équipe en les frappant avec les leurs. Les plus adroits réussissent le coup en

*Place des Lices à Saint-Tropez.*

D. Pazery / MICHELIN

prenant exactement la place de la boule adverse : ils ont alors « fait un carreau ». Il y a deux types principaux de jeux de boules. La **pétanque**, du provençal « pieds tanqués » (c'est-à-dire pieds joints et immobiles), se joue sur des distances entre 6 m et 10 m. Les joueurs se placent dans un cercle tracé au sol qu'ils ne doivent pas franchir. Le jeu provençal, ou la **longue**, se joue sur un terrain d'au moins 25 m de long : les pointeurs font un pas hors du cercle, se tiennent en équilibre sur la jambe gauche (pour les droitiers) et lèvent le pied en appui à l'instant d'envoyer la boule ; les tireurs font trois pas sautés hors du cercle avant de lancer leur boule. Les désaccords dans l'appréciation des distances qui séparent les boules du cochonnet se traduisent par des polémiques bruyantes et passionnées, inséparables du jeu.

## AVÉ L'ACCENT

Aux cours des visites de vieux quartiers, la curiosité peut être attirée par les plaques indicatrices de rues et des inscriptions commémoratives écrites en français et en **provençal**. Les pays de la rive droite du Var possèdent une expression provençale commune. Il n'en est pas de même à l'intérieur du comté de Nice où l'extraordinaire complexité des parlers reste bien présente. Le **nissart**, dont les premiers écrits datent du 16e s., a été reconnu langue régionale de France en 2000 (un an auparavant, un département de langue et culture régionales s'est ouvert à l'université de Nice). Les travaux d'érudits (André Compan), le théâtre de Francis Gag (avec la figure légendaire de Tanta Viturina) ont accompagné son renouveau dans les années 1950, relayé par la presse d'expression niçoise (*Lou Sourgentin*). Depuis ce véhicule d'une identité est activement défendu. Les racines ligures, et particulièrement génoises, du **monégasque** enseigné comme langue nationale dans les écoles de la principauté, se retrouvent dans les termes relatifs à la mer et à la navigation, dans les expressions proverbiales et la gastronomie.

# La table provençale

L'ail, l'huile d'olive et les aromates caractérisent la cuisine provençale. L'ail a trouvé ses poètes qui ont chanté cette « truffe de la Provence ». Quant à l'huile d'olive, elle remplace le beurre dans tous ses emplois septentrionaux : « Un poisson vit dans l'eau et meurt dans l'huile », dit un proverbe local.

### UN BOUQUET DE SAVEURS

Cultivées ou poussant naturellement sur les pentes ensoleillées, les plantes aromatiques, sous l'appellation générique d'**herbes de Provence**, jouent, selon le génie culinaire de chacun, un rôle essentiel. Elles regroupent : la sarriette (ou pèbre d'ase – poivre d'âne – en provençal) qui parfume les fromages de chèvre et de brebis ; le thym (ou farigoule) qui se mêle à la plupart des légumes et relève les grillades ; le basilic, la sauge, le serpolet, le romarin (qui a des vertus digestives), l'estragon, le genièvre (pour accompagner les gibiers), la marjolaine et le fenouil, dont le goût anisé fait merveille avec un « loup » grillé, fignolé d'un filet d'huile d'olive.

### L'OLIVE DANS TOUS SES ÉTATS

Dans les Alpes-Maritimes, c'est la petite olive noire de Nice, qu'il faut goûter. Très savoureuse, la **cailletier** ou caillette, est laissée six mois en saumure avant d'être consommée. Cette variété est également destinée à la presse du moulin.

L'incontournable **huile d'olive** relève les plats les plus recherchés ou les hors-d'œuvre préparés sur le pouce, telle l'**anchoïade** (mélange d'huile d'olive et d'anchois). L'olive entre aussi dans la composition de nombreuses recettes méditerranéennes. **La tapenade**, délicieuse pâte à tartiner à base de câpres, d'olives noires dénoyautées et d'anchois, broyés au mortier ou mixés, se déguste à l'apéritif sur des tranches de pain grillé. La **salade niçoise**, la **pissaladière** et la **fougasse** constellent aussi de petites olives !

### LES PRÉPARATIONS VAROISES

L'**aïoli**, mayonnaise à l'huile d'olive, fortement parfumée d'ail pilé, accompagne les hors-d'œuvre, la bourride, soupe aux poissons (baudroie, loup, merlan, etc.) et nombre de plats.

La **bouillabaisse** classique doit comporter les « trois poissons » : rascasse (indispensable), grondin, congre. L'assaisonnement est tout aussi important : oignon, tomate, safran, ail, thym, laurier, sauge, fenouil, peau d'orange ; parfois un verre de vin blanc ou de cognac aromatise le bouillon qu'on verse finalement sur d'épaisses tranches de pain. Ce qui fait la qualité d'une bouillabaisse, c'est une véritable huile d'olive et de l'excellent safran.

L'un des meilleurs poissons de la Méditerranée est le **rouget** que Brillat-Savarin appelait la « bécasse de mer », sans doute parce que les gourmets le mettent à cuire non écaillé et non vidé. Le **loup** (nom local du bar), grillé au fenouil ou aux sarments de vigne, est un plat

*La place aux Aires à Grasse.*

S. Sauvignier / MICHELIN

## Produits stars du Var

**La truffe** a fait du haut pays sa 3e terre de prédilection française. Le marché d'Aups attire les connaisseurs tous les jeudis, de novembre à mars.

950 ha du massif des Maures produisent chaque automne entre 300 et 400 t de **marrons** et **châtaignes**.

Le **miel** se parfume à la lavande, au romarin, à la bruyère, à la châtaigne et sert de base au nougat noir de Noël, comme au nougat blanc produit à Saint-Tropez.

La **figue** pousse à 90 % sur le sol rocailleux de Solliès-Pont. La « violette de Solliès » cueillie de mi-août aux premiers frimas et l'estivale « boule d'or », idéale pour les confitures, sont très prisées.

délicieux. La **brandade de morue** est une crème onctueuse de morue pilée préparée avec de l'huile d'olive, du lait, de l'ail et des truffes.

La tradition provençale du dessert de Noël consiste à présenter aux convives **treize desserts** représentant le Christ et les douze apôtres : raisins secs, figues sèches, noix, noisettes, amandes, raisins secs présentés en branches, pommes, poires, nougat noir (fabriqué à base de miel), fougasse, pruneaux farcis à la pâte d'amande, melons conservés dans la paille et gâteaux secs parfumés à la fleur d'oranger.

Pour l'Épiphanie, la galette des rois se présente sous la forme d'une couronne briochée recouverte de grains de sucre, de fruits confits et renfermant un sujet en porcelaine.

## LES SPÉCIALITÉS DU COMTÉ DE NICE

La « **cuisine nissarde** », expression bien vivante du particularisme du comté de Nice, s'inspire à la fois des traditions culinaires de la Provence et de la Ligurie entre lesquelles elle assure la transition. Agglutinées au pied de la colline du château, les ruelles du vieux Nice regorgent d'occasions de découvrir ces préparations.

La **pissaladière**, tourte aux oignons garnie de pissala (sauce épaisse à base d'anchois) et d'olives noires niçoises, et la **salade niçoise**, savoureux mariage de petites tomates découpées en quartiers, de petits artichauts, de poivron vert, de thon, d'œufs durs en rondelles, d'olives niçoises, le tout nappé d'huile d'olive, recouvert de filets d'anchois et relevé de pointes de basilic, sont deux symboles de la cuisine niçoise. La **socca,** grande crêpe

de farine de pois chiche, se déguste sur le pouce, débitée en portions, et arrosée d'un « pointu » (petit verre de vin de pays) dans les parages des rues et place Saint-François. À midi, un **pan bagna** (« pain mouillé » d'huile d'olive, de forme ronde, garni d'anchois, tomates…) permettra de poursuivre la découverte des vieilles ruelles. La *meranda* (petite faim d'après sieste) sera apaisée avec des tranches frites de **pannisse** (galette de farine de pois-chiche).

La **poutine** (marinade d'alevins pêchés par autorisation locale pendant le mois de février entre Antibes et Menton) se déguste en salade, en omelette ou en soupe. En dehors de cette période, le gourmet se consolera avec la **soupe aux poissons** de roche mélangée de *favouilles* (petits crabes), ou d'un plus familial **pistou**, soupe de légumes relevée d'une onctueuse pommade faite de basilic, d'ail, de tomates, et noyée d'huile d'olive. Le menu sera complété par une tranche de **porchetta**, cochon de lait farci, accompagnée de **mesclun** (« mélange » en niçois), association de quatorze variétés de jeunes plants de salades cueillis dans l'arrière-pays.

Parmi les autres préparations qui méritent d'être savourées dans les minuscules restaurants des villages de l'arrière-pays : les **fleurs de courgette farcies** (mais les autres farcis niçois sont aussi délicieux !), la **ratatouille** (ragoût de tomates, aubergines, poivrons et cour-

D. Pazery / MICHELIN

## Socca

« Farine de pois chiche, huile d'olive, sel fin, eau participent à sa composition. Il convient d'y ajouter (…) dextérité et rapidité afin de la couper en petites parts au moment de la servir : la socca n'admet pas d'attendre ; elle se doit d'être brûlante. Et poivrée au goût de chacun (…). C'est la même socca que les dockers, après le café arrosé de 5 heures, mangeaient au bar niçois à 6h30. » **Louis Nucera**, *Chemin de la lanterne* (1981), Éd. Grasset.

gettes revenus doucement à l'huile), les **gnocchis** (coquilles de farine de blé et de pommes de terre assaisonnées d'une sauce de daube) ou les **raviolis** (ceux de Nice sont fourrés de daube de bœuf), les *barbajouans* (« oncle Jean » : beignets de pâte renfermant une farce à base de riz, courge, ail, oignon et fromage). L'**estocaficada**, version niçoise du « stockfish » marseillais, que les vieux Niçois prononcent « estocafic », est un plat de fête qui s'accompagne d'un gouleyant vin du Bellet. Les filets de stockfish (morue séchée), réduits en lambeaux, doucement rissolés et arrosés d'eau-de-vie (la brande), cuisent à l'étouffé pendant 3 à 4h au milieu des légumes (tomates pelées et épépinées, oignons, poivrons, pommes de terre nouvelles) et des bouquets d'aromates (fenouil, marjolaine, persil, thym, laurier, sarriette), pointés de petites olives noires de Nice.

La **tourte de blettes**, tarte sucrée garnie de feuilles de blettes hachées, de pignons de pin et de raisins de Corinthe, fera office de dessert. À la mi-Carême, les « ganses », oreillettes sucrées, monopolisent les devantures des pâtissiers. La **fougasse**, galette parfumée à la fleur d'oranger, se vend toute l'année ; à Monaco, elle est décorée de grains d'anis blanc et rouge *(fenuglieti)*, les couleurs nationales.

Enfin, on combattra les heures de canicule en dégustant à l'ombre un verre de « gratta queca », glace granulée arrosée de menthe.

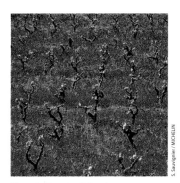

*Plans de vigne vers Brignoles.*

S. Sauvignier / MICHELIN

## LES VINS

Le **bandol**, issu du cépage mourvèdre, est un vin de garde (10 à 15 ans) à la robe rouge sombre ; sa charpente et sa rondeur s'accompagnent d'arômes de framboise, de vanille, de sous-bois, d'épices.

ぐ Pour un rapide état des lieux sur ces vins de caractère, voir Bandol.

Les vins de l'appellation **côtes-de-provence** (80 % du vignoble provençal) se sont améliorés par l'utilisation de cépages inconnus auparavant dans la région (cabernet sauvignon). Les collines de schiste des Maures donnent des vins blancs et des rosés subtils, tandis que les plateaux calcaires du haut pays varois produisent des blancs et des rouges remarquables.

👁 À signaler que les appellations côtes-de-provence, coteaux varois et coteaux d'Aix-en-Provence se sont unies en 2004 pour créer le Conseil Interprofessionnel des Vins de Provence (CIVP), une structure dite d'étude et de promotion des vins rosés et de toutes les appellations provençales. Sachant que les trois-quarts des vins produits dans ce vignoble sont des rosés, dont 75 % bénéficient aujourd'hui de l'AOC.

Le minuscule (50 ha) et très ancien (3e s. av. J.-C.) **vignoble du Bellet** s'étage en terrasses sur les pentes raides d'éboulis calcaires qui dominent la plaine du Var et donne des vins rouges, rosés et blancs (les meilleurs, aux arômes de tilleul et de miel, mais chers).

Le **coteau varois**, cultivé essentiellement de façon biologique, affiche également les trois couleurs.

ぐ Pour plus d'informations sur les domaines viticoles de la région, reportez-vous à la partie « Que rapporter ? » *(voir p. 52)* et à la rubrique « Les vins » *(voir p. 34).*

*Village perché de Piène-Haute dans la vallée de la Roya.*

# Antibes★★

**72 300 ANTIBOIS**
**CARTE GÉNÉRALE D2 – CARTE MICHELIN LOCAL 341 D6 – ALPES-MARITIMES (06)**

De l'autre côté de la baie des Anges, Antibes est bâti entre deux anses, Salis et Saint-Roch, dans un site auquel ni les peintres ni les clients de palaces légendaires comme l'Éden Roc, ni, hélas, les promoteurs n'ont su résister. Le port de plaisance, la vieille ville et son marché couvert, le cap d'Antibes en font l'un des passages obligés de la Côte d'Azur.

*Port Vauban et le fort Carré à l'arrière-plan.*

- ▶ **Se repérer** – Antibes est à 11 km à l'est de Cannes et à 22 km à l'ouest de Nice par la N 7. Trajet plus rapide par l'A 8 *(payante)*. La vieille ville se serre contre le rivage, au sud du port. Le boulevard Wilson traverse l'agglomération jusqu'au cœur de Juan-les-Pins, de l'autre côté de la presqu'île.

- 🅿 **Se garer** – Parkings payants près du port. Inutile de chercher une place de stationnement gratuite, elles sont rares et prises d'assaut par les habitants ou les habitués !

- 👁 **À ne pas manquer** – Débutez votre journée par la découverte du Cap d'Antibes. Poursuivez par une balade dans la vieille ville et le long des remparts. Et pendant que les amoureux de culture investiront les musées de la cité, les passionnés d'eau iront se rafraîchir à Marineland.

- 🕐 **Organiser son temps** – Entre balades, découverte culturelle et jeux d'eau, accordez à Antibes une petite journée. 2h pour une balade au Cap d'Antibes, 3h pour la découverte de la ville et de quelques musées. Profitez d'un après-midi complet pour la visite du parc Marineland.

- 👫 **Avec les enfants** – Le musée Peynet et du dessin humoristique ; Marineland.

- 👶 **Pour poursuivre la visite** – Voir aussi Juan-les-Pins, Biot, Cagnes-sur-mer, Cannes et Nice.

## Comprendre

**À l'origine** – Les Grecs de Massalia (l'antique Marseille) fondent au 4e s. av. J.-C. une série de comptoirs le long de la côte. Une cité nouvelle s'élève en face de Nice. Le nom grec d'Antibes, **Antipolis**, qui signifie « la ville en face », rappelle précisément cette situation.

**Antibes, place frontière** – À partir de la fin du 14e s., Antibes se trouve à la frontière franco-savoyarde, ce qui lui assigne un important potentiel militaire et stratégique. **Henri IV** ne s'y trompe pas et rachète la ville aux Grimaldi, propriétaires depuis 1386. Les rois suivants s'emploient à fortifier la cité, une œuvre achevée par Vauban. En 1860, le comté de Nice est rattaché à la France : les fortifications deviennent alors inutiles.

**Bonaparte en famille** – En 1794, Bonaparte, chargé de la défense du littoral, installe les siens à Antibes. Il a beau être général, la solde arrive rarement au jour dit et les temps sont durs : Mme Lætitia, sa mère, lave elle-même le linge dans le ruisseau voisin ; ses sœurs rendent de furtives visites aux artichauts et aux figues du propriétaire ; le bonhomme les pourchasse, mais les futures princesses sont plus agiles que lui. Bonaparte reviendra à Antibes après la chute de Robespierre, en tant que détenu au fort Carré.

**Antibes aujourd'hui** – La région est un des grands centres européens de production industrielle de fleurs : roses, œillets, anémones et tulipes. Cependant, châssis et serres qui couvraient à la fin du second millénaire une superficie vitrée de près de 300 ha diminue considérablement sous la pression foncière des promoteurs. La culture de la rose souffre particulièrement de cette situation, la culture de plantes vertes et de primeurs n'est pas épargnée non plus.

### 👁 Le saviez-vous ?

Jacques Audiberti (1899-1965), écrivain et homme de théâtre, est né à Antibes ; **Nikos Kazantzakis** y a écrit *Zorba le Grec* et *La Dernière Tentation du Christ* ; le peintre **Nicolas de Staël** (1914-1955) a choisi d'y mourir.

## Se promener

### LA VIEILLE VILLE★

*Compter 2h. Voir plan II.*

Le long de l'**anse Saint-Roch**, depuis l'avenue de Verdun, belle vue sur le port de plaisance dominé par le **fort Carré** *(voir « Visiter »)* ; au-delà et sur la droite, on distingue Cagnes et les hauteurs qui couronnent Nice.

### Port Vauban C/D1

C'est l'un des premiers ports de plaisance de la Méditerranée. De somptueux navires de croisière y font escale. Et c'est ici que **Maupassant** faisait mouiller son yacht, le *Bel Ami*.

*Franchir la vieille porte marine et, par la montée des Saleurs, longer les remparts jusqu'à la promenade Amiral-de-Grasse.*

### Promenade Amiral-de-Grasse D1-2

Anciennement promenade du Front-de-Mer, elle se déroule sur la seule partie des remparts restée intacte depuis le 17e s., et longe en contrebas l'ancienne cathédrale et le château Grimaldi *(musée Picasso, voir « Visiter »)*. Depuis la promenade, belle **vue★** sur le littoral vers Nice, et sur les Alpes qui constituent un fond de décor, neigeux une grande partie de l'année.

### Place du Safranier D2

C'est le centre de la commune libre du Safranier, créée après la Seconde Guerre mondiale. Au n° 8 de la rue du Bas-Castellet vécut l'écrivain grec Kazantzakis. La plaque rappelle sa philosophie : « Je ne crains rien. Je n'espère rien. Je suis libre. »

*Continuer par la rue de la Tourraque.*

À droite et à gauche, entrelacs de **vieilles rues** colorées et fleuries à quelques pas de la mer.

*Rejoindre le cours Masséna (incontournable marché le matin) et prendre à droite la rue de l'Orme puis la rue du Bateau.*

### Église de l'Immaculée-Conception D1

*R. du Saint-Esprit - ☎ 04 93 34 06 29 - 8h30-12h, 13h-18h30 (dim. 8h30-12h, 13h-19h).*
Sa façade, ocre et classique, aux **vantaux** de bois sculptés (1710), transforme l'édifice qui fut cathédrale au Moyen Âge. Seul le chevet est roman. Le clocher carré est une ancienne tour de guet (12e s.).
À l'intérieur, dans le chœur, Christ en croix de 1447 ; dans l'absidiole de droite, autel monolithe probablement sculpté dans un autel païen. Dans la chapelle du croisillon droit, le retable de la *Vierge au rosaire* (1515) est une œuvre de **Louis Brea** : largement retouché, le panneau central, est entouré de 13 compartiments, traités comme des miniatures. À droite du retable se trouve un beau **Christ gisant** du 16e s., sculpté dans un tilleul.

*Les rues de l'Horloge et du Revely, à gauche, rejoignent la rue Aubernon qui ramène au port.*

# Visiter

## Musée Picasso D1

*☏ 04 92 90 54 20 - fermé pour travaux jusqu'en déc. 2007.*

Le musée est situé dans le **château Grimaldi**, élevé au 12e s. sur une terrasse dominant la mer, sur les structures d'un *castrum* romain lui-même bâti sur l'acropole d'Antipolis. Reconstruit au 16e s., le château a gardé de l'édifice primitif la tour romaine carrée, un chemin de ronde crénelé et plusieurs fenêtres géminées. Résidence des évêques au Moyen Âge, il fut habité jusqu'au 17e s. par les Grimaldi.

**Donation Picasso★** – À l'automne 1946, Pablo Picasso (1881-1973), établi depuis peu sur la Côte d'Azur, cherche un atelier capable d'abriter la création de grandes compositions. Une partie du château Grimaldi est mise à sa disposition : l'artiste va alors produire en une seule saison la plupart des tableaux, dessins et esquisses exposés, qu'il offrira à la ville en partant.

La grande composition sur fibrociment (l'un des matériaux disponibles avec le contreplaqué dans la pénurie de l'après-guerre) intitulée *La Joie de vivre ou Antipolis* est une pastorale souriante, où une femme-plante danse parmi des satyres et des chevreaux exubérants. Les autres **peintures**, souvent joyeuses, tirent leur inspiration méditerranéenne de sujets marins ou mythologiques : *Ulysse et les Sirènes*, *Le Chêne*, *Satyre, faune et centaure au trident* (triptyque). La *Nature morte au poisson*, l'extraordinaire *Nature morte à la pastèque* sont d'une rigoureuse géométrie. Une imposante collection de **céramiques** est également présentée. La beauté et l'originalité des formes, la variété des décors s'y déploient en une débauche d'imagination et d'ingéniosité. Silhouettes de femme, hibou, taureau ou cabri, ces céramiques ont été réalisées à Vallauris en 1948 et 1949. Les dessins et estampes de la suite Vollard, regroupés autour des sculptures monumentales, datent des années 1930.

Dans l'ex-atelier de Picasso, des œuvres de **Nicolas de Staël** (*Nature morte au chandelier*, *Le Fort Carré* et *Le Grand Concert*) évoquent son passage à Antibes. Dans l'escalier sont présentées des œuvres d'Arp, Magnelli, Ernst.

**Cour intérieure et terrasse** – Dans la cour intérieure, les guitares de la sculpture d'Arman rendent hommage à une peinture de Picasso, *À ma jolie*. Dans la chapelle se trouve une très belle **Déposition de croix★** (1539) d'Antoine Aundi. Antibes est représenté à l'arrière-plan du tableau : c'est la première représentation connue de la ville. Sur la terrasse, les plantes aromatiques alternent avec les sculptures de Germaine Richier, Miró, Pagès, Amado, Spoerri et Poirier.

**Archéologie** – Stèles, urnes funéraires, frises et inscriptions romaines sont disséminées dans les salles du musée Picasso et sur la terrasse.

## Musée Peynet et du dessin humoristique★ D1

*Pl. Nationale - ☏ 04 92 90 54 30 - possibilité de visite guidée sur demande la veille au musée Picasso (administration ouverte pendant les travaux) - www.antibes-juanlespins.com - ♿ - 10h-12h, 14h-18h (juil.-août : merc. et vend. 20h) - fermé 1er janv., 1er Mai, 1er nov. et 25 déc. - 3 € (–18 ans gratuit).*

Les « amoureux » de Peynet sont seuls au monde, tendres et souriants, sur lithographies, dessins à la plume, aquarelles, gouaches, en sculptures ou en poupées, présentés dans cette ancienne école du 19e s. Dessinateur, illustrateur de livres et décorateur de théâtre, Peynet (1908-1999) s'installa à Antibes en 1950.

## Fort Carré B1 (plan I)

*Av. du 11-Novembre - ☏ 06 14 89 17 45 - www.antibes-juanlespins.com - visite guidée (30mn) de mi-juin à mi-sept. : tlj sf lun. 10h-18h (dernière visite 17h30) ; reste de l'année : tlj sf lun. 10h-16h30 (dernière visite 16h) - fermé 1er janv., 1er Mai, 1er nov. et 25 déc. - 3 € (enf. gratuit).*

Construite en 1550 sur un rocher isolé, la tour centrale Saint-Laurent est entourée quinze ans plus tard des 4 bastions « Antibes », « Nice », « France » et « Corse ». Perfectionné par **Vauban**, le fort a résisté à presque tout le monde, sauf au duc d'Épernon et aux adversaires de Napoléon. Dans les fossés du fort repose le **général Championnet**, héros des campagnes d'Allemagne et d'Italie, mort à Antibes en 1800, à 38 ans. Son buste orne le cours Masséna.

## Musée d'Archéologie D2

*1 av. Maizière (Bastion Saint-André) - ☏ 04 93 34 00 39 - www.antibes-juanlespins.com - tlj sf lun. 10h-12h, 14h-18h (juil.-août : merc. et vend. 20h) - possibilité de visite guidée (1h) : vend. 15h - fermé 1er janv., 1er Mai, 1er nov. et 25 déc. - 3 € (–18 ans : gratuit).*

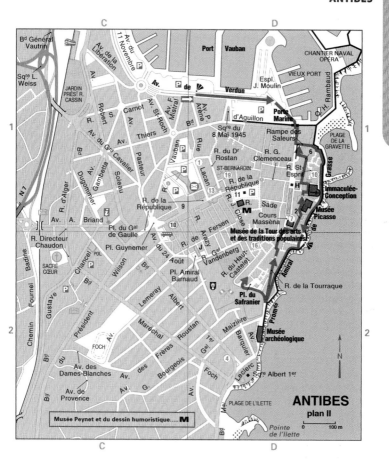

Installé dans le bastion Saint-André, fortification de Vauban, il rassemble les témoins de 4 000 ans d'histoire, retrouvés sur terre et en mer, à Antibes et dans les environs, notamment la copie de la tête de Silène en bronze (original au Musée archéologique de Nice) et un sarcophage en plomb décoré. Au fond d'une grande salle voûtée, bâtie sur une citerne, un four à pain et, à droite, la reconstitution d'un navire romain transportant des amphores. Belles collections de poteries.

La collection permanente, réorganisée au printemps 2006, intègre de nouvelles pièces récemment acquises. Parmi elles, une statuette en marbre de Dionysos, un petit autel en pierre voué au dieu Pipius, des fragments de céramiques attiques, des pièces d'armement romaines issues de fouilles, etc.

### Musée de la tour des Arts et Traditions populaires D1

*2 r. de l'Orme - ℘ 04 93 34 13 58 - merc., vend., sam. et dim. 14h-18h - fermé 1er janv., 1er Mai, 1er nov. et 25 déc.*

Dans la tour de l'Orme, bel échantillon de costumes, d'objets usuels et de meubles traditionnels de la région, datant pour la plupart des 18e et 19e s. Le musée présente également les skis nautiques de **Léo Roman**, qui lança ce sport à Juan-les-Pins à partir de 1921.

## Aux alentours

### Marineland★

*En direction de Nice, 4 km au nord. Forfait un ou deux jours. Parking. Restaurants, snacks - ℘ 04 93 33 49 49 - www.marineland.fr - ᶒ - ouverture : 10h - se renseigner pour horaires de fermeture (nocturne juil.-août et vac. scol.) - fermé janv. - saison 34 € (3-12 ans 25 €), hors sais. 28 € (3-12 ans 19 €).*

👤👤 Premier parc animalier marin d'Europe, le Marineland s'enorgueillit de plusieurs naissances : orques, otaries à crinière et manchots royaux, espèces se reproduisant rarement en captivité. Les spécialistes de Marineland assurent en outre une assistance médicale auprès des mammifères marins de la Méditerranée.

## DÉCOUVRIR LES SITES

Dans de grands bassins évoluent dauphins, orques, éléphants de mer, phoques et otaries à crinière de Californie. Les animaux dressés exécutent régulièrement des **spectacles d'acrobaties**. Des manchots royaux sont élevés dans un enclos réservé, la « manchotière ». L'animation **« Sharks »** vous permettra de voir des requins comme vous ne les aviez jamais vu, en traversant un tunnel vitré au fond du bassin. Grâce aux aquariums tropicaux et au bassin des raies, vous pourrez observer de près d'étranges animaux.

Le **musée de la Marine** présente une belle collection de maquettes, instruments et objets marins, le **musée du Débarquement** présente des maquettes reconstituant le débarquement des alliés en Provence en 1944.

**Parc Aqua-Splash** – *Même accès que Marineland* - &#x260E; *04 93 33 49 49 - www.marineland. fr - ouverture : 10h - se renseigner pour horaires de fermeture (nocturne juil.-août et vac. scol.) - fermé de mi-sept. à mi-juin - 24 € (3-12 ans 17 €).* Éclaboussures garanties, comme son nom l'indique, dans ce parc aquatique : piscine géante, toboggans, piscine d'eau de mer à vagues, et piscine tranquille pour les tout-petits.

**La Petite Ferme du Far West** – *Entrée par le parking de Marineland* - &#x260E; *04 93 33 49 49 - www.marineland.fr -* &#x267F; *- ouverture : 10h - se renseigner pour horaires de fermeture (nocturne juil.-août et vac. scol.) - fermé janv. - saison 13 € (enf. 10 €), hors sais. 10 € (enf. 8 €).* Les enfants pourront jouer aux cow-boys ou aux indiens : animation (prise d'un fortin, attaque d'un train…), activités (tour de poney, funambulo, etc.). Les plus petits découvriront la basse-cour.

**Adventure Golf** – *Mêmes conditions de visite que La Petite Ferme du Far West* - &#x260E; *04 93 33 49 49 - saison 10 € (enf. 8 €), hors sais. 9 € (enf. 7 €).* Trois parcours pour les mordus du golf miniature.

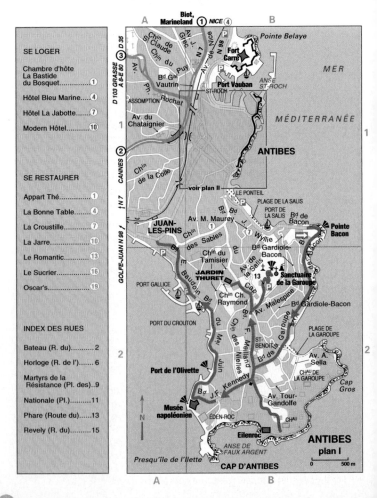

**SE LOGER**

| | |
|---|---|
| Chambre d'hôte La Bastide du Bosquet | ① |
| Hôtel Bleu Marine | ④ |
| Hôtel La Jabotte | ⑦ |
| Modern Hôtel | ⑩ |

**SE RESTAURER**

| | |
|---|---|
| Appart Thé | ① |
| La Bonne Table | ④ |
| La Croustille | ⑦ |
| La Jarre | ⑩ |
| Le Romantic | ⑬ |
| Le Sucrier | ⑯ |
| Oscar's | ⑲ |

**INDEX DES RUES**

| | |
|---|---|
| Bateau (R. du) | 2 |
| Horloge (R. de l') | 6 |
| Martyrs de la Résistance (Pl. des) | 9 |
| Nationale (Pl.) | 11 |
| Phare (Route du) | 13 |
| Revely (R. du) | 15 |

ANTIBES plan I

# Circuit de découverte

## LE CAP D'ANTIBES★

*10 km – environ 2h. Voir le plan I.*

L'usage a étendu à toute la presqu'île, qui s'avance au sud d'Antibes et de Juan-les-Pins, le nom de sa pointe extrême : le cap d'Antibes. Le tour de cette presqu'île est une parcours délicieux, dans un site où de somptueux hôtels et villas se nichent dans la verdure et les fleurs.

👣 *1h.* Le **sentier du littoral**, qui part de la plage de la Garoupe et se termine à hauteur de parc de la villa Eilenroc, offre un relief géologique découpé.

De la pointe Bacon, **vue★** étendue sur Antibes et le fort Carré, l'ensemble de la baie des Anges, Nice et les presqu'îles du cap Ferrat et du cap Martin, et enfin l'arrière-pays niçois.

## Sanctuaire de la Garoupe

*635 rte. du Phare - ☎ 04 93 67 36 01 - ♿ - de Pâques à sept. : 10h-12h, 14h30-19h ; oct. à Pâques : 10h-12h, 14h30-17h.*

Les grilles en fer forgé donnent accès à deux chapelles contiguës, unies par deux larges arcades. L'une, décorée d'une fresque moderne de J. Clergues, présente une intéressante **collection d'ex-voto** (le plus ancien remonte à 1779). De part et d'autre du maître-autel, l'icône de Sébastopol, magnifique œuvre russo-byzantine, peut-être du 14ᵉ s., et la *plachzanitza* des Woronzoff, splendide soierie peinte, provenant également de Sébastopol. Dans l'autre nef, outre des fresques d'E. Colin, on peut voir des ex-voto navals et des souvenirs maritimes, ainsi que la statue en bois doré de **Notre-Dame-de-Bon-Port**. Attenant au sanctuaire, curieux oratoire de Sainte-Hélène dont le culte, substitué à un culte païen, remonterait au 5ᵉ s.

## Phare de la Garoupe

L'un des plus puissants de la côte méditerranéenne. Par temps clair, sa portée nominale est de 52 km pour la marine et de plus de 100 km pour l'aviation. Son radiophare porte à 185 km.

## Jardin Thuret★

*90 chemin Raymond - ☎ 04 97 21 25 00 - juin-août : 8h-18h ; sept.-oct. : 8h-18h30 ; nov.-mai : 8h-17h30 - fermé w.-end et j. fériés - gratuit.*

Le botaniste **Gustave Thuret** crée ce jardin botanique en 1857 dans le but d'acclimater plantes et arbres des pays chauds, dont les premiers eucalyptus venus d'Australie. « Ce fada de Parisien, qui plante des espèces bizarres qui ne servent à rien », disait-on alors, a ainsi fortement contribué à transformer le paysage azuréen.

Aujourd'hui géré par l'Institut national de recherche agronomique (INRA), le jardin (4 ha) présente une magnifique collection de plantes et arbres exotiques. Palmiers, mimosas, eucalyptus, cyprès sont particulièrement bien représentés parmi 3 000 espèces de plein air. La villa Thuret abrite le service de botanique et plusieurs laboratoires de recherche scientifique.

*Le jardin Thuret : un paysage des tropiques.*

## Villa Eilenroc

*Av. L.-H.-Beaumont - ♿ - ☎ 04 93 67 74 33 - www.antibes-juanlespins.com - sept.-juin : mar. et merc. 9h-17h (seult jardin), merc. 9h-12h, 13h-17h (seult la villa), sam. 9h-12h, 13h-17h (l'oliveraie, deux roseraies et l'écomusée) - fermé juil.-août - gratuit.*

Elle fut construite (1860-1867) sur les plans de **Charles Garnier** à la demande d'un Hollandais. Les propriétaires se succédèrent jusqu'en 1927 où elle fut rachetée par la famille Beaumont qui la légua ensuite à la ville. La villa accueille des réceptions et « Musiques au Cœur d'Antibes », festival d'art lyrique *(déb. juil., renseignements à l'office de tourisme)*. L'intérieur est meublé 1930. On doit aussi à cette famille le **jardin** luxuriant qui comprend également une **roseraie** et un conservatoire d'**oliviers** dans lequel 54 arbres, tous prénommés, ont été plantés en hommage aux petits Antibois nés en janvier 2000.

## L'Hôtel Éden-Roc : un paradis de la Belle Époque

Le majestueux palace, trônant au cœur d'un domaine de 8 ha, occupe un promontoire du cap d'Antibes. Au printemps 1870, une somptueuse fête donnée par des princes russes annonçait le lancement du Grand Hôtel du Cap. Après une période d'assoupissement, le Grand Hôtel fut relancé grâce au mécénat de l'Américain **Gordon Bennett**. En 1914 fut créée son annexe, l'Éden-Roc (nom qui a désigné ensuite l'ensemble du palace) et sa plage privée, préfigurant les séjours balnéaires d'été sur la Côte. De nos jours, l'établissement est prisé des stars qui y séjournent pendant le Festival de Cannes !

## Musée napoléonien

*Bd J.-F.-Kennedy (Juan-les-Pins) - www.antibes-juanlespins.com - ☎ 04 93 61 45 32 - de mi-juin à mi-sept. : tlj sf dim. et lun. 10h-18h ; de mi-sept. à mi-juin : 10h-16h30 - fermé 14 Juil. et 15 août - 3 € (–18 ans gratuit).*

L'ancienne batterie du Grillon a été transformée en un musée où deux répliques d'un canon de bronze d'époque Louis XIV accueillent le visiteur. À l'intérieur, souvenirs napoléoniens (buste de l'empereur par Canova, figurines de soldats et officiers de la Grande Armée, autographes de Bonaparte, imagerie populaire).

De la plate-forme qui couronne le bastion, belle **vue★** sur l'extrémité boisée du Cap, la côte jusqu'aux îles de Lérins et sur les Alpes.

## Antibes pratique

♿ Voir aussi l'encadré pratique de Juan-les-Pins.

### Adresse utile

**Office du tourisme d'Antibes** – 11 pl. du Général-de-Gaulle - BP 37 - 06601 Antibes Cedex - ☎ 04 97 23 11 11 - www.antibes-juanlespins.com - juil.-août : tlj sf dim. 9h-19h ; sept.-juin : tlj sf dim. 9h-12h30, 13h30-18h (sam. 9h-12h, 14h-18h) - fermé 1er janv., 1er mai et 25 déc.

### Transports

**Bus** – *Communauté d'agglomérations Sophia-Antipolis - 2229 rte des Crêtes - 06560 Sophia-Antipolis - ☎ 04 89 87 72 00 - www.envibus.fr - 1 € (1h), 3 € (1 journée), 5 € (pass famille)*
Le réseau **Envibus** compte 23 lignes : 1 et 3 (dir. Juan-les-Pins), 2 (dir. cap d'Antibes), 10 (dir. Biot et Valbonne), 9 (dir. Sophia-Antipolis), 5 (dir. Vallauris), 11 (dir. Sophia Antipolis, Opio et Châteauneuf).

Lignes nocturnes N 1 et N 3 (dir. Juan-les-Pins, juil.-août 20h-0h).

**Train** – La ligne 4 du **TER** relie Antibes à Juan-les-Pins.

### Visites

👁 **Bon à savoir** – L'office de tourisme propose un plan commenté comprenant Antibes, Juan-les-Pins et le cap d'Antibes.

**Pass Musées** – *En vente à l'accueil des musées, droit d'entrée valable 7 jours consécutifs - 6,50 €/pers. pdt les travaux du musée Picasso, 7,50 €/pers. après travaux, –18 ans gratuit).* Il donne accès aux musées d'Archéologie, de la Tour, Peynet, Napoléonien et au fort Carré.

**Visite guidée** – *Réserv. obligatoire à l'office du tourisme d'Antibes - merc.-sam : départ 10h devant l'office de tourisme - 7 € (8-16 ans : 3,50 €).* Un guide vous fera découvrir la vieille ville d'Antibes (1h45).

## Se loger

🛏 **Hôtel Bleu Marine** – 2,5 km du centre-ville, chemin des 4-Chemins (près de l'hôpital) - ☎ 04 93 74 84 84 - www.bleumarineantibes.com - 🅿 - 18 ch. 60/72 € - 🍴 6,50 €. Dans le quartier de l'hôpital, établissement disposant de chambres d'ampleur moyenne, pratiques et bien entretenues. Celles des étages supérieurs bénéficient d'une échappée sur la mer. Le petit-déjeuner est servi uniquement dans les chambres.

🛏 **Modern Hôtel** – 1 r. Fourmillière - ☎ 04 92 90 59 05 - modernhotel@wanadoo.fr - 17 ch. 62/82 € - 🍴 5,50 €. Cet hôtel situé à l'entrée de la zone piétonne a bénéficié d'une rénovation. Les chambres offrent une sobre décoration, une literie neuve et un mobilier fonctionnel.

🛏 **Hôtel La Jabotte** – 13 av. Max-Maurey - 06160 Cap-d'Antibes - ☎ 04 93 61 45 89 - www.jabotte.com - fermé 3 dernières sem. de nov. et 1 sem. en déc. - 🅿 - 10 ch. 59/88 € - 🍴 8 €. À 60 m la plage de la Salis, un petit hôtel de charme où vous séjournerez au calme dans d'adorables chambres personnalisées autour d'un patio ravissant. Calligraphe et peintre à ses heures, l'un des propriétaires expose dans quelques chambres et dans l'accueillant salon où l'on sert aussi d'excellents petits-déjeuners.

🛏 **Chambre d'hôte La Bastide du Bosquet** – 14 chemin des Sables (Domaine des Muriers) - 06160 Cap-d'Antibes - ☎ 04 93 67 32 29 - www.lebosquet06.com - fermé mi-nov. au 20 déc. - 🍴 - 4 ch. 85/110 € 🍴. Jolie bastide du 18ᵉ s. au cœur d'un quartier résidentiel qui garantit la quiétude du séjour (trois nuits minimum). Les chambres provençales sont agréables, fraîches, d'ampleurs et de couleurs variées. Goûtez aux plaisirs du jardin et de la terrasse.

## Se restaurer

🍴 **La Croustille** – 4 cours Masséna - ☎ 04 93 34 84 83 - 8/16 €. La jolie terrasse de cette crêperie est idéalement placée pour observer l'animation du marché. Sa minisalle est décorée de vieilles photos et de maquettes de voiliers. Accueil prévenant et cuisine privilégiant les produits frais : galettes de sarrasin au beurre salé de Guérande, salades provençales, etc.

🍴 **Appart Thé** – 24 r. Lacan - ☎ 04 93 34 08 24 - fermé 1 sem. en déc. et dim. - 9/13 €. Aux abords de la place où se tient le marché provençal, en face d'un parking public, petit établissement cumulant les fonctions de salon de thé, de saladerie-tarterie, de glacier et, accessoirement, de caviste. Une quinzaine de crus de thé est proposée. Décor « hype » dans les tons kakis. Petite terrasse sur le devant.

🍴 **La Bonne Table** – 44 bd Albert-1ᵉʳ - ☎ 04 93 34 43 08 - fermé nov. ; ouv. midi et soir en sais. (à partir d'avr.) ; déj. seult en hiver - formule déj. 15 € - 21/27 €. Pas loin du musée d'Archéologie, sur un boulevard accédant au front de mer, petit restaurant familial où l'on vient faire des repas traditionnels en compagnie d'une clientèle souvent assez âgée, fidélisée de longue date par la sagesse des menus.

🍴 **Le Sucrier** – 6 r. des Bains - ☎ 04 93 34 85 40 - marc_estrada@hotmail.com - fermé 8 janv.-4 fév., 11-19 nov., mar. et le midi sf dim. - 25/56 €. Cuisine salée-sucrée au goût du jour, pimpant décor et une terrasse qui ajoute son grain de sel : seule l'addition n'est pas salée dans ce Sucrier qui ne manque pas de sel.

🍴 **Oscar's** – 8 r. Rostan - ☎ 04 93 34 90 14 - fermé 1ᵉʳ-15 août, 20 déc.-5 janv., dim. et lun. - réserv. obligatoire - 26/59 €. Laissez-vous surprendre par le décor original composé de statues nichées et de paysages antiquisants. La goûteuse cuisine italo-provençale assure le succès de cette discrète maison située dans une ruelle du vieil Antibes.

🍴 **Le Romantic** – 5 r. du Dr-Rostan - ☎ 04 93 34 59 39 - brigittebocquet@yahoo.fr - fermé 14-20 mars, 13-27 juin, 14-28 nov., le midi du 15 juin au 16 sept., lun. midi hors sais. et dim. - 26/48 €. Établissement situé dans une ruelle animée proche du musée Peynet. Sous les poutres anciennes de la coquette salle à manger, le chef propose une cuisine traditionnelle enrichie d'une pincée de saveurs provençales.

🍴 **La Jarre** – 14 r. St-Esprit - ☎ 04 93 34 50 12 - www.lajarre.com - 32 € déj. - 40 bc/45 bc €. Restaurant aménagé dans un ancien monastère de la vieille ville. Appréciez sa cuisine régionale sous le magnifique figuier du patio ou dans la salle à manger provençale.

Étal de fruits sur le marché d'Antibes.

## Faire une pause

**« Le Glacier » Square Sud** – 3 pl. du Gén.-de-Gaulle - ☎ 04 93 34 86 30 - fonctionnement de type salon de thé entre les repas ; fermé le dim. Bonnes glaces ou pâtisseries faites maison à déguster en salle ou sur la grande terrasse d'où vous ne perdrez pas une miette de l'animation de la place du Général-de-Gaulle.

## En soirée

👁 **Bon à savoir** – C'est dans le Vieil Antibes et à Juan-Les-Pins que se concentre toute l'animation antiboise. L'hiver, ce sont les bars et restaurants du cours Masséna, de la place Nationale ou du boulevard d'Aguillon qui attirent la plupart des Antibois. L'été, tout le monde se rue vers Juan-Les-Pins *(voir ce nom)*, sa plage et ses glaciers, ses bars d'ambiance, son casino et ses nombreuses discothèques.

## Que rapporter

👁 **Bon à savoir** – La **rue Sade** étroite et pavée qui grimpe jusqu'au marché provençal regorge de petites échoppes plus alléchantes les unes que les autres : poissonnerie, boucherie chevaline, traiteur, fromager, boutique ne proposant que des pâtes… On y trouve de tout !

**Marché Provençal** – Il a lieu tous les matins *(sf lun. hors saison)* le long du cours Masséna. Les producteurs, souvent de la région, vendent fruits et légumes, confitures, olives, fromages de chèvre, etc. Également, stands proposant spécialités corses et provençales, dont la fameuse socca niçoise, sans oublier les fleurs.

**Marchés des Pêcheurs** – *Pl. des Martyrs-de-la-Résistance - tlj sf lun. 7h-13h ; tlj en juil.-août.* Ce marché assez récent s'organise progressivement. Les marins, tous régionaux, installent leurs étals le matin et dévoilent aux chalands le butin de leur pêche quotidienne… Rougets, merlans, oursins, poissons de roche : les arrivages varient chaque jour, mais la fraîcheur des produits est toujours là.

## Sports & Loisirs

👁 **Bon à savoir** – Antibes est labellisé **Station nautique** ce qui atteste de la diversité et de la qualité des activités proposées. *Renseignements à l'office de tourisme ou www.france-nautisme.com.*

👥 **Marineland** – *Voir « Aux alentours ».*

👥 **Plages** – La grande plage d'Antibes s'étend au-delà du fort Carré. La Gravette (au sud du vieux port), l'Îlette, la Salis et la Garoupe, plus petites, sont de sable fin.

**Piscine** – *Hôtel du Cap-Eden Roc - ✆ 04 93 61 39 01 - www.edenroc-hotel.fr - 8h-19h - fermé de mi-oct. à fin avr.* La somptueuse piscine de l'hôtel du Cap Éden Roc, payante, est accessible aux non-résidents de l'hôtel.

**AMC Croisières** – *1228 bd de la Garoupe - 06160 Cap-d'Antibes - ✆ 04 92 93 16 39 - www.am-catamaran.com - à partir de 40 €.* Au départ d'Antibes, de St-Raphaël ou de St-Tropez, ce maxi catamaran vous emmènera en mer pour une balade allant jusqu'à une journée. Kayaks et matériel de plongée sont mis à disposition une fois l'ancre jetée. Propose aussi une navigation en fin de journée, quand le soleil couchant fait rougir la côte.

## Événement

**Fête de N.-D. de Bon-Port** – ✆ *04 93 33 40 68.* En juillet, la corporation des marins antibois célèbrent sur 4 jours (à partir du 1er jeudi) la Sainte Patronne des marins : prières, chants, procession à la cathédrale d'Antibes et à la chapelle Notre-Dame de la Garoupe.

# Les Arcs

**5 334 ARCOIS**
**CARTE GÉNÉRALE B3 – CARTE MICHELIN LOCAL 340 N5 – SCHÉMA P. 248 – VAR (83)**

Le Catalan Giraud de Villeneuve reçut au 13e s., en échange de ses loyaux services au comte de Provence, de nombreux fiefs, parmi lesquels les Arcs, que la famille conserva jusqu'au milieu du 17e s. En pleine zone viticole, ce gros bourg dispute à Brignoles le titre envié de capitale des côtes-de-Provence : ses environs produisent en effet d'excellents crus. Dominant le village, le vieux quartier du Parage et les ruines du château de Villeneuve, qui constitue le kilomètre zéro de la route des vins, vous attendent.

▶ **Se repérer** – Les Arcs se situe à 25 km à l'ouest de Fréjus par la N 7 et la D 57. Draguignan se trouve à 10 km au nord seulement. La ville moderne s'étend en contrebas du vieux bourg : la tour de l'Horloge les sépare.

👁 **À ne pas manquer** – Les vestiges moyenâgeux du quartier du Parage et la chapelle Sainte-Roseline, riche en œuvres d'art.

👥 **Avec les enfants** – Une balade en kayak sur l'Argens *(voir l'encadré pratique).*

🕐 **Organiser son temps** – Prévoyez 1h30 à 2h pour profiter pleinement du village médiéval.

👣 **Pour poursuivre la visite** – Voir aussi Roquebrune-sur-Argens, Draguignan, Le Luc et Lorgues.

# Se promener

## Le Parage

*Monter jusqu'au donjon par la rue de la Paix qui s'amorce sur la place de l'Église.*
Ce vieux quartier, bien restauré, mérite une flânerie dans ses ruelles tortueuses, coupées d'escaliers et de voûtes. Il est blotti autour du **donjon** de l'ancien château médiéval, d'où son nom occitan de *paratge* désignant la partie castrale située sur les hauteurs d'une cité.

## Église

*Pl. Ferré - 9h-11h30, 14h-17h.*
Bâtie au milieu du 19e s., elle est très visitée pour sa curieuse **crèche animée** *(à gauche en entrant)* dont le décor reconstitue le vieux village des Arcs. Les chapelles latérales sont peintes à fresque : dans celle de gauche, une peinture de Baboulaine évoque le miracle des roses de sainte Roseline. Sur le côté droit, un admirable **polyptyque★** à 16 compartiments de 1501 de **Louis Brea**.

> ### Légendaire
> Le château de Villeneuve vit naître **sainte Roseline** (1263-1329), fille du seigneur Arnaud de Villeneuve et de Sybille de Sabran. Enfant déjà, Roseline réservait en cachette de la nourriture pour la distribuer aux pauvres. Un jour qu'on lui demanda ce qu'elle transportait, elle répondit : « des roses ». Ce qui fut le cas quand elle ouvrit son tablier !

# Aux alentours

## Chapelle Sainte-Roseline★

*4 km à l'est des Arcs par la D 91 - ☎ 04 94 47 42 71 - juin-sept. : tlj sf lun. 14h30-18h ; mars-mai : tlj sf lun. 14h-18h ; oct.-fév. : tlj sf lun. 14h-17h - gratuit.*
Dans les paisibles vignobles environnant les Arcs *(voir l'encadré pratique)*, la chapelle Sainte-Roseline appartient à l'ancienne abbaye de la Celle-Roubaud fondée au 11e s. et occupée par les chartreuses dès le 13e s., puis les franciscains à partir de 1504. De cette abbaye ne subsistent que le cloître du 12e s. et la chapelle, de style roman provençal.
À l'**intérieur★**, nombreux trésors : un maître-autel baroque (1635) encadre un superbe retable en bois, la Descente de croix (1514) ; un rare jubé provençal (1638), surmonté d'une statue polychrome de sainte Catherine d'Alexandrie, se termine en clôture de chœur avec des stalles finement sculptées (17e s.). En bas de la nef, un autel baroque porte un autre très beau retable Renaissance : la Nativité ; à gauche du chœur est accrochée une précieuse prédelle (fin 15e s.), œuvre de la **famille Brea**.
La **châsse** de sainte Roseline (dont le corps est étonnamment conservé) fait l'objet de pèlerinages (pour guérison d'enfants) qui ont lieu cinq fois par an, les plus fréquentés se situant le dimanche de la Trinité et le 1er dimanche d'août.
On doit à **Marguerite Maeght** l'illustration de la légende de la sainte par des artistes contemporains : une grande mosaïque de **Chagall**, *Le Repas des anges (ogive du bas-côté droit)* ; un bas-relief en bronze et un lutrin en forme d'arbuste de **Diego Giacometti** ; un grand vitrail de **Bazaine** aux tons chatoyants, et quatre de **Raoul Ubac**, qui éclairent la chapelle.

*Retable baroque de la chapelle Sainte-Roseline.*

# Les Arcs pratique

♿ Voir aussi les encadrés pratiques de Draguignan et Lorgues.

## Adresse utile

**Office du tourisme des Arcs** – *Pl. du Gén.-de-Gaulle - 83460 Les Arcs -* ✆ *04 94 73 37 30 - juil.-août : tlj sf dim. 9h15-12h15, 14h45-19h ; reste de l'année : tlj sf w.-end 9h15-12h15, 13h45-18h.*

## Se loger

⊖ **Aurélia** – *N 7, le Pont-d'Argens -* ✆ *04 94 47 49 69 - hotel.aurelia@wanadoo.fr - hôtel fermé en janv. ; rest. fermé j. fériés, dim. soir et lun. hors sais. -* 🅿 *- 20 ch. 58/63 € - ⌂ 7,50 € - rest. 15/32 €.* Hôtel pelotonné aux portes du village, entre la N 7, une station-service, une rivière et un camping. Chambres fonctionnelles de tailles satisfaisantes, isolées des bruits de la route par un couloir et souvent dotées d'un balcon. Restaurant traditionnel agrémenté d'une cheminée ; terrasse au bord de l'Argens.

⊖⊜⊜⊜ **Logis du Guetteur** – *Au village médiéval -* ✆ *04 94 99 51 10 - www.logisduguetteur.com - fermé 15 janv.-8 mars -* 🅿 *- 13 ch. 108/190 € - ⌂ 15 € - rest. 25/76 € -* Dans un fort du 11ᵉ s. au cœur du village, cet hôtel-restaurant a installé salons et salles à manger au sous-sol, dans de superbes salles voûtées aux pierres apparentes. Les chambres, climatisées et confortables, sont dispersées dans plusieurs bâtisses. Piscine.

## Se restaurer

⊖⊜⊜ **Le Bacchus Gourmand** – *N 7 -* ✆ *04 94 47 48 47 - fermé 2-19 janv. - 37/49 €.* Au 1ᵉʳ étage de la **Maison des vins** *(voir « Que rapporter »)*, salle à manger moderne soigneusement décorée. En été, repas servis dans le patio. Cuisine classique arrosée de côtes-de-provence.

## Que rapporter

**Maison des Vins côtes-de-Provence** – *N 7 -* ✆ *04 94 99 50 20 - www.caveaucp.fr - avr.-sept - fermé dim. d'oct. à fin mars.* Siège de l'appellation des vins côtes-de-Provence, cette grande bâtisse présente quelque 700 références classées en cinq terroirs. Conseils avertis et vente de spécialités régionales. Restaurant à l'étage. *Voir aussi p. 34.*

**Château Sainte-Roseline** – ✆ *04 94 99 50 30 - www.sainte-roseline.com - 9h-12h30, 14h-18h30 ; w.-end 10h-12h, 14h-18h - fermé 25 déc. et 1ᵉʳ janv.* Ce superbe domaine viticole occupe les murs d'une ancienne abbaye (11ᵉ s.) et abrite la chapelle Ste-Roseline *(voir « Aux alentours »)*. Visite payante des caves en semaine ou sur rendez-vous pour les groupes d'au moins 15 personnes. Vente et dégustation de vins (dont plusieurs crus classés) tous les jours.

## Sports & Loisirs

🛶 **Kayak Nature** – *Rte de Vidauban, N 7 -* ✆ *06 70 04 49 52 - 17 € (7-14 ans 11 €).* Découvrez l'Argens et sa nature préservée au cours d'une randonnée aquatique, en canoë ou en kayak. Un parcours de 6 km, au départ des Arcs, d'une durée de 2h avec retour prévu en minibus. Une navigation sans difficulté majeure, accessible à tous à partir de 7 ans.

## Événement

**Juillet** – Tous les deux ans (année impaire), les Médiévales : « Festes du Castrum d'Arcus ». Sur 4 jours, spectacle son et lumière, marché médiéval sur la place de la Mairie, animation du quartier médiéval du Parage, Tournoi des Quintaines, parades costumées deux fois par jour, démonstrations de tirs d'engins de guerre, et loterie médiévale.

# Aups

1 903 AUPSOIS
CARTE GÉNÉRALE B2 – CARTE MICHELIN LOCAL 340 M4 – VAR (83)

Avec son cours ombragé de platanes, le paisible et secret Aups s'anime les jours de marché en un festival de couleurs et d'odeurs de la haute Provence : olives, truffes, fromages de chèvre, thym, miel, vins. Ses placettes, les ruines de son château fort et ses vieilles rues, comme la rue de l'Horloge avec son campanile de fer forgé, sont une invitation permanente à la flânerie et à la douceur de vivre.

- **Se repérer** – Aux portes du pays du Verdon, à 23 km au sud d'Aiguines, *(voir* Le Guide Vert Alpes du sud*)*, Aups est bâti entre la montagne des Espiguières et une plaine fertile, arrosée de sources qui coulent dans les fontaines du village. Vous pourrez ensuite rejoindre sur la côte Sainte-Maxime via Draguignan (à 29 km au sud-est) ou Hyères via Brignoles (à 39 km au sud).

- **Se garer** – Parking sur la place où un monument rappelle que Aups fut un haut lieu de la résistance républicaine en 1851, comme elle le fut lors de la résistance de 1939-1945.

- **À ne pas manquer** – La Collégiale Saint-Pancrace ; le musée d'art moderne Simon-Segal et si vous êtes amateur, le marché de la truffe. Sans oublier les charmants villages du Haut-Var.

- **Organiser son temps** – Entre la Collégiale et le musée, comptez 1h30. Le circuit du Haut-Var vous prendra une journée si vous flânez dans les villages.

- **Pour poursuivre la visite** – Voir aussi Tourtour, Villecroze, Entrecasteaux, Cotignac et Draguignan.

## Comprendre

**L'autre or noir** – La **truffe** (*rabasse* en provençal) est un champignon qui se développe sur les sécrétions s'écoulant des chênes malades. Il existe deux catégories de truffes : la blanche, peu comestible, et la noire, qui arrive à maturité à l'automne et qui est identifiable à son odeur particulière. La récolte s'effectue de novembre à février. Durant cette période, professionnels et amateurs de truffes se retrouvent tous les **jeudis matin** pour le plus important marché spécialisé du Var. De très sérieuses transactions autour de l'or noir animent fébrilement ces rendez-vous incontournables.

### De l'ombre

À Aups, on chouchoute ses **platanes** et pour cause ! Sur la place du café du Grand Hôtel, trône fièrement un arbre quatre fois centenaire, le plus vieux du village. Planté sous le règne d'Henri IV, il cohabite avec ses 69 camarades feuillus tous au moins centenaires, ornant les places Frédéric-Mistral et Martin-Bidauré. Les boulistes et les badauds y sont particulièrement sensibles, heureux de se rafraîchir à toute heure de la journée.

## Visiter

### Collégiale Saint-Pancrace

*Pl. du Gén.-de-Gaulle - ℘ 04 94 84 00 69 ou 04 94 70 00 53- avr.-sept. : 10h-19h ; oct.-mars. : 10h-18h.*

L'une des cloches de la Collégiale, datant de 1475 a été restaurée en 2006. Sa douce note, le sol dièse, retentit de nouveau dans la commune. De style gothique provençal, elle est dotée d'un portail Renaissance. Outre d'intéressantes toiles, l'église renferme de belles pièces d'orfèvrerie du 15e s. au 18e s. dans son trésor.

- **Bon à savoir** – Pendant trois jours, à la mi-mai, les habitants fêtent la Saint-Pancrace.

### Musée municipal Simon-Segal

*Av. Albert-1er- ℘ 04 97 70 00 07 - possibilité de visite sur demande auprès de la mairie - de mi-juin à mi-sept. : tlj sf mar. 10h-12h, 16h-19h - fermé du 1er janv. au 14 juin et du 16 sept. au 31 déc. - 2,60 € (enf. 1,60 €).*

Installé dans l'ancienne chapelle du couvent des ursulines, ce musée d'art moderne expose 280 toiles dont 175 de l'**école de Paris**. Des expositions temporaires d'artistes locaux y sont organisées chaque été : sculpture, peinture, photos, etc.

### Musée de Faykod

*À 3,5 km sur la Route de Tourtour (D 77). Flèchage sur la droite, 1 km de piste carrossable. 04 94 70 03 94 - www. musee-de-faykod.com - juil.-août : tlj sf mar. 10h-12h, 15h-19h ; sept.-mai : tlj sf mar. 14h-18h (19h en juin) - 6 € (enf. 2 €).*
Collection de sculptures en marbre blanc de Maria de Faykod dans un parc retiré dans la garrigue.

# Circuit de découverte

## LE HAUT VAR★

*53 km – environ 5h. Sortir d'Aups à l'est par la D 77.*

Cette très belle départementale serpente le long des flancs assez abrupts de la montagne des Espiguières, puis s'enfonce dans la forêt. Peu après le château de la Beaume, prenez la D 51 à gauche vers Tourtour. Perchés ou blottis au pied des falaises, les villages se découvrent au détour de petites routes bordées d'oliviers, de pins, de chênes et de vignes.

### Tourtour★ *(voir ce nom)*

*Quitter le village par le nord (D 51).*

### Villecroze *(voir ce nom)*

*Poursuivre la D 51, puis prendre à droite la D 560.*

### Salernes

Ce gros bourg agricole et industriel est connu comme centre de fabrication des **tomettes** et pour ses poteries. Afin de promouvoir cette production, le projet « **Terra Rossa, Maison de la tomette et de la Céramique** » est en cours de réalisation. Cet ensemble architectural comprendra une ancienne usine réhabilitée et des bâtiments modernes qui abriteront la Maison du Tourisme, une exposition permanente de céramiques, un musée et un centre de formation. Originale, l'église est dotée d'un clocher à chaque extrémité. Autour, les ruelles comptent des maisons du 17ᵉ s. Nombreuses fontaines et immense cours ombragé qu'un marché anime le mercredi et le dimanche. La région de Salernes offre de nombreuses possibilités de balades à pied ou à vélo *(voir l'encadré pratique).*

*Prendre au sud de la ville la D 31 qui descend la vallée de la Bresque.*

### Entrecasteaux *(voir ce nom)*

*Sortir d'Entrecasteaux par le sud, D 31, puis prendre à droite la D 50.*

### Cotignac *(voir ce nom)*

D. Pazery / MICHELIN

## Tomettes

Dure à briquer, mais si chaleureuse avec sa couleur rouge, telle est la tomette hexagonale des intérieurs provençaux. L'eau de la Bresque et une terre riche en argile ferrugineuse ont permis cette production dès le 18ᵉ s. Fleurissante dans les années 1850, l'activité déclina avant de connaître un nouvel essor dans les années 1950, les céramistes s'adaptant au goût du jour. Outre les traditionnelles tomettes, ils proposent carreaux en terre cuite ou en lave émaillée décorés de motifs variés. À **Salernes**, une vingtaine d'artisans perpétue ce savoir-faire.

*Pour en savoir plus, consultez Le Guide des Artisans « Terres de Salernes » sur demande au 04 94 67 57 41 - www.terresdesalernes.asso.fr*

En remontant vers Aups par la D 22, on a une superbe vue sur le site de Cotignac. Plus loin, on aperçoit à droite, entre les arbres, la cascade de Sillans.

### Cascade de Sillans★

*30mn AR. Prendre, juste avant l'entrée du village à droite, un chemin signalisé.* Dans un beau site verdoyant, la Bresque bondit d'une hauteur de 42 m dans un petit lac couleur émeraude ; elle est très abondante en dehors de l'été.

### Sillans-la-Cascade

Entourée de forêts et perché sur la Bresque, adorable village avec ses remparts et ses ruelles authentiques. La Poste est surmontée d'un clocheton. Le **château** du 18ᵉ s. accueille des expositions d'art et d'artisanat *(avr.-déc. : tlj sf lun. et mar. entrée libre).*

*Poursuivre la D 22 pour rentrer à Aups.*

# Aups pratique

## Adresses utiles

**Office du tourisme d'Aups** – Pl. F.-Mistral -
83630 Aups - $\mathscr{C}$ 04 94 84 00 69 - avr.-mai tlj
sf dim. : 9h-12h, 14h-17h ; juin et sept. : tlj sf
dim. 9h-12h, 14h-17h30 ; oct.-mars : tlj sf
dim. 9h-12h, 14h-17h ; juil.-août : 9h-12h,
15h-18h30, dim. : 9h-12h et fermé j. fériés.
**Office du tourisme de Salernes** –
Pl. Gabriel-Péri - 83690 Salernes - $\mathscr{C}$ 04 94
70 69 02 - www.officetourisme-salernes.fr -
juil.-août : tlj sf lun. 9h30-12h30, 14h-18h,
dim. 11h-12h30 ; reste de l'année : tlj sf.dim.
et lun. 9h-12h, 13h30-17h - fermé j. fériés.
**Syndicat d'initiative de Sillans** –
Le Château - 83690 Sillans-la-Cascade -
$\mathscr{C}$ 04 94 04 78 05. juil.-août : tlj sf lun. et
mar. 9h-12h, 15h-19h ; avr.-juin : tlj sf lun. et
mar. 9h-12h, 14h-18h - fermé de janv. à
mars, et j. fériés.

## Visite

👁 **Bon à savoir** – L'office du tourisme de
Salernes propose un circuit pédestre dans
le village (document gratuit).

## Se loger

⊖ **Hôtel Le Provençal** – Pl. Martin-
Bidouré - $\mathscr{C}$ 04 94 70 00 24 - fermé 2-
20 janv. et 15-25 juin - **P** - 10 ch. 50/65 € -
⊊ 6 € - rest. 12/40 €. Cet établissement
traditionnel officiant au centre d'Aups
tombe à point nommé pour faire étape
dans « le » village de la truffe varoise.
Chambres d'un niveau de confort correct,
distribuées à l'étage et dotées du double
vitrage. Salle de restaurant provençale,
cuisine régionale.
⊖ **Hôtel de l'Auberge du Grand Chêne** –
Rte de Barjols, D 560 - 83690 Sillans-la-
Cascade - $\mathscr{C}$ 04 94 04 63 65 - www.chez-jeff.
com - rest. fermé le soir sf w.-end de fin sept.
à Pâques - **P** - 4 ch. 60 € - ⊊ 8 € -
rest. 13/25 €. Un peu perdue sur une route
où il ne passe pas grand monde, cette
petite auberge saura vous régaler avec sa
cuisine aux couleurs provençales, presque
entièrement faite maison. Chambres tout
confort.
⊖⊗ **Chambre d'hôte Alegria** –
59 chemin du Stade - 500 m du centre
d'Aups - $\mathscr{C}$ 06 32 20 15 37 - www.alegria.
tkx - fermé janv. -⋈- 5 ch. 95/150 € ⊊.
Cette exquise maison d'hôte tenue par un
jeune couple sympathique d'origine
flamande se prête véritablement à un
« séjour-cocooning ». Ses amples
chambres sont toutes personnalisées avec
une belle esthétique des plus raffinés, et
son grand jardin, planté d'oliviers,
comprend une belle piscine panoramique.
⊖⊗ **Chambre d'hôte La Bastide Rose** –
Haut Gaudran - 83690 Salernes - 3 km de
Salernes par un petit chemin en pierre,
prendre le pont bleu, puis directement à
gauche et suivre le chemin de pierre sur
environ 1 km - $\mathscr{C}$ 04 94 70 63 30 - bastide-
rose.com - fermé de fin oct. à mi mars -⋈-
6 ch. 69/78 € ⊊ - repas 25 €. Un chemin
cahoteux grimpe vers cette jolie ferme
alanguie en pleine campagne salernoise.
Séjour au grand calme dans des chambres
personnalisées, dont les salles de bains se
parent de pavés locaux. Accueil charmant
par le couple d'agriculteurs d'origine
batave ; table d'hôte utilisant les denrées
produites sur place.

## Se restaurer

⊖ **Les Gourmets** – 5 r. Voltaire - $\mathscr{C}$ 04 94
70 14 97 - fermé 26 juin-12 juil., 15-30 nov.,
mar. d'oct. à fin juin et lun. - 14,50/32 €. Pas
loin du cours ombragé de platanes, petit
restaurant tout simple où l'on peut
s'attabler en toute confiance. Préparations
régionales déclinées en plusieurs formules
et menus à prix sages.

## Que rapporter

**Spécialités** – Dans les épinards, les
salades, les omelettes… la truffe est
partout. Sa foire a lieu le 4e dimanche
de janvier. Autres valeurs sûres : le miel et
le savoureux chèvre fermier de la région
du haut Var.
**Marchés** – Mercredi et samedi, pl.
Frederic-Mistral ; marché aux truffes jeudi
(de fin novembre à mi-mars) ; marchés
artisanaux nocturnes en juillet-août.
**Spécialités Claude Catrice** – Z.A. La
Combe - 83690 Salernes - $\mathscr{C}$ 04 94 70 56 18 -
www.claude-catrice.com - tlj sf w.-end 9h-
12h, 14h-17h - fermé j. fériés. Terrines,
tapenade noire ou verte, crème
d'anchoïade et spécialités provençales
(mousseline de sardine ou de thon, caviar
d'aubergine, crème d'artichaut ou de
saumon fumé, pistou…).
**Moulin à huile Gervasoni** – 91 montée
des Moulins - $\mathscr{C}$ 04 94 70 04 66 - avr.-sept. :
10h-12h, 14h30-19h ; juil.-août : 9h30-12h30,
14h-19h - fermé lun. sf juil.-août. Moulin du
18e s. où, depuis 3 générations, on
fabrique de l'huile d'olive vierge extra -
plusieurs fois primée lors de concours
agricoles - en respectant la tradition et
une sélection de produits régionaux.
Dégustations et **visite guidée** avec vidéo
sur la fabrication de l'huile.
**Atelier La Grange** – 2 r. Gourguette -
83690 Salernes - $\mathscr{C}$ 04 94 70 62 94. Mireille
Verdenet est une fée. Elle vous accueille
et, suivant son intuition, vous conseille
pour l'élaboration d'un carrelage
personnalisé adapté à votre coin de
maison. Poteries d'art et peintures de
Lucien Vernet.

## Sports & Loisirs

**Randonnées aux environs de Salernes** –
Un dépliant comprenant 6 circuits de
randonnées à pied et VTT est disponible à
l'office de tourisme.

# Bandol★

7 905 BANDOLAIS
CARTE GÉNÉRALE A4 – CARTE MICHELIN LOCAL 340 J7 – VAR (83)

**Bandol attire chaque année les amateurs de plage et de voile. Un engouement qui ne date pas d'hier : parmi les premiers touristes venus grâce au chemin de fer du littoral, on a compté des écrivains comme Thomas Mann ou Katherine Mansfield et des comédiens comme Raimu et Fernandel qui, il est vrai, venaient, eux, de moins loin !**

- ▶ **Se repérer** – Accessible par l'A 50, Bandol est à 18 km à l'ouest de Toulon. La station est abritée des vents du nord par de hautes pentes boisées.

- 👁 **À ne pas manquer** – Le chemin de la corniche ; les villages perchés dans l'arrière-pays. Quant aux passionnés de F1, de F3 et de moto, ils pousseront les moteurs jusqu'au mythique circuit Paul Ricard du Castellet.

- 🕐 **Organiser son temps** – Comptez une journée entre les balades sur le port, la visite du jardin exotique, du zoo et l'arrière-pays. L'excursion sur l'île de Bendor vous prendra 45mn pour en faire le tour et flâner, à moins que vous ne veniez pour la baignade, dans ce cas vous y passerez l'après-midi.

- 👫 **Avec les enfants** – Le jardin exotique et le zoo de Sanary-Bandol ; l'Aquascope *(voir l'encadré pratique).*

- 👶 **Pour poursuivre la visite** – Voir aussi Sanary-sur-Mer, Six-Fours-les-Plages, les îles des Embiez.

## Les vins de Bandol

Le vignoble de Bandol, une des premières AOC de France depuis 1941, est cultivé sur près de 1 400 ha entre, grosso modo, Saint-Cyr-sur-Mer, Le Castellet et Ollioules. Il doit son appellation particulière au microclimat singulier de la région : un fort ensoleillement (3000h par an), une bonne pluviométrie, principalement en automne et en hiver, et un sol calcaire orienté vers le sud bénéficiant de l'air doux marin. Bien qu'existant en rosés et blancs, ce sont les rouges qui ont fait la réputation de Bandol. Leur cépage majoritaire, le **mourvèdre**, qui est habituellement peu planté en France, fait ici des merveilles. Ne reste plus qu'à leur faire passer 18 mois en fût de chêne et cinq ans ou plus de vieillissement pour révéler une personnalité généreuse et aromatique.
👶 Procurez-vous la brochure *Bandol, Domaines, Caves et Châteaux* dans un des offices de tourisme de la région pour suivre la **Route des vins**, une autre façon d'appréhender l'arrière-pays et ses panoramas, au fil des domaines, avec ou sans dégustation, mais toujours avec modération.

## Séjourner

### Port de plaisance
Aménagé dans une anse, il est bordé par les **allées Jean-Moulin★** et Alfred-Vivien, plantées de pins, de palmiers et de fleurs.

### Plages
Les quatre principales plages de sable sont : les plages Centrale et du Casino, celle du Lido à l'est, l'anse de Rènecros bien abritée à l'ouest.
Sur le **sentier du littoral** *(en direction de Saint-Cyr-sur-Mer, voir ce nom)* alternent petites plages de graviers et zones rocheuses.

🚶 Le **chemin de la Corniche** fait le tour de la presqu'île qui pointe vers l'île de Bendor. Vue étendue, du cap de l'Aigle au cap Sicié. Baignade et farniente incontournables dans l'une des nombreuses **criques** qui ponctuent le sentier.

## Visiter

### Église Saint-François de Sales
*Face au port de Bandol -* 📞 *04 94 24 29 84 - 9h-12h et pdt les offices de l'apr.-midi.*
Construite en plusieurs étapes (nef principale édifiée entre 1746 et 1748, les deux chapelles latérales, en 1773), elle renferme des **fresques néoclassiques** du 19e s. exécutées par Siro Orsi, le décorateur du célèbre opéra de Milan. Remarquez le Christ en croix de l'école romane espagnole datant de la fin du 17e s. et les stalles d'origine.

*Il fait bon flâner dans le port de Bandol.*

Dans la nef ouest se trouve la **statue de Notre-Dame de Grâce** en bois d'olivier, œuvre des ateliers Pierre Puget. Elle est connue pour quatre célèbres miracles à Bandol. La statue de saint Vincent de Saragosse, patron des vignerons veille sur la nef est. L'édifice est classé monument historique depuis 1990.

### Jardin exotique et zoo de Sanary-Bandol

*3 km au nord-est, direction A 50. Au rond-point d'accès à l'autoroute, laisser à droite la bretelle d'accès. 500 m plus loin, prendre à droite la route du « zoo-jardin exotique » - ☎ 04 94 29 40 38 - www.zoosanary.com - mai-sept. : 8h-12h, 14h-19h, dim. et j. fériés 10h-12h, 14h-19h ; oct.-avr. : 8h-12h, 14h-18h, dim. et j. fériés 14h-18h - 8,50 € (enf. 6 €).*

Parc planté de cactées et d'espèces tropicales (certaines sous serre). Un parcours fléché permet de rencontrer des animaux aussi exotiques que les plantes : singes (ouistitis, saïmiris capucins, gibbons et leur progéniture), lémuriens, coatis, fennecs, kinkajous, et d'autres plus familiers (daims, poneys, ânes, etc.). Des paons en liberté toisent perroquets et flamants roses.

## Aux alentours

### Île de Bendor

*Embarcadère sur le port de Bandol - dép. à partir de 6h50, ttes les 30mn en saison - traversée 7mn - 8 €.*

C'est un agréable lieu de promenade pour les estivants : plage, faste de son port de plaisance, village provençal avec boutiques artisanales. C'est **Paul Ricard**, le roi du pastis, qui a commencé à aménager l'île dans les années 1950. Entre vieilles pierres, sculptures d'inspiration antique et façades colorées de maisons façon décor d'opérette, l'île se visite en une petite heure par l'intérieur ou via le sentier balisé qui en fait le tour. Sur ce chemin, la mer, le vent, le calme et les senteurs d'un jardin aux essences méditerranéennes se conjuguent agréablement. Attention à bien tenir les enfants par la main car la balade peut s'avérer dangereuse les jours de fort mistral. Panorama impressionnant sur le bec de l'Aigle de la Ciotat côte ouest et sur le port de Bandol distant de seulement 600 m et ses villas perchées dans la pinède sentinelle. La curieuse **exposition des vins et spiritueux** présente 8 000 bouteilles de vins, apéritifs et liqueurs de 51 pays, sans compter les verres et carafes de cristal. *☎ 04 94 29 44 34 - juil.-août : se renseigner pour les horaires - gratuit.*

## Circuit de découverte

### SITES PERCHÉS DU PAYS DE BANDOL★

*55 km. Compter 1/2 journée. Quitter Bandol au nord-est par la D 559 et prendre à gauche la route du Beausset (D 559ᴮ). Passer sous le viaduc du chemin de fer.*

Un kilomètre après **Le Beausset** (où vous pourrez vous arrêter les jours de marché, *voir l'encadré pratique*), sur la N 8, à droite, une petite route serpente parmi les vignobles, les oliviers, les cyprès, les genêts et les arbres fruitiers.

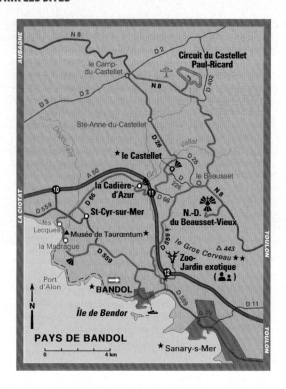

## Chapelle Notre-Dame du Beausset-Vieux

*Laisser la voiture en contrebas de la chapelle - ☎ 04 94 98 61 53 - Possibilité de visite guidée sur demande - avr.-juin. : 14h-18h ; juil.-août : 15h-19h ; sept : 14h-18h ; oct.-mars : 14h-17h.*

Chapelle très dépouillée, de style roman provençal (restaurée par des bénévoles), qui présente une nef en berceau et une abside en cul-de-four. Dans le chœur, Vierge à l'Enfant provenant de l'atelier de Pierre Puget. À gauche, dans une niche, des **santons**, vieux de quatre siècles, figurent la Fuite en Égypte. Le bas-côté comporte aussi une collection d'ex-voto, dont certains datent du 18e s. De la terrasse qui surplombe la chapelle, **vue★** circulaire sur Le Castellet, la Sainte-Baume, le Gros Cerveau et la côte de Bandol à La Ciotat.

*Revenir à la N 8 et retraverser Le Beausset. Poursuivre au nord en direction d'Aubagne.*

## Circuit du Castellet Paul-Ricard

Inauguré en 1970 avec le premier Grand Prix de France, le circuit, long de 5,8 km, est bien connu des pilotes de F1 et F3, dont plusieurs ont fréquenté son école de pilotage (Alain Prost, en 1976). Les compétitions se sont multipliées, sur piste et dans les airs, grâce à l'aérodrome du Castellet. Les principaux rendez-vous se déroulent en avril et en mai *(voir l'encadré pratique)*.

*À la sortie du circuit, prendre à droite la N 8 vers Aubagne jusqu'au carrefour du Camp-du-Castellet. Prendre à gauche la D 26, puis encore à gauche la D 226.*

## Le Castellet★

Plusieurs films ont été tournés dans ce très joli village, juché sur un piton boisé, ancienne place forte pourvue de remparts bien conservés, d'une église du 12e s. soigneusement restaurée et d'un château (11e s., pour les parties les plus anciennes). Nombreuses maisons datant des 17e et 18e s. Au bout de la place de la mairie, franchissez une poterne : jolie **vue** sur l'arrière-pays vers la Sainte-Baume.

*Descendre vers la D 66 pour atteindre la Cadière-d'Azur.*

## La Cadière-d'Azur

La **porte du Peï** (13e s.), devant la mairie, donne accès aux vieilles ruelles qui font le charme du village, une très vieille cité (vestiges de remparts) qui compta 4 000 habitants sous la Révolution. À l'extrémité est, belle **vue★** sur l'arrière-pays avec Le Castellet au premier plan et sur la Sainte-Baume.

*Poursuivre la D 66 en direction de Saint-Cyr-sur-Mer.*

**Saint-Cyr-sur-Mer** *(voir ce nom)*

Des Lecques, empruntez au sud de la Madrague la petite route qui offre de jolies **vues** sur la côte et son arrière-pays.

*La D 559 ramène à Bandol.*

## Bandol pratique

### Adresse utile

**Service du tourisme de Bandol** – *Allées Vivien - BP 45 - 83150 Bandol - ℘ 04 94 29 41 35 - www.bandol.fr - juil.-août. 9h-19h ; 15 sept.-15 juin 9h-12h, 14h-18h sf. sam. 9h-12h ; 15-30 juin et 15-30 sept. 9h-12h, 14h-18h - fermé dim. et j.fériés sf juil.-août.*

### Transport

**Atlantide 1** – *Quai d'honneur - ℘ 04 94 32 51 41 - www.atlantide1.com - de Pâques à fin sept.* Liaisons et excursions vers les calanques de Cassis et de Porquerolles.

### Se loger

⊖ **Bel Ombra** – *R. La Fontaine - ℘ 04 94 29 40 90 - www.hotelbelombra.com - fermé 16 oct.-31 mars - 20 ch. 51/76 € - ☐ 7,50 € - rest. 20 €.* En retrait de la foule des estivants, villa offrant aux familles des chambres avec mezzanine, dans un environnement résidentiel.

⊖ **Golf Hôtel** – *10 corniche Bonaparte, sur la plage Rénecros par bd Louis-Lumière - ℘ 04 94 29 45 83 - www.golfhotel.fr - fermé 4-29 janv. et 1er-23 déc. - ☐ - 24 ch. 58/145 € - ☐ 8 € - ▲▲ rest. 20/23 €.* Au bord de l'eau, cet hôtel installe ses matelas et son restaurant sur la plage en saison. La majorité des chambres, toutes simples, ouvrent leurs fenêtres sur la mer. Certaines ont un balcon. Service du dîner assuré en juillet et août uniquement.

⊖ **Chambre d'hôte Le Mas des Oliviers** – *12 chemin des Puechs - 83330 Le Castellet - au N à 10 km par D 559 et D 226, à l'entrée du bourg face à la « maison des vins de Bandol » - ℘ 04 94 32 71 80 - le.mas.des.oliviers@wanadoo.fr - ☐ - 5 ch. 60/78 € ☐.* Sur les hauteurs du village et à l'ombre des vieux chênes, cette maison typiquement provençale abrite 5 chambres (dont 3 offrant de jolies vues), chacune une terrasse privative et accès direct sur l'extérieur. Petits-déjeuners servis sur la terrasse couverte, près de la piscine. Petite cuisine d'été à disposition.

⊖⊖ **Les Galets** – *49 montée Voisin - ℘ 04 94 29 43 46 - fermé 11 nov.-28 fév. - ☐ - 20 ch. 70/75 € - ☐ 7 € - rest. 25 €.* Bâti à flanc de colline, hôtel offrant une splendide vue sur la mer. Les chambres, plutôt simples, disposent en majorité d'un balcon invitant à la contemplation maritime. Salle à manger rustique (poutres et cuivres) et terrasse panoramique ; cuisine régionale.

⊖⊖ **Auberge La Cauquière** – *Puits d'Isnard - 83330 Le Beausset - ℘ 04 94 98 42 75 - fermé janv. - ☐ - 10 ch. 75 € - ☐ 6 € - rest. 21/34 €.* L'auberge, avec son jardin et sa piscine, se situe en plein centre du Beausset. Vous n'êtes qu'à dix minutes en voiture des plages et sur la route des vins de Bandol. Les chambres agréables s'organisent autour d'un patio chaleureux. Laissez-vous tenter par sa cuisine de Provence accompagnée des vins de pays.

⊖⊖ **Chambre d'hôte Les Cancades** – *1195 chemin de la Fontaine-de-Cinq-Sous - 83330 Le Beausset - 3 km à l'E du Castellet, puis face au supermarché Casino sur la N 8, prendre chemin de la Fontaine-de-Cinq-Sous - ℘ 04 94 98 76 93 - www.les-cancades.com - ☐ - 4 ch. 75 € ☐.* Un chemin, étroit et escarpé, s'étire jusqu'au quartier résidentiel et boisé où un architecte à la retraite a implanté son mas provençal. Les belles chambres aménagées avec soin, l'appartement, le parc, la piscine, le jacuzzi et sa cuisine d'été bénéficient de la même quiétude.

### Se restaurer

⊖ **Snack Bar La Sauco** – *1 r. de la Poste - 83330 Le Castellet - ℘ 04 94 32 67 94 - ☐ - 8,50/17 €.* Ce petit établissement ouvert toute l'année (normal, c'est le café-brasserie des villageois) est doté d'une terrasse de chaque côté – rue Droite et rue de la Poste – on peut s'y installer au gré du soleil. L'hiver, on se réchauffera au coin de la cheminée de la salle à manger.

⊖⊖ **L'Oasis** – *15 r. des Écoles - ℘ 04 94 29 41 69 - www.oasisbandol.com - fermé déc. et dim. soir hors sais. - 22/49 € - 13 ch. 56/76 € - ☐ 8 €.* La salle à manger, repeinte dans les chaudes couleurs du Midi, est des plus plaisantes. L'été, agréable terrasse ouverte sur le jardin. La partie hôtel rénove progressivement ses chambres, peu spacieuses mais méticuleusement tenues.

⊖⊖ **Le Clocher** – *1 r. Paroisse - ℘ 04 94 32 47 65 - fermé 10-24 janv., 10-30 nov., merc. et le midi juin à sept. - 24/31 €.* En terrasse ou dans la salle à manger aux allures de café provençal de ce sympathique petit restaurant du vieux Bandol, vous goûterez une délicieuse cuisine du cru retravaillée au goût du jour. De quoi oublier l'animation du quartier piétonnier !

## En soirée

**Casino de Bandol** – 2 pl. Lucien-Artaud - ℘ 04 94 29 31 31 - www.partouche.com - 10h-4h. Doté de 130 machines à sous, d'une salle de jeux traditionnels, de bars, restaurants et d'un piano-bar, ce casino est également réputé dans la région pour ses soirées. Concerts live tous les week-ends.

**Tchin Tchin** – 11 allée Jean-Moulin - ℘ 04 94 29 41 04 - 8h-3h. Ce bar de standing créé en 1962 emprunte son nom à une chanson de Richard Antony. Bon choix de cocktails, ambiance feutrée, musique jazzy et cave à cigares caractérisent l'adresse.

## Que rapporter

**Marché du Beausset** – Vend. matin et dim. matin en centre-ville : alimentation, primeurs, artisanat local, vêtements, fleurs, etc.

Vins de Bandol.

D. Pazery / MICHELIN

**Le Tonneau de Bacchus** – 296 av. du 11-Novembre - ℘ 04 94 29 01 01 - www. tonneau-de-bacchus.com - juil.-août : 9h30-12h30, 16h-20h ; le reste de l'année : tlj sf lun. et dim. apr.-midi. Ce caviste passionné propose bien évidemment un grand choix de vins de Bandol, mais aussi des grands crus de bordeaux, de bourgogne, champagnes, produits fins et des vieux millésimes. Dégustations de vin ou d'huile d'olive.

**Domaine de Souviou - EARL Olivier Pascal** – N 8 - à 4 km du Beausset par RN 8 dir. Castellet, Aubagne - 83330 Le Beausset - ℘ 04 94 90 57 63 - www.souviou.com - visite groupe sur demande préalable : de Pâques à fin sept. : 9h30-12h, 15h-19h ; reste de l'année : tlj sf dim. 9h30-12h, 14h-18h - 6,30 €. À la fois producteur-récoltant de vins AOC (côtes-de-provence et bandol) et d'huile d'olive, ce domaine vous propose également de découvrir son intéressant patrimoine agricole (fours à cade, ruchers anciens, aires de battage, etc.). Dégustation et vente sur place.

**Domaine de l'Hermitage** – Chemin de Rouve - 83330 Le Beausset - ℘ 04 94 98 71 31 - www.domainesduffort.com - hiver : tlj sf w.-end 9h-12h, 14h-18h ; été : tlj sf dim. 9h-12h, 15h-19h - fermé j. fériés. Cette affaire familiale possède 70 ha de vignes faisant l'objet de tous les soins : taille courte, traitement raisonné… La moitié du vignoble produit un bandol AOC, vieilli au minimum 18 mois dans des foudres de chêne. L'autre partie du domaine donne des côtes-de-provence. En vedette : le rosé médaillé d'or.

**Miellerie de l'Oratoire** – Rte des Oratoires, 987 quartier de l'Estagnol - 83330 Ste-Anne-du-Castelet - ℘ 04 94 32 65 78 - www. miel2lor.com - 10h30-12h30, 15h30-18h30. Virginie et Olivier, apiculteurs, vous parleront des abeilles, du miel et de ses dérivés. La « transhumance » des ruches suit les floraisons afin de vous proposer une sélection des meilleurs miels et de pollen frais. Ne manquez pas de goûter à leurs pains d'épice ainsi qu'à leurs croquants et cookies au miel.

**Moulin de St-Côme** – D 266, quartier St-Côme - par D 266 entre St-Cyr et Bandol - 83740 La Cadière-d'Azur - ℘ 04 94 90 11 51 - www.moulinstcome.com - tlj sf dim. : 9h-12h, 14h30-19h (18h en hiver). Visite gratuite du moulin et dégustation-vente d'huiles d'olive de France et d'ailleurs. La maison propose également savons, fragrances, objets décoratifs artisanaux (poteries, tissus…) et toutes les spécialités provençales, traditionnelles ou créatives.

## Sports & Loisirs

👁 **Bon à savoir** – Bandol est labellisé **Station nautique** ce qui atteste de la diversité et de la qualité des activités proposées (centre de plongée notamment sur l'île de Bendor). Renseignements à l'office de tourisme ou www.france-nautisme.com

👤 **Aquascope** – 608 chemin du Grand-If - ℘ 06 03 44 59 63 - 10h-12h, 14h-18h30 selon météo fermé oct.-avr. - 11 € (enf. 6 €). Bateau à vision sous-marine (10 places à bord).

## Événements

**Fête du Millésime** – ℘ 04 94 90 29 59 - www.maisondesvins-bandol.com Le 1er dimanche de décembre, rendez-vous sur le **port de Bandol** pour commenter les tendances du dernier millésime : dégustation, ateliers initiation et animations gourmandes (un thème différent chaque année).

**Printemps des Potiers** – En avril.

**Circuit du Castellet Paul-Ricard** – En **avril** grand Prix historique de Provence et les Deux Tours d'Horloge (voitures historiques). En **mai**, grand Prix international de camions.

# Barjols

## Barjouls

2 414 BARJOLAIS
CARTE GÉNÉRALE B3 – CARTE MICHELIN LOCAL 340 L4 – VAR (83)

La magie de Barjols tient en un mot : l'eau. Elle est la musique de la ville, sa fraîcheur, son passé. Elle jaillit de trente fontaines depuis les trois rivières qui forment cascade autour de la ville et irriguent ses vertes collines. Barjols exploita très tôt ce trésor pour tanner le cuir qui fit sa renommée au 19e s. Son âme provençale se renouvelle chaque année lors de la fête, originale, de Saint-Marcel.

▶ **Se repérer** – À 22 km au nord de Brignoles par la D 554.

🅿 **Se garer** – Parkings à l'ouest de la ville, près de l'office de tourisme, place du 8-Mai près de la salle des fêtes, rue du Four-Neuf à côté de la Collégiale.

👁 **À ne pas manquer** – La visite du village via le circuit des fontaines.

🕐 **Organiser son temps** – Comptez une demi-journée pour apprécier le village et parcourir tranquillement le circuit des hauts plateaux du Var.

👫 **Avec les enfants** – Une visite des aquariums à la maison régionale de l'eau.

🖑 **Pour poursuivre la visite** – Voir aussi Brignoles, Draguignan.

## Comprendre

**La fête de Saint-Marcel ou des Tripettes** – Le 17 janvier 1350, les reliques de saint Marcel (évêque du 5e s.) furent enlevées de l'abbaye en ruines de Montmeyan pour être transportées à Barjols. Le cortège rencontra des gens en train de laver les tripes d'un bœuf, commémorant une famine enrayée grâce à la présence d'un bœuf dans la ville assiégée. Joignant le profane au sacré, les Barjolais entrèrent tous allègrement dans l'église et chantèrent pour la première fois leur fameux refrain « Saint Marcel, saint Marcel, les tripettes, les tripettes » (« *Sant Marceu Sant Marceu lei tripetos vendran leu »*). Depuis, chaque dimanche le plus proche du 17 janvier, on célèbre le Saint patron de Barjols par une procession dans les rues du village. Tous les trois ans, devant le saint patron de Barjols, un bœuf décoré, entouré des bouchers et des charcutiers, est solennellement béni puis, après un tour de ville, conduit à l'abattoir. Le lendemain, après la messe, la procession gagne la place de la Rouguière, où le bœuf est rôti en public sur un gigantesque tourne-broche. La fête peut commencer. Le bœuf, une fois grillé, est distribué à la population.

## Se promener

Parmi les douze lavoirs et la trentaine de **fontaines** du village, on remarque près de l'hôtel de ville la bien-nommée « Champignon », formée d'un dépôt de calcaire recouvert de mousse. Le majestueux **platane** de la place de la mairie passe pour être le plus gros de Provence avec ses 12 m de circonférence. Le bas du bourg abrite

*Le Réal, un quartier rafraîchissant.*

l'ancien **hôtel des Pontevès**, vieille famille provençale originaire d'un village voisin, qui possède une belle porte Renaissance.

## Collégiale

*Av. de la République.* Fondée au 11ᵉ s., c'est l'une des plus anciennes églises de la région. À droite en entrant, derrière de superbes fonts baptismaux du 12ᵉ s., se trouve l'ancien tympan roman du portail, illustrant le Christ en majesté entouré d'anges et des symboles des évangélistes. La belle nef gothique date du 16ᵉ s. On pourra admirer les boiseries et les stalles aux miséricordes sculptées (17ᵉ s.) dans le chœur et le buffet d'orgue (16ᵉ s.). Les vitraux du chœur (19ᵉ s) sont l'œuvre du peintre **Van Loo**.

## Réal★

Ainsi nommé, le plus ancien quartier de Barjols est installé sur le flanc de la colline juste au-dessus de la collégiale. Habité dès le 12ᵉ s. et occupé principalement par des tanneurs pour qui l'eau était un outil de travail primordial, il s'étage sur trois niveaux de bassins de trempage et de rinçage partiellement troglodytiques. Près des chutes du Réal, une voûte de l'ancien moulin à huile abrite le texte intégral de la Déclaration des droits de l'homme et du citoyen.

🐾 Poussez votre balade en suivant les flèches menant au sommet du village, au **Vallon des Carmes**. Le chemin rafraîchissant laisse alterner rivières et cascades en offrant un très joli panorama.

# Visiter

## Maison Régionale de l'Eau

*Bd. Grisolle -* ☎ *04 94 77 15 83 - tlj sf w.-end 9h-12h, 14h-18h - fermé j. fériés et vac. de Noël - gratuit.*

👫👶 Installée dans l'ancien hospice du 18ᵉ s., outre une information sur la gestion de l'eau et les milieux aquatiques dans le département, elle présente dans ses **aquariums** les poissons des rivières de la région.

# Circuit de découverte

## LES PLATEAUX DU HAUT VAR

*38,5 km – 2h. Quitter Barjols peu avant la piscine, par une petite route qui conduit à Varages, par le nord-ouest.*

## Varages

L'eau fait aussi la richesse de ce village situé aux portes du Verdon. L'abondante source de la Foux a sculpté la falaise qui porte le village ; elle vivifie ses gigantesques platanes et modèle les céramiques de ce rival de Moustiers *(voir* Le Guide Vert Alpes du Sud*)*. La **faïence** de Varages, tradition locale depuis 1695, d'une décoration souvent similaire aux créations moustériennes (les artisans décorateurs exerçaient parfois dans plusieurs centres), continue à être produite sur place de façon artisanale (par 6 faïenciers) ou industrielle. Une grande partie est exportée et les plus belles pièces du 18ᵉ s. sont conservées dans plusieurs musées de l'hexagone.

👁 **Bon à savoir** – Vous pourrez découvrir les **ateliers des artisans** qui ouvrent leur porte aux visiteurs *(demander les adresses et horaires à l'office de tourisme).*

**Musée des Faïences** – *12 pl. de la Libération -* ☎ *04 94 77 60 39 - juil.-août : 10h-12h, 15h-19h, lun. 15h-19h ; sept.-juin : tlj sf lun. et mar. 14h-18h - fermé du 23 déc. à fin janv. - 2,50 € (enf. gratuit).* Installé dans la maison du général d'Empire Gassendi, le musée présente la belle production faïencière locale depuis la fin du 17ᵉ s. Intéressante présentation des techniques mises au point par les dynasties de faïenciers tels Armand, Clérissy et Niel : décoration à la main, au tampon, émaillage… À l'étage, remarquable fontaine en faïence du 19ᵉ s. du peintre Mazières.

**Église** – Bâtie au 17ᵉ s. en style gothique provençal, elle possède un beau clocher couvert de tuiles polychromes vernissées. À l'intérieur, l'autel de Saint-Claude, orné de médaillons et de croix, témoigne de la reconnaissance de faïenciers prospères envers leur saint patron. Remarquez également la Vierge à l'enfant du 14ᵉ s.

*Au nord de Varages, la D 554 traverse des collines où des terrasses de vignes et d'oliviers côtoient les chênes verts et les pins.*

## La Verdière

À l'entrée du Parc naturel régional du Verdon, ce village à flan de colline est dominé par son **château** *(privé)*. Cette forteresse, construite au 10ᵉ s. par les Castellane, passa par mariage à la riche famille des Forbin d'Oppède au 17ᵉ s. Vaste et austère,

# BARJOLS

elle semble n'avoir pas changé depuis les aménagements de Louis-Roch de Forbin au 18e s. L'**église**, entièrement restaurée en 1959, renferme une fresque de Paul Blanc, peintre et graveur originaire du village. Autour, les venelles abrite des maisons 16e-17e s. Poussez la visite jusqu'à l'**aqueduc** amputé d'un tiers de sa longueur.

*Prendre à l'est de La Verdière la D 30 en direction de Montmeyan.*

La route traverse un plateau calcaire désertique recouvert d'une maigre végétation. Outre les genévriers, chênes verts et buissons d'aubépine, les pins matérialisent la progression vers le nord. Cette forêt rabougrie est parsemée de tas de pierres, vestiges des tentatives de mise en valeur de ces terres lors de l'extension rurale du 19e s.

## Montmeyan

Dressé sur une hauteur, ce **bourg médiéval** domine l'entrée des gorges du Verdon. Belle vue au seuil du village (côté sud) sur la barre rocheuse des Préalpes de Castellane vers l'est. Panorama sur la plaine à contempler depuis le **belvédère** situé après la tour Charlemagne, vestige du château du 14e s. L'église (12e s.) restaurée et les maisons à arcades ajoutent au charme des lieux.

*De Montmeyan, prendre au sud la D 13, puis la D 71 jusqu'à Tavernes.*

## Tavernes

Entre oliviers, vignes et collines, cet agréable village à l'architecture typiquement provençale conserve de beaux restes de son passé : un **beffroi** carré coiffé d'un campanile très ouvragé du 18e s., des vestiges d'enceintes médiévales.

*2h.* Au nord du village, au point culminant se dresse la **chapelle Notre-Dame-de-Bellevue**, édifiée en 1642 par un moine dominicain.

*La D 554 qui ramène à Barjols traverse puis longe le ruisseau des Écrevisses.*

## Barjols pratique

# Le Bar-sur-Loup★

**2 543 HABITANTS**
**CARTE GÉNÉRALE C2 – CARTE MICHELIN LOCAL 341 C5 – ALPES-MARITIMES (06)**

Regardant la vallée du Loup du haut de sa colline, ce vieux bourg est entouré de terrasses d'orangers, de jasmins et de violettes. Fief du comté de Grasse, il conserve de son passé prestigieux le donjon de son château et des trésors d'art religieux. Ici, point de tourisme, mais la douceur de vivre dans un site qui invite à se rafraîchir le long du torrent ou à gravir les abrupts sommets.

- ▶ **Se repérer** – Le Bar se situe à la sortie des gorges (rive droite) sur la vallée inférieure du Loup et à 10 km au nord-est de Grasse.

- 👁 **À ne pas manquer** – Le charme de son village médiéval ; le beau panorama sur les gorges du Loup et la fête de l'oranger, chaque lundi de Pâques.

- 🕐 **Organiser son temps** - Flâner 2h dans la cité des orangers vous suffira à faire le plein d'air pur tout en appréciant le surprenant dédale de ruelles.

- 👣 **Pour poursuivre la visite** – Voir aussi Gordon, Tourrettes-sur-Loup et la vallée du Loup.

## Se promener

### LE BOURG

Les rues étroites du vieux village s'enroulent autour du **château** des comtes de Grasse (16e s.), massivement cantonné de tours rondes et portant les restes d'un donjon. Il abrite aujourd'hui l'office de tourisme. En 1722, l'**Amiral de Grasse** y naquit. Il s'illustrera comme l'un des hommes forts de l'indépendance des États-Unis d'Amérique en 1781, en remportant la célèbre bataille navale de la Cheapeacke.

Ancienne place fortifiée, les remparts du 10e s. (de la rue de Santoun à la rue du Ribas) et du 15e s (rue Estrabary) sont encore visibles, tout comme une **poterne** percée dans la muraille, la « Porte Sarrasine ».

Place de l'église, la **vue★** porte en enfilade sur les gorges du Loup et les collines du pays de Vence.

### Église Saint-Jacques le Majeur

*𝄞 04 93 42 72 21 - juil.-août : 10h-13h, 15h-19h, dim. 10h-13h, 15h-18h ; avril-juin et sept. : 10h-13h, 15h-18h, lun. 15h-18h ; oct.-mars : 9h30-12h, 15h-17h, lun. 15h-17h.*

Encastrée au pied du clocher se trouve une pierre funéraire venant d'un tombeau romain. Remarquez en entrant les magnifiques **vantaux** du portail gothique, sculptés, pense-t-on, par Jacotin Bellot, l'auteur des stalles de Vence *(voir ce nom)*. Au maître-autel se déploie un grand **retable★** de **Louis Brea** : très bel ensemble composé de 14 tableaux peints sur fond d'or, traité en 3 registres avec 12 saints autour de l'apôtre

*Détail de la « Danse macabre », visible dans l'église Saint-Jacques.*

Jacques le Majeur et la Vierge à l'Enfant ; le fronton figure la Trinité et les symboles des évangélistes.

La tribune abrite une étonnante peinture sur bois du 15e s., la **Danse macabre★**. Selon la légende, un comte de Bar aurait donné un bal en plein carême. Crime impardonnable, s'il en est ; rien de plus normal si les invités sont morts au cours de leurs ébats. La *Danse macabre* aurait été peinte pour commémorer ce juste châtiment céleste. On y voit dix hommes et femmes gambadant gaiement au son du tambourin et du galoubet, accompagnés de petits lutins agités qui figurent leur péché. Équipée en archer, la mort décoche sa flèche sur deux d'entre eux. Le diable enfourne l'âme d'un mort dans la gueule béante de l'enfer, après que saint Michel l'eut pesé dans sa balance. Dessous, un poème de 33 vers en provençal à lettres gothiques tire la morale de l'histoire.

## Le Bar-sur-Loup pratique

(ᕼ) Voir aussi les encadrés pratiques de Grasse et de la vallée du Loup.

### Adresse utile

**Office du tourisme de Bar-sur-Loup** – *Pl. F.-Paulet - 06600 Le Bar-sur-Loup - ℘ 04 93 42 72 21 - www.bar-sur-loup.com- juil.-août : 10h-13h, 15h-19h, dim. 10h-13h, 15h-18h ; avril-juin et sept. : tlj sf dim. 10h-13h, 15h-18h, lun. 15h-18h ; oct.-mars : tlj sf dim. 9h30-12h, 15h-17h, lun. 15h-17h, sam. 9h30-12h - fermé j. fériés.*

### Se restaurer

⊖⊜⊜ **La Jarrerie** – *8 av. Amiral-de-Grasse - ℘ 04 93 42 92 92 - fermé 2-31 janv., merc. midi et mar. - 37/57 €.* Cette bâtisse du 17e s. abritait un monastère, une huilerie, puis une parfumerie avant d'accueillir le restaurant de la Jarrerie. La grande salle à manger ne manque pas de caractère avec son imposante cheminée, ses pierres et poutres apparentes. Terrasse ombragée.

### Sports & Loisirs

**Randonnées** – 4 itinéraires balisés pour découvrir les alentours de Bar-sur-Loup. Dépliant disponible à l'office de tourisme.

### Événement

**Fête de l'Oranger** – Chaque lundi de Pâques, les villageois perpétuent la tradition de la fête qui autrefois clôturait la cueillette de la fleur d'oranger (la culture de l'orange amère était la principale activité de Bar-sur-Loup). L'occasion de goûter au Vin d'Orange, apéritif local (mélange à base d'oranges amères, d'alcool et de vin) et de profiter du marché artisanal.

# Beaulieu-sur-Mer★

3 675 BERLUGANS
CARTE GÉNÉRALE D4 – CARTE MICHELIN LOCAL 341 F5 – SCHÉMA P. 328 –
ALPES-MARITIMES (06)

Bien à l'abri au pied de sa ceinture de collines, cette station balnéaire est appréciée depuis l'Antiquité comme l'un des endroits les plus chauds de la Côte d'Azur, été comme hiver. Déjà appelé Bello Loco au 12e s., Beaulieu enchante par sa baie des Fourmis, verte et fleurie, et son boulevard Alsace-Lorraine, au cœur d'un quartier que sa végétation exotique a fait surnommer la « Petite Afrique ».

▶ **Se repérer** – Situé à 6 km à l'est de Nice, le meilleur accès à Beaulieu-sur-Mer, commune indépendante de Villefranche depuis 1891, se fait par la Corniche inférieure *(voir corniches de la Riviera)*.

🅿 **Se garer** – Les parkings les plus commodes sont en direction du port de plaisance, derrière l'hôtel de ville. Et pour aborder la promenade Maurice-Rouvier, il est conseillé de laisser sa voiture le long de l'avenue Blundell-Maple.

👁 **À ne pas manquer** – La villa grecque Kérylos ; le sentier du plateau Saint-Michel et la promenade Maurice Rouvier.

🕐 **Organiser son temps** – Entre une halte obligatoire sur le sable blond, la visite de la villa Kérylos et une rapide balade dans le village, comptez 3h.

👪 **Avec les enfants** – Avant un plouf dans la grande bleue, la villa Kérylos propose un atelier créatif autour de la céramique et une chasse au trésor-découverte.

(ᕼ) **Pour poursuivre la visite** – Voir aussi Nice, Villefranche-sur-mer, Menton.

# Comprendre

**Quand on aime, on ne compte pas** – L'hiver à Beaulieu, oasis de calme et de douceur, fut déjà fort apprécié par Gustave Eiffel ou l'Américain **Gordon Bennett**. Ce dernier, grand patron de presse américain, découvrit en 1891 le petit port, alors dépourvu d'embarcadère. Il propose d'en financer un, mais les pêcheurs du cru refusent. À défaut, la **route en corniche** reliant Beaulieu à Villefranche est tracée à ses frais. Elle porte aujourd'hui son nom.

Les personnalités qui s'attachèrent à Beaulieu sont à l'origine de **belles demeures** encore visibles aujourd'hui : le kiosque à musique Marinoni, le Casino, la Rotonde, le Bristol, la villa grecque Kérylos et le palais des Anglais en sont les exemples les plus appréciés des visiteurs et la fierté des Berlugans.

# Visiter

### Villa grecque Kérylos★★

*Visite audioguidée -* 📞 *04 93 01 45 90 - www.villa-kerylos.com - 1er sam. de fév. au 1er sam. de nov. : 10h-18h ; reste de l'année : 10h-18h, lun. 14h-18h - 8 € (–7 ans gratuit, 7-17 ans 6 €).*

Dans un **site★** qui rappelle les rivages de la mer Égée, cette villa est un pastiche d'une maison de la Grèce antique, conçue par et pour un archéologue fou amoureux de cette civilisation, **Théodore Reinach**. Édifiée en 1902 par l'architecte Pontremoli, elle a été léguée en 1928 à l'Institut de France.

Les matériaux les plus précieux ont été utilisés : marbre de Carrare, albâtre, bois exotiques et citronnier. La villa est décorée, au détail près, d'éléments qui faisaient le confort grec, complétés discrètement de ceux qui faisaient, cette fois, le confort Belle Époque de son auteur qui ne dédaignait pas d'y évoluer revêtu d'une toge, et, peut-on supposer, en déclamant des tirades de ses auteurs préférés ! Des pièces authentiques (mosaïques, amphores, vases, lampes, statuettes de Tanagra) côtoient des meubles en bois incrustés d'ivoire, de bronze et de cuir, réalisés d'après les illustrations des vases et des mosaïques anciennes. Les fresques sont des reproductions. Partout, les fenêtres offrent des vues merveilleuses sur la mer, la baie des Fourmis et le cap Ferrat, Èze et le cap d'Ail.

Dans les soubassements de la villa, sur trois côtés, a été aménagée une **galerie des Antiques** ouvrant directement sur les flots. Vous y retrouverez l'Apollon du Belvédère et la Vénus de Milo… Des copies certes, mais qui, dans ce cadre, ont un charme fou.

*La surprenante villa Kérylos en toile de fond du port de Beaulieu.*

👫 La Villa propose aux enfants deux activités insolites. **L'atelier Céramique** animé par un professionnel les familiarise à la création sur poterie, vases, plats ou assiettes, en s'inspirant des œuvres découvertes durant la visite. Dans une ambiance **chasse au trésor**, les 7-12 ans se verront offrir un livret de jeux plein d'énigmes et de devinettes à résoudre.

# Randonnées

## Sentier du plateau Saint-Michel★★

*Environ 2h AR ; forte montée.* Au nord du boulevard Édouard-VII, le sentier gravit l'escarpement de la Riviera jusqu'au plateau Saint-Michel où, à la **table d'orientation**, une très belle vue vous attend, de la pointe du cap d'Ail à l'Esterel.

## Promenade Maurice-Rouvier★

*1h AR.* Cette remarquable promenade se déroule le long du rivage, de Beaulieu à **Saint-Jean-Cap-Ferrat** *(voir ce nom)*, entre les villas ceintes de beaux jardins et la mer. Belles vues sur la Riviera et la presqu'île de la pointe Saint-Hospice.

## Beaulieu-sur-Mer pratique

Voir aussi l'encadré pratique de Nice.

### Adresse utile

**Office du tourisme de Beaulieu-sur-Mer** – Pl. G.-Clemenceau - 06310 Beaulieu-sur-Mer - 04 93 01 02 21 - www.ot-beaulieu-sur-mer.fr - juil.-août : 9h-12h30, 14h-19h, dim. 14 juil. et 15 août : 9h-12h ; reste de l'année tlj. sf. dim. 9h-12h15, 14h-18h, sam. 9h-12h15, 14h-17h - fermé j. fériés.

### Se loger

**Le Sélect** – 1 r. André-Cane et 1 pl. du Gén.-de-Gaulle - sortie Nice, prom. des Anglais - 04 93 01 05 42 - selectbeaulieu@wanadoo.fr - fermé 3 premières sem. de déc. - 19 ch. 64/75 €. Un bel immeuble ancien abrite cet hôtel décoré aux couleurs provençales. Chambres refaites à neuf, dotées de grands lits, de salles de bains bien équipées, de doubles vitrages et de la climatisation. L'été, les clients apprécient de prendre le petit-déjeuner sur la place située juste en face.

### Se restaurer

**Le Petit Paris** – Bd Marinoni - 04 93 01 69 91 - formule déj. 15,50 € - 19 €. Tables nappées, chaises en rotin et affiches publicitaires glanées dans les galeries d'art régionales donnent un petit air de bistrot à cette salle de restaurant agrandie d'une mezzanine. Terrasse d'été ; plats de type brasserie.

**Le Marco Polo** – Au port de plaisance - 04 93 01 06 50 - fermé 3 sem. de fin nov. à mi-déc., mar.-merc. d'oct. à mai et merc.-jeu. mat. de juin à sept. - 25/40 €. Cuisine vouée à la Méditerranée, servie dans une salle à manger-véranda lumineuse ou sur la terrasse face au port de plaisance et à ses yachts. Attrayant menu du jour à prix sage.

### Sports et Loisirs

**Plages** – Petites plages de galets bien protégées des vents du nord. On les trouve de chaque côté de l'immense port de plaisance : plage de la baie des Fourmis et plage de la Petite Afrique au nord.

# Biot★

### 7 395 BIOTOIS
### CARTE GÉNÉRALE D2 – CARTE MICHELIN LOCAL 341 D6 – ALPES-MARITIMES (06)

Sur sa colline, le vieux village de Biot est au cœur d'un magnifique bouquet de fleurs : roses, œillets, mimosas et anémones cultivés pour être expédiés en fleurs coupées. Depuis l'Antiquité, ses artisans produisent de belles céramiques et, plus récemment, le fameux verre soufflé à bulles. Enfin, le musée Fernand Léger fait de la petite cité un centre d'art réputé.

- **Se repérer** – À 7,5 km au nord d'Antibes par la N 7, puis la D 4.

- **Se garer** – Parkings gratuits et payants côté nord de la ville où se trouvent en contrebas la Verrerie de Biot et le musée Fernand-Léger.

- **À ne pas manquer** – Le musée national Fernand-Léger ; l'église de Biot pour son retable de Brea. Les amoureux de nature et d'Orient feront un détour par le Bonsaï arboretum.

- **Organiser son temps** – Consacrez une demi-journée à ce village et ses musées.

- **Avec les enfants** – La Verrerie de Biot, la visite de sa fabrique et de son écomusée et l'arboretum pour profiter d'un jardin ô combien appaisant !

- **Pour poursuivre la visite** – Voir aussi Valbonne, Cagnes-sur-mer et Antibes.

# Comprendre

**2 500 ans d'histoire** – De nombreux vestiges découverts dans les environs de Biot et dans la plaine de la Brague attestent le passage des Celto-Ligures, des Grecs et des Romains. En 1209, une commanderie de Templiers créa l'unité territoriale du village en rassemblant les fractions éparses des seigneuries foncières. Puis, en 1312, les biens furent transférés aux hospitaliers de Saint-Jean-de-Jérusalem qui firent régner le bon ordre. Au 14e s., Biot fut décimé par la peste noire et des factions rivales. Ce n'est qu'à la suite d'un édit du roi René en 1470, autorisant l'implantation de 40 familles venant d'Oneglia et de Porto Maurizio, que le bourg retrouva son essor.

## Le saviez-vous ?

👁 Prononcez toutes les lettres (le « o » ouvert et le « t » final) si vous ne voulez pas passer pour un « Parisien » !
👁 La ville compta parmi ses habitants le cinéaste Claude Autant-Lara et le dessinateur des amoureux, **Peynet**. Un petit espace lui est consacré à l'office de tourisme.

**Poterie, céramique et verrerie** – Sur une terre riche en argile, sable, manganèse et cinérite (pierre à four), la poterie biotoise a trouvé depuis longtemps les conditions favorables à son expansion. La fabrication de **jarres** à Biot remonte en effet à l'époque des Phocéens. Au Moyen Âge, Biot se rendit célèbre par sa production de grandes jarres vernissées qui servaient au transport et à la conservation de l'huile. Jouissant d'une grande renommée jusqu'au milieu du 18e s., ces jarres étaient largement exportées par les ports d'Antibes et de Marseille. De nos jours, quelques ateliers en produisent encore, ainsi que des poteries et des grès d'ornement.
Depuis 1956, la réputation de Biot s'est renouvelée grâce à ses verreries et à leur célèbre **verre à bulles**. Les bulles sont en fait des dégagements de gaz carbonique qui interviennent quand on saupoudre le verre chaud de carbonate de soude *(visite de la Verrerie de Biot, voir l'encadré pratique)*.

# Se promener

## LE VIEUX VILLAGE

Il a gardé beaucoup d'authenticité. Vous en aurez un bon aperçu en suivant le parcours fléché dans la ville : celui-ci part de l'office de tourisme, passe sous la porte des Migraniers (grenadiers) et la porte de Tines, toutes deux du 16e s., et suit une série de ruelles anciennes. L'itinéraire débouche sur la belle **place des Arcades** dont les galeries s'ouvrent en plein cintre ou en ogive. Vous pourrez compléter la promenade par le tour des remparts.

## Église

Le campanile et un joli pavage polychrome vous conduisent à cette église qui semble se cacher au bout de la place des Arcades. Reconstruite au 15e s., elle était décorée de peintures murales que l'évêque de Grasse fit effacer en 1699 pour indécence ! Mais vous ne serez pas déçu car vous verrez un chef-d'œuvre attribué à **Louis Brea** : le **retable du Rosaire★**, une composition équilibrée, dominée de rouge et d'or, dont vous apprécierez la richesse des détails. Avec un visage empreint de noblesse et de dignité, la Vierge de Miséricorde protège les clercs et les laïques de son manteau tenu par de ravissants anges. Un autre beau retable attribué à **Canavesio** (qui avait épousé une Biotoise) représente le **Christ aux plaies**, entouré des instruments de la Passion. Au-dessus du panneau figurent la Flagellation, les Outrages et la Résurrection.
À noter également que l'église accueille très régulièrement l'été des expositions d'artistes locaux.

# Visiter

## Musée national Fernand-Léger★★

*Au sud-est du village, un peu à l'écart de la D 4 (fléchage) - chemin du Val de Pome - ☎ 04 92 91 50 30 - possibilité de visite sur demande auprès de la conservation - www. musee-fernandleger.fr – juil.-sept : tlj sf mar. 10h30-18h ; reste de l'année : 10h-12h30, 14h-17h30 - fermé 1er Mai, 25 déc. et 1er janv. - 4,50 € (enf. 3 €), 1er dim. du mois gratuit.*
C'est à **Andreï Svetchine** que l'on doit ce sobre édifice, conçu en 1960. Fils d'un général russe et élève aux Arts décoratifs de Nice, l'architecte exerça ses talents dans la création de demeures de la Côte comme la villa de Marc Chagall ou ce musée. Il remania la Colombe d'Or à Saint-Paul et, à la fin de sa carrière (en 1984), présida à la restauration de la cathédrale orthodoxe de Nice.

Situé dans la propriété du Mas Saint-André que **Fernand Léger** (1881-1955) avait achetée peu avant sa mort, le musée contient les 348 œuvres léguées à l'État par l'épouse du peintre, Nadia Léger. Celles du parc, en céramique et en bronze, illustrent la variété des modes d'expression de l'artiste.

La façade principale du bâtiment est recouverte d'une immense **mosaïque** (près de 500 m²) aux couleurs vives, conçue pour décorer le stade de Hanovre et qui célèbre les sports. Un épais vitrail en dalle de verre éclaire l'entrée. Des céramiques originales illustrent ensuite la création de F. Léger durant les années 1950-1955 dans l'atelier Brice à Biot.

Un grand nombre de **tableaux** permettent de saisir l'évolution du peintre de 1905 à sa mort. Après des débuts impressionnistes (*Portrait de l'oncle* et *Le Jardin de ma mère*), Cézanne l'influence de façon déterminante *(Étude pour la femme en bleu* [1912] et *14 juillet)*. Entre les deux guerres, il cultive les constructions géométriques (*Le Grand Remorqueur,* 1923) et les oppositions d'à-plats de couleurs pures, comme dans l'insolite *Joconde aux clés* (1930). L'*Étude pour Adam et Ève* (vers 1934) affirme désormais son indifférence pour les traits des personnages, soumis aux seules exigences de l'ensemble de la composition. Par une nouvelle mutation (1942), Léger libère la couleur du dessin qui la cernait jusqu'alors dans un décalage qui contribue à la rigoureuse composition *(Plongeurs polychromes)*. Après 1945, les œuvres de F. Léger expriment, par leur composition, sa formation d'architecte et, par leurs sujets, ses préoccupations sociales : il dépeint la guerre qui l'a blessé, la civilisation industrielle, la ville, la modernité, la vie *(Campeur, Grande Parade sur fond rouge)*. Son œuvre la plus significative à ce titre est *Les Constructeurs* en 1950.

Les grandes mosaïques extérieures ont été réalisées d'après des dessins originaux de l'artiste, dont un projet prévu pour la Triennale de Milan et une reprise des *Oiseaux sur fond jaune.*

## Musée d'Histoire locale et de Céramique biotoise

*9 r. Saint-Sébastien -* 📞 *04 93 65 54 54 - juil.-sept. : 11-19h ; oct.-mars et mai-juin : 14h-18h ; avr. 10h-18h- fermé lun., mar., 1ᵉʳ janv., 1ᵉʳ Mai et 25 déc. - 2 € (– 16 ans gratuit), 1ᵉʳ dim. du mois gratuit.*

Aménagé dans les vestiges de la **chapelle des Pénitents Blancs**, encore dominée par un clocheton à trois pans, il évoque les épisodes les plus importants de l'histoire de Biot depuis l'Antiquité. Une cuisine biotoise reconstituée, quelques costumes et objets rappellent la vie d'autrefois. Concernant la céramique, belle collection de **fontaines d'appartement** du 19ᵉ s., caractérisées par leur émail jaune marbré de vert et de brun, une série de jarres frappées des marques des anciens maîtres potiers. Une galerie expose des œuvres contemporaines.

## Bonsaï arboretum

*Chemin du Val-de-Pôme, 100 m au sud du musée Fernand-Léger -* 📞 *04 93 65 63 99 - www.museedubonsai.fr.st -* ♿ *- tlj sf mar. 10h-12h, 14h-18h - fermé janv. et 25 déc. - 4 € (enf. 2 €).*

👥 Vous découvrirez une impressionnante quantité et variété de ces arbres miniatures au cours d'une promenade dans un univers japonais de 3 000 m², qui pourra se prolonger par une tasse de thé. D'autres plantes exotiques, à voir… et à acheter.

bistrot, fondé en 1885. Ambiance décontractée, service efficace, cuisine traditionnelle et du monde.

### Que rapporter

👁 **Bon à savoir** – Biot affiche le label « Ville d'Art et Métiers », reconnaissant la diversité et la qualité des artisans et artistes qui ont élu domicile dans la ville.

**La Verrerie de Biot** – *Chemin des Combes - au pied du village. Suivre les panneaux roses - ☎ 04 93 65 03 00 - www.verreriebiot.com - possibilité de visite guidée (visite complète de la verrerie : 6 €, visite de l'écomusée : 3 €) - été : 9h30-20h, dim. et j. fériés 10h30-13h, 14h30-19h30 ; hiver : 9h30-18h, dim. et j. fériés 10h30-13h, 14h30-18h30 - fermé 25 déc. et 1ᵉʳ janv.* Suivez depuis la halle des verriers les différentes étapes de la fabrication artisanale du verre soufflé et bullé dans cette fabrique implantée à Biot depuis 1956. Également sur place : un **écomusée**, une galerie internationale du verre, une boutique et un restaurant.

*S. Sauvignier / MICHELIN*

*Verres à bulles.*

### Sports & Loisirs

**Randonnées** – À proximité de Biot, le **Parc départemental de la Brague** *(voir Valbonne)* compte 11 sentiers balisés. Brochure est en vente à l'office de tourisme *(5, 35 €)*.

# Bormes-les-Mimosas★

### Bouarmo

**6 324 BORMÉENS**
**CARTE GÉNÉRALE B4 – CARTE MICHELIN LOCAL 340 N7 – SCHÉMA P. 248 – VAR (83)**

Dans un site enchanteur, proche de la mer, à l'entrée de la forêt du Dom, Bormes-les-Mimosas est la station dédiée au farniente et au plaisir des sens. Eucalyptus, cyprès, lauriers-roses, anthémis et surtout mimosas exhalent leurs effluves dans ce vieux village étagé sur le flanc des Maures. La Provence y est en fête, comme en février avec le corso fleuri de mimosas.

▶ **Se repérer** – Dans les terres, à 16 km à l'est de Hyères par la N 98, mais non loin de la côte, à 6 km du Lavandou.

👁 **À ne pas manquer** – Le vieux village médiéval ; la route du Mimosa en janvier.

🕐 **Organiser son temps** – Comptez une demi-journée pour flâner dans le village et visiter le musée d'Art et d'Histoire. Réservez une petite demi-heure, juste pour apercevoir la résidence présidentielle de Brégançon.

👪 **Avec les enfants** – Le Corso fleuri en hiver ; la foire aux santons le 1ᵉʳ week-end de décembre ; Santo Coupo, le marché des produits du terroir en septembre.

🍴 **Pour poursuivre la visite** – Voir aussi Le Lavandou, le massif des Maures.

## Séjourner

La commune possède 17 km de **plages**, du Lavandou à l'anse de Brégançon. Vous pourrez rejoindre **La Favière** depuis le Lavandou en cheminant sur une promenade en bois : passée la pointe de Gouron apparaît le port de plaisance, puis la longue plage de sable familiale où vous pourrez également pratiquer des activités nautiques. De là part le **sentier du littoral** bordé de petites criques. Plus à l'ouest, l'accès aux plages du cap Bénat, de Cabasson, du Pellegrin et de l'Estagnol est payant.

## Se promener

👁 **Bon à savoir** – Les visiteurs affluent dans le village et les parkings du haut affichent complet, préférez ceux du bas et poursuivez à pied, l'accès est fléché. L'office de tourisme met à votre disposition une petite documentation gratuite pour vous guider dans votre visite *(circuit de 1h30)*.

## Le saviez-vous ?

👁 On accola « les-Mimosas » à Bormes au début du 20ᵉ s., et on officialisa l'appellation en 1968 pour attester de la culture florale de la ville, qui, en 2003, s'est vue décerner la médaille d'or au Concours Européen des Villes et Villages Fleuris.

👁 Deux Borméens jouèrent un rôle au 19ᵉ s. lors des guerres d'indépendance en Amérique du Sud : il s'agit de **H. Mourdeille** (1758-1807) qui chassa les Espagnols de Montevideo, et de **H. Bouchard** (1780-1837) qui organisa la marine de guerre argentine. En leur mémoire, Bormes célèbre chaque année, le 9 juillet, la fête nationale argentine.

## Vieilles rues★

En contrebas de l'**église** s'étend le vieux Bormes qui a conservé son caractère merveilleusement provençal. Plusieurs passages couverts du 12ᵉ et du 16ᵉ s. (appelés ici *cuberts*) où se tenaient, abritées du soleil, les réunions de voisinage, ponctuent la promenade. De nombreuses venelles en pente dévalent depuis la hauteur du **château** : particulièrement raide, la ruelle du Rompi-Cuo offrant un dénivelé de 150 m et revêtue de 83 dalles lisses séparées par une rigole centrale, porte bien son nom. De nombreuses placettes de caractère dont la plus célèbre et la plus photographiée, la **place Lou Poulid Cantoun**.

## Chapelle Saint-François

Entourée de noirs cyprès, elle fut érigée au 16ᵉ s. en l'honneur de saint François de Paule, moine calabrais qui aurait délivré le village de la peste en 1481. À droite de la chapelle, le vieux cimetière est envahi par une végétation exotique : parmi des tombes du 18ᵉ s. s'élève un monument à la mémoire du peintre et graveur **Jean-Charles Cazin** (*voir le musée Arts et Histoire*), qui affectionnait particulièrement ce site.

## Place Saint-François

Située devant la chapelle, c'est ici que se déroule le marché et que se jouent les parties de boules. À l'extrémité, se trouve la tour ronde d'un vieux moulin. De là, belle **vue** sur la rade de Bormes et le cap Bénat.

## Église Saint-Trophyme

Elle s'élève à 200 m de l'hôtel de ville. C'est un robuste édifice du 18ᵉ s. à 3 nefs, d'inspiration romane. Sur la façade, le cadrant solaire porte la devise « Ab hora diei ad horam Dei », qui signifie « De l'heure du jour à l'heure de Dieu ». À l'intérieur, les piliers portent 6 bustes reliquaires en bois doré, de la même époque et le chœur abrite des fresques. Chemin de croix : 14 peintures à l'huile d'Alain Nonn (1980).

## Château

Près de l'église, on longe les vestiges (partiellement restaurés et habités) du vieux château (13ᵉ-14ᵉ s.) des seigneurs de Fos qui domine le village de ses 104 m d'altitude. Une terrasse offre un superbe point de **vue★** sur Bormes, sa rade, le cap Bénat, les îles de Port-Cros et du Levant.

*Une rue de la vieille ville.*

D. Pazery / MICHELIN

🐾 *35mn au départ du château.* Si vous le souhaitez, prolongez votre balade en direction de **Notre-Dame-de-Constance**. Cette ascension vous mène à 324 m d'altitude à la chapelle éponyme, érigée au 13e s. De là, vous contemplerez le superbe **panorama★** (table d'orientation).

### Espaces verts
Outre les ruelles verdoyantes, au bas de la vieille ville se trouve le **parc du Cigalou** pour se reposer à l'ombre des cèdres centenaires et des eucalyptus, et en face le **parc Gonzalez** qui ne se visite qu'avec un guide *(voir l'encadré pratique)*, pour admirer l'exceptionnelle collection de plantes australiennes (250 espèces) et d'essences tropicales.

## Visiter

### Musée Arts et Histoire
*65 r. Carnot - ☎ 04 94 71 56 60 - juil.-août : tlj sf lun. 10h-12h, 15h30-18h30, dim. 10h-12h ; reste de l'année : tlj sf lun. 10h-12h, 14h30-17h, dim. 10h-12h - fermé 1er janv., 1er Mai et 25 déc. - gratuit.*

Créé par le peintre **Charles Bénézit** qui s'installa dans le village en 1915, ce musée rassemble, dans le cadre d'une maison du 17e s., au cœur du village médiéval, des peintures et sculptures (19e-20e s.) dont des œuvres de **Cazin** (1841-1901), peintre paysagiste et décorateur, Henri Rivière, H.-E. Cross, etc. Les expositions temporaires retracent les traditions et le patrimoine régional.

## Aux alentours

### Cap de Brégançon
À l'extrémité orientale de la rade d'Hyères s'avance un îlot rocheux rattaché par une passerelle au rivage du cap Bénat. La forteresse qui domine l'îlot n'est autre que le **fort de Brégançon**, résidence estivale du président de la République depuis 1968 *(ne se visite pas)*. Laissé à l'abandon au 18e s., le fort reçut un début de restauration de la part du jeune général Bonaparte avant d'être complètement restauré dans l'entre-deux-guerres. Ses parties les plus anciennes datent du 16e s. Depuis la plage jouxtant la clôture, on aperçoit le pont-levis et les deux tours crénelées.

## Bormes-les-Mimosas pratique

### Adresse utile
**Office du tourisme de Bormes-les-Mimosas** – *1 Pl. Gambetta - 83230 Bormes-les-Mimosas - ☎ 04 94 01 38 38 - www.bormeslesmimosas.com - avr.-sept. : 9h-12h30, 14h30-18h30 ; reste de l'année : tlj sf dim. 9h-12h30, 13h30-17h30 - fermé 11 Nov., 25 déc. et 1er janv.*

### Visites
👁 **Bon à savoir** – Si vous voulez en savoir plus sur la flore variée qui embellit le village, un *Guide des Fleurs* est en vente *(5 €)*. Si vous souhaitez vous balader aux alentours, achetez le *Topo Guide* réunissant 9 circuits de randonnées *(5 €)*.

**Visites guidées** – *S'adresser à l'office de tourisme - avr.-sept. : visite historique (1h30) jeu. 17h ; visite botanique (1h30) mar. 9h - 5 €.*

### Se loger
🛏 **Le Grand Hôtel** – *167 rte du Baguier - sortie N de Bormes, dir. Collobrières - ☎ 04 94 71 23 72 - www.augrandhotel.com - fermé nov.-fév. - 🅿 - 50 ch. 32/110 € - ⌑ 8 €.* Il règne une ambiance délicieusement surannée en ce grand hôtel de 1903 bâti à flanc de colline, sur les hauteurs de la ville. Les chambres, d'ampleur variée, possèdent pour la plupart un balcon d'où l'on peut contempler à loisir le littoral varois.

🛏🍴 **Hôtel-restaurant de la Plage** – *Bd de la Plage - La Favière - ☎ 04 94 71 02 74 - www.hotelbormes.com - fermé oct.-mars - 🅿 - 45 ch. 69 € - ⌑ 7 € - rest. 21,50/32 €.* La grande terrasse, avec ses platanes et sa fontaine, a de faux airs de place de village. On y savoure une cuisine locale copieuse, parfumée d'ail et d'huile d'olive. Les chambres standard offrent une solution de demi-pension très intéressante, à deux pas de la plage.

🛏🍴 **Hostellerie du Gigalou** – *Pl. Gambetta - ☎ 04 94 41 51 27 - www.hostellerieducigalou.com - 20 ch. 75/125 € - ⌑ 10 €.* Rouvrant ses portes après une parenthèse de 20 ans, cet hôtel de charme, au cœur du vieux village, a été entièrement transformé. Les chambres, aux dimensions variables, ont en commun une association heureuse de matériaux et de couleurs, sans oublier le grand confort rehaussé d'une touche d'élégance.

🛏🍴🍴 **Hôtel Les Palmiers** – *Chemin du Petit-Fort - 8 km au S de Bormes - ☎ 04 94 64 81 94 - www.hotellespalmiers.com -*

fermé 15 nov.-31 janv. - 🅿 - 17 ch.
110/165 € - �).* 15 € - rest. 32/50 €. Dans
une zone résidentielle, non loin de la
plage et du fort de Brégançon, cet hôtel
jouit d'une grande tranquillité. Ses
chambres ont pour la plupart de grands
balcons. Le restaurant ouvre sur une
verdoyante terrasse d'été. Demi-pension
obligatoire en saison.

### Se restaurer

☺ **L'Imprévu** – Av. de la Grande-Bastide -
83980 Le Lavandou - 3 km au S par la rte de
la Favière et chemin à gauche apr. le Super
Casino - ✆ 04 94 15 27 18 - 14/19 €. Parce
qu'on aura du mal à trouver un restaurant
à des prix abordables dans les environs,
cette pizzeria plutôt bon marché fait déjà
figure d'aubaine. On prend place sur la
grande terrasse, bien agréable les soirs
d'été, et donc naturellement très prisée.
Accueil simple et souriant.

☺☻ **La Ferme des Janets** – 378 chemin
des Janets - RN 98 - ✆ 04 94 71 45 11 - www.
fermedesjanets.fr - fermé 2 janv.-15 fév. -
20/38 €. Un petit chemin longe les vignes,
passe sous les chênes-lièges, les cyprès,
les lauriers et rejoint ce mas où vous
profiterez de la belle terrasse verdoyante
et du jeux de boules après un repas aux
accents campagnards.

☺☻☻ **Lou Portaou** – R. Cubert-des-
Poètes - ✆ 04 94 64 86 37 - fermé 15 nov.-
20 déc., lun. soir et mar. hors sais. et le midi
en sais. - réserv. obligatoire - 39 €. Installé
dans une tour de guet du 12ᵉ s. veillant
sur le village, ce restaurant joue la carte
de l'authenticité. Dans ses salles en
pierres apparentes ou sur sa terrasse, le
patron sert une cuisine aux accents du
pays.

### Que rapporter

**Marché** – Mercredi dans le vieux village,
samedi (en saison) à la Favière ; marché
provençal « Santo Coupo » (dernier week-
end de septembre) au Pin-de-Bormes.

### Événements

**Corso** – Entre fin janvier et début mars, la
Côte d'Azur est animée par une multitude
de défilés de chars, les corsos, dans les
rues de Cannes, Menton, Nice, Tourettes-
sur-Loup et bien sûr Bormes-les-
Mimosas. Corso du mimosa : 3ᵉ dimanche
de février.

**Mimosalia** – Dernier week-end
de janvier : expo-vente de plantes de
collection.

**Foire aux santons** – 1ᵉʳ week-end
de décembre.

# Breil-sur-Roya

2 028 HABITANTS
CARTE GÉNÉRALE D1 – MICHELIN LOCAL 341 G4 – SCHÉMA P. 309 – ALPES-MARITIMES (06)

Blotti entre le sommet de l'Arpette (1 610 m) et la rivière, ce joli bourg n'est qu'à
deux sauts de cabri de l'Italie, dont il a la couleur, le parfum et l'animation. Les
amoureux de la nature et du sport pourront s'y ressourcer avant de descendre
des gorges sauvages ou de gravir les montagnes qui l'environnent.

- ▶ **Se repérer** – Entre Sospel (à 23 km) et Saorge (à 11,5 km), Breil s'étend sur les
deux rives de la Roya, élargie par un petit barrage. La vieille ville se presse sur la
rive gauche.

- 👁 **À ne pas manquer** – La visite du village très charmant et de son église qui abrite
plusieurs belles œuvres ; l'écomusée du Haut-Pays.

- 🕐 **Organiser son temps** – Accordez 1h à 1h30 pour visiter Breil.

- 👪 **Avec les enfants** – L'écomusée du Haut-Pays.

- 🚶 **Pour poursuivre la visite** – Voir aussi Saorge, Sospel, la vallée des Merveilles.

## Se promener

### LE VIEUX VILLAGE

Ses charmantes ruelles serrées de demeures anciennes, colorées parfois de fresques
en trompe l'œil, sa place à arcades, le clocher polychrome de l'église paroissiale et
la façade Renaissance de la chapelle Sainte-Catherine (qui accueille des expositions
temporaires) dénotent l'ancienne appartenance italienne de la ville, autrefois étape
de la route Vintimille-Turin. À voir également, les vestiges de remparts et la porte
de Gênes.

### Église Sancta-Maria-in-Albis

Pl. Brancion - ✆ 04 93 04 42 19 - 9h-12h, 15h-18h - si fermée, prendre la clé chez
M. Guelfucci, 4 r.Pasteur.

*Breil-sur-Roya allongée au bord de l'eau dans un cadre montagneux.*

Ce magnifique édifice baroque du 18ᵉ s. s'ouvre par de beaux vantaux sculptés. On peut y admirer les fresques qui ornent les voûtes (Assomption de la Vierge), un magnifique **buffet d'orgue** en bois sculpté et doré (17ᵉ s.) et, à gauche du chœur, un **retable** primitif (1500) consacré à saint Pierre, représenté en pape coiffé d'une triple tiare.

### Écomusée du haut-pays

*Gare de Breil -* 𝄞 *04 93 04 42 75 (juin-août), reste de l'année, contacter l'office de tourisme -visite guidée sur demande - du 15 juin au 15 sept. : 9h-12h, 14h-17h30 - fermé du 16 sept. au 14 juin - tarifs non communiqués.*

Transformée en musée, la gare de Breil abrite une originale exposition de véhicules ferroviaires : une locomotive à vapeur, un tramway, des maquettes ferroviaires animées, un locotracteur, un trolleybus.

## Breil-sur-Roya pratique

### Adresses utiles

**Office du tourisme de Breil** – *17 pl. Bianchéri - 06540 Breil-sur-Roya -* 𝄞 *04 93 04 99 76. www.breil-sur-roya.fr - juil.-août : 8h30-12h30, 14h-18h, dim. 8h30-12h30 ; reste de l'année : tlj sf dim. 8h30-12h30, 13h30-17h30, sam. 8h30-12h30.*
Il propose différents dépliants pour la visite du village, et des « promenades ludiques et panoramiques » ou des randonnées sportives au départ de Breil.
**Pôle touristique de Roya-Bévéra** – 𝄞 *04 93 04 92 05 - ww.royabevera.com.*

### Transports

**En train** – Les lignes française (TER) et italienne (FS) de Nice/Breil-sur-Roya et Breil-sur-Roya/Cuneo/Torino suivent les anciennes routes du sel et desservent les gares de Peille, Sospel, Saorge, La Brigue et Tende *(voir ces noms).*
En été, prenez « **le train des Merveilles** » *(voir p. 48).*

### Se loger

⌂ **Le Roya** – *3 pl. Bianchéri -* 𝄞 *04 93 04 48 10 - hotelraya@mode.fr - réserv. obligatoire en hiver - 13 ch. 45/54 € -*
⌂ *6,50 €.* Dressée sur la rive gauche de la Roya, façade colorée abritant des chambres récemment rénovées, bien tenues et équipées de vastes salles de bains ; celles avec vue sur la montagne et la rivière sont les plus plaisantes.

### Sports & Loisirs

**A.E.T. Nature** – *392 chemin du Foussa -* 𝄞 *04 93 04 47 64 - www.aetcanyonnig. com - tte l'année sur réservation.* Canyoning, randonnées pédestres, via ferrata, rafting et gîte d'étape d'une capacité de 18 places.

**Roya Evasion** – *1 r. Pasteur -* 𝄞 *04 93 04 91 46 - www.royaevasion.com - tlj sf w.-end 9h-12h, 14h-19h et tlj en juil.-août - fermé nov.-mars.* Roya Evasion propose tous types d'activités de sports et loisirs : kayak, canyoning, rafting, randonnées pédestres, VTT, raquettes, via ferrata, etc. Accompagnement assuré par des guides et moniteurs diplômés d'état ; location de matériel.

### Événements

**« A Stacada »** – Cette manifestation se déroule tous les 4 ans (la dernière a eu lieu en 2005) pour commémorer l'abolition du droit de cuissage par la révolte des habitants de Breil soumis à un tyran local au 14e s. Une partie de la population, parée de costumes médiévaux, traverse la cité. L'arrivée à l'improviste du seigneur permet à la population de demander réparation. Après de nombreuses courses poursuites dans les ruelles entre la garde turque du seigneur et les notables, ces derniers sont définitivement capturés et enchaînés, c'est-à-dire *a stacada*.

**La Vallée des santons** – ℘ 04 93 85 09 60 - *http://www.nicae.com/afac/*
De mi-décembre à mi-janvier, les habitants des villages de la Roya sont fiers de présenter leurs créations liées à Noël. Plus de 300 crèches sont installées en plein air.

**Festival international des orgues historiques de la Roya-Bévéra** – ℘ 04 93 04 92 05 - *www.royabevera.com*
En août, les églises, collégiales et autres enceintes religieuses de vallées de la Roya, la Bévéra et la Ligurie prennent des airs classiques.

# Brignoles
## Brignolo

12 487 BRIGNOLAIS
CARTE GÉNÉRALE B3 – CARTE MICHELIN LOCAL 340 L5 – VAR (83)

Ruelles étroites et tortueuses, montantes ou descendantes dessinent le labyrinthe du vieux Brignoles, aujourd'hui quartier central d'une ville animée qui, prospère grâce à son importante foire et à l'exploitation de la bauxite jusqu'à la fin des années 1980, a depuis longtemps débordé le vieux tracé des remparts.

- **Se repérer** – Situé dans le bassin de la vallée du Carami, le vieux Brignoles occupe le versant nord d'une petite colline surmontée de l'ancien château des comtes de Provence. La ville nouvelle se développe dans la plaine.
- **Se garer** – Venant du sud (Toulon est à 50 km) ou du nord (Barjols est à 22 km), on aboutit au grand parking, place des Augustins.
- **À ne pas manquer** – La visite du vieux Brignoles ; un détour à l'abbaye de la Celle pour visiter son église, son cloître et son petit jardin. Poursuivez en auto par la découverte du Pays Brignolais ou à pied en rejoignant la montagne de la Loube.
- **Organiser son temps** – Accordez 1h à la visite du vieux Brignoles, de 45mn à 1h à la visite de l'abbaye de la Celle. Pour l'option découverte du Pays brignolais, prévoir 2h supplémentaires. Les marcheurs avertis arriveront à la montagne de la Loube en 3h.
- **Avec les enfants** – Le train touristique du centre Var et les musées du Val.
- **Pour poursuivre la visite** – Voir aussi Cotignac, Barjols, l'Abbaye du Thoronet.

## Se promener

### LE VIEUX BRIGNOLES
*Plan de découverte de la cité médiévale à l'office de tourisme de la Provence Verte.*
Au sud de la place Carami, la rue du Grand-Escalier et ses voûtes, la rue Saint-Esprit, la rue des Lanciers, où se trouve une **maison romane** à fenêtres géminées, pénètrent dans le vieux Brignoles.

### Église Saint-Sauveur
℘ 04 94 69 10 69 - juil.-août : merc., jeu., vend. et sam. 8h30-19h, dim. 9h-13h, 17h30-19h - reste de l'année sur RV.

*Détail de la porte de l'église Saint-Sauveur.*

Elle présente à l'extérieur un beau portail du 12e s. encadré de colonnes ioniennes. À l'intérieur, nef de style gothique provençal et jolie porte de sacristie (16e s.). Le maître-autel est entouré de bois doré du 15e s. (sacrifice d'Abraham et distribution de la manne). Dans la chapelle de droite, **Descente de croix** de Barthélemy Parrocel (mort à Brignoles en 1660).

### Musée du Pays brignolais

*Palais des Comtes de Provence -* 🕾 *04 94 69 45 18 - www.museebrignolais.com - avr.-sept : tlj sf lun. et mar. 9h-12h, 14h30-18h, dim. 9h-12h, 15h-18h ; oct.-mars : tlj sf lun. et mar. 10h-12h, 14h30-17h, dim. 10h-12h, 15h-17h - fermé 1er janv., dim. de Pâques, 1er Mai - 4 € (–12 ans 2 €).*

Il est établi dans l'ancien **palais des comtes de Provence** (en partie du 12e s.) dont la tour domine la ville (table d'orientation). Dans la salle des Gardes, le **sarcophage de la Gayole★** (2e s.) serait le plus ancien monument chrétien de Gaule, mais l'iconographie (pêcheur, ancre, berger ramenant une brebis, arbres du jardin céleste, soleil personnifié) est encore marquée par la tradition polythéiste gréco-romaine. À l'opposé, la barque en ciment est due à Joseph Lambot, inventeur du ciment armé ! Art religieux (dans l'ancienne chapelle), reconstitutions d'une cuisine provençale du 19e s. et d'une galerie de mine de bauxite ; **crèche animée** (1952) fabriquée selon la tradition provençale ; peinture religieuse et profane des peintres brignolais Barthélemy et Joseph **Parrocel**, et de **Montenard** (1849-1926).

# Aux alentours

### Abbaye de La Celle

*Quitter Brignoles par la D 554, au sud, puis prendre à droite la D 405.*
🕾 *04 94 59 19 05 - www.la-celle.fr - visite guidée obligatoire (30mn) à réserver sur place - avr.-sept. : 9h-12h30, 14h-18h30, w.-end 9h-13h, 14h30-18h30 ; oct.-mars : 9h-12h, 14h-17h, sam. 9h-12h, 14h-17h30, dim. 10h-12h, 14h-17h30 - fermé 1er janv., 1er Mai, 1er et 11 Nov., 25 déc. - 2,30 € (– 12 ans gratuit).*

Cet **édifice roman** (11e-12e s.) fut vendu à la Révolution et transformé en exploitation agricole, puis en hôtellerie de luxe. Il est aujourd'hui propriété du conseil général du Var et fait l'objet d'une restauration. On visite l'église abbatiale, le cloître et son jardinet, la salle capitulaire et le cellier aménagé en sacristie. Avec sa nef unique en cul-de-four, l'austère chapelle Sainte-Perpétue a une allure de forteresse. Elle abrite un Christ d'origine catalane (début du 14e s.) d'un réalisme saisissant, deux retables baroques ainsi que le sarcophage de Garsende de Sabran.

## Scandale au couvent

Monastère fondé au 6e s., érigé en abbaye au 11e s., ce couvent de bénédictines attire les filles de la haute noblesse provençale. Aux 16e et 17e s., sa réputation change de nature : les religieuses se distinguent « par la couleur de leur jupon et le nombre de leurs galants » ; le scandale cause en 1657 le transfert à Aix de la communauté, sur ordre de Mazarin, abbé commendataire. Le couvent déclinera jusqu'en 1770.

### Train touristique du Centre Var

*Gare de Carnoules, à 31 km au sud-est de Brignoles par les D 43, D 15 et D 13.* 🕾 *06 07 98 03 09 - http//ifrance.com/attcv - du 30 avr. au 29 oct. : se renseigner pour les jours et horaires de circulation - 8,50 € (4-10 ans 5 €).*

👥 C'est à bord de l'autorail Picasso (1955) que vous apprécierez en toute tranquillité le paysage entre Carnoules et Brignoles, en passant par Saint-Anastasie-sur-Issole, Besse-sur-Issole, Forcalqueiret et la Celle.

# Circuits de découverte

## PAYS BRIGNOLAIS★ ☐1

*56 km – environ 3h. Quitter Brignoles au nord par la D 554.*

### Le Val

En bordure de l'ancienne voie Aurélienne, Le Val regroupe ses maisons étroites au caractère provençal préservé, autour du délicat campanile en fer forgé (18e s.) de la **Tour de l'Horloge**. L'église romane du village conserve de belles **fresques** du 18e s. Rue Niel, remarquez la belle façade romane de la « Maison

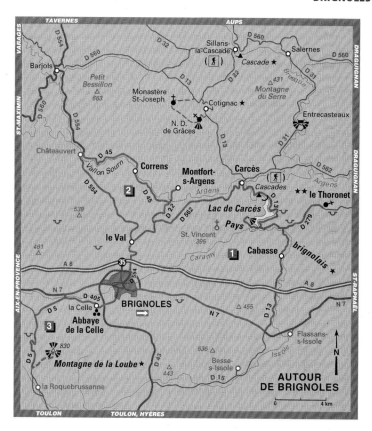

de Ville ». Poursuivant cette rue, vous arrivez à l'ancien moulin à huile et à la **Maison de l'Olivier**. À voir également, les peintures qui ornent la façade de l'**Hôtel des Vins** et la sculpture du mur de scène du jardin-théâtre, des œuvres de **Le Couëdic**, élève de Dali.

**Musée du Santon** – *2 r. des Fours - ☎ 04 94 86 48 78 - & - juil.-août : 9h-12h30, 14h-18h30 ; reste de l'année : 9h-12h, 14-18h - fermé 1ᵉʳ janv. et 25 déc. - 2 € (6-12 ans 1 €).* La longue pièce voûtée de l'ancien four banal (12ᵉ s.) abrite des santons de Provence et d'ailleurs, fabriqués en différents matériaux. Crèche provençale animée.

**Musée d'Art sacré** – *Au nord du village - mêmes conditions de visite que le musée du Santon.* Dans la chapelle des Pénitents Noirs (16ᵉ s.) sont exposés des ex-voto, statues et vêtements sacerdotaux brodés.

**Musée des jouets - les Tanneries** – *Au sud-est du village - ☎ 04 94 86 32 95 - juil.-août : tlj sf lun. 15h30-18h ; reste de l'année : tlj sf lun. 15h-17h - possibilité de visite à d'autres horaires sur demande - 2 € (6-12 ans 1 €).* il présente des jouets anciens, des figurines historiques et quelques uniformes militaires.

*Prendre la D 562 au Nord-Est.*

## Carcès
Ses maisons aux longs toits plats couvrent une petite colline dominée au loin par le sommet du Gros Bessillon. Certaines façades sont couvertes d'écailles en faïence de Salernes *(voir Aups)*, une rareté très varoise. Ces tuiles servent à protéger les maisons du vent d'est apportant la pluie et dégradant les façades. Carcès produit de l'huile et du miel et possède de grandes caves de vinification.

À la sortie de Carcès, la D 13 *(direction Cabasse)* longe la rive du Carami qui court sous les arbres.

*2h30. Se garer près du pont de Carami.* Un sentier balisé *(8 km)* mène aux **chutes du Carami**. Cette fraîche cascade franchit deux fois 7 m.

## Lac de Carcès
Rendez-vous des pêcheurs *(baignade interdite)* et de la fraîcheur, ce plan d'eau de 60 ha, créé en 1936, retient 8 millions de m³ destinés à alimenter en eau potable

Toulon et d'autres communes de la côte. Abords boisés (pins). À l'extrémité sud, **vue** sur les collines avoisinantes.

Après le lac de Carcès, un détour par la D 79 conduit à l'**abbaye du Thoronet**★★ *(voir ce nom)*.

*Revenir à la D 13 et à la vallée de l'Issole à gauche.*

### Cabasse

Sur la route des vins des côtes-de-Provence, menhirs et dolmens avoisinent ce village *(à l'ouest accès par la D 79)* à la place ombragée, dotée d'une fontaine en forme de vasque. La nef latérale de l'**église Saint-Pons** (16ᵉ s.) présente des culs-de-lampe en forme de visages grotesques ou empreints de douceur. Le **maître-autel**★ en bois doré est d'inspiration Renaissance espagnole. 📞 *04 94 80 22 36 - possibilité de visite sur demande auprès de M. Berard.*

*Continuer sur la D 13, puis tourner à droite dans la N 7 qui ramène à Brignoles.*

## VALLON SOURN ②

*39 km – environ 1h. Quitter Brignoles par le nord (D 554). Au Val, prendre à droite la D 562, puis à gauche, la D 22.*

### Montfort-sur-Argens

Ancienne commanderie de Templiers, le village a gardé ses remparts et les ruines d'un **château féodal** d'aspect farouche : deux tours carrées percées de fenêtres à meneaux et un bel escalier à vis (15ᵉ s.). Le terroir produit d'excellentes pêches et du raisin.

*Rebrousser chemin jusqu'au carrefour de la D 45 et remonter la vallée de l'Argens (à droite).*

### Correns

Ce charmant village à cheval sur l'Argens compte de nombreuses fontaines et un vieux château dont le donjon a conservé ses gargouilles. On y produit et on y boit un bon **vin blanc**. La plupart des viticulteurs de Correns ont opté pour l'agriculture biologique. Retrouvez-les lors de la **Foire de la bio et du naturel** *(voir l'encadré pratique)*.

### Vallon Sourn

*Sourn* signifie « obscur » en provençal. La haute vallée de l'Argens s'encaisse entre de belles falaises : ombragée et fraîche en été, elle est sombre en hiver. Les grottes servirent de refuge durant les guerres de Religion. Aujourd'hui, la nature particulièrement généreuse de ce milieu n'ayant de sombre que l'appellation en fait un lieu idéal de repos, de promenade et de baignade. Vous pouvez aussi y faire du canoë et de l'escalade. Les falaises du vallon sont devenues un site de référence pour les adeptes de la varappe.

*À Châteauvert, la D 554 (à gauche) ramène à Brignoles.*

# Randonnées

## À Brignoles

🥾 Un sentier mène au **dolmen des Adrets** situé à 3 km au nord du centre-ville.

🥾 *3h30. Départ au sud-est du centre-ville.* Le circuit **Font de Bardel** (8 km) traverse les collines : table d'orientation découvrant le Pays brignolais.

## Montagne de la Loube★ ③

*14 km au sud-ouest – environ 3h. Quitter Brignoles par la D 554. À La Celle, la D 405 conduit à la D 5 qu'on descend vers le sud. 1 km avant la Roquebrussanne, laisser la voiture sur la gauche.*

🥾 *2h AR, par la petite route interdite aux véhicules.* Très verte et fleurie au printemps, cette route longe ou surplombe des roches dolomitiques où l'érosion a parfois sculpté d'étranges silhouettes d'apparence animale ou humaine.

*Pour finir l'excursion, grimper sur les rochers près des installations d'un relais de télécommunication (escalade facile).* Au sommet (alt. 830 m), intéressant **panorama**★ : dans les plaines, les cultures découpent des rectangles multicolores sertis de chaînons arides, et au flanc des collines, au milieu des pins et des chênes, apparaît le rouge des carrières de bauxite. L'extraction de cette roche, baptisée d'après les Baux-de-Provence et source du minerai d'aluminium, fut jusque dans les années 1970 une activité majeure de la région. Au nord, au-delà de la vallée du Carami, on découvre les collines de la Provence intérieure ; à l'est, les Alpes ; au sud, les montagnes qui dominent Toulon et à l'ouest, la longue chaîne de la Sainte-Baume.

*Rentrer à Brignoles par la D 5 et la N 7.*

# Brignoles pratique

## Adresse utile

**Office intercommunal de tourisme de la Provence Verte** – Carrefour de l'Europe - 83170 Brignoles - ☎ 04 94 72 04 21 - www.la-provence-verte.net - du 3e w.-end. de juin au 3e w.-end. de sept. : 9h30-12h30, 14h-19h30, dim. 10h-12h, 15h-18h30 ; fin sept.-juin : tlj sf dim.9h30-12h30, 14h-18h30 - j. fériés. Il regroupe **37 communes** entre le Verdon, la Sainte-Baume et la Sainte-Victoire, dont Brignoles, Carcès, Correns, La Celle, Le Val, Montfort-sur-Argens ; Barjols (voir ce nom) ; Tavernes, Varages (voir Barjols) ; Cotignac (voir ce nom), Entrecasteaux (voir ce nom).
Vous y trouverez le programme des **visites** « Amusez-vous en Provence », les « Mercredis curieux » (de juin à sept.), ainsi que différentes **documentations**.

## Se loger

☞ **Chambre d'hôte La Madrigale** – 1 chemin des 9-Fonts - 14 km au SE par N 7 et D 5 - ☎ 04 94 86 89 27 - http://perso.wanadoo.fr/lamadrigale/ - ⌂ - 3 ch. 49/56 € ⌂ - repas 16 €. Avec sa façade claire et son balcon appuyé sur deux colonnes, cette maison bourgeoise ne passe pas inaperçue dans le petit village. Pourtant son intérieur reste très simple, laissant la priorité au côté pratique. Les 3 chambres disposent chacune d'une grande salle de bain. Délicieuse table d'hôte méditerranéenne.

☞ **Hôtel La Cabro d'Or** – 5 av. Giraud-Florentin - 83570 Carcès - ☎ 04 94 04 50 26 - fermé vac. de fév. - 27 ch. 42 € - ⌂ 7 € - rest. 20/39 €. À deux pas du centre-ville, un petit établissement rénové et propre, sans prétention. Au restaurant, cuisine provençale ; le chef prépare lui-même pain, charcuteries et pâtisseries.

☞☞ **Chambre d'hôte La Cordeline** – 14 r. des Cordeliers - ☎ 04 94 59 18 66 ou 06 12 99 20 02 - www.lacordeline.com - réserv. obligatoire - 5 ch. 70/105 € ⌂ - repas 30 €. Havre de bien-être en plein centre-ville, ce ravissante maison notable du 17e s. abrite d'immenses chambres garnies de beaux meubles de famille. Dès les premiers rayons du soleil, les petits-déjeuners sont servis sur la terrasse, à l'ombre de la treille. Jacuzzi extérieur.

☞☞ **Chambre d'hôte Château de Vins** – Les Prés du Château, au bourg - 83170 Vins-sur-Caramy - 9 km de Brignoles par D 24, rte du Thoronet - ☎ 04 94 72 50 40 - www.chateaudevins.com - fermé nov.-avr. - ⌂ - 5 ch. 73/120 € ⌂. Ce bel édifice du 16e s. cantonné de quatre tours abrite des chambres sobrement aménagées ; toutes portent des noms de musiciens. Rénové par un dynamique propriétaire, il accueille activités culturelles, stages de musique, expositions, concerts estivaux et séminaires en juillet et août.

## Se restaurer

☞ **Les Chineurs** – 18 r. Hoche - 83570 Carcès - ☎ 04 94 04 31 99 - fermé dim. et lun. - ⌂ - 7/17 €. Le restaurant propose pizzas, lasagnes, pâtes (accompagnées de sauces maison) et des spécialités de moules. Les pizzas sont cuites devant vous au feu de bois. Rassurez-vous, la salle est climatisée. Cadre rustique : vieilles poutres et murs blanchis à la chaux.

☞ **La Remise** – 4 av. de la Libération - 83890 Besse-sur-Issole - 15 km au SE de Brignoles par N 7 dir. le Luc et à droite sur D 13 - ☎ 04 94 59 66 93 - fermé 1 sem. vac. de Toussaint, 1 sem. vac. de printemps, lun. en juil.-août - 13 € déj. - formule déj. 10,50 € - 16/26 €. Petite adresse sans prétention derrière une discrète façade au centre du village. Décor empreint de sobriété. Cour-terrasse ombragée. En cuisine, visible de la salle, on prépare des plats simples à tendance régionale.

☞ **Le Val Bohème** – 3 pl. du 4-Septembre - 83143 Le Val - ☎ 04 94 86 46 20 - ⌂ - 13,50 € déj. - 19 €. Moins réputé que son voisin, ce petit restaurant tout simple compense un manque de choix dans son menu par une fraîcheur garantie. Une formule unique, qui se dessine en fonction des produits du marché, servie aux beaux jours sur la charmante terrasse adossée à l'église. Excellent rapport qualité-prix.

## Que rapporter

**Marchés** – Mercredi, pl. Caramy, samedi, pl. du Gén.-de-Gaulle et pl. du 8-Mai.

**Maison des Vins des Coteaux varois** – Abbaye-de-la-Celle - 83170 La Celle - ☎ 04 94 69 33 18 - hiver : tlj sf dim. 10h-12h, 14h-18h ; été : tlj sf dim. 10h-12h, 15h-19h, dim. et j. fériés 15h-19h. Cette boutique, située dans l'enceinte même de l'abbaye de la Celle, propose des produits du terroir. 80 vignerons y font la promotion de leurs vins rouges, blancs, rosés, auxquels s'ajoute la petite production de l'abbaye.

## Événements

**Foire de l'Agriculture** – Cette foire-exposition, créée en 1921, est consacrée aux vins du Var et de la Provence, au miel, aux olives et à l'huile d'olive… Elle a lieu pendant une dizaine de jours en avril.

**Festival de jazz** – Renseignements et locations de place à l'office de tourisme - 20 €/pers./soir ou pass 50 € les 3 soirs. Sur 3 jours, le 1er week-end d'août, Brignoles vit au rythme de tous les jazz. Représentations au jardin Suau.

**Foires à la saucisse au Val** – Foire à la saucisse, le 1er week-end de septembre.

**Foire de la bio et du naturel à Correns** – Renseignements à l'office de tourisme. Le 3e week-end d'août.

# La Brigue★

595 BRIGASQUES
CARTE GÉNÉRALE D1 – CARTE MICHELIN LOCAL 341 G3 – SCHÉMA P. 309 –
ALPES-MARITIMES (06)

Ce charmant village montagnard (alt. 770 m) entouré de vergers s'allonge dans le vallon de la Levense qui s'ouvre sur le spectacle du mont Bégo. Ancienne seigneurie des Lascaris du 14e au 18e s., la Brigue représente, avec Notre-Dame-des-Fontaines, située à 4 km, un haut lieu de l'art primitif niçois.

▶ **Se repérer** – En venant de Saint-Dalmas-de-Tende *(voir Tende)*, traversez le pont roman qui enjambe le torrent. Vous arrivez dans la Brigue et bénéficiez alors de la plus belle vue sur le mont Bégo.

👣 *1h.* Vous pourrez venir à pied en suivant le Chemin des oratoires *(dépliant dans les offices de tourisme).*

👁 **À ne pas manquer** – Pendant votre visite du village, passage obligé à la Collégiale Saint-Martin ; rejoignez en périphérie du village la chapelle Notre-Dame-des-Fontaines parée de rares et magnifiques fresques de Baleison.

🕐 **Organiser son temps** – Comptez 2-3h pour faire le tour de la ville et apprécier ses édifices.

👣 **Pour poursuivre la visite** – Voir aussi Tende, Saorge, la Vallée des Merveilles.

## Se promener

### Vieux village

Au pied des ruines du château (14e s.) et de la tour, de nombreuses maisons médiévales en pierre verte ou schiste noir de la Roya présentent de remarquables **linteaux** armoriés ou historiés *(notamment rue de la République)*. Sous les arcades de la place Vieille se déroulaient autrefois foires et marchés. De part et d'autre de l'église paroissiale, deux chapelles de pénitents du 18e s. : à droite, la **chapelle de l'Assomption** dresse une façade baroque flanquée d'un gracile clocher génois. Elle abrite le trésor de la collégiale. À gauche, la **chapelle de l'Annonciation**, de plan hexagonal, abrite un musée d'art religieux.

### Collégiale Saint-Martin★

Cette église paroissiale, ornée de bandes lombardes, est dominée par un beau clocher carré de la fin du 15e s. Le portail, surmonté d'un encadrement et d'un linteau du 16e s., ouvre sur une nef somptueusement décorée d'or à l'italienne. Outre le buffet d'orgue du 17e s. (réhabilité au 19e s. par des facteurs d'orgues italiens) et les fonts baptismaux de marbre blanc, on est ébloui par le très bel ensemble de **peintures de primitifs niçois★**. En entrant dans le bas-côté droit : une Crucifixion dans le style de celle de Louis Brea à Cimiez ; le retable de Sainte-Marthe : s'il présente quelques maladresses, la prédelle amuse par l'interprétation provençale de la vie de la sainte (la barque qui transporte sainte Marthe à Marseille est devenue ici un vaisseau de haut bord) ; le Martyre de saint Érasme est d'un réalisme cruel ; un peu plus loin le beau retable de Louis Brea l'**Adoration de l'Enfant**, et enfin le panneau central d'un triptyque de la même école représentant l'Assomption de la Vierge, entourée d'anges ravissants. Dans la première chapelle de gauche, admirez le triptyque de 1507 de l'Italien Fuseri, **Notre-Dame-des-Neiges**, inséré dans une superbe boiserie baroque du 18e s.

## Aux alentours

### Chapelle Notre-Dame-des-Fontaines★★

👣 *1h30.* Un **sentier d'interprétation** permet de rejoindre la chapelle depuis la Brigue *(dépliant disponible à l'office de tourisme).*

*4 km à l'est par la D 43. ☎ 04 93 79 09 34 - juin-sept. : lun., merc., vend. et sam. 14h-17h, dim. 14h-18h ; oct.-mai : possibilité de visite sur demande préalable à l'office de tourisme - 1,50 € (enf. 0,75 €).*

Notre-Dame-des-Fontaines est isolée dans le vallon du Mont-Noir, non loin du fascinant mont Bégo, et domine l'un des nombreux torrents de la région. En montant au mont Saccarel (2 200 m), on voit la frontière avec l'Italie.

Ce lieu miraculeux était déjà fréquenté au 2e ou au 3e s. comme l'atteste un premier sanctuaire des eaux, remplacé par une chapelle (dont il reste le chœur du 12e s.), à laquelle succéda celle de Notre-Dame-des-Fontaines (14e s.). Elle matérialise la réalisation du vœu des Brigasques de voir les sources, alors taries, couler à nouveau. Elle fait toujours l'objet d'un pèlerinage très suivi dans la région. Avant sa surélévation au 18e s. qui la dota de sept fenêtres hautes, elle fut agrandie au 15e s. pour recevoir en 1492 une extraordinaire décoration picturale : on a en effet le souffle coupé devant la beauté et la profusion des fresques qui ornent entièrement la chapelle. Ces images devaient raviver la foi dans ces contrées excentrées, d'où le style burlesque, macabre ou poétique de ces scènes pleines de vie et d'anecdotes précieuses sur l'époque.

**Les fresques★★★ – Jean Baleison,** meilleur artiste représentatif du gothique dans cette région des Alpes, a peint le chœur, consacré à la gloire de la Vierge. La voûte est revêtue des quatre évangélistes. Son style se reconnaît à la délicatesse, la légèreté et la grâce de

*Détail de « La Passion » par J. Canavesio.*

ses personnages, comparables à ceux des fresques de Venanson *(voir Saint-Martin-Vésubie).*

À travers la Passion *(nef)* et le Jugement dernier *(revers de la façade),* le grand talent du primitif renaissant **Jean Canavesio** s'exprime d'une manière tout autre : dramatique, sombre et réaliste. Son art exubérant, s'il est encore d'inspiration gothique, s'affirme dans un dessin plus nerveux et un meilleur sens de l'espace.

Une certaine interprétation du texte biblique semble être proposée à travers les détails ponctuels de ses compositions complexes : Simon-Pierre est représenté brandissant un grand couteau et un cimeterre, ou sabre oriental, lors de l'arrestation de Jésus ; au jardin des Oliviers, il dort allongé (et non assis) et, lors du reniement, il est surpris en train de se réchauffer la plante des pieds ; lorsque Jésus s'apprête à les lui laver, ceux-ci restent curieusement à la surface de l'eau. Ces anomalies peuvent dissimuler une critique pré-réformiste de la papauté (représentée par Pierre), alors avide de pouvoir politique et temporel (le couteau), attachée à son confort physique et peu soucieuse de purification (symbolisée par l'eau).

## La Brigue pratique

Voir aussi l'encadré pratique de Tende.

### Adresses utiles

**Bureau municipal du tourisme de la Brigue** – 2 av. du Général De-Gaulle - 06430 La Brigue - ℘ 04 93 79 09 34 -juin-sept. : tlj sf mar. 10h-12h, 14h-17h, dim. 10h-12h ; oct.-mai : sur demande. - fermé j. fériés.

**Pôle touristique de Roya-Bévéra** – *Voir Breil-sur-Roya.*

### Se loger

⊜ **Mirval** – 6,5 km au SE de Tende par N 204 et D 43 - ℘ 04 93 04 63 71 - www. lemirval.com - fermé 3 nov.-mars - 🅿 - 18 ch. 42/66 € - ⊑ 8 € - rest. 17/23 €.

Une rivière poissonneuse coule au pied de cette accueillante auberge de montagne construite à la fin du 19e s. Chambres fonctionnelles. Salle à manger contemporaine et véranda tournées vers les sommets ; cuisine régionale simple.

⊜ **Le Pra-Réound** – *Chemin St-Jean - sur D 43 sortie du village après la maison Adapeï* - ℘ 04 93 04 65 67 - fermé 20 nov.-1er mars - 🍴 - 6 ch. 29/36 € - ⊑ 5 €. Les randonneurs apprécient cette petite adresse postée aux portes d'un charmant village montagnard. Chambres de style motel, bénéficiant toutes d'une terrasse avec vue sur les cimes enneigées. Cuisine équipée à disposition, pour préparer petits-déjeuners et en-cas.

# Cabris

**1 472 CABRIENCS**
**CARTE GÉNÉRALE C2 – CARTE MICHELIN LOCAL 341 C6 – ALPES-MARITIMES (06)**

Ce charmant village perché du haut pays grassois s'inscrit dans un admirable site : sur le rebord de la haute Provence naissante, il regarde le bleu du lac de Saint-Cassien et celui de la mer à 20 km. Vous aimerez y lézarder, comme le firent naguère des écrivains et aujourd'hui les artisans, avant la saison touristique. Pour la fraîcheur, la grotte des Audides voisine sera idéale.

*Cabris : un paisible village avantageusement situé.*

- **Se repérer** – À 6 km à l'ouest de Grasse par la D 4.
- **À ne pas manquer** – Une petite balade dans le village vous permettra de découvrir l'église, le mur d'enceintes et la vue somptueuse qui s'étend de Saint-Jean-Cap-Ferrat à Toulon.
- **Organiser son temps** – Accordez-vous 1h pour visiter le village. L'exploration de la grotte des Audides vous demandera 1h30 supplémentaire.
- **Avec les enfants** – La grotte des Audides.
- **Pour poursuivre la visite** – Voir aussi Grasse, le circuit des Préalpes de Grasse et Saint-Vallier-de-Thiey.

## Se promener

### Église
*Accessible uniquement le dim. pdt l'office de 10h30.*
Située tout en haut du village, elle date du 17e s. comme sa chaire sculptée en bois polychrome et, sous la tribune, son retable rustique. Derrière l'autel se trouve un tableau de Murillo… mais ne vous y trompez pas, c'est une copie.

### Ruines du château
Il en reste un mur d'enceinte et une plate-forme, d'où la **vue★★** est sublime (table d'orientation) : à gauche sur Mougins et les collines qui se prolongent jusqu'au Cannet,

---

### Le saviez-vous ?

- Cabris est dérivé du latin *capra* qui signifie « chèvre ». Mais ce nom évoque surtout celui de la marquise de Cabris, la sœur de Mirabeau. La Révolution fut pour elle l'occasion de renforcer ses droits seigneuriaux, ce qui provoqua, quatre ans plus tard, la destruction du château par les habitants révoltés.
- La mère de **Saint-Exupéry** vécut à Cabris et Antoine y a écrit une partie de *Terre des hommes*, raisons pour lesquelles la place centrale du village porte le nom de l'aviateur-écrivain, dont le souvenir est commémoré chaque année le 1er dimanche d'août.

le golfe de la Napoule et les îles de Lérins ; en face, sur Peymeinade, les croupes du Tanneron et de l'Esterel ; plus à droite, sur le lac de Saint-Cassien avec les Maures au loin.

## Chapelles

Le petit village compte plusieurs chapelles : la chapelle Saint-Sébastien du 16e s. *(10h-18h)*, la chapelle primitive Saint-Jean-Baptiste (5e s.) restaurée au 16e s., un bâtiment octogonal qui épouse la forme d'un ancien baptistère ou d'un mausolée romain sur l'emplacement duquel elle aurait été élevée. Sur la route de Grasse, la chapelle Sainte-Marguerite (16e s.) accueille des expositions temporaires *(mai-sept.)*.

# Aux alentours

## Grottes des Audides

*À la sortie de Cabris, prendre la D 4 en direction de Saint-Vallier-de-Thiey sur 4 km. L'entrée se situe en contrebas à gauche. Il est conseillé d'être chaussé contre la pluie. - ☎ 04 93 42 64 15 - www.grottesdesaudides.free.fr - juil.-août : tlj sf lun. mat. 11h-18h ; reste de l'année : sur demande préalable (à partir de 2 pers.) - fermé 1er janv., 1er et 11 Nov. et 25 déc. - 5 € (enf. 3 €).*

👥 Six gouffres ont été découverts en 1988. Sur 60 m de profondeur (le tiers de ce qui a été exploré), on découvre le beau paysage géologique d'un aven en pleine activité de concrétion, avec son cours d'eau souterrain. Belles concrétions, « méduses géantes » et stalagmites, lapiaz géants, calcaires ruiniformes, etc. Un courant d'air permanent maintient une agréable aération.

Ces grottes étaient habitées dès l'aube de l'humanité comme l'attestent les outils taillés, fossiles et ossements retrouvés. On pourra les découvrir dans le parc aménagé à l'extérieur où des scènes reconstituent la vie des premiers hommes *(visite audioguidée 30mn)*.

## Lac de Saint-Cassien

*À 14 km au sud-ouest de Cabris par la D 11, puis la D 562. Voir Fayence.*

---

## Cabris pratique

♿ Voir aussi l'encadré pratique de Grasse.

### Adresse utile

**Office du tourisme de Cabris** – *4 r. Porte-Haute - 06530 Cabris - ☎ 04 93 60 55 63 - http://cabris.chez-alice.fr/ - avr.-sept : tlj. sf dim. 9h-12h30, 14h-17h30 ; oct.-mars : tlj. sf w.-end. 9h-12h30, 13h30-17h - fermé du 22 déc. au 4 janv. et j. fériés.*

### Se loger

🛏 **Chambre d'hôte Mme Faraut** – *14 r. de l'Agachon - 8 km à l'E de grasse par D 11 - ☎ 04 93 60 52 36 - fermé 15 oct.-1er avr. - ≠-5 ch. 60€ ⌂. Empruntez les ruelles du village et faites étape dans cette* maison ancienne à la façade jaune. Vous y trouverez des chambres blanches, sobres, au calme. Certaines d'entre elles ainsi que le salon disposent d'une jolie vue sur le massif de l'Esterel et le lac de Saint-Cassien.

### Se restaurer

👁 **Bon à savoir** – Le village de Cabris compte, à lui seul, pas moins de 6 restaurants, misant tous sur des recettes traditionnelles à des prix abordables. De plus, leurs grandes terrasses bénéficient de l'ombre bienveillante des platanes et des marronniers centenaires. Fraîcheur garantie, même quand l'été se fait torride.

# Cagnes-sur-Mer★

46 100 CAGNOIS
CARTE GÉNÉRALE D4 – CARTE MICHELIN LOCAL 341 D6 – SCHÉMA P. 308 –
ALPES-MARITIMES (06)

Cagnes est bâti dans un paysage de collines, que couvrent oliviers, cyprès, palmiers, agrumes et cultures florales (œillets, roses, mimosas). La ville haute est
la terre d'élection des peintres, attirés par le charme du site et la luminosité de
l'atmosphère. Côté mer, les 3,5 km de plage de galets offrent, outre la baignade,
de multiples possibilités : voile, ski nautique, plongée, pêche.

- ▶ **Se repérer** – Trois villes en une : le Haut-de-Cagnes médiéval, Cagnes-Ville,
moderne et commerçante, et le Cros-de-Cagnes, station balnéaire et village de
pêcheurs, coupé du reste de la ville par les voies à grande circulation reliant Nice
(à 12 km) à Cannes (à 17 km).

- 👁 **À ne pas manquer** – Le Haut-de-Cagnes, son bourg, son château-musée et
bien sûr le musée Renoir. La corniche du Var offre une jolie vue sur l'arrière-pays
niçois.

- 🕐 **Organiser son temps** – La visite de l'ancienne ville médiévale vous prendra 1h
à 1h30 selon que vous vous arrêtiez ou non au château-musée. Pour rejoindre le
point de vue sur la vallée du Var et l'arrière-pays niçois, comptez 30mn supplémentaires.

- 👶 **Pour poursuivre la visite** – Voir aussi Villeneuve-Loubet, Biot, Nice, Antibes,
Juan-les-Pins et Cannes.

## Comprendre

**Les Grimaldi de Cagnes** – Le château fort de Cagnes est élevé en 1310 par **Rainier
Grimaldi**, souverain de Monaco, amiral de France et seigneur de Cagnes. En 1620, le
bâtiment est transformé par Henri Grimaldi en une demeure magnifiquement décorée.
Henri décide son cousin, Honoré II de Monaco, à renoncer au protectorat espagnol et
à se mettre sous la protection française (traité de Péronne, 1641). Choyé par Louis XIII
et Richelieu, Henri mène à Cagnes une vie fastueuse. Mais à la Révolution, le Grimaldi
en place est chassé par les habitants et doit se réfugier à Nice.

## Se promener

### HAUT-DE-CAGNES★

*Navette gratuite (7j/7) au départ de la gare routière, ou accès à pied, par la montée de
la Bourgade (attention, ça grimpe !).*

### Le bourg★

Près de la tour de l'Église s'ouvre une porte ogivale, dite **porte de Nice**, datant du
13ᵉ s. Entouré de remparts et dominé par le château médiéval, le bourg invite à
flâner dans les rues en calades, les escaliers et passages sous voûtes. Nombreuses
maisons datées du 15ᵉ au 17ᵉ s. (notamment, près du château, maisons à arcades de
la Renaissance).

### Église Saint-Pierre

*Haut de Cagnes - 📞 04 93 20 67 14 - 9h-12h, 14h-18h - possibilité de visite guidée (1h30)
mai-sept. : dim. et mar. 16h30-18h ; reste de l'année : dim. et mar. 15h-16h30 (dans le cadre
de la visite du bourg médiéval, dép. pl. du Château) - gratuit ; 3 € visite guidée.*
On y entre curieusement par la tribune. La petite nef, de style gothique primitif, abrite
les tombeaux des Grimaldi de Cagnes. Dans l'autre nef plus vaste, ajoutée au 18ᵉ s., le
maître-autel possède un retable (18ᵉ s.) de l'école espagnole : *Saint Pierre recevant les
clés du paradis* ; à droite du chœur, jolie statue de Vierge à l'Enfant (même époque).
Les habitants du village ont posé pour les 15 tableaux du chemin de croix réalisés à
l'occasion du Jubilé 2000.

## Visiter

### Château-Musée★A1

*Pl. Grimaldi - 📞 04 92 02 47 30 - possibilité de visite guidée sur demande à l'office de
tourisme - mai-sept. : tlj sf mar. 10h-12h, 14h-18h ; oct.-avr. : tlj sf mar. 10h-12h, 14h-17h -
fermé du 1ᵉʳ au 20 nov., 1ᵉʳ janv., 1ᵉʳ Mai et 25 déc. - 3 €, gratuit 1ᵉʳ dim. du mois.*

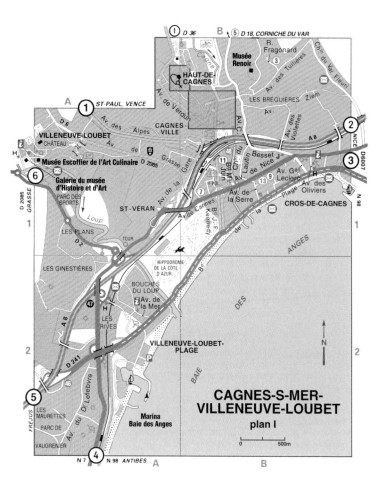

**SE LOGER**

Chambre d'hôte de la Villa Estelle... ①

Chambre d'hôte
Les Jardins Fragonard...................... ③

Chambre d'hôte l'Orangeraie........... ⑤

Hôtel Chantilly.... ⑦

Hôtel
Le Mas d'Azur.... ⑨

Hôtel Splendid... ⑪

**SE RESTAURER**

L'Auberge du Palmier. ⑬

La Goutte d'Eau.......... ⑮

Fleur de Sel.............. ⑰

CAGNES-S-MER-
VILLENEUVE-LOUBET
plan I

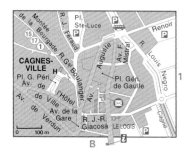

Un escalier à double rampe et un portail Louis XIII donnent accès à cette altière forteresse couronnée de mâchicoulis. Au rez-de-chaussée, les salles basses et voûtées du Moyen Âge donnent sur l'élégant **patio**★★ Renaissance, une cour entourée de deux étages de galeries ornées d'arabesques et portées par des colonnettes de marbre. Au premier étage, salles de réception (17e s.). En haut de la tour, beau **panorama**★ sur les toits du vieux Cagnes, la mer (du cap Ferrat au cap d'Antibes) et les Alpes.

**Histoire** – *Rez-de-chaussée.* Les salles 1 et 2, où l'on peut voir une belle cheminée monumentale Renaissance, sont affectées à une rétrospective médiévale. Le **musée de l'Olivier** *(salles 3, 4 et 5)* traite de l'histoire et de la culture de l'olivier, l'utilisation de son bois, les moulins et la fabrication de l'huile.

**Salle des Fêtes** – *1er étage. Au plafond,* **La Chute de Phaéton**★ (1621-1624) fut peinte par le Génois Carlone. L'œuvre terminée, il ne pouvait s'en arracher : « Ma belle chute, soupirait-il, je ne te verrai plus. » Il mourut, en effet, six semaines après son départ de Cagnes.

**Donation Suzy Solidor**★ – *1er étage. Ancien boudoir de la marquise de Grimaldi.* Quarante portraits de la célèbre chanteuse, signés par les plus prestigieux peintres du 20e s. Un oratoire voisin possède un plafond décoré de gypseries Louis XIII et un antiphonaire (recueils de chants liturgiques) de 1757.

**Musée d'Art moderne méditerranéen** – *2e étage.* Les anciens appartements privés présentent par roulement, sauf en cas d'expositions temporaires, des toiles de peintres du 20e s. originaires des bords de la Méditerranée ou qui y ont résidé, de Dufy à Vasarely.

## Musée Renoir B1

*Chemin des Collettes -* ℘ *04 92 20 61 07 - possibilité de visite sur demande à l'office de tourisme - mai-sept. : tlj sf mar. 10h-12h, 14h-18h ; oct.-avr. : tlj sf mar. 10h-12h, 14h-17h - fermé de mi-nov. à fin nov., 1er janv., 1er Mai et 25 déc. - 3 €, gratuit 1er dim. du mois.*
Les Collettes, une oliveraie où vécurent le peintre et sa famille, a été transformée en musée du souvenir : mobilier d'origine, objets familiers dans les deux ateliers de l'étage. Les **toiles** présentées sont de la dernière période de Renoir, celle particulièrement sensuelle des formes pleines et nacrées, expression des beautés de la nature. Dans le merveilleux jardin du musée, planté d'oliviers, d'orangers et de citronniers,

### Renoir à Cagnes

Né à Limoges en 1841, Pierre-Auguste Renoir découvre à partir de 1882 chez Cézanne, la lumière de la Provence et les paysages méditerranéens. Pour tenter de soigner ses rhumatismes articulaires, il gagne le Midi en 1900 avec sa femme et son fils Jean, le futur cinéaste.
En 1907, il achète Les Collettes, séduit par la vue sur la mer et le vieux village. Aidé de Richard Guino, un élève de Maillol, il se met à la sculpture en 1913, dans un atelier vitré construit dans le jardin. Malgré le fauteuil roulant et l'arthrose qui paralyse sa main, Renoir poursuit son travail de création en déclarant : « Je commence à savoir peindre. ». Il peindra jusqu'à sa mort, en 1919.

vous verrez des sculptures de l'artiste dont la grande **Vénus Victrix**★ en bronze.

## Chapelle Notre-Dame-de-Protection A1

*Accès par la montée du Château ou laisser la voiture en bas du village et prendre la navette gratuite à la gare routière (dép. ttes les 15mn) -* ℘ *04 93 20 61 64 - ouvert pdt les fêtes de la Vierge Marie (25 mars, 15 août, 8 et 15 déc.) - possibilité de visite guidée (1h30) mai-sept. : dim. et mar. 16h30-18h ; reste de l'année : dim. et mar. 15h-16h30 (dans le cadre de la visite du bourg médiéval, dép. pl. du Château) - gratuit ; 3 € visite guidée.*
Cette chapelle à porche et clocher italianisants a inspiré Renoir. L'abside est couverte de **fresques** (16e s.) attribuées à Andrea de Cella : sur la voûte, les évangélistes, Isaïe, la sibylle ; sur les murs, enfance de Jésus et vie de la Vierge ; au centre Notre-Dame-de-Protection, Vierge de miséricorde. Dans la chapelle de gauche, La Vierge au rosaire, retable du 17e s.

# Circuit de découverte

## BAOUS ET CORNICHE DU VAR★

*32 km – environ 1h15 (sans l'ascension du baou de Saint-Jeannet). Quitter Cagnes par l'avenue Auguste-Renoir et la D 18 vers la Gaude.*

Outre des vues sur Vence *(voir ce nom)*, les *baous* et la Gaude, la route donne un aperçu du charme des collines cagnoises : oliviers, cultures de fleurs et de primeurs, belles propriétés.

## La Gaude

Sur la crête dominant la rivière Cagne, le village abrite des centres de recherche en informatique *(voir ci-dessous)*, agronomie, horticulture. Il vivait jadis de la vigne et de la culture des fleurs. Le château de la Gaude (14ᵉ s.), sur la commune de Saint-Jeannet, est attribué aux Templiers. Vue sur la vallée et la baie des Anges.

*Au Peyron, la D 18 s'élève entre vignes et arbres fruitiers.*

## Saint-Jeannet

Dans un **site★** remarquable, ce charmant village est construit sur une terrasse d'éboulis au pied du *baou*, au milieu des vignes (ses vins sont réputés), des orangers et des

*Saint-Jeannet et son baou impressionnant.*

cultures florales. Derrière l'église, à gauche, la plaque « panorama » indique une petite terrasse avec **vue★** étendue (*baous*, cap d'Antibes, vallée du Var, montagnes alentour).

**Baou de Saint-Jeannet** – *2h AR. Départ pl. Sainte-Barbe (chemin fléché)*. C'est un haut lieu d'escalade mais vous pourrez le gravir tranquillement ! Du sommet culminant à 810 m (table d'orientation), vaste **panorama★★**, de l'Esterel aux Alpes françaises et italiennes.

*Reprendre la D 18 en direction de la Gaude, puis tourner à gauche dans la D 118.*

## Centre d'études et de recherches IBM

Bel exemple d'architecture contemporaine intégrée au paysage, l'œuvre de l'architecte Breuer s'élève sur la gauche : vastes bâtiments en Y opposés, construits sur des pilotis de béton adaptés aux dénivellations du terrain, volumes agencés en jouant sur les contrastes d'ombre et de lumière.

## Corniche du Var★

La route, par endroits installée sur les crêtes, s'accroche à la rive droite du Var. Beaux aperçus sur la vallée et les collines de l'arrière-pays niçois. Les versants escarpés, couverts de cultures florales et d'oliviers, encadrent la vallée.

## Saint-Laurent-du-Var

Jusqu'en 1860 (date du rattachement du comté de Nice à la France), ce gros bourg commandait le passage du Var, alors frontière franco-sarde. On traversait le plus souvent à gué, à dos d'homme. En 1864, un pont permanent fut construit en aval du village.

À proximité de l'embouchure du Var, un vaste plan d'eau, protégé par une digue, a été aménagé en **port de plaisance**.

# Cagnes-sur-Mer pratique

♿ Voir aussi les encadrés pratiques d'Antibes, Nice et Saint-Paul.

## Adresses utiles

**Office du tourisme de Cagnes-sur-Mer** – *6 bd Mar.-Juin - 06800 Cagnes-sur-Mer -* ℰ *04 93 20 61 64 - www.cagnes-tourisme. com - se renseigner pour les horaires.* **Antennes** – *20 av. des Oliviers -* ℰ *04 93 07 67 08 - Pl. du Château -* ℰ *04 92 02 85 05.*

## Visites

**Pass musées** – *Sur demande à l'office de tourisme - 4,50 €.* Visite du musée Renoir et du château-musée.

**Visites guidées** – *S'adresser à l'office de tourisme.* Visite guidée du Haut-de-Cagnes (1h30 - *mar. et dim. 16h30 ; mar. 15h en hiver - 3 €*), visite guidée à la lanterne (*juil.-août : vend. 22h - gratuit*), visite guidée du port (*2h - mar. 9h - 3 €*), promenades urbaines commentées (*en période de vac. scol. : merc. et ven. 9h-12h*), visite guidée de l'Atelier des parfums ou de l'hippodrome (*1h - gratuit*).

## Se Loger

**Hôtel Le Mas d'Azur** – *42 av. de Nice -* ℰ *04 93 20 19 19 -* 🅿 *- 15 ch. 44/62 € -* 🍽 *7 €.* Au bord d'une route assez passante, demeure bâtie au 18ᵉ s. aux abords joliment fleuris. Chambres de tailles variées mais nettes, toutes (sauf trois) tournées sur l'arrière et bénéficiant d'un double vitrage efficace. Terrasse sous les parasols pour les petits-déjeuners. Jardin ombragé et parking intérieur.

**Hôtel Chantilly** – *31 r. de la Minoterie -* ℰ *04 93 20 25 50 - hotel.chantilly. cagnes@wanadoo.fr -* 🅿 *- 20 ch. 62/72 € -* 🍽 *8 €.* Accueillante villa fleurie en saison, située derrière l'hippodrome. Chambres sans luxe, mais la propreté et l'atmosphère familiale attirent de nombreux habitués dans cette adresse qui pratique des prix plutôt sages pour la région.

**Hôtel Splendid** – *41 bd du Mar.-Juin -* ℰ *04 93 22 02 00 - hotel. splendid@free.fr -* 🅿 *- 26 ch. 75/82 € -* 🍽 *7 €.* Cet hôtel du centre-ville partage ses murs avec un immeuble d'habitation récent. Les chambres, fonctionnelles et claires, donnent presque toutes sur l'arrière, au calme.

**Chambre d'hôte Les Jardins Fragonard** – *12 r. Fragonard -* ℰ *04 93 20 07 72 et 06 83 93 67 93 - www.babazur.com -* 🍽 *- 5 ch. 70/85 €* 🍽. Une douce quiétude règne dans cette belle villa de 1925 juchée sur les hauteurs de Cagnes, au milieu d'un parc d'essences méridionales. Chambres égayées de couleurs provençales, certaines avec cuisinette. Selon la saison, le petit-déjeuner est servi en terrasse ou à l'intérieur, sur la grande table d'hôte.

**Chambre d'hôte l'Orangeraie** – *66 chemin du Maoupas, quartier de la Baronne - 06610 La Gaude - 10 km au N de Cagnes-sur-Mer par D 118 -* ℰ *04 92 12 13 69 - www.orangeraie.fr - 4 ch. 85/95 € -* 🍽 *- repas 24 €.* Au cœur d'un verger de plus de 2 ha, cette exploitation agricole compte 4 chambres, meublées de façon simple mais confortables, aménagées dans une annexe. Toutes accèdent directement à la terrasse et sa piscine. Table d'hôte « bio » avec légumes du jardin et volailles de la ferme. Vue imprenable sur la vallée du Var.

**Chambre d'hôte de la Villa Estelle** – *5 montée de la Bourgade -* ℰ *04 92 02 89 83 - www.villa-estelle.com - fermé 22-27 déc. -* 🍽 🅿 *- 5 ch. 145/230 € -* 🍽 *12 €.* Le lieu est magique. De la superbe terrasse en dalles de terre cuite, vous surplombez la ville et, au loin, la mer. À l'intérieur, tout est synonyme d'un véritable art de vivre : chambres décorées à ravir, salles de bains luxueuses et, un peu partout, tableaux et objets d'art.

## Se restaurer

**L'Auberge du Palmier** – *34 av. de Nice (N 7) -* ℰ *04 92 02 86 05 - fermé août, dim. soir et lun. - 7/26 € - 10 ch. 45/65 € -* 🍽 *5 €.* Le général de Gaulle avait naguère son rond de serviette dans cette maison dont les volets arborent encore des croix de Lorraine. C'est désormais surtout pour le couscous que l'on s'y attable, dans un décor de circonstance. Accueil gentil et installation confortable, avec un coin salon à l'orientale.

**La Goutte d'Eau** – *108 montée de la Bourgade - le Haut-de-Cagnes -* ℰ *04 93 20 81 23 - 17/25 €.* L'étape, trouvée après avoir gravi les ruelles pentues de la vieille ville, se mérite. Vous y dégusterez une cuisine simple concoctée sous vos yeux par le patron qui assure le service. Aux beaux jours, la terrasse est toujours appréciée.

**Fleur de Sel** – *85 montée de la Bourgade -* ℰ *04 93 20 33 33 - www. restaurant-fleurdesel.com - fermé 3-17 janv., 7-14 juin, vac. de Toussaint, jeu. midi et merc. - 31/52 €.* Sympathique petit restaurant voisin de l'église. Cuisine visible de tous dans la salle mi-rustique, mi-provençale décorée de cuivres et tableaux. Carte au goût du jour.

## Sports & Loisirs

**Hippodrome de la Côte d'Azur** – ℰ *04 92 02 44 44 - de mi-déc. à mi-mars : 11h-18h ; juil.-août : 19h-23h - ouv. 2h av. déb. des opérations - 4,50 €.*

**Navigation de plaisance** – *À St-Laurent-du-Var. Informations à la capitainerie :* ℰ *04 93 07 12 70 ou www.port-saint-laurent.com*

## Événement

**Fête médiévale dans le Haut-de-Cagnes** – 1ᵉʳ week-end d'août.

# Cannes★★

70 400 CANNOIS
CARTE GÉNÉRALE C2/3 – CARTE MICHELIN LOCAL 341 D6 – SCHÉMA P. 173 –
ALPES-MARITIMES (06)

Star de la Côte, la Croisette place Cannes en haut de l'affiche. À l'ouest, l'Este-rel découpe ses roches rouges ; en face, les îles de Lérins invitent à prendre le large. Depuis 1834 se succèdent dans ce site enchanteur les noms prestigieux qui contribuent à sa renommée : hier, ceux de l'aristocratie qui en firent une douce villégiature d'hiver, aujourd'hui, des célébrités du cinéma dont Cannes est une des capitales.

*Ambiance festivalière sur la Croisette.*

◉ **Se repérer** – Depuis la colline du Cannet, la ville s'étend en terrasses jusqu'à la mer. De l'A 8, la N 285 vous y mène par le boulevard Carnot, interrompu par la voie rapide. La N 98 qui longe l'Esterel vous offre une entrée superbe dans la ville.

🅿 Nombreux parkings aux extrémités de la Croisette *(voir les plans)*. La ville propose dans 6 parkings du centre-ville le stationnement gratuit la première heure *(sauf juillet-août)*.

👁 **À ne pas manquer** – Les ports de plaisance très animés et la Croisette ; le pano-rama de nuit sur la Croisette illuminée depuis la Croix des Gardes ; le Suquet, quartier historique… et passage obligé au bar d'un palace.

🕓 **Organiser son temps** – Comptez une demi-journée pour profiter de la Croisette et de la vieille ville. Pendant le Festival, difficile d'échapper à l'appel du *star system*, effervescence rendant la circulation difficile voire impossible.

👪 **Avec les enfants** – Les ateliers au musée de la Castre ; le petit train qui arpente la ville *(voir l'encadré pratique)* et le bateau pour les îles de Lérins.

⛵ **Pour poursuivre le voyage** – Voir aussi les îles de Lérins à 15mn au large de Cannes, Vallauris, Golfe-Juan *(voir Vallauris)* et le massif de l'Esterel.

# Comprendre

**Cannes, vigie du littoral** – Vieux site ligure puis comptoir romain, Cannes est au 11e s. un petit port abrité par un rocher, le mont Chevalier ou « Suquet ».
Les abbés de Lérins, qui occupent les deux îles depuis le 5e s., en deviennent les seigneurs et construisent au sommet une tour, un château et une enceinte destinés à protéger les pêcheurs des Sarrasins. Ce sont des ordres religieux qui assument la direction de cette défense : les Templiers d'abord, les chevaliers de Malte ensuite.

**Naissance d'une station (1834)** – Cannes était encore un village de pêcheurs lors-qu'en 1834, un chancelier d'Angleterre, **lord Brougham**, s'y arrêta, refoulé dans son périple vers Nice par les douaniers de l'État sarde qui tentait ainsi de contenir le choléra sévissant en Provence. Charmé par l'accueil et la bouillabaisse de son aubergiste, et surtout par le site, il choisit d'y passer tous ses hivers, ce qu'il fit durant trente-quatre ans jusqu'à sa mort. Le **château Éléonore**, du nom de la fille de lord Brougham, se trouve toujours avenue du Dr-Picaud, à la Croix des Gardes *(ne se visite pas)*. Son exemple sera suivi par l'aristocratie anglaise, puis russe, qui fera de Cannes l'une des reines balnéaires de la Côte à l'aube du 20e s.

**Poésie** – Contemporain de lord Brougham, **Prosper Mérimée**, qui finit sa vie à Cannes en 1870 (au n° 5 du square qui porte aujourd'hui son nom), décrivait ainsi l'hiver cannois : « Prenez des turquoises, des émeraudes et des lapis-lazulis : voilà pour le fond du ciel. Mettez-moi dessus de la poudre de diamant avec des feux de Bengale : ce sera pour deux ou trois nuages au-dessus de notre montagne. Quant à la mer…, ne prenez autre chose que le train pour venir la voir. »

**Le Festival international du film** – Créé à la veille de la guerre par **Jean Zay**, ministre des Beaux-Arts du Front Populaire, le Festival international du film est véritablement lancé en 1946. Sa notoriété se confirme au fil des ans par le prestige de son jury qu'ont présidé J. Romains, M. Pagnol, J. Cocteau, J. Giono ou R. Clair, ou plus récemment D. Lynch, Q. Tarentino ou W. Kar-Way, et qui a su couronner (non sans polémique, parfois) la plupart des talents du 7e art, de Bergman à Moretti, en passant par Antonioni, Coppola et Almodovar…

## Se promener

### LE FRONT DE MER★ 1

*Visite : environ 2h. Voir le plan II.*

### Boulevard de la Croisette★

Qu'il fait bon flâner entre les architectures élégantes, les palmiers exotiques et les plages de sable fin, bigarrées de parasols. Vous y croiserez des têtes argentées, retraités dans leurs quartiers d'hiver, ou des stars, plus ou moins avérées, en attente de leur palme. Entre le palais des Festivals et la pointe de la Croisette, vous serez transporté

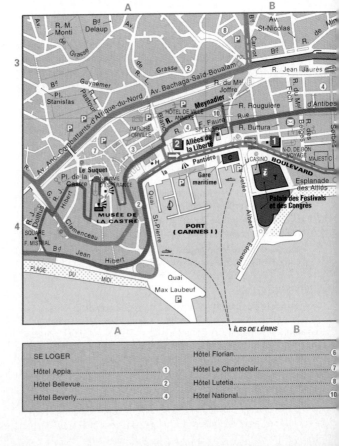

| SE LOGER | | | | |
|---|---|---|---|---|
| Hôtel Appia | ① | Hôtel Florian | | ⑥ |
| Hôtel Bellevue | ② | Hôtel Le Chanteclair | | ⑦ |
| Hôtel Beverly | ④ | Hôtel Lutetia | | ⑧ |
| | | Hôtel National | | ⑩ |

dans un monde irréel, celui des restaurants et des boutiques de luxe, des belles voitures garées au pied d'hôtels au nom prestigieux. Jusqu'à la rue d'Antibes, parallèle, vous êtes dans le « ghetto » de la jet-set internationale, à fréquenter pour ses prestigieuses boîtes de nuit, ses bars branchés et sa cuisine gastronomique.

À l'est du vieux port s'élève le **palais des Festivals et des Congrès** qui intègre le casino Croisette (l'un des trois casinos de la ville). Inauguré en 1982, après quatre ans de travaux dirigés par Sir Hubert Bennet, Pierre Braslawsky et François Druet, ce vaisseau s'étend jusqu'à la mer.

Depuis le palais, vous marcherez sur les dalles de l'**allée des Stars**, moulées des empreintes de main des grandes vedettes, et bordées des magnifiques palmiers de l'esplanade G.-Pompidou. Suivez-les, ils vous conduiront jusqu'à la Pointe, contemplant d'un côté la divine grande bleue, de l'autre les témoins grandioses de l'essor de la station aux 19e et 20e s. : le Majestic ; la **Malmaison**, qui accueille des expositions d'art moderne et contemporain - *47 bd de la Croisette - ☎ 04 97 06 44 90 - visite sur demande - www.cannes.fr - juil.-mi-sept. : tlj sf lun. 11h-20h (vend. 22h) ; de mi-sept. à fin avr. : tlj sf lun. 10h-13h, 14h30-18h30 - fermé mai-juin, 1er janv., 1er et 11 Nov. et 25 déc. - 3 € (enf. gratuit)* ; le Noga-Hilton, ex-palais des Festivals de 1949 à 1983 ; le **Carlton**, Belle Époque ; le Miramar qui abrite un espace culturel ; le **Martinez**, Art déco.

Vous parviendrez au très moderne **port Canto** en passant par un parc de jeux et de manèges qui fera la joie de vos enfants, et une belle roseraie.

### Pointe de la Croisette★

Elle doit son nom à une petite croix qui s'y dressait autrefois. Jusqu'au célèbre casino Palm Beach construit en 1929, vous aurez un panorama idéal sur Cannes, le golfe de la Napoule et l'Esterel, derrière lequel se couche somptueusement le soleil. De l'autre côté de la Pointe, d'où l'île Sainte-Marguerite *(voir îles de Lérins)* semble si proche, vous découvrirez une **vue★** sur le golfe Juan, le cap d'Antibes et les Préalpes.

*Si vous êtes venu à pied, le bus panoramique n° 8 vous ramènera au port. En voiture, revenir par l'avenue du Mar.-Juin qui se prolonge par la rue d'Antibes.*

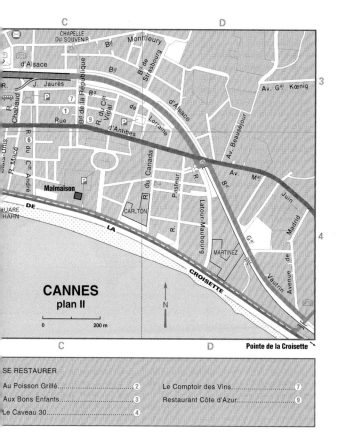

**CANNES**
**plan II**

0 ———— 200 m

Pointe de la Croisette ↘

SE RESTAURER

| | |
|---|---|
| Au Poisson Grillé.................②| Le Comptoir des Vins.................⑦ |
| Aux Bons Enfants.................③| Restaurant Côte d'Azur.................⑨ |
| Le Caveau 30.................④| |

## LE VIEUX CANNES ET LE PORT ②

*Compter 1h30.*

### Le port A/B4

Entre le Palais et le Suquet, il est l'épicentre de l'activité cannoise. Les bateaux de pêche vendent leurs loups et leurs rougets aux restaurants du quai Saint-Pierre ou de la rue Félix-Faure. En rangs

serrés, les deux-mâts anciens ou les yachts les plus sophistiqués attendent le touriste fortuné qui les fera voguer. Si tel n'est pas votre cas, les vedettes de la **gare maritime**, située quai des Îles, vous emmèneront pour la journée aux îles de Lérins, où vous pourrez jouer les Robinson Crusoé dans le plus beau jardin de Cannes.

### Allées de la Liberté A/B4

Ombragée par de beaux platanes, cette place très provençale accueille des boulistes soutenus dans leur concentration par des spectateurs attentifs et un kiosque à musique. Le marché aux fleurs qui s'y tient le matin est un bonheur, notamment en février quand les mimosas sont en fleurs. À côté, la statue de lord Brougham, particulièrement appréciée des pigeons, trône dans son square. Le soir, l'hôtel de ville éclaire sa belle façade, rivalisant avec le Splendid, voisin, ou les autres hôtels de la Croisette.

*Rejoindre la rue Meynadier par la rue Rouguière.*

### Rue Meynadier A/B3-4

Extrêmement populaire et sympathique, ce trait d'union entre la ville moderne et le Suquet était déjà au 18ᵉ s. l'artère principale de la cité, comme le prouvent quelques demeures aux vieilles portes.

*Monter au Suquet par la rue du Mont-Chevalier.*

### Le Suquet A4

Ancien *castrum* ou « citadelle », la vieille ville groupée sur les pentes de son rocher attire les amoureux de pierres chargées d'histoire, en quête d'authenticité après les fastes quelque peu artificiels de la Croisette.

En haut, la place de la Castre, bordée d'un vieux mur d'enceinte, est dominée par l'**église Notre-Dame-d'Espérance** : bâtie aux 16ᵉ et 17ᵉ s., elle appartient au style gothique provençal. Après le vieux clocher, une terrasse ombragée permet d'admirer la **vue** plongeante sur la ville, la Croisette, les îles de Lérins et une partie de la baie. Au bout se trouve l'**ancien château de Cannes** des 11ᵉ et 12ᵉ s. qui accueille aujourd'hui le musée de la Castre (voir « Visiter »).

*Descendre la rue Perrissol, puis par les rues J.-Hibert et J.-Dolfus, rejoindre le square F.-Mistral.*

Les amoureux de la langue d'oc salueront la statue du créateur du félibrige, inaugurée en 1930 pour le centenaire de sa naissance.

*Prendre le boulevard J.-Hibert qui vous ramène au port.*

*Le vieux port de Cannes.*

D. Pazery / MICHELIN

## CANNES SO BRITISH★ plan I

👁 **Bon à savoir** – Demandez le plan de la ville et le guide des belles demeures à l'office du tourisme de Cannes.

Si vous avez l'âme d'un Prosper Mérimée, partez à la découverte de l'histoire de la ville : de luxueuses villas enchâssées dans des magnifiques jardins témoignent du Cannes noble et exotique du 19ᵉ s. Cocteau résume leur architecture par ses mots : « À Cannes, l'excentrique, c'est banal ». Les aristocrates étrangers ou les voyageurs affichent sur leurs façades leur goût pour le style « néo » ou oriental. Sans vouloir vous décourager, toutes sont des résidences privées et, de l'extérieur, vous risquez fort de n'apercevoir qu'une luxuriante végétation.

## Quartier de la Croix des Gardes

À l'ouest, cette colline offre un magnifique panorama de jour comme de nuit sur la baie *(voir le circuit 4)*. À pied, partez du **château de la Croix des Gardes** intéressant par sa façade de style florentin et édifié au début du 20e s. Continuez en direction de la villa de Lord Brougham (**le château Eleonore**), non loin de la **villa Marie-Thérèse**, au n° 2 de l'av. J-de-Noailles, demeure de la baronne douairière Rothschild abritant aujourd'hui la médiathèque municipale au sein d'un agréable parc. Le **palais Vallombrosa** et son parc, puis la **villa Victoria** appartenant au Sir Thomas Robinson Woolfield prolongent cette prestigieuse promenade.

*Le ponton de l'hôtel Carlton où jouer la star.*

## Quartier de la Californie

À l'est de la ville, quelques demeures de rêve ont marqué l'histoire de Cannes : avenue du Roi-Albert-Ier, la **villa Kazbeck** fut réputée pour les fêtes données par le Grand-duc de Russie ; la **villa Champfleuri**, quant à elle, est restée célèbre pour ses jardins exotiques (que l'on voit dans *Macao, l'enfer du jeu*, de J. Delannoy). *Le Mystère de la chambre jaune* (1930), de M. L'Herbier, fut tourné dans le **château Scott**, néogothique flamboyant (av. du Mar.-Juin).

# Visiter

### Musée de la Castre★★ A4

*Le Suquet - ℘ 04 93 38 55 26 - www.cannes.fr - visite guidée (1h) sur demande - juil.-août : 10h-19h (merc. 21h) ; avr.-juin et sept. : tlj sf lun. 10h-13h, 14h-18h (merc. juin et sept. 21h) ; oct.-mars : tlj sf lun. 10h-13h, 14h-17h - fermé 1er janv., 1er Mai, 1er et 11 nov., 25 déc. - 3 € (enf. gratuit), gratuit 1er dim. du mois.* ♣♣ *Atelier pour les 7-13 ans.*

L'ancien château de Cannes au Suquet abrite d'importantes collections d'archéologie et d'ethnographie. Ce **musée de l'homme,** ouvert en 1877, précède d'un an celui du Trocadéro, à Paris. Fruit des expéditions d'érudits du 19e s., il s'enticha par la suite d'art africain et asiatique.

Vous traverserez l'Himalaya, l'Arctique, l'Amérique pré-colombienne, l'Océanie, avant d'arriver dans la salle d'Égypte et civilisations antiques. Ce voyage inattendu dans les cinq continents sera distrait par quelques peintures orientalistes, puis un bel ensemble de marines et de paysages méditerranéens vous remettra dans l'ambiance de votre séjour. Enfin, dans la chapelle cistercienne Sainte-Anne, vous serez saisi par la fabuleuse collection d'**instruments de musique du monde★**.

Depuis le sommet de l'ancienne tour de guet du château, la tour carrée du Suquet, **panorama★** sur la Croisette, le golfe de la Napoule et les îles de Lérins, l'Esterel et les collines au nord de Cannes.

### Église orthodoxe Saint-Michel-Archange plan I

*40 bd Alexandre-III, voir le plan d'agglomération. Ensemble choral réputé. La crypte n'est pas accessible au public. - ℘ 04 93 43 35 35 - possibilité de visite guidée uniquement en semaine sur demande préalable à M. Wsevolojsky.*

Construite par l'architecte cannois Nouveau, l'église date de 1894 et son clocher, surmonté d'un bulbe bleu, lui est postérieur. Elle était destinée à l'impératrice Maria Alexandrovna, épouse du tsar Alexandre III, qui passait régulièrement l'hiver à Cannes avec sa cour. L'intérieur est décoré de bannières et d'**icônes** remarquables, notamment celle représentant saint Michel archistratège de Dieu.

En face de l'église se trouve la **chapelle Tripet-Skryptine** qui fut le premier édifice orthodoxe à Cannes. Eugène Tripet, consul de France à Moscou, épousa la princesse russe Alexandra Féodorovna Skrypitzine, avec laquelle il s'installa à Cannes en 1848. Celle-ci contribua par des donations à la construction de l'église.

### Chapelle Bellini plan I

*Depuis l'av. Poralto, tourner à gauche dans le chemin du Parc-Fiorentina, voir le plan d'agglomération - Parc Fiorentina. 61 bis av. de Vallauris - ℘ 04 93 38 61 80 - &. - tlj sf w.-end 14h-17h - possibilité de visite guidée (20mn) - fermé j. fériés - gratuit.*

Cette chapelle néobaroque, plus haute que large, faisait partie de la « villa Fiorentina » construite en 1880 pour le comte Vitali. Il reste les somptueux arbres du parc, les armoiries du comte sur la face Ouest et, à l'intérieur, l'atelier du peintre cannois Bellini (1904-1989), le tout dans une atmosphère paisible.

## Circuits de découverte

### Le CANNET ③

*Voir le plan I. Quitter Cannes par le boulevard Carnot qui y mène.*

À 110 m d'altitude, l'amphithéâtre de collines boisées qui protège Le Cannet du vent est un panorama à lui tout seul. Le peintre **Bonnard** a rendu le site célèbre par ses peintures réalisées depuis la villa **Le Bosquet**, avenue Victoria, où il passa les dernières années de sa vie (certaines de ses toiles sont au musée de l'Annonciade à Saint-Tropez). Renoir y vécut également.

### Le vieux Cannet

On y pénètre par la rue Saint-Sauveur (en grande partie piétonne) où l'on admire d'intéressantes façades de maisons du 18ᵉ s. ainsi que d'agréables placettes ombra-

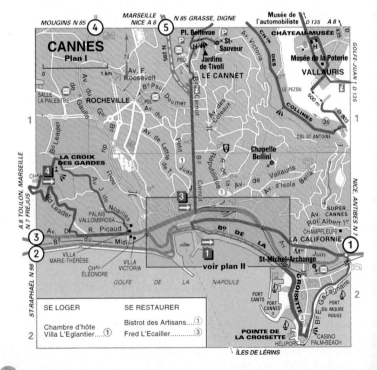

*Mosaïque de la chapelle Saint-Sauveur au Cannet.*

gées de platanes et reliées par des calades. Au n° 19, à l'intersection d'une rue en montée sur la gauche, une façade aveugle a été recouverte d'une peinture murale de **Peynet** représentant *Les Amoureux*.

Plus loin à gauche, abritée derrière un gros tilleul, la petite **chapelle Saint-Sauveur** du 15ᵉ s. est ornée sur le fronton d'une mosaïque polychrome. À l'intérieur, vous serez accueilli par les couleurs vives des vitraux dessinés par **Tobiasse**, ainsi que par des mosaïques, des panneaux de bois historiés *(à lire de droite à gauche)* et différents objets. *108 r. St-Sauveur - ℰ 04 93 45 34 27 - ₺ - 9h-12h, 14h-17h, dim. et j. fériés sur demande - possibilité de visite guidée le sam. dans le cadre des visites guidées gratuites de la ville : janv.-juin et sept.-déc. : 15-17h ; juil.-août : matin (se renseigner pour connaître l'heure de RV) et 18h-20h, RV devant l'espace Saint-Bernardin - www.lecannet.com - gratuit.*

De la **place Bellevue**, vous dominerez la tour carrée de l'église Sainte-Philomène, et un peu plus loin, vous pourrez admirer la baie de Cannes et les îles de Lérins. Tout près, subsistent la vieille tour des Calvys (12ᵉ s.), et, non loin, celle des Danys (14ᵉ s.), plus haute. Toutes deux présentent de belles façades coiffées de mâchicoulis. Sur l'un des murs de la place, notez une amusante fresque dédiée aux familles fondatrices du Cannet. Depuis l'hôtel de ville, par la rue piétonne Cavasse, vous accéderez aux **jardins de Tivoli**. Remarquez les somptueuses villas 1900.

## Chemin des collines★

Il est particulièrement agréable d'emprunter cette route tracée au flanc des hauteurs dominant Cannes. Les multiples vues admirables qu'elle procure sur l'agglomération, le golfe de La Napoule et les îles de Lérins vous feront oublier les très nombreux virages.

*En poursuivant vers l'est, on atteint le col de Saint-Antoine. Possibilité de rejoindre Cannes par l'avenue Victoria.*

À gauche dans l'avenue Victoria, au sommet d'une allée de peupliers, trône la **villa Yakimour** *(propriété privée, ne se visite pas)*. Cette demeure orientale fut offerte par l'Aga Khan à son épouse Yvette Labrousse.

*Pour poursuivre vers Vallauris, au col de Saint-Antoine, prendre à gauche la D 803.*

## Vallauris *(voir ce nom)*

## Golfe-Juan★ *(voir Vallauris)*

De retour vers Cannes, la N 7 contourne les collines de Super-Cannes tandis qu'à l'horizon se détachent les îles de Lérins et la barrière rouge du massif de l'Esterel : la **vue★** prend évidemment toute sa valeur au coucher du soleil.

*Revenir à Cannes par le bord de mer.*

## LA CROIX DES GARDES★ 4

*8 km (forte montée). Voir le plan I. Quitter Cannes par l'avenue du Dr-Picaud. À un feu de signalisation, tourner à droite bd Leader. 100 m après l'entrée du pavillon de la Croix-des-Gardes, tourner à droite dans l'av. J.-de-Noailles. Laisser la voiture au parking.*

🐾 *15mn AR*. Prendre à droite un sentier qui mène au sommet (alt. 164 m) de la colline surmontée d'une grande croix de 12 m de haut. Ce lieu stratégique était depuis le 16e s. un poste permanent d'observation qui donna à la colline le nom de Croix des Gardes. Au pied de la croix, superbe **panorama**★ sur le site de Cannes, les îles de Lérins, l'Esterel, et par temps clair la presqu'île de Saint-Tropez.

*L'avenue J.-de-Noailles ramène à Cannes.*

## ÎLES DE LÉRINS★★

*Promenade d'une demi-journée. Voir ce nom.*

## Cannes pratique

### Adresses utiles

**Office du tourisme de Cannes** – *Palais des Festivals - 1 bd de la Croisette - 06400 Cannes -* ☎ *04 92 99 84 22 - www. palaisdesfestivals.com - juil.-août : 9h-20h ; reste de l'année : 9h-19h - fermé 1er janv. et 25 déc.*
**Antenne** – *Aile Est de la gare SNCF – pl. Pierre Sémard – 06400 Cannes -* ☎ *04 93 99 19 77 - www.cannes.fr - 9h-19h - fermé 1er janv. et 25 déc.*
**Maison du tourisme du Cannet Côte d'Azur** – *Pl. Beridorm, 73 av. du Campon - 06110 Le Cannet -* ☎ *04 93 45 34 27 - www. lecannet.com - mai.-sept. : tlj sf dim. 9h-18h ; oct.-avr. : tlj sf dim. 9h-17h - fermé 1er janv., 1er et 8 Mai si dim. et 25 déc.*

### Transports

**TER** – *La ligne Mandelieu-La-Napoule/ Vintimille dessert la gare de Cannes.*
**TAM** – *Renseignements chez Rapides Côte d'Azur - pl. Pierre Sémard -* ☎ *0820 48 11 11 - www.rca.tm.fr. Réseau de cars qui assure les* **liaisons interurbaines**, *la ligne 200 relie Cannes à Nice et la ligne 210 relie Cannes à l'aéroport Nice-Côte d'Azur.*
**Bus Azur** – ☎ *0825 825 599 – www. busazur.com Réseau urbain qui dessert Cannes, Le Cannet, La Bocca.*
**Trans Côte d'Azur** – *Quai Laubeuf (vieux port) -* ☎ *04 92 98 71 30 - www.trans-cote-azur.com - juil-août : 8h-19h, reste de l'année : 8h30-12h, 13h30-18h - 10 € à 49 € AR. Promenades en mer à destination de Monaco, Saint-Tropez, la Corniche d'Or, Porquerolles, et les îles de Lérins (voir ce nom).*

### Visites

👁 **Bon à savoir** – *La Maison du tourisme du* **Cannet** *Côte d'Azur propose plusieurs visites guidées thématiques. Renseignez-vous pour connaître heures et lieux de RV :* « visites guidées gratuites et commentées du centre historique du Vieux Cannet », « patrimoine et métiers d'art ». *Un* « circuit pédestre touristique du Vieux Cannet » *est proposé en balade individuelle (plan fourni).*

### Se loger

⊖ **Hôtel Le Chanteclair** – *12 r. Forville -* ☎ *04 93 39 68 88 - chanteclairhotel@wanadoo.fr - fermé 19 nov.-20 janv. -⊐- 15 ch. 40/54 € - ⊐ 5,50 €. Il faut traverser un premier immeuble pour accéder à cet hôtel calme, à l'écart de la circulation automobile. Agréable courette intérieure où, dès les beaux jours, sont servis les petits-déjeuners. Chambres de différents niveaux de confort, et donc de prix. Ambiance sympathique.*
⊖ **Hôtel Lutetia** – *6 r. Michel-Ange -* ☎ *04 93 39 35 74 - www.hotellutetiacannes. com - 8 ch. 40/65 € - ⊐ 5,50 €. Cette maison accueillante et sans prétention située dans une ruelle bien calme la nuit est vite adoptée. Les chambres, toutes rénovées, sont meublées avec simplicité.*
⊖ **Hôtel National** – *8 r. du Mar.-Joffre -* ☎ *04 93 39 91 92 - hotelnationalcannes@w anadoo.fr - 17 ch. 40/60 € - ⊐. L'avantage de ce modeste hôtel est sa situation à deux pas du palais des Festivals et de la mer. Chambres climatisées privilégiant avant tout le côté pratique ; salles de bains entièrement carrelées, légèrement exiguës mais bien tenues.*
⊖ **Hôtel Beverly** – *14 r. Hoche -* ☎ *04 93 39 10 66 - contact@hotel-beverly.com - 19 ch. 45/80 € - ⊐ 7 €. Haute façade située dans une rue semi-piétonne proche de la gare et de la Croisette. À l'intérieur, chambres avant tout pratiques, de petite taille, mais régulièrement entretenues et climatisées. Celles orientées côté Sud disposent d'un balcon. Les prix restent raisonnables pour la station.*
⊖ **Hôtel Florian** – *8 r. du Cdt-André -* ☎ *04 93 39 24 82 - www.hotel-leflorian. com - fermé 1er déc.-15 janv. - 20 ch. 55/75 € - ⊐ 5 €. À mi-chemin entre la gare et le palais des Festivals, ce petit hôtel familial est en plein cœur de l'activité cannoise, dans une rue semi-piétonne. Accueil charmant.*
⊖⊖ **Hôtel Appia** – *6 r. Marceau -* ☎ *04 93 06 59 59 - www.appia-hotel.com - fermé 20 nov.-28 déc. - 31 ch. 80 € - ⊐ 6,50 €.*

Niché dans une impasse du centre-ville, établissement avant tout fonctionnel dont les chambres, peut-être un peu exiguës, sont bien aménagées, climatisées et insonorisées ; salles de bains impeccables.

⊖⊖ **Hôtel Bellevue** – *47 av. de Grasse - ℘ 04 93 39 17 13 - 12 ch. 90 € - ⊡ 7,50 €.* Cet établissement situé sur les hauteurs de la ville possède un atout majeur : toutes ses chambres disposent d'un balcon ou d'une terrasse. Décor aux tons rouge et saumon et mobilier en rotin blanc. Salle des petits-déjeuners climatisée, solarium.

⊖⊖ **Chambre d'hôte Villa L'Églantier** – *14 r. Campestra - ℘ 04 93 68 22 43 - ⊟ - 4 ch. 100 € ⊡.* Sur les hauts de Cannes, grande villa blanche de 1920 paraissant au milieu d'un jardin planté de palmiers et autres essences exotiques. Les chambres, spacieuses et calmes, aux murs blancs égayés de tissus colorés, sont prolongées par un balcon ou une terrasse.

### Se restaurer

⊖ **Restaurant Côte d'Azur** – *3 r. Jean-Daumas - ℘ 04 93 38 60 02 - fermé dim. et le soir - 15 € déj. - 10/16 €.* Ce vénérable restaurant de quartier séduit toujours : salle à manger habillée d'affiches en tous genres, mobilier provençal, accueil bon enfant, cuisine traditionnelle et surtout prix défiant toute concurrence.

⊖ **Le Comptoir des Vins** – *13 bd de la République - ℘ 04 93 68 13 26 - fermé fév., mar. soir, dim. et lun. - formule déj. 16 € - 12/18 €.* Petit restaurant au sympathique décor de bistrot où l'on déguste qui un tartare de bœuf, qui une salade de saumon fumé. Chaque plat peut s'accompagner d'un verre de vin ou d'une bouteille (à prix sage) choisie sur les étagères de la cave à vins attenante (250 références). Petit espace bar à vins.

⊖⊖ **Bistrot des Artisans** – *67 bd de la République - ℘ 04 93 68 33 88 - fermé dim. - 18,50/31 €.* « À boire et à manger » est la seconde enseigne de ce restaurant au décor hétéroclite. Cuisine bistrot copieuse et soignée.

⊖⊖ **Aux Bons Enfants** – *80 r. Meynadier - fermé août, 24 déc.-2 janv., sam. soir d'oct. à avr. et dim. - ⊟ - réserv. conseillée - 20 €.* Ce restaurant s'applique à cultiver un côté simple, familial et convivial. La cuisine a le bel accent méridional. Particularités de la maison : elle n'a pas le téléphone et on paie son repas en liquide.

⊖⊖ **Fred L'Écailler** – *7 pl. de l'Étang - ℘ 04 93 43 15 85 - www.fredlecailler.com - 21/45 €.* On ne peut rater cette large enseigne lumineuse dressée sur une charmante placette à l'ambiance villageoise. Intérieur rustique décoré de filets de pêche. La terrasse offre le spectacle des parties de pétanque. Beau choix de produits de la mer.

⊖⊖ **Au Poisson Grillé** – *8 quai St-Pierre - ℘ 04 93 39 44 68 - www.auberge-provencale.com - 23,50/42 €.* Bien placée sur le vieux port, cette petite adresse régale ses hôtes de poissons grillés et autres plats méditerranéens, depuis 1949. Chaleureux décor de bois verni, façon intérieur de bateau. Service diligent et prix raisonnables.

⊖⊖ **Le Caveau 30** – *45 r. Felix-Faure - ℘ 04 93 39 06 33 - 27/30 €.* Vaste restaurant disposant de deux salles à manger de style brasserie des années 1930. La terrasse donne sur une grande place ombragée où galèjent les boulistes. Au programme des saveurs : produits de la mer.

### En soirée

◉ **Bon à savoir** – Rien de tel, pour découvrir la cité des stars, que de se rendre dans ses palaces : allez boire un verre sur la terrasse du Carlton ou sur la plage du Majestic, allez écouter le pianiste du Martinez…

**L'Amiral** – *73 bd de la Croisette - ℘ 04 92 98 73 00 - www.hotel-martinez.com - 10h-2h.* Très fréquenté, c'est le bar de palace qui réalise le plus gros chiffre d'affaires de la Côte. Sa réputation repose sur le savoir-faire de ses barmen et de son pianiste américain Jimmy. Animation musicale chaque soir, à partir de 20h.

**Pavillon Croisette - Havana Room** – *42 bd de la Croisette - ℘ 04 92 59 06 90/04 93 38 58 68 - mai-nov. : 9h-2h ; fév.-avr. : 12h-0h - fermé déc. et janv.* Ce bar est digne des meilleurs clubs londoniens. Plus de 300 alcools à la carte et l'une des plus belles caves à cigares de France : 150 tailles de cigares au choix ! Animation musicale chaque soir.

**Palais des Festivals et des Congrès** – *Espl. Georges-Pompidou - bd de la Croisette - ℘ 04 93 39 01 01 - www.cannes-on-line.com - 9h-19h.* Inauguré en 1982, il couvre 60 000 m² de surface sur 8 niveaux. **Le Grand Auditorium** (2 300 places) et **le Théâtre Debussy** (1 000 places pour une acoustique travaillée) sont équipés en traduction simultanée. Les 26 petits auditoriums et salles de réunion et de presse sont couronnés par le salon des Ambassadeurs, espace de réception avec vue imprenable sur Cannes.

### Que rapporter

**Rues commerçantes** – Rue Meynadier : vitrines alléchantes d'alimentation et d'artisanat dans une ambiance piétonne méridionale. Rue d'Antibes : commerces de luxe.

**Marché Forville** – *tlj sf lun. hors sais.* Beaux étals de primeurs régionaux. Allées de la Liberté : tlj le matin marché aux fleurs ; sam. : brocante très fréquentée.

**Cannolive** – *16-20 r. Venizelos - ℘ 04 93 39 08 19 - tlj sf dim. 8h30-12h, 14h15-19h, lun. 8h30-13h, 14h15-19h - fermé 15 j. en janv et j. fériés l'apr.-midi.* Un des plus grand choix de spécialités provençales, et pour ceux qui souffrent du mal de mer, la **liqueur de Lérina** (sans prendre le bateau pour rejoindre les îles de Lérins !).

**Boutique du festival** – *Espl. Georges-Pompidou* - ℘ *04 93 39 01 01*. Au rez-de-chaussée du palais des festivals. Le paradis des fans de cinéma.

## Sports & Loisirs

👁 **Bon à savoir** – Cannes est labellisé « **station nautique** » ce qui atteste de la diversité et de la qualité des activités proposées. *Renseignements à l'office de tourisme ou www.france-nautisme.com*

Et si vous préférez le calme, embarquez pour les **îles de Lérins** *(voir ce nom)*, un havre de bonheur avec leurs sentiers ombragés de pins et d'eucalyptus.

👥 **Plages** – Les plages de la Croisette ne sont pas toutes payantes (prestations affichées à l'entrée des escaliers), ou privées (hôtels situés en regard). Il y en a trois publiques dont une située derrière le palais du Festival. Les autres plages publiques se trouvent à l'Ouest du vieux port, sur les bds Jean-Hibert et du Midi, au port Canto et, après la pointe, bd Gazagnaire.

**Ponton Majestic Ski Nautique** – *Bd de la Croisette - face à l'hôtel Majestic - ℘ 04 92 98 77 47 ou 06 11 50 77 53 - http:// majesticskiclub.online.fr - avr.-oct. : 8h-0h*. Pour échapper à la foule et au sable brûlant, laissez-vous tenter par une sortie en ski nautique ou un envol en parachute ascensionnel… Également, possibilité de promenades en bateau (taxi de mer) vers les îles de Lérins.

*Allée des Stars sur la Croisette.*

## Événements

**Festival de Cannes** – En mai, le Festival de Cannes, réservé aux professionnels du cinéma, présente une sélection Officielle comprenant les films (longs et courts métrages) en compétition et hors compétition et, depuis 1978, la sélection officielle « Un Certain Regard » ainsi que la Cinéfondation, sélection lancée en 1998. Le Festival de Cannes est l'une des plus importantes manifestations médiatiques annuelles au monde et un jury international décerne tous les ans la Palme d'Or. Par ailleurs, il existe deux sections parallèles, la « Semaine de la critique », qui débuta en 1962 et la « Quinzaine des réalisateurs », dont la 1re édition eut lieu en 1969.

**Nuits musicales du Suquet** – *Renseignements - ℘ 04 92 99 33 83*. Fin juillet, concerts classiques sur le parvis de l'église du Suquet les jours pairs.

# Cap Ferrat★★

1 895 SAINT-JEANNOIS
CARTE GÉNÉRALE D4 – CARTE MICHELIN LOCAL 341 E5 – SCHÉMA P. 328 –
ALPES-MARITIMES (06)

C'est une tête (sens du mot provençal *cap*) au corps ferrugineux (sens de *ferrum* ou *ferraria* en latin) mais surtout la presqu'île la plus prestigieuse de la Côte, recouverte d'une splendide végétation et parsemée de luxueuses résidences parmi lesquelles, la ravissante villa Ephrussi. Masquées par les façades de ces maisons, les vues sur la côte se contemplent depuis le sentier du littoral, les rues de Saint-Jean et la pointe Saint-Hospice à l'est.

● **Se repérer** – Entre Nice (6 km) et Monaco (11 km), accessible par la Corniche inférieure *(voir Corniches de la Riviera)*, le cap Ferrat est presque une île, tant la route qui sépare le cap de la côte est étroite. Et à l'intérieur, c'est un autre monde, très privilégié.

👁 **À ne pas manquer** – La visite de la villa Ephrussi-de-Rothschild, de son musée et des jardins ; le tour du cap en voiture ; une promenade sur le sentier touristique de la pointe Sainte-Hospice et la visite de Saint-Jean-Cap-Ferrat.

🕐 **Organiser son temps** – Pas question de musarder sans profiter de toutes les splendeurs offertes au cap Ferrat. Une demi-journée ne sera pas de trop. Consacrez 2h à la villa Ephrussi et 3h au tour du cap (avec un stop au zoo). Si vous n'êtes pas trop épuisé, la visite de Saint-Jean ou le sentier touristique réclamera 1h d'effort supplémentaire.

👫 **Avec les enfants** – Le zoo du cap est incontournable pour les petits, tout comme la chasse au trésor organisée à la villa Ephrussi-de-Rothschild.

👍 **Pour poursuivre la visite** – Voir aussi Nice, VIllefranche-sur-mer et Beaulieu-sur-mer.

## Découvrir

### Villa Ephrussi-de-Rothschild★★

🕿 04 93 01 33 09 - www.villa-ephrussi.com - juil.-août : 10h-19h ; de mi-fév. à déb. nov. : 10h-18h ; déb. nov. -déc. : 14h-18h, w.-end et vac. scol. 10h-18h ; de mi-fév. à juin et de sept. à déb. nov. 10h-18h - 9,50 € (7-17 ans gratuit).

👁 Miniguide fourni à l'entrée pour visiter la villa, le musée et ses jardins.

👫 Les 7 à 12 ans sont conviés à une chasse au trésor culturelle. Ils remplissent tout au long de la visite le questionnaire fourni à l'entrée avec, pour les vainqueurs, un petit cadeau à la clé !

Dans un **site★★★** incomparable, ce palais à l'italienne fut conçu par la baronne **Béatrice Ephrussi de Rothschild**, en 1905, pour abriter ses collections : plus de 5 000 œuvres d'art. Nombre des panneaux peints au 18e s. qui ornent les murs proviennent d'hôtels particuliers parisiens détruits lors des travaux d'Haussmann. Les architectes ont dû sans cesse adapter leur construction aux dimensions des panneaux… et aux exigences de la baronne. Celles-ci étaient telles que pas moins de 15 architectes se succédèrent en sept ans sur le chantier. La baronne légua la villa en 1935 à l'Institut de France pour l'Académie des beaux-arts. Encadrée de magnifiques jardins, la villa domine la mer et, de part et d'autre, les rades de Villefranche et de Beaulieu.

Dès l'entrée, un patio couvert, au parterre en mosaïques entouré de colonnes de marbre rose provenant d'un palais de Vérone, présente des meubles et des peintures du Moyen Âge et de la Renaissance, dont un retable du 15e s.

*La villa ouvre sur le jardin à la française.*

J. Malburet / MICHELIN

(sainte Brigitte d'Irlande) et un tableau de Carpaccio (condottiere vénitien). De là se découvrent deux salons : Louis XVI avec son immense tapis de la Savonnerie du 18e s. et Louis XV avec ses tapisseries des Gobelins. La chambre de Mme Ephrussi, son cabinet de toilette et son boudoir permettent de découvrir les appartements privés de la baronne. Enfin, la salle à manger de Sèvres rassemble des porcelaines rares.

**Musée Île-de-France★★** – *Visite guidée uniquement, supplément tarifaire.* Au premier étage, les exceptionnelles collections de porcelaine de Vincennes, de Sèvres et de Saxe ajoutent à l'éclat de l'ensemble. Le curieux « salon des Singes » évoque le thème animalier cher à la baronne Ephrussi avec un étonnant orchestre de singes en porcelaine de Meissen. Dans un curieux décor gothique, le salon d'art d'Extrême-Orient s'ouvre par deux vantaux de laque chinois : grands paravents en laque de Coromandel, vases et tapis chinois et, dans un cabinet annexe, costumes de mandarin.

**Jardins★★** – 7 ha de jardins thématiques paradisiaques entourent la villa. Au centre, le **jardin à la française** et ses jeux d'eau musicaux, mène dans une belle perspective à un escalier d'eau, une rocaille et un petit temple de l'Amour, réplique de celui du Trianon. Étiré sur la partie la plus étroite du cap, ce jardin est comparable à un pont de navire, dont la proue serait le temple de l'Amour. Installée sur sa loggia, la baronne pouvait ainsi s'imaginer à bord du paquebot *Île-de-France* sur lequel elle fit une croisière mémorable au point d'en baptiser sa villa… pour parfaire l'illusion, elle exigeait des jardiniers qu'ils soient vêtus en matelots. En bas des grandes marches, le **jardin espagnol**, d'allure très andalouse, est fraîchement ombré d'arums, de papyrus, de grenadiers et de daturas. Plus loin, le **jardin florentin** est habité d'un gracieux éphèbe de marbre parmi les cyprès. Fontaines, chapiteaux, gargouilles et bas-reliefs (Moyen Âge et Renaissance) ornent un **jardin lapidaire** des plus romantiques. Auprès d'un délicieux **jardin japonais**, un **jardin exotique** offre sa végétation étonnante. Enfin, la **roseraie** rassemble une grande variété d'espèces de la fleur de prédilection de la baronne Ephrussi.

## Cap Ferrat pratique

### Adresse utile

### Se loger

🍽️ **Hôtel Clair Logis** – *12 av. Centrale - 06230 St-Jean-Cap-Ferrat -* 🕿 *04 93 76 51 81 - www.hotel-clair-logis.fr - fermé 7 janv.-10 fév. et 6 nov.-22 déc. -* 🅿 *- 16 ch. 110/190 € -* 🍴 *14 €.* Le général de Gaulle fut l'un des célèbres hôtes de cette villa provençale nichée dans un agréable parc. Chambres de caractère ou confort plus modeste à l'annexe.

🍽️ **Hôtel Brise Marine** – *58 av. Jean-Mermoz - 06230 St-Jean-Cap-Ferrat -* 🕿 *04 93 76 04 36 - www.hotel-brisemarine. com - fermé nov.-janv. -* 🅿 *- 16 ch. 140/156 € -* 🍴 *13 €.* Un beau jardin fleuri et arboré entoure cette jolie demeure bâtie en 1878. Les chambres, sobrement aménagées, ouvrent leurs fenêtres sur le cap, le golfe ou un petit patio. Agréable terrasse où l'on sert les petits-déjeuners.

### Se restaurer

🍽️ **Capitaine Cook** – *11 av. Jean-Mermoz - 06230 St-Jean-Cap-Ferrat -* 🕿 *04 93 76 02 66 - fermé 8 nov.-26 déc., jeu.* midi et merc. - 24/29 €. Discrètement situé entre le port et la plage de la Paloma, restaurant familial où l'on mange au coude à coude une cuisine traditionnelle privilégiant les produits de la mer.

🍽️ **Plage de Passable** – *Chemin de Passable - 06230 St-Jean-Cap-Ferrat -* 🕿 *04 93 76 06 17 - fermé de mi-oct. à mars - 25/60 €.* Nichée dans la rade de Villefranche-sur-Mer, à l'entrée de la presqu'île de Saint-Jean-Cap-Ferrat, ce restaurant propose grillades sur la plage (le soir de juin à septembre), poissons, salades, pâtes et (uniquement le midi) pizzas, dans un environnement enchanteur, bordé d'une plage de sable fin.

### Sports & Loisirs

🏊 **Baignade** – Le cap Ferrat offre plusieurs plages de galets : à l'ouest, face à Villefranche, **plage de Passable** ; à l'est, face à Beaulieu, **plage Paloma** ; près du port, **plage du Cro des Pins**. ; enfin, **plage de la pointe Saint-Hospice**. Au gré de la promenade de bord de mer, des petites **criques** pour les bons nageurs.

**SOS Grand Bleu Santo Sospir** – *N 98 - 06230 St-Jean-Cap-Ferrat -* 🕿 *04 93 76 17 61 - www.sosgrandbleu.asso.fr.* Partez à la rencontre des cétacés du Sanctuaire Pelagos à bord d'un caïque magnifique (bateau équipé de gréement latin). Encadrement assuré par deux moniteurs.

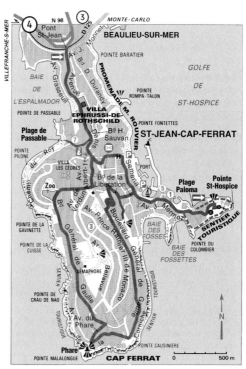

SE LOGER

Hôtel
Brise Marine........... ①

Hôtel
Clair Logis.............. ③

SE RESTAURER

Capitaine Cook....... ⑤

Plage
de Passable............ ⑦

# Circuit de découverte

## LE TOUR DU CAP★★

*10 km – environ 1h.*

🚶 *6 km au départ du port.* Pour ceux qui préfèrent la marche à la voiture, le rivage à l'intérieur des terres, un sentier permet de faire le tour du cap entre criques, falaises et végétation aux essences enivrantes.

### Zoo

*℘ 04 93 76 07 60 - www.zoocapferrat.com - ♿ - juil.-août : 9h30-19h ; reste de l'année : 9h30-17h30 - 14 € (enf. 10 €, –3 ans gratuit).*

👥 Dans l'ancienne propriété du roi Léopold II de Belgique, un lac asséché a été transformé en 1950 en **parc d'acclimatation**. De beaux spécimens d'animaux et d'oiseaux exotiques s'épanouissent à l'ombre d'une végétation tropicale (3 ha). Plusieurs fois par jour, une « École de chimpanzés » présente un divertissement original tandis qu'un « canyon » vitré permet aujourd'hui de traverser l'habitat des grands fauves.

### Saint-Jean-Cap-Ferrat★

Cet ancien village de pêcheurs est devenu une station balnéaire et hivernale privilégiée, recherchée pour son calme. Quelques vieilles maisons entourent le **port**, largement aménagé pour la plaisance. Depuis la rue en escalier au sud du boulevard de la Libération, belle **vue★** sur la montagne de la Tête de Chien, Èze, le mont Agel et les Alpes franco-italiennes au loin.

🚶 *1h AR, départ du port.* La belle **promenade Maurice-Rouvier★** vous conduit à la baie de Beaulieu *(voir ce nom)* avec vue sur Èze et la Tête de Chien.

### Pointe Saint-Hospice

La montée à la pointe Saint-Hospice, entre les propriétés, offre de jolies vues sur Beaulieu et la côte vers le cap d'Ail. Elle longe une tour, construite au 18e s. pour servir de prison, aboutit à la chapelle du 19e s. remplaçant un ancien oratoire qui était dédié à l'ermite niçois saint Hospice. Des abords de cette chapelle, on a une bonne **vue★** sur la côte et l'arrière-pays, de Beaulieu au cap Martin.

🚶 *3,5 km.* Un **sentier★** fait le tour de la pointe Saint-Hospice. Il commence à la **plage Paloma** et finit à la baie des Fossettes.

# Coaraze★

654 COARAZIENS
CARTE GÉNÉRALE D3 – CARTE MICHELIN LOCAL 341 E4 – SCHÉMA P. 308 –
ALPES-MARITIMES (06)

En montant vers le col Saint-Roch (990 m), la ravissante « route du soleil » passe, entre montagnes et rivière, par une colline d'oliviers. Un vieux village restauré avec goût, repeuplé d'artistes (Jean Cocteau) et d'artisans dans les années 1950, couronne le tout.

- ▶ **Se repérer** – À 22 km au nord de Nice, que vous quitterez par la D 2204. Ensuite, la D 15, entre la chaîne de Férion et la vallée du Paillon de Contes, vous mène à Coaraze.

- 👁 **À ne pas manquer** – Les cadrans solaires ; la chapelle Notre-Dame de la Pitié et la chapelle Saint-Sébastien.

- 🕐 **Organiser son temps** – Entre tour du village et visites alentour, comptez 2h.

- 👫 **Avec les enfants** – Une petite balade pédagogique sur les traces des cadrans solaires.

- 🚲 **Pour poursuivre la visite** – Voir aussi Contes (circuit 4 à Nice) et Lucéram.

## Des cadrans solaires prestigieux

Ce village perché est marqué par l'empreinte du temps. Ses belles ruelles dévoilent des cadrans solaires qui font l'attrait touristiques du village. Sur la mairie et la place de l'Église, vous découvrirez un bel ensemble de six cadrans solaires en céramique. Des personnalités les ont dessinés en leur attribuant même des petits noms. Jean Cocteau a créé *Les Lézards* ; Mona Cristi a conçu *La chevauchée du temps*. Douking s'est entiché des *Animaux Fabuleux* alors que Gilbert Valentin a donné vie aux *Tournesols*. Le *Blue Time* de Goetz et *Le Piton et sa couronne en vert et en or* de Ponce de Léon sont les deux autres cadrans présentés sur la place de l'église. Tous réalisés en 1961, ils se distinguent par des styles différents et séduisent par leur simplicité. La céramique a été exécutée par Valentin à Vallauris en suivant scrupuleusement les maquettes des auteurs.

# Se promener

## Le bourg médiéval

Le charmant bourg médiéval, avec ses **vieilles rues★**, ses longs passages voûtés et ses placettes, invite à la flânerie, au doux murmure des fontaines. Parmi ses cyprès, le jardin en terrasse surplombe une belle vue sur le fond de la vallée et la cime de Rocca Seira.

On accède à l'**église Saint-Jean-Baptiste** par le vieux cimetière. À l'intérieur, le décor baroque contraste avec l'aspect très sobre de son clocher carré et de sa façade. Amusez-vous à compter les anges et angelots en stuc : Ils sont au nombre de 118 !

## Notre-Dame-de-la-Pitié

*Rejoindre la D 15 vers le nord et, aussitôt, prendre une petite route à gauche - Route de la Chapelle-bleue - ☎ 04 93 79 37 47 et 04 93 79 35 43 - visite sur demande à l'office de tourisme.*

Ancien oratoire à la Vierge, se nomme aussi Notre-Dame « des-Sept-Douleurs », ou encore « chapelle bleue » car la vie du Christ y est peinte en camaïeu bleu (Ponce de Léon, 1962). De la terrasse, jolie vue sur le village.

## Chapelle Saint-Sébastien

*Prendre la D 15 vers le sud, à 2 km tourner à droite vers la Gardiola. Route des Jouncas - ☎ 04 93 79 37 47 et 04 93 79 35 43 - visite sur demande à l'office de tourisme.*

Nichée dans la campagne, sur la route de Nice, elle est dédiée au saint protecteur des épidémies de peste. Des fresques (de 1530 avec repeints au 19ᵉ s.) d'une grande élégance la décorent : saint Sébastien, criblé de flèches, et ses archers sont gracieusement déhanchés dans un maniérisme qui rappelle Le Pérugin. La douceur des couleurs et des contours a le raffinement de la Renaissance.

## Coaraze pratique

### Adresse utile

**Office du tourisme de Coaraze** – *Pl. Ste-Catherine - 06390 Coaraze - ℘ 04 93 79 37 47 - tlj sf dim. et lun. 10h-12h, 15h-17h - fermé 1ᵉʳ janv. et 25 déc.*
Il propose une brochure qui explique en détail les balades et randonnées à faire.

### Événements

**Fêtes** – Brocante, le 1ᵉʳ Mai ; Fête de la Saint-Jean, fin juin ; Fête de l'olivier, le 15 août ; différents concerts durant l'été.

# Cogolin

9 079 COGOLINOIS
CARTE GÉNÉRALE C3 – CARTE MICHELIN LOCAL 340 O6 – SCHÉMA P. 249 – VAR (83)

Ce village des Maures, situé au cœur du golfe de Saint-Tropez, a su garder le charme authentique des bourgs de Provence grâce à ses activités artisanales. L'avenue principale vous accueille par des enseignes de fabriques de pipes et vous conduit au vieux village que domine un moulin en ruine.

- ▶ **Se repérer** – À 3,5 km au sud de Grimaud par la D 558 et à 8,5 km à l'ouest de Saint-Tropez par la N 98. Entre Cogolin et ses marines situées à 5 km, il y a le carrefour de la Foux. Vous aurez, à la belle saison (compte tenu de l'affluence), tout votre temps pour le contempler !

- 👁 **À ne pas manquer** – Une promenade dans le vieux village ; la visite de la demeure-musée Seillier et de l'espace Raimu.

- 🕐 **Organiser son temps** – Comptez 2h pour découvrir le charme cogolinois.

- 🍴 **Pour poursuivre la visite** – Voir aussi Grimaud, Saint-Tropez, Ramatuelle et le Massif des Maures.

## Comprendre

**Histoire de coq** – Le nom de la ville viendrait du latin *Cucullus*, « capuchon ». Mais à la métaphore géographique, vous pouvez préférer la légende : le coq qui accompagnait le corps du chevalier Torpès (mieux connu aujourd'hui sous le nom de saint Tropez) aurait atterri sur un champ de lin d'où serait né Cogolin. Le gallinacée ici l'emporte, on lui consacre même un musée !

**Un artisanat vivace** – Né des ressources locales (chêne-liège, roseau, bois de bruyère), l'artisanat traditionnel cogolinois s'est spécialisé dans la fabrication de **pipes**, taillées dans des souches de bruyère des Maures, et la confection d'**anches** d'instruments à vent. Plus surprenant, on confectionne également des tapis.
🍴 *Voir la rubrique « Que rapporter » dans l'encadré pratique.*

**Les deux citoyens d'honneur de la ville** – Ils sont natifs du même village de Mouilleron-en-Pareds en Vendée. Le premier est **Clemenceau** ; le deuxième, le **général de Lattre de Tassigny**, installe à Cogolin son premier poste de commandement, du 17 au 20 août 1944 durant la bataille de Provence.

## Se promener

### LE VIEUX VILLAGE

La partie haute du village, avec ses nombreuses placettes et ruelles communiquant par des passages voûtés, a conservé son caractère médiéval.
De l'office de tourisme, rejoignez l'hôtel de ville et prenez à gauche la rue du 11-Novembre 1918 pour arriver à l'**église Saint-Sauveur-Saint-Étienne**. Elle conserve des parties du 11ᵉ s. et un joli portail Renaissance en serpentine. À l'intérieur, une chapelle latérale abrite un beau reta-

*Les pipes de Cogolin.*

D. Pazery / MICHELIN

ble de Hurlupin (1540) représentant saint Antoine accompagné de saint Éloi et de saint Pons, ainsi qu'un buste baroque du 17e s. En sortant, remarquez sur la place Abbé-Toti l'originale fontaine. **Rue Nationale**, admirez les remarquables encadrements de porte en serpentine, dont certains datent du 12e s., et, au n° 46, la très belle demeure bourgeoise dite **château Sellier** du 17e s. *(voir « Visiter »)*. Poursuivez jusqu'à la place Bellevue où se trouve la **chapelle Saint-Roch**, décorée d'œuvres contemporaines. Au sommet de la butte, par la montée Aloes, se dresse la **tour de l'Horloge** (14e s.), unique vestige du château fort.

## BORD DE MER
*Accès par la N 98 puis la D 98A. Navette de bus régulière en été.*
À 5 km au nord-est du bourg, belle plage de sable et port de plaisance, composé de quatre bassins pouvant accueillir 1 500 bateaux et entourés d'un ensemble de résidences. Plus intime, **Port-Cogolin** ne dispose que de 150 anneaux.

# Visiter

### Espace Raimu
*18 av. Georges-Clemenceau -* ✆ *04 94 54 18 00 -* ♿ *- juil.-août : 10h-12h30, 16h-19h, dim. 16h-19h ; sept-juin : 10h-12h, 15h-18h, dim. 15h-18h - fermé dernière quinz. de nov., mar. (hors vac. scol.), 1er janv., 11 Nov. et 25 déc. - 3,50 € (11-18 ans 1,75 €), gratuit 18 déc.*
Le musée se trouve dans le cinéma municipal *(rez-de-chaussée)*, on le doit à la petite-fille de Raimu, sa première admiratrice. **Jules Auguste César Muraire** de son vrai nom (1883-1946) s'illustra au théâtre *(Le Blanc et le Noir)* et au cinéma *(La Femme du boulanger, La Fille du puisatier, César, Fanny…)*. La carrière légendaire de cet enfant de Toulon nous est remémorée à travers des affiches, photos, lettres (importante correspondance avec Marcel Pagnol), costumes et effets personnels mis en scène. Voilà qui donne envie de (re)découvrir cet acteur hors norme.

L'Espace Raimu : un musée vivant et émouvant.

### Demeure-Musée Sellier
*46 r. Nationale -* ✆ *04 94 54 63 28 - juin-sept. : tlj sf dim. et lun. 10h-13h, 15h-18h30 ; oct.-mai : tlj sf dim. et lun. 10h-12h30, 14h30-17h30 - fermé j. fériés - 2,30 € (16 ans gratuit).*
Outre des expositions artistiques temporaires, elle abrite le **musée de Coq**, animal emblématique du village *(voir plus haut)*. La collection qui compte des oiseaux gallinacés en bois, en laiton, en céramique, en verre… et deux beaux spécimens naturalisés (dont l'un à quatre pattes !), s'enrichit continuellement. Dans une assiette, sur une planche anatomique ou en tire-bouchon, de quoi régaler le visiteur !
Plus classique (là, il vous faudra retrouver votre sérieux), le **musée médiéval et Templier**, rassemble documents, maquettes, costumes illustrant l'histoire de cet ordre (Cogolin était le siège d'une commanderie) qui influença le mode de vie du 11e s. au début du 14e s.

# Cogolin pratique

Voir aussi les encadrés pratiques de Grimaud, Saint-Tropez et de Sainte-Maxime.

## Adresse utile

**Office du tourisme de Cogolin** – Pl. de la République - 83310 Cogolin - 04 94 55 01 10 - www.cogolin-provence.com - juil.-août : tlj sf dim. 9h-12h30, 14h-18h30 ; sept.-oct. et mai-juin : tlj sf dim. 9h-12h30, 14h-18h30, sam. 9h30-12h30 ; nov.-fév. : tlj sf dim. 9h-12h30, 14h-18h, sam. 9h30-12h30.

## Se loger

**Le Coq'Hôtel** – Pl. de la Mairie - 04 94 54 13 71 - www.coqhotel.com - fermé 1er-15 janv. - P - 24 ch. 95/120 € - 8 € - restaurant 25 €. Enseigne à la gloire du roi de la basse-cour que l'on retrouve sur la jolie devanture aux volets bleus et sous forme de figurine dans le salon. Les chambres, diversement meublées, sont dotées du double vitrage côté place ou donnent sur une cour tranquille à l'arrière, où l'on sert le café et les croissants en été.

## Se restaurer

**Côté Jardin** – R. Pasteur, face à la pl. du Marché, aussi nommée pl. des boules - Accès également possible par un passage à hauteur du 1 r. Gambetta - 04 94 54 10 36 - fermé oct.-mars - formule déj. 13 € - 10,90/30 €. Cet établissement est une oasis de fraîcheur un peu cachée au centre du village, entre la place des boules et la place de la mairie. Grillades, petite restauration, glaces et autres douceurs servies dans un jardin ombragé de résineux et de beaux palmiers. L'après-midi, salon de thé et formule de sandwichs.

## Que rapporter

**Marché** – Mercredi, samedi. En juillet-août, marchés artisanaux nocturnes le vendredi à partir de 17h.

**Les pipes de Cogolin - Courrieu Fils** – 58 av. Georges-Clemenceau - 04 94 54 63 82 - www.courrieupipes.fr - atelier : 9h-11h30, 14h-18h, dim. et j. fériés : sur demande. Boutique : 9h-12h, 14h-19h en été ; jusqu'à 17h30 en basse saison. La proximité de la forêt des Maures fournit les racines de bruyère pour la confection des pipes. La vitalité de cet artisanat pluriséculaire s'exprime dans les nombreux ateliers de l'avenue Clemenceau exposant de belles collections de leur production ainsi que dans les techniques de fabrication. La maison Courrieu y est installée depuis plus de deux siècles et se visite. Elle a d'ailleurs approvisionné des célébrités telles que Simenon, Brassens, Vanel, Bernard Blier ou Raymond Devos.

**Manufacture de tapis de Cogolin** – 6 bd Louis-Blanc - 04 94 55 70 65 - www.tapis-cogolin.com - visite salon d'exposition : tlj sf w.-end 8h30-12h, 14h-17h30 (vend. 17h) - fermé 2 sem. en août, 25 déc. et 1er janv. Au début des années 1920 s'installèrent à Cogolin des tisserands arméniens réfugiés en France, et en 1928 fut créée la Manufacture, qui effectua le transfert des métiers de « haute lisse » d'Aubusson. Actuellement, la fabrication a recours à deux méthodes : les ouvrages tissés main à la demande (la basse lisse), et la technique du tufté main qui a recours à une technologie permettant toutes les fantaisies dans la décoration.

**Fabrique de M. Rigotti** – 5 r. François-Arago - 04 94 54 62 05 - 8h-12h, 13h30-17h30 - fermé août et j. fériés. Fabrique d'anches et de pièces détachées pour instruments de musique à vent. L'**atelier** se visite.

## Événements

**Bravade de la Saint Maur** – 1er week-end de mai.

**Fête du coq** – 1er week-end de septembre.

# Cotignac★

**2 026 COTIGNACÉENS**
**CARTE GÉNÉRALE B3 – CARTE MICHELIN LOCAL 340 L4 – VAR (83)**

Ce paisible village provençal contient tous les ingrédients du bonheur. Dans un site impressionnant, Cotignac semble « s'écouler » d'une longue falaise de tuf de 80 m, aux couleurs changeantes. Le doux murmure des fontaines vous attend au détour des calades ; quant au marché provençal le mardi, il invite au péché de gourmandise.

*Place du Marché, vous êtes au cœur de Cotignac.*

- ▶ **Se repérer** – À 15 km au sud d'Aups par la D 22 qui offre un superbe point de vue sur le site.
- 🅿 **Se garer** – Parking près du cours et à la sortie du village (direction de Carcès).
- 👁 **À ne pas manquer** – Savourez une douce promenade dans le village avant une visite spirituelle a Notre-Dame-de-Grâces.
- 🕐 **Organiser son temps** – Débutez votre journée par une visite (guidée) à Notre-Dame-de-Grâces et poursuivez par la visite du village.
- 👣 **Pour poursuivre la visite** – Voir aussi Barjols, Entrecasteaux et Aups.

## Se promener

### Village

*Plan commenté disponible à l'office de tourisme.*

Sous les platanes et les belles façades 16e-18e s., le **cours central** invite à vivre à l'heure provençale, en sirotant un pastis et en écoutant la jolie **fontaine des quatre saisons**. L'**église**, bâtie au 13e s., a été très remaniée depuis, jusqu'à la façade, du 18e s.

Par la Grande-Rue, levez les yeux pour apercevoir trois cariatides au n° 7, vous arrivez à la **place de la Mairie**, charmante avec sa fontaine, son hôtel de ville (18e s.) et son beffroi (15e s.). Traversez-le pour rejoindre le **théâtre de verdure**, où se déroule chaque année un festival de musique et de théâtre.

Suivez le chemin en direction du rocher qui domine le site. Deux **tours** du 14e s., vestiges du château des Castellane, en coiffent le sommet. Façonnée par le cours de la Cassole, la falaise est creusée de multiples grottes qui ont servi d'abris. Ce sont en effet d'anciens habitats troglodytes, pigeonniers et greniers où les habitants cachaient leurs vivres en prévision des attaques. Certains gouffres plongent à plus de 50 m de profondeur. Le sentier permet d'atteindre une **grotte** à deux étages. La jolie **vue** vaut l'effort *(déconseillé aux personnes sujettes au vertige). Juil.-août : tlj sf dim. et lun. matin 10h-12h, 14h-18h30 ; de Pâques à fin juin et 1er-15 oct : tlj sf lun. 14h-17h ; sept. tlj sf dim. matin et lun 10h-12h, 14h-18h - fermé de mi-oct. à Pâques - 2 €.*

Redescendant vers la place de la Mairie, vous passez devant l'ancien **moulin à huile**.

## Vallon Gué

🚶 *30mn AR. Au sud du village, après le pont.* Le chemin sous bois qui longe la Cassole conduit à une **cascade**. Certes, celle-ci n'est pas comparable à Sillans *(voir Aups)*, mais le lieu est paisible et la promenade rafraîchissante.

## Notre-Dame-de-Grâces

*1 km au sud par la D 13, puis une petite route à droite.* 📞 *04 94 69 64 92 - possibilité de visite guidée sur demande préalable : 8h-19h.*

Pour être aussi beau, ce lieu ne pouvait être que sacré et miraculeux ! La Vierge y serait apparue au 16ᵉ s. Une chapelle a été élevée ensuite, sur ce mont Verdaille qui domine au Sud la vallée de l'Argens, Carcès et la région de Brignoles. En 1638, Louis XIII et Anne d'Autriche, désespérant d'avoir un héritier, envoyèrent le frère Fiacre jusqu'ici dire des prières. Exaucée, la reine y revint avec son fils, le jeune Louis XIV, pour rendre grâce en 1660, comme le rappelle l'**ex-voto** en marbre noir. La même année, saint Joseph aurait fait son apparition sur la colline.

Détruite par la Révolution et reconstruite en 1810, Notre-Dame-de-Grâces est aujourd'hui occupée par les moines de la communauté de Saint-Jean. Fraîchement restaurée, son intérieur est dépouillé.

🚶 *50mn.* Une belle allée boisée conduit au monastère de **Saint-Joseph**. Il ne se visite pas mais la chapelle est accessible.

# Cotignac pratique

♿ Voir aussi l'encadré pratique d'Aups.

## Adresse utile

**Office du tourisme de Cotignac** – *Le Ferraillon, Pont illuminé de la Cassole - 83570 Cotignac -* 📞 *04 94 04 61 87 - www.la-provence-verte.net/ot_cotignac - juil-août : 9h45-12h45, 15h-18h30, dim 9h45-12h45 ; juin et sept. tlj sf dim. et lun. 9h45-12h45, 15h-18h30 ; oct.-mars : tlj sf dim. et lun. 9h45-12h45, 15h-18h30, sam. 9h45-12h45, 14h30-18h ; avr.-oct. : tlj sf. dim. et lun. 9h-13h, 15h-18h, sam 9h-13h - fermé j. fériés (sf 14 Juil. et 15 août).*

## Se loger

🛏 **Chambre d'hôte Domaine de Nestuby** – *Rte de Montfort - 5 km au S de Cotignac dir. Brignoles -* 📞 *04 94 04 60 02 - nestuby@wanadoo.fr - fermé 15 nov.-1ᵉʳ mars - réserv. obligatoire - 5 ch. 65/80 € - repas 23 €.* Au cœur d'un domaine viticole, cette avenante bastide provençale dispose de belles chambres rénovées aux meubles chinés dans les brocantes, complétées d'un petit centre de remise en forme (sauna, spa, équipement sportif). Vous dégusterez le vin du propriétaire à la table d'hôte installée dans l'ancienne écurie.

🛏🛏 **Chambre d'hôte le Mas d'Aimé** – *D 32 - 83670 Fox-Amphoux - 11 km au NO de Cotignac par D 13 et D 32 -* 📞 *04 94 80 72 03 - www.masdaime.com - 4 ch. 75/115 € - repas 30 €.* Ancienne huilerie isolée dans l'arrière-pays varois, cette vieille maison en pierre possède une jolie terrasse couverte, agréable pour les repas. Décorées aux couleurs provençales, les chambres, toutes de dimensions différentes, offrent beaucoup de confort. Table d'hôte remarquable, assurée par un ancien restaurateur.

## Se restaurer

🍽 **Restaurant Le Clos des Vignes** – *Rte de Montfort - 5 km au S de Cotignac dir. Brignoles -* 📞 *04 94 04 72 19 - fermé dim. soir et mar. d'oct. à juin et lun. - réserv. conseillée - 25/35 €.* Une ancienne bergerie restaurée entourée de vignes, une salle en véranda, une jolie terrasse et un patron à la forte personnalité : tout incite à passer un agréable moment. La cuisine réalisée à partir de produits frais explique la bonne cote locale de ce restaurant.

## Que rapporter

**Spécialités** – Le village est réputé pour son vin, son huile et son miel. Dans les boulangeries, on déguste de délicieux croissants aux pignons.

**Marché** – Le mardi matin cours Gambetta et pl. Joseph-Sigaud, marché provençal ; le vendredi matin pl. Joseph-Sigaud (de mi-juin à fin-septembre) marché paysan.

**Les Ruchers du Bessillon** – *5 r. de la Victoire - centre du village -* 📞 *04 94 04 60 39 - www.sejour-en-provence.com - été : tlj sf dim. apr.-midi 10h-12h30, 15h30-19h ; hiver : tlj sf dim. apr.-midi et lun. 10h-12h et tte l'année quartier Camp d'Andriou - fermé apr.-midi des j. fériés.* Miels d'acacia, de montagne, de châtaignier, de sapin, de tilleul, de romarin, de lavande, de bruyère, de thym. Les miels toutes fleurs de Provence et lavande portent le Label Rouge. Également, vente de gelée royale, pollen, cire, confiseries au miel, produits provençaux… **Visite** de la miellerie le mercredi après-midi sur rendez-vous.

## Événement

**Festival du théâtre du Rocher** – Juillet-août en plein air, au théâtre du Rocher et dans l'église.

# Draguignan

**32 829 DRACÉNOIS**
**CARTE GÉNÉRALE B3 – CARTE MICHELIN LOCAL 340 N4 – VAR (83)**

En dépit d'un nom aux inquiétantes résonances reptiliennes, Draguignan est une ville paisible, qu'animent fêtes et marchés. Tout a commencé autour d'une forteresse ligure, puis romaine, remplacée aujourd'hui par la tour de l'Horloge. Centre d'une région viticole, l'ancien chef-lieu du Var est un bon point de départ pour découvrir les paysages et petits villages du haut Var.

- ● **Se repérer** – À 26 km au nord-ouest de Fréjus par la N 7, puis la N 555.

- ▣ **Se garer** – Le parking le plus commode, proche de la vieille ville et de l'office de tourisme, est celui des allées d'Azémar *(payant, première heure gratuite)*, avec des platanes centenaires et un buste de Clemenceau (sénateur du Var, dont Draguignan fut la préfecture) par Rodin.

- 👁 **À ne pas manquer** – Qui passe par Draguignan s'arrête au musée des Arts et Traditions populaires de moyenne Provence ; rejoint la table d'orientation du Malmont offrant un cadre somptueux sur les terres qui longent le bord de mer jusqu'à Toulon et la pierre de la Fée, un dolmen de 6 m de long et 40 t !

- 🕐 **Organiser son temps** – Débutez votre journée en douceur par la visite du musée des Arts : 1h en visite libre (ou 1h30 en visite guidée) suffit à découvrir le patrimoine local. Rejoignez ensuite le point de vue du Malmont en 10mn. Le dolmen n'est qu'à 5mn de Draguignan.

- 👥 **Avec les enfants** – D'un point de vue pédagogique, le cimetière américain, le musée des Arts et le dolmen leur offriront toutes les informations sur l'histoire de Draguignan.

- ♿ **Pour poursuivre la visite** – Voir aussi Les Arcs, Lorgues et Roquebrune-sur-Argens.

## Comprendre

**Pour la petite histoire** – Draguignan, selon Mistral, dériverait du latin *draco* (« dragon »). Au 5e s., un dragon hantait les marécages (aujourd'hui, zone baignée par le Nartuby), mais saint Hermentaire vint à bout de l'horrible bête. Légende ? Pas si sûr !

**Prospère et provençale** – Mis à part les attaques (duc de Savoie au 18e s.) auxquelles sa prospérité l'a exposé, Draguignan a connu un développement constant, de ville comtale en ville royale, qui en a fait au 15e s. la quatrième ville de Provence. De l'enceinte élevée au 13e s. subsistent encore deux portes sur trois. **Louis XIV** fit raser le donjon à l'issue de la lutte qui opposa en 1649 les Sabreurs aux Canivets.

**Être et ne plus être préfecture** – Draguignan obtint le titre de « préfecture » de Bonaparte en 1797 et le conserva jusqu'en 1974, avant qu'il ne revienne à Toulon. Au 19e s., les préfets Azémar et, brièvement, Haussmann, conjuguèrent constructions de prestige (comme le théâtre, hélas « modernisé » en 1974) et urbanisme moderne : promenades ombragées et boulevards rectilignes. En 1860, toutefois, la ville, lasse de tant de modernité, refusa le passage d'une grande ligne de chemin de fer ; aujourd'hui, le train venant de Marseille s'arrête aux Arcs.

## Se promener

### VIEILLE VILLE

*Parcours au départ de la place du Marché.*

Au bout de la rue des Marchands, la **porte Romaine** (14e s.) ouvre sur le vieux Draguignan, ensemble de petites maisons serrées, dressées de guingois sous leur toit de tuiles canal. Poursuivez dans la rue de l'Observance, l'une des plus anciennes. Les maisons abritèrent aux 15e et 16e s. nobles et bourgeois, mais ont souffert de la modernisation.

Par la montée de l'Horloge *(à gauche)*, vous accédez à la **Tour de l'Horloge**. Cette tour à échauguettes surmontée d'un campanile en fer forgé remplace le donjon détruit en 1660. Du sommet, **vue** sur toute la ville et la vallée du Nartuby, avec les Maures à l'horizon. Le tour du **théâtre de verdure** est l'occasion d'une vue plus rapprochée sur les toits de la vieille ville. 📞 04 98 10 51 05 - www-ville-draguignan.fr - visite guidée (1h) : se renseigner pour les périodes et horaires - gratuit.

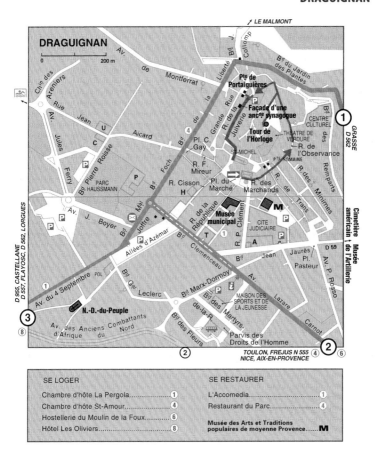

Revenez sur vos pas et continuez rue des Tanneurs pour atteindre la **porte de Portaiguières**, percée dans une tour carrée du 15e s. Dans la rue Juiverie, façade murée d'une synagogue du 13e s. Au bout de la rue, prenez à droite pour arriver à l'église et rejoindre la place du Marché.

### Cimetière américain et mémorial du Rhône

*553 bd John-F.-Kennedy - ℘ 04 94 68 03 62 - Possibilité de visite guidée (1h30) - ♿ - 9h-17h- fermé 1er janv. et 25 déc. - gratuit.*

De durs combats se déroulèrent en 1944 dans la région, notamment autour du Muy *(voir Roquebrune-sur-Argens)*. Sur près de 5 ha de pelouse partagés par un jet d'eau sont regroupées les sépultures de 861 soldats américains de la 7e armée du général Patch. Au pied du mémorial, une carte de bronze retrace les mouvements des troupes durant la campagne lancée le 15 août 1944 pour appuyer les opérations de Normandie. Sur le mur de soutènement du mémorial sont inscrits les noms des disparus. L'Américain Austin Purve est l'auteur des mosaïques de la chapelle.

### Église Notre-Dame-du-Peuple

*Au sud-ouest, voir plan.* Cette chapelle construite au 16e s. dans le style gothique flamboyant fut agrandie par la suite et reçut sa façade au 19e s. Dédiée à la Vierge, qui aurait préservé la ville de la peste (pèlerinage le 8 septembre), elle renferme de nombreux ex-voto et le panneau central d'un retable de l'école niçoise des Brea (16e s.) représentant une Vierge au rosaire *(mur de gauche)*.

## Visiter

### Musée municipal

*9 r. de la République - ℘ 04 98 10 26 85 - www.ville-draguignan.fr - ♿ - 9h-12h, 14h-18h - fermé w.-end et j. fériés - gratuit.*

Œuvres d'art et archéologie dans ce bâtiment qui fut un **couvent d'ursulines** (17e s.), puis la résidence d'été de l'évêque de Fréjus, Mgr du Bellay (18e s.). Meubles anciens, sculptures, collection de céramiques (Vallauris, Moustiers, Sèvres, Chine), peintures

« *Les Chevaux frus* » *utilisés lors de fête (musée des Arts et Traditions populaires).*

hollandaises et françaises (Téniers, Rembrandt, Rubens, Greuze, Panini, J.-B. Van Loo, F. Ziem). À voir : *Rêve au coin du feu*, une sculpture de Camille Claudel (1903), *Tête de Christ*, de Philippe de Champaigne et *Enfant au béguin* de Renoir. Certaines œuvres proviennent de la région : buste et statue du tombeau du comte de Valbelle par Houdon (Tourves, près de Saint-Maximin), belle armure du 16e s. (Le Luc) et bien sûr objets archéologiques, gallo-romains et médiévaux découverts à Vidauban, Saint-Hermentaire et Draguignan.

Des **expositions temporaires** rassemblent régulièrement, et suivant des thématiques précises, peintures, sculptures et autres œuvres.

### Musée des Arts et Traditions populaires de moyenne Provence★

*15 r. Joseph-Roumanille - ℘ 04 94 47 05 72 - www.dracenie.com, rubrique « Musée des ATP » - possibilité de visite guidée sur RV - tlj sf lun. 9h-12h, 14h-18h, dim. et j. fériés 14h-18h - fermé 1ᵉʳ janv., 1ᵉʳ Mai et 25 déc. - 3,50 € (enf. 1,50 €).*

👫 Les enfants ont aussi leurs moments à eux. À plusieurs reprises dans l'année, des expositions, des ateliers et un programme jeune public leur sont entièrement dédiés. Les poutres et les dalles des grandes salles mettent en valeur les outils, maquettes et objets anciens qui dépeignent les activités traditionnelles du haut pays varois, des plans de Provence, des Maures et de l'Esterel : le vin et les céréales, la fabrication de l'huile d'olive, l'exploitation du liège (atelier de bouchonnier), mais aussi la chasse, l'apiculture, l'élevage des moutons et des vers à soie. L'artisanat (atelier de cordonnier, tommettes de Salernes), la vie quotidienne (vaisselle, vêtements) et les fêtes *(chivaus frus)* sont aussi évoqués. Une galerie rassemble des machines agricoles (batteuses, presse à foin…).

### Musée de l'Artillerie

*Av. de la Grande-Armée. Prendre le Bd John-F.-Kennedy, puis 3 km à l'est sur la D 59. Entrée principale de l'école d'application de l'artillerie. Parking à l'extérieur de l'enceinte. ℘ 04 98 10 83 86 - http://musee-artillerie.chez.alice.fr - lun., mar., merc. et dim. 9h-12h, 13h30-17h30 - fermé de mi-déc. à mi-janv. - gratuit.*

Indispensable pour tous ceux que passionne l'évolution de l'artillerie ! En 2005, le musée a procédé à de nouveaux aménagements. Les **expositions temporaires** côtoient les **espaces thématiques** dédiés aux matériels lourds, aux uniformes, aux petits calibres, etc., tout en restant dans une dynamique chronologique. La création du **mémorial de l'artillerie** rend hommage aux artilleurs en transmettant leurs traditions.

## Aux alentours

### Table d'orientation du Malmont★

*6 km au nord. Sortir de Draguignan par le boulevard Joseph-Collomp. Arrivé à un col, prendre à gauche une petite route menant 300 m plus loin à une table d'orientation.*

La **vue★** très étendue embrasse le mont Vinaigre (Esterel), la rade d'Agay, la dépression de l'Argens, le massif des Maures, les environs de Toulon.

### Trans-en-Provence

*5 km au sud. Quitter Draguignan par la N 555.*

Village réputé, jusqu'à la dernière guerre mondiale, pour ses filatures de soie qui tiraient leur énergie de la vingtaine de moulins installés sur le Nartuby. Hôtel de ville avec **façade** en trompe l'œil (1779), rare exemple d'architecture civile du 18e s. L'église Saint-Victor (14e s.) abrite un beau retable.

De la place de la Mairie, descendre vers les gorges du Nartuby qui cascade sur des roches arrondies et trouées. On contemple le **site★** entre le pont Vieux et le pont Bertrand.

Le **puits aérien** *(suivre les panneaux, à gauche en entrant dans le village ; le chemin passe par-dessus la N 555)* est l'œuvre d'un ingénieur belge, Knapen, en 1930. Il devait permettre de récupérer l'humidité nocturne par condensation pour irriguer les cultures. Mais, conçu pour l'Afrique, il ne fonctionna jamais à Trans.

### Flayosc

*7 km au sud-ouest. Quitter Draguignan par la D 557.*

Village varois typique, perché au-dessus de vignes, oliveraies et vergers. Portes fortifiées du 14e s., **église** romane à l'origine, au massif clocher carré à campanile, et place on ne peut plus provençale : platanes, fontaine moussue et petit lavoir. Réputé pour sa production oléicole, le village possède encore un ancien **moulin à huile** en activité *(voir l'encadré pratique)*.

### Chapelle Sainte-Roseline★

*10 km au sud. Quitter Draguignan par la N 555 et tourner à droite dans la D 91. Voir Les Arcs, « Aux alentours ».*

# Circuit de découverte

## GORGES DE CHÂTEAUDOUBLE★

*41 km – environ 1h. Quitter Draguignan par l'avenue de Montferrat, puis la D 955.*

### Pierre de la Fée

*À 1 km, au bout d'un petit chemin (à gauche).* Ce beau **dolmen** de 40 t, étale ses 6 m de long sur trois pierres levées de plus de 2 m.

### Gorges★

Profondes, très sinueuses et verdoyantes, ces murailles de calcaire sont creusées par le Nartuby, affluent de l'Argens.

*Faire demi-tour avant le village de Montferrat, puis tourner à droite dans la D 51, qui atteint Châteaudouble, sur l'autre rive du Nartuby.*

Gorges de Chateaudouble.

### Châteaudouble

Ce village au charme médiéval et aux nombreuses calades entrecoupées de placettes à fontaine occupe un **site★** exceptionnel au sommet d'une falaise surplombant d'une centaine de mètres les gorges du Nartuby. L'église Notre-Dame-de-l'Assomption (16e s.) présente un clocher-tour roman et un portail clouté. De la tour sarrasine, point de **vue★** sur l'ensemble du village et le relief tourmenté des gorges.

*Quitter Châteaudouble par le nord, direction Ampus.*

La D 51 traverse un plateau occupé par le bois des Prannes.

### Ampus

Passée la porte sarrasine, vous monterez à la petite église romane bien restaurée. Derrière part un sentier qui s'élève sur un piton rocheux (ruines de l'ancien château) : **chemin de croix** en céramique.

*Rentrer à Draguignan par la D 49.*

En cours de route, vous apprécierez les belles **vues** sur la ville et son site.

# Draguignan pratique

## Adresse utile

**Office du tourisme intercommunal de la Dracénie** – *2 av. Carnot - 83300 Draguignan -* 🕿 *04 98 10 51 05 - www.dracenie.com - juil.-août : 9h15-12h15, 13h45-19h, dim. et j. fériés 9h15-12h45 ; mai-juin et sept. : tlj sf dim. 9h15-12h15, 13h45-18h ; oct.-avr. : tlj sf dim. 9h15-12h15, 13h45-18h, sam. 9h15-12h45.*

## Visite

**Visite guidée de la ville** – *S'adresser à l'office de tourisme - juil.-août : visite guidée (2h30) 1j/sem. - 9h30 - 3 € (enf. gratuit).*

## Transports

**Bus** – *Renseignements et réservation au* 🕿 *0 800 651 220. Ticket à l'unité vendu par le conducteur ; abonnements en vente au Point Infos - 60 bd des Martyrs-de-la-Résistance (tlj sf dim. 8h30-12h, 14h-18h, sam. 8h-12h). Le réseau Transport en Dracénie dessert Draguignan et ses communes alentour.*

**Cars** – *Gare routière -* 🕿 *04 94 68 15 34. Des cars assurent la liaison avec Fréjus (50mn), Saint-Raphaël (1h), Les Arcs SNCF (25mn), Toulon (2h).*

## Se loger

⊜ **Hôtel Les Oliviers** – *815 chemin Baguier - 4 km à l'O de Draguignan par D 557 (rte de Flaysoc) -* 🕿 *04 94 68 25 74 - www.hotel-les-oliviers.com - fermé 5-25 janv. -* ▣ *- 12 ch/57 € -* 🍽 *8 €. Aucune difficulté pour trouver cet hôtel situé sur la route de Flayosc. Ses chambres, aménagées en rez-de-jardin, sont claires et fraîches ; signalons également que la circulation baisse avec la tombée du jour. Une bonne petite adresse utile.*

⊜ **Hostellerie du Moulin de la Foux** – *941 chemin St-Jean-de-la-Foux - à 3 km au S par N 555, rte de Fréjus et chemin à gauche -* 🕿 *04 98 10 14 14 - moulin.de.la.foux@wanadoo.fr -* ▣ *- 27 ch. 52/61 € -* 🍽 *7 € - restaurant 16 €. Malgré son entrée récente dans une chaîne d'hôtels, cet établissement a gardé le charme de l'ancien moulin à huile dans lequel il est installé. Une grande terrasse entourée de verdure surplombe le ruisseau. Côté chambres, simples mais agréables, on préférera celles qui ont été rénovées, pour leur équipement moderne.*

⊜ **Chambre d'hôte La Pergola** – *192 av. du 4-Septembre -* 🕿 *04 94 99 18 54 - www.draguicity.com/lapergola - 4 ch. 49/59,50 € -* 🍽 *7,50 € - repas 18/30 €. Une maison d'hôte fraîchement restaurée en centre-ville. On y entre par une jolie terrasse ombragée où chantonne une fontaine. Alliant sobriété et confort, les 4 chambres, aux étages, disposent chacune d'une salle de bains complète et de la climatisation. Pension complète possible.*

⊜⊜ **Chambre d'hôte St-Amour** – *986 rte de la Motte - 83720 Trans-en-Provence - 5 km au S de Draguignan, rte du Muy -* 🕿 *04 94 70 88 92 - www.saint-amour83.com -* 🍽 *- 3 ch. 79 € -* 🍽. *Bâtisse du 18e s. entourée d'un parc de 2 ha agrémenté d'une étonnante piscine et d'un étang. L'appartement et les chambres sont superbement personnalisés. Autre possibilité dans une maison plus récente : un ravissant petit studio décoré à la façon d'une cabine de bateau.*

## Se restaurer

⊜ **L'Accomedia** – *13 r. des Endronnes -* 🕿 *04 94 50 72 72 - fermé 14 juil.-7 août, 18 déc.-2 janv., lun. soir, dim. et lun. - 15 € déj. - 16/28 €. Enseigne doublement explicite : ce restaurant italien est situé juste en face du théâtre ! Le four à pizza assure le spectacle dans un décor moderne et clair. Préparations culinaires bien présentées, ambiance sympathique.*

⊜⊜ **Restaurant du Parc** – *21 bd de la Liberté -* 🕿 *04 94 50 66 44 - fermé vac. de fév., de Toussaint, dim. et lun. en hiver, sam. midi, dim. midi et lun. midi en été - 19/30 €. À la belle saison, un platane centenaire offre son délicieux ombrage aux convives installés en terrasse. Côté salle, vous profiterez d'un cadre rénové. Saveurs provençales dans les assiettes.*

## Que rapporter

**Marché** – *Mercredi et samedi matin, pl. du Marché et allées d'Azemar.*

**Domaine Rabiega** – *Rte de Lorgues - 83300 Draguignan -* 🕿 *04 94 68 44 22 - www.rabiega.com - tlj sf dim. 9h-12h, 14h-17h - fermé j. fériés. Belle propriété au milieu des vignes et des oliviers exploitée depuis 1986 par des Suédois. On y propose un vin « bio » majoritairement rouge à partir des 10 ha du domaine ainsi que des crus élaborés avec des vignerons régionaux. Caveau de vente, dégustation.*

**Moulin du Flayosquet** – *Rte d'Ampus - Le Bastidon - 83780 Flayosc -* 🕿 *04 94 70 41 45 - juin-août : tlj sf dim. et lun. 9h-12h30, 14h-19h ; tlj sf dim. et lun. 9h-12h, 14h-18h30 - fermé 2 sem. en mars, 2 sem. en nov. et j. fériés. Ce superbe moulin du 13e s. fonctionne encore en partie avec sa vieille roue à augets d'origine. L'huile d'olive élaborée ici selon des méthodes artisanales est aujourd'hui réputée. À découvrir dans la boutique, ainsi qu'une sélection de spécialités régionales.*

**Moulin Traditionnel « Lou Calen »** – *1 r. de l'Observance -* 🕿 *04 94 47 21 87 - merc. et sam. 9h-12h ou RV au 06 19 69 09 77. Dans ce moulin du début du 20e s. situé sur les hauteurs de Draguignan, les olives des petits récoltants locaux sont aujourd'hui encore pressées avec la vieille roue en pierre traditionnelle. Pas de boutique, mais possibilité d'achat.*

# Îles des **Embiez**★

CARTE GÉNÉRALE A4 – CARTE MICHELIN LOCAL 340 J7 – SCHÉMA P. 370 – VAR (83)

**Séparé du Brusc par une lagune, l'archipel des Embiez, planté sur des hauts-fonds très poissonneux, ravit les amateurs de pêche et de plongée. Avec ses statues et ses maisons kitsch, son musée océanographique, ses criques et ses plages, l'île des Embiez, propriété de la fondation Paul-Ricard remplit agréablement une journée de vacances.**

*Vue aérienne de l'île des Embiez, où se découpent les parcelles de vignoble.*

● **Se repérer** – L'accès à l'île *(voir la rubrique « Transports » dans l'encadré pratique)* des Embiez est payant, même par le chemin à gué. Il est interdit d'accéder aux îles à la nage sous peine d'amende.

👁 **À ne pas manquer** – Le tour de l'île des Embiez pour apprécier et profiter de sa biodiversité ; l'institut océanographique Paul Ricard et les caves du Domaine des Embiez.

🕓 **Organiser son temps** – Prévoyez une bonne journée pour profiter de l'air, de la mer et de la terre, en intégrant en début ou en fin de journée la visite de l'Institut océanographique Paul-Ricard.

👫 **Avec les enfants** – Le petit train touristique pour faire le tour de l'île ; la plongée ; l'Institut océanographique Paul-Ricard ; l'Aquascope *(voir la rubrique « Loisirs » dans l'encadré pratique)*.

👣 **Pour poursuivre la visite** – Voir aussi l'île de Bendor *(voir Bandol)*, autre propriété de la société Paul Ricard située à une quinzaine de kilomètres, Bandol, Six-Fours-les-Plages et Sanary-sur-Mer.

## Comprendre

**Combien d'îles ?** – L'archipel est composé de plusieurs îles, dont la plus grande, officiellement dénommée l'île de la Tour Fondue, est plus communément appelée l'**île des Embiez**. La deuxième par sa taille, le **Grand Gaou**, aménagée en parc, est reliée à la terre par une passerelle *(voir circuit* ③ *à Sanary-sur-Mer)*. Le **Petit Gaou** est devenu une presqu'île du Brusc. L'île du **Grand Rouveau**, qui appartient au Conservatoire du littoral, possède un phare automatique. Celle du **Petit Rouveau** est réservée à un domaine de reproduction d'oiseaux.

**Heureux propriétaire** – **Paul Ricard** *(voir aussi l'île de Bendor à Bandol)* a acheté les Embiez en 1958 à la société des Salins d'Hyères. Le fondateur de Pernod-Ricard bâtit son empire en commercialisant le célèbre pastis qui porte son nom. Mais le petit jaune n'était pas la seule corde à l'arc de ce personnage haut en couleur, peintre à ses heures, dont les œuvres sont exposées dans un petit musée.

## Les Embiez ou l'île écolo

Le drapeau bleu de l'éco-label du **Pavillon bleu** flotte au-dessus du port des Embiez. Favorisant la protection des eaux du littoral, du port et de l'environnement, les îles font figure de véritable exemple écologique pour le continent. Parmi les mesures prises, certaines sont assez rares pour être soulignées :
- Interdiction de fumer dans les pinèdes.
- Circulation automobile interdite (30 voiturettes électriques parcourent l'île).
- Gestion des déchets (sur terre, dans le port, et le long du sentier du littoral).
- La superette de l'île ne distribue aucun sachet en plastique.
- Le 1$^{er}$ bateau électrique de transport de passagers est en projet pour rallier l'île au continent en supprimant totalement la consommation de gasoil (projet *Hélios*).

# Se promener

## TOUR DE L'ÎLE D'EMBIEZ

L'île est réservée aux piétons et aux cyclistes, ceux qui n'aiment pas trop marcher opteront pour le petit train touristique.

### Le sentier du littoral★

*7 km. Plan de l'île à l'office du tourisme de Six-Fours ou au point info de l'île en saison.* À pied, comptez 1h30 pour faire le tour de l'île des Embiez qui s'étend sur 95 ha. Ne ratez rien de son étonnante diversité : plages de fin gravier et de sable, côtes sauvages et criques protégées, marais salants et vignoble *(voir « Visiter »)*. Sa végétation laisse alterner les paysages de garrigue, les pinèdes et les jardins fleuris.

### Le petit train

*☎ 06 88 69 76 78 - horaires affichés au point info - environ 10 départs/j. selon l'arrivée des bateaux - 4 € (6-18 ans 2,50 €).*
Empruntez-le pour 40mn de découverte à travers les anciens salins, le jardin japonais et le domaine viticole. C'est l'ancien chauffeur de Paul Ricard qui conduit la « micheline » et qui fait part de ses commentaires au point le plus élevé de l'île.

### Les terres

Poussez la porte de la **Chapelle Sainte-Cécile**. Bancs en bois clair, autel sobre, crèche avec santons animés évoquant la nativité, Christ sculpté sur des sarments en forme de croix et vitraux contemporains (représentation des passions de Paul Ricard : une rose, une ancre de bateau, une guitare). Sur l'île, vous apprécierez l'ensemble immobilier de style provençal. Les statues, bas-reliefs et colonnades façon Grèce antique des jardins prouvent l'intérêt de Paul Ricard pour les civilisations méditerranéennes. Au nord, le musée de peinture éponyme vous ouvre ses portes. Ne partez pas sans vous être rendus à la **Tour du Coucoussan**, au sud de l'île, au pied de laquelle repose l'homme du pastis, non loin des chèvres sauvages.

### Le port

Le port de plaisance, dominé par les ruines médiévales du château de Sabran, est très fréquenté. Régulièrement rénové (nouveaux pontons, bornes à eau et électriques dernier cri) par la société Paul Ricard, à l'abri du mistral et du vent d'est, il peut accueillir jusqu'à 700 bateaux à l'année ou de passage, des voiliers en général.

# Visiter

### Institut océanographique Paul-Ricard★

*☎ 04 94 34 02 49 - www.institut-paul-ricard.org - juil.-oct. : 10h-12h30, 13h30-17h30 ; nov.-mars 10h-12h30, 13h30-17h30, sam. et dim. 14h-17h30 ; avr.-juin : 10h-12h30, 13h30-17h30, sam. 13h30-17h30, dim. 10h-12h30, 13h30-17h30 - fermé 1$^{er}$ janv., 24-26 déc., 30 déc - 4 € (enf. 2 €).*
L'**observatoire** est installé dans l'ancienne batterie de marine de la pointe Saint-Pierre ; il est équipé de laboratoires de très haut niveau où des chercheurs étudient la biologie marine, l'aquaculture (élevage des poissons et des coquillages), ainsi que les problèmes de la pollution des mers.
Le **musée** présente les principaux biotopes méditerranéens et les espèces qui y vivent, dont une grande variété de mollusques (certains géants). À l'étage, une trentaine de grands **aquariums** permettent d'observer dans leur environnement naturel une centaine d'espèces méditerranéennes aux couleurs souvent somptueuses. On remarque principalement des gorgones, des bernard-l'ermite, des mérous, des

langoustes, des araignées de mer, des poulpes, des rascasses qui se dissimulent en faisant du mimétisme, de petites murènes et la girelle-paon qui rivalise de couleurs avec les poissons tropicaux.

## Domaine des Embiez

📞 06 09 11 69 55 (demander M. Tarpi) et 04 94 07 65 64 - juil.-août tlj sf mar.10h-13h, 16h-19h ; reste de l'année : 8h-18h (dépôt des vins à la capitainerie).
L'île accueille sur sa façade orientale 10 ha de vignes plantées en bord de mer et balayées par le mistral et le vent d'est. 33 000 bouteilles de vin de pays très aromatique sont commercialisées chaque année. Du rouge et du blanc pour les amateurs et du rosé de caractère, très réputé, qui passera bientôt en AOC côtes-de-provence. Les fines papilles ne pourront goûter ces vins que dans les restaurants de l'île (renseignez-vous pour les dégustations à la cave) et les acheter directement à la cave ou dans quelques rares points de vente de la côte varoise.

## Îles des Embiez pratique

♿ Voir aussi les encadrés pratiques de Six-Fours et Sanary-sur-Mer.

### Transports

**Accès aux îles** – S'adresser à la société Paul Ricard - 📞 04 94 10 65 20 - www.paul-ricard.com - 10 € AR (3-12 ans 6 € AR). 14 à 18 traversées/j (8mn) de l'embarcadère du Brusc à Six-Fours.

### Sports & Loisirs

🏖 **Plages** – Elles se trouvent à l'est de l'île, autour du port ou le long des bassins expérimentaux. **Criques** à l'ouest.
**Centre de plongée des Embiez** – Île des Embiez, le Brusc - 83140 Six-Fours-les-Plages - 📞 04 94 34 12 78 ou 06 87 61 03 20 - 9h-18h - fermé 15 sept.-15 avr. sf sur RV.
Les amateurs de plongée sous-marine pourront découvrir des fonds à la faune exceptionnellement riche à travers stages et baptêmes.

🏖 **Aquascope** – Île des Embiez, Le Brusc - 83140 Six-Fours-les-Plages - 📞 04 94 34 17 85 - avr.-juin : 14h30-17h ; juil.-août : 9h-18h ; sept.-oct. : à partir de 14h30 - fermé nov.-mars - adulte 16 € (enf. 8 €).
Approche originale du monde sous-marin par une promenade en bateau semi-submersible.

🏖 **Aquavision** – Île des Embiez - quai St-Pierre - 83140 Six-Fours-les-Plages - 📞 04 94 10 65 29 - avr.-sept. : tlj sf lun. 10h-16h ; reste de l'année : sur demande et sur réservation 1 sem. avant - 10 € (enf. 6 €), billet combiné avec la traversée AR Le Brusc/Île des Embiez 15 € (enf. 10 €).
Cette jolie balade (40mn) vous mène du port des Embiez à la réserve de poissons pour un spectacle multicolore. Alternez entre la coque en verre immergée pour observer la faune et la flore aquatiques et le pont extérieur pour savourer le paysage.

# Entrecasteaux

**863 ENTRECASTELLAINS**
**CARTE GÉNÉRALE B3 – CARTE MICHELIN LOCAL 340 M4 – VAR (83)**

Surplombant la vallée verdoyante de la Bresque, le château protège de sa haute façade ce village qui s'enorgueillit d'un jardin public attribué à Le Nôtre. L'avenue principale, ombragée par des platanes centenaires, concentre l'animation du village.

▶ **Se repérer** – Entrecasteaux se situe à 31 km à l'est de Draguignan, entre Aups (16,5 km) et Brignoles (24 km). Sur la place à côté du jardin, se trouve un plan d'information et sur chaque bâtiment intéressant est apposée une plaque explicative.

👁 **À ne pas manquer** – Le vieux village et la visite du château.

🕐 **Organiser son temps** – Consacrez 2h pleines à ce village qui saura vous séduire par ses charmes qui datent du 11e s.

🎒 **Pour poursuivre la visite** – Voir aussi Cotignac, Lorgues, Villecroze, Tourtour et Aups.

### Le saviez-vous ?

Parmi les illustres seigneurs de ces lieux, on compte **François Monteil**, comte de Grignan, qui épousa Françoise de Sévigné (1646-1705), fille de la célèbre marquise.

# Se promener

On parcourt avec plaisir ses vieilles rues blotties autour d'une petite **église fortifiée** dont un contrefort enjambe une rue.

Du parvis, descendez vers le **pont Saint-Pierre** et le **lavoir**, remarquez au passage la **glacière** en rotonde (18ᵉ s.) du château. Contournez celui-ci pour voir sa partie la plus étroite et l'ancienne porte d'entrée. Traversez ensuite le **jardin** à la française dessiné par Le Nôtre, et ressortez par le bel escalier en fer à cheval pour rejoindre la chapelle des Pénitents *(actuelle mairie)*, puis suivre l'agréable sentier qui grimpe à la **chapelle Sainte-Anne** d'où s'ouvre un point de vue sur le village.

# Visiter

### Château

*🎧 04 94 04 43 95 - visite guidée (1h30) de Pâques à oct. : tlj sf sam. 16h (août : visite suppl. 11h30) - 7 € (enf. 4 €).*

Cette austère bâtisse du 17ᵉ s., édifiée sur les fondations d'une **forteresse** du 11ᵉ s., de nombreuses fois remaniée, a pour unique décor un toit en génoise à double rangée de tuiles et des balustrades en fer forgé. Illuminé le soir, il prend un caractère très théâtral, que l'on ressent également en découvrant l'intérieur.

Le château compta le fief des Castellane puis des Grignan, avant d'être reçu par la famille des Bruni. Celle-ci comptait parmi ses membres l'**amiral Bruni d'Entrecasteaux** (1737-1793) : brillant navigateur, il périt au cours de l'expédition lancée à la recherche de l'explorateur La Pérouse disparu cinq ans plus tôt.

Après plusieurs décennies d'abandon, le château fut restauré par le peintre britannique Ian Mc Garvie-Munn qui, jusqu'à son décès en 1981, le transforma en partie en musée. L'actuel propriétaire, collectionneur passionné qui se charge de réaménager les pièces selon son goût, avec des meubles et des objets d'époque, vous fait partager l'histoire mouvementée du lieu. Dans la présentation actuelle, on visite l'ancienne cuisine monumentale et ses dépendances, les salles de garde *(au sous-sol)*, les salons au rez-de-chaussée, puis une suite orientale, un salon de musique baroque et une bibliothèque *(à l'étage)*.

## Entrecasteaux pratique

**&** Voir aussi les encadrés pratiques d'Aups, Brignoles et Lorgues.

### Adresse utile

**Office du tourisme d'Entrecasteaux** – *21 cours Gabriel-Péri - 83570 Entrecasteaux - 🎧 04 98 05 22 05 - www.si-entrecasteaux. com - juil.-août : tlj sf dim. et lun. 9h30-12h, 15h-18h30 ; reste de l'année tlj sf dim. et lun. 9h-12h, 14h-17h*

### Se loger

😊😊 **Chambre d'hôte Bastide Notre-Dame** – *Au bourg - 🎧 04 94 04 45 63 - mariethevalentin@aol.com - fermé 1 sem. en hiver - 🍴 - 4 ch. 92 € 🍽.* Bâtie sur un terrain escarpé, cette grosse maison compte 4 chambres avec accès indépendant, installées à l'étage et pourtant presque au niveau du sol. Chacune offre une belle vue sur la vallée. Décoration simple. Piscine et salon d'été pour profiter du soleil lors d'un moment de détente.

### Se restaurer

😊 **La Fourchette** – *Le Courtil, près du château - 🎧 04 94 04 42 78 - fermé déc.-fév, dim. soir, lun. et mar. - 15/26,50 €.* Cuisine légère et raffinée avec les produits frais du marché. Belle terrasse avec vue

panoramique sur la vallée de la Bresque et petite salle intime pour l'hiver avec une cheminée, une fresque du village et un sol de vieux carrelage.

### Que rapporter

**Marchés** – Pl. du Souvenir, marché alimentaire : vendredi matin. Marché des antiquaires : 1ᵉʳ dimanche du mois.

**Foires de la brocante** – Dernier week-end de mai, 2ᵉ dimanche de juillet et 1ᵉʳ week-end de septembre.

### Sports & Loisirs

**Provence Canoë - New Évasion** – *Sur la D 562 entre Lorgues et Carcès - Entrecasteaux, Le plan de Pardigon - 🎧 04 94 29 52 48 ou 06 82 57 17 34 - www. new-evasion.fr - tlj d'avr. à fin nov.* Partez à la découverte de l'Argens, rivière encore sauvage, quel que soit votre niveau en canoë ou en kayak. Location de cycles.

### Événements

**Floralies** – 3ᵉ week-end d'avril : foire aux plants et fleurs.

**Grande soupe au pistou** – Dernier dimanche de juillet.

**Fêtes patronales** – Fête de la Sainte-Anne le 26 juillet et fête de la Saint-Sauveur le 1ᵉʳ week-end d'août.

# Massif de l'**Esterel**★★★

CARTE GÉNÉRALE C3 – CARTE MICHELIN LOCAL 340 P/Q5 – VAR (83)

Entre Saint-Raphaël et La Napoule, le décor rouge de l'Esterel impressionne. Le massif et la mer s'interpénètrent : promontoires et pointes escarpées alternent avec des baies minuscules, d'étroites grèves, de petites plages ombragées, des calanques aux murailles verticales. En avant de la côte émergent des milliers de rochers et d'îlots colorés en vert par les lichens, tandis que les récifs transparaissent sous l'eau. Le contraste entre la côte grouillante d'adeptes de la vie balnéaire et les solitudes de l'intérieur ne fait que rendre celles-ci plus extraordinaires.

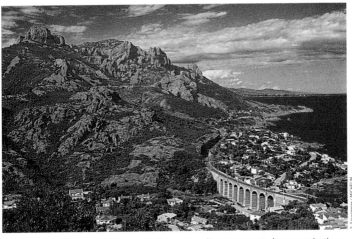

*Le viaduc d'Anthéor construit dans un relief laissant peu d'espace aux axes de communications.*

- ▶ **Se repérer** – Cette région, l'une des plus belles de Provence, est ouverte au grand tourisme depuis 1903 grâce à la création par le Touring Club de la route de corniche ou « corniche d'Or » qui s'étend sur 40 km.

- 👁 **À ne pas manquer** – Le Mont Vinaigre culminant à 618 m ; la Corniche de l'Esterel et ses panoramas vertigineux ; les criques intimes et villages perchés ; la route de la Sainte-Beaume.

- 🕐 **Organiser son temps** – Pour relier Cannes à Fréjus et profiter du paysage, vous hésiterez entre la route de la Corniche et l'ancienne N 7, très sinueuse ; dans les deux cas il faudra prévoir une journée. Comptez une demi-journée pour la randonnée qui vous mènera jusqu'au Pic de l'Ours ou 5h30 pour celle de la Sainte-Beaume.

- 👥 **Avec les enfants** – Les promenades à cheval guidées et commentées par un garde de l'ONF *(voir la rubrique « Sports & Loisirs » dans l'encadré pratique).*

- 👓 **Pour poursuivre la visite** – Selon l'itinéraire choisi, voir aussi Saint-Raphaël et Fréjus, ou Mandelieu-la-Napoule et Cannes.

## Comprendre

**Massif en technicolor** – L'Esterel est un massif bas (618 m au mont Vinaigre), raboté par l'érosion mais profondément raviné, si bien qu'on a parfois l'impression d'être en haute montagne. Sa physionomie caractéristique (relief heurté, déchiqueté, de couleur rouge feu) apparaît dans toute sa beauté au massif du **cap Roux**, en contraste saisissant avec le bleu indigo de la mer. Dans la région d'Agay pointent les porphyres bleus dont les Romains ont tiré les colonnes de leurs monuments de Provence. Par endroits, la couleur devient verte, jaune, violette ou grise.

La vallée de l'Argens sépare l'Esterel du **massif des Maures** *(voir ce nom).* Les deux massifs, nés des plissements hercyniens, ont le même âge, mais sont constitués de roches différentes : schistes cristallins pour les Maures, roches éruptives (porphyres durs) pour l'Esterel.

DÉCOUVRIR LES SITES

**Le pas de l'Esterel** – Ce décor impressionnant l'était plus encore jadis, car des brigands, tels **Gaspard de Besse**, hantaient la route de l'Esterel vers l'Italie. « Passer le pas de l'Esterel » était une expression proverbiale. L'endroit le plus dangereux se trouvait près du mont Vinaigre, sur le chemin qui, partant de la N 7 au carrefour du Logis-de-Paris, passe devant la maison forestière du Malpey qui signifie en provençal « mauvaise montagne ». En 1787, il fallait encore du courage au naturaliste de Saussure pour parcourir la région à pied. Jusqu'à la fin du 19e s., l'Esterel fut un excellent refuge pour les forçats évadés du bagne de Toulon.

**Les ravages du feu** – L'Esterel était autrefois couvert de pins et de chênes-lièges. Les ravages des incendies (quatre d'entre eux, en 1818, 1918, 1943 et 1964 ont parcouru la totalité du massif) exigent un énorme effort de reconstitution de la forêt pour faire reculer le maquis, trop inflammable. Dans ce but, l'**ONF** replante, introduit de nouvelles essences, taille les rejets des chênes-lièges et réalise des travaux de protection (tranchées pare-feux, retenues d'eau, pistes de défense, citernes…).

En 1993, la forêt domaniale se compose du maquis (plus de 60 %), de chênes-lièges (18 %) et de pins maritimes (13 %). Autres espèces visibles : pin d'Alep, pin parasol et chêne vert. Des arbrisseaux fixent les sols et ralentissent l'érosion : bruyères, arbousiers, lentisques, cistes, genêts épineux et lavandes ; floraison multicolore et parfumée au printemps et au début de l'automne.

# Séjourner

La corniche de l'Esterel présente un paysage magnifique, plongeant abruptement dans la mer et parsemé d'agréables petites stations balnéaires.

**Boulouris** (voir Saint-Raphaël)

**Agay** (voir Saint-Raphaël)

**Anthéor** (voir Saint-Raphaël)

**Le Trayas** (voir Saint-Raphaël)

## Les pins de la Côte d'Azur

**Pin maritime** – Peuplement d'origine et autrefois dense du littoral méditerranéen (aujourd'hui, 60 % des essences forestières). Très combustible, il se régénère vite, mais depuis 1958 un insecte parasite bloque sa maturité, d'où son aspect « mité ».
**Pin parasol** – Apprécié pour son allure et son ombrage, il permet de repeupler les maquis.
**Pin d'Alep** – Amateur de sols secs, fréquent dans l'arrière-pays jusqu'à 500 m d'altitude, dans les restanques en friche et les versants isolés à l'adret. Écorce brun-rouge et tronc sinueux.
**Pin sylvestre** – En altitude, sur les plateaux du haut Var et les reliefs du Nord des Alpes-Maritimes, sapins et pins sylvestres forment de superbes forêts.

### Miramar

Station élégante avec port privé dans l'**anse de la Figueirette**. En janvier 1942, le Special Operations Executive des Anglais y débarqua son premier officier, **Peter Churchill**, pour y prendre contact, notamment avec le réseau « Carte ».

### La Galère

Station boisée sur les pentes de l'Esterel qui ferment de ce côté le golfe de La Napoule. En contrebas de la route, l'étonnante cité marine de **Port-la-Galère** (port privé), conçue par l'architecte Jacques Couelle, se fond dans l'environnement rocheux. Maisons aux façades curieusement creusées comme des alvéoles.

### Théoule-sur-Mer

Cette station, abritée par le promontoire du rocher de Théoule, possède trois petites plages publiques accessibles par la **promenade André Pradeyrol**, entièrement piétonne et appréciée des pêcheurs à la ligne. Vue sur les villas perchées, parfaitement assorties au décor dont un bâtiment crénelé et flanqué de tourelles, une ancienne savonnerie (18e s.) transformée en **château**.

Les amateurs de criques préféreront le parc départemental de la **pointe de l'Aiguille** qui s'étend sur 7 ha et qui offre également aux randonneurs de beaux panoramas dans sa partie haute.

# Circuits de découverte

## CORNICHE DE L'ESTEREL★★★ 1

*40 km au départ de Saint-Raphaël – environ 5h. Quitter le centre de Saint-Raphaël par le sud, N 98.*

La route longe le port de plaisance de Saint-Raphaël. Sur une esplanade en front de mer, une haute **stèle** commémore les combats de l'armée française en Afrique.

*Après avoir dépassé Boulouris, poursuivre sur la N 98.*

### Le royaume d'Auguste Ier

Au large de la plage du Dramont située à l'est de Boulouris se trouve un minuscule îlot de porphyre rouge, **l'île d'Or**, dont l'histoire appartient à la mythologie de la Côte d'Azur. En 1897, un médecin parisien, Auguste Lutaud, l'acheta aux enchères. L'excentrique docteur y fit construire une tour pseudo-médiévale de quatre étages en pierre rouge de l'Esterel, avant de s'autoproclamer roi de l'île sous le nom d'Auguste Ier. Ses réceptions fastueuses attirèrent la société mondaine de la Côte, dont des célébrités de la Belle Époque (le général Gallieni, l'académicien Jean Aicard). Décédé en 1925, le monarque repose dans son royaume qui, toujours privé, a, depuis, changé plusieurs fois de propriétaire.

S. Sauvignier / MICHELIN

### Plage du Dramont *(voir Saint-Raphaël)*

À droite de la route, une **stèle** rappelle le débarquement de la 36e division américaine le 15 août 1944.

Longeant la belle plage de Camp-Long, la route atteint les stations d'Agay et d'Anthéor, de part et d'autre de la **rade d'Agay**. Au passage, admirez le majestueux aqueduc à Anthéor. Peu avant la pointe de l'Observatoire, vue à gauche sur les roches rouges de Saint-Barthélemy et du cap Roux.

### Pointe de l'Observatoire★

Des vestiges d'un blockhaus formant belvédère, belle **vue★** sur les rochers rouges et la mer bleue. On distingue Anthéor, la pointe du Cap-Roux, la pointe de l'Esquillon et le golfe de La Napoule. Le massif de l'Esterel se jette brutalement dans la mer par des escarpements grandioses de roches rouges.

*Dépasser Le Trayas. Dans un virage à hauteur de l'hôtel Tour de l'Esquillon à Miramar, quitter la route et laisser la voiture au parking.*

### Pointe de l'Esquillon★★

🚶 *15mn AR, par un sentier balisé.* Très belle **vue★★** sur l'Esterel, sur la côte, du cap Roux au cap d'Antibes, et sur les îles de Lérins (table d'orientation).

Dépassant La Galère, la route contourne la **pointe de l'Aiguille** : belle **vue★** sur le golfe de La Napoule, le site de Cannes, les îles de Lérins, le cap d'Antibes.

À **La Napoule** *(voir Mandelieu-la-Napoule)*, la N 98 franchit la Siagne puis longe le golfe jusqu'à **Cannes** *(voir ce nom)*.

## VOIE AURÉLIENNE★ 2

*46 km de Cannes à Saint-Raphaël – environ 6h. Cet itinéraire s'effectue en grande partie à travers la forêt de l'Esterel.*

L'ancienne **voie Aurélienne** (*camin aurélian* en provençal), l'une des plus importantes de l'Empire romain, contournait l'Esterel au nord. Une borne marquait chaque mille (1 478 m) et servait de marche-pied aux cavaliers. Des relais permettaient aux courriers impériaux de dormir, changer de cheval ou effectuer une réparation.

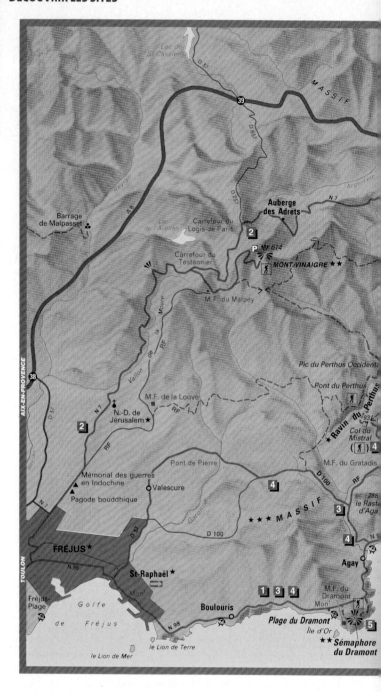

Quitter Cannes par le sud-ouest, N 7.

Après le quartier industriel de la Bocca, la route traverse la plaine alluvionnaire de la Siagne.

*Prendre à gauche la route d'accès à l'aérodrome, puis tourner à droite.*

## Ermitage de Saint-Cassien

Cette **chapelle** (14e s.), lieu de pèlerinage, s'élève sur une petite butte, à l'abri d'une magnifique chênaie mêlée de quelques cyprès ; la tradition veut qu'un temple romain l'ait précédée.

*Revenir à la N 7.*

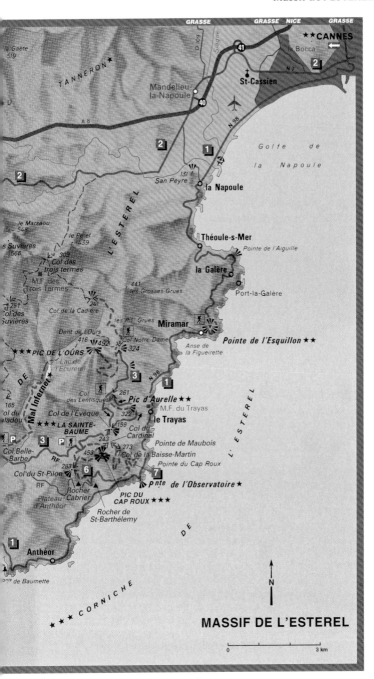

**MASSIF DE L'ESTEREL**

**Mandelieu** *(voir ce nom)*

La N 7 s'engage ensuite dans la dépression qui sépare l'Esterel du Tanneron.

## Auberge des Adrets

Datant de 1653, cet ancien relais de poste fut l'un des repaires d'un bandit du 18ᵉ s., **Gaspard de Besse**, dont les exploits défrayèrent la chronique locale. Il fréquentait aussi une grotte du mont Vinaigre, que serre la route après le carrefour du Logis-de-Paris. Ce brigand coquet, vêtu de rouge et boutonné d'argent, détroussait avec sa bande diligences et cavaliers. Il termina sa carrière roué vif sur la place d'Aix en 1781, à 24 ans. Sa tête fut clouée à un arbre de la grand-route, théâtre de ses exploits.

*Au carrefour du Testannier, prendre à gauche la route signalée « forêt domaniale de l'Esterel ». À la maison forestière du Malpey, prendre la direction « mont Vinaigre ».*

## Mont Vinaigre★★

🚶 *30mn AR.* Un sentier conduit au sommet (alt. 618 m). Splendide **panorama★★** : de gauche à droite, face à la mer, le cap d'Antibes, la pointe de la Croisette, Cannes, une partie du golfe de La Napoule ; devant vous, le pic de l'Ours, coiffé de sa tour et de son antenne de télévision, le pic du Cap-Roux, le golfe de Fréjus ; vers l'intérieur, les Maures, la plaine du bas Argens, les hauteurs calcaires de la Provence intérieure, l'extrémité sud du lac de Saint-Cassien. Par temps clair, on voit les Alpes italiennes et, de l'autre côté, la Sainte-Baume.

*Revenir à la N 7.*

Dans un virage, **vue** à droite sur les Plans de Provence de la région de Fayence, tandis qu'on longe le vallon de la Moure. Dans ce secteur, l'antique voie Aurélienne suivait, sur l'autre rive, le tracé approximatif de la route forestière.

## Fréjus★ *(voir ce nom)*

*Gagner Saint-Raphaël par le boulevard S.-Decuers.*

*Le massif de l'Esterel, côté terre.*

## ROUTE DU PIC DE L'OURS★★ ③

*57 km de routes étroites, pas toujours revêtues – compter une journée. Quitter Saint-Raphaël par le sud-est, N 98. À la sortie d'Agay, prendre la route de Valescure, puis à droite, direction pic de l'Ours. Passer le gué après la maison forestière du Gratadis. Laisser à droite le plateau d'Anthéor et prendre la route du pic de l'Ours (carrefour de Mourrefrey).*

La route monte à travers un paysage varié : chênes verts, terrains dénudés, rochers colorés, vues lointaines sur le ravin du Mal Infernet. Elle serpente en contournant par le nord les sommets du Saint-Pilon et du Cap-Roux pour atteindre le col de l'Évêque, puis le col des Lentisques *(sens unique entre ces deux cols : aller par la route à l'est du pic et retour par la route intérieure).* Belles **échappées** vers la mer.

## Pic d'Aurelle★★

🚶 *1h AR.* Le chemin balisé part du col des Lentisques. C'est un des sommets importants (alt. 323 m) de la chaîne littorale de l'Esterel. Large **vue★★** du cap d'Antibes à la pointe de l'Observatoire.

*Rejoindre en voiture le col Notre-Dame (alt. 324 m).*

Le parcours en corniche du col des Lentisques au col Notre-Dame est l'un des plus beaux de l'Esterel : saisissantes **vues★** plongeantes sur la corniche de l'Esterel et splendides perspectives sur le rivage vers le cap d'Antibes. Du col Notre-Dame, **vue** remarquable sur Cannes, les îles de Lérins et le golfe de la Napoule.

## Pic de l'Ours★★★

🚶 *1h30 AR.* Parking au col Notre-Dame. La route en lacet *(interdite à tout véhicule privé)* propose de belles vues renouvelées sur le massif boisé de l'Esterel et les indentations du littoral ; elle domine de plusieurs centaines de mètres la mer où affleurent d'immenses rochers. Aux abords du sommet (alt. 492 m), où se dresse un émetteur de télévision, **panorama★★★** exceptionnel sur la côte des Maures aux Alpes, sur le massif de l'Esterel dominé par le mont Vinaigre et sur une partie du pays varois.

*À partir du col Notre-Dame, la route qui rejoint le col des Trois-Termes est interdite à la circulation automobile.*

On peut pousser à pied jusqu'au col de la Cadière : **vue★** vers le nord, La Napoule et le Tanneron.

*Faire demi-tour pour regagner Saint-Raphaël.*

# Randonnées

Voici quelques promenades pour se dégourdir les jambes après une balade en voiture. Faites-en au moins une : vous ne le regretterez pas, car les vues sont magnifiques. N'oubliez pas d'emporter de bonnes chaussures et de l'eau !

### Route du Perthus★ 4

*20 km – environ 3h. Quitter Saint-Raphaël par la N 98, au sud, jusqu'à la maison forestière de Gratadis, puis tourner à gauche vers le col de Belle-Barbe. Parking au col. Au-delà, piste interdite aux véhicules privés.*

**Ravin du Mal Infernet★ –** 🥾 *2h AR.* Le chemin s'engage dans le ravin boisé, site grandiose dominé par des rochers hérissés, et aboutit au petit lac de l'Écureuil. Les marcheurs courageux continueront vers le col Notre-Dame (environ 3 km de plus) en contournant par le nord le pic et la dent de l'Ours.

*Revenir au col de Belle-Barbe, poursuivre au nord-ouest. Laisser la voiture au parking du col du Mistral et prendre à pied à gauche.*

**Ravin du Perthus★ –** 🥾 *1h30 AR.* La route contourne par le sud les pics du Perthus. Au Pont du Perthus, un sentier non balisé s'engage au nord dans le joli ravin du Perthus, cadre de promenades faciles. À droite se profile le **pic du Perthus occidental** (266 m), dressant ses porphyres écarlates à l'extrémité sud de la forêt domaniale de l'Esterel.

*Revenir au parking du col du Mistral par le même chemin et se diriger en voiture vers Valescure et Saint-Raphaël par le col de Belle-Barbe, puis la D 100 et la D 37.*

### Sémaphore du Dramont★★ 5

*Depuis la N 98, en venant de Dramont, tourner à droite aussitôt après le camping. Laisser la voiture 100 m plus loin, près du chemin qui, à gauche, monte au sémaphore.*

🥾 *1h AR par un sentier balisé et revêtu.* En contrebas du belvédère aménagé, **panorama★★** sur les Maures, le Lion de Mer et le Lion de Terre (deux rochers de porphyre à l'entrée du golfe de Fréjus), l'île d'Or ; en face, le mont Vinaigre ; légèrement à droite, derrière le Rastel d'Agay, les rochers du massif du Cap-Roux et le pic de l'Ours ; à droite, la rade d'Agay. Redescendre par le sentier balisé *(à droite)* qui aboutit au **petit port** : jolies vues sur les criques dont les eaux transparentes raviront les baigneurs.

### Pic du Cap-Roux★★★ 6

*Au départ du parking de la Sainte-Baume. Pour atteindre ce parking au départ de Saint-Raphaël, suivre le circuit* 3 *par la N 98 et la route forestière.*

🥾 *2h AR.* Le sentier pédestre balisé mène au col du Cap-Roux. Du sommet (alt. 453 m), merveilleux **panorama★★★** (table d'orientation). Poursuivez tout droit : vue sur col de l'Evêque et, au large, sur les îles de Lérins. Le chemin descend jusqu'à la **source de la Sainte-Baume**, dont la fraîcheur semble alors paradisiaque !

### La Sainte-Baume★★★ 7

*Au départ du parking de la Sainte-Baume.*

🥾 *5h30 AR.* Un peu plus longue et, parfois plus escarpée, cette variante de la promenade précédente vous permettra d'atteindre le **col du Saint-Pilon** (vue sur le cap du Dramont), puis, parmi les romarins, de parcourir un sentier en corniche d'où vous apercevrez, à droite, le rocher Cabrier (bien nommé car nul sinon une chèvre ne pourrait l'escalader), en contrebas, le rocher de Saint-Barthélemy. Vous suivrez la mer, empruntant parfois une route goudronnée, puis un sentier en corniche dont le faux plat est une torture pour des mollets non entraînés ! À la **pointe Maubois**, le sentier traverse la voie ferrée et la route (RN 98) : une halte rêvée pour un pique-nique en bord de mer, dans la calanque du même nom. Après le tunnel sous lequel s'engouffre la voie ferrée, vous arriverez au col de la Baisse-Martin, puis au **col du Cardinal**. Vient alors la récompense : la descente et, tout en bas, la source bienfaisante.

## Massif de l'Esterel pratique

♿ Voir aussi les encadrés pratiques de Mandelieu et Saint-Raphaël.

### Adresses utiles

**Office du tourisme de Théoule-sur-Mer/ Miramar** – 1 corniche d'Or - 06590 Théoule-sur-Mer - ℰ 04 93 49 28 28 - www.theoule-sur-mer.org - juil.-août : 9h-19h ; reste de l'année : 9h-19h, dim 9h-14h - fermé 1er janv., 1er Mai et 25 déc.

**Office du tourisme du Muy** – 19 allée Victor-Hugo - 83490 Le Muy - ℰ 04 94 45 12 79 - www.lemuy-tourisme.com - juil.-août : 9h15-12h15, 14h45-19h ; reste de l'année : tlj sf w.-end 9h15-12h15, 13h45-18h - fermé j. fériés.

**Syndicat d'initiative d'Agay** – Pl. Charles-Gianetti - 83530 Agay - ℰ 04 94 82 01 85 - www.agay.fr - juil.-août : 9h-12h, 15h-19h - reste de l'année tlj sf w.-end 9h-12h, 14h-18h (17h30 oct.-fév.) - fermé j. fériés.

### Mode d'emploi

**Circulation** – Sur la carte, les routes portant la mention « **RF** » (routes forestières) sont ouvertes à la circulation motorisée avec les restrictions suivantes :
- circulation interdite de 21h à 6h ;
- la route du col Notre-Dame au col des Trois-Termes de mi-juin à mi-septembre ; la route du Pic de l'Ours fermée aux véhicules automobiles ;
- vitesse limitée à 40 km/h ;
Les autres routes (pointillés rouges) sont strictement interdites à la circulation motorisée, sous peine d'amende.
**VTT** – Respecter les itinéraires et balisages prévus.

**Feu** – Interdit de faire du feu toute l'année, de fumer en forêt et sur les voies la traversant, de mi-mars à mi-octobre.
En cas de risques sévères d'incendie, le massif peut être fermé à toute circulation. En toute période, se renseigner sur la fermeture éventuelle du massif : ℰ 04 98 10 55 41 ou consulter le site internet www.cdig-var.org.

**Animaux** – Tenir son chien en laisse. Ne pas déranger les animaux sauvages.
**Camping sauvage** – Interdit à l'intérieur du massif et à moins de 200 m de toute forêt.
**Cueillette** – Ne pas ramasser d'espèces protégées.
**Détritus** – Utiliser les poubelles prévues à cet effet ou remporter ses déchets.

### Visites

**Visites guidées du massif** – En partenariat avec les offices du tourisme de Saint-Raphaël-Agay, Fréjus, Mandelieu et Le Muy, l'**ONF** organise toute l'année des visites guidées pédestres en forêt. Renseignements dans les offices de tourisme concernés.

### Se loger

⊜ **France-Soleil** – 206 av. Pléiades - 83530 Agay - ℰ 04 94 82 01 93 - fermé nov.-Pâques - 🅿 - 18 ch. 75/130 € - ⊐ 8,50 €. En léger retrait du rivage, hôtel modeste, familial. Les chambres, simples, réparties dans trois petits bâtiments, donnent majoritairement sur la mer.

⊜ **Provençal** – 195 r. Garonne - 83700 St-Raphaël - ℰ 04 98 11 80 00 - reception@hotel-provencal.com - 24 ch. 75 € - ⊐ 6,50 €. En retrait du port et de son animation, établissement entièrement rénové abritant des chambres actuelles et fonctionnelles, dotées d'une bonne isolation phonique.

⊜ **La Potinière** – 169 av. de la Gare - Boulouris - 83700 St-Raphaël - ℰ 04 94 19 81 71 - hotel@la-potiniere.com - fermé 7-30 janv. - ⊐ ch. 86/158 € - ⊐ 11 € - restaurant 25/42 €. Au cœur d'une pinède, établissement disposant de chambres fonctionnelles, toutes pourvues d'un balcon ou d'une terrasse. Solarium, sauna, boulodrome, VTT. L'été, on dresse les tables sous les arbres, près de la piscine, le temps d'un « snack ».

### Sports & Loisirs

**Randonnées** – L'ONF édite un **plan guide** des randonnées, en vente dans les offices de tourisme uniquement.

**Les Trois Fers - L'Estérel à Cheval - Poneys Club de l'Estérel** – Près des lacs - le Dramont - 83700 St-Raphaël - ℰ 06 85 42 51 50/06 09 96 25 52 - www.les3fers.com - tte l'année sur réserv. Dépaysement assuré avec ce club (labellisé école française d'équitation) qui vous propose des randonnées équestres à travers les plus beaux sites de l'Esterel, dont une très belle vers l'île d'Or et le cap Dramont. Également, poney-club pour les enfants à partir de 4 ans et pour les « bébés cavaliers » de 2 à 4 ans.

**Ranch de l'Esterel** – Av. des Golfs - 83700 St-Raphaël - ℰ 04 94 82 89 47 - www.esterel-caravaning.fr - juil.-août : 9h-12h, 16h-19h ; reste de l'année : 9h-12h, 15h-18h - fermé oct.-mars et sam. - 20 €/h. Randonnée à l'heure ou à la demi-journée. Balades à la carte : vous choisissez votre itinéraire parmi de nombreux circuits au cœur de l'Esterel.

**JDC Loisirs et Découverte de l'Esterel** – 281 r. du 11-Novembre-1943 - 83530 Agay - ℰ 06 09 09 73 90 - www.decouvertedelesterel.com - fév.-déc. : tlj sur demande préalable - 35 €. Joseph, partenaire de l'ONF, propose une découverte originale de la forêt de l'Esterel à bord d'un véhicule décapotable. La visite s'achève par une dégustation, à volonté, de produits locaux. Pensez à réserver par téléphone.

# Èze★★

2 509 ÉZASQUES
CARTE GÉNÉRALE D4 – CARTE MICHELIN LOCAL 341 F5 – SCHÉMAS P. 328 –
ALPES-MARITIMES (06)

Étrangement isolé sur un piton rocheux dominant la mer (429 m) et faisant corps avec lui, ce village forme un site extraordinaire. En dépit d'une solide forteresse médiévale, Èze n'a pas résisté au tourisme qui remplace dorénavant la culture de l'œillet et de la mandarine !

*Èze, un superbe balcon sur la mer : vue imprenable depuis le jardin exotique.*

D. Pazery / MICHELIN

- ▶ **Se repérer** – Entre Nice (11 km) et Monaco (7 km), vous y accèderez par la moyenne corniche *(voir Corniches de la Riviera)*.

- 🅿 **Se garer** – Deux parkings où on laisse la voiture avant de grimper. Celui de la place A.-Fighiera est gratuit, mais souvent complet… En saison, venir tôt le matin.

- 👁 **À ne pas manquer** – Musarder dans le vieux village et profiter du point de vue superbe depuis le Jardin d'Èze sur la mer et les îles alentours.

- 🕐 **Organiser son temps** – 1h suffit pour flâner dans le vieil Èze. Quant au jardin, il se visite au rythme voulu.

- 👥 **Avec les enfants** – Au choix, la visite guidée de la parfumerie Fragonard ou du musée de la Parfumerie et de la fabrique de savons Galimard.

- 👓 **Pour poursuivre la visite** – Voir aussi Nice, Beaulieu-sur-mer, Monaco, Villefranche-sur-Mer et Peillon.

## Se promener

### VIEUX VILLAGE★

Une double porte fortifiée du 14ᵉ s. avec mâchicoulis et chemin de ronde vous introduit d'emblée dans une ambiance de conte de fées où maisons et roches se confondent dans une même couleur de pierre ancienne. Les venelles étroites, couvertes de voûtes ou coupées d'escaliers, abritent des maisons bien restaurées, animées de feuillage et de fleurs quand ce ne sont pas de boutiques d'artisanat ou de souvenirs. De belles échappées lumineuses éclairent la montagne ou la mer.

### Église

*Pl. de l'Église - ℰ 04 93 41 26 00 - possibilité de visite guidée dans le cadre de la visite de la ville : se renseigner à l'office de tourisme.*
Reconstruite au 18ᵉ s., elle présente une façade classique et un clocher carré à

👁 **Le saviez-vous ?**

**Francis Blanche**, connu pour son duo de choc avec Pierre Dac, notamment dans *Signé Furax*, possédait une maison à Èze. Il repose dans le cimetière.

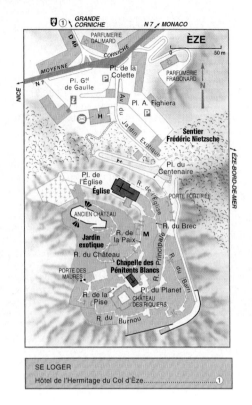

deux étages. L'intérieur, de style baroque, renferme une remarquable statue de l'Assomption (18e s.), attribuée à Muerto, et des fonts baptismaux armoriés.

## Chapelle des Pénitents-Blancs

*Carriera Plana -* 📞 *04 93 41 26 00 - possibilité de visite guidée : se renseigner à l'office de tourisme.*

D'un extérieur modeste avec ses panneaux émaillés, cet édifice du 14e s. est richement décoré. À l'intérieur, une *Crucifixion* attribuée à l'atelier de Ludovic Brea et un curieux crucifix catalan de 1258 à la tête droite et souriante. Ce crucifix est entouré d'un ciborium du 16e s en acajou et d'une *Madone des forêts* du 14e s., ainsi appelée car Jésus tient une pomme de pin dans sa main. Sur un pilastre de la tribune, crucifix en bois du 16e s.

## Jardin d'Èze

*R. du Château -* 📞 *04 93 41 10 30 - www.eze-riviera.com - janv. : 9h-17h30 ; fév.-mars et oct. : 9h-18h ; avr.-mai : 9h-18h30 ; juin : 9h-19h30 ; juil.-août. : 9h-20h ; sept. : 9h-19h ; nov.-déc. : 9h-17h (dernière entrée 30mn av. fermeture) - fermé 25 déc. - 6 € (-11 ans gratuit).*

Il propose d'abord le plus beau **panorama**★★★ qui soit, sur la mer, la Riviera et même la Corse, depuis sa terrasse couronnée des vestiges du château (table d'orientation). C'est aussi un éden luxuriant de **plantes succulentes** que vous découvrirez en parcourant un lacis d'allées d'où surgissent 15 sculptures de femmes de Jean-Philippe Richard. Miroirs d'eau, petite cascade et brumisateurs ajoutent un brin de fraîcheur. Piquez-y donc votre curiosité !

## Sentier Friedrich-Nietzsche★

🥾 *1h.* Inspiré par Èze, Nietzsche y écrivit une partie du lyrique *Ainsi parlait Zarathoustra* et laissa son nom à ce sentier qui conduit, entre pins et oliviers, à la station d'**Èze-Bord-de-Mer** où se trouvent la gare et la plage.

# Aux alentours

## Astorama

*À la sortie du col d'Èze. Voir Corniches de la Riviera, le circuit* ①.

## Èze pratique

↻ Voir aussi les encadrés pratiques de Nice et Monaco.

### Adresse utile

**Office Municipal du tourisme d'Èze** – *Pl. du Gén.-de-Gaulle - 06360 Èze - ☎ 04 93 41 26 00 - www.eze-riviera.com - mai-sept. : 9h-19h, dim. 10h-13h, 14h-19h ; oct.-avr. : 9h-18h, dim pdt vac. scol. 10h-13h, 4h-18h - fermé 25 déc.*

### Visites

**Visite guidée du village** – *S'adresser à l'office de tourisme - visite guidée (1h) - se renseigner pour les horaires - 6 €.*

### Se loger

⊖ **Hôtel de l' Hermitage du Col d'Èze** – *Grande Corniche - ☎ 04 93 41 00 68 - www. ermitage.com - fermé 15 janv.-15 fév. - ₱ - 16 ch. 59/119 € - ☑ 8 € - restaurant pour résidents 25/45 €.* Cet hôtel posté à l'entrée du parc naturel départemental de la Grande Corniche jouit d'un point de vue agréable, d'un côté sur la mer, de l'autre sur les Alpes du Sud. Petites chambres entièrement rénovées, toutes équipées de TV, Internet et climatisées ; salle à manger d'esprit provençal. Jardin, terrasses et piscine à débordement.

### Que rapporter

**Parfumerie Fragonard** – *Au village - ☎ 04 93 36 44 65 - www.fragonard.com - visite guidée tte l'année 8h30-18h30 ; de nov. à janv. : 8h30-12h, 14h-18h - gratuit.* Une **visite guidée** et gratuite de cette usine-laboratoire suspendue au dessus de la mer vous donnera un aperçu de l'univers de la parfumerie, de la savonnerie et des cosmétiques. Tous les produits sont en vente, à prix d'usine.

**Parfumerie Galimard** – *Pl. du Gén.-de-Gaulle - par la Moyenne Corniche - ☎ 04 93 41 10 70 - www.galimard.com - 9h-18h30 - fermé 25 déc.* Cette maison fondée en 1747 propose des **visites guidées** et gratuites du musée de la Parfumerie et de la fabrique de savons. Parfums, produits cosmétiques, savons, etc. sont en vente à prix d'usine à la boutique attenante.

# Fayence

**4 253 FAYENÇOIS**
**CARTE GÉNÉRALE C2 – CARTE MICHELIN LOCAL 340 P4 – VAR (83)**

Avec la montagne toute proche, le lac de Saint-Cassien à 10 km, d'autres charmants villages perchés aux alentours, Fayence séduit l'été notamment. Son dédale de ruelles pentues n'effraie personne, surtout pas les amoureux d'architecture provençale. Ici, la Tour de l'Horloge et son campanile veillent depuis des siècles sur le village.

▶ **Se repérer** – Entre Draguignan (35 km) et Grasse (27 km). Limitrophe, le joli village de Tourrettes. Pour une vue du ciel : rendez-vous au centre de vol à voile très réputé, pour un baptême de l'air !

👁 **À ne pas manquer** – La visite du vieux village et de son église ; son four à pain et la chapelle Notre-Dame-des-Cyprès. Alentour, le circuit du lac de Saint-Cassien fera alterner découverte et farniente.

🕐 **Organiser son temps** – La visite du vieux village en soi vous prendra 30mn. Mais prévoyez une demi-journée pour parcourir les deux circuits qui vous mèneront à travers le pays de Fayence.

👥 **Avec les enfants** – L'écomusée agricole de Fayence et le lac de Saint-Cassien.

↻ **Pour poursuivre la visite** – Voir aussi Mons, Seillans et le Massif du Tanneron.

## Se promener

👁 **Bon à savoir** – Demandez à l'office de tourisme le miniguide *(gratuit)* pour visiter le vieux village : « Fayence au fil des ruelles ».

### Vieux quartier

*En contrebas de la place de l'Église.* Au détour de rues escarpées, vous admirerez un portail 17ᵉ s., de belles portes de maisons, et celles de l'enceinte dont la porte sarrasine a conservé ses mâchicoulis. Remarquez aussi les vestiges d'une tour de guêt rue Grande-du-Château, le porche de la mairie (19ᵉs) et la chapelle Saint-Roch édifiée pour se protéger des épidémies, sans oublier les nombreuses fontaines baroques et les lavoirs, place G.-Péri, rue Saint-Clair et place de la République.

## Église

Elle fut construite au milieu du 18e s. pour accueillir une population toujours plus importante que ne pouvait plus contenir l'ancienne église. Intérieur très classique avec ses hauts pilastres montant jusqu'à une tribune qui fait le tour de la nef. Maître-autel d'inspiration baroque du marbrier provençal Dominique Fossatti (1757). Dans la nef latérale droite, un beau retable en bois doré (16e s.) représente le géant saint Christophe portant l'Enfant Jésus et le poids de sa mission. Au-dessus, le Christ est entouré des principales scènes du mystère pascal. De la terrasse à droite de l'église, belle **vue★** sur le terrain de vol à voile et, plus loin, les Maures et l'Esterel.

## Panorama de l'ancien château

Du sommet de la colline où était érigé l'ancien château, se dresse la Tour de l'horloge couronnée d'un campanile en fer forgé du 14e s. D'ici, vous contemplerez le panorama : les plans de Provence, les Préalpes de Castellane et de Grasse, sans oublier les Maures et le massif de l'Esterel (table d'orientation).

# Visiter

### Le four du Mitan

*R. du Four-du-Mitan - 10h30-19h30 - 2 €.*

Dans le haut du village, le four du Mitan (1522) a été sauvé de la démolition par une association locale. Il aura suffi de quelques vieux outils et de mannequins en costumes d'époque pour le transformer en **musée du pain**.

### L'écomusée agricole

*541 bis chemin de Seillans - ℘ 04 94 84 77 60 - mar.-vend : 14h-18h, w.-end. 15h-18h - fermé j. fériés - 2 € (gratuit -12 ans).*

🧑‍🦯🧑 En bas du village, Fayence reprend des airs de canton rural dans cet écomusée qui fait revivre les anciennes machines et vieux outils : moulin à farine du 13e s. avec sa roue à cuillères horizontales, moulin à huile du 16e s., machines 19e s. servant au traitement du liège, matériels viticoles du bouilleur de cru et autres machines agricoles.

# Aux alentours

## Bagnols-en-Forêt

*À 14 km au sud par la D 563 et D 4.*

Une place ombragée de platanes et des ruelles fortement pentues, parfois couvertes, composent cette localité d'allure très provençale qui, après avoir été abandonnée par ses habitants au 14e s., fut repeuplée en 1447 par des familles italiennes originaires de Ligurie. Si l'**église Saint-Antonin** (18e s.), située presque au sommet du village sur une place ombragée de marronniers, ne présente, comme intérêt principal, qu'une Pietà en bois polychrome (1659), sculptée dirait-on par un précurseur de Botero, ne manquez pas la **chapelle romane Saint-Denis** *(au bas du village par la route de Draguignan, puis, après la cave coopérative, à droite dans le chemin des Combes et, enfin, encore à droite dans le chemin de Saint-Denis)*, qui conserve dans le chœur des fresques du 11e s. Autrefois, le village était spécialisé dans la taille de meules à huile ou à grains. Vous pourrez en voir quelques exemples dans le petit **Musée archéologique** installé dans les locaux de l'office de tourisme, place de la Mairie ( ℘ 04 94 40 64 68).

Enfin, Bagnols-en-Forêt est un point de départ de randonnées pédestres, en particulier dans la **forêt domaniale de Saint-Paul★** où abondent les chênes-lièges.

🥾 2h. Dépliant explicatif en vente à l'office de tourisme et visite commentée en saison. D'anciennes **tailleries de meules** sont également visibles au sud du village (après la chapelle Notre-Dame).

# Circuits de découverte

## À TRAVERS LE PAYS DE FAYENCE★

### En route vers le col-du-Bel-Homme

*60 km – environ 2h. Quitter Fayence par la D 563.*

Aussitôt à droite, puis à gauche *(itinéraire fléché)*, la route se perd dans les vignes.

### Notre-Dame-des-Cyprès

*À 3 km du village - chemin Notre-Dame-des-Cyprès - ℘ 04 94 76 20 08 - visite sur demande à l'office de tourisme.* De superbes cyprès situent l'emplacement de cette jolie chapelle romane du 12e s. De là, vue agréable sur Fayence et Tourrettes. On pourra admirer l'assemblage parfait des pierres.

*Revenir à la D 563 qui longe l'aérodrome de Fayence et prendre à droite la D 562 dont les lacets, coupant de nombreux ruisseaux, se déroulent au milieu des bois.*

À droite, accrochés aux plans de Provence, se détachent les villages de Fayence, Tourrettes, Montauroux.

*Notre-Dame-des-Cyprès.*

### Brovès-en-Seillans

*ZA la Bégude - ℰ 04 94 84 77 93 - ⅊ - 14h-18h - fermé déc. et janv. - 4 € (enf. 2 €).* Faites un stop au **musée du Souvenir** qui commémore le débarquement du 15 août 1944 et la libération de la Provence. Exposition permanente de véhicules civils et militaires, d'accessoires et d'objets d'époque.

*Aux 4-Chemins, prendre vers Callas.*

1,5 km avant Callas, rejoignez par un petit sentier la **chapelle romane Saint-Auxile** (7e-12e s.) qui se dresse sur un promontoire rocheux, sur un site gallo-romain. Elle a été entièrement restaurée en 1998.

### Callas

Au flanc d'une colline couverte d'oliviers, de chênes et de pins, serré autour des ruines de son château, ce village typique du haut Var a gardé beaucoup de caractère : beffroi à campanile du 17e s., porches, places et placettes, pigeonnier… Son **église romane**, remaniée au 19e s., possède un grand retable du 17e s., sous lequel on voit neuf pénitents en cagoule agenouillés. *ℰ 04 94 39 06 77 - possibilité de visite guidée sur demande auprès de l'office de tourisme.*

*Par le col de Boussague, poursuivre la D 25 en corniche au-dessus d'une petite vallée.*

Laissant derrière lui les Maures et l'Esterel, Bargemon se profile joliment à l'avant.

### Bargemon

Nichée parmi les oliviers, les mimosas et les orangers, Bargemon respire un doux climat ; l'été, on appréciera ses vastes places ombragées, rafraîchies par des fontaines à l'eau pure et des lavoirs. Cette ancienne place forte recèle des vieilles rues, des remparts, un château seigneurial et des portes fortifiées du 12e s. (porte dite « romaine », place de la Mairie). Profitez de votre passage pour suivre la route des galeries d'art *(demander un plan-guide gratuit à l'office de tourisme).*

**Église** – Du 15e s., elle est insérée dans le système défensif de la ville. Son clocher-tour carré date du 17e s. On entre par un beau portail flamboyant. Têtes d'anges du maître-autel attribuées à l'école de Pierre Puget. Superbe triptyque du 16e s. : saint Antoine entre saint Raphaël et saint Honorat.

**Chapelle Notre-Dame-de-Montaigu** – Son clocher à flèche domine le village. Cette chapelle du 17e s. contient trois beaux retables à colonnes torses et une miraculeuse statuette de la Vierge, exposée aux fidèles lors des fêtes de Notre-Dame. Elle est taillée dans un arbre provenant de la forêt de Montaigu en Belgique, où serait apparue la Vierge. Un moine de Bargemon la rapporta au 17e s.

**Musée-Galerie Honoré Camos** – *ℰ 04 94 76 72 88 - juil.-août : 10h-12h30, 15h30-19h, w.-end 10h30-12h30, 15h30-19h ; reste de l'année : 10h-12h30, 14h30-18h, w.-end 10h30-12h30, 14h30-18h - gratuit.* Situé dans l'ancienne chapelle Saint-Étienne, il évoque l'histoire locale et les activités traditionnelles. La vie du peintre **Honoré Camos** (1906-1991) et quelques-unes de ses toiles sont présentées dans l'abside. Le musée accueille également des expositions temporaires.

*Quitter Bargemon à l'ouest par la D 25.*

La route s'élève rapidement, donnant de beaux aperçus sur Bargemon et ses environs. C'est l'ancien chemin de transhumance.

### Col du Bel-Homme★

Alt. 915 m. Un chemin, à gauche, s'élève vers le sommet de la montagne garnie de chênes verts. Un magnifique **panorama★** (table d'orientation) s'étend au sud vers la côte, au nord-est sur les Préalpes de Grasse, au nord sur le plateau de Canjuers et les montagnes de Castellane. Canjuers, le plus vaste camp militaire d'Europe (35 000 ha) est, selon Giono, un superbe « désert de pierres grises ». N'y sont autorisées que les activités pastorales qui entretiennent la nature sévère. Seules deux routes le traversent, la D 955 et la D 25.

*Revenir à Bargemon où prendre la D 19 en direction de Fayence.*

Après avoir surplombé quelque temps Bargemon dans un paysage aride, la route serpente dans un couvert de pins, de chênes verts et de genêts. À l'horizon, les Maures et l'Esterel.

**Seillans** *(voir ce nom)*

*Continuer par la D 19 qui ramène à Fayence par de beaux points de vue.*

## Autour du lac de Saint-Cassien

*Circuit de 29 km – environ 2h. Sortir de Fayence au sud-est par la route de Tourrettes.*

### Tourrettes

Les jolies maisons fleuries bordent les ruelles pentues de ce village dont le calme sera apprécié de tous. Son **château** *(ne se visite pas)*, copie de l'école des Cadets de Saint-Pétersbourg qu'un natif de Tourrettes, Alexandre Fabre, avait réalisé vers 1830 en tant que général d'Empire de Napoléon, domine la plaine. Beau panorama sur les massifs des Maures et de l'Esterel depuis la **place de l'Horloge** (table d'orientation).

> ### Superstition
>
> Elle court la rumeur qu'il suffirait de frotter de la main le groin du cochon taillé dans la pierre au pied de la **tour de l'Horloge**, pour que son vœu soit exhaussé. Cette œuvre du sculpteur belge Briffault, également à l'origine de la restauration du château médiéval, voit défiler les superstitieux…

*Rejoindre la D 19 et, par les D 562 et D 56, prendre la direction de Callian.*

### Callian

Ravissant village coiffant une colline et dont les rues, bordées de vieilles demeures, s'enroulent en spirale autour du noble château. Sur la place ombragée, on contemplera, au doux murmure d'une fontaine, la vue qui s'étend sur la campagne, le Tanneron, l'Esterel et les Maures. Ce petit village a attiré de nombreuses personnalités des arts et des lettres qui y avaient élu domicile. Parmi eux, Juliette Adam, Anthony Burgess, Edouard Goerg, Fernand Léger, Christian Dior, Maurice Thorez et Franquin. Au cimetière se trouvent les **tombes** de Christian Dior (discrète mais repérable à ces deux cyprès qui l'entourent) et de Nadia, épouse de Fernand Léger.

*À l'est du village, rejoindre la D 37 pour Montauroux.*

### Montauroux

Les vieilles maisons aux linteaux datés des 16e et 17e s *(rue Eugène Segond)* et les 13 fontaines animent ce village cher à **Christian Dior** qui y habitait une belle maison bourgeoise, en contrebas de Montauroux, non loin de l'actuelle départementale (aujourd'hui Château de la Colle, propriété privée). Également propriétaire de la chapelle Saint-Barthélémy, il en fit don en 1953 à la commune. Construite au 12e s. puis restaurée au 17e s., elle recèle des fresques et panneaux effectués par plusieurs peintres anonymes : apôtres, instruments de musique, mystères du Rosaire.

De la place du Clos, jolie **vue** sur le Tanneron, une partie de l'Esterel et des Maures.

**Les bambous du Mandarin** – Pont de Siagne - ☏ 04 93 66 12 94 - visite guidée (1h) sur demande à l'office de tourisme - juil.-août : w.-end 8h-18h ; de la Toussaint à Pâques : sam. 8h-18h, dim sur RV une sem. à l'avance - fermé sem. et j. fériés - 4,50 € (enf. + 7 ans 2,50 €). Plus de 80 variétés de bambous évoluent dans une jolie nature.

*Reprendre la D 37, traverser la D 562 et se diriger vers le lac de Saint-Cassien.*

### Lac de Saint-Cassien

👁 **Bon à savoir** – L'office du tourisme de Montauroux organise des balades en compagnie d'un guide naturaliste.

Creusé au pied du Tanneron *(voir massif du Tanneron)* et mis en eau en 1965 suite à la rupture du barrage de Malpasset *(voir Fréjus)*, il est entouré de beaux rivages boisés et découpés que vous pourrez parcourir en suivant les sentiers. Le **pont de Pré-Claou** procure une vue d'ensemble sur ce lac de retenue (60 millions de m$^3$) destiné principalement à l'irrigation, à l'hydroélectricité et aux loisirs (baignade, canoë, pédalo). Avec 430 ha de superficie, le plus vaste plan d'eau de l'Esterel joue donc un rôle très diversifié. À l'ouest, une roselière accueille 150 espèces d'oiseaux d'eau de passage la réserve naturelle de Fondurane.

*Revenir à Fayence par la D 37, la D 562 à gauche et la D 19 à droite.*

## Fayence pratique

### Adresses utiles

**Office du tourisme de Fayence** – Pl. Léon-Roux - 83440 Fayence - ℘ 04 94 76 20 08 - www.paysdefayence.com - de mi-juin à mi-sept. : 9h-12h30, 14h30-19h, dim. et j. fériés 10h-12h ; de mi-sept. à mi-juin : 9h-12h, 14h-17h30, dim. et j. fériés 10h-12h - fermé 1er janv., 1er Mai et 25 déc.

**Office du tourisme de Callas** – Pl. du 18-juin-1940 - 83830 Callas - ℘ 04 94 39 06 77 - www.callas.fr - juil.-août : tlj sf dim. 9h-12h30, 14h45-19h ; reste de l'année : tlj sf dim. 9h15-12h15, 13h45-18h, sam. 10h-12h - fermé j. fériés. Visites guidées du village et du moulin à huile organisées par l'office de tourisme sur demande (1 sem. av.).

**Office du tourisme de Bargemon** – Av. Pasteur - 83830 Bargemon - ℘ 04 94 47 81 73 - www.ot-bargemon.fr - juil.-août : 9h15-12h, 14h-17h, w.-end 10h-12h ; reste de l'année : lun. et merc. 9h15-12h, mar. 9h15-12h, 14h-17h, sam. 10h-12h - fermé j. fériés. Visite guidée du village organisée par l'office de tourisme sur demande (1 sem. av. - gratuit).

**Office du tourisme de Callian** – 3 pl. Honoré-Bourguignon - 83440 Callian - ℘ 04 94 47 75 77 - www.callian.fr - juil.-août : tlj sf dim. 9h-12h, 14h-18h, lun. 14h-18h ; reste de l'année : tlj sf w.-end 9h-12h, 13h30-17h30, lun. 13h30-17h30 - fermé j. fériés. Un plan-guide du village est à retirer à l'office de tourisme (gratuit).

**Office du tourisme de Montauroux** – Pl. du Clos - 83440 Montauroux - ℘ 04 94 47 75 90 - juil.-août à mi-sept. : tlj sf dim. 9h-12h, 13h-18h ; reste de l'année : tlj sf dim. 8h30-12h, 13h-17h30, sam. 9h-12h - fermé 1er janv., 1er et 8 Mai et 25 déc. Visite guidée du village organisée par l'office de tourisme sur demande par écrit (2 à 3 sem. av. -2 €). Un dépliant du village est disponible à l'office de tourisme (gratuit).

### Se loger

⊖ **La Sousto** – Pl. du Paty - sur la montée du village ; à hauteur du panneau de l'hôtel, prendre les escaliers sur la droite et suivre la signalétique - ℘ 04 94 76 02 16 - hotel.sousto@wanadoo.fr - fermé 1 sem. mi-juin et vac. de Toussaint - ⊟ - 6 ch. 59 €. Près de la porte sarrasine, devant une fontaine, petit hôtel familial mettant à profit une belle maison de pays. Vous y serez logés dans des chambres sommairement aménagées mais toutes dotées d'une cuisinette car aucun service petit-déjeuner n'est prévu. Notez que la vue est tout simplement extraordinaire depuis la terrasse-belvédère de la chambre 5.

⊖ **Hôtel les Oliviers** – Quartier La Ferrage - ℘ 04 94 76 13 12 - hotel.oliviers. fayen@free.fr - **P** - 22 ch. 65/85 € - ⊇ 8 €. Petit immeuble dominant la plaine du Gué et son important centre de vol à voile. Sportifs et « pantouflards » trouveront aux Oliviers des chambres privilégiant le côté pratique.

⊖ **Auberge des Pins** – Domaine Le Chevalier - 83440 Tourrettes - 2 km au S de Tourrettes par D 19 - ℘ 04 94 76 06 36 - www.aubergedespins.com - **P** - 8 ch. 54/90 € - ⊇ 9 € - restaurant 28 €. Dans un domaine disposant de nombreux équipements de loisirs, chambres actuelles et studios en duplex répartis dans trois pavillons. Le décor de la salle à manger rappelle en tout point le paysage alentour. Cuisine locale et grillades au feu de bois (uniquement le soir).

⊖⊗ **Moulin de la Camandoule** – 83440 Fayence - 2 km à l'O de Fayence par D 19 rte de Seillans et rte secondaire - ℘ 04 94 76 00 84 - www.camandoule.com - **P** - 12 ch. 80/170 € - ⊇ 12 € - restaurant 43/65 €. Cet ancien moulin à huile est une jolie étape provençale. Au pied du village, il vous accueillera dans ses chambres aux couleurs du Sud et vous ouvrira son parc traversé par un aqueduc gallo-romain, sa piscine et sa terrasse.

### Se restaurer

⊖⊗ **Au Bec Fin chez Alain** – Pl. de l'Église - 83440 St-Paul-en-Forêt - ℘ 04 94 76 30 71 - fermé lun. - 15,90 € déj. - 19,90/31,90 €. Déjà présentes dans la décoration des salles à manger, les couleurs provençales si chères à ce restaurant occupent une place de choix sur la carte appétissante. On salive devant le civet de lapin, les nombreux légumes et les desserts maison.

⊖⊗⊗ **La Farigoulette** – Pl. du Château - ℘ 04 94 84 10 49 - fermé nov., vac. de fév., mar. de sept. mai, dim. midi de juin à août et merc. - 34 €. Terrasse ombragée et deux petites salles aménagées dans une ancienne étable, où pierres apparentes, mobilier traditionnel et décor provençal cohabitent harmonieusement. Cuisine régionale.

### Que rapporter

**Marchés – Fayence** : mardi, jeudi et samedi, pl. de l'église ; **Bargemon** : jeudi pl. St-Étienne ; **Callas** : samedi.

### Sports & Loisirs

**Aviron St-Cassien-Club Intercommunal du pays de Fayence** – Lieu-dit Biançon - par la D 37 - 83440 Montauroux - ℘ 04 94 39 88 64/04 93 42 20 91 - 9h-12h. Pour s'initier et s'entraîner à l'aviron.

### Événement

**Festival des quatuors à cordes de Callian et du canton de Fayence** – En octobre, toutes les églises font honneur à une musique qui attire au-delà des frontières.

# Fréjus★

### Freju

46 801 FRÉJUSIENS
CARTE GÉNÉRALE C3 – CARTE MICHELIN LOCAL 340 P5 – SCHÉMAS P. 172 ET 249 – VAR (83)

Aujourd'hui site touristique et plage réputée, Fréjus en a vu de toutes les couleurs : port antique, ville médiévale prospère puis ruinée, base militaire exotique. Chaque époque a laissé son empreinte ; des ruines romaines côtoient une pagode bouddhique et une mosquée africaine : tableau cosmopolite accroché entre les Maures et l'Esterel.

- **Se repérer** – À 5 km de Saint-Raphaël et 19 km de Sainte-Maxime, entre les massifs de l'Esterel, à l'est, et des Maures, à l'ouest. La voie ferrée partage la ville en deux. De larges avenues relient le nord (centre-ville) au sud (plages et port) ; entre les deux, des pavillons HLM et une zone maraîchère qui dessine l'emplacement du port antique envasé.

- **Se garer** – Le centre-ville est entouré de parkings payants (pl. Agricola, pl. Paul-Vernet) et gratuits (Clos de la Tour, r. Gustave-Bret ; Porte d'Orée, av. Aristide-Briant ; Aubenas, r. Aubenas).

> ### Le saviez-vous ?
> Le Jules en toge coulé dans le bronze, sujet de cartes postales, n'est pas César mais **Agricola**, conquérant de la Grande-Bretagne et natif de Fréjus.

- **À ne pas manquer** – Les vestiges antiques romains dont l'amphithéâtre (arènes) et l'Aqueduc ; la cathédrale du 16ᵉ s. ; les traces du passé militaire, véritable hommage aux hommes qui se sont battus pour la nation : la mosquée Missiri, le mémorial des Guerres en Indochine et la pagode bouddhique Hông Hiên ; les étangs de Villepey.

- **Organiser son temps** – Pour suivre les traces romaines, comptez environ 2h de balade. Pour la rétrospective des 2 000 ans d'histoire, réservez une journée complète de promenades et de circuits dans toute la ville.

- **Avec les enfants** – Le parc zoologique du Capitou ; le circuit grenouille par temps de pluie, le parc Aqualand, l'espace de jeux Luna Park et la base nature (voir l'encadré pratique).

- **Pour poursuivre la visite** – Voir aussi Saint-Raphaël, Saint-Aygulf et les promenades guidées dans le Massif des Maures.

## Comprendre

**Il y a 2 000 ans** – Le Fréjus romain était avant tout un **port** (22 ha, plus de la moitié de la superficie de la ville), au bassin creusé dans une lagune approfondie pour l'occasion. Bordé de 2 km de quais, il communiquait avec la mer par un canal large de 30 m et long de 500 m, protégé du mistral par un mur. Deux tours symétriques marquaient l'entrée. La nuit, une chaîne tendue barrait l'accès au port. Une autre tour, des chantiers navals, des ateliers de foulons complétaient l'ensemble, avec la palestre et l'hôpital (vestiges à la ferme de Villeneuve, au sud-ouest de la ville).

**Quand les Fréjusiens allaient au charbon** – Dès la Révolution, on exploite un gisement carbonifère pour l'éclairage et le chauffage. Au 19ᵉ s., on découvre comment extraire le pétrole du bitume contenu dans le schiste. La raffinerie installée sur place produit, à la fin du siècle, une essence joliment nommée Estereline. Mais Fréjus a des concurrents : Autun (qui produit une meilleure qualité à moindre coût) et bientôt les importations de pétrole « naturel » américain et russe. L'exploitation prend fin en 1914. La vague de Malpasset emporte le peu qui reste. Quant aux mineurs, des Piémontais, ils se sont intégrés à la population.

**Le drame de Malpasset** – 2 décembre 1959 : il pleut depuis un mois, comme il sait pleuvoir dans la région. La cote d'alerte du barrage de 49 millions de m³ construit sur le Reyran, torrent dont les Fréjusiens se méfient depuis toujours, est atteinte. Soudain, un craquement, terrible : les points d'ancrage de la voûte cèdent ; en 20mn, une vague haute de 55 m déferle sur Fréjus, emportant cultures, maisons, routes et voies ferrées. Bilan : 400 morts.

# Séjourner

## Port-Fréjus

Depuis 1989, Fréjus a retrouvé la Méditerranée, en inaugurant un port de plaisance aux allures de palais romain… plus vrai que nature ! Une passerelle enjambe les eaux bleues entre les quais Cléopâtre et Agrippa et on se promène d'une placette à l'autre, chacune baptisée à la provençale. Tout ceci laisse une impression d'artifice, de pastiche… mais il n'est pas interdit d'apprécier !

## Plages

**Fréjus-Plage**, c'est plus d'un kilomètre d'une belle et large plage de sable fin, entre le pont du Pédégal et Port-Fréjus, le long de la promenade du bord de mer. Plus à l'ouest, la **plage de l'Aviation** est une longue plage de sable fin. Entre deux baignades, vous pourrez vous intéresser à la flore : précieux et rares lis de mer en juillet, saladelles (lavande de mer) en septembre.

## Saint-Aygulf

*À 5 km au sud par la N 98.*

Station ombragée de bois de pins, d'eucalyptus, de chênes verts et chênes-lièges. De la plage de sable fin (parmi les plus grandes de la Côte d'Azur), entourée de rochers, belle vue sur les Issambres et le golfe de Fréjus. La dune, détruite en 1959 lors du drame de Malpasset, est en cours de reconstitution *(ne pas piétiner la flore)*. Quatre **calanques** sont accessibles par le chemin des Douaniers. Petit port de plaisance protégé.

# Se promener

## DANS LA VILLE ROMAINE★

*La visite à pied prend facilement 1h30 à 2h, les ruines étant très dispersées. Partir de la place Agricola.*

De la place, on aperçoit la tour (il y en avait deux) de la **porte des Gaules**, vestige en forme de demi-lune des remparts romains.

*Descendre la rue H.-Vadon.*

### Amphithéâtre (arènes)★

*R. Henri-Vadon – ℰ 04 94 51 83 83 - www.ville-frejus.fr - mai-oct. : tlj sf lun. 9h30-12h30, 14h-18h ; nov.-avr. : tlj sf lun. 9h30-12h30, 14h-17h - fermé j. fériés - 2 € (–12 ans gratuit).*

Un peu plus petit que les amphithéâtres de Nîmes ou d'Arles, il accueillait au $2^e$ s. environ 10 000 spectateurs sur les gradins aujourd'hui écroulés. Au début du $20^e$ s., les mariés venaient s'y faire photographier. Désormais, le lieu est utilisé en été pour

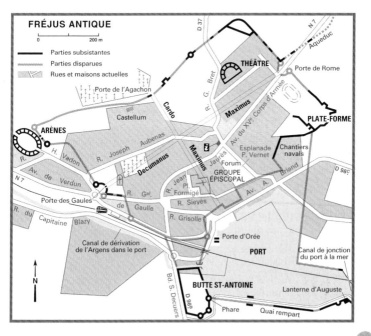

des spectacles et des corridas où Picasso vint en spectateur… utilisation qui fait de Fréjus le point oriental extrême de la « planète des taureaux ».

Sur l'esplanade des arènes, la sculpture *Le Gisant* commémore le drame de Malpasset qui tua plus de 400 personnes.

*Revenir au niveau de la place Agricola et suivre la rue Joseph-Aubenas (vestiges des remparts du Moyen Âge au Clos de la tour). Prendre à gauche la rue Gustave-Bret, puis à droite avenue du Théâtre-Romain.*

### Théâtre

*Av. du Théâtre-Romain – ☏ 04 94 53 58 75 ou 04 94 51 83 83 - mai-oct. : tlj sf lun. 9h30-12h30, 14h-18h ; nov.-avr. : tlj sf lun. 9h30-12h30, 14h-17h (dernière entrée 15mn av. fermeture) - fermé j. fériés - 2 € (– 12 ans gratuit). Possibilité d'un « Fréjus'Pass » hebdomadaire incluant la visite du théâtre, de l'amphithéâtre, du Musée archéologique, du musée d'Histoire locale et de la chapelle Jean Cocteau (tarifs : se renseigner).*

À l'échelle de l'amphithéâtre, il est relativement modeste. On distingue encore des murs rayonnants, jadis voûtés et portant les gradins, et, devant, l'emplacement de l'orchestre et de la fosse dans laquelle glissait le rideau.

*Depuis le théâtre, remonter la rue et prendre à droite, puis à gauche.*

## Une vie de ruine

Les ruines romaines de Fréjus reviennent de loin. Pendant des siècles, on y a puisé « antiquailles » et matériaux de construction, notamment pour la ville médiévale de l'évêque Riculphe. Par la suite, ruinée et ne pouvant dépenser un sou, la ville les utilisa pour construire routes et bâtiments publics. Les objets antiques découverts ici et là disparaissaient, vendus ou offerts : vers 1860, un confiseur refuse les pièces romaines que ses jeunes clients venaient de ramasser sur le chantier du chemin de fer. Les fouilles sérieuses n'ont commencé qu'à la fin du 19ᵉ et au 20ᵉ s.

*L'aqueduc romain.*

### Aqueduc

L'eau de Fréjus était captée à **Mons** *(voir ce nom)*, distant de 40 km. Parvenu au niveau des remparts, l'aqueduc contournait la ville jusqu'au château d'eau *(castellum)*, d'où partait le réseau de distribution. Quelques piliers et arcades sont toujours debout. Non loin de l'aqueduc se trouve la **plate-forme**. Ce *Prætorium*, ou QG romain, était équipé de greniers, bureaux, habitations et thermes.

*Redescendre l'avenue du Quinzième-Corps-d'Armée jusqu'à la place Paul-Vernet, qui domine le site de l'ancien port. Au bout de la place, prendre à droite la rue Raynaude, puis à gauche. Place Castelli, aller en face dans le passage voûté de la rue du Portalet pour gagner la porte d'Orée en descendant la rue des Moulins.*

### Port

La **porte d'Orée**, belle arcade solitaire revêtue de verdure romantique, est sans doute un vestige des thermes portuaires. Après le pont de la voie ferrée, un chemin fléché sur la droite mène à la **lanterne d'Auguste**. Elle fut construite au Moyen Âge sur les ruines de la tour romaine pour servir d'amer aux navigateurs cherchant l'entrée du bassin. On distingue encore, vers le sud-est, le mur du canal.

## DANS LA VIEILLE VILLE

*45mn à pied, à partir de la place Formigé.*

Faites un tour côté rue du Beausset, l'**ancien palais épiscopal** (devenu hôtel de ville) présente toujours une façade du 14ᵉ s. en grès rose de l'Esterel.

*Revenir place Formigé, prendre au nord la rue de Fleury.*

Au n° 58, la **maison du Prévôt** (aussi appelée Capitou, « chapitre ») possède une façade en bossage et une porte percée dans une tour fortifiée. Elle abrite le point d'accueil du groupe épiscopal *(voir « Visiter »)*. Au n° 92, belle porte en serpentine verte des Maures.

*Tourner à gauche dans la rue Jean-Jaurès qui suit le parcours des remparts médiévaux.*

Le n° 112 est l'**ancien hôtel de ville** du 18e s. : jolie façade au balcon surmonté d'une loggia à colonnes. Au niveau du n° 66, rejoignez à droite la place du Couvent où se trouve un **vieil olivier**.

*Par la droite, accès à la rue Sieyès.*

Au n° 53, deux atlantes en pierre, affligés d'une solide migraine, encadrent un portail : c'est tout ce qu'il reste de l'hôtel (17e s.) de l'abbé Sieyès.

*De la place de la Liberté, sur la droite, s'engager dans la rue Grisolle.*

Celle-ci dessine l'emplacement de l'**enceinte médiévale** ; au n° 71, belle tour ronde. Au bout de la rue, le passage du Portalet conduit à une succession de placettes à traverser pour rejoindre la place Formigé.

# Visiter

## GROUPE ÉPISCOPAL★★ (11e-14e s.)
*58 r. de Fleury - Entrée de la cathédrale, pl. Formigé. En bas des marches : à gauche le baptistère, à droite la cathédrale, en face le cloître. ☎ 04 94 51 26 30 - possibilité de visite guidée (45mn) - juin-sept. : 9h-18h30 ; oct.-mai : tlj sf lun. 9h-12h, 14h-17h - fermé 1er janv., 1er Mai, 1er et 11 nov., 25 déc. - 4,60 € (– 17 ans gratuit).*

### Portail
*Visite guidée uniquement.* Sous un arc en accolade s'ouvrent les deux **vantaux★** en noyer, sculptés au 16e s. Ils représentent des scènes de la vie de la Vierge, des images de saint Pierre et saint Paul et des armoiries.

### Baptistère★★
*Visite guidée uniquement.* L'un des plus anciens de France, il date de fin 4e-début 5e s. Sa coupole a été reconstruite au 19e s. On y pénètre par une grille en fer forgé, encadrée de deux portes. À l'origine, le catéchumène entrait humblement par la petite porte ; puis, nouveau baptisé, il sortait triomphalement par la grande et n'avait plus qu'un couloir à traverser pour suivre la messe et communier.

D'extérieur carré, le baptistère est octogonal à l'intérieur ; colonnes et chapiteaux seraient des réemplois des arènes romaines. Les fouilles ont restitué le sol en marbre. Dans le bassin en terre cuite *(dolium)*, l'évêque lavait, croit-on, les pieds du candidat au baptême avant l'immersion dans la cuve centrale (pudiquement dissimulée par un rideau).

### Cathédrale★
Intérieur inhabituel avec deux nefs accolées, reliées au 13e s. par trois arcades : au sud, la nef Notre-Dame, et au nord, la nef Saint-Étienne dont certaines parties remonteraient à la basilique primitive. Le clocher roman (achevé au 16e s.) surmonte le narthex. L'abside est coiffée de la tour crénelée qui servait de défense fortifiée au

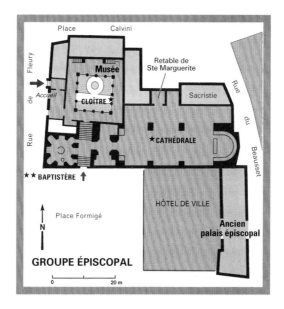

GROUPE ÉPISCOPAL

palais épiscopal. L'ensemble, largement reconstruit et remanié, conserve un côté austère. Remarquez le retable de sainte Marguerite, par le Niçois Durandi.

### Cloître★

C'était en fait un chapitre. Construit aux 12ᵉ et 13ᵉ s., il est surmonté d'un étage dont ne restent que les arcs en plein cintre de la galerie nord. Le plafond en bois est décoré de curieux petits **panneaux peints★** du 14ᵉ s. (animaux, saints, chimères, etc.). Sur les 1 200 répertoriés, 400 sont encore lisibles *(film de 8mn)*.

### Musée archéologique

*Place Calvini (1ᵉʳ étage du cloître) – ℘ 04 94 52 15 78 - mai-oct. : tlj sf lun. 9h30-12h30, 14h-18h ; nov.-avr. : tlj sf lun. 9h30-12h30, 14h-17h (dernière entrée 15mn av. fermeture) - fermé j. fériés - 2 €.*

Réaménagé en 2005, il rassemble, selon des thèmes propres à la cité de Forum Julii, le produit des fouilles menées à Fréjus depuis le début du 20ᵉ s. : buste bicéphale en marbre représentant un faune et Hermès ou Bacchus (devenu l'emblème de la ville, qui le reproduit jusque sur le courrier), belle mosaïque de sol (l'une des rares conservées en totalité), céramiques, statuettes en bronze, etc. Quatre salles supplémentaires ont été ouvertes pour accueillir de nouvelles collections gallo-romaines.

*La mosquée de Missiri : un témoignage de l'histoire.*

# Découvrir

## LE PASSÉ MILITAIRE DE FRÉJUS

Au 19ᵉ s., Fréjus souhaite devenir ville de garnison, mais le ministère de la Guerre fait la sourde oreille. Tout change au 20ᵉ s. Pendant la guerre de 1914-1918, pour accueillir les troupes coloniales, on organise à Fréjus des camps de transition, entre les chaleurs de l'Afrique et de l'Indochine et les pluies hivernales du Nord de la France. Hier, plaque tournante des troupes de marine, Fréjus en est aujourd'hui la mémoire.

### Mosquée Missiri

*3 km au nord, voir schéma p. 249. Quitter Fréjus par l'avenue de Verdun, puis direction Fayence par la D 4 (ne se visite pas).*

Réplique en béton rose foncé de la mosquée malienne de Djenné, elle fut construite dans les années 1920 pour les **tirailleurs sénégalais**. Au premier étage, une galerie fait le tour du patio central. À proximité, deux fausses termitières, pour la couleur locale…

### Musée des Troupes de marine

*Même direction, 1 km après le pont sur l'autoroute A 8. 21 r. de Bagnols – ℘ 04 94 40 81 75 - de mi-juin à mi-sept. : tlj sf mar. et sam. 10h-12h, 15h-19h ; de mi-fév. à mi-juin et de mi-sept. à mi-nov. : tlj sf mar. et sam. 14h-18h ; de mi-nov. à mi-fév. : tlj sf mar. et sam. 14h-17h - fermé 24 déc., 2 janv. - gratuit.*

Tout sur le rôle des troupes de marine depuis 1622, et notamment pendant les expé-ditions coloniales du Second Empire à 1914 : uniformes, armes, décorations, affiches, dessins, photos, maquettes, dioramas. Vous pourrez y dénicher des objets insolites : liste d'esclaves rachetés à Alger en 1719, brevet de danse délivré par l'infanterie de marine, voiture de Gallieni. Au rez-de-chaussée, tout au fond, crypte où reposent des soldats français tombés dans les Ardennes en 1870.

### Mémorial des Guerres en Indochine

*N 7, 862 av. du Gén.-d'Armée-Jean-Calliès – Direction Nice par l'avenue du Quinzième-Corps-d'Armée, puis l'avenue du Gén.-d'Armée-Jean-Calliès. À droite après le rond-point, voir schéma p. 172. Parking –* &#9742; *04 94 44 42 90 - www.memoiredeshommes.sga.defense. gouv.fr - tlj sf mar. 10h-17h30 - fermé 1ᵉʳ janv., 1ᵉʳ Mai et 25 déc. - gratuit.*

Depuis 1987, les dépouilles des militaires et civils morts en service commandé dans l'ancienne Indochine sont rapatriées dans cette grande nécropole semi-circulaire, symboliquement tournée vers la mer. Dans l'espace cultuel ont été inscrits des extraits des livres saints chrétiens, musulmans et bouddhiques.

### Pagode bouddhique Hông Hiên

*13 r. Henri-Giraud - Tout près du mémorial, voir schéma p. 172. Parking –* &#9742; *04 94 53 25 29 - été : 9h-19h ; reste de l'année : 9h-12h, 14h-17h - 2 €.*

Édifiée en 1917 par les soldats indochinois de l'armée française, elle se dresse au cœur d'un petit parc aménagé en jardin asiatique. Les constructions sont inspirées de l'architecture traditionnelle vietnamienne et la disposition des statues dans le jardin respecte les préceptes du bouddhisme. À l'ombre des pins, Bouddha naît, reçoit l'éveil, prêche et enfin rejoint le nirvana. Une promenade exotique et inattendue, sereine et apaisante pour qui sort du mémorial.

## Aux alentours

### Chapelle Notre-Dame-de-Jérusalem★

*Av. Nicolaï - La Tour de Mare - 5 km au nord de Fréjus par la N 7, voir schéma p. 172. Parking puis 5mn à pied –* &#9742; *04 94 53 27 06 - tlj sf mar. 9h30-12h30, 14h-17h - fermé j. fériés.*

À la fin des années 1950, un banquier niçois pensait édifier à la Tour de Mare une petite cité d'artistes. Le projet traîna, mais **Cocteau** dessina la chapelle, dédiée aux chevaliers du Saint-Sépulcre et achevée, après sa mort en 1963, par son fils adoptif Édouard Dermit. Fresques à la craie grasse *(fragile, ne pas s'appuyer aux murs)* restaurées en 1990 ; mosaïques extérieures exécutées en 1992. L'autel est une pierre de meule, le sol est du céramiste Roger Pellissier. Superbes vitraux.

### Parc zoologique★

*Au Capitou, 5 km au nord de Fréjus par l'avenue de Verdun, puis direction Fayence par la D 4 –* &#9742; *04 98 11 37 37 - www.zoo-frejus.com -* &#9855; *- juin-août : 10h-18h ; mars-mai et sept.-oct. : 10h-17h ; nov.-fév. : 10h30-16h30 - 12 € (3-9 ans 8 €).*

&#128106; Sur 20 ha d'une colline plantée de pins parasols, oliviers et chênes-lièges, le zoo de Fréjus se visite à pied et en voiture. Grande variété d'oiseaux (flamants roses, vautours, perroquets), très nombreux fauves, éléphants, zèbres, lémuriens, etc. Spectacles de dressage.

### Étangs de Villepey

*À 5 km au sud de Fréjus par la N 98, direction Saint-Tropez, voir schéma p. 249. Parking obligatoire payant (contribution à l'entretien du site).*

Ces 255 ha d'étangs, de bois et de prairies constituent, avec les salins d'Hyères, une des rares lagunes entre Marseille et Nice. Les étangs se sont développés sur des bras morts de l'Argens et du Reyran. Faune et flore (dont 200 espèces d'oiseaux, surtout migrateurs, et 21 variétés d'orchidées) y sont caractéristiques des zones d'échange entre eaux douces et eaux salées. Au printemps, envols de flamants roses, aigrettes et hérons cendrés. En été, efflorescences salines des sansouires. En toutes saisons, pinèdes et roselières.

### Vestiges du barrage de Malpasset

*10 km au nord. Depuis Fréjus, direction Nice par l'A 8. Au dernier rond-point avant l'accès à l'autoroute, suivre la D 7 fléchée « barrage de Malpasset » sur 5 km.*

&#128694; *1h AR.* Le décor : des collines plantées de touffes de thym, où brillent les éclats de mica ; le Reyran paresse entre d'étranges blocs de béton hérissés de ferraille. Dans cette nature redevenue paisible apparaît soudain, au détour du chemin ou en haut du belvédère *(chemin en montée à gauche du sentier principal)*, ce qui reste du barrage : une brèche monstrueuse, témoin de la colère du torrent, ce jour de décembre 1959.

## Fréjus pratique

### Adresses utiles

**Office du tourisme de Fréjus** – *325 r. Jean-Jaurès - 83600 Fréjus -* 📞 *04 94 51 83 83 - www.frejus.fr - tlj sf dim. 9h30-12h, 14h30-18h - fermé 1er janv. et 25 déc.*

**Point info de Fréjus-plage** – *Bd de la Libération - 83600 Fréjus plage -* 📞 *04 94 51 48 42 - www.frejus.fr - juil.-août : 10h-12h, 15h-19h - fermé sept.-juin.*

**Syndicat d'initiative de Saint-Aygulf** – *Pl. de la Poste - 83370 Saint-Aygulf -* 📞 *04 94 81 22 09 - www.frejus.fr - juin-sept. : 9h30-12h30, 15h-18h30, dim. 10h-12h, 15h-18h ; reste de l'année : tlj sf dim. 9h-12h, 14h-18h - fermé 1er janv. et 25 déc.*

### Transports

**Bus** – *Information et billeterie : pl. Paul-Vernet -* 📞 *04 94 53 78 46.* 9 lignes Esterel Cars desservent la Communauté d'Agglomération Fréjus/St-Raphaël et sa région (Draguignan, Roquebrune, etc.).

### Visites

**Fréjus'Pass** – *En vente dans chaque site - 4,60 € (12-18 ans 3,10 €).* Avec lui, accédez à 5 monuments (l'Amphithéâtre romain, le musée archéologique municipal, le musée d'histoire locale, N.-D.-de-Jérusalem-La chapelle Jean Cocteau et le Théâtre romain) avec un seul billet.

**Visites guidées** – *S'adresser à l'office de tourisme ou www.frejus.fr - juin-sept. : 8 circuits ; janv.-mai et oct.-déc. : 3 circuits - 5 €.* Labellisée **Ville d'art et d'histoire**, des visites-découvertes (2h) du centre ancien et des monuments romains, sont animées par des guides-conférenciers agréés par le ministère de la Culture et de la Communication.

**« Un mois, un monument »** – *Janv.-mai et oct.-déc. : jeu. 14h (3 €).* L'office de tourisme organise également la visite (1h) d'un site insolite ou remarquable, différent chaque mois.

👥 **Circuit des grenouilles** – Demandez le dépliant « Fréjus Activités sportives & de loisirs » à l'office de tourisme et repérez le picto vert (une petite grenouille). Musées, monuments, ateliers créatifs, piscines couvertes… feront oublier l'orage.

**Balade en forêt domaniale dans le massif de l'Esterel** – *Renseignements et réservation à l'office de tourisme.* Circuits à thème selon la saison en partenariat avec l'ONF.

### Se loger

🛏 **Camping La Baume la Palmeraie** – 👥 *- 4,5 km au N par D 4, rte de Bagnols-en-Forêt -* 📞 *04 94 19 88 88 - www.labaume-lapalmeraie.com - fermé oct.-mars 301/900 € par sem. pour 4 à 6 pers.* Dans un cadre luxuriant, ce camping offre une multitude d'activités et distractions avec, entre autres, au cœur d'une agréable palmeraie 1 500 m² dédiés à la baignade et aux jeux d'eau. Possibilité de louer des bastidons et des mobile homes.

🛏 **Atoll** – *933 bd de la Mer -* 📞 *04 94 51 53 77 - www.atollhotel.fr -* 🅿 *- 30 ch. 36/57 € -* ⊗ *5 €.* Immeuble rénové situé à 100 m de la plage et à proximité de « Base Nature » *(voir « Sports & Loisirs »).* Chambres sobrement décorées.

🛏 **L'Oasis** – *Imp. Charcot -* 📞 *04 94 51 50 44 - www.hotel-oasis.net - fermé 11 nov.-31 janv. -* 🅿 *- 27 ch. 38/67 € -* ⊗ *6,50 €.* Cet établissement tranquille situé dans une impasse résidentielle en retrait du port de plaisance invite au farniente, à l'ombre des pins qui l'entourent ou de sa pergola. Accueil familial, chambres bien tenues et petits-déjeuners également servis à l'extérieur par beau temps.

🛏 **Les Vergers de Montourey** – 👥 *- Vallée du Reyran, quartier Montourey - à 1 km du péage de l'A 8 (sortie 38) -* 📞 *04 94 40 85 76 - http://perso.wanadoo.fr/vergers. montourey - ouv. Pâques-1er nov. -* 🍴 *- 6 ch. 59 € -* ⊗ *- repas 20 €.* Cette maison d'hôte des plus charmantes met à profit une belle bâtisse ancienne surveillant les vergers de la vallée du Reyran. Ses ravissantes chambres personnalisées, amples et d'une tenue exemplaire, portent les noms et affichent les couleurs des principaux fruits cultivés sur place. Petit-déjeuner et dîner servis au jardin ou dans salle à manger. Accueil soigné, enfants bienvenus.

🛏 **Chambre d'hôte Le Mas du Centaure** – *2281 chemin de Bagnols - 83480 Puget-sur-Argens -* 📞 *04 94 81 58 25 - www.lemasducentaure.fr.st - fermé 2 sem. en sept. -* 🍴 *- 3 ch. 63/78 € -* ⊗ *- repas 30 €.* Isolée dans la garrigue, cette maison en pierre abrite de grandes pièces garnies de quelques meubles anciens. Une petite chambre, rénovée il y a peu, a été aménagée à l'étage et deux autres, plus vastes, trouvent leur place dans les dépendances. Espace piscine et cuisine d'été près du parc à chevaux.

🛏 **Hôtel L'Aréna** – *145 bd du Gén.-de-Gaulle -* 📞 *04 94 17 09 40 - www.arena-hotel.com - fermé 15 déc.-15 janv. -* 🅿 *- 36 ch. 85/160 € -* ⊗ *12 € - rest. 25/48 €.* Cet ancien relais de poste à la façade colorée est un lieu de séjour très plaisant. Au bord de la piscine ou attablé sur la terrasse, vous pourrez déguster votre cocktail. Décor provençal soigné dans la salle à manger et les chambres.

### Se restaurer

🍴 **Grand Café de l'Estérel** – *14 pl. Agricola -* 📞 *04 94 51 50 50 - fermé dim. - 13,50 €.* Une formule menu unique à prix plancher, énoncée sur un écriteau et chaque jour renouvelée, s'emploie à satisfaire votre appétit à l'heure du déjeuner dans cette brasserie aussi sympathique que populaire.

⊜ **Le Mérou Ardent** – 157 bd de la Libération - ℘ 04 94 17 30 58 - fermé 6-16 juin, 14 nov.-15 déc., sam. midi, lun. midi et jeu. midi en sais., merc. et jeu. hors sais. - 14,50/36 €. Petit restaurant au décor marin aménagé sur le boulevard longeant la plage. Accueil remarquable et spécialités de poisson : une bonne prise !

⊜ **Les Micocouliers** – 34 pl. Paul-Albert-Février - ℘ 04 94 52 16 52 - 10 € déj. - 17/26 €. Ce restaurant situé sur la place, face au groupe épiscopal, est décoré dans un esprit rustique s'accordant bien avec la cuisine provençale du patron. Agréables terrasses d'été et d'hiver.

⊜ **Le Napoli** – RN 98 - 83370 St-Aygulf - ℘ 04 94 81 15 09 - 10 € déj. - 18,50/23 €. Régulièrement pris d'assaut, autant par les touristes que par les connaisseurs et les locaux, ce restaurant propose une carte dans laquelle chacun trouve son bonheur. Pizza pour les enfants, salade fraîcheur ou poissons grillés, servis dans l'ambiance effervescente d'un lieu animé. Prix doux.

⊜⊜ **Le Bistrot d'Antoine** – Résidence Bleu Marine - à Port-Fréjus - ℘ 04 94 17 11 21 - fermé mar. midi, merc. midi en sais., mar. et merc. - 17/32 €. Agréablement tournés vers les coques blanches des voiliers du Port-Fréjus, ce restaurant se distingue par sa longévité et une qualité régulière assurée hiver comme été. Cuisine régionale sans esbroufe qui privilégie la fraîcheur des produits, prix sages et accueil souriant sont ses atouts. Plaisante salle à manger fonctionnelle et grande terrasse dressée sur les quais.

⊜⊜ **La Toque Blanche** – 394 av. Victor-Hugo - ℘ 04 94 52 06 14 - fermé 21-28 juin, 4-7 oct., 6-21 déc., dim. soir, merc. soir d'oct. à juin et lun. - 14,50 € déj. - 22/53 €. Petite table d'orientation classico-traditionnelle officiant en famille sur une avenue parallèle au front de mer. Carte succincte et choix entre plusieurs menus.

⊜⊜ **Les Potiers** – 135 r. des Potiers - ℘ 04 94 51 33 74 - fermé 1er-20 déc., le midi en juil.-août, merc. midi et mar. de sept. à juin - réserv. obligatoire - 23/33 €. Dans une ruelle proche de l'église St-François et de la place Agricola, sympathique petite table tenue en famille, où le jeune chef façonne une bonne cuisine traditionnelle relevée de notes méditerranéennes. Décor intérieur d'esprit rustique et ambiance chaleureuse. Nombre de couverts limité : mieux vaut réserver.

⊜⊜ **Le Poivrier** – 52 pl. Paul-Albert-Février - ℘ 04 94 52 28 50 - fermé nov., lun. de sept. à mai, dim. et le midi - 28/40 €. La cuisinière mitonne des petits plats d'inspiration méditerranéenne et exotiques, à savourer dans l'intimité d'une cave voûtée de l'époque romaine. En été, profitez de la terrasse sur la place ou du patio ombragé par les cannisses.

### Faire une pause

**Chez Angelo** – 493 bd de la Libération - ℘ 04 94 51 29 74 - juil.-août : tlj 10h-4h ; sept.-juin : tlj 10h-23h - fermé nov.-janv. Les **glaces maison** d'Angelo ont des parfums variés et originaux.

### Que rapporter

**Marchés** – Mercredi, samedi, dans le centre historique ; dimanche bd d'Alger et bd de la Libération ; mardi et vendredi pl. de la République ; mardi et vendredi pl. de la Poste à Saint-Aygulf ; jeudi pl. des Pyracanthas à la Tour de Mare.

**Les Celliers de Ramatuelle** – 168 r. Henri-Vadon - ℘ 04 94 51 01 81 - www.frejusienne.com - juil.-août : tlj sf dim. 9h-12h30, 15h-18h30 ; sept.-juin : tlj sf dim. 8h30-12h, 14h30-18h - fermé j. fériés. Dégustation et vente au détail de vins de côtes-de-Provence et de pays du Var. Tapenade, anchoïade, huile d'olive ou de pépins de raisin, champagne, apéritifs régionaux, etc. sont également commercialisés sur place.

**Cave des Cariatides** – 53 r. Sieyès - ℘ 04 94 53 99 67 - tlj sf lun. en uil.-août : 9h-19h30 ; reste de l'année : tlj sf dim. et lun. 9h30-12h30, 15h30-19h30 - fermé 15 j. en mars, 15 j. en nov. apr.-midi des j. fériés. Derrière l'entrée monumentale de cet hôtel particulier du 17e s., dont la porte est encadrée de deux cariatides soutenant un entablement de style baroque, se cache depuis soixante ans une cave à vins et spiritueux. Elle recèle non seulement les grands vins de Provence, mais aussi une belle gamme de whiskies, cognacs et armagnacs, liqueurs fines et apéritifs.

**Forum Julii** – Pl. de la Mairie - ℘ 04 94 17 03 00 et 04 94 17 18 98 - monique.rouvier@wanadoo.fr - juil.-août : tlj sf dim. 9h-12h et 15h-19h, lun. 15h-19h ; sept.-juin : tlj sf dim. et lun - fermé vac. de Toussaint et j. fériés apr.-midi. Parmi les Rois mages, la sainte Famille, les bergers et leurs moutons, le rémouleur, le tambourinaire ect., choisissez votre **santon provençal** dans cette pittoresque boutique. Un coin « gadgeterie » propose aussi des idées cadeaux.

### Sports & Loisirs

🏊🏊 **Aqualand** – RN 98 - Le Capou - ℘ 04 94 51 82 51 - www.aqualand.fr - juil.-août : 10h-19h ; juin et déb. sept. : 10h-18h - fermé 4 sept.-déb. juin - 23 € (enf. 18 €). Une fois dans ce parc de loisirs, élu meilleur parc aquatique de France en 2004, impossible de s'ennuyer : plus de trente activités (aquagym, spectacles, toboggans, piscines, jeux, lac, minigolf, etc.), bars et restaurant.

🚶🚶 **Base nature** – Bd de la Mer - ℘ 04 94 51 91 10 - 8h30-12h30, 13h30-17h15 ; w.-end 15h-19h (13h-17h hors sais.). Elle accueille les promeneurs à pied, à vélo (80 ha), ainsi que les baigneurs sur 2 km de plage protégée. Autres équipements disponibles : skate park, piste de roller, terrain de foot synthétique, prairie sportive, jeux d'enfants, etc. Possibilité de louer du matériel au chalet (vélos, trottinettes, rollers,...), un snack et un restaurant près de la piscine (avr.-oct.).

**⚌ Luna Park** – *N 98 - 𝒫 04 94 51 00 31.* 40 attractions (manèges, toboggans, etc.), restaurants sur place. Entrée et parking gratuits.

**⚌ Ranch du cheval Blawe** – *Chemin de Claviers - 83480 Puget-sur-Argens - 𝒫 06 60 72 58 55.* Accessibles à tous, avec une allure adaptée au niveau de chacun, les promenades à cheval offrent une occasion unique de découvrir les paysages de la région. Selon la durée, on pourra apprécier une pause avec dégustation de vin ou une baignade en compagnie des chevaux. Moniteurs diplômés.

**CIP Port Fréjus** – *Aire de Carénage - port Fréjus Est - 𝒫 04 94 52 34 99 - cip-frejus. com – juin-sept. : 8h-12h, 14h-19h ; oct.-mai : 9h-12h, 14h-17h.* Centre de plongée accessible à tous : baptême, inititation, formation et exploration. Vous pourrez découvrir, entre autres, le saisissant spectacle des célèbres épaves du littoral varois. Boutique.

**Jet Nature** – *Estel Plage - 83370 St-Aygulf - 𝒫 04 94 81 08 00 - www.jetnature.com.* Offrez-vous une vague d'émotions à bord d'un jet-ski, en location avec ou sans permis. Après une randonnée encadrée par des moniteurs diplômés, retour à la plage pour échanger vos impressions autour d'un verre ou d'un petit plat. Attention, l'ambiance va crescendo jusque tard le soir avec musique et animations.

**Navigation de plaisance** – *Capitainerie - 𝒫 04 94 82 63 00 - www.portfrejus.fr - hors sais. 8h-12h, 14h-18h ; sais. 8h-12h, 14h-20h.* La jetée brise-lames longue de 220 m peut accueillir plus de 750 bateaux.

### Événements

**Bravade Saint-François** – Le 3e dimanche après Pâques, procession religieuse et traditionnelle dans le cœur historique de la ville.

**Nuits Auréliennes** – En juillet.

**Fête du raisin** – Célébration des premiers raisins le 1er week-end d'août, dégustation des vins des domaines et châteaux de Fréjus sur la place Formigé.

**Férias** – En août.

**Roc d'Azur, courses de VTT** – Pendant 5 jours début octobre, Fréjus clôture la saison de VTT à la base nautique de Fréjus.

# La Garde-Freinet

**1 619 FRAXINOIS**
**CARTE GÉNÉRALE B3 – CARTE MICHELIN LOCAL 340 N6 – SCHÉMA P. 249 – VAR (83)**

Maisons colorées, fontaines vénérables et calme souverain, l'ancienne position stratégique entre la plaine d'Argens et le golfe de Saint-Tropez est devenue un centre de randonnées à pied, à cheval et en VTT, qui permettent de découvrir les forêts avoisinantes de chênes-lièges et de châtaigniers.

- ◗ **Se repérer** – À 10 km au nord de Grimaud par la D 558.

- 👁 **À ne pas manquer** – Bien chaussé, la visite du village perché s'impose. Poursuivez par une randonnée qui vous mène aux ruines du fort Freinet et rejoignez le panorama depuis les Roches Blanches.

- 🕐 **Organiser son temps** – La balade dans le village vous prendra 1h que vous doublerez par la randonnée aux ruines du fort Freinet.

- ⚌ **Avec les enfants** – Les Balades Nature Accompagnées dans le Massif des Maures, fort instructives *(voir l'encadré pratique)*.

- ♿ **Pour poursuivre la visite** – Voir aussi Grimaud (et Port-Grimaud), Cogolin et Saint-Tropez.

## Comprendre

**Les Sarrasins** – On a toujours raconté que les Sarrasins avaient été les premiers occupants du fort Freinet. Aucune fouille ne l'a confirmé. En contrepartie, si les Sarrasins ont « pillé » les Provençaux, ils leurs ont enseigné la médecine, leur ont appris à utiliser l'écorce du chêne-liège et à extraire la résine du pin. L'exploitation du chêne-liège, qui fit la prospérité du village du 17e s. à la fin du 19e s., connaît aujourd'hui un petit renouveau. Les châtaigniers, eux, produisent les « marrons de Luc » *(voir ce nom)*.

## Se promener

Voici encore un village perché aux rues pentues et bien nommées : l'une d'elles est appelée *rompi cuou* que l'on traduira sagement par « casse-cou ».

Suivez le circuit fléché proposé par l'office de tourisme, où vous trouverez un plan commenté. Une bien agréable mise en jambe d'une heure.

# Randonnées

### Ruines du fort Freinet

*1 km. Suivre la route de Grimaud, juste avant la sortie du village (après le terrain de boule), prendre à droite la montée en direction de la Croix. Laisser la voiture sur le terre-plein et suivre la flèche peinte sur un rocher. Le sentier, encombré de roches et de branches, ne présente pas de difficultés insurmontables, mais il est déconseillé aux tout-petits et aux personnes âgées. Plan disponible à l'office de tourisme.*

*1h AR.* De la croix des Maures, belle vue sur les toits de La Garde-Freinet. Une montée assez raide conduit aux ruines entourées de douves taillées dans la roche : un village fortifié (12ᵉ -16ᵉ s.) avec chapelle, citerne, four et logis seigneurial.

*De retour au terre-plein, poursuivre à pied la route forestière sur 5 km jusqu'au panneau des Roches Blanches.*

### Panorama des Roches Blanches★

Une nature encore presque reine vous attend : à gauche, forêt de La Garde-Freinet et dépression de l'Argens ; à droite, maquis des pentes nord des Maures ; à l'avant, golfe de Saint-Tropez. Bref, du haut de ces 638 m, le panorama coupe le souffle.

## La Garde-Freinet pratique

Voir aussi l'encadré pratique de Grimaud.

### Adresse utile

**Office du tourisme de la Garde-Freinet** – *pl. de la Mairie - 83680 La Garde-Freinet - ℘ 04 94 43 67 41 - www.lagardefreinet.com - juil.-août : 9h30-13h, 16h-18h30, dim. 9h30-12h30 ; oct-mars : tlj sf dim. 9h30-12h30, 14h-17h ; avr.-juin et sept. : tlj sf dim. 9h30-12h30, 15h30-17h30 - fermé 1ᵉʳ janv. et 25 déc.*

### Se loger

**Chambre d'hôte La Bergerie** – *Le Clos de San Peire, D 44, rte de Grimaud - 83120 Plan-de-la-Tour - au NE à 10 km par D 75 et D 74 - ℘ 04 94 43 74 74 - labergeriec aranta@wanadoo.fr - fermé d'oct. à mi-déc. et de mi-janv. à déb. fév. - réserv. conseillée - 3 ch. + 2 gîtes 70/78 €.* Dotée d'un petit centre de remise en forme et d'une salle de fitness, cette ancienne bergerie nichée entre vignes et chênes-lièges vous accueillera en toute convivialité. Les 3 chambres, situées à l'étage, et les 2 gîtes avec terrasse privative misent sur une grande simplicité. Séjours d'œnologie hors saison.

### Se restaurer

**La Crêperie** – *R. du 19-Mars-1962 - 83120 Plan-de-la-Tour - au NE à 10 km par D 75 et D 74 - ℘ 04 94 43 76 90 - fermé lun. sf juil.-août - 10/20 €.* Facile à trouver, cette petite crêperie ouvre sur une charmante terrasse à l'ombre d'un grand platane et à côté d'une fontaine. Une belle carte de salades et de galettes. Accueil simple et convivial.

**Le Carnotzet** – *7 pl. du Marché - ℘ 04 94 43 62 73 - 13 € déj. - 20/30 €.* Avec sa terrasse à l'ombre d'une halle du début du 20ᵉ s. et sa salle à manger décorée façon bistrot, ce restaurant offre un cadre très agréable. Les menus, bien que très convenables, n'offrant que peu de choix, on se laissera plus facilement tenter par une grande salade, simple et copieuse. Prix abordables.

### Que rapporter

**Marché** – Marché provençal le dim. et le merc. matin, place Neuve.

### Sports & Loisirs

**Bon à savoir** – Un guide de circuits de **randonnées** (pédestres ou VTT) est en vente à l'office de tourisme.

Si vous souhaitez marcher en vous instruisant, 5 thèmes de « **Balades Nature Accompagnées au cœur du Massif des Maures** » sont proposés autour de La Garde-Freinet. *Renseignements et réservation à l'office de tourisme.*

### Événements

**Fête de la Transhumance** – Mi-mai au pré des Teilles, grand marché, passage de troupeau, balades en poneys et à dos d'ânes…

**Fête de la châtaigne** – 3ᵉ et 4ᵉ dimanches d'octobre.

**Foire aux santons** – En décembre et janvier.

**Marché de Noël** – Le dernier samedi avant la fête.

# Gourdon★
## Gourdoune

**379 GOURDONNAIS**
**CARTE GÉNÉRALE C2 – CARTE MICHELIN LOCAL 341 C5 – ALPES-MARITIMES (06)**

Dans un site exceptionnel, Gourdon « la Sarrasine » est perchée sur son rocher contre l'abrupt plan de Caussols qui surplombe de plus de 500 m le cours du Loup. Ce village farouche est fort plaisant avec son château, ses vieilles maisons restaurées et l'animation qu'y font régner divers ateliers d'artisans et boutiques.

*Gourdon, un charmant village perché.*

S. Sauvignier / MICHELIN

◗ **Se repérer** – À 14 km au nord-est de Grasse par la D 2085, puis la D 3. Possibilité de rejoindre également Gourdon en suivant le circuit des gorges du Loup *(voir Vallée du Loup)* au départ de Vence.

🅿 **Se garer** – Toutes les routes mènent aux parkings situés en bas de Gourdon, où l'on accède à pied.

👁 **À ne pas manquer** – Le château, ses musées et ses jardins sont une agréable parenthèse culturelle, après la rêverie devant le superbe panorama.

🕑 **Organiser son temps** – Entre la séance shopping obligatoire et la promenade dans le village, la visite du château et du jardin des plantes, comptez une demi-journée. Indépendamment, comptez environ 1h30 par balade.

🚹 **Pour poursuivre la visite** – Voir aussi la vallée du Loup avec arrêts obligatoires au Bar-sur-Loup et à Tourrettes-sur-Loup, Grasse.

## Se promener

### Le village★
Près des parkings, la **chapelle Saint-Pons** (12ᵉ s.) repose sur l'ancienne aire de foulage du blé, récemment convertie en un **jardin médiéval** où se mélangent plusieurs dizaines d'essences méditerranéennes. Les remparts s'offrant alors aux visiteurs mènent à la place du Portal puis au village. Gourdon ne serait pas ce charmant village animé sans ses boutiques qui fleurent bon le travail d'artisans passionnés : verrier, peintres sur soie, galerie de peinture, créateur en parfumerie, fabricants de savons, de pain d'épice et autres gourmandises locales parent les ruelles de mille couleurs et senteurs. Difficile de ne pas succomber à la tentation d'un petit cadeau souvenir. Prenez la rue des écoles qui mène à la chapelle Sainte-Catherine et à la **plus vieille maison** de Gourdon (« *la maison du Chevalier* ») dont la porte est ornée de rinceaux sculptés dans le bois et la façade d'un beau cadran solaire. L'**église** Saint-Vincent, bâtie entre le 10ᵉ et le 12ᵉ s. renferme un bénitier d'origine et des reliques. Sous le maître-autel, tombeaux de plusieurs seigneurs de Gourdon.

# Visiter

## LE CHÂTEAU★

Le château a été bâti au 12ᵉ s. sur les soubassements d'une étonnante forteresse sarrasine. Restauré au 17ᵉ s., cet édifice massif est ceint de tours d'angle, plus basses que le corps du logis ; il présente des éléments d'architecture sarrasine (salles voûtées), du 14ᵉ s. toscan et de la Renaissance.

### Musée historique

*℘ 04 93 09 68 02 - www.chateau-gourdon.com - juin-sept. : 11h-13h, 14h-19h ; reste de l'année : tlj sf mar. 14h-18h - 4 € (enf. 3 €).*

*Au rez-de-chaussée.* Intéressant par ses œuvres d'art médiévales et sa collection d'armures et d'armes anciennes *(vestibule)* dont certaines, orientales, des 16ᵉ et 17ᵉ s. *(salle des gardes).* Mobilier 16ᵉ et 17ᵉ s. dans la salle à manger à la cheminée monumentale du 14ᵉ s. et le salon. Parmi les peintures, on admirera surtout un beau panneau de 1500 : **sainte Ursule** (école de Cologne) ; dans la chapelle, un triptyque du 16ᵉ s., une *Descente de croix* de l'atelier de Rubens, un Golgotha de l'école flamande, un saint Sébastien du **Greco** en bois polychrome. Archives royales dans la tour Henri IV. Le sol de la tour, partiellement ouvert, laisse voir l'ancienne prison.

### Musée des Arts décoratifs et de la Modernité

*℘ 04 93 09 68 02 - www.chateau-gourdon.com - visite guidée (1h) juil.-août : 12h-15h-17h-18h ; reste de l'année : possibilité de visite sur demande sf mar.- 10 €.*

*Premier et second étages.* Cette collection rassemble les créations mobilières des plus grands noms des années 1920-1930, comprenant notamment une importante sélection de chefs-d'œuvre de l'Union des Artistes Modernes (UAM). Outre la qualité de l'exposition, l'originalité de la présentation, dans le cadre d'appartements autrefois privatifs, rend vivante la visite. Vous passerez de l'appartement Art nouveau aux salons Art déco avant de pénétrer dans une succession de chambres (Eileen Gray, Mallet-Stevens…).

### Jardins

*℘ 04 93 09 68 02 - www.chateau-gourdon.com - visite guidée (1h) juil.-août : 15h et 17h - 4 € (enf. 3 €) ; reste de l'année : sur demande.*

De vénérables tilleuls ombragent la **terrasse d'honneur du château** dessinée par André Le Nôtre, le jardinier de Versailles. Ses buis taillés en fer à cheval, en ogives ou en boules (jardin à l'italienne) lui valent le surnom, digne d'un conte de fée, de « château aux buis dormants ». Vous apprécierez également les jardins des simples et de rocailles.

et arbres méditerranéens *(panneaux explicatifs)*. Ce biotope entièrement créé en 2001, surveillé par les buses sauvages et les aigles, n'évolue que par des systèmes astucieux de récupération d'eau de pluie et la passion de Jean-Paul, son jardinier. En outre, de jolis points de vue s'offrent à vous. *De fin-fév. à fin oct. : possibilité de visite guidée sur rdv - gratuit.*

### Sports & Loisirs

**Circuit pédestre « Chemin du Paradis »** – Non loin des aires de stationnement, ce sentier relie Gourdon à Pont-du-Loup en 1h20 et le Bar-sur-Loup en 1h30. Les paysages de falaises succèdent aux ressauts abrupts boisés et aux nombreux lacets qui mènent à l'ancienne route du chemin de fer.

# Grasse★

43 874 GRASSOIS
CARTE GÉNÉRALE C2 – CARTE MICHELIN LOCAL 341 C6 – ALPES-MARITIMES (06)

Capitale du parfum, adossée au plateau qui lui ménage une vue imprenable sur la côte cannoise, Grasse réchauffe le visiteur hivernal. En été, elle ravit les touristes qui grimpent au sommet de la ville pour profiter des jardins et chercher les champs de fleurs du regard, avant de parcourir, à l'ombre si possible, et en butinant, d'une parfumerie à l'autre, les ruelles de la vieille ville.

- **Se repérer** – À 17 km au nord-ouest de Cannes par la N 85 qui conduit au cœur de Grasse *(cours Honoré-Cresp et boulevard du Jeu-de-Ballon)*, en traversant au passage les faubourgs, les zones résidentielles et industrielles de la route de Cannes. Grasse est aussi accessible par la pénétrante qui la relie à Cannes et aux autres villes côtières.

- **Se garer** – Pour ne pas perdre votre temps et votre patience, stationnez dans l'un des quatre parkings payants du centre-ville *(1h : selon parking 1,10 € à 1,40 €, 19h-8h : 2 €, 24h/24)*.

- **À ne pas manquer** – Une flânerie dans la vieille ville, très colorée, s'impose ; la visite d'une parfumerie, des champs de fleurs de Fragonard et Molinard en saison et le circuit des Préalpes de Grasse.

- **Organiser son temps** – Prévoyez 1h pour faire le tour de la vieille ville, 1h pour chaque jardin de fleurs ou parfumerie et une journée supplémentaire si vous complétez la route des Préalpes de Grasse par quelques pauses découverte dans les beaux villages et pour observer les superbes points de vue.

- **Avec les enfants** – Le petit train touristique *(voir l'encadré pratique)* ; la visite des champs de fleurs et des parfumeries (participation aux ateliers de découverte).

- **Pour poursuivre la visite** – Voir aussi Le Bar-sur-Loup, Saint-Vallier-de-Thiey, Gourdon et Mons.

*Grasse s'étage sur les contreforts des Préalpes.*

# Comprendre

👁 Pour connaître l'**histoire de la parfumerie** à Grasse, reportez-vous au chapitre « Un bouquet de parfums » dans la partie « Comprendre la région ».

**Les nez de Grasse** – Environ 40 personnes au monde sont capables de composer un parfum inédit. La plupart sont ou ont été à Grasse. Leur don naturel a été exercé dans l'une des deux écoles spécialisées (Grasse ou Versailles). Les « jus » que leur commandent parfumeurs ou marques de luxe correspondent à un public, une mode, une tranche d'âge, une humeur ; le bon mélange demande souvent des dizaines, voire des centaines d'essais. Très bien payés, les nez travaillent peu d'heures par jour et observent une rigoureuse hygiène de vie afin de ne pas fausser la finesse de leur odorat.

**Choisir son parfum** – Le parfum est vivant, c'est son charme et c'est un piège, car la senteur est évolutive. La demi-heure de la note de tête (25 à 30 %) donne une première impression. Lui succède pendant quelques heures la note de cœur ; mais la véritable personnalité du parfum se cache dans la note de fond (40 à 50 %), qui accompagne le porteur durant quelques jours.

En contact avec la peau, le parfum réagit encore, toujours imprévisible. Un parfum ne se choisit pas en cinq minutes, sur un coup de tête. L'essayer, le laisser vivre et l'apprivoiser avant de se décider pour ou contre n'est jamais du temps perdu. Il arrive qu'un parfum se bonifie avec le temps, mais en général, sa durée de vie n'excède pas trois ans. Il gardera tout son pouvoir conservé à l'abri de la lumière et à température constante, donc pas dans une salle de bains…

## 👁 Le saviez-vous ?

Grasse viendrait du nom latin que portait la colline de tuf sur laquelle s'est érigé le centre urbain : *podium grossum* ou *grassum*, ainsi nommé en mémoire d'un certain Grassus ou Crassus.

La toponymie du vieux Grasse ouvre grand les portes du passé. La « rue de la Rève-Vieille » évoque une taxe municipale, la *rève*, prélevée sur le blé et les légumes secs ; la « rue du Miel » serait un doux euphémisme pour la boue collante qui salissait les rues du Moyen Âge ; la « place des Hugenots » recouvre un ancien cimetière protestant. Plus aimable, la « rue du Four-de-l'Oratoire » se rapporte sans doute à un four à pain. Enfin, que la « rue Droite » soit une des plus sinueuses n'est un paradoxe qu'apparent : c'est la « rue *dereta* », celle qui conduit directement à la sortie de la ville.

# Découvrir

## L'ART DU PARFUM

### Musée international de la Parfumerie★
*www.museesdegrasse.com - fermé pour travaux, réouverture prévue déb. 2008.*
Le musée a fermé ses portes en janvier 2005 en raison de travaux d'extension et de restructuration. Installé dans le Morel Amic, hôtel particulier du 18e s. entièrement rénové, sa surface d'exploitation sera doublée. Les collections dédiées à la parfumerie seront présentées et balisées, dans de nouvelles salles : une salle d'exposition temporaire, une salle de conférence, deux salles d'animation pour les ateliers adultes, le centre de documentation-bibliothèque…

### Parfumeries
👁 *Voir les conditions de visite dans l'encadré pratique.*
Fragonard, Galimard et Molinard sont ouverts à la visite, gratuite et guidée, dans une atmosphère saturée d'odeurs chaudes et fleuries. Mieux vaut s'y rendre en semaine pour voir de près la fabrication et le conditionnement des eaux de toilette, parfums et savons, en plus des collections de flacons et ustensiles anciens.

### Domaine de Manon
*À 7 km du centre-ville - chemin du Servan -* 📞 *04 93 60 12 76 et 06 12 18 02 69.*
En saison, Fragonard et Molinard font visiter les champs de fleurs. Le domaine de Manon ouvre aux touristes sa roseraie *(mai-juin)* et son champ de jasmin *(juillet-novembre)*.

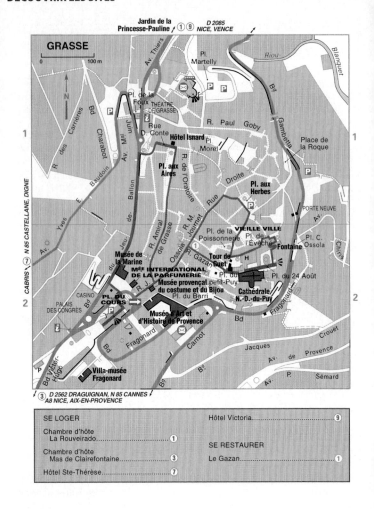

| SE LOGER | | |
|---|---|---|
| Chambre d'hôte La Rouveirado | ① | |
| Chambre d'hôte Mas de Clairefontaine | ③ | |
| Hôtel Ste-Thérèse | ⑦ | |
| Hôtel Victoria | | ⑨ |
| SE RESTAURER | | |
| Le Gazan | | ① |

# Se promener

## LA VIEILLE VILLE★

👁 **Bon à savoir** – La ville propose de parcourir la cité (1h30) en suivant les écussons en laiton au sol ; des panneaux explicatifs sont apposés sur les façades.

Les maisons du vieux Grasse ont la couleur du soleil couchant : ocre rouge, orange, jaune… et parfois gris, car les habitants aisés l'ont déserté au profit des hameaux voisins et des hauteurs grassoises. Bâtie d'impressionnantes pierres à bossages ornées de fenêtres géminées à fines colonnettes, la dizaine de **maisons médiévales** dans le centre historique témoigne d'une époque florissante pour la cité.

*Environ 1h. Partir de la place du Cours, pénétrer dans la rue Jean-Ossola, prolongée par la rue Marcel-Journet. Tourner à droite dans la rue Gazan, jusqu'à la place du Puy.*

### Cathédrale Notre-Dame-du-Puy
*Pl. du Petit-Puy - ☏ 04 93 36 11 03 – juil.-août : tlj sf dim. 9h30-18h ; reste de l'année : tlj sf dim. 9h30-11h30, 15h-18h.*
Curieux mélange de Moyen Âge mâtiné d'Italie du Nord (arcatures lombardes) et de baroque tardif 18e s. (escalier extérieur et angelots joufflus de la voûte du bas-côté droit). À l'intérieur, orgue de 1855 dû au facteur Junk de Toulouse. Dans le collatéral droit : beau triptyque attribué à l'**École de Louis Brea**, représentant saint Honorat entre saint Clément et saint Lambert. Enfin, un Grassois offrit à sa cathédrale **3 œuvres★ de Rubens** : *Le Couronnement d'épines, La Crucifixion, L'Invention de la croix par sainte Hélène.* Remarquez également *Le Lavement des pieds*, rare peinture religieuse de Fragonard.

Regardez la **tour** de l'hôtel de ville (13ᵉ s.) avant d'aller apprécier la **vue**, place du 24-Août.

*Tourner à gauche dans la rue de l'Évêché.*

Cour de l'Évêché, une **fontaine** est aménagée devant les voûtes d'anciennes caves. Parvenu à la petite place de la Poissonnerie, empruntez la rue du même nom qui mène à la **place aux Herbes**, lieu d'un marché grassois.

*Enchaîner par la rue Courte, puis tourner à gauche dans la rue Droite, que l'on remonte. Tourner à droite dans la rue Am.-de-Grasse.*

La rue débouche sur la **place aux Aires**, autrefois réservée aux tanneurs. Au nº 33 de la place se trouve l'**hôtel Isnard** qui date de 1781. Quittant la place par la gauche, on sort de la vieille ville par le boulevard du Jeu-de-Ballon. On redescend vers la place du Cours, agréable promenade qui procure une charmante **vue★** sur les collines.

## LES ESPACES VERTS

### Jardin de la Princesse-Pauline
*Accès par l'avenue Thiers, le boulevard Alice-de-Rothschild et celui de la Reine-Jeanne. Serrer à gauche et guetter le panneau indicateur.*
Fâchée avec son frère Napoléon Iᵉʳ, Pauline passa l'hiver 1807-1808 à Grasse. Le bosquet de chênes verts qu'elle affectionnait est devenu un grand jardin d'agrément d'où la **vue★** s'étend sur le Tanneron, l'Esterel et le littoral.

### Parc communal de la Corniche
*Depuis le premier jardin, boulevard Bellevue, puis boulevard du Prés.-Kennedy.*
🚶 *30mn AR.* Le **panorama★★** y est superbe, depuis le *baou* de Saint-Jeannet jusqu'aux crêtes de l'Esterel. À l'horizon, La Napoule, Golfe-Juan et les îles de Lérins.

# Visiter

### Villa-musée Fragonard
*Mêmes conditions de visite que le musée d'Art et d'Histoire de Provence.*
**Jean-Honoré Fragonard**, célèbre peintre né à Grasse au 18ᵉ s., offrit à la Comtesse du Barry, favorite de Louis XV, quatre tableaux mettant en scène les étapes de la conquête amoureuse ici présentés : *Le Rendez-Vous, La Poursuite, Les Lettres, L'Amant couronné.* Un geste qui en disait long ! Pendant la fermeture du musée international de la Parfumerie, le musée abrite une partie de ses collections.

### Musée d'Art et d'Histoire de Provence
*2 r. Mirabeau - ☎ 04 93 36 80 20 et 04 97 05 58 00 - www.museesdegrasse.com - juin-sept. : 10h-18h30 ; oct.-mai : tlj sf mar. 10h-12h30, 14h-17h30 (dernière entrée 30mn av. fermeture) - fermé nov. et j. fériés - 3 € expo. permanente, 4 € expo. temporaire (+10 ans 1,50 € expo. permanente, 2 € expo. temporaire), gratuit 1ᵉʳ dim. du mois d'oct. à mai.*
Ce paisible musée est établi dans l'ancien hôtel (18ᵉ s.) de Clapier-Cabris, famille du beau-frère de Mirabeau ; depuis le jardin à la française, vous pourrez en apprécier la façade à l'italienne. À l'intérieur, mobilier, tableaux et accessoires, illustrent la vie

*Détail des « Progrès de l'Amour », musée Fragonard.*

S. Sauvignier / MICHELIN

quotidienne provençale. On y trouve aussi une très belle collection de **céramiques régionales**, depuis les faïences jaspées d'Apt jusqu'aux créations Art nouveau des potiers de Vallauris. En outre, une partie des collections du musée international de la Parfumerie est temporairement exposées et une petite serre présente des fleurs et plantes provençales, utilisées en parfumerie.

## Musée de la Marine

*Villa Fragonard - ℘ 04 93 40 11 11 - juil.-sept. : 10h-19h ; oct.-juin : tlj sf w.-end 10h-12h, 14h-17h - fermé j. fériés - 3 € (12-18 ans 1,50 €).*
La marine à Grasse ? Oui, car les parfumeurs, tributaires de matières premières importées, devinrent aussi armateurs à Marseille et à Nice. Le musée évoque les grands marins de la région (la famille de Jonquières, l'amiral de Grasse) et présente un ensemble de maquettes et documents ayant trait aux navires et à la vie à bord.

## Musée provençal du Costume et du Bijou

*2 r. Jean-Ossola - ℘ 04 93 36 44 65 - www.fragonard.com - de Pâques à la Toussaint : 10h-13h, 14h-18h ; reste de l'année : tlj sf dim. 10h-13h, 14h-18h - gratuit.*
De vitrine coffre-fort en mannequin sous cloche, cette collection privée *(dépendance de la parfumerie Fragonard)* visite l'univers délicat du costume féminin au 18ᵉ s. Croix provençales « badines », « dévotes » ou « Maintenon », « Étoiles de Digne » (fossiles marins transformés en bijoux), « clavier » (cadeau traditionnel de la belle-mère à sa bru, qui y suspendait ses ciseaux et autres menus objets indispensables), vêtements de paysannes, artisanes ou bastidanes (épouses de propriétaires). C'est élégant, coloré et en excellent état ; seuls les tabliers ne sont pas d'époque. Attention, boutique irrésistible à la sortie.

## Le vol de l'Aigle

Né à Ajaccio en 1769, **Napoléon** devient empereur en 1804 et meurt en exil à Sainte-Hélène en 1821. Durant sa carrière, il n'est rien peut-être de plus extraordinaire que cette marche triomphale de vingt jours. Au départ, 700 hommes et quelques chevaux montent sur Paris. Depuis Golfe-Juan, Napoléon et sa petite troupe, précédés d'une avant-garde, gagnent Cannes où ils arrivent tard et d'où ils repartent tôt le lendemain. Voulant éviter la voie du Rhône qu'il sait hostile, Napoléon fait prendre la **route de Grasse** pour gagner, par les Alpes, la vallée de la Durance. Au-delà de Grasse, la colonne s'engage dans de mauvais chemins muletiers : Saint-Vallier, Escragnolles, Séranon d'où, après une nuit de repos, elle gagne Castellane (3 mars), puis Barrême. À l'arrivée, ils sont 20 000 ! Napoléon, en bon Méditerranéen, dira 40 000, doublant les chiffres comme à son habitude. Le 20 mars 1815, au milieu d'une foule enthousiaste, il entre aux Tuileries et reprend le pouvoir.
La « **route Napoléon** » (N 85) a été inaugurée en 1932.
Pour plus d'informations, consultez le site **www.route-napoleon.com**.

# Circuits de découverte

## PRÉALPES DE GRASSE★★

*87 km – compter 1/2 journée sans les arrêts.*

Ce circuit vous conduira à emprunter des routes en corniche avec vues sur la campagne entre Grasse et Saint-Cézaire, assez plates dans les environs des grottes, étroites et vertigineuses dans les gorges. À partir de Mons, une petite route un peu forestière rejoint une majestueuse nationale à flanc de montagne, qui redescend vers Grasse.
*Quitter Grasse par le boulevard Clemenceau, direction Cabris.*

### Cabris★ *(voir ce nom)*

Vers Saint-Cézaire, une petite route en boucle *(à droite)* passe près des **9 puits de la Vierge** (sans doute romains).

### Grottes de Saint-Cézaire★

*À 2 km du village de Saint-Cézaire - ℘ 04 93 60 22 35 - www.lesgrottesdesaintcezaire. fr - visite guidée (40mn) juil.-août : 10h30-18h30 ; juin et sept : 10h30-12h, 14h-18h ; fév.-mai. et oct. : 14h30-17h - fermé déc. ; nov. et janv. : dim et j.fériés 14h30-17h - 6 € (6-12 ans 3 €, 13-18 ans 4,50 €).*
Ces grottes, émergées de la mer à la fin de l'ère tertiaire (6 millions d'années), ont été découvertes par hasard en 1888. Rougies par l'oxyde de fer, elles descendent à 40 m

sous terre *(le gouffre qui suit, très étroit, ne se visite pas)*. Les eaux d'écoulement ont sculpté des formes étranges, parfois spectaculaires, que vous découvrirez tout au long des 200 m de parcours. Dans le haut de la grotte, le balcon abrite de remarquables concrétions calcaires dont une, très surprenante, établie dans une tête de mort et une stalactite de 1,5 m de haut datant de 150 000 ans ! Dans le bas, d'autres formes étranges apparaissent : concrétions, cristallisations, colonnes en marbre, coraux, éponges…

Les gorges de la Siagne.

### Saint-Cézaire-sur-Siagne

Posé sur le rebord d'un plateau, Saint-Cézaire domine les gorges de la Siagne, que l'on contemple depuis la **place du Point de Vue**.

*En quittant Saint-Cézaire, prendre à gauche la D 105, direction Mons. Attention, route très étroite.*

### Gorges de la Siagne

La route descend au fond des gorges, franchit la Siagne (du pont, **vue** en enfilade sur le canyon) et remonte sur l'autre versant, plus boisé, par la raide D 656. Arrivé sur le plateau, le parcours devient nettement plus facile dans un décor de murets de pierres sèches, figuiers, oliviers et chênes verts.

*Au croisement, tourner à gauche dans la D 56.*

Juste avant le pont sur la rivière, un sentier gagne les **sources de la Siagnole** (  30mn AR).

Un peu plus loin à gauche, un panneau signale l'aqueduc romain de **Roche Taillée**. **Vue★** vers Grasse.

*Rejoindre Mons par la D 37, puis la D 563.*

Magnifique **vue★★** jusqu'à l'Esterel.

### Mons★ *(voir ce nom)*

*Quitter Mons par le nord (D 563), direction Castellane.*

On monte, on descend, on remonte de plus belle, dans un cadre boisé puis dans un paysage de causses blancs et arides.

*Au col de Valferrière (alt. 1 169 m), prendre à droite la route Napoléon (dite aussi N 85) jusqu'à Grasse.*

La route traverse un paysage aride, dominé par les montagnes de l'Audibergue et de Bleine à gauche, par la montagne de Lachens à droite, avec de nombreuses vues en direction du sud. 1 km après **Escragnolles**, où Napoléon fit une courte halte, s'embranche à droite la piste forestière de Buascq pour le belvédère de Baou Mourine.

### Belvédère de Baou Mourine★

*Laissez la voiture au parking de la Colette. Chemin fléché (marques rouges).*

  30mn AR. On arrive à une terrasse d'où se découvre un beau **point de vue★** sur la vallée de la Siagne, le golfe de la Napoule, l'Esterel et les Maures.

*Revenir à la N 85.*

### Pas de la Faye★★

À 984 m d'altitude, **vue★★** splendide à l'ouest vers Grasse, le lac de Saint-Cassien, au sud vers les massifs de l'Esterel et des Maures, le golfe de la Napoule et les îles de Lérins.

### Saint-Vallier-de-Thiey *(voir ce nom)*

### Col du Pilon

**Vue★★** aussi belle qu'au Pas de la Faye vers Grasse et la Méditerranée.

## LE PLATEAU DE GRASSE

*38 km au départ de Grasse – compter 2h.*

*Quitter Grasse par le nord-est, en prenant la D 2085.*

## Magagnosc

*Sur l'avenue Auguste-Renoir, en direction de Nice, prendre à droite la route menant vers l'église Saint-Laurent.* C'est l'un des deux sanctuaires de l'endroit, décorés par le peintre contemporain **R. Savary** : à l'église Saint-Laurent, vitraux et copie de fresque byzantine ; à la chapelle Saint-Michel (dite des Pénitents-Blancs), peintures sur les murs et la voûte romane - ℘ 04 93 42 75 65 - *2ᵉ et 4ᵉ dimanches de chaque mois : 10h-12h.* Du cimetière derrière l'église Saint-Laurent, **vue★** sur la mer autour de Cannes et sur l'Esterel - ℘ 04 93 42 75 65 - *2ᵉ et 4ᵉ dimanches de chaque mois : 10h-12h.*

*Revenir sur la D 2085. À Pré-du-Lac, première route à droite (D 203), direction Château-neuf-Grasse.*

## Châteauneuf-Grasse

Bâti sur une colline plantée d'oliviers centenaires dominant la plaine d'Opio, voilà un village perché typique de la région. Vieilles maisons regroupées le long d'étroites ruelles, église à campanile abritant un retable du 18ᵉ s. Ne manquez pas le point de vue depuis le cimetière (table d'orientation).

*Au carrefour de la D 3, prendre à gauche jusqu'à Pré-du-Lac et continuer sur la D 2210.* **Bar-sur-Loup★** *(voir ce nom)* apparaît devant vous.

*Retour par Opio où se trouve le Moulin de la Brague (voir l'encadré pratique), puis par la D 7, sur Grasse.*

# Grasse pratique

Voir aussi les encadrés pratiques de Saint-Vallier-de-Thiey et Mougins.

## Adresses utiles

**Office du tourisme de Grasse** – *Palais des Congrès -* Pl. du Cours *- 06130 Grasse - ℘ 04 93 36 66 66 - www.grasse.fr - juil.-sept. : 9h-19h, dim 9h-12h30, 14h-18h ; reste de l'année : 9h-12h30, 14h-18h, dim. 10h-12h, 14h-17h - fermé 1ᵉʳ janv., 1ᵉʳ Nov. et 25 déc. –* Pl. de la Foux *- 06130 Grasse - ℘ 04 93 36 21 68 - tlj sf dim. 9h-12h30, 14h-18h - fermé j. fériés.*

**Office du tourisme de Saint-Cézaire-sur-Siagne** – *3 r. de la République - 06530 Saint-Cézaire-sur-Siagne - ℘ 04 93 60 84 30 - www.saintcezairesursiagne.com - tlj sf lun. 10h-12h, 15h-18h30, w.-end. 10h-12h - fermé j. fériés.* Plan commenté du village médiéval, des sites mégalithiques sur demande *(gratuit).* Carte des sentiers et circuits de randonnées pédestres *(3 €).*

## Transports

**Bus** – *Gare routière au parking Notre-Dame-des-Fleurs, pl. de la Buanderie, ℘ 04 93 36 37 37.* 27 lignes urbaines et interurbaines desservent l'agglomération.

## Visites

**Visites guidées** – *S'adresser au Service animation du patrimoine - ℘ 04 93 36 96 33 ou www.vpah.culture.fr - juil.-sept. : merc. et sam. 15h30 et 17h - 2 €.* Grasse, labellisé **Ville d'art et d'histoire**, propose des visites-découvertes (1h30) animées par des guides-conférenciers agréés par le ministère de la Culture et de la Communication.

**Petit train** – *dép.* Pl. du Cours *- ℘ 06 07 75 63 60 - de Pâques à fin oct., fêtes de fin d'année, carnaval : 10h-18h (45mn) -*

6 € *(3-12 ans : 3 €).* Le petit train parcourt et commente le centre ancien.

## Se loger

**Hôtel Ste-Thérèse** – *39 av. Yves-Emmanuel-Baudoin - ℘ 04 93 36 10 29 - http://hotelsaintetherese.com - fermé nov. - rest. réservé à la clientèle - 31 ch. 68/72 € -* ⌨ *7 € - rest. 15 €.* Atout majeur de cet hôtel entièrement rénové : son emplacement dominant la ville de Grasse. Les chambres offrent calme et confort ; toutes bénéficient d'une vue jusqu'à la mer. En été, petits-déjeuners servis sur la terrasse panoramique.

**Hôtel Victoria** – *7 av. Riou-Blanquet - ℘ 04 93 40 30 30 - www.hotel-victoria-grasse.com -* P *- 50 ch. 72/79 € -* ⌨ *8 € - rest. 19,50/32 €.* Cette belle demeure 1900 jouit d'une vue imprenable sur la ville et la mer. Les salons spacieux, les grandes chambres, la salle à manger aux couleurs vives, la jolie terrasse panoramique et la piscine composent l'ensemble. Animations et soirées sont parfois organisées.

**Chambre d'hôte La Rouveirado** – *22 chemin des Colles - 06740 Chateauneuf-Grasse - par D 3, rte de Valbonne à Opio et rte à gauche, dir. le club MED, et Notre-Dame-du-Brusc - ℘ 04 93 77 78 49 - www. larouveirado.com - fermé en janv. - 5 ch. 70/110 € .* Pas facile de trouver cette maison d'hôte de construction récente, mais on n'appréciera que mieux le site et son petit parc de chênes verts. Disposées dans les ailes, les chambres donnent directement sur l'extérieur. Confort actuel et décoration simple mais de bon goût.

**Chambre d'hôte Mas de Clairefontaine** – *3196 rte de Draguignan - 06530 Val-du-Tignet - 9 km au SO de Grasse* *par RD 2562 - ✆ 04 93 66 39 69 - http://masdeclairefontaine.online.fr - ⊭ - 3 ch. 90/110 €* ☕. Endroit charmant que ce mas en pierre et son jardin planté de pins parasols et de roseaux. Les chambres, décorées avec goût, bénéficient d'un accès indépendant et d'une terrasse. Table du petit-déjeuner dressée à l'ombre d'un chêne centenaire et d'un palmier; piscine bienvenue en été.

## Se restaurer

⊖⊖ **Le Gazan** – *3 r. Gazan (centre ville) - ✆ 04 93 36 22 88 - fermé 15 déc.-31 janv., lun. soir, mar. soir, merc. soir, jeu. soir hors sais. et dim. - 19,50/44 €.* Cette petite adresse du vieux Grasse vous accueille dans deux ravissantes salles de style rustique reliées par un escalier en colimaçon. Accueil convivial, service efficace et cuisine embaumant l'huile d'olive et les herbes, avec notamment un original menu « parfums ». À la belle saison, terrasse ombragée.

## En soirée

**Casino de Grasse** – *Bd du Jeu-de-Ballon - ✆ 04 93 36 91 00.* Roulette anglaise, black-jack, boule. Café ouvert de 20h30 à 2h du matin, ambiance musicale pendant le week-end. Possibilité de soirée forfaitaire (avec dîner et transport).

## Que rapporter

### PARFUMERIE

**Galimard - Studio des Fragrances** – *5 rte de Pégomas - rd-pt des 4-Chemins - ✆ 04 93 09 20 00 - www.galimard.com - tlj sur RV. Séances 10h, 14h, 16h - fermé j. fériés sf de déb. mai à fin sept. et 25 déc.-1er janv., dim. d'oct. à avr - 35 €.* **Stages de création de parfums** organisés par le célèbre parfumeur grassois : durant deux heures vous aurez le plaisir de composer vous-même votre parfum (dont la formule sera ensuite conservée en vue d'une nouvelle commande) et de repartir avec l'odorant flacon et un diplôme signé du maître-parfumeur. Séduisant !

**Parfumerie Molinard** – *60 bd Victor-Hugo - ✆ 04 92 42 33 11 - www.molinard.com - mai-sept. : tlj visite guidée 9h-18h - fermé 25 déc. et 1er janv.* Cette parfumerie provençale fondée en 1849 propose, en plus de la traditionnelle **visite**, divers **ateliers de découverte** *(payants et sur réservation)*.

**Fragonard - La Fabrique des Fleurs** – *Rte de Cannes - carrefour des Quatre-Chemins - ✆ 04 93 77 94 30 - www.fragonard.com - 9h-18h30 ; nov.-janv. : 9h-12h30, 14h-18h30. Mêmes conditions de visite que l'usine du centre-ville.* À 2 km de Grasse, cette usine dédiée aux parfums, savons et plantes aromatiques vous convie à pénétrer les secrets de la distillation, dans ses laboratoires et salles de conditionnement très modernes. **Visite** guidée gratuite. Superbe **jardin de plantes** à parfum. Boutique à prix d'usine.

**Fragonard - Usine Historique** – *20 bd Fragonard - ✆ 04 93 36 44 65 - www.fragonard.com - 9h-18h30 ; nov.-janv. : 9h-12h30, 14h-18h30.* Fondée en 1926, elle continue de créer parfums, savons, cosmétiques en associant le respect de la tradition et les techniques de production les plus modernes. La **visite**, guidée et gratuite, vous fera découvrir ces procédés de fabrication. Le **musée** retrace 5 000 ans d'histoire des parfums à travers une superbe collection d'objets. Boutique à prix d'usine.

**Usine Galimard** – *73 rte de Cannes - ✆ 04 93 09 20 00 - www.galimard.com - avr.-oct. : visite guidée (1h) 9h-18h30 ; nov.-mars : 9h-12h, 14h-18h - gratuit.* Musée, laboratoire, atelier de conditionnement et boutique sont au programme de la **visite**, guidée et gratuite, de cette parfumerie créée en 1747.

### HUILE D'OLIVE

**Le Moulin de la Brague** – *2 r. de Châteauneuf - 06650 Opio - ✆ 04 93 77 23 03 - tlj sf dim. 9h-12h, 14h-18h30 - fermé 15-30 oct. et j. fériés.* Depuis six générations, la famille Michel s'attache à préserver le passé de ce moulin (une partie du matériel date du 15e s.), tout en le modernisant progressivement. Huile d'olive, produits dérivés et spécialités régionales (miel, confiture, tapenades, poteries, savons, etc.) en vente dans la jolie boutique.

**Palais des Olives** – *1 bd du Jeu-de-Ballon - ✆ 04 93 36 57 73 - www.palais-des-olives.com - tlj sf dim. et lun. 10h-14h, 15h30-19h ; tlj en juil.-août - fermé 2 sem. en janv. et 2 sem. en nov.* Cette grande boutique à la décoration provençale attire les regards avec ses larges baies vitrées. On aperçoit de l'extérieur des rayons entiers d'huiles d'olive, dont les nuances délicates composent un tableau lumineux. Que les produits soient français ou étrangers, la sélection met bien entendu l'accent sur la qualité. Trois huiles de Grasse et des alentours sont davantage mises en valeur, dont une « bio » et une autre vendue en vrac. Sur la table, un bel échantillon d'olives salées, piquantes, noires ou vertes, fait de l'œil aux clients.

## Événements

**Exporose** – En mai (4 jours).

**Olivéa** – 2e week-end du mois.

**Fête du jasmin** – 1er week-end d'août (3 jours).

**Foire bio** – 1er week-end de septembre.

# Grimaud★

**3 780 GRIMAUDOIS**
**CARTE GÉNÉRALE C3 – CARTE MICHELIN LOCAL 340 O6 – SCHÉMA P. 249 – VAR (83)**

Grimaud est le village perché tel qu'on en rêve : pimpant, fleuri, ensoleillé. On y trouve d'anciennes maisons provençales, de charmantes placettes, des ruelles entrelacées, ponctuées par une volée de marches, une fontaine ou un micocoulier. Port-Grimaud, lui, est artificiel. Né de l'imagination d'un architecte au milieu des années 1960, s'il n'est pas du goût de tous il n'en attire pas moins la foule en été… une autre ambiance !

*La patine des années aidant, Port-Grimaud semble là depuis lontemps.*

**Se repérer** – Le vieux village est à 10 km à l'ouest de Saint-Tropez par la N 98[A], puis la D 61.

**Se garer** – En saison, laissez la voiture près du cimetière *(parking du Château)* au nord, vers le pont des Fées et l'ancien aqueduc.

**À ne pas manquer** – Les ruines du château féodal ; l'église Saint-Michel ; le musée des Arts et Traditions populaires et la cité lacustre de Port-Grimaud.

**Organiser son temps** – Une demi-journée suffit à apprécier les demeures de la ville, son patrimoine médiéval et sa « petite Venise » *(voir Port-Grimaud)*.

**Avec les enfants** – Le petit train touristique qui relie Grimaud à Port-Grimaud ; une promenade en bateau sur les canaux de Port-Grimaud *(voir la rubrique « Visite » dans l'encadré pratique)*.

**Pour poursuivre la visite** – Cogolin et Saint-Tropez pour la promenade, la Garde-Freinet et le massif des Maures pour la randonnée.

## Se promener

### Vieux village★

**Bon à savoir** – Circuit fléché dans le village (compter 1h), plan commenté disponible à l'office de tourisme.

L'**église Saint-Michel** est un petit édifice roman (fin 12e s. déb. 13e s.) en croix latine et aux fresques intérieures (19e s.) restaurées *(minuterie à gauche en entrant)*. De là rejoignez le **château**. À l'origine (début du 11e s.), il comprenait trois enceintes encadrées de quatre tours d'angle à trois étages. Depuis son démantèlement ordonné par Mazarin en 1655 et sa destruction lors de la Révolution, il reste des ruines imposantes, où l'on distingue encore quelques pans de murs et d'escaliers. Du haut des remparts, **vues★** sur les Maures, le golfe de Saint-Tropez, les eaux bleues de Port-Grimaud et, plus proche, sur le moulin restauré de Grimaud.
Descendez à la **chapelle des Pénitents** *(à l'est)* qui abrite les reliques de saint Théodore, puis rejoignez la route départementale où se trouve le **musée d'Art et**

**Traditions populaires** *(voir « Visiter »)*. Passant devant l'office de tourisme, remontez vers la place Neuve, où une **fontaine** commémore l'installation de l'eau courante à Grimaud en 1886. Dans la **rue des Templiers** *(qui mène à l'église)* admirez, sur la maison du même nom, les arcades en basalte et les portails en serpentine. Les rues possèdent de belles légendes.

### Port-Grimaud★

*À 5 km. Parking visiteurs obligatoire à l'extérieur de la cité policée.*

L'architecte **François Spoerry** (1912-1999) créa en 1966, sur une zone marécageuse, cette petite Venise, pastiche de cité lacustre. Son humour est à l'époque aussi discuté que le modernisme de Marina-Baie-des-Anges *(voir Villeneuve-Loubet)*. Les maisons imitent les villages de pêcheurs méditerranéens, et les portes de la cité ont des allures fortifiées. Du haut de la tour de l'**église Saint-François d'Assise** (moderne et sobre, vitraux de Vasarely), belle **vue★** sur la cité, le golfe de Saint-Tropez et les Maures.

# Visiter

## Musée des Arts et Traditions populaires

*D 558 - Grimaud Village - ☏ 04 94 55 43 83 - mai-sept. : tlj sf dim. 14h30-18h ; oct.-avr. : tlj sf dim. 14h-17h30 - fermé j. fériés - gratuit.*

Installé dans un ancien moulin à huile, il retrace l'histoire du village au 19ᵉ s., photos à l'appui. Une collection d'outils illustre les activités traditionnelles : la bouchonnerie, la viticulture, la sériciculture. Enfin, la reconstitution d'une maison de village, sur deux étages, évoque la vie quotidienne (vaisselle, costumes…). Un intéressant parcours dans le passé qui complète la promenade dans le village.

## Grimaud pratique

**☍** Voir aussi les encadrés pratique de Cogolin Sainte-Maxime et Saint-Tropez.

### Adresses utiles

**Office du tourisme de Grimaud** – *1 bd des Aliziers - 83310 Grimaud - ☏ 04 94 55 43 83 - www.grimaud-provence.com - juil.-août : tlj sf.dim. 9h-12h30, 15h-19h ; avr.-juin et sept. : tlj sf dim. 9h-12h30, 14h30-18h15 ; oct.-mars : tlj sf dim. 9h-12h30, 14h15-17h30 - fermé 1er janv., Pâques, 1er et 8 Mai, 1er et 11 Nov. et 25 déc.*

**Office du tourisme de Port-Grimaud** - *r. du Ponant - 83310 Port-Grimaud - ☏ 04 94 56 02 01 - www.grimaud-provence. com - juil.-août : 9h-12h30, 15h-19h, dim. 10h-13h ; juin et sept. : tlj sf dim. 9h-12h30, 14h30-18h15.*

### Visites

**Coches d'eau de Port-Grimaud** – *12 pl. du Marché - ☏ 04 94 56 21 13 - de mi-juin à mi-sept. : 9h-22h ; de mi-sept. à mi-nov. et de mi-déc. à mi-juin : 10h-12h, 14h-18h (sur RV obligatoire).* Promenade en bateau sur les canaux de Port-Grimaud (20mn). Possibilité de louer des barques électriques.

**Petit train touristique** – *Avr.-oct.* Il circule dans les deux sens entre Grimaud (dép. pl. Neuve) et Port-Grimaud (dép. à l'entrée Port-Grimaud Nord, à côté du parking des cars).

### Se loger

**☍ Chambre d'hôte Leï Mëssugues** – *86 Le Cros-d'Entassi - ☏ 04 94 56 03 16 - www.leimessugues.com - fermé de fin sept. à Pâques - ⊘ - 2 ch. + 2 studios 65/70 € -* ⌷ *7,50 €.* Le calme règne dans ce lotissement éloigné de la route, à 900 m de la plage. On goûtera donc en toute tranquillité à la simplicité des 2 studios ou des 2 chambres disponibles, de dimensions modestes mais donnant sur un joli jardin arboré avec piscine et petite cuisine d'été.

**☍ Chambre d'hôte La Toscane** – *Rte départementale, villa la Toscane - 4 km de Grimaud-village - ☏ 04 94 43 24 11 - www. la-toscane.com - ⊘ - 4 ch. 65/80 €* ⌷*.* Les murs ocre de cette jolie villa et son patio agrémenté d'un puits évoquent la Toscane. Belles chambres provençales, décorées d'après une couleur dominante. Elles possèdent toutes une pergola et une terrasse privative tournées vers la piscine. Grand et calme jardin paysager.

**☍☍ La Bastide de l'Avelan** – *Quartier Robert - 2 km de Grimaud-village par D 44 - ☏ 04 94 43 25 79 - www.bastideavelan. com - fermé déb. nov.-Pâques - ⊘ - 5 ch. 70/90 €* ⌷*.* Maison typique où vous serez hébergés dans des chambres simples mais mignonnes, toutes dotées d'une literie de qualité et distribuées en rez-de-jardin. Accueil avenant, bons conseils touristiques personnalisés, tranquillité d'un quartier résidentiel et piscine environnée de platanes et de pins.

### Se restaurer

**☍☍ L'Écurie de la Marquise** – *3 r. Gacharel - ☏ 04 94 43 27 26 - fermé le midi en juil.-août - réserv. conseillée - 19,50/36,50 €.* Situé dans une petite rue piétonne du vieux Grimaud, ce petit restaurant ne paie pas de mine. Pourtant, dès que l'on passe la porte, on se laisse séduire par le charme rustique de la salle à manger et surtout par la cuisine maison, aux saveurs toutes provençales.

😊😊 **Auberge La Cousteline** – *SE : 2,5 km sur D 14 - ℘ 04 94 43 29 47 - aubergelacoust eline@wanadoo.fr - fermé 10 nov.-15 déc., mar. de sept. à juin, lun. d'oct. à mai et midi en juil.-août - 22/33 €.* Cette ancienne ferme isolée est délicieusement enfouie sous la verdure. À l'intérieur, vous apprécierez le style « campagne et Provence » et, à la belle saison, la jolie terrasse saura vous séduire. Les préparations sont concoctées en fonction du marché.

### Que rapporter

**Marchés** – Jeudi, pl. Vieille à Grimaud ; jeudi et dimanche à Port-Grimaud.

### Événements

**Fête du moulin** – En juin.

**Les Grimaldines** – De mi-juillet à mi-août, tous les mardis soir, festival de musiques du Monde.

# Hyères★

## Iero

### 52 500 HYÉROIS
### CARTE GÉNÉRALE B4 – CARTE MICHELIN LOCAL 340 L7 – SCHÉMA P. 248 – VAR (83)

Les palmiers le prouvent : le climat d'Hyères est aussi agréable aujourd'hui qu'il y a un siècle, quand la ville servait de refuge hivernal aux frileux de la haute société. Aujourd'hui, le tourisme d'été a pris le relais. Amateurs de plus ou moins vieilles pierres, de jardins ou de bains de soleil, chacun y trouvera de quoi agrémenter son séjour.

▶ **Se repérer** – Hyères se trouve à 18 km à l'est de Toulon. La commune couvre environ 30 km, des Borelles à Giens. La voie rapide Olbia traverse la ville, laissant au nord les Borelles et Sauvebonne, la vieille ville, le centre-ville du 19e s., les quartiers de Costebelle et Chateaubriand. L'aéroport est au sud. Sur le rivage, on trouve à l'ouest l'Almanarre, à l'est le port d'Hyères et Ayguade-le-Ceinturon. Entre les deux, Hyères-Plage, les salins et l'étang des Pesquiers, la presqu'île de Giens s'élancent dans la mer à la rencontre des îles d'Hyères.

🅿 **Se garer** – Parkings gratuits sur le port et pl. Louis-Versin. Payants, certains souterrains, devant le casino, au centre commercial Olbia, dans les jardins Denis, pl. du Mar.-Joffre et pl. Clemenceau.

👁 **À ne pas manquer** – Une balade dans la vieille ville ; une autre dans les quartiers de la ville du 19e s. ; la presqu'île de Giens.

🕔 **Organiser son temps** – Consacrez une journée à cette jolie cité. En matinée, les marcheurs choisiront d'arpenter durant 1h30 les rues du vieux Hyères ou d'apprécier les hôtels et villas des quartiers 19e s (1h). Un pique-nique ou un après-midi sur la plage bordée de palmiers s'impose. Les amoureux de côtes sauvages préféreront la presqu'île de Giens.

👫 **Avec les enfants** – Le jardin d'acclimatation d'Hyères, le rassemblement des flamants roses à la mi-septembre depuis la lagune de la presqu'île de Giens.

👣 **Pour poursuivre la visite** – Voir aussi les îles d'Hyères, le massif des Maures, Le Pradet et Toulon.

## Comprendre

**Vacances anglaises** – Au milieu du 19e s., les anglophones (Anglais, Irlandais et Américains) formaient le quart des hivernants d'Hyères. La communauté anglo-saxonne y recréa peu à peu un confort « very british » : vice-consulat britannique, bien sûr, mais aussi banques, boutiques, églises et… dentiste à l'anglaise. Mrs Stewart, une Écossaise, fit même élever, au grand étonnement des autochtones, une fontaine destinée aux animaux. Installés en majorité dans le quartier des Îles-d'Or, les Anglais émigrèrent sur la colline de Costebelle à la fin du siècle pour suivre la reine Victoria, descendue à l'hôtel d'Albion, « of course ».

# Séjourner

## Plages

Hyères propose 20 km de plages, toutes surveillées en saison, sauf celles, plus sauvages, de la presqu'île de Giens *(voir la rubrique « Découvrir »)*.

**L'Almanarre** – Le long des salins de l'étang des Pesquiers, non loin du site de la ville antique d'Olbia *(voir « Visiter »)*, c'est une longue plage de sable, familiale, du moins lorsque le vent n'est pas de la partie. Les jours de grand vent, les planches à voile y fleurissent, le site étant un « spot » de rêve pour les adeptes de la glisse. En 1996, l'Almanarre a vu se dérouler la coupe du monde de funboard. On y trouve des écoles de planche à voile.

**Hyères-Plage** – La station, en bordure d'une petite forêt de pins parasols, regroupe les plages de l'Hippodrome, de la Capte et de la Bergerie jusqu'à la presqu'île de Giens. Eau peu profonde (on a pied jusqu'à 60 m du rivage). Embarquement pour les îles d'Hyères depuis le port de plaisance.

**Ayguade-le-Ceinturon** – L'ancien port d'Hyères, aujourd'hui station balnéaire, sépare deux plages de sable, l'une sur le boulevard du Front-de-Mer, devant les campings, l'autre avenue des Girelles.

**Les salins** – La plage a remplacé les salines depuis longtemps déjà. L'endroit est parfois désigné comme Port-Pothuaud, du nom du port de pêche.

## Jardins Olbius-Riquier

*Av. Ambroise-Thomas - ☎ 04 94 00 78 65 - ♿ -8h-19h - gratuit.*

👪 Le jardin d'acclimatation d'Hyères, véritable morceau d'Afrique sur la Côte, a été créé en 1872. Ses 6,5 ha rassemblent aujourd'hui, en extérieur ou dans des **serres** pour les espèces fragiles, un échantillonnage luxuriant de la flore méditerranéenne dont les inévitables palmiers, cactées en tous genres, bananiers, ficus, etc. Dans des enclos gambadent daims, émeus, singes et sur le lac évoluent des oiseaux aquatiques. Petit train, promenade en poneys et manèges raviront les plus jeunes.

## Parc Saint-Bernard (jardin de Noailles)

*À côté de la villa Noailles (voir « Visiter »).*

Le parc s'étend au pied des ruines du château *(voir circuit 1️⃣)*. Une grande variété de fleurs méditerranéennes y poussent sur des restanques. À travers les ouvertures de l'enceinte du 13ᵉ s., on profite d'une **vue★** agréable sur les Maures *(à gauche)* et surtout sur le pic des Oiseaux et la colline de Costebelle, la vieille ville et la collégiale Saint-Paul, la presqu'île de Giens et les îles d'Hyères.

## Parc du château Sainte-Claire

*Av. Edith-Warthon - été : 8h-19h ; hiver : 8h-17h - gratuit.*

Charmant et touffu labyrinthe végétal semé de petits escaliers, de bancs et de terrasses, aménagé sur le domaine d'un ancien couvent de clarisses. Au sommet, des ruines entourent le tombeau du colonel Voutier, ancien propriétaire du parc (au 19ᵉ s.) et accessoirement découvreur de la *Vénus de Milo*. Au milieu du parc, la grande villa (1850) abrite les services du **Parc national de Port-Cros**. C'est l'occasion de vous renseigner, avant de vous lancer dans la traversée.

---

### Bientôt Hyères sans palmiers ?

La ville prit ce nom en 1881, cinquante ans après l'arrivée des premiers plants de palmiers. En 1835, un visiteur ébahi notait, en arrivant à Hyères : « Là, les bosquets d'orangers qui, couverts de plusieurs millions de fruits dorés, remplissent la vallée et du sein desquels des palmiers de trente à quarante pieds de haut élancent noblement leur tête. » Dès 1867, les jardiniers hyérois acclimatèrent avec succès le palmier des Canaries et d'autres variétés rapportées des colonies. Au début du 20ᵉ s., la ville comptait une vingtaine de pépiniéristes producteurs de palmiers. Ils ne sont plus que trois aujourd'hui.

La neige de 1985 a tué beaucoup d'arbres et un autre fléau est apparu. En effet, Hyères comme les stations balnéaires de la Côte sont touchées par l'invasion d'un palmivore qui détruit l'espèce à petit feu, en creusant des galeries dans les troncs et en grignotant les bourgeons. Pour éradiquer le *paysandisia archon*, les municipalités recouvrent leurs palmiers de filets anti-grêle blancs ou ont recours à des traitements chimiques, nocifs pour l'environnement et la santé publique. Les équipes de scientifiques compétents prennent tout juste la mesure du problème d'envergure méridionale (les côtes aquitaine et languedocienne sont aussi concernées) et tentent de sauver les palmiers.

🐾 Pour en savoir plus, consultez le site www.fousdepalmiers.fr.

*La vieille ville au charme tout simplement provençal.*

# Se promener

## DANS LA VIEILLE VILLE ①

*Compter 1h30. Au départ de la place G.-Clemenceau.*

Passée la **porte Massillon**, à l'arche ornée d'une horloge, on remonte la rue Massillon, ponctuée de portes Renaissance et surtout très animée par les nombreux étalages aux effluves mêlées qui débordent dans l'ancienne grand'rue.

### Place Massillon

On y respire plus à l'aise, sauf à l'heure du marché. La **tour des Templiers** (12ᵉ s.), ancienne abside fortifiée et classée d'une commanderie templière, accueille des expositions temporaires. 𝄢 04 94 35 22 36 - avr.-oct. : tlj sf mar. 10h-12h, 16h-19h ; nov.-mars : tlj sf lun. et mar. : 10h-12h, 14h-17h30 - fermé j. fériés - gratuit.

*Monter les escaliers et suivre la rue Sainte-Catherine.*

### Place Saint-Paul

Cette jolie petite place en terrasse occupe l'emplacement de l'ancien cloître de la collégiale Saint-Paul. Beau **point de vue**★ sur la ville et la presqu'île (table d'orientation).

### Ancienne collégiale Saint-Paul

*Pl. Saint-Paul - 𝄢 04 94 00 55 50 - se renseigner pour les horaires.*
Les parties les plus anciennes (clocher) remontent au 12ᵉ s. L'escalier monumental et la

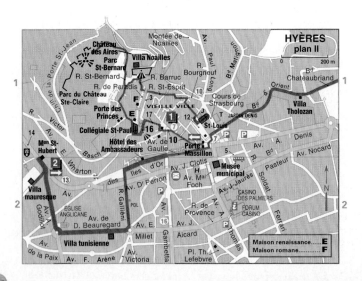

porte Renaissance introduisent dans le narthex (ancienne nef plafonnée de l'édifice roman) ; il est couvert d'**ex-voto** naïfs et colorés, du 17e s. à nos jours. À gauche, la nef gothique est perpendiculaire à l'église primitive. En période de Noël, remarquez la crèche de santons provençaux.

## Vieilles rues

La porte Saint-Paul, percée dans une jolie **maison Renaissance** avec tour d'angle en échauguette, ouvre sur le dédale des rues et traverses de la ville haute, un régal si on aime monter (surtout) et descendre entre de petites maisons claires aux murs parfois un peu bombés. L'ambiance est calme et le sol imprévisible (bitume, cailloux, escaliers).

Ne pas manquer, rue Sainte-Claire *(poursuivre rue Saint-Paul, puis à gauche)*, l'ogive de la « **porte des Princes** » *(au bout de la rue, accès au parc du château Sainte-Claire, voir « Séjourner »)* et rue de Paradis *(à droite après la porte Saint-Paul)*, au n° 6, une belle **maison romane** restaurée.

*Par la rue Saint-Bernard, monter au sommet de la vieille ville jusqu'à la villa Noailles (voir « Visiter »). Un large sentier à gauche mène aux ruines.*

## Ruines du château des Aires

*Elles sont accessibles à pied mais aussi en voiture, par la montée de Noailles (parking).* Absent dans les rues de la ville, le vent se rattrape sur les hauteurs, atmosphère rêvée pour des ruines isolées, où l'on distingue pans de muraille et tours rondes ou carrées à créneaux (13e-15e s.). Le côté nord est le plus spectaculaire. Au sommet, vaste **panorama★** sur la côte et l'intérieur (table d'orientation).

*Revenir par la rue Saint-Bernard, prendre à droite la rue Barbuc (passer sous la porte), descendre rue Bourgneuf, avant son extrémité, prendre à droite pour arriver à la place Bourgneuf, puis à gauche la rue Saint-Louis.*

## Église Saint-Louis

*Pl. de la République - ☏ 04 94 00 55 50 - se renseigner pour les horaires.*
Il s'agit de l'ancienne église du couvent des Cordeliers. La façade à trois portes surmontées d'une rose et d'une corniche évoque l'art romain italien. L'ensemble illustre le passage du roman au gothique provençal.

*Regagner la place G.-Clemenceau.*

# DANS LA VILLE DU 19e siècle 2

👁 **Bon à savoir** – Possibilités de visites guidées *(voir l'encadré pratique)*.

La ville doit beaucoup à **Alexis Godillot**, qui fit fortune dans le… godillot en fournissant les armées du Second Empire. Entre 1850 et 1880 furent construits hôtels et villas pour accueillir les riches hivernants. Aujourd'hui, le tourisme a changé de visage. Les luxueux hôtels ont fermé dans les années 1930, mais on peut encore en voir quelques-uns, ainsi que plusieurs villas très « balnéaires », en centre-ville.

## Quartier « Godillot »

Appellation officieuse de la partie ouest du centre-ville, remodelée par Alexis Godillot, commanditaire de la **maison Saint-Hubert** *(70 av. des Îles-d'Or)*.

*Descendre l'avenue Godillot et tourner à gauche dans l'avenue de Beauregard.*

À l'église anglicane Saint Paul's Church répond à l'autre bout de la rue la **villa tunisienne**, de style mauresque, ancienne propriété de l'architecte de Godillot, Chapoulart.

*Villa Tunisienne*

S. Sauvignier / MICHELIN

*Prendre à gauche.*

Rue Gallieni se dresse l'ex-hôtel des Palmiers (1884) ; dans l'avenue des Îles-d'Or, l'**hôtel des Ambassadeurs** élève une entrée majestueuse avec cariatides en gaine.

*Place G.-Clemenceau, poursuivre dans la rue Dr-de-Seignoret.*

### Quartier Chateaubriand

Le quartier d'Orient a été aménagé à partir de 1850. Les plus belles villas y affichent un style classique, avec une touche de fantaisie. En remontant les boulevards d'Orient et Chateaubriand, on découvrira les villas Léon-Antoinette, **Tholozan**, La Favorite, Ker-André…

# Visiter

### Villa Noailles

*Montée de Noailles - ☏ 04 98 08 01 98 - www.villanoailles-hyeres.com - possibilité de visite guidée sur demande préalable à l'office de tourisme - juil.-août : tlj sf mar. 10h-12h, 16h-19h30, vend. 16h-22h ; reste de l'année : tlj. sf lun. et mar. 10h-12h, 16h-18h - fermé j. fériés - gratuit - 6 € (–10 ans gratuit).*

En 1923, un jeune couple de mécènes, Charles et Marie-Laure de Noailles, commande à l'architecte français **Mallet-Stevens** une villa d'hiver résolument moderne, en opposition avec le pastiche triomphant sur la Côte. Achevée en 1933, la villa compte une soixantaine de pièces dont une piscine et une salle de gymnastique et devient rapidement le rendez-vous de l'avant-garde artistique : Giacometti, Cocteau, Picasso, Dali, Buñuel (les Noailles produisirent son *Âge d'Or*, qui fit scandale en 1930) et Man Ray qui y tourne *Les Mystères du château du Dé*.

Les amateurs de jardins à l'anglaise et même à la française seront étonnés par le curieux petit jardin cubiste dessiné par **Gabriel Guévrékian**.

Cédée à la ville d'Hyères en 1973, la villa a été restaurée et accueille au premier niveau des expositions temporaires.

### Musée municipal

*Rotonde Jean-Salusse - ☏ 04 94 00 78 42 - ♿ - avr.-oct. : tlj sf mar. 10h-12h, 16h-19h ; nov.-mars : tlj sf lun. et mar. 10h-12h, 14h-17h30 - fermé j. fériés - gratuit.*

Autrefois dédié aux vestiges d'archéologie préhistorique, grecque et romaine provenant en grande partie du site d'Olbia, le lieu a laissé place aux artistes de passage

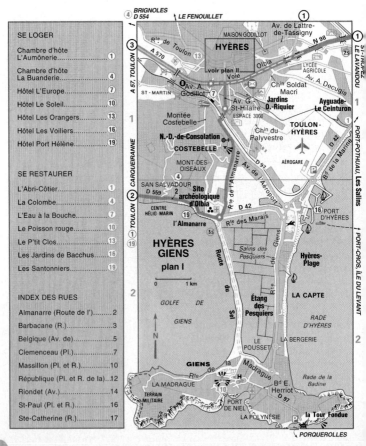

ou originaires de Hyères. Les expositions temporaires se suivent sans se ressembler en présentant l'art sous toutes ses formes.

## Site archéologique d'Olbia

*Accès depuis Hyères par la D 559, direction Carqueiranne - jeu. et vend. 9h30-12h30, 15h-18h30, mar. et sam. 15h-18h30 - possibilité de visite guidée 10h et 16h (se renseigner) - 5 €.*

Ville défensive et comptoir maritime, Olbia « la bienheureuse » fut fondée au 4ᵉ s. av. J.-C. par les Phocéens de Marseille pour assurer des relais à leurs navires marchands. C'est l'unique site de ce type conservé sur le littoral méditerranéen. Dans le carré parfait (165 m de côté) de son enceinte fortifiée, de nombreux vestiges grecs et romains ont été mis au jour : thermes, sanctuaires, puits, éléments d'habitations… Également des vestiges de l'abbaye cistercienne Saint-Pierre de l'Almanarre (style roman tardif provençal), fondée vers 1220.

## Chapelle Notre-Dame-de-Consolation

*Accès depuis Hyères par la D 559, direction Carqueiranne. Au sommet de la colline de Costebelle - ℘ 04 94 57 75 93.*

La chapelle du Moyen Âge a été détruite en 1944. L'édifice actuel date de 1955. Les sculptures sont de Lambert-Rucki : adossée à la croix formant l'axe du clocher, grande statue polychrome de Vierge consolatrice sur la façade en ciment et pierre, scènes de la vie de la Vierge.

Les immenses **verrières**★ bleues et or et vitraux en dalles de verre de Gabriel Loire, inspirés du culte marial et de l'histoire de la chapelle, illuminent l'intérieur.

De l'esplanade, **vue**★ de la rade d'Hyères à celle de Toulon (table d'orientation).

---

### L'or blanc

Le Conservatoire du littoral a acquis les Pesquiers en 2001. Mais de 1848 à 1995, la lagune formée entre les deux tombolos a été en partie exploitée comme **marais salant**, produisant jusqu'à 30 000 tonnes de sel par an. Comment ? Le sel de l'eau de mer se dépose sur les tables saunantes ; le vent y accélère l'évaporation tandis que la concentration est activée par des mouvements mécaniques giratoires. Dans la dernière semaine d'août, le détoureur arrache la croûte de sel qui s'est formée sur les tables ; c'est le sel gris avec lequel on sale les routes enneigées. Dessous est le sel blanc, propre à la consommation, bientôt entassé en camelles, ces montagnes blanches qui signalent de loin un marais salant.

ℰ *Pour en savoir plus sur le Conservatoire du littoral : www.conservatoire-du-littoral.fr.*

---

# Découvrir

## LA PRESQU'ÎLE DE GIENS★★

À l'origine, l'île de Giens était semblable à ses voisines, les îles d'Hyères *(voir ce nom)*. Jusqu'au jour où, il y a plusieurs milliers d'années, s'opéra lentement un phénomène naturel appelé **tombolo** : un cordon de sable ou de galets relia une île au littoral (Quiberon en est un autre). À Giens, la proximité des deux embouchures du Gapeau et de la Roubaud et la présence de courants marins favorables ont permis la formation de, non pas un, mais deux dépôts de sédiments entre le littoral et l'île : le rarissime double tombolo.

Le tombolo ouest diminue régulièrement depuis trente ans, conséquence de l'érosion éolienne et des tempêtes d'équinoxe qui emportent les digues et dispersent le sable. Le Conservatoire du littoral travaille à la préservation du site (entre autres, repiquage d'herbiers de posidonies). En conséquence, la **route du sel**, qui longe le tombolo ouest, les marais et l'étang des Pesquiers, est fermée de la Toussaint à Pâques.

*Stationnement permis aux extrémités du tombolo. À pied, n'emprunter que les passages aménagés. Ne rien faire sécher sur la végétation.*

### Étang des Pesquiers

*Avr.-sept. : sorties d'observation ornithologique avec la Ligue protectrice des oiseaux (rond-point Beauregard - 83400 Hyères - ℘ 04 94 12 79 52 - 5 €).*
*Visite commentée des salins sur réservation à l'office du tourisme d'Hyères.*

La lagune entre les deux tombolos est le rendez-vous d'une riche faune ailée, dont flamants roses et avocettes. On peut observer les plus beaux rassemblements de flamants (jusqu'à 1 500 individus) à la mi-septembre. La végétation présente des espèces originales, voire uniques : salicorne, réséda blanc, calikier maritime, jonc piquant, panicaut maritime, plantain corne-de-cerf et 20 variétés d'orchidées.

## Giens

Modeste station balnéaire à la jolie petite église, au centre de la presqu'île. Le poète **Saint-John Perse** y séjourna et repose désormais au cimetière. Au milieu du square, un tertre intitulé « ruines du château des Pontevès » donne à voir un magnifique **panorama★★** (table d'orientation). Au sud, le petit port de Niel est entouré d'une pinède.

*Quitter le village par l'est pour gagner La Tour Fondue.*

### La Tour-Fondue

Construite vers 1634 puis remaniée, elle couronne un rocher en saillie sur le littoral et contrôlait, avec les forts des îlots du Grand et du Petit Ribaud (*propriétés privées*), le goulet de la Petite Passe. Point d'embarquement courant pour Porquerolles : gare maritime et vaste parking… Belle vue sur les îles d'Hyères et la presqu'île.

*La Tour-Fondue.*

### Tour de la presqu'île

🏊 *18 km. Le trajet, en partie balisé, relie le port de la Madrague à la plage de la Badine.* Giens ressemble beaucoup aux îles d'Hyères. Le paysage est assez montagneux, boisé (chênes verts, pins d'Alep, myrtes, lentisques) et la côte très découpée devient même sauvage à la pointe des Chevaliers. Cette longue promenade est l'occasion de découvrir des calanques et de petites plages : l'Aygade, le Pontillon, les Darboussières, la Baume.

# Aux alentours

### Sommet du Fenouillet

*À 4 km à l'est. Quitter Hyères par l'avenue de Toulon, puis suivre à droite la route signalisée Fenouillet.*

🏊 *30mn AR.* Au départ d'une chapelle néogothique, un sentier jalonné conduit aux 291 m d'altitude du Fenouillet, modeste point culminant du massif des Maurettes. De là, **panorama★** sur les Maures, la rade d'Hyères et celle de Toulon entourée de montagnes.

### Jardin d'oiseaux tropicaux

*13 km à l'est par la N 98, à la Londe-les-Maures. Voir le massif des Maures.*

## Hyères pratique

### Adresse utile

**Office du tourisme de Hyères** – *3 av. Ambroise-Thomas - BP 721 - 83400 Hyères - 𝄞 04 94 01 84 50 - www.hyeres-tourisme. com - juil.-août : 8h30-19h30 ; reste de l'année : tlj sf dim. 9h-18h, sam. 10h-16h - fermé 1er janv. et 25 déc.*

### Transport

**Bus** – *Gare routière - pl. du Mar.-Joffre - 𝄞 0 825 000 650.* Hyères et sa presqu'île sont desservis par plusieurs lignes, en particulier à destination des plages (Almanarre, Ayguade) et en correspondance avec les bateaux ralliant les îles d'Or. Ville déservie par le réseau Mistral s'étendant sur 11 communes.

### Visites

👁 **Bon à savoir** – L'office de tourisme diffuse à partir de mars-avril le programme annuel des **visites guidées des anciens hôtels et des villas**. Pour ne pas rester tout triste à la grille…

**Visites guidées** – *S'adresser à la Maison du tourisme de la Provence d'azur - 𝄞 04 94 01 84 40.* Différents thèmes sont proposés pour découvrir le centre-ville ; des « balades nature » sont aussi organisées.

### Se loger

☺ **Hôtel Les Orangers** – *64 av. des Îles-d'Or - 𝄞 04 94 00 55 11 - www.orangers-hotel.com - 16 ch. 40/76 € - 🍽.* Cet hôtel familial occupe une maison en pierre. Les chambres, simples et bien tenues, bénéficient d'une insonorisation efficace. En été, possibilité de prendre le petit-déjeuner dans la cour plantée d'orangers. Bon rapport qualité-prix.

🍴 **Hôtel Le Soleil** – *R. des Remparts - 𝄞 04 94 65 16 26 - www.hoteldusoleil.fr - 22 ch. 43/92 € - ☕ 6,50 €.* Vieille maison de caractère juchée sur les hauteurs de la cité, près de la villa-musée des Noailles. Chambres étroites mais nettes ; salle des petits-déjeuners provençale.

🍴 **Hôtel Les Voiliers** – *Av. du Dr-Robin, port St-Pierre - 𝄞 04 94 38 39 24 - www.yachtclubhyeres.fr - 36 ch. 45/67 € - ☕ 6,50 € - rest. 13,90/35 €.* Idéales pour les plaisanciers dans l'attente d'un bateau, les doubles standard d'un bon rapport qualité-prix sauront aussi contenter les terriens. Les plus chères ont vue sur le port. Le petit déjeuner se prend au restaurant attenant, dans un beau décor marin. Plats du jour moins convaincants.

🍴 **Hôtel L'Europe** – *45 av. Édith-Cavell - 𝄞 04 94 00 67 77 - www.hotel-europe-hyeres.com - 25 ch. 50/100 € - ☕ 7 €.* Vous cherchez un hôtel à deux pas de la gare ? Voici un immeuble du 19e s. entièrement rénové, abritant des chambres claires, fonctionnelles et correctement insonorisées.

🍴 **Hôtel Port Hélène** – *D 559 - l'Almanarre - 𝄞 04 94 57 72 01 - www.hotel-port-helene.fr - 12 ch. 50/105 € - ☕ 7 €.* Petit hôtel à la façade rosée au milieu des pins parasols et des palmiers. Les chambres, très bien tenues et dotées d'un balcon, profitent toutes de la vue sur la mer ; certaines sont équipées d'une cuisinette. Atmosphère conviviale et bon rapport qualité-prix pour la région.

🍴🍴 **Chambre d'hôte L'Aumônerie** – *620 av. de Fontbrun - 83320 Carqueiranne - au SE du bourg par D 559 dir. Hyères et chemin à droite, au bord de la mer - 𝄞 04 94 58 53 56 - www.guidesdecharme.com - ☒ - réserv. conseillée - 3 ch. + 1 gîte 75/125 € ☕.* L'adresse, jadis propriété d'un aumônier de marine, veut rester confidentielle afin de préserver sa douce quiétude. Les chambres y sont d'une grande sobriété. Les petits-déjeuners se prennent au lit ou sur la terrasse ombragée de pins maritimes, le « must » demeurant le jardin qui mène à la plage privée et à la mer.

🍴🍴 **Chambre d'hôte La Buanderie** – *36 av. des Colibris, le Mont des Oiseaux - 83400 Hyères - 4 km au S à l'Almanarre - 𝄞 04 94 38 30 98 - www-la-buanderie.com - fermé vac. de Noël - 3 ch. 95 € ☕.* Sur une colline dominant la mer, cette maison, habilement décorée par un architecte d'intérieur, compte 3 chambres alliant simplicité et bon goût. Un escalier extérieur mène directement à la pinède, offrant une vue superbe. Autour de la piscine et de sa plage en bois, la terrasse dispose de jolis bancs venus d'Asie.

## Se restaurer

🍴 **Bon à savoir** – Sur les plages d'Hyères et La Londe-les-Maures, un nombre impressionnant de **cabanons de plage** (*en général de déb. mai à fin sept.*) proposent rafraîchissements, petite restauration (sandwiches, salades, frites) ou poissons grillés, pieds dans le sable et yeux dans l'eau.

🍴 **L'Eau à la Bouche** – *Pl. Massillon (vieux Hyères) - 𝄞 04 94 35 33 85 - tlj 8h-19h, juin-sept. jusqu'à 0h30 - 7,50/13 €.* Sur une place où abondent les pièges à touristes, cette adresse sort du lot : restauration non-stop avec salades et assiettes composées, présentation soignée, service attentif et jolie terrasse. Le décor intérieur, original, mixe boudoir anglais et palais de maharadjah.

🍴 **L'Abri-Côtier** – *Pl. Daviddi, plage de l'Ayguade - 𝄞 04 94 66 42 58 - fermé oct.-mars - ☒ - formule déj. 9,50 € - 15,50/26 €.* Dans un cabanon du port de l'Ayguade, face à la plage, couleurs gaies dans la salle et produits méditerranéens en cuisine tissent une ambiance à mi-chemin entre tropiques et Provence. Petits plats gourmands (bavette de bœuf au chèvre et pistou), boissons en terrasse et beach-volley (2 terrains) pour les sportifs.

🍴🍴 **Les Santonniers** – *18 r. Jean-Jaurès - 83320 Carqueiranne - 𝄞 04 94 58 62 33 - fermé lun. hors sais. - 18/28 €.* Installé dans une maison de pays du centre-ville, ce modeste restaurant aux couleurs provençales possède deux atouts : une jolie terrasse ombragée d'un platane et un menu-carte à prix sage.

🍴🍴 **La Colombe** – *663 rte de Toulon, à La Bayorre - 83400 Hyères - 2,5 km à l'O de Hyères par rte de Toulon - 𝄞 04 94 35 35 16 - fermé dim. soir hors sais., mar. midi en juil.-août, sam. midi et lun. - 25/33 €.* Derrière sa façade pimpante, ce restaurant cache une terrasse spacieuse où il fait bon s'installer à la belle saison. C'est là ou dans la salle à manger aux couleurs provençales que vous pourrez savourer une cuisine régionale plaisante et bien menée.

🍴🍴 **Le Poisson rouge** – *Port du Niel, presqu'île de Giens - 𝄞 04 94 58 92 33 - www.lepoissonrouge.fr - fermé vac. scol. - 15 € déj. - 25/45 €.* L'été, le site est enchanteur : une belle bâtisse en pierre avec une terrasse ombragée d'oliviers, ouverte sur le port du Niel. Régalez-vous d'une carte faisant la part belle aux poissons, avec en toile de fond, la pinède et les berges rocheuses.

🍴🍴 **Le P'tit Clos** – *27 av. Riondet - 𝄞 04 94 35 75 29 - fermé sam. midi, dim. soir et merc. - ☒ - 30/55 €.* Coup de cœur pour ce minuscule resto (7 tables), où le chef Frédéric Chiron concocte de petites merveilles : asperges aux truffes d'été et compote de tomate au basilic, magret de canard au jus de sarriette et purée de fèves, poires au thym et sorbet au cacao… L'accueil est délicieux, la déco bucolique, avec des roses trémières au mur et de la fausse pelouse en guise de set de table.

⊜⊜⊟ **Les Jardins de Bacchus** – *32 av. Gambetta -* 🕿 *04 94 65 77 63 - fermé dim. soir sf juil.-août, sam. midi et lun. - 31/51 €.* Pause bachique au centre-ville : vins régionaux et cuisine aux accents du terroir servis dans une salle à manger rénovée et contemporaine ou sur la terrasse d'été.

### Faire une pause

**Claude Ré** – *10 r. de Limans (vieux Hyères) -* 🕿 *04 94 65 28 41 - tlj sf dim. apr.-midi et lun. 8h15-13h, 15h-19h15 - fermé 1 sem. en fév., 1 sem. en nov. et mat. des j. fériés.* Plus d'une quinzaine de variétés de biscuits à emporter, tous travaillés au beurre, fourrés aux amandes de Provence, noisettes ou raisins… En prime, M. Ré fait aussi glaces et sorbets artisanaux.

**Le Jardin du Café** – *9 r. Massillon (vieux Hyères) -* 🕿 *04 94 65 97 19 - tlj sf lun. mat. et dim. hors sais. 8h30-13h, 14h30-19h30 - fermé 1 sem. en nov.* Derrière la vitrine verte à l'ancienne, ça embaume le café torréfié et le thé parfumé. À l'étage, cette minuscule épicerie fine spécialisée dans les saveurs de Provence se déguise en glacier et en salon de thé.

**Pastor** – *86 av. Gambetta -* 🕿 *04 94 01 46 46 - www.jlpastor.fr - tlj sf lun. 6h45-13h, 15h-19h30, dim. 6h45-13h - fermé 2 sem. en fév., 2 sem. en oct. et apr.-midi j. fériés.* L'une des boulangeries-pâtisseries les plus réputées d'Hyères : Noix des îles (confiserie), fougasses olives ou lardons, pain à la lavande en été, pompe à l'anis à Noël. Sorbets vendus au demi-litre (pour les petits pots, appeler la veille).

### En soirée

**Casino des Palmiers** – *1 av. Ambroise-Thomas -* 🕿 *04 94 12 80 80 - 10h-4h.* 170 machines à sous, roulettes (françaises et anglaises), stud poker, black-jack, boule. Hôtel, restaurant et piano bar.

### Que rapporter

**Marchés** – Marché paysan mardi matin pl. de la République et samedi matin av. Gambetta ; marché traditionnel samedi matin dans le centre-ville ; marché « bio » mardi, jeudi et samedi matin pl. Vicomtesse de Noailles ; foire à la brocante et aux antiquités 1er dimanche du mois pl. Clemenceau et République.

### Sports & Loisirs

👁 **Bon à savoir** – Hyères est labellisé « **station nautique** » ce qui atteste de la diversité et de la qualité des activités proposées. *Renseignements à l'office de tourisme ou www.france-nautisme.com.*

**Plongée et Voile** – Plongée : superbes tombants et nombreuses épaves à découvrir. Plusieurs clubs à Hyères et à la Londe ; à Porquerolles, Porquerolles Plongée ; à Port-Cros, Sun Plongée, au Levant, Levant-Plongée. Voile : la course à la voile autour de Porquerolles, au dép. du port, a lieu le dim. de Pentecôte.

**Hyères-Port Saint-Pierre** – *Capitainerie -* 🕿 *04 94 12 54 40 - www.ville-hyeres.fr - sais. : 8h-23h ; reste de l'année : 8h-12h, 14h-17h30.* Quatre bassins et 1 350 places à quai dont 120 pour les bateaux de passage.

### Événements

**Corso fleuri** – Le 1er week-end d' avril.

**Festival des arts et de la mode** – Fin avril.

**Les Vignades** – À la mi-juillet.

**Jazz Estival** – En juillet.

**Festival de la chanson française** – En août.

# Îles d'**Hyères**★★★

CARTE GÉNÉRALE B4 – CARTE MICHELIN LOCAL 340 M/N 7/8 – SCHÉMA P. 248-249 – VAR (83)

La petite traversée et les promenades dans ces îles préservées laissent des souvenirs qui illuminent un voyage sur la Côte d'Azur. Les îles d'Hyères sont trois coins de paradis, chacune dans son genre : le Levant est la plus minérale, Port-Cros, la plus montagneuse, et Porquerolles, la plus grande. La plus belle ? C'est affaire du goût de chacun, mais avouons ici un gros faible pour Port-Cros.

◗ **Se repérer** – Au sud-est d'Hyères, l'île de Porquerolles, n'est qu'à 20mn de mer depuis la Tour-Fondue (sur la presqu'île de Giens). Posée sur le même parallèle que le cap Corse, l'île est le point le plus méridional de la côte provençale. À l'est de Porquerolles, l'île de Port-Cros se rejoint en 1h depuis Hyères. Le Levant, encore plus à l'est rallonge le trajet vers la terre ferme de 30mn (liaisons inter-îles effectuées par les compagnies).

👁 **À ne pas manquer** – Porquerolles se visite idéalement à vélo et Port-Cros à pied (vélos interdits). Sur la première, ne ratez pas la promenade du phare au cadre enchanteur. Sur la seconde, vous hésiterez entre de longues randonnées et la découverte de sentier sous-marin balisé.

> 👁 **Le saviez-vous ?**
>
> Ce trio détaché des Maures qui ferme au sud la rade d'Hyères porte aussi, depuis la Renaissance, le nom d'**îles d'Or**. Pourquoi d'or ? Sans doute parce que les micaschistes (composés de mica et de quartz) contenus dans leurs roches se teintent parfois de reflets dorés.

🕐 **Organiser son temps** – Si vous souhaitez découvrir ces îles indépendemment des formules proposées par les compagnies de transport, une à deux journées ne seront pas de trop pour profiter pleinement de ce cadre unique. Prévoyez le ravitaillement en boissons avant d'embarquer pour Porquerolles et surtout Port-Cros, où les points d'eau potable sont rares et privés. La plupart des calanques ne sont accessibles qu'en bateau.

👫 **Avec les enfants** – Une balade à vélo sur Porquerolles et, pour les nageurs, l'excursion en masque et tuba sur le sentier sous-marin de Port-Cros ; le bâteau à fond transparent de Giens à Porquerolles *(voir l'encadré pratique)*.

♿ **Pour poursuivre la visite** – Voir aussi Hyères, Le Lavandou et le massif des Maures.

## Comprendre

**Des îles mal famées...** – Les pirates ont apprécié ces îles idéalement proches des côtes. Autant pour les protéger que pour les faire cultiver, **François I**er érige Port-Cros et le Levant en marquisat. Comme la main-d'œuvre, même exemptée d'impôts, manque, on a recours au « droit d'asile » : assurés de l'impunité, délinquants et criminels affluent, se font pirates et attaquent un navire du roi à Toulon... C'est sous **Louis XIV** que les îles seront purgées de leurs mauvais garçons.

**... militaires...** – L'armée aussi reconnut la valeur stratégique des îles d'Hyères où s'élèvent encore de nombreux forts. À Porquerolles, le fort Sainte-Agathe, construit en 1532, fut détruit par les Anglais en 1793 : oublié sur son île, et peu au fait des événements, le commandant du fort Sainte-Agathe se rendit sans méfiance à bord d'un navire anglais mouillé à Porquerolles... Le pauvre homme fut aussitôt fait prisonnier tandis que les marins anglais prenaient le fort pour le faire sauter. Le fort fut reconstruit en 1810. En août 1944, les Américains devront neutraliser les batteries allemandes de Port-Cros et du Levant pour protéger le débarquement allié.

**... mais si belles !** – Les moines de Lérins, arrivés au 5e s., firent du Levant le jardin d'abondance et le grenier de leur abbaye. Porquerolles fut la plus cultivée (vergers et vignobles). Les propriétaires privés de Port-Cros y cultivèrent plutôt les belles lettres, en invitant des écrivains, avant de léguer l'île à l'État en 1963. Aujourd'hui, les îles d'Hyères symbolisent la préservation de la nature, face à des côtes, hélas, bien bétonnées.

*Logo du Parc national de Port-Cros*

## Mexico-sur-Mer

Porquerolles fut durant soixante ans une propriété privée. En 1911, l'ingénieur belge **F.-Joseph Fournier** rentre du Mexique, fortune faite. Il offre à sa femme l'île de Porquerolles et s'y installe en famille. Aidé d'une armée de jardiniers, il va recréer la végétation d'une hacienda sud-américaine, en important des espèces exotiques, tel le bellombra aux énormes racines, toujours présent aujourd'hui, et sera le premier à cultiver pamplemousses et kumquats, alors inconnus en France.

Le **vignoble** de Porquerolles date de la même époque. Ce fut le premier vignoble AOC côtes-de-Provence. Trois domaines viticoles (de l'Île, Perzinsky et Courtade) proposent des dégustations-ventes.

**Un Parc national et 410 mérous** – Créé en 1963 après celui de la Vanoise, c'est l'un des sept Parcs nationaux français. Il regroupe Port-Cros, l'île de Bagaud, les îlots du Rascas et de la Gabinière et une zone de 650 m autour des rivages, soit une surface terrestre de 700 ha et marine de 1 800 ha. La mission du premier parc marin d'Europe est de préserver la faune et la flore des îles d'Hyères, lutter contre la dégradation du milieu sous-marin en Méditerranée, sensibiliser le public, étudier et protéger les espèces menacées. Port-Cros est un site de plongée renommé, où se régalent les amateurs et les scientifiques. Ces derniers ont entrepris des opérations de comptage annuel des mérous : 410 ont été recensés en 2002, ainsi qu'un foisonnement d'autres espèces (barracudas, liches, sars, dentis, daurades de grande taille…). En mer, la rade abrite l'un des plus beaux herbiers de posidonies de la région. Cette plante à fleurs n'est pas une algue mais forme sous la surface une vraie prairie sous-marine, abritant plus de 70 espèces de poissons. Sur terre, la faune est aussi protégée, avec entre autres, le puffin de Méditerranée, un oiseau marin nicheur. Mal connu, son comportement est actuellement étudié par les scientifiques. Depuis 2002, Port-Cros, les deux îles voisines, les salins d'Hyères et la presqu'île de Giens font partie du programme européen environnemental « Natura 2000 ».

*Vue aérienne du Fort du Petit Langoustier à Porquerolles.*

# Se promener

### PORQUEROLLES★★★

Le village de **Porquerolles** a donné son nom à l'île entière que les Grecs avaient appelée *Protè* (« première »). C'est la plus occidentale et la plus importante des îles d'Hyères : 1 254 ha répartis sur 7 km de long et 2,5 km de large. Le vélo est le meilleur moyen pour la découvrir *(loueurs au village)*.

La côte nord est festonnée de plages de sable bordées de pins, bruyères, arbousiers et myrtes odoriférants. La côte sud est abrupte, avec cependant quelques criques d'accès facile. À l'intérieur, peu d'habitations, mais une forêt de pins et de chênes verts, des vignobles, et une abondante végétation méditerranéenne.

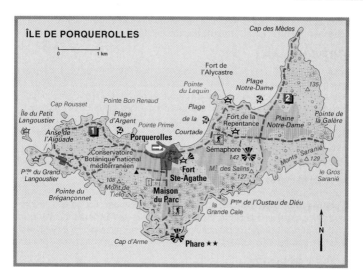

ÎLE DE PORQUEROLLES

## Village

Bâti au milieu du 19ᵉ s. par l'administration militaire au fond d'une rade minuscule *(port de plaisance)*, il évoque plus un petit centre colonial d'Afrique du Nord qu'un village provençal. Le noyau, entouré d'hôtels, de villas et d'une petite résidence, comprend la **place d'Armes**, une humble église avec chemin de croix exécuté au couteau par un soldat en convalescence, et quelques maisons de pêcheurs.

## Fort Sainte-Agathe

*☎ 04 94 12 30 40 - mai-sept. : 10h-12h, 14h-17h30 - 3 € (enf. 1,50 €).*

C'est le premier bâtiment que l'on aperçoit du large. Sur une butte dominant le port, position stratégique, son enceinte en trapèze est surmontée d'une grosse tour d'angle (20 m de diamètre, 15 m de haut, murs épais de 4 m), vestige de la première construction. À l'intérieur, le Parc national de Port-Cros présente l'histoire et l'archéologie sous-marine des îles et de la rade d'Hyères. Grande salle circulaire haute de 6 m sous une belle charpente.

De la terrasse, superbe **vue★** : à l'est, sur les plages de la Courtade et Notre-Dame, le sémaphore (point culminant à 142 m) ; à l'ouest, sur les massifs boisés.

## Conservatoire botanique national méditerranéen

*Au Hameau agricole. À la sortie du village de Porquerolles, prendre la direction de la route du Phare, puis tourner à droite au carrefour des Oliviers. Visite libre des jardins et des vergers de collection. Exposition permanente en plein air. Renseignements au ☎ 04 94 12 82 30 - visite du jardin du palmier avr.-mai, juin et oct. : tlj sf sam. 9h30-12h30, 13h30-17h15 ; juil.-août : tlj sf sam. 9h30-12h30, 13h30-18h15.*

Depuis 1985, la plus grande partie de l'île est gérée par le Parc national de Port-Cros qui en est propriétaire. Créé en 1979, le conservatoire botanique national méditerranéen a pour but l'étude botanique et la conservation de la flore du bassin méditerranéen : inventaire des espèces, évaluation des risques de disparition, constitution d'une banque de gènes (stock de graines), restauration de cultures traditionnelles (vergers-conservatoires : figuiers, oliviers, pêchers et mûriers). Le « Hameau agricole » en est la vitrine.

## Promenade du phare★★

🚶 *1h30 AR.* À faire absolument. De l'esplanade du phare, à l'extrême pointe sud, beau **panorama★★** sur la presque totalité de l'île : les collines du Langoustier, le fort Sainte-Agathe, le sémaphore et les falaises du sud, sans compter la rade d'Hyères et les Maures.

Le **phare** a une portée de 54 km. *☎ 04 94 58 33 76 - 10h-12h, 14h-16h - gratuit. Le phare peut être fermé pour travaux d'entretien (information auprès de l'office de tourisme).*

## Promenade des plages★★

🚶 *2h AR.* On marche presque tout le temps à l'ombre sur des chemins sablonneux tracés dans la forêt de pins. Le chemin longe la plage de sable fin de la Courtade, puis, après la pointe du Lequin, pique vers la mer et la très belle **plage Notre-Dame** (sable fin), vaste, très isolée, et bordée d'une pinède.

Le **sémaphore**, la plage d'Argent, la **pointe du Grand Langoustier** et le **cap des Mèdes** sont d'autres excellents buts de promenade.

## PORT-CROS★★★

**Port-Cros**, la *Mesè* (« Île du milieu ») des Grecs, doit son nom actuel à la forme en creux de son petit port. L'île, véritable éden, est plus accidentée, plus escarpée, plus haute sur l'eau que ses voisines, mais sa parure de verdure est sans rivale. Longue de 4 km et large de 2,5 km, Port-Cros culmine au mont Vinaigre (alt. 194 m).

Quelques commerces et maisons de pêcheurs, une petite église garnissent le pourtour de la baie que domine le fort du Moulin (dit « le château »). Et la mer, oscillant entre l'émeraude et la turquoise, y est étrangement belle !

*Face à l'embarcadère, des panneaux directionnels indiquent les principaux itinéraires.*

### Plage de la Palud★

*1h15 AR (sentiers balisés).* Monter d'abord au château : belle vue sur l'île de Bagaud. Un **sentier botanique** planté d'espèces méditerranéennes surplombe l'anse de la Palud avant d'arriver à la plage. Il contourne le **fort de l'Estissac**, construit sous Richelieu, qui abrite une exposition présentée par le Parc national - ℘ 04 94 01 40 70 - *juin-sept. - gratuit.*

### Sentier sous-marin★

*Des bouées signalent les principaux points d'observation ; plus leur numéro est élevé, plus vous devrez être attentifs. La visite en solo est possible, si vous possédez palmes, masque et tuba. La Maison du Parc vend des aquaguides plastifiés, que l'on attache au poignet. Très utile pour reconnaître plantes et animaux.*

*Accompagnement de mi-juin à mi-septembre, tous les jours sauf mauvaise météo. Renseignements au ℘ 04 94 05 90 17.*

Promenade originale et mouillée, entre l'îlot du Rascas et la plage de la Palud, dans une zone balisée de bouées jaunes, à 10 m de profondeur au plus. Inutile de pratiquer la plongée, il suffit de savoir nager avec palmes, masque et tuba pour découvrir une grande variété de biotopes typiques de la Méditerranée à ces profondeurs, notamment l'évolution d'un **herbier de posidonies** *(voir p. 65)* et la faune qu'il abrite.

*Revenir vers le village en passant entre les forts de l'Éminence et de l'Estissac.*

### Vallon de la Solitude★

*2h (sentiers balisés).* C'est la promenade classique, à faire si l'on dispose d'un peu de temps. À l'entrée du vallon, contourner le « manoir d'Hélène », devenu hôtel. Une ombre épaisse règne sur presque tout le parcours. Le silence et la fraîcheur vous enveloppent alors, tandis qu'un sentiment de plénitude vous envahit… En vue du fort de la Vigie, revenir par le sentier des crêtes (vues plongeantes sur la mer) en passant par le mont Vinaigre.

ÎLE DE PORT CROS

### Port-Man★

🐾 *10 km (route et sentiers balisés, ombragés et peu accidentés).* Agréable excursion avec, au col de Port-Man, une jolie **vue** sur l'île du Levant et la côte des Maures. Elle aboutit à la **baie de Port-Man**, magnifique amphithéâtre de verdure. Retour par la pointe de la Galère, la bordure du plateau de la Marma et la plage de la Palud.

*Baie de Port-Man à Port-Cros.*

### Autres promenades possibles

*En pointillé orange sur le schéma.* La plage du Sud (sable) et ses impressionnantes falaises, la route des Forts, le Vallon Noir et le col des Quatre Chemins.

## LE LEVANT

*Voir schéma au massif des Maures.* C'est une étroite arête rocheuse (8 km de long sur 1,2 km de large), entourée de falaises inaccessibles avec de prodigieux à-pics, sauf en deux points : les calanques de l'Avis et de l'Estable. À savoir, la Marine nationale occupe 90 % de l'île *(zone interdite).* On aborde habituellement à l'ouest, au débarcadère de l'Ayguade, en bas du chemin d'Héliopolis. Les plages des Grottes et du port de l'Ayguade sont accessibles aux non-naturistes. Au nord, chenal réservé aux sports nautiques et zone pour planches à voile.

### Héliopolis

Le village d'Héliopolis et le secteur des Grottes attirent chaque saison estivale une importante clientèle de naturistes *(domaine privé).* C'est l'un des premiers sites où ont été mis en pratique, en 1931, les principes naturistes des docteurs Durville.

## Îles d'Hyères pratique

♿ Voir aussi l'encadré pratique de Hyères.

### Adresses utiles

**Bureau d'information de Porquerolles** – *sur le port -* ℘ 04 94 58 33 76 - www.porquerolles.com - avr.-sept. : 9h-17h30 ; oct.-mars : 9h-12h30 - fermé 1er janv., 1er et 11 Nov. et 25 déc.

**Point info du Parc national de Port-Cros** – *Castel Ste-Claire - 83418 Hyères Cedex -* ℘ 04 94 12 82 30 - www.portcrosparcnational.fr - tlj sf w.-end 9h-12h, 13h-16h30 - fermé j. fériés.

### Transports

👁 **Bon à savoir** – Les îles d'Hyères sont accessibles depuis plusieurs ports. La plupart des compagnies de transport proposent des formules à la journée ou à la demi-journée : circuits, promenades côtières, excursions. Au retour : n'attendez pas le dernier moment pour embarquer.

**Au départ de Cavalaire** – **Vedettes Îles d'Or** - *Quai d'embarquement - 83240 Cavalaire -* ℘ 04 94 71 01 02. De mi-avr. à fin sept. Pour Port-Cros (45mn) : vend. 9h15, retour 17h30 (plus lun., merc. et jeu. 11h20, retour 18h55 en juil.-août) ; pour Porquerolles (1h30), se renseigner pour les horaires (possibilité de dép. de la Croix-Valmer en juil.-août ; pour le Levant : vend. 9h15, retour 17h50 ; pour St-Tropez : mar. et sam. du 10 avr. au 30 sept.

**Au départ d'Hyères – TLV** - Port Saint-Pierre - 83400 Hyères - *&* 04 94 57 44 07 - www.tlv-tvm.com - se renseigner pour les horaires et les tarifs. Durée de la traversée vers Port-Cros : 1h ; vers le Levant : 1h30. Circuit des deux îles (Port-Cros et Levant) : tous les jours en juil.-août.

**Au départ de la presqu'île de Giens – TLV** -Port de la Tour-Fondue - 83400 Giens - *&* 04 94 58 21 81. 15,50 € AR. Services réguliers toute l'année vers Porquerolles, Port-Cros et Le Levant. Circuit des deux îles (Porquerolles et Port-Cros) en juil.-août : lun., mar. et vend. - fermé j. fériés.

## Mode d'emploi

**Règlement** – À Porquerolles et à Port-Cros, il est interdit de faire du feu, de fumer (en dehors des villages), de camper, de cueillir des espèces végétales, de quitter les sentiers tracés, d'abandonner ses détritus ; de promener les animaux en dehors du village, de pêcher, ramasser des coquilles et faire du vélo (à Port-Cros).

**Incendie** – Renseignements tlj à partir de 19h sur le répondeur de la direction départementale de l'agriculture et des forêts, *&* 04 98 10 55 41. En cas de risque majeur, le **plan ALARME**, signalé à l'embarquement, interdit l'accès aux massifs forestiers, mais pas aux villages et aux plages.

## Se loger

**Hôtel Manoir** – 83400 Port-Cros (île de) - *&* 04 94 05 90 52 - lemanoir. portcros@wanadoo.fr - fermé 4 oct.-9 avr. - 22 ch. - □ 12 € - rest. 43 €. Une adresse de charme dans un cadre exceptionnel : à quelques centaines de mètres du port, cette jolie villa de 1830 au milieu d'un grand parc jouit d'un calme remarquable. Chambres crépies sobres, piscine et jardin très agréables. Cuisine régionale, grillades et pièces rôties à la broche en été au restaurant.

**Mas du Langoustier** – 3,5 km à l'O du port - 83400 Porquerolles (île de) - *&* 04 94 58 30 09 - www.langoustier.com - fermé déb. oct. fin avr. - 45 ch. - rest. 55/ 85 €. À Porquerolles, les prix s'envolent mais dans ce très chic hôtel-restaurant, on est sûr au moins que la qualité suit : dans une salle ouverte sur la mer et le fort du Langoustier, cuisine méditerranéenne revisitée, où le foie gras chaud vient avec une confiture de tomates vertes et un sorbet à la tomate rouge, le filet de daurade avec un coulis de pommes, le mœlleux chocolat avec un cœur coulant au thé. Pour revenir vers le port, belle promenade digestive ou prendre la navette de l'hôtel du même nom.

**L'Auberge des Glycines** – 22 pl. d'Armes - 83400 Porquerolles (île de) - *&* 04 94 58 30 36 - www.aubergedesglycines.com - fermé 1er janv. à midi - 11 ch. ; demi-pension 138/338 € - □ 7 € - rest. 11,90/40 €. Cette délicieuse auberge aux volets bleu lavande justifie à elle seule une escapade à Porquerolles. Chambres très agréables à vivre, ouvrant sur le patio ombragé d'un figuier ou sur la place du village. Au restaurant, décor et cuisine célèbrent la Provence.

## Se restaurer

### PIQUE-NIQUE

**À Porquerolles** – Points d'eau relativement rares (surtout en haute saison) ; s'approvisionner, au plus tard, à la fontaine de la place d'Armes. **Boulangerie** - Ouv. 7h30-12h30 et 16h-18h en hiver, 7h-13h et 15h-19h30 de Pâques à la Toussaint, journée continue en juil.-août. **Supérette** - Pl. d'Armes - ouv. 8h-20h en juil.-août, 8h30-12h45 et 16h-19h30 de Pâques à Toussaint, le matin hors sais.

**À Port-Cros** – Apporter son propre ravitaillement en boissons. L'eau potable est très rare à Port-Cros et il n'y a pas de point d'eau ouvert au public. Plusieurs débits de boissons dans le village. Une seule **épicerie**, un peu en retrait du quai principal (fléché). Avr.-nov. : ouv. 8h-20h.

**Au Levant** – En dehors des guinguettes du débarcadère, les seuls points de restauration sont à Héliopolis, au-dessus du port.

### ÉTABLISSEMENTS

**Sun Bistrot** – Au port - 83400 Port-Cros (île de) - *&* 04 94 05 90 16 - fermé 5 nov.-déc. - 17/28 €. Ambiance jeune et plats de petite brasserie (salades, pizzas, pâtes, poissons). Ce bar-restaurant est aussi le QG des plongeurs en stage à Port-Cros. Son propriétaire s'occupe du club « Sun Plongée » ainsi que de la Maison du Port, où logent ses stagiaires.

**Villa Sainte Anne** – Pl. d'Armes - 83400 Porquerolles (île de) - *&* 04 98 04 63 00 - www.sainteanne.com - fermé 1er nov.-25 déc. et du 3 janv. à fin fév. - 23 €. Il fait bon s'attarder sur cette terrasse ombragée, proche de l'église, pour déguster une cuisine de la mer et observer l'animation de la place du village. Atmosphère provençale dans les chambres rénovées ; cadre plus récent à l'annexe.

## Que rapporter

### DE PORQUEROLLES

**La Courtade** – *&* 04 94 58 31 44 - www. lacourtade.com - tlj sf w.-end 10h-12h, 13h30-16h30. En plus de ses 800 oliviers, Richard Auther développe depuis 1983 un vignoble provençal de renom en plein cœur de l'île de Porquerolles. Son Domaine de la Courtade compte 30 ha de vignes plantées en mourvèdre et en rolle, produisant rouges, blancs ou rosés. Achat sur rendez-vous.

**Domaine de l'Île** – Le Domaine de l'Île vend ses vins uniquement dans son magasin de la pl. d'Armes *(9h-20h)*.

**Le Domaine Perzinsky** – ℘ 04 94 58 34 32. Ce domaine créé en 1989 est le plus proche du village. Vins rouges, rosés et blancs ; vente et dégustation sur place.

### Sports & Loisirs

👁 **Bon à savoir** – Pour les plongeurs, superbes tombants et nombreuses épaves à découvrir. Plusieurs clubs à Hyères et à La Londe ; à Porquerolles, **Porquerolles Plongée** ; à Port-Cros, **Sun Plongée** ; au Levant, **Levant Plongée**.

👤 **Bateau à vision sous-marine Aquascope** – 83400 Port-Cros (île de) –

℘ 04 94 05 90 84 - durée 30mn. Départ toutes les 40mn. 15 € (4-12 ans 10 €). 10 places assises - fermé nov.-mars.

👤 **Bateau à vision sous-marine TMV** – Port de la Tour-Fondue - 83400 Giens - ℘ 04 94 58 95 14 - www.tlv-tvm. com - tlj sf sam. : mai-sept. : dép. 9h30, 10h30, 11h30, 14h45, 15h45 (possibilité 12h30 et 16h45, se renseigner) - 12 € (4-10 ans : 9 €). Visite des fonds marins, un spectacle de découverte d'une flore et d'une faune riches et préservées à la limite du premier parc naturel marin d'Europe.

### Événement

**Voile** – La course à la voile autour de **Porquerolles**, au départ du port, a lieu le dimanche de Pentecôte.

# Juan-les-Pins★

CARTE GÉNÉRALE D2 – CARTE MICHELIN LOCAL 341 D6 – ALPES MARITIMES (06)

Son nom est désormais indissociable de celui du jazz. De la pinède où a lieu le festival, il n'y a qu'un pas à faire pour se prélasser sur la plage de sable fin, paradisiaque. Dans cette ambiance fiévreuse de jour comme de nuit, les Anglo-Saxons sont toujours de la partie, eux qui ont créé Juan : le fils de la reine Victoria, puis des Américains, riches Blancs ou Noirs musiciens, firent le renom de cette élégante station balnéaire, entre Golfe-Juan et le cap d'Antibes.

▶ **Se repérer** – Sur une même commune, Juan a rejoint Antibes par son urbanisme, ainsi que Golfe-Juan, rattaché à la commune de Vallauris.

🅿 **Se garer** – Parkings autour de la gare et sur le boulevard du bord de mer.

👁 **À ne pas manquer** – On vient ici pour la baignade et l'animation de la station, surtout à la mi-juillet où la ville est aux couleurs du jazz international.

🕐 **Organiser son temps** – Une journée si vous programmez une escapade aux îles de Lérins.

👤 **Avec les enfants** – Avant de rejoindre en bateau l'île Sainte-Marguerite *(voir îles de Lérins)*, une excursion sous-marine à bord du Visiobulle vous fera vivre une moment de rêve *(voir l'encadré pratique)*.

👣 **Pour poursuivre la visite** – Voir aussi Antibes, Le Golfe-Juan *(voir Vallauris)*, îles de Lérins et Cannes.

## Comprendre

**La fureur du swing** – La grande aventure nocturne et musicale de Juan-les-Pins débute dans les années 1920, lors de l'arrivée des premiers touristes américains. Par leur exubérance, ils révolutionnent les valeurs du séjour balnéaire : on bronze sur les plages, on fait du ski nautique et on écoute une étrange musique composée par les Noirs américains, le jazz. Un magnat, **Frank Jay Gould**, fonde le premier casino d'été et la jeunesse dorée passe des nuits blanches à danser sur les airs endiablés de Cole Porter, en compagnie de Douglas Fairbanks, Mary Pickford et Mistinguett.

Directement importés de New York ou de la Nouvelle-Orléans, be-bop, hot, boogie-woogie, free-jazz, ragtime, blues firent leurs premiers adeptes européens à Juan-les-Pins. Tout aussi « hot », le ski nautique que Léo Ramon popularisera en 1925, et la mode des bikinis et des monokinis que lança la station.

Dès la Libération, les fêtes musicales reprennent grâce à la clientèle de l'US Navy basée sur la Côte. **Sydney Bechet** choisit la station pour y célébrer son mariage, en 1951, dans une ambiance digne du carnaval de La Nouvelle-Orléans. Ensuite, chaque été, il transformera, accompagné de Claude Luter, Juan-les-Pins en capitale européenne du jazz. Après sa disparition en 1959, le premier festival de jazz voit le jour, organisé par Jacques Hebey et Jacques Souplet ; la venue d'Amstrong, Count Basie, Duke Ellington, Dizzy Gillespie et Miles Davis lui assure la consécration. Désormais, jazz et Juan ne font plus qu'un. Aujourd'hui, le festival s'ouvre au rock (Chuck Berry), à la musique brésilienne (Gilberto Gil) et aux musiques afrocubaines, faisant appel aux fondateurs du fameux *Buena Vista Social Club*.

*Ici vous trouverez la plus grande étendue de sable fin des Alpes-Maritimes.*

# Séjourner

Côté mer, la **Promenade au Soleil** a des allures de Croisette. À l'est, le **port Gallice** accueille de prestigieux bateaux de plaisance. Côté terre, le haut-lieu de la vie nocturne de Juan se situe entre la **pinède** et le **casino** (baccara et roulette) : du soir au petit matin, l'intensité ne faiblit pas dans ses restaurants, cafés en plein air et boîtes de nuit. Le jour, vous pourrez apprécier l'architecture des villas et hôtels des années 1920-1930 *(dépliant à l'office de tourisme)*. En juillet, les majestueux **pins** parasols participent à la féerie des nuits étoilées du **festival** et offrent la plus belle scène qui soit. Une foule internationale de connaisseurs se retrouve chaque année pour savourer les rythmes des meilleurs jazzmen du moment.

## Plages

Celle de Juan n'est qu'une seule et même plage qui s'étend sur 3 km de sable fin, en pente douce et abritée des vents. Plages privées ou publiques s'éparpillent entre le port de Golfe-Juan *(voir Vallauris)* et celui de Juan, la Gallice.

## Parc Exflora

*Accès par la N 7 en direction de Golfe-Juan - av. de Cannes -  04 97 23 11 10 -  - juin-août : 9h30-21h30 ; sept. et mars-mai : 9h30-19h ; oct.-fév. : 9h30-17h.*
Autour d'une oliveraie sont déclinés les jardins méditerranéens de l'Antiquité au 19e s. Sur 5 ha vous traverserez notamment une voie romaine, une palmeraie, un labyrinthe, un jardin d'hiver et vous apprécierez l'étang-oasis au pied du belvédère qui réserve un agréable point de vue sur la mer.

# Circuits de découverte

### Cap d'Antibes★
*10 km – environ 2h. Voir Antibes.*

### Massif de l'Esterel★★★
*96 km – une demi-journée. Voir ce nom.*

### Massif du Tanneron★
*56 km – environ 1h30. Voir ce nom.*

## Juan-les-Pins pratique

♿ Voir aussi l'encadré pratique d'Antibes.

### Adresse utile

**Office du tourisme de Juan-les-Pins** – *51 bd Charles-Guillaumont - 06160 Juan-les-Pins - 𝒫 04 97 23 11 10 - www.antibes-juanlespins.com - juil.-août : 9h-19h ; sept.-juin : tlj sf dim. 9h-12h, 14h-18h - fermé 1ᵉʳ janv., 1ᵉʳ Mai et 25 déc.*

### Se loger

**Hôtel La Marjolaine** – *15 av. du Dr-Fabre - 𝒫 04 93 61 06 60 - hotel_marjolaine@hotmail.com - fermé nov. et 15 j. en mars -* 🚭 🅿 *- 17 ch. 49/75 € -* 🛏 *4,50 €.* Une belle promesse de séjour que cette demeure du début du 20ᵉ s. aux abords agréablement fleuris. Les chambres climatisées ont adopté de chauds coloris ; celle baptisée « Manoir », avec son mobilier provençal d'époque, est la plus réussie.

**Hôtel Les Charmettes** – *25 Vieux Chemin-de-la-Colle - 𝒫 04 93 61 47 41 - fermé 1ᵉʳ nov.-15 déc. -* 🅿 *- 16 ch. 50/65 € -* 🛏 *6 €.* Ce petit hôtel tranquille s'adresse à tous ceux qui redoutent l'ambiance fiévreuse de la station balnéaire. Chambres un rien étroites, sobres et à l'entretien rigoureux. Terrasse abritée par des canisses et fleurie de mimosas.

**Hôtel Cécil** – *R. Jonnard - 𝒫 04 93 61 05 12 - hotelcecil@yahoo.fr - fermé 3 nov.-30 janv. - 21 ch., demi-pension 52/80 € -* 🛏 *6,20 €.* Cette belle bâtisse régionale, convertie en hôtel depuis 1920, vaut par sa situation au cœur de la ville et à proximité du littoral. Chambres pas très grandes, mais bien tenues et presque toutes climatisées. L'été, les dîners sont servis en terrasse.

**Hôtel Ste-Valérie** – *R. de l'Oratoire - 𝒫 04 93 61 07 15 - saintevalerie @juanlespins.net - fermé 16 oct.-8 avr. -* 🅿 *- 26 ch. 165/350 € -* 🛏 *23 €.* Au détour d'une rue calme, cet hôtel dans un coquet jardin jouit d'une agréable quiétude. Toutes ses chambres, rénovées, ont des terrasses ou des balcons qui donnent sur la verdure. En été, vous prendrez votre petit-déjeuner dans le jardin. Piscine.

### Se restaurer

**Le Capitole** – *26 av. de l'Amiral-Courbet - 𝒫 04 93 61 22 44 - fermé 15 nov.-15 déc. et mar. - 10,80/19 €.* Cette ancienne épicerie a été transformée en une salle de restaurant pimpante et spacieuse ; seules la large vitrine et les étagères d'origine rappellent son passé « commercial ». Carte traditionnelle.

**Bijou Plage** – *Bd du Littoral - 𝒫 04 93 61 39 07 - www.bijou.plage.free.fr - fermé mar. soir et merc. du 1ᵉʳ nov. au 1ᵉʳ mars - 21/46 €.* Sur la route de Golfe-Juan, ce restaurant de plage tourne à plein régime pendant l'été. Prix plutôt raisonnables pour la station et cuisine qui met à l'honneur les produits de la mer. Plage privée et activités nautiques.

**L'Amiral** – *7 av. de l'Amiral-Courbet - 𝒫 04 93 67 34 61 - fermé 8-15 mars, 1ᵉʳ-19 juil., 29 nov.-6 déc. et lun. - 25/35 €.* Voici une petite affaire familiale tout ce qu'il y a de plus sympathique. Décor moderne, service décontracté et surtout honorable cuisine traditionnelle. Le jeudi, jour du couscous, pensez à réserver car l'endroit est bondé.

### En soirée

**Le Crystal** – *Av. Gallice, carrefour de la Joie - 𝒫 04 93 61 02 51 - avr.-sept. : tlj sf lun. 8h-4h ; oct.-mars : 8h-2h30 - fermé 15 nov.-20 déc. et lun. sf avr.-sept.* Créée en 1936, cette brasserie familiale fut d'abord une cabane posée au milieu des palmiers, devant laquelle passaient chaque jour des troupeaux de moutons. Aujourd'hui entouré de discothèques, du casino et de bars, le Crystal demeure une adresse incontournable de Juan-les-Pins.

**Eden Casino** – *Bd Édouard-Baudoin - 𝒫 04 92 93 71 71.* Avec ses jeux traditionnels et ses 180 machines à sous, le casino de Juan-les-Pins vous transmettra la fièvre du jeu à coup sûr. Si les émotions vous ouvrent l'appétit, vous pourrez toujours vous réfugier dans le restaurant ou le Lounge, ouverts midi et soir. Également 3 bars dont un dans le salon oriental.

### Sports & Loisirs

👁 **Bon à savoir** – Parachute ascensionnel, hydravion, ULM, ski nautique, plongée, pêche en mer et planche à voile : renseignez-vous à l'office de tourisme pour connaître les adresses ou les plages privées qui les proposent.

👥 **Le Visiobulle** – *Bd Charles-Guillaumont - Ponton-Courbet - au centre des plages de Juan-les-Pins, face à l'office de tourisme - 𝒫 04 93 74 85 42 ou 04 93 67 02 11 - www.visiobulle.com - dép. avr.-juin, sept. : 11h, 13h30, 15h, 16h30 ; juil.-août : 9h30, 10h40, 11h55, 14h, 15h25, 16h50, 18h15 - fermé oct.-mars - 12 € (enf. 6 €).* Grâce à sa coque de verre, ce bateau vous permettra d'observer la faune et la flore (notamment les herbiers de posidonies) des fonds marins du cap d'Antibes. Sur le pont, très belle vue sur la côte, les îles, les phares et les villas cossues dissimulées dans la pinède…

### Événement

**Festival du jazz** – *𝒫 04 97 23 11 11.* En juillet, durant 10 jours.

# Le Lavandou★

## Lou Lavandou

**5 449 LAVANDOURAINS**
**CARTE GÉNÉRALE B4 – CARTE MICHELIN LOCAL 340 N7 – SCHÉMA P. 248 – VAR (83)**

À l'abri du cap Bénat, c'est une station balnéaire familiale, dite « aux douze sables » : une brochette de plages de toutes tailles, situées au Lavandou ou sur les communes voisines (Pramousquier, Cavalière). Le port, premier du Var pour la pêche jusque dans les années 1930, accueille aujourd'hui les plaisanciers.

*Depuis la terrasse d'un café, quai du Port, vous pourrez observer les bateaux.*

- **Se repérer** – Sur la corniche des Maures *(voir Massif des Maures)*, à 6 km au sud-est de Bormes-les-Mimosas. Le centre-ville donne sur le port, mais les résidences de vacances, presque toutes rassemblées au sud-ouest de l'agglomération, ouvrent sur les équipements sportifs et de loisirs, ainsi que sur les plages.

- **À ne pas manquer** – Le parcours des 13 fontaines qui offre une visite originale du village ; le port de pêche, les plages et criques sauvages ; le sentier du littoral ; l'église Saint-Clair aux couleurs de Provence et le chemin des peintres.

- **Organiser son temps** – Arpentez le chemin des peintres en 1h de marche ou 1h30 en cas de haltes commentées par un guide. Le village se visite en une demi-journée avec une pause obligatoire sur une terrasse de café ou sur la plage.

- **Avec les enfants** – Seascope *(voir la rubrique « Sports & Loisirs » dans l'encadré pratique)* ; et minicroisière en bateau en empruntant les Vedettes îles d'Or *(voir « Transport » dans l'encadré pratique)*.

- **Pour poursuivre la visite** – Voir aussi Bormes-les-Mimosas, les îles d'Hyères et le domaine du Rayol.

## Séjourner

### Les plages

Douze au total qui s'étendent sur 12 km de côte ponctuée de criques. Toutes de sable, parfois de belle qualité, surveillées, entretenues quotidiennement et équipées de bornes d'appel d'urgence. Activités sportives et confort *(sanitaires et douches)* varient selon les sites.

> **◉ Le saviez-vous ?**
>
> Un compositeur oublié, **Ernest Reyer**, a lancé la station où il s'est éteint en 1909. Son buste trône sur la place Reyer et snobe les joueurs de boules.

Au **Lavandou** la plage de l'Anglade (qui jouxte Bormes-les-Mimosas) prolonge celle Lavandou-centre. Vous entrez ensuite dans le quartier de **Saint-Clair**, station dotée d'une belle et vaste plage, un peu à l'écart de la route sur laquelle les pins se penchent. Puis viennent la Fossette et **Aiguebelle**, station aimable et tranquille au fond d'une petite anse. Après d'autres petites plages dont celle du Rossignol, où l'on pratique le bronzage intégral et celle du Layet, fréquentée par les naturites, voici **Cavalière**, station bien abritée du mistral, avec vue sur le cap Nègre et la rade de Bormes jusqu'aux îles du Levant et de Port-Cros. Outre sa très belle plage de sable fin, elle offre un florilège d'activités nautiques. Enfin vous atteindrez **Pramousquier**, la dernière petite station balnéaire du Lavandou avec sa plage abritée et ses jolies villas.

## La société Pernod-Ricard, généreuse donatrice

Au printemps 2006, la société Pernod Ricard a cédé au Conservatoire du littoral 83 ha de forêt dont elle était propriétaire pour un euro symbolique. Les **collines de Cavalière** perchées au-dessus de l'anse et de la plage éponymes, jouxtant les Maures et offrant une superbe vue sur les îles d'Hyères, avaient été acquises en 1960 par le roi du pastis, Paul Ricard. Cette donation assure sa **protection totale** et l'ouverture à un public conscient des priorités et des impératifs de conservation de l'écosystème. La société Pernod-Ricard a également vendu à la ville du Lavandou deux terrains : l'arrière-plage et le parking en bord de mer. Elle reste cependant propriétaire d'un peu moins de 10 ha, situés dans la zone d'extension urbaine de la commune de Cavalière.

### Le petit train
*Dép. face à l'office de tourisme, quai Gabriel-Péri -* ✆ *06 21 24 47 40 - avr.-sept. : env. 6 trajets/j (1h10) - 8 € (3-12 ans 4 €) - trajet en soirée (35mn) en saison - 5 € (3-12 ans 3 €).*
Le « train des plages » a remplacé le « train des Pignes » de jadis et serpente toute la côte de l'Anglade à Pramousquier. Empruntant la **piste cyclable** (ancienne voie ferrée qui reliait Toulon à Saint-Raphaël), il permet de découvrir la ville autrement : l'eau bleu azur des criques et des baies, les anciennes gares de la Fossette et de Cavalière. De jour, tendez l'oreille, les cigales ne sont pas loin ! En soirée, sillonnez Lavandou-ville, les plages de l'Anglade et de Saint-Clair dans une ambiance musique et lumière.

# Se promener

## Le village
*Laissez votre voiture sur l'une des nombreuses places de stationnement (acheter un disque).*
Au petit matin, ne manquez pas le spectacle des « pescadous » lavandourains revenant de la mer sur leurs pointus, les filets plein de rascasses, loups, congres et autres Saint-Pierre, qui anime le port. Passez par la Halle non loin du quai, puis laissez-vous aller à la découverte d'un village aux accents provençaux très prononcés.

## Au fil des 13 fontaines
*Demandez l'itinéraire à l'office de tourisme.*
Un premier parcours vous mène sur les traces de l'histoire du Lavandou et de ses légendes. Tout en visitant la ville, repérez ces points d'eau qui offrent une atmosphère unique à chaque place et placette. Empruntez les rues pavées et les petites ruelles étroites, parfois ombragées, où les façades affichent des couleurs provençales. Sur le rond-point de Verdun, à l'ouest, trône la **fontaine des Trois Dauphins**, complétée d'un lion, constituant les blasons de la ville. Quai Gabriel-Péri, la **borne-fontaine du jeu de boules**, symbolisée par un lion, est un hymne amical à la ville voisine de Bormes-les-Mimosas. Profitez-en pour observer les parties de pétanque sur les terrains de terre battue à l'abri des platanes et pour vous rafraîchir à la fontaine. Déambulez ainsi entre les **fontaines-lavoirs**, de la place de Mado et du Lou-Lavandou. Avant de pénétrer dans la charmante église Saint-Louis (où repose l'abbé Hélin, curé doyen et célèbre résistant du Lavandou), arrêtez-vous devant la **fontaine murale**, parée d'anciens carreaux qui soufflent des filets d'eau. Le **bassin à jets** du rond-point de Kronberg et le discret **Miroir aux oiseaux**, posé entre fleurs et verdure constituent d'autres curiosités de cette balade désaltérante.

## Au gré des jardins
Les 3 jardinets du centre-ville sont des refuges pour les amoureux d'essences rares et de vivaces. Le **jardin du Cadran**, rue des Pierres-Précieuses, arbore un aphorisme fréquemment apposé sur les cadrans solaires « Je ne compte que les belles heures ». Un palmier stylet géant maintenu par de gros câbles veille au bon développement des plants de lavande et de santoline et aux nombreuses variétés de cactées. Rue de la Rigourette, le **jardin du Grand bleu** est un hommage aux senteurs du sud.

L'immense jacaranda et ses fleurs mauves, originaire d'Amérique tropicale surveille les myrtes d'Europe méridionale, l'Escallomia du Chili, l'Hosta du Chili et du Japon, le chèvrefeuille de Chine… Laissez le mistral vous envelopper de ces fragrances inoubliables. Enfin, plus isolé, le **grand Jardin**, avenue de la Grande-Bastide, est un lieu idéal de balade tranquille entre verte végétation, jaune mimosa d'hiver et rose tamaris. Un arc-en-ciel très odorant.

### Le chemin des peintres à Saint-Clair

*2,5 km, 1h de marche ou 1h30 de balade commentée.*
Partez sur les traces des peintres néo-impressionnistes et écrivains inspirés par Saint-Clair, où ils séjournèrent entre 1892 et 1926. Parmi eux, **Henri-Edmond Cross** (*La plage de Saint-Clair*), **Théo van Rysselberghe** (*Les Anthémis*), tous deux inhumés au cimetière du Lavandou…, **Paul Signac** (*Le Lavandou*). L'itinéraire est ponctué de pupitres représentant les toiles réalisées au Lavandou, en empruntant des voies aux noms très évocateurs (la place des Pins-Penchés, le boulevard de la Baleine, le chemin des Naïades…).

## Aux alentours

### Îles d'Hyères★★★ (*voir ce nom*)

*Accès : voir la rubrique « Transports » dans l'encadré pratique.*

## Le Lavandou pratique

Voir aussi l'encadré pratique de Bormes-les-Mimosas.

### Adresses utiles

**Office du tourisme du Lavandou** – *Quai Gabriel-Péri - 83980 Le Lavandou - ✆ 04 94 00 40 50 - www.lelavandou.com - mai-sept. : 9h-12h30, 15h-19h, dim. 10h-12h30 ; oct.-avr. : 9h-12h, 15h-18h30, dim. 16h-18h30 ; nov.-mars : 9h-12h, 15h-18h - fermé 1er janv., 1er Mai ; 1er et 11 Nov., 25 déc.*

**Office du tourisme de Cavalière** – *La Rotonde - av. du Golf - 83980 Le Lavandou - ✆ 04 94 05 80 50 - www.lelavandou.com - avr.-sept. : tlj sf dim. 9h-12h30, 16h-19h ; hiver : tlj sf dim 9h-12h, 15h-18h - fermé hiver sf vac. scol. et j. fériés si dim., 1er janv., 1er Mai et 25 déc.*

### Transport

**Vedettes Îles d'Or** – *Vedettes Îles d'Or - Gare maritime - ✆ 04 94 71 01 02 - www.vedettesilesdor.com.* Cap sur les îles : ces vedettes desservent Port-Cros et le Levant toute l'année, et Porquerolles d'avril à septembre. Des minicroisières sont également proposées.

S. Sauvignier / MICHELIN

*La gare maritime.*

### Se loger

⊖ **Rabelais** – *Face au Vieux-Port - ✆ 04 94 71 00 56 - www.le-rabelais.fr - 19 ch. 51/85 € - ☕ 5 €.* Cet hôtel idéalement situé sur le front de mer héberge des petites chambres fraîches et colorées. L'été, petits-déjeuners en terrasse face à l'animation portuaire.

⊖⊖ **Hôtel Les Alcyons** – *À Aiguebelle - 4,5 km du Lavandou - ✆ 04 94 05 84 18 - www.beausoleil-alcyons.com - fermé 16 oct.-2 avr. - P - 24 ch. 70/102 € - ☕ 7 €.* Sympathique hôtel familial situé au bord de la route, mais à 20 m de la plage. Cet emplacement vous permettra de profiter des plaisirs de la mer. Sobres chambres égayées de chaleureuses couleurs ; toutes bénéficient d'une terrasse et de la climatisation.

⊖⊖⊖ **Roc Hôtel** – *À St-Clair - 2 km du Lavandou - ✆ 04 94 01 33 66 - www.roc-hotel.com - fermé 24 oct.-26 mars - P - 29 ch. 108/157 € - ☕ 7,50 €.* Sur la plage de sable fin de Saint-Clair, cet hôtel ocre a vraiment les pieds dans l'eau. Ses chambres claires et de bon confort ouvrent pour la plupart sur la mer ; toutes possèdent un balcon ou une terrasse. Petit-déjeuner servi sur la terrasse en été.

### Se restaurer

⊖ **Hélios Plage** – *Av. du Gén.-Bouvet, puis accès piéton par passerelle - ✆ 04 94 71 49 79 - fermé mi-nov.-1er avr. et le soir sf mar. du 15 juin au 15 sept. - ⊭ - 15/40 €.* Pour profiter de la plage, de la vue sur la grande bleue et l'île du Levant, installez-vous dans ce joli cabanon aux boiseries blanches et bleues. Vous aurez le choix entre les salades, les pâtes ou le plat du jour avant de vous consacrer à la sieste…

**Chez Zète** – *41 av. du Gén.-de-Gaulle - 04 94 71 09 11 - fermé déc., dim. soir (sf juil.-août) et lun. - 16/21,50 €.* Dans la rue commerçante de la station, ce restaurant connaît un vrai succès toute l'année avec des habitués qui apprécient la simplicité du lieu, la cuisine provençale et la terrasse ombragée sur l'arrière de la maison. Toutes les salles sont climatisées.

### En soirée

**Théâtre de Verdure-Cinéma plein air** – *Av. du Grand-Jardin - 04 94 00 41 71 - juin-sept. : selon calendrier des spectacles - fermé sept.-juin.* Situé en extérieur, ce théâtre présente des spectacles de variétés, des concerts de musique, des pièces de théâtre et divers spectacles.

### Que rapporter

**Marchés** – Marchés provençaux : jeudi matin (toute l'année) av. du Prés.-Vincent-Auriol et lundi matin (juin-septembre) à Cavalière. Marché aux puces : dimanche toute la journée (toute l'année).

**Domaine de l'Anglade** – *Av. du Prés.-Vincent-Auriol - 04 94 71 10 89 - www.domainedelanglade.fr - juil.-août : tlj sf dim. apr.-midi en juil.-août 9h-12h30, 16h30-19h30 ; 15 sept.-15 juin : tlj sf lun. 9h-12h, 17h-19h.* Le domaine de l'Anglade reste l'unique domaine viticole du Lavandou. Il offre un magnifique cadre de verdure, lieu magique pour découvrir le vin du Lavandou. Vente et dégustation sur place.

### Sports & Loisirs

**Seascope** – *Gare maritime - 04 94 71 01 02 - www.vedettesilesdor.fr - tte l'année suivant visibilité - 12 € (enf. 9,20 €).* Grâce à la coque transparente du Seascope, vous pourrez explorer les fonds marins, la faune rocheuse, les dorades, les loups, les mulets et autres poissons de Méditerranée.

**C. I. P. du Lavandou** – *Quai Gabriel-Péri - 04 94 15 13 09 - www.cip-lavandou.com.* Plongée sur « Le Grec » ou sur « Le Donator », deux épaves à découvrir entre Le Lavandou et Port-Cros grâce à ce club de plongée où règne une ambiance conviviale.

**Lavandou Plongée** – *Aire de carénage - nouveau port - 04 94 71 83 65 - www.lavandou-plongee.com - déc. à mars uniquement sur réserv., tlj 8h15-12h30, 14h15-18h30.* Outre des stages de tous niveaux (du baptême au brevet), ce club de plongée convie les participants à la découverte des superbes sites du Parc national de Port-Cros ou à l'exploration d'épaves.

**École de voile de Cavalière** – *Av. du Cap-Nègre, plage de la Cavalière - 04 94 05 86 78 - avr.-oct. : 9h-18h.* Cette école organise des stages de voile et loue des bateaux (optimist, catamaran, dériveur, quillard) et des planches à voile. Sur la même plage, vous pouvez aussi vous essayer au ski nautique, au surf, au parachute ascensionnel ou encore aux bouées tamponneuses.

**Hoëdic** – *Port du Lavandou - 06 09 37 30 62 - juin-sept.* Excursion à bord du *Hoëdic* charmant voilier quinquagénaire. Canoë, simple baignade ou évasion sous-marine en apnée sont au programme… sans oublier le buffet froid pour rassasier les marins d'un jour.

**Capitainerie du port international du Lavandou** – *04 94 00 41 10 - secretariat@capitainerie-lelavandou.fr - été : 7h30-20h30 ; hiver : 8h-12h, 14h-18h.* Port de plaisance, il compte 1 060 places ; les trois quarts d'entre elles sont louées en permanence. 100 places disponibles en juillet-août pour les bateaux de passage.

### Événement

**Fête du Soleil et des Fleurs** – Corso fleuri en mars.

# Îles de **Lérins**★★

CARTE GÉNÉRALE C3 – CARTE MICHELIN LOCAL 341 D6 – ALPES-MARITIMES (06)

Quoi de plus agréable que de s'échapper de la Côte agitée pour se ressourcer délicieusement dans des îlots de verdure ? La courte traversée offre une place de choix pour admirer la vue, du cap Roux au cap d'Antibes. L'île boisée de Sainte-Marguerite procure un vrai dépaysement. Son fort ainsi que le monastère de l'île Saint-Honorat témoignent d'une histoire déterminante pour la destinée de Cannes.

▶ **Se repérer** – Vous pouvez vous y rendre en vedette depuis Cannes et Juan-les-Pins, ou en voilier, et jeter l'ancre dans une crique.

👁 **À ne pas manquer** – Le Fort Royal sur Sainte-Marguerite et le tour de l'île sur Saint-Honorat. Les fervents catholiques profiteront des nombreux édifices religieux pour faire de cette île un lieu de pélerinage et de recueillement.

🕐 **Organiser son temps** – Pour découvrir l'île Sainte-Marguerite à pied, comptez 2h. Pour découvrir les splendeurs intérieures, ajouter 2h à votre programme. Sur Saint-Honorat, prenez le temps nécessaire à vos prières que vous devancerez ou ponctuerez par un tour de l'île d'1h.

👪 **Avec les enfants** – La visite du fort Royal sur Sainte-Marguerite.

👶 **Pour poursuivre la visite** – Voir aussi Cannes, Antibes, Juan-les-Pins et Golfe-Juan.

## Comprendre

**Sainte-Marguerite, l'île antique** – L'île est mentionnée dès l'Antiquité par les historiens. Pline parlait d'une cité romaine comprenant un port. De fait, les fouilles entreprises autour du fort Royal ont révélé d'importants vestiges : maisons, peintures murales, mosaïques, céramiques datées du 3e s. av. J.-C. au 1er s. de notre ère. En outre, les fondations d'un port et les épaves découvertes à l'ouest de l'île semblent prouver que les navires romains faisaient escale à Lero.

**Visiteurs malgré eux** – En 1687, le château fort de Sainte-Marguerite est prison d'État quand un mystérieux personnage y est enfermé, le **Masque de Fer**. Son identité n'a toujours pas été établie : serait-ce le frère adultérin de Louis XIV, ou un secrétaire du duc de Mantoue qui aurait trompé le Roi-Soleil, ou encore un dévoyé de la haute noblesse impliqué dans l'affaire des Poisons, ou le gendre du médecin d'Anne d'Autriche qui aurait ébruité un secret d'État : la stérilité de Louis XIII ? Les hypothèses sont encore nombreuses ! Ce dont on est sûr, c'est qu'il meurt en 1703 à la Bastille.

Le **maréchal Bazaine** (1811-1888), accusé de trahison pendant la guerre franco-allemande de 1870, est le second illustre prisonnier. Il est célèbre pour s'être s'évadé un an après sa détention au moyen d'une corde le long des rochers. Le doute plane sur l'évasion sportive de Bazaine, alors âgé de 63 ans et obèse. Selon une version officieuse, il serait sorti par la grande porte en achetant ses gardiens et en se faisant passer pour une forte commère. Toujours est-il qu'il a fini tranquillement ses jours en Espagne.

**Saint-Honorat, l'île religieuse** – À la fin du 4e s., saint Honorat se fixe dans la plus petite des deux îles, Lérina, mais sa retraite est vite connue et les disciples accourent. Se résignant à ne pas vivre seul, le saint fonde un monastère qui comptera parmi les plus illustres de la chrétienté. L'île fut alors interdite aux femmes. Marguerite, la sœur d'Honorat, voulant rester proche de lui, aurait fondé son propre couvent dans l'île voisine… mais n'y interdit pas les hommes ! Elle put ainsi voir son frère régulièrement.

Les pèlerins se rendent en foule à Saint-Honorat ; ils font, pieds nus, le tour de l'île. De nombreux fidèles de France et d'Italie se font enterrer dans le monastère qui anime 60 prieurés. En 660, saint Aygulph y introduit la règle bénédictine. Mais les incursions des Sarrasins, des corsaires génois, les attaques espagnoles, les garnisons placées dans l'île ne sont guère favorables à la vie monastique. En 1788, il ne reste plus que 4 religieux et le couvent est fermé. Confisqué pendant la Révolution, il est vendu. Racheté par l'évêché de Grasse, le monastère est rendu au culte en 1859. Depuis 1869, il appartient aux moines de la congrégation cistercienne de l'Immaculée Conception. Actuellement, 25 moines résident sur l'île où, depuis plus d'une dizaine d'années, ils ont réhabilité le vignoble qu'ils travaillent selon des méthodes écologiques.

**Un imbroglio juridique** – Les moines de Saint-Honorat, propriétaires du monastère, se sont vus accorder en 1989 une concession du domaine public, à charge pour eux d'entretenir les pontons permettant aux navires d'accéder à l'île. Or, jugeant que l'accès de nombreux visiteurs en été troublait la spiritualité des lieux, et arguant d'un édit signé en 1178 par le comte de Provence Raymond Béranger, ils n'ont laissé en état de marche qu'un seul des pontons, celui desservi par leur propre compagnie maritime, au grand dam de la concurrence. Depuis lors, juristes et avocats se plongent dans les vieux grimoires à la recherche du texte qui confirmerait ou infirmerait la position des moines, selon qui, du fait du legs de la Provence à Louis XI, l'État français est tenu, en tant qu'héritier, de respecter les dispositions testamentaires de Charles d'Anjou.

*Prenez du recul sur l'île Sainte-Marguerite !*

# Découvrir

## ÎLE SAINTE-MARGUERITE★★

*Visite : 2h.* La plus proche et la plus étendue des deux îles avec ses 3 km de long et 900 m de large. L'île (réserve biologique) est en majeure partie boisée d'admirables bois d'eucalyptus et de pins qui parfument de grandes allées.

### Forêt

Partout, la forêt est un enchantement. Depuis l'embarcadère, le **chemin botanique** dans les sous-bois vous conduit jusqu'au fort, d'espèce en espèce méditerranéennes. Ensuite, l'allée des Eucalyptus – ils sont géants – traverse l'île du nord au sud. Là, vous pourrez contempler l'île Saint-Honorat aux allures plus civilisées avec son clocher et son abbaye. L'allée Sainte-Marguerite vous ramène à l'embarcadère.

🥾 *2h environ.* Il est possible de faire le tour complet de l'île par le chemin de ceinture. La côte est souvent assez abrupte, mais plusieurs criques autorisent la baignade.

### Fort Royal

🖉 *04 93 38 55 26 - www.cannes.com - avr.-juin et de mi-sept. à fin oct. : tlj sf lun. 10h-13h15, 14h15-17h45 ; de mi-juin à mi-sept. : 10h-17h45 ; nov.-mars : tlj sf lun. 10h30-13h15, 14h15-16h45 - fermé 1er janv., 1er Mai, 1er et 11 Nov., 25 déc. - 3 €, gratuit 1er dim. du mois.*
Bâti par Richelieu, il a été renforcé par **Vauban** en 1712. On entre par une porte monumentale, à l'ouest. Par la gauche, on arrive au bâtiment, plutôt confortable, occupé par Bazaine pendant sa détention ; depuis la terrasse, la **vue★** s'étend largement sur la côte toute proche. En passant derrière le logement de Bazaine, on aboutit aux bâtiments mitoyens des prisons et de l'ancien château qui abrite à présent le musée de la Mer.

**Prisons** – Jusqu'au 19e s., le couloir desservant les cellules ouvrait directement sur la cour ; à présent, une porte située dans la salle d'entrée de l'ancien château permet d'y accéder. À droite se trouve la cellule du Masque de Fer. Le **mémorial huguenot** rappelle que six pasteurs protestants, condamnés au secret absolu, furent incarcérés ici *(cellules de gauche)* après la révocation de l'édit de Nantes (1685). Divers documents sur la Réforme protestante, les guerres de Religion, l'édit de Nantes et sa révocation sont présentés dans cette salle.

**Musée de la Mer** – Dans la citerne romaine restée intacte sont exposées les découvertes archéologiques faites dans le fort et autour de l'île : épave romaine du 1er s. av. J.-C., épave sarrasine du 10e s. À l'étage, les riches cargaisons que transportaient les navires échoués attirent l'œil : belle collection d'amphores, verres et céramiques romaines, céramiques arabes au décor raffiné… Présentation de fragments de peintures murales retrouvées lors des fouilles sur l'île.

*Le monastère de Saint-Honorat, situé dans la partie sud de l'île.*

## ÎLE SAINT-HONORAT★★

Moitié plus petite que Sainte-Marguerite, sa popularité est également moins grande. L'île est un domaine privé appartenant au monastère. Une partie est cultivée par les moines. Le reste est couvert par une belle forêt de pins, d'eucalyptus et de cyprès. On peut toutefois se promener et se baigner librement, notamment entre les deux îles, dans l'étroit chenal dit « plateau du Milieu ».

### Tour de l'île★★

🐾 Partant de l'embarcadère, un joli chemin ombragé permet de faire le tour de l'île. Tantôt se rapprochant de la mer, tantôt s'en éloignant, il donne des aperçus très variés sur l'île elle-même, ses cultures, ses nombreuses essences, ses belles allées boisées, ainsi que sur l'île Sainte-Marguerite et le continent.

### Ancien monastère fortifié★

*📞 04 92 99 54 00 - www.abbayedelerins.com - de fin mai à fin sept. : 8h30-18h ; de déb. oct. à fin mai : 8h30-17h - 2,50 € ; gratuit de mi-sept. à fin juin.*

Ce remarquable édifice, dont les murs baignent dans la mer sur trois côtés et dont la silhouette altière s'aperçoit de loin, est situé sur une pointe avancée de la côte sud. On l'appelle aussi « donjon » ou « château ». Il fut élevé en 1073 par **Aldebert**, abbé de Lérins, sur des soubassements gallo-romains, pour mettre les moines à l'abri des pirates.

Un escalier de pierre remplace l'échelle qui donnait accès à la porte, à 4 m du sol. En face de l'entrée, un escalier mène au cellier. À gauche, quelques marches conduisent au 1er étage où se trouve le **cloître** dont les arcades ogivales et les voûtes datent des 14e et 17e s. (l'une des colonnes est une borne milliaire romaine).

Il entoure une cour carrée recouvrant une citerne d'origine romaine, dallée de marbre, destinée à recevoir les eaux de pluie. La galerie supérieure, à colonnettes de marbre blanc, conduit à la chapelle de la Sainte-Croix, haute salle voûtée d'ogives appelée encore « le saint des saints » en raison des nombreuses reliques qu'elle renfermait.

La **vue**★★ depuis le sommet du vieux donjon garni de créneaux et de mâchicoulis du 15e s. : elle s'étend sur les îles de Lérins et la côte avec, à l'arrière-plan, les cimes souvent enneigées de la chaîne alpine.

## Monastère moderne

*On accède uniquement à l'église. 📞 04 92 99 54 00 - www.abbayedelerins.com - 8h30-18h (messes en sem. 11h25, dim 9h50) - gratuit.*

Les constructions du 19ᵉ s. encadrent les anciens bâtiments occupés par les moines (certaines parties remontent aux 11ᵉ et 12ᵉ s.).

**Église** – L'église abbatiale fut construite au 19ᵉ s. en style néoroman. Dans le croisillon gauche subsiste une chapelle des morts datant du 11ᵉ s. Les **offices religieux**, ouverts au public, offrent une très belle liturgie, chantée en français sur des modes byzantins. *(11h25, j. de fête 11h, dim. et solennités 9h50).*

## Chapelles

Sept chapelles réparties dans l'île complétaient le monastère ; elles étaient destinées aux anachorètes. Deux d'entre elles ont gardé leur physionomie ancienne.

**La Trinité** – À la pointe est de l'île, la chapelle de La Trinité, restaurée par J. Formigé, est antérieure au 11ᵉ s. D'inspiration byzantine (ce qui la fait dater par certains du 5ᵉ s.), elle est bâtie sur un plan tréflé avec une coupole ovale sur pendentifs.

**Saint-Sauveur** – Située au nord-ouest de l'île, la chapelle Saint-Sauveur est aussi ancienne que la précédente mais de plan octogonal. Elle a été restaurée au 17ᵉ s. et de nos jours.

## Îles de Lérins pratique

♿ Voir aussi les encadrés pratiques de Cannes et Juan-les-Pins.

### Transports

**L'ÎLE SAINTE-MARGUERITE**

**Cie Trans Côte d'Azur** – *Quai Laubeuf (vieux port) - Cannes -* 📞 *04 92 98 71 30 - www.trans-cote-azur.com - tlj Île Ste-Marguerite 4 à 8 dép. selon sais. Juin-sept. : excursions Corniche d'Or, Saint-Tropez, Monaco, Porquerolles.*

**Aquarius** – *Bd Charles-Guillaumont - Ponton-Courbet - face à l'office de tourisme -* 📞 *04 93 63 91 30 - www.ilesdelerins.com - juin-sept : 6 liaisons, hors saison se renseigner (traversée 30mn) - 12 € (5-10 ans 7 €).*

**L'ÎLE SAINT-HONORAT**

**Société Planaria - Abbaye de Lérins** – 📞 *04 92 98 71 38 - www.abbayedelerins. com. Navette au dép. de Cannes (Quai Laubeuf) ttes les h. : 8h-12h, 14h-16h30 (mai-sept. : ttes les h. sf 13h, retour 18h ; hiver : pas de bateau à 11h). 11 € AR (–10 ans 5 €).*

### Visites

**Île Sainte-Marguerite** – Pas d'hôtels mais seulement des restaurants et cafés. Dans l'île, le visiteur trouvera de nombreux points d'eau mais en haute saison, il est conseillé d'apporter ses provisions et ses boissons pour la journée. Les vélos sont interdits.

**Île Saint-Honorat** – Entièrement occupée par un monastère cistercien, elle ne dispose pas de restaurants *(sandwichs à l'embarcadère d'avr. à oct.).* Les points d'eau sont rares et la distribution peut être réglementée en été. Une tenue correcte est demandée. Les vélos sont interdits.

### Se restaurer

🍴🍴 **L'Escale** – *Île Ste-Marguerite - 06400 Cannes -* 📞 *04 93 43 49 25 - fermé déc. et le soir du 14 Juil. à fin août - 28 €.* La baie de Cannes, le cap d'Antibes et les sommets alpins en toile de fond, une longue terrasse qui s'étale agréablement au bord de l'eau. Voilà un site enchanteur pour se restaurer lors de la visite de l'île. Formule buffet et retour de pêche à la carte.

### Que rapporter

**Boutique de l'Abbaye de Lérins** – *Île St-Honorat - à la gare maritime - 06400 St-Honorat -* 📞 *04 92 99 54 30 - www. abbayedelerins.com - 9h30-11h30, 12h30-17h - fermé 8 nov.-8 déc.* Dans cette boutique, vous pourrez acheter des livres et de nombreux produits fabriqués sur place ou provenant d'autres abbayes : vin, lavandin, miel, ainsi que la célèbre **liqueur Lérina** concoctée à partir de 45 plantes aromatiques…

# Levens

## Levensan

3 700 LEVENÇOIS
CARTE GÉNÉRALE D3 – CARTE MICHELIN LOCAL 341 E4 – SCHÉMA P. 308 –
ALPES-MARITIMES (06)

Perchées à environ 600 m d'altitude, les ruelles du village médiéval de Levens invitent à une promenade scandée de vieilles maisons (dont celle de la famille Masséna, de 1722) et de fontaines murmurantes. Une halte agréable au milieu des terrasses.

- **Se repérer** – À 19 km au nord de Nice par la D 19.

- **Se garer** – Suivez la direction Levens-centre, toujours à gauche en montant ; parking municipal étagé sur trois niveaux. Un escalier conduit au centre-ville.

- **À ne pas manquer** – Parcourez 8 km de plus pour vous rendre sur le lieu du Saut des Français (sujets au vertige, s'abstenir !).

- **Organiser son temps** – La visite du village de Levens vous prendra 30mn. Pour rejoindre Duranus et le Saut des Français et profiter des points de vue, comptez 30mn supplémentaires.

- **Avec les enfants** – Le Saut des Français à condition de bien les tenir par la main (très dangereux) et les jours de canicule : piscine à ciel ouvert au sommet du village de Levens.

- **Pour poursuivre la visite** – Voir aussi la vallée de la Vésubie, Utelle.

# Se promener

## Village

Sur la place de la République la **chapelle des Pénitents-Blancs**, édifiée en 1755 dans le style baroque, n'a d'intérêt que par son superbe retable en gypserie polychrome du 18ᵉ s. et sa toile de Malagavazzo datant de 1570. Face à elle, la **chapelle des Pénitents-Noirs**, baroque elle aussi, construite au 16ᵉ s., possède un magnifique chemin de croix et des stalles en bois. Trésor d'orfèvrerie religieuse exposé dans la crypte. *Mêmes horaires que l'office de tourisme.*

*Remonter la rue Masséna.*

Adossée à l'une des portes médiévales, la **maison du Portal** (jolie demeure du 17ᵉ s.) expose les 140 sculptures de **Jean-Pierre Augier** et accueille des expositions temporaires ainsi que des animations culturelles. *04 93 79 85 84/71 00 - juil. : 14h30-18h30 ; août : 10h-12h, 14h30-18h30 ; sept.-juin : sam., dim. 11h30-17h30 - fermé 1ᵉʳ janv. et 25 déc. - gratuit.*

On atteint la place de la Liberté. Un passage voûté mène à l'église, très restaurée à l'extérieur et à l'intérieur. À gauche, un chemin contourne le village jusqu'au sommet. De là, **vue★** sereine et grandiose sur le cadre de montagnes, du Cheiron au Mercantour, et, en bas, sur le confluent du Var et de la Vésubie.

## Le saviez-vous ?

En 1621, leurs ancêtres, fatigués de payer l'impôt au seigneur Grimaldi, détruisirent le château. Depuis, à la Saint-Antonin, tout le village saute par-dessus le « **boutau** », une pierre symbole du pouvoir féodal défait. On trouve cette pierre enchâssée sur la place de la Liberté.

# Aux alentours

## Duranus

*8 km au nord de Levens par la D 19.*

La route en corniche regarde de haut les gorges de La Vésubie *(voir vallée de La Vésubie)*, mais est elle-même dominée, au loin, par la Madone d'Utelle *(à gauche)*. Le village, dispersé parmi les vignes et les vergers, a été fondé au 17ᵉ s. par les habitants du village de Rocca Sparviera dont il ne subsiste que des ruines au col Saint-Michel.

*3h A/R.* La nature somptueuse en a fait un lieu privilégié pour la randonnée qui vous permettra de marcher sur les traces de cet ancien village. Au 17ᵉ s, un tremblement de terre a contraint tous ses habitants à descendre vivre à Duranus et l'Engarvin. Vous n'aurez pas manqué de remarquer l'ancienne mine d'arsenic en pleine barre rocheuse, qui servait autrefois à concevoir deux sulfures : le réalgar et l'orpiment. De retour à Duranus, l'**aqueduc** traversant la route menant au Saut des Français ne vous aura pas échappé. Construit en 1880, long de 1 880 m, il servait jadis à l'arrosage des cultures maraîchères.

### Saut des Français★

*Peu après la sortie de Duranus. Point d'information : documentation et vente de produits artisanaux (juil.-août 10h30-18h30).*

À-pic d'une profondeur vertigineuse de 240 m (le vrai Saut était encore plus haut, levez les yeux depuis le panorama, c'est bien celui situé loin au-dessus de vos têtes, à 650 m d'altitude !), d'autant plus impressionnant que, dit-on, des « barbets » (sorte de chouans du comté de Nice) y précipitèrent des soldats républicains en 1793 au son de « Sauta Francès, Sauta ». C'est de cette triste histoire que vient le nom du belvédère, offrant cette vue abrupte surplombant la vallée de la Vésubie.

## Levens pratique

 Voir aussi l'encadré pratique de Nice.

### Adresses utiles

**Office du tourisme de Levens** – *3 placette Paul-Olivier - 06670 Levens - ℘ 04 93 79 71 00 - www.levenstourisme.com -juil.- août : 9h30-12h30, 14h30-18h30, dim. 10h- 13h ; reste de l'année : tlj sf dim. 9h30-12h30, 14h30-18h30 - fermé 1er janv. et 25 déc.*

**Maison du Tourisme du « Canton aux 10 Sourires »** – *N 202 - La Manda - 06670 Colomars,  ℘ 04 93 08 76 31 - www.canton- de-levens.com - tlj sf dim. 9h-17h - fermé 1er janv. et 25 déc.*

à 20 km de Nice, aux pieds des vallées du Var, du Paillon, de l'Esteron et de la Vésubie, sur la route de Levens, la Maison du tourisme vous reçoit et vous guide pour passer un séjour d'exception et sur mesure dans ce sompteux arrière-pays. Randonnées pédestres, circuits en auto, villages et sites à ne pas manquer, routes thématiques, artisans et consignes de sécurité vous seront présentés dans le détail. En toute saison, on dévoilera à tous les amoureux d'une cuisine familiale locale et des grandes tables les meilleures adresses. à Aspremont, Castagniers,

Colomars, Duranus, Levens, Plan-du-Var, La Roquette-sur-Var, Saint-Blaise, Saint-Martin-du-Var et Tourrettes-Levens, ça sourit pas mal dans le canton !

### Se loger

 **La Vigneraie** – *Rte St-Blaise - ℘ 04 93 79 77 60 - fermé 9 oct.-11 fév. -  - 18 ch. 39/45 € -  6 € - rest. 17/26 €.* Ambiance familiale et table généreuse caractérisent cette maison aux abords verdoyants. Chambres campagnardes ; certaines ont un balcon. Larges baies dans la salle à manger.

### Se restaurer

 **Le Mas Fleuri** – *RD 19, Le Grand-Pré - près du stade - ℘ 04 93 79 70 35 - www. masfleuri.com - fermé de fin janv. à déb. fév. - 20/40 € - 8 ch. 45/55 € -  5 €.* Entre la salle à manger, parée de blanc des murs aux nappes, et l'agréable terrasse sous sa pergola, on appréciera la fraîcheur de cet établissement joliment rénové. Le chef, champion de France du dessert, signe une carte traditionnelle aux saveurs niçoises. À l'étage, 8 chambres toutes simples, de style rustique.

# Lorgues
### Lorgué en Provenço

7 319 LORGUAIS
CARTE GÉNÉRALE B3 – CARTE MICHELIN LOCAL 340 N5 – VAR (83)

Lorgues est une jolie cité médiévale, au cœur d'une région de vignes et d'oliviers. La ville a toujours bénéficié d'une atmosphère paisible : température clémente, relative autonomie au Moyen Âge, modération politique au 19e s. Rien d'étonnant alors si « à Lorgues, on vit vieux et content », comme l'affirme le dicton.

Place Clemenceau un jour de marché.

- **Se repérer** – À 13 km au sud-ouest de Draguignan par la D 557, puis la D 562. Au centre, la cité médiévale, que longe la principale rue commerçante. Le quartier sud, autour de la collégiale, apparut entre Renaissance et Révolution.

- **À ne pas manquer** – La visite de la vieille ville s'impose tout comme un recueil spirituel dans l'un des nombreux édifices religieux alentours.

- **Organiser son temps** – Consacrez une demi-journée à la découverte de Lorgues, 1h à la vieille ville et entre 2 et 3h à la visite des édifices religieux alentour.

- **Pour poursuivre la visite** – Voir aussi Draguignan, Les Arcs, Entrecasteaux et l'abbaye du Thoronet.

## Se promener

👁 **Bon à savoir** – Demander à l'office de tourisme le circuit balisé du vieux Lorgues. Plaques sur les principaux monuments.

### Vieille ville

Plaisante promenade dans un dédale de ruelles, ponctué de fontaines, beffroi, tours et portes fortifiées (14e s.), le tout en terrain (presque) plat.
Par la rue de l'église, on arrive devant la **collégiale Saint-Martin**, imposante église en pierre blanche, construite au 18e s. par Fleury, évêque de Fréjus et futur ministre de Louis XV. Remarquable orgue. *📞 04 94 73 92 37 - 9h-18h - possibilité de visite guidée sur demande à l'office de tourisme.*
La rue de la Bourgade conduit à la **Font-Couverte**, du 13e s. qui recueille les eaux de la nappe phréatique. Vestige cistercien, ce bassin de rétention d'eau est particulièrement rare (que deux modèles en Europe) et reste visible à travers des grilles.

## Aux alentours

### Ermitage de Saint-Ferréol

*1 km. Accès par une petite route signalée au nord-est de la ville, à l'angle de la chapelle Saint-François. Mêmes conditions de visite que la chapelle Notre-Dame-de-Benva.*
Chapelle au sommet d'une petite éminence dans une agréable forêt. Vestiges d'oppidum antique.

### Chapelle Notre-Dame-de-Benva

*3 km au nord-ouest, route de Saint-Antonin - 📞 04 94 73 92 37 - juil.-sept. : jeu. 10h-12h, 15h30-17h ; hors sais. : sur demande préalable à l'office de tourisme.*
Le porche de la chapelle, dont le nom dérive du provençal *ben vaï* (« bon voyage »), est construit à cheval sur l'ancienne route d'Entrecasteaux, une façon comme une autre de s'imposer aux passants. Sur le porche et à l'intérieur, fresques naïves du 15e s.

### Monastère orthodoxe Saint-Michel

*8 km au nord par la D 10 - 📞 04 94 73 75 75 - visite guidée obligatoire (40mn) 10h, 14h, 15h, 16h - fermé merc. apr.-midi et vend. mat.*
Communauté dépendant de l'église orthodoxe française. Bâtiments récents en pierre de taille, d'inspiration byzantine. L'église, la crypte et le réfectoire sont ornés de fres-

D. Pazery / MICHELIN

ques dans les styles roman et byzantin. La chapelle en bois est la réplique miniature de la cathédrale de Souzdal (Russie).

### Taradeau
*9 km au sud-est par la D 10.*
Arrivé dans ce paisible village, prenez la direction de Flayosc (D 73). Au sommet de la butte qui domine le village, se trouvent la tour « sarrasine » de Taradel et une chapelle romane restaurée.

*Poursuivez sur la D 73 (environ 1 km) jusqu'au chemin caillouteux à droite signalant « table d'orientation 800 m ».*

Ça grimpe un peu en début de parcours, mais le coup d'œil vaut l'effort : **vue**★ circulaire sur Lorgues, la trouée des Arcs, les plans de Provence et les Préalpes de Grasse, l'Esterel et les Maures.

### Abbaye du Thoronet★★
*13 km au sud-ouest. Quitter Lorgues par la route de Carcès (D 562), puis, à gauche, la D 17. Celle-ci débouche sur la D 79 qu'on prend à droite. Voir ce nom.*

## Lorgues pratique

### Adresse utile

**Office du tourisme de Lorgues** – *Pl. Trussy- 83510 Lorgues -* ℘ *04 94 73 92 37 - www.ot-lorgues.com - juil.-août : 9h15-12h, 15h30-18h30 - reste de l'année : 9h15-12h, 15h-18h - fermé 1ᵉʳ janv., 1ᵉʳ Mai et 25 déc.* L'office propose des visites guidées et gratuites du village *(réserver par téléphone 1 sem. av.).* Un dépliant est aussi disponible pour faire librement la visite.

### Se loger

⊝ **Chambre d'hôte Les Pins** – 👥👤 *- 3630 rte de St-Antonin -* ℘ *04 94 73 91 97 - fermé 15 nov.-15 mars -* 🍴 *- (dîner seul.) - 5 ch. 44/58 €* 🍽. Cette grande villa ombragée de pins plagie un peu l'architecture d'un mas et jouxte une parcelle de vigne. Trois suites dotées d'une terrasse côtoyant la piscine ont pris place dans l'annexe. Les deux autres chambres, plus simples mais tout aussi bien tenues, occupent le corps de logis et adoptent le même « look » provençal. Une attention particulière est réservée aux enfants.

⊝⊝ **La Bergerie du Moulin** – *Chemin du Vieux-Moulin - 83460 Taradeau - 6 km des Arcs-sur-Argens par la D 10 -* ℘ *04 94 99 91 51 - www.bergeriedumoulin.com - fermé 2 sem. en janv. -* 🍴 *- réserv. obligatoire - 6 ch. dont une suite 90/110 €* 🍽. Dans un petit village tranquille, cette bâtisse campagnarde offre une ravissante façade en pierre tapissée de végétation. Belles chambres climatisées, à la décoration originale et personnalisée dans l'esprit provençal ; adorable salon extérieur côtoyant la tonnelle, sous laquelle il fait bon s'attabler en été. Piscine et spa-jacuzzi. Accueil charmant.

### Se restaurer

⊝⊝ **Le Chrissandier** – *18 cours de la République -* ℘ *04 94 67 67 15 - http:// lechrissandier.com - fermé mar. soir et merc. sf de juil. à sept. - 27/52 €.* Salle à

manger rustico-bourgeoise (poutres, cheminée) et sa jolie terrasse d'été installée dans une petite cour intérieure. Cuisine traditionnelle rythmée par les saisons.

⊝⊝🛏 **Château de Berne** – ℘ *04 94 60 48 88 - www.chateauberne.com - ouvert 1ᵉʳ mars-2 nov. et 26 déc.-3 janv. - 31/50 €.* Établissement de charme, expositions, concerts, espace forme, école du vin, de cuisine et d'aquarelle réunis au cœur d'un vaste domaine viticole. Élégant restaurant et terrasse sous une tonnelle ; produits du marché et potager bio.

### Que rapporter

**Marché** – Le mardi.

👁 **Bon à savoir** – Une bonne douzaine de **domaines viticoles** gravitent autour de Lorgues : vente directe et dégustation de côtes-de-provence et vins de pays du Var et d'Argens. Certains domaines se visitent ou proposent des chambres d'hôte. *Se renseigner à l'office de tourisme.*

**Domaine de l'Estello** – *Rte de Carcès -* ℘ *04 94 73 22 22 - www.lestello.com - tlj sf dim. 9h-12h30, 14h-18h, sam. 10h-12h30, 15h-18h (19h en été) ; dim. 10h-12h30 en juil.-août - fermé j. fériés.* Ce petit domaine (22 ha de vignes) élabore d'excellents côtes-de-provence rouges, rosés et blancs AOC. La cuvée Sextant d'or 2003 rouge a reçu une médaille de bronze au Concours des Vignerons Indépendants et une médaille d'argent au Concours de Brignoles, la cuvée Sextant d'or blanc une médaille de bronze au Concours de Mâcon 2006. Caveau de dégustation et vente.

### Événements

**Festival international de folklore** – Les 4ᵉʳˢ jours d'août, dans le vieux village.
**Greniers dans la rue** – Le 1ᵉʳ samedi d'octobre dans le vieux Lorgues.

# Vallée du **Loup**★★

CARTE GÉNÉRALE C/D2 – CARTE MICHELIN LOCAL 341 C/D 5/6 – ALPES-MARITIMES (06)

Le Loup naît vers 1 300 m d'altitude dans les Préalpes calcaires de Grasse (montagne de l'Audibergue). Dans son court trajet jusqu'à la Méditerranée, le torrent a taillé dans la montagne l'une des plus belles gorges de la haute Provence, parsemée de jolis bourgs perchés.

- ▶ **Se repérer** – En remontant le cours, on traverse le pays de l'olivier puis celui de la neige, en passant par celui de l'oranger. Nous décrivons ici les circuits au départ de Vence vers les vallées supérieures et inférieures du Loup.

- 👁 **À ne pas manquer** – Les panoramas depuis la route des gorges qui offrent des visions vertigineuses sur le Loup ; la visite des petits villages.

- 🕑 **Organiser son temps** – Accordez-vous une journée (Les Gorges du Loup) ou 2h (la Haute-Vallée du Loup), pour profiter d'un cadre splendide qui évolue au fil de la route et de l'altitude. Arrêtez-vous entre 1/2h et 1h pour ressentir la magie de ses petits villages. Au Pont-du-Loup, offrez-vous une pause gourmande à la confiserie Florian.

- 👥 **Avec les enfants** – La visite de la confiserie Florian.

- ♿ **Pour poursuivre la visite** – Voir aussi la route des crêtes (*voir Vence*), Biot, Valbonne, Grasse.

*Le Loup se fraie un chemin dans le chaos rocheux.*

## Circuits de découverte

### LES GORGES DU LOUP★★

*58 km au départ de Vence – compter la journée. Quitter Vence par la D 2210 au nord-ouest du plan. À 2 km, tourner à droite.*

Dans un site verdoyant, la route longe de jolies maisons adossées aux *baous* sur des terrasses d'oliviers tandis que surgit, saisissant, Tourrettes-sur-Loup.

#### Tourrettes-sur-Loup★ *(voir ce nom)*

La route permet d'apprécier d'étonnantes vues sur Tourrettes, en surplomb sur son vallon. Puis elle court en corniche sur la vallée du Loup, agrippée à des calcaires fissurés. On aperçoit le village perché du **Bar-sur-Loup**★ *(voir ce nom)*, puis le nid d'aigle de Gourdon.

#### Pont-du-Loup

La ligne de chemin de fer Draguignan-Nice traversait ici l'entrée des gorges du Loup supérieur, sur un viaduc détruit en 1944, dont subsistent quelques ruines.

*À l'entrée du village, prendre à droite la D 6.*

La route s'engage dans les très belles **gorges du Loup★★**, taillées verticalement dans les montagnes de Grasse et creusées d'énormes « marmites ». De tunnels en ponts, vues saisissantes et différentes à chaque virage.

Dans un renforcement hémisphérique, avant le 2e tunnel, la **cascade de Courmes★**, discrète mais puissante, tombe entre deux blocs rocheux de 40 m sur un lit de mousse.

Plus loin, au milieu d'une abondante végétation, une énorme pierre mégalithique signale l'entrée du site privé du **« saut du Loup »** *(laisser la voiture à la sortie du 3e tunnel - Rte. des Gorges 06620 Gourdon - ✆ 04 93 09 68 88 - www.cascade-sautduloup.com - mai-sept. : 9h30-19h - 1 €)*. Vous pourrez y admirer depuis un promontoire la « grande marmite », magnifique excavation résultant d'érosions marines et glaciaires du tertiaire et du quaternaire, où tournoient furieusement les eaux du Loup au printemps ; les **cascades des Demoiselles**, dont les embruns fortement imprégnés de carbonate de chaux calcifient les mousses et les végétaux avoisinants.

Peu avant le **pont de Bramafan**, prenez à gauche à angle aigu la D 3 qui, jusqu'à Gourdon, offre des **vues★** remarquables sur le fond des gorges et le village de Courmes. À mesure que l'on s'élève, on s'approche du plan de Caussols et la végétation se raréfie.

Du surplomb aménagé dans un lacet à droite *(signalé par un panneau)*, la **vue★★** sur les gorges encaissées est de toute beauté ; un peu plus loin, elle s'élargit jusqu'à la mer.

### Gourdon★ *(voir ce nom)*

Descente surprenante sur le flanc du plan de Caussols par la D 3 vers **le Pré-du-Lac**, avec, en arrière-plan, de superbes vues sur la Méditerranée. La route (D 2210) offre des virages serrés et un émerveillement différent à chaque tournant : vue plongeante sur les gorges du Loup et les montagnes aux flancs abrupts.

### Le Bar-sur-Loup★ *(voir ce nom)*

En dépassant le village, accroché à la colline et qui domine de ses 350 m d'altitude la moyenne vallée du Loup, prenez à droite la D 6 qui longe parfaitement le cours inférieur de la rivière dans un décor joliment boisé et rafraîchissant. En atteignant le vallon de la Miagne très encaissé et verdoyant (affluent du Loup), beau **point de vue** sur le Loup qui décrit un méandre encaissé et sur l'abrupt des Préalpes de Grasse se profilant au dernier plan. Après un passage en corniche, la route descend au fond de la vallée et traverse à deux reprises la rivière.

### La Colle-sur-Loup

Agréable villégiature dans une plaine consacrée à la culture des fleurs et aux vergers, au pied des collines de Saint-Paul. Le nom du village est tout simplement issu du latin *collis*, « colline ». Celle-ci fut peuplée par les « banlieusards » de Saint-Paul lors du resserrement de la ville dans ses remparts par François 1er. Depuis, ils sont devenus antiquaires *(rue principale Y.-Klein, rues Foch, Clemenceau, Joffre, Leclerc et sur le chemin des Allègres)*. L'église présente un portail Renaissance et une tour carrée à campanile. Beau point de vue sur Saint-Paul depuis l'avenue de l'ancienne gare.

🚶 *1h30 A/R. Plan à l'office de tourisme.* Belle randonnée pédestre au bord du Loup dans le parc départemental des Berges du Loup, qui offre un superbe panorama sur les gorges profondes et spectaculaires (appelées ici Canyon de Saint-Donat).

### Saint-Paul★★ *(voir ce nom)*

*Par la D 2, puis la D 236, rentrer à Vence.*

Entre Saint-Paul et Vence, on retrouve les parois abruptes des *baous*, laissant à l'ouest les Préalpes de Grasse.

## LA HAUTE VALLÉE DU LOUP★

*35 km – environ 2h. Ce circuit prolonge celui des gorges décrites ci-dessus.*

Depuis le pont de Bramafan, la D 3 remonte la **haute vallée du Loup★** dans un parcours splendide, avec de superbes perspectives sur Gréolières *(D 2 à gauche)*.

### Gréolières

Village perché au pied des barres du Cheiron ; au nord se voient les ruines importantes de Haut-Gréolières, tandis qu'au sud des pans de murs sont les restes d'un important château fort. Ruelles très étroites, particulièrement « l'Androne » qui n'excède pas 70 cm de large, qui mènent toutes sur des placettes ensoleillées.

**Église** – *village* - ✆ 04 93 59 95 18 - *venir chercher la clé à la mairie tlj sf w.-end : 9h-11h30, 14h-17h, vend. 9h-11h30.* À la façade romane et au clocher trapu, elle renferme une croix processionnelle plaquée or et argent du 15e s., un fragment de retable du 16e s. (saint Jean-Baptiste), et une Vierge à l'Enfant, en bois, du 14e s. La plus belle pièce est le retable de **Saint-Étienne★** (15e s.) : le rouge colore la joue du saint, sa dalmatique et le damier. Belle prédelle également.

*Suivre la D 2, en direction de Gréolières-les-Neiges (à 18 km).*

La route regarde un moment le village, puis, en corniche sinueuse, remonte la vallée taillée en gorge et traverse, sous de courts tunnels, de fantastiques rochers : elle surplombe alors le Loup de plus de 400 m.

La **clue de Gréolières★**, très prisée des amoureux de canyoning, a été ouverte par un torrent affluent du Loup : sur ses versants arides et troués de marmites de géants, se dressent de curieux rochers dolomitiques.

La route débouche ensuite sur le Plan-du-Peyron, large plateau alluvionnaire.

*À Plan-du-Peyron, prendre à droite la D 802, bonne route qui escalade les flancs de la montagne du Cheiron.*

Superbes **vues** vers l'ouest et le nord.

## Gréolières-les-Neiges

*Remontées mécaniques - 06620 Gréolières-les-Neiges - ☎ 04 93 59 70 02 - hiver.* Alt. 1 800 m en haut des pistes, 1 450 m en bas. Facilement accessible, c'est la plus méridionale des stations alpines de **sports d'hiver**. Très bien équipée (avec 11 remontées dont 1 téléphérique et 1 file-neige pour enfants et 30 km de pistes de fond), ses pentes au nord du Cheiron attirent de nombreux skieurs de la région.

*Redescendre par le col de Vence (voir ce nom) ou par les gorges du Loup.*

# Vallée du Loup pratique

 ♿ Voir aussi les encadrés pratiques de Tourettes-sur-Loup, Vence et Saint-Paul.

## Se loger

◚ **Auberge de Courmes** – *3 r. des Platanes - 06620 Courmes - ☎ 04 93 77 64 70 - regad@aol.com - fermé 5-29 janv., dim. soir et lun. - 6 ch. + 1 studio pour 5 pers. 44/55 € - ⬜ 5,50 € - rest. 20/23 €.* L'auberge communale, située à l'entrée d'un charmant village niché au-dessus des gorges du Loup, dispose de six petites chambres rénovées et d'une accueillante salle à manger. Salle écomusée au sous-sol. Le grand calme et la vue augurent de bons souvenirs.

◚ **Chambre d'hôte La Cascade SARL** – *635 chemin de la Cascade - 06620 Courmes - ☎ 04 93 09 65 85 - www.gitedelacascade. com - 6 ch. 55 € ⬜ - repas 17 €.* Près de la cascade de Courmes, au milieu d'un terrain de 4 ha agrémenté d'une piscine, maison ancienne agrandie et restaurée. Chambres simples et propres, toutes conçues sur le même modèle, donnant de plain-pied sur le jardin. Les amoureux de calme et de nature apprécieront l'endroit.

◚◚ **Chambre d'hôte La Bastide de St-Donat** – *Rte du Pont-de-Pierre, parc St-Donat - 06480 La Colle-sur-Loup - 2 km au S de St-Paul par D 6 - ☎ 04 93 32 93 41 - www.bastide-saint-donat.com - 🖽 - 5 ch. 65/95 € ⬜.* La façade en pierre de cette bergerie de 1850 ne laisse rien soupçonner des richesses décoratives intérieures. Tons pastel, poutres et beaux meubles dans les chambres restaurées à l'ancienne. La terrasse, bercée par le doux murmure d'une rivière, est délicieuse.

◚◚ **Chambre d'hôte Le Clos de St-Paul** – *71 chemin de la Rouguière - 06480 La Colle-sur-Loup - 3 km de St-Paul, près du groupe scolaire Tesseire - ☎ 04 93 32 56 81 - leclossaintpaul@hotmail.com - 🖽 - 3 ch. 70/85 € ⬜.* La villa située dans un quartier résidentiel, au pied du village de Saint-Paul, est un véritable havre de paix. Vous découvrirez ses chambres classiques en rez-de-jardin et vous régalerez des copieux petits-déjeuners pris sous la véranda, face à la piscine.

## Se restaurer

◚ **Crêperie l'Hirondelle** – *14 av. Georges-Clemenceau - 06480 La Colle-sur-Loup - ☎ 04 93 58 26 60 - fermé dim. et lun. sf juil.-août - 🖽 - 10/20 €.* Idéalement située au centre du bourg, cette crêperie n'hésite pas à sortir quelques tables sur la rue piétonne dès que le temps le permet. À l'intérieur, on préférera la première salle, plus animée et plus claire. Un service efficace pour une adresse jeune et décontractée, qui reste ouverte tout l'après-midi.

## Sports & Loisirs

♣ **Destination Nature** – *D 6, rte de Grasse, face au stade - 06480 La Colle-sur-Loup - ☎ 06 86 66 35 49 - www.denature.fr.* Si la promenade commence à vous laisser sur votre faim, allez donc faire le plein d'émotions sur la via ferrata, praticable les jours de beau temps. Également possibles, d'avril à octobre, le canyoning ou le VTT, et la randonnée en raquettes en hiver. Encadrement assuré par des guides et des moniteurs diplômés.

# Le Luc

7 282 LUCOIS
CARTE GÉNÉRALE B3 – CARTE MICHELIN LOCAL 340 M5 – SCHÉMA P. 248 – VAR (83)

Le vieux Luc a des airs de bande dessinée réaliste : ambiance mi-délabrée, mi-romantique, petites ruelles au dessin imprévu, arches s'ouvrant sous l'étage d'une maison, filets d'eau au parcours mystérieux, fontaines moussues et chats baladeurs. Au soleil, le campanile reluit et la place du marché fleurit.

◗ **Se repérer** – Entre Brignoles (à 23 km) et Draguignan (à 27,5 km), un peu coincé entre l'A 8 (le viaduc domine de très haut le village) et la N 7, Le Luc tient son rôle de carrefour routier.

◉ **À ne pas manquer** – Une balade dans le centre-ville.

◷ **Organiser son temps** – Compter 3h si vous vous rendez aussi à l'oppidum.

◔ **Pour poursuivre la visite** – Voir aussi l'abbaye du Thoronet, Brignoles et les Arcs.

## Se promener

### Village
Le village est dominé par une **tour hexagonale** (début 16e s.), haute de 27 m. Édifiée à la mode des campaniles italiens, elle servit de clocher. L'autre monument de la ville, autrefois important, le château des Mascs, a été détruit lors de la construction de l'autoroute en 1971 !

### Point de vue de l'oppidum de Fouirette★
*1h30 AR. Direction quartier du Vergeiras, puis itinéraire balisé.* Au sommet de la butte (alt. 300 m), vaste **panorama★** sur le massif des Maures, de Gonfaron au rocher de Roquebrune. Quant à l'oppidum, c'est l'un des plus beaux du Var.

## Visiter

### Musée historique du Centre-Var
*24 r. Victor-Hugo - ℘ 04 94 60 70 12 - de mi-juin à mi-oct. : tlj sf dim. 15h-18h ; reste de l'année : visite guidée (1h) sur RV uniquement - fermé j. fériés - gratuit.*
Collections d'histoire locale, de l'œuf de dinosaure aux Lucois célèbres, installées dans la chapelle Sainte-Anne à la charmante façade vert et blanc. Le musée accueille aussi une collection exceptionnelle et prestigieuse d'ammonites.

### Musée régional du Timbre
*Le Château, pl. de la Convention - ℘ 04 94 47 96 16 - www.lemuseedutimbre.com - juin-août : merc. et jeu. 14h30-18h, vend., sam. et dim. 10h-12h, 14h30-18h ; oct.-mai : merc. et jeu. 14h30-17h30, vend., sam. et dim. 10h-12h, 14h30-17h30 - fermé sept., 1er janv., 1er Mai et 25 déc. - 2 €.*
Fabrication du timbre-poste, naissance et essor de la philatélie, art du graveur : on saura tout sur la vignette postale au 2e étage du château des Vintimille dont la façade est oblitérée par un tampon postal géant… La reconstitution de l'ateliers d'**Albert Decaris**, graveur créateur de nombreux timbres français et étrangers, permet de situer le cadre de ces réalisations philatéliques.

## Le Luc pratique

### Adresse utile

**Office du tourisme de Luc** – *Château des Vintimille - pl. de la Liberté - 83340 Le Luc - ℘ 04 94 60 74 51 - juil.-août : tlj sf dim. 9h-12h30, 15h-19h ; sept.-avr. : tlj sf w.-end 9h30-12h, 13h30-17h ; mai-juin : 9h30-12h, 13h30-17h30 - fermé 1er janv., Pâques, 1er et 8 Mai, 11 Nov., 25 déc.*

### Se loger

☺ **Chambre d'hôte Le Hameau de Charles-Auguste** – *R. de Baraouque - ℘ 04 94 60 79 45 - www.provenceweb.*

*fr/83/charles-auguste - ⊟ - 4 ch. 65/85 € - ☐ 10 € - repas 25/40 €.* Pas véritablement un hameau, mais plutôt la réunion de bâtisses construites au fil des ans autour de la ferme d'origine (18e s.). L'intérieur a été rénové avec beaucoup de goût et les chambres ne manquent pas de cachet. Jolie cour intérieure et accueil charmant.

☺ **Chambre d'hôte Domaine de la Fouquette** – *83340 Les Mayons - 10 km du Luc - ℘ 04 94 60 00 69 - domaine. fouquette@wanadoo.fr - fermé fin oct.-fév. - ⊟ - 4 ch. 55/60 € ☐ - repas 20 €.* Sur le contrefort du massif des Maures, au bout d'un chemin de terre, ferme de séjour tenue par une accueillante famille de vignerons mettant à votre disposition de calmes chambres au décor provençal et une agreste salle des repas dont la terrasse procure une vue splendide. De bons petits vins bénéficiant de l'AOC côtes-de-provence sont produits sur place, et la table d'hôte privilégie le terroir.

⊖ **chambre d'hôte La Haute Verrerie** – *La Haute-Verrerie, rte de St-Tropez - 83340 Le Cannet-des-Maures - 6 km à l'E du Luc par D 558, dir. St-Tropez - ℘ 04 94 47 95 51 - lahauteverrerie@aol.com - ⌂ - 4 ch. 60 € ⌐.* Un ruisseau coule au pied de cette charmante demeure provençale de 1839, où jadis on travaillait le verre. Chambres personnalisées, logées dans diverses dépendances ; la plus réussie, aménagée dans l'ancien grenier mansardé, possède un solarium privé.

## Se restaurer

⊖⊜ **Le Gourmandin** – *Pl. Louis-Brunet - ℘ 04 94 60 85 92 - fermé 23 août-23 sept., 20 fév.-10 mars, dim. soir, jeu. soir et lun. - 23/42 €.* Depuis une quinzaine d'années, la famille Schwartz s'est taillée une bonne réputation auprès des gastronomes du Luc. Sa cuisine classique, qui possède souvent l'accent méridional, vous séduira avec ses fleurs de courgettes farcies, son panaché de poissons sur coulis d'oursins ou son petit chapon façon bouillabaisse.

⊖⊜⊟ **Grillade au Feu de Bois** – *4 km par N 7 - ℘ 04 94 69 71 20 - www.lagrillade. com - fermé 11 nov.-22 déc. - 34 €.* L'enseigne vous dit l'essentiel ! Les grillades tiennent le haut de l'affiche sur la carte de cette ancienne ferme viticole. Elles sont à déguster dans un cadre provençal ou, dès les premiers beaux jours, sur la terrasse ombragée. Chambres spacieuses et bien équipées, réparties dans plusieurs bâtiments.

## Que rapporter

**Marché** – Marché provençal le vend. matin au centre-ville.

**Domaine de la Lauzade** – *RN 97 - ℘ 04 94 60 72 51 - www.lauzade.com - tlj sf dim. 8h-12h, 14h-17h30, sam. 8h-12h - fermé j. fériés.* Les 70 ha de vignes du domaine sont cultivés en agriculture raisonnée et ne produisent qu'une seule cuvée par couleur (un blanc, un rouge, un rosé) de côtes-de-provence. Visites, dégustation et vente sur place. Des expositions de peinture sont régulièrement organisées dans la propriété en juillet et août. Dans le cadre de la mise en place d'une station bambou-assainissement, le site s'est enrichi d'une bambouseraie de 1 400 m$^2$ (3 variétés).

**Domaine de la Pardiguière** – *Rte des Mayons - ℘ 04 94 60 75 37.* Superbe vue sur le massif des Maures depuis cette propriété familiale entourée de vignes (33 ha) et de champs d'oliviers (17 ha d'espèces différentes) exploités en agriculture biologique. Vente d'huiles d'olive et d'olives ainsi que de vins (côtes-de-provence rouge, rosé et blanc AOC) produits sur le domaine.

# Lucéram★

**1 035 LUCÉRAMOIS**
**CARTE GÉNÉRALE D2 – CARTE MICHELIN LOCAL 341 F4 – SCHÉMA P. 309 –**
**ALPES-MARITIMES (06)**

Ce très joli village, aux trois clochers de tuiles colorées, est niché au creux d'un ravin. En descendant depuis Peïra-Cava, le hasard des tournants propose de splendides vues. C'est le petit bijou du comté de Nice tant pour la beauté du site que pour le charme de ses ruelles et la richesse de son patrimoine d'art religieux.

▶ **Se repérer** – À 21,5 km au nord de Nice.

🅿 **Se garer** – Parking aux deux extrémités du village. Venant de Nice : 2 parkings, à gauche après la caserne des pompiers, ou plus loin sur la droite, juste avant la poste. Venant de Peïra-Cava, à droite au niveau des premières rues.

👁 **À ne pas manquer** – La visite guidée du village et des musées *(sur réservation)*. Les amoureux d'art prolongeront leur promenade en allant admirer les fresques des chapelles Saint-Grat et Notre-Dame-de-Bon-Cœur.

🕐 **Organiser son temps** – Prévoyez une demi-journée pour découvrir tous les secrets de ce village. 2h suffiront à ceux qui souhaitent uniquement s'imprégner de l'humeur de Lucéram en flânant dans ses ruelles pentues.

👫 **Avec les enfants** – Le Musée des vieux outils, pour son aspect pédagogique et le Musée de la crèche pour plonger à tout moment dans la magie de Noël.

⏪ **Pour poursuivre la visite** – Voir aussi Coaraze, Sospel, Peille.

# Comprendre

**Un ancien village médiéval** – Lucéram a été conçu en deux parties : le village supérieur bâti sur un escarpement rocheux entre deux ravins et le village inférieur, ancien lieu de passage, sur la **route du sel**. Par sa situation défensive hors du commun, Lucéram a vu se succéder sur son rocher bon nombre de peuples en 3 000 ans. Les Ligures, d'abord, les Celtes, les Romains et les Francs ensuite y ont construit plusieurs demeures et places fortes. Les Comtes d'Anjou, plus tard, ont édifié le **château** dont les vestiges du 13ᵉ s. sont encore bien conservés au sud du village. Autre particularité de Lucéram : le nombre considérable de chapelles de confréries. Fief de l'ordre de Malte et des templiers, Lucéram en a compté jusqu'à sept, à l'extérieur du village ! Il n'en reste que deux aujourd'hui : la chapelle Saint-Grat et la chapelle Notre-Dame-de-Bon-Cœur. À l'intérieur du village, la chapelle des Pénitents blancs Saint-Pierre, la chapelle des Pénitents noirs Saint-Jean et l'église ponctuent le caractère extrêmement sacré de Lucéram.

> ## 👁 Le saviez-vous ?
>
> Lucéram trône à la croisée des chemins artistiques ! Étape incontournable de la **Route du Baroque** et de la **Route des Brea**, prenez le temps de vous arrêter pour découvrir des œuvres aussi rares qu'exceptionnelles.
> 🐾 Pour en savoir plus et connaître les itinéraires de la Route des Brea (balisée) et de la Route du baroque, connectez-vous sur le site du conseil général des Alpes-Maritimes : www.cg06.fr (rubrique « les routes à thème »).

# Se promener

### VIEUX VILLAGE★

*Départ place Adrien-Barralis. Suivre les panneaux indiquant le chemin de l'église.*

Maisons aux belles fenêtres géminées du 18ᵉ s., arches et passages voûtés, portes en ogives, petits escaliers inattendus, portes basses coincées dans un creux de la chaussée : un véritable petit labyrinthe médiéval ! Des fontaines, souvent agrémentées d'un petit lavoir, coule une fraîche eau de source.

### Église Sainte-Marguerite

*Pl. de l'Église - ℘ 04 93 79 46 50 ou 04 93 91 60 56 - mar. et merc. 10h-12h, 14h-17h, dim. 14h-17h - possibilité de visite guidée (2h) dans le cadre de la visite du village sur RV à l'office de tourisme vend. et sam. 11h, 14h30 et 16h - 5 €.*

Remanié au 18ᵉ s., l'édifice n'a plus grand-chose de médiéval : façade classicisante, gracieux clocher et, à l'intérieur, stucs rococo. Vous y découvrirez le plus important ensemble de **retables★★** niçois (15ᵉ s.), à fond d'or ou de paysage : au-dessus du maître-autel, le retable de Sainte-Marguerite, chef-d'œuvre de **Louis Brea** ; dans le bras droit du transept, le retable de Saint-Antoine de Padoue par **Jean Canavesio**, encadré d'une boiserie gothique flamboyant. Dans le **trésor★**, belle statuette en or, argent et vermeil de sainte Marguerite au dragon (1500).

*En sortant, descendre l'escalier à droite et gagner la montée du Terron.*

Elle conduit aux **remparts** (15ᵉ s.), dont il reste un angle et une tour défensive.

*En route vers le col de Turini, Lucéram mérite un arrêt.*

# Visiter

### Musée des vieux outils★

*Sur RV à l'office de tourisme pour une visite guidée (2 €) ou une visite guidée du village (5 €) - ℘ 04 93 79 46 50.*

L'association les Amis de Lucéram a créé en 1998 ce musée retraçant l'histoire locale de Lucéram. Dans le sompteux décor de la chapelle Saint-Jean, tous les outils d'antan liés au travail de la terre, du bois, de l'or-piment et de l'arsenic, du fer, de la viticulture, de l'olive… y sont représentés. Le tout sous le regard en noir et blanc des aînés du village dont on retrace en photo la vie et les labeurs. Des meubles très travaillés, une glacière imposante (charrette chargée pour acheminer la glace depuis Nice), un lavoir et la panoplie des outils servant à décortiquer les châtaignes vont vous étonner.

---

### Mon olivier, mon or !

En vous rapprochant de Lucéram, le paysage typique des collines cultivées en terrasses et complantées d'oliviers ne vous aura certainement pas échappé. Le nombre d'oléi-culteurs y serait-il plus important qu'ailleurs dans la région ? Absolument pas… mais les propriétaires d'oliviers qui bichonnent toute l'année leurs petits arbres, oui ! Et ils le leur rendent bien. Chacun y va alors de sa production personnelle (bio, s'il vous plaît) d'olives et d'huile d'olive. Grâce à l'altitude du village (750 m) et à sa relative résistance au froid, le développement normal des parasites nécessitant des traitements est exclu. Les belles olives de Nice (cailleter) prennent une forme parfaitement ovoïdale, offrent un fruit très petit et une chair savoureuse. D'une couleur jaune pâle, brillante à reflets dorés, fluide, douce et fine, le jus en or qui coule sous les tanières est unique en son genre, reconnaissent les experts.

---

### Musée de la crèche★

*Sur RV à l'office de tourisme pour une visite guidée (2 €) ou une visite guidée du village (5 €) - ℘ 04 93 79 46 50. Pendant le Circuit des Crèches (de déc. à mi-janv.), le musée est ouvert tlj sf lun.*

Les membres fondateurs de l'association Maison de Pays ont créé ce musée étonnant et unique dans la région, sur la placette du village. Entre 150 et 200 œuvres sont exposées, toutes conçues et offertes par des habitants. La plus impressionnante a été réalisée à l'aide de 33 000 allumettes. Dans un univers magique, vous passerez en revue les crèches du monde. La plus ancienne date de 1948. Et pour les santons, tous les matériaux sont représentés : terre cuite, porcelaine, allumettes, verre, bois, laine, tissus, fil de fer et même en chocolat !

# Aux alentours

### Chapelle Saint-Grat

*1 km au sud par la D 2566, sur la gauche en sortant du village, avant le tunnel. Y descendre à pied. ℘ 04 93 79 46 50 - intérieur de la chapelle visible à travers les grilles.* Fresques attribuées à **Jean Baleison**. La Vierge et l'Enfant sont assis sous un triple baldaquin gothique. Saint Grat porte la tête de saint Jean-Baptiste qu'il aurait découverte en Palestine près d'un puits. Saint Sébastien, patron des archers, tient une flèche à la main.

### Chapelle Notre-Dame-de-Bon-Cœur

*2 km à l'ouest par la D 2566. Se garer (à gauche) quand apparaît un terre-plein des deux côtés de la route. Un petit sentier conduit à la chapelle. ℘ 04 93 79 46 50 - mêmes conditions de visite que la chapelle Saint-Grat.* Fresques restaurées également attri-buées à **Jean Baleison**, avec quelques

*Détail de la fresque de Baleison.*

E. Baret / MICHELIN

repeints. Sous le porche, *La Bonne et la Mauvaise Prière* (inscription latine : « Si ce n'est pas le cœur qui prie, la langue travaille en vain »), et à nouveau saint Sébastien, en martyr. Au fond, scènes du Nouveau Testament (Vie de la Vierge, Nativité).

### L'Escarène
*À 6,5 km au sud par la D 2566. Voir le circuit* 4 *à Nice.*

### Peïra-Cava
*À 12,5 km au nord par la D 21, puis la D 2566. Voir le circuit* 7 *dans la forêt de Turini.*

## Lucéram pratique

& Voir aussi l'encadré pratique de Nice.

### Adresse utile

**Office du tourisme de Lucéram/Maison de pays de Lucéram et du Haut-Paillon** – *pl. Adrien-Barralis - 06440 Lucéram -* ☎ *04 93 79 46 50 - tlj sf dim. et lun. 9h-12h, 14h-18h - fermé j. fériés.*

### Visites

**Visites guidées –** Possibilité de visite guidée des musées de la crèche *(2 €)* et des vieux outils *(2 €)*, du village, de l'église et des musées *(mini. 5 pers. - 5 €)* en réservant auprès de la Maison de pays.

### Événement

**Circuit des crèches** – *Se renseigner à la Maison de pays.* En décembre-janvier, plus de 400 crèches sont exposées dans les caves et les rues de Lucéram et de Peïra Cava. Pastorale des bergers et messe en dialecte le 24 décembre.

# Mandelieu-la-Napoule

**17 870 HABITANTS**
**CARTE GÉNÉRALE C3 – CARTE MICHELIN LOCAL 341 C6 – SCHÉMA P. 173 –**
**ALPES-MARITIMES (06)**

**Au pied des massifs de l'Esterel et du Tanneron, la commune de Mandelieu-la-Napoule plonge dans la mer, depuis ses cultures de mimosa qui en font une capitale dans ce domaine. Entre les deux, un superbe golf et la Siagne, bordée d'espaces verts et de plages à son estuaire, rendent cette station très agréable été comme hiver.**

▶ **Se repérer** – **La Napoule** est à 8 km à l'ouest de Cannes par la N 98.

🅿 **Se garer** – Les parkings gratuits sont nombreux : près du casino, le long du bord de mer.

👁 **À ne pas manquer** – Le château-musée « les pieds dans l'eau » ; les plages de la Napoule ; la balade panoramique depuis le San Peyre.

🕐 **Organiser son temps** – Après le marché de Mandelieu ou de la Napoule en matinée, comptez 1h pour faire le tour du château, de ses jardins et de la galerie en visite guidée. Si vous venez entre mi-juillet et mi-août, passez une soirée dans la cour du château de la Napoule qui reçoit les « Nuits du Château » : animations autour de la danse, de la musique et du théâtre.

👪 **Avec les enfants** – Le domaine de Barbossi offrant de multiples activités.

& **Pour poursuivre la visite** – Voir aussi Cannes, le massif de l'Esterel, le massif du Tanneron, les îles de Lérins.

## Séjourner

### La Napoule
Située face à la baie de Cannes, La Napoule, loin du faste de sa voisine cannoise, affiche une totale singularité. Animée en toute saison, La Napoule propose à ses vacanciers bon nombre d'activités.

Elle est particulièrement appréciée pour son **port de plaisance** (1 140 postes), auquel s'ajoute celui de la Rague (688 postes), les deux étant relié par un sentier côtier *(1 km).*

Ses petites **plages** de sable blond (trois, dont deux privées) et ses criques couleur terre battue, sont aussi très prisées des passionnés de sports nautiques (voile, ski nautique, aviron, kayak des mers, plongée…).

Un sentier longe les rives de la Siagne du centre de Mandelieu *(derrière la salle Olympie)* à la mer.

### Balade panoramique★

*Accès au départ de la Poste par la rue des Hautes-Roches.*

*45mn AR par chemin fléché.* Cette promenade à l'ascension de la colline de **San Peyre** permet d'apprécier un superbe point de vue sur le Tanneron, le golfe de La Napoule, Cannes et le cap d'Antibes (table d'orientation). Empruntez le sentier botanique en pente douce. Coup d'œil sur les ruines du château d'Avignon et sur la flore naturelle et fragile (forêt de chênes, maquis et minijardin exotique à mi-chemin).

*En venant de Fréjus, La Napoule se profile au débouché de la corniche de l'Esterel.*

# Visiter

### Château-musée

*Av. Henry-Clews - La Napoule - ℘ 04 93 49 95 05 - www.chateau-lanapoule.com - de déb. fév. à déb. nov. : 10h-18h ; reste de l'année : 14h-17h, w.-end 10h-17h - visite guidée (40mn) sur demande de déb. fév. à déb.nov. : 11h30, 14h30, 15h30, 16h30 ; reste de l'année : 14h30, 15h30, 16h30 ; - fermé 25 déc. - 6 € (7-17 ans 4 €), 3,50 € (–7 ans gratuit) parc et jardins seuls. Salon de thé : avr.-sept. : 11h-17h.*

Seules deux tours subsistent du château fort du 14ᵉ s., transformé par le sculpteur américain **Henry Clews** (1876-1937). Ce curieux mélange de roman, gothique et motifs orientalisants s'inscrit dans un **site★** admirable donnant sur la mer, au départ de la corniche de l'Esterel.

On vous guidera dans le salon, la salle à manger gothique, l'atelier de l'artiste et la crypte. D'un romantisme fantastique à la Viollet-le-Duc, les personnages ou animaux fabuleux du sculpteur animent l'architecture. Grâce, spiritualité, satire ou réalisme les caractérisent.

Les beaux **jardins** agrémentés de bassins et fontaines dessinés par Mme Clews, et la **galerie** qui accueille des expositions temporaires, se visitent librement. Les enfants pourront se lancer dans une chasse au trésor !

# Mandelieu-la-Napoule pratique

& Voir aussi l'encadré pratique de Cannes.

## Adresses utiles

**Office du tourisme de Mandelieu-la-Napoule** – *Sortie d'autoroute A 40 - 06210 Mandelieu-la-Napoule -* & *04 92 97 99 27 - www.ot-mandelieu.fr - juil.-août : tlj sf dim. 9h30-12h30, 14h-18h ; sept.-mars : tlj sf dim. 9h30-12h30, 13h30-17h30 ; avr.-juin : tlj sf dim. et lun. 9h30-12h30, 14h-18h - fermé 1ᵉʳ janv., 1ᵉʳ et 11 Nov. et 25 déc.*

**Office du tourisme de la Napoule** – *274 av. Henry-Clews - 06210 La Napoule -* & *04 93 49 95 31 - avr.-oct. : 10h-12h30, 14h30-19h30 - fermé reste de l'année.*

## Visites

**Visites guidées** – L'office de **Mandelieu** propose des visites guidées dans les massifs de l'Esterel et du Tanneron *(pendant la période de floraison du mimosa, de fin janv. à déb. mars).*
L'office de **La Napoule** vous propose des visites guidées de la Napoule, avec extension possible au château, des visites uniques du château, voire complétées d'une promenade en mer *(d'avr. à oct., réserver 48h av.).*

## Se loger

⊖ **Hôtel Villa Parisiana** – *R. Argentière -* & *04 93 49 93 02 - villa.parisiana@wanadoo.fr - fermé 19-27 déc. - 13 ch. 45/63 € -* ⊑ *6,50 €.* Villa de style 1900 située dans un quartier résidentiel. Les chambres, presque toutes rénovées et parfois dotées de balcons, l'atmosphère familiale et la jolie treille de la terrasse en font une bonne adresse malgré la proximité de la voie ferrée.

⊖ **Corniche d'Or** – *Pl. de la Fontaine -* & *04 93 49 92 51 - www.cornichedor.com - fermé 29 nov.-16 déc. - 12 ch. 48/85 € -* ⊑ *8 €.* Sur une placette voisine de la gare, hôtel proposant des chambres récemment refaites (mobilier en pin, literie neuve et décor plus gai). Presque toutes ont un balcon et deux d'entre elles possèdent une grande terrasse.

## Se restaurer

⊖⊖ **La Pomme d'Amour** – *209 av. du 23-Août -* & *04 93 49 95 19 - jacky006@wanadoo.fr - fermé 15 nov.-15 déc., sam. midi de juil. à sept., mar. sf le soir de juil. à sept. et merc. midi - 29/35 €.* Escale culinaire discrète au centre de La Napoule, tout près de la gare. Plaisante salle à manger rustique avec mise en place soignée. Cuisine traditionnelle et régionale.

⊖⊖ **Le Marco Polo** – *Av. de Lérins - 06590 Théoule-sur-Mer - à 8 km de Cannes dir. St-Raphaël -* & *04 93 49 96 59 - fermé de mi-nov. à mi-déc. et lun. sf juil.-août - 30 €.* Restaurant idéalement situé au bord de la plage. La salle à manger est meublée en rotin. De la terrasse, la vue s'étend jusqu'à la baie de Cannes. Salades à midi et menu plus consistant en soirée. Service décontracté.

## En soirée

**Sofitel Royal Casino** – *605 av. du Gén.-de-Gaulle -* & *04 92 97 70 00 - www.sofitel.com - bar Blue-wave : 9h-2h ; pianiste vend. soir et sam. soir : 19h30-22h30 ; discothèque : vend. et sam. 22h30-3h.* Ce palace, dont la terrasse et la piscine donnent sur la baie de Cannes, possède également un casino, deux restaurants, un piano-bar ainsi qu'un night-club *(ouvert les vend. et sam. soir).*

## Que rapporter

**Marchés** – À **Mandelieu**, pl. du Mail, les mercredis et vendredis matin. Le 1ᵉʳ samedi et le 3ᵉ dimanche du mois vide-grenier brocante.
À **La Napoule**, le jeudi matin pl. St-Fainéant et le samedi matin pl. Jeanne-d'Arc.

## Sports & Loisirs

👁 **Bon à savoir** – Mandelieu est labellisé « **station nautique** » ce qui atteste de la diversité et de la qualité des activités proposées. *Renseignements à l'office de tourisme ou www.france-nautisme.com.*

🏋 **Domaine de Barbossi** – *3300 av. Paul-Ricard - San Estello -* & *04 93 49 42 41 - horaires sur demande.* Dans ce domaine, vous trouverez un club de tennis, un poney club. Vente de vins rouges et rosés de la propriété.

**Sant'Estello Country Club** – *3300 av. Paul-Ricard -* & *04 93 49 44 00 - tlj 8h-12h, 14h-20h, juil.-août : nocturnes sf j. fériés 8h-12h, 17h-20h.* Situé en pleine nature, dans un environnement préservé, le Sant'Estello Country Club dispose de neuf courts, dont deux en terre battue, utilisables toute l'année, et de trois courts de padel, savant mélange de squash et de tennis.

**Golf de Cannes-Mandelieu Riviera** – *Av. des Amazones -* & *04 92 97 49 49 - 8h-18h30.* Au pied de l'Esterel, parcours de 18 trous avec compact (3 trous), putting green et practice ; club-house (restaurant).

## Événements

**La Fête du Mimosa** –*Début février.* Dix jours d'animation : corsos fleuris, groupes folkloriques, excursions dans la forêt, visite des forceries, marché Provence et traditions…

**Les Nuits du Château** – *En juillet-août,* la cour d'honneur du château de La Napoule sert de cadre à un festival : concerts, danse, théâtre.

# Massif des **Maures**★★

CARTE GÉNÉRALE B/C 3/4 – CARTE MICHELIN LOCAL 340 M/P 5/7 – VAR (83)

Cette parure végétale émeraude s'étend entre la mer et les vallées du Gapeau et de l'Argens, d'Hyères à Saint-Raphaël. De nombreuses stations sont nées sur le littoral, dans des creux ou indentations qui multiplient points de vue et paysages de charme. La « corniche des Maures », magnifique route touristique, permet de les découvrir. L'intérieur, longtemps isolé et peu fréquenté, demeure sauvage.

- ◗ **Se repérer** – Pins sur la côte, chênes, arbousiers, châtaigniers et cistes à l'intérieur composent cette végétation sauvage souvent dévastée, hélas, par le feu. L'exploitation des chênes-lièges alimente encore une petite industrie (bouchons et articles en liège).

- 👁 **À ne pas manquer** – Les Balades Nature Accompagnées dans le Massif des Maures organisées par onze communes *(voir la rubrique « Visite » dans l'encadré pratique)* ; un circuit dans les terres et la corniche pour ses points de vue superbes et ses stations balnéaires.

- 🕐 **Organiser son temps** – Accordez-vous 1h30 ou 2h pour une Balade Nature Accompagnée. Longer la corniche des Maures vous prendra une bonne journée de route et de pauses panoramiques. Quant aux différents circuits proposés, entre mer et forêts, ils s'effectuent en une demi-journée ou une journée selon l'itinéraire choisi.

- 👪 **Avec les enfants** – Les Balades Nature Accompagnées pour découvrir la faune, la flore et apprendre à préserver ce site exceptionnel. Le jardin d'oiseaux tropicaux à La Londe-les-Maures *(voir circuit « Sur les terres de Maurin »)* ravira les amoureux de couleurs.

- 🕭 **Pour poursuivre la visite** – Voir aussi les villes de Saint-Raphaël, Hyères, le Massif de l'Esterel, selon votre point de chute.

## Comprendre

**Les plus vieilles terres de Provence** – Les Maures, constitués surtout de schistes cristallins, et l'Esterel, deux contemporains de l'Auvergne volcanique, ont tous deux émergé du plissement hercynien en un seul vaste massif, la Tyrrhénide, qui englobait la Corse et la Sardaigne.

Des poussées successives, pyrénéenne et alpine, ont morcelé le tout, partageant les Maures en quatre chaînes parallèles : les îles d'Hyères, crête en partie immergée ; une seconde chaîne culminant aux Pradels (alt. 528 m) ; la chaîne de la Verne ; et la chaîne de la Sauvette, qui porte les plus hauts sommets des Maures (la Sauvette, alt. 779 m, et Notre-Dames-des-Anges, alt. 780 m).

Le massif des Maures tant menacé par les incendies.

D. Pazery / MICHELIN

**Au bord de l'eau** – Entre les saillants trapus du cap Bénat et de la presqu'île de Saint-Tropez, les pointes effilées du cap Nègre et du cap des Sardinaux ou les rentrants de la rade de Bormes, de la baie de Cavalaire et du golfe de Saint-Tropez, le rivage est tout sauf monotone. La région doit la fin de son isolement à la vogue balnéaire du 20ᵉ s., limitée d'abord à une clientèle aristocratique. Après l'épisode militaire du débarquement en 1944, les plages des Maures ont retrouvé leur

vocation touristique, dont **Saint-Tropez** est un symbole encore très médiatique.

**Dramatiques incendies** – En juillet 2003, deux incendies successifs ont ravagé 13 000 ha dans le massif des Maures, malgré l'important dispositif d'intervention déployé. Cette tragédie a rappelé la nécessité d'une politique de prévention au niveau des collectivités (mise en œuvre du débroussaillement) et surtout de sensibilisation des promeneurs qui doivent respecter toutes les consignes de sécurité.

# Séjourner

Les **stations balnéaires** s'égrènent de part et d'autre de la presqu'île de Saint-Tropez, idéales pour séjourner au bord de la mer ou pour une balade en forêt le long de la Grande Bleue.

## CORNICHE DES MAURES★★

*Entre Le Lavandou et Saint-Tropez sur la D 559.*

**Saint-Clair** *(voir Le Lavandou)*

**Aiguebelle** *(voir Le Lavandou)*

**Cavalière** *(voir Le Lavandou)*

**Pramousquier** *(voir Le Lavandou)*

### Canadel-sur-Mer

La plage de Canadel, bordée de superbes pinèdes, est l'une des mieux abritées de la côte des Maures, au pied des dernières pentes de la chaîne des Pradels. C'est sur cette plage qu'eut lieu le **Débarquement de Provence** le 14 août 1944 à minuit. Une stèle le rappelle.

Un peu plus loin, Le Rayol compte deux plages où il fait bon se baigner après la visite du magnifique **domaine du Rayol** *(voir ce nom)*.

### Cavalaire-sur-Mer

Station familiale nichée au cœur de la ville avec de belles résidences de vacances. 11 superbes plages de sable fin s'étendent sur 4 km, clubs de plongée (le site est réputé), nombreux loisirs nautiques et port de plaisance de plus de 1 200 places.

**La Croix**

Le village tire son nom de la vision de **Constantin** : en route pour l'Italie, le futur empereur romain vit apparaître dans le ciel une croix avec la phrase : *In hoc signo vinces* (« par ce signe, tu vaincras ») annonce de son prochain triomphe et de celui du christianisme ; d'où la croix en pierre, érigée au **col de la Croix**. Notez que la tradition la plus connue place l'épisode de la vision à la veille de sa victoire sur Maxence, au pont Milvius, aux portes de Rome…

### La Croix-Valmer

Station climatique, comme en témoignent ses villas 1900, qui domine la baie de Cavalaire. Vous y trouverez des criques discrètes, des plages de sable fin protégées des vents.

## ENTRE SAINT-TROPEZ ET FRÉJUS★★

De l'autre côté de la presqu'île, les pentes des Maures arrivent très adoucies sur la mer. Sur la côte peu ombragée, le long de la N 98, les stations offrent de nombreuses plages, avec quelques rochers à fleur d'eau. *Voir aussi le circuit* 3.

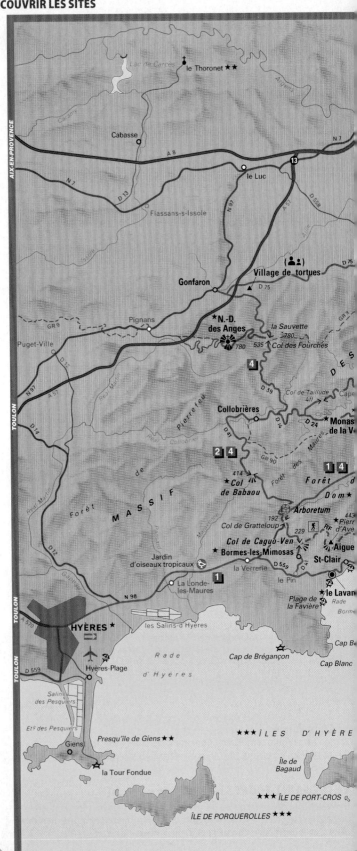

le Thoronet ★★

Lac de Carcès

Cabasse

AIX-EN-PROVENCE

A 8

N 7

13

le Luc

Flassans-s-Issole

Village de tortues

Gonfaron

Pignans

★N.-D. des Anges
780

la Sauvette
780
Col des Fourchés
535

Puget-Ville

TOULON

Col de Taillude
411

Capes

Collobrières

★Monas de la V

★Col de Babaou
414

Forêt de
D o m ★

Arboretum
192
Col de Gratteloup
229
443
★Pierr d'Ave
RF

Col de Caguo-Ven
★ Bormes-les-Mimosas

Jardin
d'oiseaux tropicaux

la Verrerie

Aigue
St-Clair

La Londe-
les-Maures

le Pin

le Lavan
Rade
Borme

N 98

Plage de
la Favière

HYÈRES ★

les Salins-d'Hyères

Cap B

Cap de Brégançon

Cap Blanc

TOULON

Hyères-Plage

R a d e
d' H y è r e s

Salin
des Pesquiers

Et⁹ des Pesquiers

Giens

Presqu'île de Giens ★★

★★★ Î L E S   D' H Y È R E

la Tour Fondue

Île de
Bagaud

★★★ ÎLE DE PORT-CROS

ÎLE DE PORQUEROLLES ★★★

248

MASSIF DES MAURES

N

0        5 km

### Beauvallon

Station fort bien située, ombragée par des bois de pins et de chênes-lièges.

### Sainte-Maxime★ *(voir ce nom)*

Très découpée entre la **Nartelle** *(voir Saint-Maxime)* et **Saint-Aygulf** *(voir Fréjus)*, la côte dessine plusieurs calanques avec petites plages et rochers en mer.

### Les Issambres

Partie littorale de la commune de **Roquebrune-sur-Argens** *(voir ce nom)*, son nom vient sans doute de sa situation à l'entrée du golfe de Saint-Tropez, autrefois *sinus Sambracitanus* ou « golfe des Cimbres », nom de la tribu qui occupait la région. Cette jolie station forme avec Val d'Esquières, San Peïre et Les Calanques un ensemble touristique largement développé. Villas et maisons provençales, disséminées dans les collines, respectent le site. Son petit port est le point de départ de nombreuses balades en mer et ses 8 km de plages de sable et criques raviront les baigneurs.

## Circuits de découverte

### SUR LES TERRES DE MAURIN 🔟

*70 km au départ d'Hyères – une journée.*

### Hyères★ *(voir ce nom)*

*Quitter Hyères au nord-est, par la N 98.*

La route franchit le Gapeau et traverse la plaine d'Hyères, le long des marais salants. **Vues** sur le cap Bénat et Port-Cros.

*2 km après la Londe-les-Maures, prendre à droite.*

### Jardin d'oiseaux tropicaux

*Visite exclusivement pour non-fumeurs. - N 559 - 📞 04 94 35 02 15 - www.jotropico.org - juin-sept. : 9h-19h ; oct. - nov. : 14h-18h ; fév.-mai : 14h-19h - fermé déc. et janv. - 8 € (enf. 5 €).*

👫 Dans un grand parc naturel de 6 ha, qui compte une palmeraie et trois jardins (austral, mexicain et asiatique), des volières abritent toute une population criante et caquetante (dont certaines espèces en voie de disparition) : toucans, calaos, casoars… des plumes et des becs de toutes les couleurs et de tous les continents.

*Revenir sur la N 98.*

### Bormes-les-Mimosas★ *(voir ce nom)*

*Poursuivre sur la D 559.*

### Le Lavandou★ *(voir ce nom)*

*À partir du Lavandou, la D 559 suit la côte jusqu'à Canadel-sur-Mer. Tourner à gauche dans la D 27.*

### Col du Canadel★

Alt. 269 m. Superbe **vue★★** sur Canadel-sur-Mer, la plage de Pramousquier, le cap Nègre, la rade de Bormes, le cap Bénat, et, à l'horizon, l'île de Porquerolles.

🥾 *Laisser votre voiture sur le parking du col du Canadel. Prenez la route forestière à l'ouest du col de Caguo-Ven. Une marche d'une heure donne droit à une restauration (en saison) au lieu dit du Vieux-Sauvaire avant de redescendre vers le col de Barral (372 m). Si vous n'êtes pas fatigués, vous pouvez gagner le col de Caguo-Ven en marchant encore deux heures.*

*Continuer sur la D 27, puis prendre à gauche la N 98, direction la Môle. Poursuivre tout droit jusqu'à la forêt du Dom.*

### Forêt domaniale du Dom★

La vallée s'encaisse dans un beau massif forestier (pins, chênes-lièges et châtaigniers), où Jean Aicard a placé les exploits de son héros *Maurin des Maures*.

### Arboretum de Gratteloup

*Laisser la voiture sur le parking situé le long de la N 98, à hauteur de la maison forestière de Gratteloup - Vallée du Dom - 📞 04 94 01 38 38 ou 06 16 43 73 77 - accès libre tlj - gratuit.*

Créé en 1935, il s'étend sur près de 3 ha. La première partie, la plus ancienne, est plantée pour l'essentiel d'essences méditerranéennes (cyprès, pins, genévriers, charmes et ostryas). Les autres secteurs sont plus variés : cèdres métaséquoias, eucalyptus, érables, aulnes et bouleaux. Un secteur est réservé au châtaignier.

*Au col de Gratteloup, suivre la D 41, direction Bormes-les-Mimosas.*

## L'industrie du chêne-liège

Exigeant chaleur et humidité, on retrouve le chêne-liège au bord de la mer jusqu'à 500 m d'altitude environ. Il résiste particulièrement bien au feu. On le reconnaît aisément à son écorce crevassée et à son feuillage persistant. Le prélèvement de l'écorce, le **démasclage**, s'effectue la première fois lorsque l'arbre atteint l'âge de 25 ans.

Le temps de reconstituer une nouvelle assise de liège (tous les 9 à 10 ans), et on le découpe à nouveau, toujours en juillet et août, quand l'arbre est en sève. C'est alors l'écorce femelle, la plus prisée par l'industrie (fabrication d'agglomérés au Muy) et l'artisanat (plats, objets d'ornement et articles pour céramistes), qui est prélevée. La récolte est surtout exportée, notamment vers la Sardaigne. La production de liège des Maures est passé de 5 000 tonnes par an en 1965 à 500 tonnes en 1994. La profession de bouchonnier (une centaine à l'époque) a aujourd'hui pratiquement disparu.

S. Sauvignier / MICHELIN

### Col de Caguo-Ven

Alt. 239 m. **Vue** sur les rades d'Hyères et de Bormes, et sur Porquerolles.

🐾 Au col, prendre la route forestière vers l'est en direction du col de Barral et du col du Canadel. Après 45mn de marche, vous serez surpris par l'entassement de roches dit **Pierre-d'Avenon** (alt. 443 m). De là, **vue★** étendue sur tout le littoral des Maures, du cap Lardier à Hyères.

*Rejoindre Hyères par Le Pin, puis par la D 559.*

## ROUTE DES COLS★★ 2

*109 km au départ du Lavandou – Compter une journée.*

Ce beau circuit, qui emprunte des routes souvent désertes, est très accidenté (un peu éprouvant pour le conducteur !). Il pénètre profondément à l'intérieur des Maures.

### Le Lavandou★ *(voir ce nom)*

*Quitter Le Lavandou à l'ouest par la D 559, puis à la hauteur du Pin, prendre la D 41 à droite.*

La route s'élève en lacet parmi cyprès, eucalyptus, mimosas, lauriers blancs, roses et rouges. Belle **vue** en avant sur Bormes, dominé par son château.

### Bormes-les-Mimosas★ *(voir ce nom)*

La D 41 franchit le **col de Caguo-Ven** *(voir ci-dessus)*. Après une descente très sinueuse, elle atteint le **col de Gratteloup** (alt. 192 m).

Au-delà, on s'élève dans un paysage de chênes-lièges et de châtaigniers, tandis que, à droite et à gauche, alternent des vallons profonds et des échappées sur la mer et les montagnes qui dominent Toulon.

*Poursuivre sur la D 41.*

### Col de Babaou★

Alt. 414 m. Une belle **vue★** se découvre sur les marais salants d'Hyères, la presqu'île de Giens et les îles d'Hyères.

La route descend vers la vallée du Réal Collobrier qui s'élargit pour former le bassin de Collobrières, bien cultivé, et rejoint la D 14 que l'on prend à droite.

### Collobrières

Ce bourg très ombragé a gardé de pittoresques maisons qui dominent, près d'un vieux pont en dos d'âne, la rivière au courant rapide. On y exploite le liège des forêts voisines, on y cultive la vigne (vin rosé) et on entretient les châtaigneraies pour récolter les **marrons** dont le village s'est fait une spécialité *(voir l'encadré pratique)*.

À 6 km, au lieu dit La Croix d'Anselme, à droite, la sinueuse D 214 (en partie revêtue, la fin de parcours est très chaotique) conduit, à travers bois, au monastère de la Verne, bâtie dans un très beau **site★** sauvage, entre châtaigniers et chênes verts.

**Monastère de la Verne★** – ☎ 04 94 43 45 41 - avr.-sept. : tlj sf mar. 11h-18h ; reste de l'année : tlj sf mar. 11h-17h - fermé janv., Pâques, Ascension, Pentecôte, 15 août, 1er Nov. et 25 déc. - 5 € (12-18 ans 3 €). Avant d'entrer dans la chartreuse aux murs en schiste brun, dont les bâtiments datent pour la plupart des 17e et 18e s., vous prendrez le temps d'admirer le superbe **portail** monumental en serpentine, flanqué de deux colonnes annelées soutenant un fronton triangulaire.

L'entrée se fait par la porterie qui donne accès à de vastes salles constituant l'ancienne **hospitalité** : grange où l'on stockait le grain, boulangerie avec son four à pain *(vidéo sur les remarquables travaux de restauration)*. Un escalier mène aux remparts puis vous accédez à la **cellule « témoin »** reconstituée, humble « ermitage » où le moine vivait, priait et travaillait. Après avoir vu le **grand cloître de la solitude voûté** d'arêtes surbaissées, sur lequel s'ouvraient les cellules *(projet de restauration)*, et le cimetière, vous découvrez les arcades en serpentine du **petit cloître** qui donne sur l'église romane reconstruite. Enfin, par l'huilerie (avec sa « marre » où les olives étaient écrasées) et le cellier orné d'un grand Christ espagnol en bois, vous rejoignez la belle salle de la porterie de cet émouvant lieu de spiritualité, qui, petit à petit, retrouve sa magnifique apparence d'antan d'une grande sobriété.

☛ Des fourmis dans les jambes ? Sachez que vous pouvez vous en débarrasser en marchant autour du monastère sur le sentier « feuilles de chêne » aménagé par l'ONF.

*Revenir à la D 14.*

Après le **col de Taillude**, la route domine un vallon et, au-dessus, le monastère de la Verne ; puis, après le hameau de Capelude, situé en contrebas, elle longe le ruisseau du Périer au-delà duquel la **vue** porte sur la plaine de Grimaud et le golfe de Saint-Tropez. Brusquement, la route traverse la **vallée de la Giscle**, le ruisseau de Grimaud, d'où l'on distingue Grimaud et les belles ruines de son château.

### Grimaud★ *(voir ce nom)*

Piquant au sud par la D 558, on traverse la plaine de Grimaud.

### Cogolin *(voir ce nom)*

La N 98 remonte la vallée de la Môle. À 8 km de Cogolin, juste avant La Môle, la D 27, sinueuse, quitte la vallée pour traverser la chaîne littorale.

*Rejoindre le Lavandou par la route côtière.*

## DE SAINT-TROPEZ À SAINT-RAPHAËL ③

*39 km – une demi-journée (visite de Saint-Tropez et de Saint-Raphaël non comprise).*

*Quitter Saint-Tropez par le sud-ouest, D 98A.*

La route longe le sud du golfe de Saint-Tropez ; belles vues sur la rive opposée.

### Port-Grimaud★ *(voir Grimaud)*

*Revenir à la N 98 qui longe la rive nord du golfe, découvrant le beau site de Saint-Tropez. Suivre la N 98 jusqu'à Saint-Aygulf.*

### Saint-Aygulf *(voir Fréjus)*

Au-delà de Saint-Aygulf, la **vue** embrasse la plaine du bas Argens. Du massif des Maures se détachent les superbes rochers de la montagne de Roquebrune ; dans l'Esterel, on distingue, derrière le sémaphore du Dramont, le pic du Cap-Roux.

La route longe sur la gauche le parc d'attractions nautiques **Aqualand** *(voir l'encadré pratique de Fréjus)* avant de pénétrer dans Fréjus.

### Fréjus★ *(voir ce nom)*

*Quitter Fréjus au sud par le boulevard S.-Decuers.*

### Fréjus-Plage *(voir Fréjus)*

*La route du bord de mer mène à Saint-Raphaël.*

## ROUTE DES SOMMETS★ ④

*120 km au départ de Saint-Tropez – une journée.*

Ce circuit traverse des régions boisées et offre de belles vues. Par des routes peu fréquentées, il conduit au pied des sommets jumeaux du massif : Notre-Dame-des-Anges et la Sauvette.

### Saint-Tropez★★ *(voir ce nom)*

*Quitter Saint-Tropez par le sud-ouest, D 98A. La route longe le sud du golfe de Saint-Tropez. À la Foux, prendre la N 98 pour Cogolin.*

**Cogolin** *(voir ce nom)*

La route remonte la **vallée de la Môle**.

## La Môle

Peu avant le village, on aperçoit, à droite, le château, cantonné de deux tours rondes à poivrières, où **Antoine de Saint-Exupéry** (1900-1944) passa une partie de sa jeunesse. Le village du *Petit Prince*, est équipé d'un aérodrome : comme le désert, l'avion inspirait la méditation chez cet humaniste de l'action.

Puis on traverse de grandes exploitations de vignobles avant de s'enfoncer dans la **forêt du Dom★** *(voir circuit* 1 *).*

*Poursuivre sur la N 98. Au col de Gratteloup, prendre à droite la D 41, puis après La Rivière, la D 14 sur la droite. 3 km après Collobrières, prendre à gauche la D 39.*

Cette route sinueuse surplombe un ruisseau encaissé et permet d'apercevoir le sommet de la Sauvette à droite. Au col des Fourches s'embranche à gauche une petite route pour Notre-Dame-des-Anges dont on aperçoit bientôt le relais de la TDF.

## Notre-Dame-des-Anges★

Plus que pour le **prieuré,** refait au 19ᵉ s., ce site est admirable pour les **vues★** qu'il procure, au-delà du rideau d'arbres entourant la chapelle : les Alpes dans le prolongement de l'Argens ; la mer, les îles d'Hyères, la presqu'île de Giens et Toulon, par-delà les Maures ; la Sainte-Baume à l'ouest ; la Corse par temps très clair.

*Revenez au col des Fourches et tourner à gauche vers Gonfaron.*

*Depuis la table d'orientation de Notre-Dame-des-Anges s'offre un superbe panorama.*

La route passe à proximité du point culminant des Maures, **la Sauvette** (alt. 780 m), et descend vers la plaine du Luc.

## Gonfaron

Ce village, adossé au massif des Maures, est un centre actif de l'industrie bouchonnière. À la sortie nord, une chapelle consacrée à saint Quinis coiffe une butte isolée.

**Écomusée du Liège** – ℘ 04 94 78 30 05 - *visite guidée obligatoire (1h) sur RV - mar. 9h-11h, 15h-19h, mer. 10h12h, 14h-17h, vend. 9h-11h - fermé w.-end., 1ᵉʳ janv., août et 25 déc.- 4 € (–10 ans 2 €)* Les traditions du liège avec reconstitutions et outils y sont retracées.

**Village de tortues de Gonfaron** – *En arrivant dans le village de Gonfaron, prendre à droite la D 75 que l'on suit sur environ 2 km. Pour une visite plus intime (nourrissage et reproduction), préférer les créneaux horaires de 11h ou 16h - ℘ 04 94 78 26 41 - www.villagetortues.com - & - mars-nov. : 9h-19h - 9 € (enf. 6 €).* Bien à l'abri dans le maquis des Maures, plus de 2 500 tortues représentatives de trois espèces importantes se reproduisent ici paisiblement : tortues d'Hermann (friandes de feuilles de chêne, fruits et mollusques), cistudes (espèce aquatique française carnivore) et tortues grecques (animal de compagnie).

Une section « Petite Afrique » présente des espèces de Madagascar et d'Afrique Noire (l'association œuvrant dans ces pays). On visite également l'écloserie, la nurserie

## Espèce protégée

La **tortue d'Hermann** est la seule espèce terrestre autochtone (on en trouve également en Corse). Vieille d'un million d'années, elle peut vivre jusqu'à cent ans. Elle hiberne dans une souche d'arbre jusqu'en juin, moment où la femelle pond ses œufs dans un nid aussitôt abandonné. Victime en particulier des incendies, mais aussi des machines à débroussailler et du ramassage intempestif des promeneurs, elle est désormais protégée.

D. Pazery / MICHELIN

(pour les moins de 5 ans), le *terrarium* pour l'hibernation des juvéniles, les enclos et la clinique de soins (car ici on recueille aussi les animaux blessés ou malade).

Le village s'est enrichi d'une serre tropicale, de nouvelles tortues exotiques et d'un musée retraçant l'histoire et les caractéristiques de ces lents animaux.

*Prendre la D 75 vers l'est, puis la D 558.*

La route monte vers la Garde-Freinet, dominée par les ruines de son château.

## La Garde-Freinet *(voir ce nom)*

*Quitter La Garde-Freinet au sud, par la D 558.*

La route descend à travers chênes-lièges et châtaigniers, avec de beaux aperçus sur le golfe et la presqu'île de Saint-Tropez.

## Grimaud★ *(voir ce nom)*

*Rentrer à Saint-Tropez par les D 14, N 98 et D 98ᴬ à la Foux.*

## Massif des Maures pratique

&#9854; Voir aussi les encadrés pratiques de Bormes-les-Mimosas, Le Lavandou, la Garde-Freinet, Grimaud, Cogolin, Hyères, Sainte-Maxime, Ramatuelle, Le Rayol-Canadel, Roquebrune-sur-Argens, le Luc.

### Adresses utiles

**Maison du Tourisme Golfe de Saint-Tropez/Pays des Maures** – *Carrefour de la Foux - 83580 Gassin - &#9742; 04 94 55 22 00 - www.golfe-infos.com -avr.-sept. : 9h-19h, sam. 9h30-18h, dim 9h30-17h30 (du 15 juin au 15 sept.), j. fériés 10h-18h ; oct.-mars : 9h-18h, sam. 9h30-17h30, j. fériés 10h-18h.*

**Office du tourisme de Cavalaire** – *Maison de la mer - BP 32 - 83240 Cavalaire-sur-Mer - &#9742; 04 94 01 92 10 - www.cavalaire-sur-mer.com - du 15 juin au 15 sept. : 9h-19h ; reste de l'année : tlj sf dim. (hors vac. scol. et manifestations) 9h-12h30, 14h-18h, sam. 9h-12h30 - fermé 1ᵉʳ Mai, 1ᵉʳ et 11 Nov. et 25 déc.*

**Office du tourisme des Issambres** – *Pl. San Peïre - 83380 Les Issambres - &#9742; 04 98 11 37 25 - se renseigner pour les horaires.*

**Office du tourisme du Muy** – *19 allée Victor-Hugo - 83490 Le Muy - &#9742; 04 94 45 12 79 - www.lemuy-tourisme.com - juil.-*

*août : 9h15-12h15, 14h45-19h ; reste de l'année : tlj sf w.-end 9h15-12h15, 13h45-18h - fermé 1ᵉʳ janv., Pâques, 1ᵉʳ et 8 Mai, Ascension, 1ᵉʳ et 11 Nov. et 25 déc.*

**Office du tourisme de la Croix-Valmer** – *BP 56 - Espl. de la Gare - 83420 La Croix-Valmer - &#9742; 04 94 55 12 12 - www.lacroixvalmer.fr - de mi-juin à mi-sept. : 9h15-12h30, 14h30-19h, dim. 9h-13h (14 juil. et 15 août 9h-13h) ; reste de l'année : 9h15-12h, 14h-18h, w.-end 9h15-12h - fermé 1ᵉʳ janv., Pâques, 1ᵉʳ et 8 Mai, Ascension, 1ᵉʳ et 11 Nov. et 25 déc.*

**Office du tourisme de la Londe-les-Maures** – *Av. Albert Roux - 83250 la-Londe-les-Maures - &#9742; 04 94 01 53 10 - juil.-août : 9h-12h30, 15h-19h, dim. et j. fériés 10h-13h ; oct.-mars : tlj sf dim. 9h-12h30, 14h30-17h, j. fériés. 10h-13h ; avr.-mai et sept. : tlj sf dim. 9h-12h30, 14h30-18h30, j.fériés 10h-13h (14 juil. et 15 août 9h-13h) - fermé 1ᵉʳ janv. et 25 déc.*

**Office du tourisme de Collobrières** – *Bd Charles-Caminat - 83610 Collobrières - &#9742; 04 94 48 08 00 - www.collobrieres.fr - de déb. juin à mi-sept. : 10h-12h30, 15h-19h ; reste de l'année : tlj sf dim. et lun. 9h30-12h, 14h-17h30 - fermé j. fériés.*

## Mode d'emploi

État de fermeture des massifs forestiers, Massif des Maures, ℘ 04 98 10 55 41.

**Circulation** – Les voies de DFCI (Défense forestière contre l'incendie) sont assimilées à des voies privées et interdites en permanence à la circulation publique motorisée :
- ne pas y pénétrer avec un véhicule, même si la barrière est ouverte ;
- ne pas stationner devant ces barrières ;
- sur les chaussées étroites, bien se ranger sur les bas-côtés afin de ne pas gêner les véhicules d'intervention.

L'accès pédestre est toujours permis, sauf en cas de **plan ALARME**.

**Feu** – Interdit de faire du feu et de fumer de mi-mars à mi-octobre. En cas de risques sévères, le plan ALARME est appliqué : les voies publiques classées risques majeurs d'incendie peuvent être fermées à la circulation des véhicules ; lourdes amendes pour les contrevenants.

**Animaux** – Tenir son chien en laisse. Ne pas déranger les animaux sauvages.

**Camping sauvage** – Interdit à l'intérieur du massif et à -200 m de toute forêt.

**Châtaignes** – Dans l'ensemble des Maures, le ramassage non autorisé de châtaignes est assimilable au vol et passible d'une amende proportionnelle au poids de fruits.
En général, ne pas cueillir d'espèces protégées.

**Détritus** – Utiliser les poubelles ou remporter ses déchets avec soi.

**VTT** – Respecter les itinéraires et balisages prévus.

## Visites

**Balades Nature Accompagnées au cœur du Massif des Maures** – *Renseignements et inscriptions (payant, –10 ans gratuit) auprès des offices de tourisme : Bormes-les-Mimosas, Collobrières, Hyères, la Garde-Freinet, la Londe-les-Maures, Le Muy, le Pradet, Pierrefeu-du-Var :* (℘ 04 94 28 27 30), *Ramatuelle, Roquebrune-sur-Argens.* 11 communes proposent, en partenariat avec l'ONF, des sorties de 1 à 2h30 sur des thèmes différents. Calendrier disponible auprès du comité départemental du tourisme du Var (www.tourismevar.com ou www.webvds.com/sorties).

## Se loger

☺ **Golfe Bleu** – *Rte de la Croix-Valmer - 83240 Cavalaire-sur-Mer - 1 km de Cavalaire sur D 559 rte de La Croix-Valmer -* ℘ *04 94 00 42 81 - le.golfe-bleu@wanadoo.fr - fermé 2 nov.-31 janv. -* 🅿 *- 15 ch. 47/84 € - ☕ 7 € - rest. 22 €.* Cet hôtel familial est situé en bordure de route, légèrement à l'écart de la ville. Ses chambres, simples, propres et insonorisées en façade, sont parfois climatisées. Cuisine tradtionnelle et produits de la mer servis dans une salle à manger sobrement décorée ou sur une petite terrasse.

☺ **Chambre d'hôte Le Mas des Oliviers** – *Chemin les Ferrières - 83390 Puget-Ville - 2,5 km par N 97 rte de Cuers -* ℘ *04 94 48 30 89 - www.masdesoliviers. sup.fr - 🛏 - 3 ch. 59/68 € - ☕ - repas 24 €.* Agréable étape que ce joli mas provençal planté au milieu de 3 ha de vignes et d'oliviers. Chambres spacieuses et bien tenues, décorées aux couleurs du Midi. Salle de musculation et sauna ; possibilités de promenades à cheval ou à vélo.

☺☺ **Chambre d'hôte L'Amandari** – *Vallat d'Emponse - 83120 Plan-de-la-Tour -* ℘ *04 94 43 79 20 - www.provence-holidays. com - 6 ch. 70/130 € - ☕ 8 € - repas 27 €.* De cette ancienne bergerie, cachée au bord d'un ruisseau, se dégage une atmosphère de calme et de convivialité. Les petites chambres coquettes et personnalisées se répartissent autour d'un patio. La piscine, le jardin et les terrasses incitent à la paresse.

☺☺ **Chambre d'hôte La Sultanine** – *Quartier La Galiasse - 83420 La Croix-Valmer - au NE à 2,5 km rte du Brost et chemin à droite -* ℘ *04 94 79 72 07 - 🛏 - 4 ch. 90/110 € ☕.* Cyprès, pins, oliviers, orangers, vignes et lavande composent l'environnement de ce mas situé en pleine nature. Il abrite 3 chambres spacieuses et confortables, au décor sobre et élégant, avec accès direct sur l'extérieur. La quatrième, aménagée dans un ancien cabanon, allie charme et simplicité ; terrasse privative et agréable salle d'eau. Accueil chaleureux.

## Se restaurer

☺ **Alizés** – *Prom. de la Mer - 83240 Cavalaire-sur-Mer -* ℘ *04 94 64 09 32 - http://lesalizescavalaire.site.voila.fr - formule déj. et dîner 14 € - 17/25 € - 18 ch. 77/150 € - ☕ 9 €.* L'ambiance animée et la gouaille des patronnes sont dignes de Pagnol et de Raimu… Dans un cadre actuel, offrant une échappée sur la « grande bleue », on propose une cuisine familiale avec mention spéciale pour les poissons et les desserts maison. Chambres rénovées et climatisées.

☺☺ **Restaurant des Maures** – *19 bd Lazare-Carnot - 83610 Collobrières -* ℘ *04 94 48 07 10 - 18/40 €.* Cette auberge de village connaît un vrai succès tout au long de l'année. Il faut dire que le très bon rapport qualité-prix du menu et la chaleur de l'accueil entretiennent les fidélités. Service sur la terrasse ombragée de platanes en été.

☺☺ **Chante-Mer** – *Au village - 83380 Les Issambres -* ℘ *04 94 96 93 23 - fermé 15 déc.-31 janv., dim. soir de sept. à Pâques, mar. midi et lun. - 22/35 €.* Sympathique adresse familiale où la patronne et ses deux filles assurent l'accueil et le service, tandis que le patron mitonne une goûteuse cuisine traditionnelle. Vous vous attablerez avec plaisir en terrasse ou dans la coquette salle à manger.

⊜⊜ **La Petite Fontaine** – *6 pl. République - 83610 Collobrières - ☎ 04 94 48 00 12 - fermé vac. de fév. et en sept. -⊟ - 24/28 €.* Cuisine familiale aux couleurs provençales : anchoïade, petits farcis, soupe au pistou… à déguster dans la salle à manger au cadre rustique ou, l'été, sous le grand arbre qui ombrage la place.

### Que rapporter

**Marché de la Croix Valmer** – *Dim.*

**Confiserie Azuréenne** – *Bd Gén.-Kœnig - 83610 Collobrières - ☎ 04 94 48 07 20.* Fabrication de marrons glacés, marrons au naturel, crème de marron… Visite du musée des 50 ans du marron glacé.

### Sports & Loisirs

**Smash Club** – *Av. du Golf - 83980 Cavalière - ☎ 04 94 05 84 31 -août : 8h-* 2h ; avr.-juin, sept.-oct. : 9h-21h ; nov.-mars : 14h30-19h.
Il y en a pour tous les goûts dans ce complexe sportif : 6 courts de tennis, un practice de golf, une salle de musculation, un pas de tir à l'arc, un sauna, des VTT à louer. Une nouveauté : un parcours « Indiana River ».

### Événements

**Fête de la châtaigne** – À Collobrières les trois derniers dimanches d'octobre. À Gonfaron, avant-dernier week-end d'octobre, pl. de la Victoire.

**Festival de la nature** – 4 jours fin mai à Collobrières. Randonnées, expositions, animations, balades nature accompagnées et conférences.

# Menton★★

## Mentoun

### 28 812 MENTONNAIS
### CARTE GÉNÉRALE E4 – CARTE MICHELIN LOCAL 341 F5 – SCHÉMAS P. 309 ET 329 – ALPES-MARITIMES (06)

Son climat passe pour être le plus chaud de la Côte d'Azur. Une végétation tropicale prospère, palmiers et citronniers en tête, fait qu'on ose à peine parler d'hiver dans cette ville au merveilleux cadre montagneux, adossée à des pentes boisées ou cultivées d'agrumes et d'oliviers. Festivités et promenades occuperont estivants comme hivernants.

▶ **Se repérer** – Menton se situe à une trentaine de kilomètres à l'est de Nice par les corniches *(voir corniches de la Riviera)*. Ceux qui veulent y accéder rapidement sans regarder le paysage défiler prendront l'A 8.

🅿 **Se garer** – Nombreux parkings près du port.

👁 **À ne pas manquer** – La découverte de la vieille ville ; la promenade du soleil ; une halte culturelle au palais Carnolès ; la visite des jardins de la Serre de la Madone et du Val Rameh.

🕐 **Organiser son temps** – Aux heures fraîches de la journée, accordez-vous 2h pour visiter la vieille ville et longer le bord de mer. Préférez les visites guidées des jardins (1h30 en moyenne) pour profiter des trésors verdoyants et des allées ombragées. Ici, vous souffrirez moins de la chaleur que sur la plage.

👪 **Avec les enfants** – La découverte du jardin de la Serre de la Madone (guide édité pour les enfants) et de son parc ornithologique *(se renseigner pour les horaires spécifiques de visite)*. Le petit train, le parc Koaland *(voir l'encadré pratique)*.

🚶 **Pour poursuivre la visite** – Voir aussi la Riviera Italienne *(voir p. 19)*, en particulier Vintimille, ville médiévale avec son grand marché le vendredi, les jardins Hanbury et Bordighera. Les stations balnéaires voisines : Cap d'Ail *(voir Corniches de la Riviera)*, Beaulieu-sur-Mer, Villefranche-sur-mer, Roquebrune-Cap-Martin et la voisine Principauté de Monaco.

### La fête du Citron

Les citrons, spécialités réputées de l'agriculture locale, aujourd'hui en partie importés d'Espagne, règnent sur le **Carnaval de Menton** depuis la première exposition d'agrumes (1929). 120 tonnes de citrons, oranges, pamplemousses, kumquats, fixés par des élastiques sur des armatures en métal, illustrent un thème nouveau chaque année. Ils sont revendus en gros à bas prix après la fête (défilé de chars, expositions, attractions).

# Comprendre

**Entre France et Italie** – Les fouilles des Rochers Rouges de Grimaldi, à la frontière italienne, attestent une présence humaine dès le paléolithique supérieur, mais on ne sait pas grand chose de la suite. Fondé au 13e s., Menton devient propriété des **Grimaldi de Monaco** en 1346, bien que son église dépende de l'évêché italien de Vintimille.

**Ombrelles et couronnes** – En 1860, Menton est rattaché à la France, juste avant l'invasion de la Côte d'Azur par l'aristocratie européenne. Jusqu'en 1914, cette dernière vient à Menton soigner sa

*L'hôtel Riviera Palace.*

tuberculose ou simplement passer un hiver douillet. Palaces et autres bâtiments somptueux fleurissent, tandis que les Mentonnais continuent à cultiver avec succès les olives et surtout les citrons.

**Ville d'artistes** – Parmi les architectes qui s'illustrèrent à Menton à la Belle Époque, outre **Charles Garnier** qui y résida (et dessina les plans de deux villas) et le Danois **Georg Tersling**, citons le Mentonnais **Adrien Rey** qui a laissé, entre autres, l'agréable marché couvert du quai de Monléon (1898), décoré de céramiques colorées dues à la fabrique locale des Saïssi. Dans un tout autre art, **Émile Zola** écrivit à Menton *La Faute de l'abbé Mouret*, dans la villa Le Paradou, et la Néo-Zélandaise **Katherine Mansfield** (1888-1923), *L'Étranger, La Femme de chambre, La Jeune Fille*.

**Aujourd'hui** – Les guerres mondiales n'ont pas épargné Menton, la première en sonnant le glas du tourisme Belle Époque, la seconde par deux occupations, italienne et allemande. Depuis, le tourisme d'été a largement contribué au développement de la ville, dont la zone résidentielle s'étend à l'ouest jusqu'à toucher Roquebrune-Cap-Martin, et à l'est vers la frontière italienne. La ville est encore cosmopolite ; beaucoup d'Italiens y viennent en voisins.

# Se promener

## LA VIEILLE VILLE★★
*Compter 2h.*

### Rue Saint-Michel
Cette rue piétonne, bordée d'orangers et de nombreuses boutiques, conduit au cœur du vieux Menton. À mi-chemin, à droite, l'agréable **place aux Herbes**, dotée d'une colonnade et d'une fontaine, donne accès au marché.

*Arrivé place du Cap, monter la rue des Logettes.*

Celle-ci se transforme bientôt en **rue Longue**, ex-artère principale de la ville et ancienne via Julia Augusta.

### Parvis Saint-Michel★★
*Accès par les rampes du Chanoine-Gouget.* Dans ce décor à l'italienne, vous apprécierez la vue sur la mer et la ville. Pavé d'une belle mosaïque de galets gris et blancs dessinant les armes des Grimaldi, le parvis est encadré par les façades baroques de deux églises et par de vieilles demeures mentonnaises.

### Façade de la chapelle de la Conception★
Chapelle des Pénitents-Blancs (1689), très restaurée au 19e s. ; guirlandes de fleurs en stuc, fronton en anse de panier surmonté des statues des trois Vertus théologales.

### Basilique Saint-Michel-Archange
*Parvis Saint-Michel - ℰ 04 93 35 81 63 - tlj sf w.-end : 10h-12h, 15h-17h.*
La plus belle et la plus vaste **église baroque** de la région. Façade jaune et vert pâle à deux étages, flanquée, à gauche, de la tour (15e s.) d'une église antérieure coiffée d'un campanile à tuiles vernissées (17e s.), et, à droite, du grand campanile (53 m) d'allure génoise ajouté au début du 18e s. Les statues au-dessus des portes figurent saint Michel entouré de saint Maurice et de saint Roch.
L'intérieur en croix latine, inspiré de l'Annunziata de Gênes, est somptueux. Les chapelles latérales, au décor baroque dû en partie à des artistes mentonnais comme Puppo et Vento sont les chapelles funéraires de notables mentonnais et monégasques. Dans

le chœur, **buffet d'orgue** (17e s.), stalles du 18e s. surmontées de *Saint Michel* (1569) de Manchello, maître-autel au baroque exubérant.

À droite du chœur, la chapelle des princes de Monaco : un tableau y représente sainte Dévote, patronne de la principauté, devant le Rocher (17e s.). Lors de son mariage, en 1757, Honoré III de Monaco offrit à la basilique des tentures en damas amarante (rouge), visibles tous les cinq ans dans le chœur et la nef.

*Une rampe en escalier accède à la rue du Vieux-Château, qui aboutit au cimetière.*

### Cimetière du Vieux-Château

*Chemin du Trabuquet -* 📞 *04 93 57 95 99 - mai-sept. : 7h-20h ; oct.-avr. : 7h-18h.*

Ses terrasses superposées, que l'on distingue nettement du port, occupent l'emplacement de l'ancien château médiéval. Chaque niveau accueille une religion ou une nationalité différente, celles notamment des riches hivernants du Menton du 19e s. Parmi eux : le révérend Webb Ellis, prétendu inventeur du rugby, les oncle et tante (Delano) du président américain Roosevelt, des princes russes (Troubetzkoy, Volkonsky, Ouroussof) et l'architecte danois Georg Tersling, concepteur de nombreux palaces et résidences sur la Côte.

À la pointe sud du cimetière anglais, belle **vue**★ sur la vieille ville, la mer et la côte, de la pointe Mortola en Italie jusqu'au cap Martin.

*Descendre la montée du Souvenir, qui ramène au parvis.*

👣 En dehors de ce circuit, voyez aussi quelques décors Belle Époque : ancien hôtel d'Orient *(1 r. de la République)* ; Winter-Palace *(20 av. Riviera)* ; Riviera-Palace *(28 av. Riviera)* ; marché couvert *(quai de Monléon)*.

## LE BORD DE MER ET LES PLAGES

*Depuis le casino municipal.*

### Promenade du Soleil★★

🏖️ *Environ 2 km de promenade.* D'un côté, la mer et une longue plage de galets gris ; de l'autre, la vieille ville et les Alpes, puis toute la façade littorale de la ville moderne. Des terrasses de cafés permettent de s'asseoir face à la mer.

### Vieux port

Utilisé par les pêcheurs et les plaisanciers, il est encadré par le **quai Napoléon-III**, le long de la jetée du phare, et par la **jetée Impératrice-Eugénie**. De son extrémité, près de la sculpture de Volti, *Saint Michel à la mer*, **vue**★ sur le vieux Menton soutenu par des arcades ; au fond, sur les montagnes de l'arrière-pays et la côte du cap Martin à Bordighera (le cap Mortola cache Vintimille).

### Plage des Sablettes

*Planche à voile et scooter des mers interdits.* Cette plage de graviers est surplombée par le **quai Bonaparte**. De là, agréable coup d'œil sur la vieille ville.

### Garavan

Autrefois isolé de Menton, à côté de la frontière italienne, Garavan en est devenu un luxueux quartier résidentiel, où vous découvrirez nombre de témoignages (souvent

*À la tombée du jour, les quais s'illuminent et la basilique s'enflamme.*

E. Baret / MICHELIN

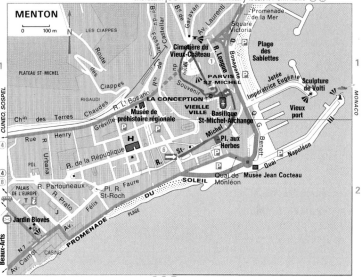

ROQUEBRUNE-CAP MARTIN, MONTE-CARLO, EZE ② ⑥ ⑩

représentatifs du style éclectique alors en vogue) de l'architecture Belle Époque comme la fondation Barriquand-Alphand, d'Abel Gléna (bd. de Garavan). Le port de plaisance peut accueillir à quai des unités de 40 m de long. La petite **chapelle Saint-Jacques**, édifice baroque du 17e s., abrite des expositions municipales.

# Découvrir

## LES JARDINS DE MENTON★

Menton, où fleurit l'oranger, ressemble dès la fin du 18e s à une vaste serre à ciel ouvert. Les anglais qui s'y pressent l'hiver, y créent de véritables jardins d'acclimatation, en important leur goût légendaire pour la botanique et une harmonie végétale incontestable.

### Jardins Serre de la Madone★

*74 rte de Gorbio, voir schéma p. 263 - ℰ 04 93 57 73 90 - www.serredelamadone.com - possibilité de visite guidée (1h30) à 15h (mar. et vend. visites assurées par des guides conférenciés de la mairie de Menton) - avr.-oct. : tlj sf dim. 10h-18h - déc.-mars : tlj sf dim. 10h-17h - fermé nov., 1er janv., 1er Mai et 25 déc. - 8 € (12-18 ans 4 €).*

« Serre » signifie « crête » en provençal. Ce grand jardin en pente, créé entre les années 1924 et 1939 par le « gentleman jardinier » **Lawrence Johnston**, est classé monument historique depuis 1990 et appartient au Conservatoire du littoral depuis 1999. Son histoire tumultueuse en a fait un lieu d'exception : à son apogée, en 1935, où des variétés sont alors importées par container du monde entier, puis réduit à néant pendant la Seconde Guerre mondiale, il fut laissé à l'abandon durant 24 ans avant d'être sauvé de la spéculation immobilière par ses voisins.

Il règne dans ce jardin botanique une atmosphère unique, apaisante et rafraîchissante. Ici se succèdent des petits jardins variés en terrasses (serre froide, jardin des collections, hispano-mauresque, aride, le boulingrin, etc.), réorganisés selon le milieu d'origine. Des grands arbres (dont une espèce non identifiée !) font écran aux environs et cachent une jolie villa et de grands bassins. Là se mêlent essences exotiques, dont certaines variétés uniques dans la région (le plus gros Afro Carpus du pays, un

*La villa du Val Rameh et son jardin exotique.*

original pseudo panax ferox, le rarissime hakea cucullata originaire du Sud-Ouest de l'Australie, etc.), et arbres locaux (cyprès, chênes verts, pins parasols mais pas de palmier), dans un cadre où l'intérêt ornithologique est aussi très prononcé (40 espèces sont répertoriées).

### Jardin du Val Rameh★

*Voir schéma p. 263. - ℰ 04 93 35 86 72 - avr.-sept. : 10h-12h30, 15h-18h30 ; oct.-mars : tlj sf w.-end 10h-12h30, 14h-17h - fermé 1er Mai - 5 € (7-15 ans 2,50 €).*

Ce jardin botanique touffu est au meilleur de ses couleurs en juin-juillet. Créé en 1905 par **Percy Racliff** autour de la villa Val Rameh, il est, depuis 1966, l'antenne méditerranéenne du muséum d'Histoire naturelle. Il regroupe plus de 700 espèces végétales venant d'Australie, d'Asie et d'Amérique : agrumes, fruits exotiques (passiflore, sapote blanche, goyave, avocat), bassin de lotus de l'Inde et seul exemplaire du **Sophora toromiro**, l'arbre mythique de l'île de Pâques. De ses terrasses, vue vers la ville ancienne et la mer.

### Jardin Fontana Rosa

*Av. Blasco-Ibáñez, voir schéma p. 263. Visite uniquement avec la Maison du Patrimoine - ℰ 04 92 10 97 10/33 66- visite guidée (1h30) vend. 10h - fermé j. fériés.- 5 €.*

La villa Fontana Rosa se signale à l'attention du passant par son porche orné de céramiques représentant de grands noms de la littérature espagnole. Elle a été créée en 1921 par le romancier **Vicente Blasco-Ibañez**. Kiosque, bancs et bassins couverts de céramique colorée donnent de fait un petit air espagnol au jardin.

### Jardin de Maria Serena

*21 promenade Reine-Astrid, voir schéma p. 263. Visite uniquement avec la Maison du Patrimoine - ℰ 04 92 10 97 10/33 66- visite guidée (1h30) mar. 10h - fermé j. fériés - 5 €.*

Construite (suppose-t-on) par Charles Garnier, la villa Maria Serena, qui longe la frontière italienne, est entourée du jardin le plus tempéré de France : il n'y fait jamais moins de 5 °C (ce qui lui valu le surnom de « petite Afrique »). Collection de palmiers et de cycas ; vue sur Menton et la vieille ville.

### Jardin Biovès

Beau jardin de ville avec palmiers, orangers, citronniers, et fleurs, décoré de fontaines et de statues (*Déesse aux fruits d'or*, de Volti). Jolie **perspective** sur les montagnes de l'arrière-pays.

### Oliveraie du Pian

*Bd de Garavan - possibilité d'y accéder par un escalier depuis le jardin du Val Rameh.*

Plus de 530 oliviers centenaires. On s'y donne rendez-vous pour la promenade du dimanche ou pour pique-niquer.

## Visiter

### Musée des Beaux-Arts (palais Carnolès)★

*Accès par l'av. Carnot - 3 av. de la Madone - ℰ 04 93 35 49 71 - tlj sf mar. 10h-12h, 14h-18h - fermé j. fériés - gratuit.*

Le bâtiment, ancienne résidence d'été des princes de Monaco, fut construit au 17e s. dans l'esprit du Grand Trianon. Il accueillit le gotha avant d'être acheté au 19e s. par l'Américain Allis, célèbre ichtyologiste (qui étudie les poissons), qui le fit restaurer et redécorer par l'architecte danois Tersling et l'Allemand Matthiessen. Ce dernier réalisa un superbe décor de fresques à la mode antique. Le Grand Salon de Musique Antoine Ier et le Salon Bleu ont conservé leurs stucs et leurs dorures. Remarquez l'escalier en fer forgé.

L'**art ancien** *(étage)* est illustré par des peintures essentiellement religieuses d'artistes français, italien et flamand : œuvres de Louis Brea, du maître de la Maddalena (13e s.), de Léonard de Vinci, de Bernadino Orsi et de Ph. de Champaigne. Quelques tableaux modernes de Suzanne Valadon, Kisling et Camoin.

Les expositions temporaires *(rez-de-chaussée)* de **peinture moderne et contemporaine** puisent dans la collection Wakefield Mori (Picabia, Forain, Dufy…), les apports des Biennales de peinture et les dons des artistes (Gleizes, Desnoyers, Delvaux, Sutherland).

À la sortie, en hiver, les arbres du **jardin d'agrumes** (plus de 400 d'une cinquantaine d'espèces) seront chargés de fruits ; en toute saison, vous apprécierez les sculptures modernes bordant les allées.

## Musée Jean-Cocteau

*Le Bastion - Quai Napoléon-III -* 📞 *04 93 57 72 30 - tlj sf mar. 10h-12h, 14h-18h - fermé j. fériés - 3 € (–18 ans gratuit), gratuit 1er dim. du mois.*

Ce bastion, bâti par Honoré II de Monaco (17e s.), a été restauré et transformé en musée (salle des gardes et magasins de munitions) sous la direction de Cocteau, qui y travailla à partir de 1957. À l'extérieur, remarquez les mosaïques en galets réalisées dans la tradition mentonnaise par l'artiste *(Orphée, Faune de la jeunesse, Mentonnaise et Pêcheur).* L'entrée est ornée au sol de l'emblème méditerranéen, le lézard ; au mur, la tapisserie *Judith et Holopherne,* fut qualifiée par Matisse de « seule vraie tapisserie moderne ». Cocteau dessina spécialement pour son musée les vitrines en fer forgé qui abritent ses vases zoomorphes. La tapisserie l'*Âge du Verseau* fut tissée par les ateliers des Gobelins. À l'étage, série de pastels *Les Innamorati* (1961). Remarquez le portrait de Cocteau par McAvoy.

## Hôtel de ville

*17 r. de la République -* 📞 *04 92 10 50 00 - www.villedementon.com - tlj sf w.-end 8h30-12h30, 13h30-17h - fermé j. fériés. Visite de la salle des mariages Jean Cocteau -* 📞 *04 92 10 50 20 - 1,50 €.*

Ce bel édifice inspiré du style italien abrite une **salle des mariages★** décorée par **Jean Cocteau** : histoire d'Orphée et Eurydice et une noce imaginaire. Un pêcheur à l'œil en forme de poisson porte l'ancien bonnet des pêcheurs de Menton, une jeune fille est coiffée d'un chapeau niçois. Au plafond, la Poésie chevauche Pégase, la Science jongle avec les planètes et l'Amour n'est plus aveugle. Cocteau a choisi le mobilier lui-même : les candélabres en forme de palmier, les chaises de type espagnol, la peau de panthère face à la table de mariage. Il a également dessiné les deux Marianne gravées sur les miroirs de l'entrée.

## Musée de Préhistoire régionale

*R. Lorédan-Larchey -* 📞 *04 93 35 49 71 - tlj sf mar. 10h-12h, 14h-18h - fermé j. fériés - gratuit.*

Joli bâtiment (1909) construit spécialement par l'architecte Adrien Rey. Les fouilles de Bonfils, naturaliste mentonnais du 19e s., dans les grottes de Grimaldi ont fourni le noyau des collections de préhistoire régionale *(rez-de-chaussée),* dont on suit les grandes étapes de 1 million d'années à 1 500 ans av. J.-C. *(salle de projection, bornes interactives).* Le feu, la métallurgie, l'agriculture, mais aussi la maladie, l'art, le quotidien : des scènes reconstituent la vie des premiers hommes de la région, à Caucade, au mont Bego, au Cavillon. L'histoire, l'art et les traditions mentonnaises sont retracés à travers des reconstitutions d'intérieurs (cuisine et chambre), des objets traditionnels de la culture du citron, des olives et de la pêche.

## Église orthodoxe russe

*R. Paul-Morillot. Accès par l'av. Carnot -* 📞 *04 92 10 97 10 - visite guidée (1h30) : 4e sam. du mois 14h30 - fermé juil.-août - 5 €.*

Œuvre de l'architecte danois **Georg Tersling** (1892). Ses dimensions modestes sont plutôt celles d'une chapelle. Intérieur richement décoré de peintures murales réalisées par le prince Gagarine et de nombreuses icônes.

### L'Annonciade★

*6 km. Quitter Menton par les avenues de Verdun et de Sospel et tourner à gauche dans une petite route (signalée) en forte montée et très sinueuse.*

La **chapelle** (17ᵉ s.) est un centre de pèlerinage marial depuis le 11ᵉ s. L'endroit vaut surtout par le **panorama★** depuis la terrasse, côté mer (de la pointe de Bordighera au cap Martin) et côté terre (montagnes autour de Menton).

## Aux alentours

### Gorbio★

*9 km. Quitter Menton par la D 23, route de Gorbio, étroite et tortueuse.*

Le val de Gorbio, très fleuri, bordé d'oliviers, de pins et de luxueuses résidences, précède Gorbio, perché dans un **site★** rocheux et sauvage. Ruelles pavées de galets, fontaine Malaussène dans une rue voûtée et orme planté en 1713, sont à découvrir dans cette cité médiévale. En contournant l'église, beau **point de vue** sur la mer vers la pointe de Bordighera.

### Sainte-Agnès★

*13 km. Quitter Menton au nord par l'avenue Carnot, puis à droite le cours René-Coty, l'avenue des Alliés et la route des Castagnins (D 22).*

Route en montée continue au-dessus du val de Gorbio. Au **col Saint-Sébastien** (alt. 602 m), **vue★** sur le joli village de Sainte-Agnès, le plus haut du littoral, et son site : une falaise de calcaire gris que le soleil couchant enflamme de superbes teintes roses. Petites rues étroites, voûtées, pavées de galets et bordées de boutiques d'artisans (rue Longue, rue des Comtes-Léotardi). Près du cimetière, un chemin mi-caillouteux, mi-maçonné conduit aux ruines du château : jardin médiéval, table d'orientation et vaste **panorama★★**.

### Fort Maginot de Sainte-Agnès –

*Parking sud (à droite à l'entrée du village) à côté. Même en été, prévoir un vêtement chaud, il fait froid à l'intérieur. ☎ 04 93 35 84 58 - juil.-sept. : visite guidée (1h) 15h-18h ; oct.-juin : w.-end 14h30-17h30 ; fév. (pdt la fête du Citron à Menton) - 3,05 €.* Dissimulé par le décrochement naturel des rochers, le fort fut construit de 1931 à 1938 pour renforcer le secteur alpin de la **ligne Maginot** et protéger les

> ## Résistance
>
> Ce point d'appui en 1940 était défendu par le capitaine de réserve instituteur **Jean Allègre**. Il s'engagea dans le groupe résistant « Franc-Tireur » et devint chef de l'Armée Secrète à Nice. Emprisonné en Italie puis déporté à Neuengamme, il en revint.

approches de la baie de Menton, au sud-est. Outre canons et mortiers, la visite, agrémentée d'animations et de scénographies, fait découvrir l'organisation de ce fort creusé profondément dans la falaise, ainsi que le quotidien spartiate de la garnison.

De la plate-forme en contrebas du fort, **vue★★** sur la côte de Bordighera au cap Martin ; à droite, le mont Agel.

### Castellar

*13 km. Quitter Menton au nord par la route de Castellar.*

Agréable village perché, aux vieilles rues parallèles reliées par des passages voûtés. Place Clemenceau, vue sur la mer et les sommets environnants. À l'intersection des GR 51 et 52, c'est également un centre d'excursions pédestres.

*Au retour, au bout de 2,5 km, prendre le sinueux « chemin du Mont-Gros ». Belles vues sur la côte et l'arrière-pays.*

### Roquebrune-Cap-Martin★ *(voir ce nom)*

## Circuit de découverte

### ROUTE DU COL DE CASTILLON

*21 km – environ 1h30. Quitter Menton par les avenues de Verdun et de Sospel.*

La route du col, dite aussi route de la Garde, relie le pays mentonnais au bassin de Sospel grâce aux vallées du Carei et du Merlanson, torrent affluent de la Bévéra.

La D 2566 remonte la **vallée du Carei★**. La rive gauche est dominée par les crêtes de la frontière franco-italienne. Aux citronniers succèdent oliviers et pins. Au-delà du hameau de Monti, jolie vue sur Menton, la mer et le village de Castellar, alors que la route longe la forêt de Menton.

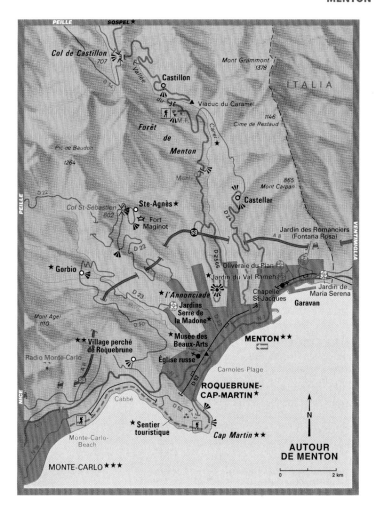

## Forêt de Menton

Belle forêt d'essences variées, aménagée pour la balade. Les petits sentiers sont indiqués par des panneaux de bois. Les parcours grande randonnée sont balisés en blanc et rouge, les sentiers de pays en jaune et rouge.

*1h AR*. Près d'une maison forestière, un chemin, à gauche, mène à une table d'orientation : **vue★** sur la côte.

La route passe ensuite près du beau **viaduc** courbe du Caramel, emprunté jadis par le tramway Menton-Sospel.

## Castillon

Le village a été reconstruit deux fois, après un tremblement de terre (1887) et des bombardements (1944). Le quartier des artisans d'art (vitrail, peinture, sculpture…) domine le nouveau village, modèle d'urbanisme rural, bâti à mi-pente en style provençal. Du sommet, **vue** sur la vallée du Carei et la mer.

*Après le village, à gauche : route d'accès direct à la vallée de Sospel, par des tunnels suivant l'ancien tracé du tramway. La route de droite atteint bientôt le col.*

## Col de Castillon

Alt. 707 m. **Vue** sur la vallée de la Bévéra avec, au loin, les cimes de Peïra-Cava et de l'Authion *(voir forêt de Turini)*. À gauche, la D 54 monte vers le col Saint-Jean. Puis, longue descente dans le verdoyant vallon du Merlanson. En approchant de **Sospel** *(voir ce nom)*, oliviers et vignes en terrasses remplacent la forêt. Vue sur le fort du Mont-Barbonnet, puis sur la ville de Sospel et les hauteurs qui l'encadrent.

# Menton pratique

## Adresse utile

**Office du tourisme de Menton** – *Palais de l'Europe - 8 av. Boyer - 06500 Menton -* ℘ *04 92 41 76 76 - www.menton.fr - de mi-juin à mi-sept. : 9h-19h ; reste de l'année : 8h30-12h30, 14h-18h, dim. 9h-12h30 - fermé 1er janv., 1er Mai et 25 déc.*

## Transports

**Train** – ℘ *0892 35 35 35 - www.ter-sncf.com/paca.* La ligne TER Nice/Vintimille dessert Monaco et Menton.

**Bus** – *Gare routière - av. de Sospel - ℘ 04 93 35 93 60. Ticket à l'unité et carnet de 10 en vente auprès des conducteurs. Coupon mensuel à la gare routière.* 10 lignes desservent Menton et ses environs.

## Visites

👁 **Bon à savoir** – Les mosaïques de **galets** posés sur la tranche sont une tradition mentonnaise très décorative. Prévoyez des semelles épaisses si vous avez l'intention d'arpenter longuement les ruelles de la vielle ville…

**Visites guidées** – *S'adresser à la Maison du Patrimoine - 24 r. Saint-Michel - programme sur www.menton.fr - ℘ 04 92 10 33 66, josiane.tricotti@ville-menton.fr ou www.vpah.culture.fr - 5 €.* Menton est labellisé **Ville d'art et d'histoire,** les visites-découvertes sont animées par des guides-conférenciers agréés par le ministère de la Culture et de la Communication.

**Visites de jardins** – La Maison du Patrimoine *(voir ci-dessus)* organise des visites des jardins toute l'année. Meilleurs moments : Mois des jardins *(juin)*, Journées méditerranéennes du jardin et Journées du patrimoine *(sept.).*

**Petit train** – *Dép. Jardin du Bastion - ℘ 04 93 41 31 09 - www.menton.fr - visite commentée (30mn) 10h-12h, 14h-19h (17h de Noël à Pâques). En juil.-août, nocturnes (20h30-23h30) pour voir Menton illuminé.*

**Compagnie de Navigation et de Tourisme** – *3 bis Traverse du Bastion, quai Napoléon III, Vieux Port de Menton - ℘ 04 93 35 51 72 et 04 93 35 36 38 - pour la Riviera française (1h45) ; pour la Riviera italienne (1h45) et les îles de Lérins.* Cette compagnie organise des promenades en mer commentées au départ de Menton.

## Se loger

🛏 **Hôtel Paris Rome** – *79 porte de France - ℘ 04 93 35 73 45 - www.paris-rome.com - fermé 1er nov.-28 déc. - 22 ch. 57/89 € - ⊐ 10 €.* Sympathique petit « home » familial posté à l'entrée du port de Garavan. Intérieur mi-rustique, mi-provençal. Chambres rajeunies. Séjours à thème (culturel, pêche, etc.). Cuisine aux saveurs méditerranéennes.

🛏 **Hôtel de Londres** – *15 av. Carnot - ℘ 04 93 35 74 62 - www.hotel-de-londres.*

com *- fermé 1er nov.-10 janv. - 27 ch. 60/115 € - ⊐ 8,50 € - rest. 25 €.* Rénovation réussie pour cet accueillant hôtel situé à deux pas du front de mer. Chambres de taille variable, bien insonorisées et meublées dans un style rustique ou moderne ; elles sont toutes climatisées en façade. La terrasse, en net retrait de la rue, est très agréable.

🛏🍽 **L'Aiglon** – *7 av. Madone - ℘ 04 93 57 55 55 - www.hotelaiglon.net -* 🅿 *28 ch. 67/146 € - ⊐ 9,50 €.* Cette belle villa allie au charme de son jardin l'agrément d'une terrasse avec piscine. Le salon a conservé son décor mixte de peintures et mosaïque. Quelques palmiers majestueux veillent sur les tables dressées dans le jardin.

🛏🍽 **Hôtel Prince de Galles** – *4 av. du Gén.-de-Gaulle - ℘ 04 93 28 21 21 - www.princedegalles.com - fermé 22 nov.-6 déc. -* 🅿 *- 65 ch. 72/112 € - ⊐ 10,50 €.* Cette villa fut la caserne des carabiniers des princes de Monaco. Vous serez bien accueilli dans son décor soigné et relativement cossu. Préférez les chambres avec vue sur la mer. Restaurant Le Petit Prince avec terrasse dans le jardin.

🛏🍽 **Hôtel Orly** – *27 porte de France - ℘ 04 93 35 60 81 - www.hotelorly.com - fermé 15 nov.-27 déc. -* 🅿 *- 29 ch. 75/140 € - ⊐ 6 € - rest. 23 €.* Hôtel du front de mer que seule la route sépare des plages de Garavan. Chambres fonctionnelles, plus tranquilles à l'arrière. Recettes traditionnelles servies en terrasse ou dans une sobre salle à manger éclairée par de vastes baies.

🛏🍽 **Chambord** – *6 av. Boyer - ℘ 04 93 35 94 19 - www.hotel-chambord.com - 40 ch. 95/115 € - ⊐ 8 €.* Hôtel confortable situé près du palais de l'Europe. Petits-déjeuners exclusivement servis dans les chambres. Elles sont insonorisées et presque toutes dotées d'un balcon.

## Se restaurer

🍽 **Au Petit Gourmand** – *11 r. Trenca - ℘ 04 93 35 79 27 - fermé 10-25 janv., 25 juin-10 juil., mar. et merc. - 23,70/29,70 €.* Fort d'un passage chez Michel Guérard à Eugénie-les-Bains, le maître des lieux présente une carte originale à l'accent provençal, travaillée au gré des saisons et des marchés. La petite salle ornée de tableaux et prolongée d'une terrasse devient ainsi le refuge des gourmets en quête de saveurs renouvelées.

🍽 **Le Boudoir** – *14 av. Boyer - ℘ 04 93 28 28 09 - 24/45 €.* Les jolies petites salles à manger ont effectivement des allures de boudoirs. Belle terrasse ombragée. Cuisine au goût du jour et suggestion du marché.

🍽 **A Braijade Méridiounale** – *66 r. Longue - ℘ 04 93 35 65 65 - www.abraijade.com - fermé 6-12 janv., 15 nov.-5 déc., merc. et le midi en juil.-août -*

25/45 €. Simple restaurant discrètement niché dans une des pittoresques ruelles de la vieille ville. Intérieur chaleureux : cheminée, poutres et pierres apparentes. Le chef propose une cuisine régionale et des grillades.

☺☺ **Auberge Pierrot-Pierrette** – *Pl. de l'Église, à Monti - ℘ 04 93 35 79 76 - fermé 1ᵉʳ déc.-15 janv. et lun. - 28/39 €.* C'est dans un petit hameau tranquille perché sur les hauteurs de Menton que se niche cette auberge familiale entourée d'un jardin qui embaume la rose. La cuisine provençale généreuse et bien tournée achèvera de vous convaincre avec ses raviolis à la niçoise ou à la mentonnaise, ses paupiettes de veau farcies et autre daurade royale en bouillabaisse.

### En soirée

👁 **Bon à savoir** – Le climat de Menton étant réputé pour être le plus doux de la Côte d'Azur, la ville attire particulièrement les personnes âgées. D'où le grand nombre de salons de thé et de restaurants qui occupent cette charmante station balnéaire. Les noctambules seront peut-être déçus : les bars de nuit sont rares.

*Le casino.*

D. Pazery / MICHELIN

**Casino Barrière de Menton** – *Av. Félix-Faure - ℘ 04 92 10 16 16 - www.lucienbarriere.com - à partir de 10h.* Jeux traditionnels et machines à sous, restaurant, discothèque, salle de spectacles, bar-lounge.

**Palais de l'Europe de Menton** – *8 av. Boyer - ℘ 04 92 41 76 50 - www.villedementon.com - galerie d'expo. : tlj sf mar. 10h-12h, 14h-18h ; billetterie office de tourisme : tlj sf w.-end 10h-12h, 14h-17h.* Beau palais de 730 places où sont organisés des ballets, des opéras et opérettes, des pièces de théâtre et des concerts de musique classique. Le bâtiment comprend également une galerie d'art contemporain où sont présentées des expositions temporaires dont l'accès est gratuit.

### Que rapporter

**Marchés** – Marché couvert quai de Monléon. Marché du Careï en haut des jardins Biovès, sous le pont du chemin de fer.

**Citron** – Les boutiques déclinent le fruit d'or sous forme de tartes, pains d'épice, confitures, bonbons, pâtes d'amande, vins de citron, savons, bougies, eaux de toilette, parfums…

**Confitures Herbin** – *2 r. du Vieux-Collège - ℘ 04 93 57 20 29 - www.confitures-herbin.com - tlj sf dim. 9h15-12h, 15h15-19h, dim. en sais. 10h30-12h, 16h-19h.* Difficile de ne pas succomber au péché de gourmandise dans cette maison familiale qui produit un nombre impressionnant de confitures, mais aussi des confits, des moutardes, des vinaigres et des miels aux saveurs variées. Si le cœur vous en dit, vous pourrez visiter la fabrique artisanale.

### Sports & Loisirs

👁 **Bon à savoir** – La Promenade de la Mer concentre la plupart des organismes de loisirs : clubs de voile, de plongée, d'ULM… A ne pas manquer : le club de tennis et le Palais de l'Europe.

⚐▲ **Koaland** – *Av. de la Madone - ℘ 04 92 10 00 40 - juil.-août : 10h-12h, 16h-0h ; reste de l'année : 10h-12h, 14h-19h - fermé mar. sf vac. scol.* Parc de loisirs pour les plus jeunes. Minigolf et restauration de type snack (boissons, crêpes, glaces, etc.).

**ULM Club** – *Prom. de la Mer - ℘ 04 93 14 00 12 - mai-sept. : 8h-21h ; oct.-avr. : 9h-17h sur demande préalable.* Ce club dispose d'une base hydro ULM où l'on propose baptêmes de l'air et vols d'initiation à l'hydravion à bord d'un Weedhopper Europa 2. Sensations fortes garanties !

### Événements

**Fête du Citron** – *℘ 04 92 41 76 95.* Trois semaines en février, autour de Mardi gras. Réserver au moins 2 mois à l'avance, l'événement attire beaucoup de monde.

**Salon des Orchidées** – Pendant la fête du Citron : corso fleuris, nocturnes et feux d'artifice.

**Festival de Musique de chambre** – *℘ 04 92 41 76 95.* La 1ʳᵉ quinzaine d'août, concerts donnés sur le parvis de la basilique Saint-Michel. Solistes et chefs d'orchestre prestigieux ont bâti sa réputation internationale.

**La procession aux limaces** – Elle a lieu à Gorbio le jour de la Fête-Dieu (juin). Des coquilles d'escargot posées sur les fenêtres sont remplies d'huile et garnies d'une mèche allumée.

# Vallée des **Merveilles**★★

CARTE GÉNÉRALE D1 – CARTE MICHELIN LOCAL 341 F3/4 – ALPES-MARITIMES (06)

À l'ouest de Tende, non loin de la frontière italienne, dans un spectacle grandiose, cirques, vallées, lacs glaciaires et moraines cernent le mont Bégo (alt. 2 872 m) de leur atmosphère minérale façonnée par les glaciations du quaternaire. Ce site du Parc national du Mercantour est réputé pour ses gravures rupestres, dont la plupart remontent à l'âge du bronze ancien, entre 2 800 et 1 300 ans av. J.-C. Ces « merveilles » constituent l'un des ensembles les plus riches d'Europe.

- ▶ **Se repérer** – On atteint le site de la vallée des Merveilles par la vallée de la Roya.

- 👁 **À ne pas manquer** – Les peintures rupestres à ciel ouvert.

- ⏱ **Organiser son temps** – Les gravures s'admirent de juin à septembre et se méritent après 2h à 3h de marche guidée dans un paysage magique.

- 🕯 **Pour poursuivre la visite** – Voir aussi Tende, la vallée de la Vésubie et la Brigue.

> 👁 **Le saviez-vous ?**
>
> La vallée fut ainsi nommée par le savant britannique **Clarence Bicknell** qui, le premier, étudia ces gravures au 19e s. Les passionnés pourront trouver certains précieux originaux des gravures au **musée de Tende** *(voir ce nom)*.
> Pour ce qui est du mont Bégo, *be* signifie en langage pré-indo-européen « montagne sacrée » et *go*, « habitée par le dieu-taureau ».

## Comprendre

**Repérage** – Le site de la vallée des Merveilles est composé de sept secteurs distincts rayonnant autour du **mont Bégo** : la **vallée des Merveilles** elle-même ; logée entre le Grand Capelet et le mont Bégo, elle est la plus vaste et regroupe plus de la moitié des gravures ; la **vallée de Fontanalbe**, moins étendue, rassemble près de 40 % des gravures ; enfin, les secteurs de Valmasque, Valaurette, du lac Sainte-Marie, du col du Sabion, du lac Vei del Bouc ne détiennent que de rares gravures dispersées. La découverte pédestre du parc est facilitée par ses 600 km de sentiers aménagés, dont le GR 5, le GR 52$^A$ qui constitue le sentier panoramique du Mercantour et traverse la vallée des Merveilles, ainsi que par des sentiers de découverte à l'Authion, le Boréon et à la Madone de Fenestre *(voir vallée de La Vésubie et forêt de Turini).*

**Parc national du Mercantour** – Créé en 1979, il s'étend sur une superficie de 68 500 ha dans les Alpes-Maritimes (22 communes) et les Alpes-de-Haute-Provence (6), s'étageant entre 590 m et 3 143 m d'altitude.
Partie française de l'ancienne réserve de chasse des rois d'Italie qui occupait avant 1861 les deux versants des Alpes,

*Logo du Parc national du Mercantour*

Parc national du Mercantour

le Parc national du Mercantour est jumelé depuis 1998 au **Parco Naturale delle Alpi Marittime** (anciennement de l'Argentera) avec lequel il possède 33 km de frontière commune. Ces deux organismes s'associent sur différents dossiers : le suivi des espèces animales qui parcourent l'ensemble de ce domaine protégé, la mise en place d'une signalétique transfrontalière, etc. Ils projettent de créer un « parc européen », et dans un premier temps travaillent à la présentation d'une candidature commune pour un classement au Patrimoine mondial de l'Unesco (les deux parcs sont inscrits sur la liste indicative française depuis 2003).

**Faune et flore** – Le Mercantour est le seul massif européen à accueillir les trois ongulés montagnards, amoureux des cirques, vallées glacières et gorges profondes du Parc : chamois (plus de 9 000), mouflons (890) et bouquetins des Alpes (plus de 520). Les milieux boisés de moyenne altitude abritent le cerf et le chevreuil, ou le lièvre, l'hermine et la marmotte. Les volatiles comprennent le tétras-lyre, la perdrix des neiges ou lagopède, et un bel échantillon de rapaces : circaète, aigle royal. La réintroduction du **gypaète barbu** *(voir la vallée de La Vésubie)* s'y est effectuée avec succès, et pour la première fois en France depuis 1942, des **loups** ont effectué un retour naturel (des plus controversés) dans le massif du Mercantour, depuis l'Italie où ils sont protégés *(voir Saint-Martin-Vésubie).*

Outre le **mélèze**, la plus célèbre parmi les 2 000 espèces végétales représentées (dont 220 rares) : le *saxifrage florulenta* (espèce endémique qui fleurit une fois dans sa vie), premier symbole du parc. Du rhododendron à la gentiane, en passant par une soixantaine de variétés d'orchidées, le parc offre toute une palette de couleurs.

**Les gravures** – Les environs du **mont Bégo** constituent un musée préhistorique en pleine nature : plus de 40 000 gravures y ont été recensées. Relevées et identifiées depuis la fin du 17e s., elles ne furent systématiquement étudiées qu'à partir de 1897 par le Britannique Clarence Bicknell, puis par le sculpteur Carlo Conti de 1927 à 1942. Le rattachement de la région à la France en 1947 a permis une intensification des recherches, notamment par l'équipe d'Henry de Lumley (muséum d'Histoire naturelle) qui répertorie depuis près de trente ans l'ensemble des gravures sur un territoire de 14 ha.

Celles-ci sont inscrites sur de grandes dalles de schiste ou de grès polis, les chiappes, pans de roches lissées il y a 10 000 ans par l'érosion glaciaire. La technique est celle du piquetage : les contours et les surfaces sont obtenus par juxtaposition de petites cupules de 1 à 5 mm de diamètre creusées à l'aide d'outils de silex ou de quartz.

Il faut distinguer les gravures linéaires, de l'époque gallo-romaine à nos jours, de celles, bien antérieures, qui fascinent les archéologues : les plus nombreuses datent de l'âge du bronze ancien (entre 2800 et 1300 av. J.-C.).

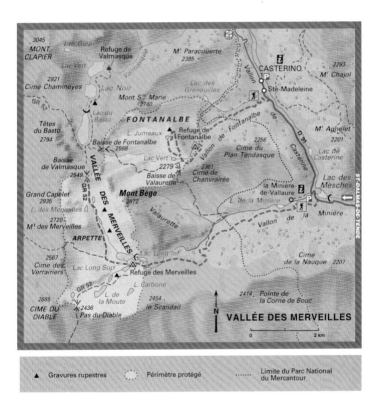

▲ Gravures rupestres     ⬚ Périmètre protégé     ⋯⋯ Limite du Parc National du Mercantour

**La montagne magique** – Ces gravures témoignent des croyances des peuplades ligures des basses vallées qui auraient divinisé le mont Bégo et en auraient fait un lieu de pèlerinage. Ce dernier serait une puissance à la fois tutélaire en raison des eaux qui en descendent et redoutable par ses orages fréquents et violents.

Le thème le plus important est le culte du taureau, associé, ici comme ailleurs, à celui de la montagne : les dessins de bovidés, les symboles cornus se retrouvent dans les trois quarts des gravures. La présence d'araires ou de herses attelées aux animaux atteste la pratique de l'agriculture ; des dessins réticulés évoquent des enclos ou des parcelles de champs. Par ailleurs, les armes (poignards, haches et sagaies) représentées en nombre, sont proches de celles de sites archéologiques contemporains. Peu nombreuses, les figures anthropomorphes ont été baptisées, pour les plus connues,

Espaces naturels

*Gravures rupestres de la voie sacrée.*

le **Sorcier**, le **Christ**, le **Chef de tribu**, la **Danseuse**… D'autres, plus énigmatiques, autorisent toutes les interprétations, tel l'**Arbre de vie** à Fontanable.

# Randonnées

## Vallée des Merveilles

*10 km au départ de Saint-Dalmas-de-Tende. Par la D 91, se rendre au lac des Mesches pour laisser la voiture.*

👣 *8h AR environ, pour les bons marcheurs.* Gagnez par la piste balisée le refuge des Merveilles puis le lac Long *(3h)*, départ des visites guidées du secteur de l'Arpette et d'un sentier de découverte pour la visite libre *(2h AR)*.
Possibilité de passer la nuit au refuge *(réserver)* et, le lendemain, de parcourir la vallée des Merveilles jusqu'à la **Baisse de Valmasque** *(2h30)*. Regagnez le parking des Mesches par le même itinéraire qu'à l'aller.

## Fontanalbe

*12 km au départ de Saint-Dalmas-de-Tende. Suivre la D 91, puis rejoindre, par la vallée de la Minière, le hameau de Casterino pour y laisser la voiture.*

👣 *5h AR. Plus facile que la précédente, cette randonnée est recommandée aux familles.* Avant les premières constructions, empruntez à gauche la piste sous bois signalée Fontanalbe avec un panneau d'information et suivez-la jusqu'au refuge *(1h)*. Là, contournez le bâtiment par la gauche et poursuivez jusqu'au **lac Vert** *(30mn)*, point de départ du sentier de découverte *(1h30 AR)* en visite libre. Pour les visites guidées des gravures, continuez le sentier bordant le lac jusqu'à la maison des gardes aux **lacs Jumeaux** *(30mn)*.
En passant la nuit au refuge de Fontanalbe *(réserver)*, vous pourrez le lendemain vous engager sur les contreforts du mont Bégo jusqu'à la **Baisse de Fontanalbe** (alt. 2 568 m) qui offre de superbes échappées sur les trois lacs de la vallée de la Valmasque. Retour par le même itinéraire qu'à l'aller.

## Vallée des Merveilles pratique

♿ Voir aussi l'encadré pratique de Tende.

### Adresses utiles

**Parc national du Mercantour** – 23 r. d'Italie - 06000 Nice - ☎ 04 93 16 78 88 - www.parc-mercantour.fr - tlj sf w.-end 8h30-12h30, 14h-17h - fermé j. fériés.
**Maison du Parc national à Tende** – Av. du 16-Septembre-1947 - 06430 Tende - ☎ 04 93

04 73 71 - www.tendemerveilles.com - juil.-août : 9h-12h, 14h-18h ; reste de l'année : tlj sf dim. 9h-12h, 14h-17h - fermé j. fériés sf 14 Juil. et 15 août.

**Point d'information estival du Parc national à Castérino** – ☎ 04 93 04 89 79 - du 1er juin au 14 juil. : tlj sf mar. 9h30-13h, 15h-17h ; du 15 juil. à la fin août : 9h30-13h, 15h-18h - fermé sept.-mai.

## Visite

**Réglementation des sites rupestres** –
Les sites des gravures rupestres des
Merveilles et de Fontanalbe sont classés
Monuments Historiques, et sont donc
soumis à une réglementation spéciale.
La libre circulation n'est autorisée que sur
certains sentiers de randonnée : le **GR 52**,
le sentier de découverte des gravures et
sur les sentiers qui le rejoignent du Pas de
l'Arpette et du refuge de Fontanalbe ; il
est interdit de s'en écarter. Des
pictogrammes (reproduits ci-dessous)
rappellent aux visiteurs les règles à
respecter dans le but de protéger les
gravures. Tout graffiti ou dégradation de
roche est passible de très fortes amendes.
Pour avoir accès aux gravures situées loin
de ces sentiers, il est obligatoire d'utiliser
les services des visites guidées à heures
fixes organisées par les accompagnateurs
agréés par le Parc national du Mercantour,
dont la liste peut être obtenue auprès des
points d'information du parc et des offices
du tourisme des vallées de La Vésubie
*(voir Saint-Martin-Vésubie)*, de la Roya *(voir
Tende)* et de Menton.

Défense de
marcher
sur les gravures

Défense d'utiliser
des cannes ou des
bâtons ferrés

Défense de
toucher
aux gravures

Défense de quitter
les sentiers
balisés sans
accompagnateurs
agréés

*Réglementation des sites rupestres.*

Parc national du Mercantour

**Visite guidée des gravures** – *Pour la vallée
des Merveilles : dép. du refuge CAF des
Merveilles juil.-août : 8h, 11h, 13h et 15h ; juin :
w.-end et j. fériés 8h et 13h. ; sept. : lun., vend. et
w.-end 8h et 13h - 10 € (enf. gratuit).
Pour la vallée de Fontanalbe : dép. du refuge de
Fontanalbe 8h, dép. du pont du Lac Vert, 11h et
14h. Juil.-août : tlj ; juin : w.-end et j. fériés ; sept. :
lun., vend. et w.-end - 10 € (enf. gratuit).*

## Se Loger

👁 **Bon à savoir** – Il est impératif de
réserver sa nuit.
**Refuge de Fontanalbe** – *06430 Tende -
☎ 04 93 04 89 19 - de mi-juin à mi-sept.*
Ravitaillement possibles sur place.
**Refuge des Merveilles** – *06430 Tende -
☎ 04 93 04 64 64 - déb. juin à fin sept. ; hors
sais. se renseigner au ☎ 04 93 62 59 99
ou 04 93 04 69 22.* Demi-pension possible
sur place.

## Sports & Loisirs

**Randonnées pédestres** – Il est important
de garder à l'esprit que les visites et les
randonnées décrites s'effectuent en haute
montagne (entre 1600 et 2 500 m). Un
minimum de précautions est donc
nécessaire : bonne condition physique,
chaussures de montagne et surtout
vêtements chauds et imperméables. Les
orages étant fréquents et parfois d'une
violence redoutable, il et prudent au
préalable de s'informer des conditions
météorologiques. Pour étudier l'itinéraire
à emprunter, il est conseillé de se référer
aux cartes au 1/25 000. Le schéma indique
les itinéraires accessibles dans ces
périmètres protégés.

**Association des guides,
accompagnateurs et amis des Alpes
méridionales** – *Bureau AGAAM de la haute
Vésubie - 06450 St-Martin-Vésubie -
☎ 04 93 03 26 60.* Organisme spécialiste
de la vallée des Merveilles.
**Merveilles, gravures & découvertes** –
*10 montée des Fleurs - 06430 Tende -
☎ 06 86 03 90 13 ou 04 93 04 89 72 -
gravureinfo@yahoo.fr - en fonction des
disponibilités - 10 € (enf. 5 €).*
Des accompagnateurs en montagne
agréés par le Parc national du Mercantour
de la vallée de la Roya, spécialistes de la
vallée des Merveilles, organisent la visite
du site archéologique, ainsi que de
nombreuses sorties thématiques : flore,
faune ou des séjours.
**Destination Merveilles** – *10 r. des
Mesures - 06270 Villeneuve-Loubet -
☎ 04 93 73 09 07 - www.destination-
merveilles.com - tlj sf w.-end 9h-12h, 13h-
16h30.* Organise des sorties et des séjours
randonnée dans la vallée des Merveilles
ou des randonnées en liberté.

## Événement

**Raid du Mercantour** – Dans les vallées de
la Roya-Bevera, raid multisport
combinant VTT, course d'orientation à
pied et à VTT, « Bike & Run », canyoning,
via ferrata et canoë raft, sur deux ou trois
jours selon la catégorie, en septembre.

# Principauté de **Monaco**★★★

**32 020 HABITANTS**
CARTE GÉNÉRALE E4 – CARTE MICHELIN LOCAL 341 F5 – SCHÉMAS P. 309 ET 329

Décor d'opérette sur le Rocher, palaces et casinos rococo, paradis du jeu, architecture californienne ou « bonsaï » sur la côte est, ville de parade et ville policée, une famille princière telle qu'on l'aime… Monaco, c'est tout cela à la fois, mais c'est aussi de superbes jardins, un Musée océanographique remarquable et des hôtels… abordables.

▶ **Se repérer** – L'État souverain sur ses 2 km² comprend : Monaco-Ville (« le Rocher », vieille ville) et Monte-Carlo (ville créée en 1860) réunis par la Condamine (le port), Fontvieille à l'ouest (l'industrie en site propre et quartier résidentiel) et le Larvotto à l'est (la plage). Visitez la ville à pied ou en bus… car y circuler en voiture relève de l'exploit, du moins si vous n'êtes pas pilote de formule 1 *(voir la rubrique « Transports » dans l'encadré pratique)*.

👁 **À ne pas manquer** – Les grands appartements du Palais princier ; le musée océanographique ; les jardins exotique et japonais. Les randonneurs emprunteront le sentier touristique du cap Martin pour apprécier un paysage rayonnant, vu différemment depuis la terrasse du Casino. Les remparts de la vieille ville vous offriront un autre visage de la principauté.

🕐 **Organiser son temps** – Pour profiter du Rocher sans vous presser, votre visite mérite au minimum deux jours. Attention, le mois de novembre et particulièrement le 19, jour de fête nationale, vous risquez de trouver portes closes un peu partout. Préférez le printemps et l'été pour en faire le tour.

👥 **Avec les enfants** – La collection de voitures anciennes, le Musée océanographique et le Musée national ; l'aquavision *(voir l'encadré pratique)*.

🦯 **Pour poursuivre la visite** – Voir aussi les Corniches de la Riviera, entre Nice et Menton.

## Comprendre

**Les Grimaldi** – Le site de Monaco a été habité dès les temps préhistoriques. Il fut fondation phénicienne, phocéenne puis romaine, mais c'est avec la dynastie des Grimaldi que Monaco prend sa véritable place dans l'histoire. Cette famille compte de nombreuses branches : à Antibes, à Cagnes et à Beuil, à Gênes et à Naples. En 1330, 96 chefs de famille mâles sont dénombrés. Dans le cadre de la lutte des Guelfes contre les Gibelins, **François Grimaldi**, expulsé de Gênes, s'empara de Monaco en 1297, déguisé en moine ainsi que ses hommes (d'où son surnom de « la Malice » et les deux moines armés qui figurent sur le blason des Grimaldi), mais il ne put s'y maintenir. Le véritable fondateur de la dynastie des Grimaldi est **Charles dit 1**er (1331-1357) qui s'installa à Monaco en 1331. Depuis le décès de Rainier III (1923-2005), son fils, Albert II, règne sur la Principauté.

L'histoire de la dynastie fut agitée. Au 16e s., Jean II est tué par son frère Lucien ; celui-ci est à son tour assassiné par son neveu Barthélemy Doria. En 1604, le corps d'Hercule Ier est jeté à la mer par ses sujets. Monaco passe de main en main : sous protectorat (devenu occupation) espagnol (1524-1641), sous protection française (1641-1793) ; après annexion à la France (1793-1814), Monaco passe sous protectorat

---

### Le saviez-vous ?

👁 Du latin, du pré-celtique ou du grec, le sens de « Monaco » varie entre mont ou moine (allusion à la prise de Monaco en 1297). On retiendra celui de « Monoikos », associé au 1er s. av. J.-C. au port d'Hercule (vénéré des Grecs), qui signifie « à Hercule unique ». Les temps ont bien changé depuis !

👁 **Sainte Dévote**, la patronne de Monaco est célébrée le 27 janvier. Le 26 au soir a lieu l'embrasement d'une barque en souvenir de celle qui recueillit le corps mutilé d'une jeune fille appelée « Devota » en l'an 304 selon la légende. Guidée par une colombe, la barque aurait conduit la sainte depuis la Corse jusqu'à Monaco.

👁 Sur les 32 020 habitants, seuls 7 200 sujets monégasques et quelques résidents étrangers sont dispensés d'impôts directs.

👁 Vouée aux fastes princiers, la ville vit, cependant, naître en 1917 un fameux rebelle, le chanteur **Léo Ferré**, dont le père était employé au casino.

de la Sardaigne (1815-1861), avant de revenir sous protection de la France. Menton et Roquebrune, qui appartenaient en propre aux Grimaldi, ont été cédés par traité à la France en 1861, sous Napoléon III.

**La naissance de Monte-Carlo** – En 1856, afin de se créer des ressources, le prince de Monaco **Charles III** autorise l'ouverture d'une maison de jeux. Celle-ci s'installe chichement sur le rocher de Monaco, modeste et unique ville de la Principauté. En 1862, une autre bâtisse est élevée sur l'ancien plateau des Spélu-

## Le berceau du sport automobile

Dès 1898, les premières voitures sans chevaux défilent dans des concours d'élégance. Créé en 1911, le prestigieux **Rallye de Monte-Carlo** est devenu le championnat du monde de grand tourisme. Depuis 1929, le Grand Prix de Monaco est l'une des épreuves les plus célèbres du championnat du monde de Formule 1 avec sa spectaculaire « course dans la cité ».

gues ou Monte-Carlo : elle est isolée, nul ne voulant acheter aux alentours un terrain avec obligation de construire. Mais tout va changer quand **François Blanc**, le directeur du casino de Bad Homburg (ville d'eaux de la Hesse) en devient concessionnaire. Grâce à ses talents et à ses capitaux, il réussit là où ses prédécesseurs avaient échoué : en quelques années, le succès s'installe et le plateau se couvre de constructions somptueuses ; la fameuse **société des Bains de Mer** (SBM), animée par François Blanc, en est en grande partie propriétaire. Toute l'aristocratie d'Europe en villégiature défile dans les palaces, le casino et l'opéra de Monte-Carlo.

En 1933 avec l'autorisation donnée en France et en l'Italie d'ouvrir des casinos, Monaco perd son monopole et de nombreux clients… mais, rassurez-vous, la principauté trouve très vite d'autres moyens d'en gagner.

**Une économie florissante** – Attirant sur son sol le tourisme par ses manifestations sportives ou culturelles, et des sociétés étrangères en quête de privilèges fiscaux, Monaco n'a cessé de se construire… jusqu'à occuper tout l'espace disponible. Qu'à cela ne tienne ! On décida de remblayer la mer : près de 25 % du territoire actuel ont été ainsi gagnés. Le **tourisme** reste la grande activité de la Principauté. Sans négliger la clientèle traditionnelle, il s'oriente résolument vers le tourisme d'affaires et de congrès, dont Monaco souhaite augmenter significativement la part à l'horizon 2008 afin d'optimiser l'occupation de son centre de congrès (le Grimaldi Forum), ainsi que les développements considérables de ces dernières années (hôtels entièrement rénovés et ouvertures de nouveaux établissements augmentant la capacité actuelle de près de 34 %). La Principauté est également un bassin d'emploi de 42 000 salariés pour Monaco et les communes françaises voisines (industries de transformation, secteur tertiaire, commerce, surtout à Fontvieille).

**Un urbanisme révolutionnaire** – L'exiguïté du territoire monégasque (150 ha sur 3 km de long) se prêtait mal à l'explosion économique du milieu des années 1960, qu'accompagnèrent les premiers grands projets d'urbanisme.

Une première période, jusqu'à la fin des années 1970, privilégia la **construction verticale** de surface. Ainsi, une dizaine d'immeubles de grande hauteur (IGH), supérieurs à 30 étages, ont vu le jour et ont consacré le paysage « américain », traduction architecturale du développement économique monégasque.

Depuis les années 1980, une nouvelle conception se développe pour satisfaire l'extension des besoins résidentiels et de services : il semble que l'avenir immobilier de la ville se situe… dans ses **sous-sols** ! Les nouveaux accès routiers directs sont désormais reliés au réseau français par de profonds tunnels. Les communications entre chaque quartier sont facilitées par des batteries d'ascenseurs automatiques ou d'escalators. Les façades de certains fastueux hôtels de Monte-Carlo dissimulent des rampes d'accès à de vastes parkings publics s'enfonçant dans le roc.

À **Fontvieille**, une véritable presqu'île de 22 ha a été gagnée sur l'élément marin en dix ans pour y aménager des zones résidentielles et récréatives (parc paysager, musées, centres commerciaux). Le **stade Louis-II**, dans le nouveau complexe sportif de Fontvieille, a été conçu par H. Pottier selon des normes parasismiques. Ses lignes sont audacieuses.

À l'aube du 21e s. a été construit un immense palais de congrès et d'expositions, le **Grimaldi Forum**, encastré le long du rivage du Larvotto. D'autres projets à plus long terme mettront en œuvre des techniques encore plus audacieuses et novatrices (offshore), telle la création de lagons artificiels en vue de bâtir des quartiers au-dessus des hauts-fonds marins de la Principauté.

# Se promener

## LE ROCHER DE MONACO★★

*Compter 3h. Laisser la voiture dans l'immense parking des Pêcheurs creusé dans le rocher et prendre l'ascenseur.*

Le promontoire, couronné des **remparts** de la vieille ville et surplombant la mer, invite d'emblée à faire son ascension. Là, un véritable décor de théâtre vous accueille, avec de jolies maisons pimpantes des 16e-18e s., fraîchement colorées d'un même rose-saumon, serrées dans un lacis de ruelles engageantes. Vous êtes au cœur de la Principauté, là où se trouvent les principales attractions : le Musée océanographique *(voir « Découvrir »)* et la chapelle de la Visitation *(voir « Visiter »)*, la cathédrale et le palais. Et, afin de jouer le jeu de la Principauté jusqu'au bout, vous ne manquerez pas la relève de la garde !

*Monaco vu depuis la Grande Corniche.*

### Monte Carlo Story

*Sur les terrasses du parking, à proximité du Musée océanographique - ☎ 00 377 93 25 32 33 - ⚐ - juil.-août : 14h-18h ; reste de l'année : 14h-17h - fermé 1er Nov.-25 déc. - 7 € (enf. 3,50 €).*
Historique *(30mn)* sur écran géant de la dynastie des Grimaldi et évolution de la Principauté jusqu'à l'avènement et l'intronisation du Prince Albert II.

### Terrasse du Musée océanographique

*Arrêtez-vous au deuxième niveau.* La **vue**★★ s'étend de l'Esterel à la Riviera italienne. Dominant les constructions modernes de la Principauté, on reconnaît la Tête de Chien et derrière, le mont Agel, avec ses antennes de télédiffusion.
*Suivre l'avenue Saint-Martin sur la gauche, en direction de la cathédrale.*

### Jardins Saint-Martin★ B/C2-3

La végétation méditerranéenne sème ses effluves à travers des allées ombragées, offrant de belles échappées sur la mer. On y rencontre la statue en bronze d'Albert Ier (par François Cogné, 1951).

### Cathédrale B2

Édifiée de 1875 à 1911, dans un style roman-byzantin alors en vogue, elle vaut surtout pour son bel ensemble de **primitifs niçois**★★. Remarquez trois retables des Brea : le **retable de Saint-Nicolas**, par Louis Brea, comprend 18 compartiments, aux couleurs rutilantes, qui entourent saint Nicolas sur son trône épiscopal. Les personnages sont, pour la plupart, nommés : en bas à gauche, sainte Dévote, patronne de Monaco ; à droite, l'admirable sainte Madeleine ; en haut à droite, sainte Anne portant curieusement la Vierge enfant et Jésus. Sur le retable dit **Pietà du curé Teste** (du nom du donateur, 1505), par Louis Brea, se distingue le paysage de Monaco. Enfin, vous regarderez le retable des Pénitents Blancs par François Brea (1530).
Trois autres panneaux de l'école ligure du 16e s. retiennent l'attention dans le déambulatoire : saint Roch, saint Antoine et le Rosaire.

Le maître-autel est en marbre blanc incrusté de mosaïques et de cuivre. Dans la chapelle, bel autel de style Renaissance espagnole (1662).

*Par la rue Comte-Félix-Gastaldi (remarquer les portails Renaissance), gagner la rue Princesse-Marie-de-Lorraine.*

### Chapelle de la Miséricorde B2

Édifiée de 1639 à 1646 par la confrérie des Pénitents Noirs dans le style baroque. Remarquez l'autel de marbre polychrome et Vierge (18e s.), les statues de saint Honoré et de sainte Dévote. Son beau **Christ gisant** *(niche de droite)*, du Monégasque Bosio, est porté solennellement le Vendredi saint dans les rues de la vieille ville.

*En sortant, prendre à droite la rue Basse.*

### Place du Palais★ B2

Sur le côté sud-ouest de la place, la **promenade Sainte-Barbe** donne sur le cap d'Ail. La place est protégée par les canons et boulets des 17e-18e s. et, au nord-est, par un parapet crénelé d'où la **vue** s'étend sur le port et la Condamine, qui paraît bien basse, le plateau de Monte-Carlo et la pointe de Bordighera en Italie.

👫 Ne manquez pas le spectacle de la **relève de la garde**, vêtue de noir en hiver et de blanc en été, réglée comme du papier à musique *(tlj 11h55 précises)*.

### Palais princier★ B2

𝒫 00 377 93 25 18 31 - www.palais.mc - visite audio-guidée (30mn) mai-sept. : 9h30-18h30; oct. : 10h-17h30; avr. : 10h30-18h *(dernière entrée 30mn av. fermeture)* - fermé reste de l'année - 7 € *(8-14 ans 3,50 €)* - billet combiné avec le musée des souvenirs napoléoniens : 9 € *(8-14 ans 4,50 €)*.

Construit sur l'ancienne forteresse génoise du 13e s. soudée au rocher à pic, ce somptueux palais, précédé d'un portail aux armes des Grimaldi, date des 16e-17e s. De la galerie d'Hercule, entièrement décorée de fresques anciennes, on admire la très belle **cour d'honneur** ornée de 3 millions de galets ; le marbre blanc habille l'escalier à double révolution. La galerie des Glaces mène aux Grands Appartements, meublés précieusement, au salon Bleu et à la salle du Trône au plafond peint attribué à Orazio Ferrari (17e s.), où ont lieu les réceptions officielles. Au passage, d'intéressants portraits signés Rigaud, Champaigne, J.-B. Van Loo.

### Rampe Major B2

*Passer sous la voûte, à droite du palais.* Sous de vieilles portes datant des 16e, 17e et 18e s., elle descend vers la **place d'Armes** de la Condamine, où se tient un marché tous les matins. Belle vue sur le port et la Tête de Chien.

*En bas de la rampe, prendre à droite l'avenue du Port qui conduit au quartier de La Condamine.*

## LA CONDAMINE

*Compter 30mn.*

Ce terme désignait, au Moyen Âge, les terres du seigneur cultivées à son profit exclusif au pied d'un village ou d'un château. C'est maintenant le **quartier commerçant** entre le rocher de Monaco et Monte-Carlo.

### Port B2

Après les vaisseaux phéniciens, massaliotes, romains et génois, les yachts les plus luxueux s'amarrent dans l'ancienne baie d'Hercule, aménagée en port par le prince Albert Ier. Des **promenades en mer** en catamaran avec vision sous-marine sont organisées en saison, au départ du quai des États-Unis *(voir l'encadré pratique)*. On doit au prince Rainier III la piscine olympique, face à la mer.

Le vallon qui sépare la Condamine de Monte-Carlo abrite, sous un viaduc, l'église Sainte-Dévote.

*Pour y accéder, longer le quai puis emprunter le passage souterrain.*

### Église Sainte-Dévote B1

Elle remplace depuis 1870 une très ancienne chapelle dédiée à sainte Dévote, construite sur le lieu de sa sépulture. À l'intérieur, bel autel de marbre, tableaux du 18e s. et la châsse des saintes reliques. Récemment, **Claude Gautier**, peintre monégasque a fait don de deux tableaux sur le martyre de sainte Dévote.

*En sortant de l'église, tourner à droite. Remonter la rue Grimaldi très commerçante (faites un détour par la rue piétonne Princesse-Caroline bordée de boutiques) jusqu'à la place d'Armes.*

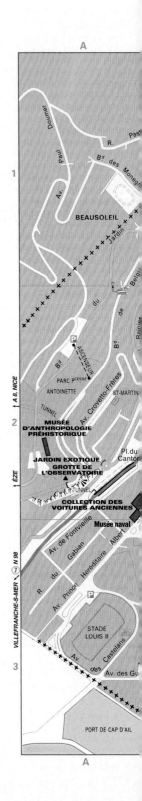

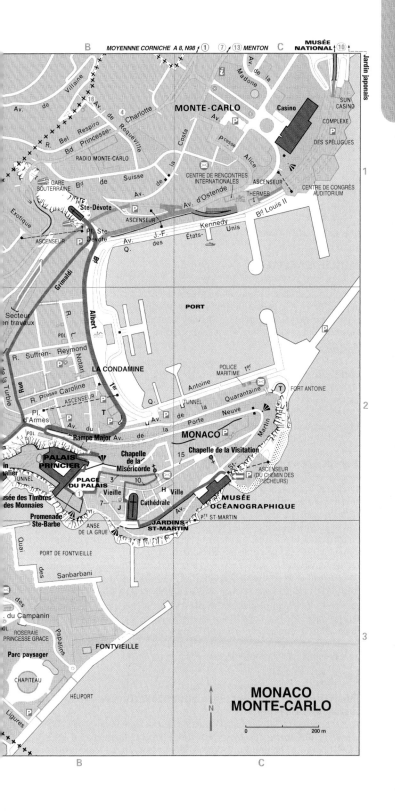

MOYENNE CORNICHE  A 8, N98  ① ⑦ ⑬ MENTON

MUSÉE NATIONAL ⑩

Jardin japonais

MONTE-CARLO

Casino

SUN CASINO

COMPLEXE

DES SPÉLUGUES

Av. de la Madone

Av. de Roqueville

Villaine

R. Bel Respiro

Bd Princesse-

Charlotte

Costa

P cesse

Alice

la

RADIO MONTE-CARLO

Bd de Suisse

CENTRE DE RENCONTRES INTERNATIONALES

ASCENSEUR

THERMES

CENTRE DE CONGRÈS AUDITORIUM

GARE SOUTERRAINE

Av. d'Ostende

Exotique

Ste-Dévote

ASCENSEUR

Kennedy

Bd Louis II

ASCENSEUR

Pl. Ste-Dévote

Av. J.-F. des États- Unis

Q.

Grimaldi

Bd

PORT

Secteur en travaux

R.

Albert

POL.

R. Suffren- Reymond

Notari

1er

POLICE MARITIME

Antoine 1er

FORT ANTOINE

LA CONDAMINE

R. Pcesse Caroline

ASCENSEUR

Q.

TUNNEL

Quarantaine

T

Pl. d'Armes

T

Av. de la Porte Neuve

Martin

MONACO

POL.

Rampe Major Av. du

Av. de la

Chapelle de la Visitation

ASCENSEUR (DU CHEMIN DES PÊCHEURS)

PALAIS PRINCIER

Chapelle de la Miséricorde

15

St-

TUNNEL

PLACE DU PALAIS

3

10

Vieille

H Ville

MUSÉE OCÉANOGRAPHIQUE

sée des Timbres des Monnaies

①

7

J

Cathédrale

Av.

Promenade Ste-Barbe

ANSE DE LA GRUE

JARDINS ST-MARTIN

Pte ST-MARTIN

Quai

PORT DE FONTVIEILLE

des

Sanbarbani

des

du Campanin

papalins

ROSERAIE PRINCESSE GRACE

FONTVIEILLE

Parc paysager

CHAPITEAU

HÉLIPORT

N

MONACO MONTE-CARLO

0        200 m

Ligures

P

*Façade de l'hôtel de l'Hermitage, à Monte-Carlo.*

## MONTE-CARLO★★★

·Compter 1h30.

Ce nom, célèbre dans le monde entier, évoque le jeu, les caprices de la fortune, le rallye automobile, et aussi un cadre majestueux avec ses palaces, ses casinos, ses riches villas, ses magasins luxueux, ses terrasses fleuries. Mais sachez qu'on y trouve également le Musée national *(voir « Visiter »)* et le Jardin japonais *(voir « Découvrir »)*.

### Casino C1

Le casino *(voir l'encadré pratique)* comprend plusieurs corps de bâtiments. **Charles Garnier** a construit en 1878 la façade côté mer et le théâtre-opéra, situé à l'intérieur, en face du vaste hall central, scène des fameux **Ballets russes**. Cette compagnie fut fondée en 1909 à Saint-Pétersbourg par **Diaghilev** qui, après 1917, l'installa à Monte-Carlo. Elle prit son essor grâce à **Nijinski**. Elle devint alors le carrefour de l'avant-garde, attirant les plus grands chorégraphes, danseurs, peintres et musiciens. Les Ballets russes de Monte-Carlo continuèrent sous l'égide d'autres directeurs et artistes illustres, comme le marquis de Cuevas, jusqu'en 1962.

Avant de faire ou défaire votre fortune, vous pourrez admirer, dans le hall, la belle fresque *La Cueillette des olives* (Jundt) et, dans les salles de jeux sur la gauche, la somptueuse décoration fin 19e-début 20e s. réalisée par les artistes alors en vogue. Tout d'abord, les salles publiques : salon de style Renaissance, grand salon de l'Europe, salle des Amériques, salon des Grâces. Puis les salles du Cercle privé : les deux salles Touzet et la vaste et riche salle François-Médecin.

La **terrasse★★** du casino mérite votre visite : magnifique oasis de palmiers, elle domine la mer. La vue est divine, de Monaco à Bordighera. Les jardins, ornés d'une œuvre de Vasarely en lave émaillée, *Hexa Grace,* sont installés sur les toitures du complexe immobilier des **Spélugues**.

À l'est de la Principauté, les installations luxueuses du **Larvotto**, gagnées sur la mer, présentent leurs **plages artificielles** de gravier, leurs piscines, leurs palaces et leurs complexes balnéaires ultra-modernes (Monte-Carlo Sporting Club) et, depuis juillet 2000, le translucide **Grimaldi Forum**, élevé par Fabrice Notari et Frédéric Genin. Plus anciennes, celles de Monte-Carlo Beach, au-delà de la frontière, reliées aux Spélugues par l'avenue Princesse-Grace et ses jardins.

## Visiter

### Musée des Souvenirs napoléoniens et Collection des Archives historiques du Palais★ B2

*Pl. du Palais - ℰ 00 377 93 25 18 31 - www.palais.mc - visite audio-guidée (30mn) mai-sept. : 9h30-18h30 ; oct. : 10h-17h30 ; déc. : 10h30-17h ; janv.-mars : tlj sf lun. 10h30-12h30, 14h-17h ; avr. : 10h30-18h (dernière entrée 30mn av. fermeture) - fermé nov., 1er janv. et 25 déc. - 4 € (8-14 ans 2 €).*

Installé dans une aile du palais, ce musée passionnera les admirateurs de l'empereur, dont la famille florentine est apparentée à celle des princes de Monaco. On y découvre notamment ses objets personnels : lorgnettes, montre, tabatière, écharpe tricolore, chapeau du « petit caporal », vêtements du roi de Rome, etc. Parmi les sculptures : des bustes de Napoléon par Canova et par Houdon ; buste de Joséphine par Bosio. Portrait de Napoléon par Gérard. L'histoire de Monaco est retracée par des documents originaux tirés des archives du Palais.

### Musée national : Automates et Poupées d'autrefois★ C1

*À Monte-Carlo - ℘ 00 377 93 30 91 26 - de Pâques à fin sept. : 10h-18h30 ; reste de l'année : 10h-12h15, 14h30-18h30 - fermé 1er janv., 1er Mai, 19 nov., 25 déc. - 6 € (enf. 3,50 €).*

⚐♿ Au-delà du jardin et de la roseraie, apparaît, face à la mer, une villa due à **Charles Garnier**. À l'intérieur vous verrez la collection de poupées de Madame de Galéa (seconde moitié du 19e s.) et d'automates. Les scènes de la vie quotidienne des élégantes poupées sont recréées : la cuisine, l'heure du thé, le rendez-vous, la plage, le grand magasin, la coiffeuse… Les automates, en fonction plusieurs fois par jour, sont présentés de façon amusante et instructive. Enfin, une belle série de santons napolitains complète cet ensemble.

### Collection des voitures anciennes★ A2

*À Fontvieille - ℘ 00 377 92 05 28 56 - www.palais.mc - ♿ - 10h-18h - fermé 25 déc. - 6 € (8-18 ans 3 €).*

⚐♿ Dans un somptueux hall d'exposition, une centaine de véhicules hippomobiles et de voitures de la collection princière sont présentés sur 5 niveaux. Le premier est réservé aux calèches du prince Charles III. Ensuite, on remarque la De Dion Bouton (1903), première voiture acquise par le prince Albert Ier, et de prestigieux modèles : Lincoln Torpedo décapotable (1928), Packard cabriolet (1935) et Buick Skylark (1966). La Rolls-Royce Silver Cloud offerte par les commerçants monégasques au prince Rainier pour son mariage en 1956, et le taxi londonien Austin 1952, aménagé pour la princesse Grace, apportent une touche personnelle à cette collection. L'histoire de l'automobile est retracée par les véhicules à chenillettes Citroën de la Croisière jaune, de belles tractions avant, une Trabant et une Lamborghini 1986 aux lignes futuristes. Dans le salon d'honneur dédié à la Formule 1 trône la Bugatti 1929 (victorieuse au 1er Grand Prix) et une Ferrari F1 1989 développant 600 CV.

### Musée naval A2

*Terrasse du centre commercial de Fontvieille - ℘ 00 377 92 05 28 48 - www.musee-naval. mc - ♿ - 10h-18h - fermé 1er janv. et 25 déc. - 4 € (enf. 2,50 €).*

Il est constitué de plus de deux cents pièces, les plus remarquables de la collection princière, de maquettes navales depuis l'Antiquité jusqu'à l'époque moderne. Les plus anciennes ont été construites par le prince Albert Ier en 1874. On admirera la **Gondole impériale** réalisée en quinze jours pour l'inspection de Napoléon Ier à Anvers, le cuirassé *Missouri*, les navires d'exploration des commandants Charcot et Cousteau, et, bien sûr, le *Titanic* !

### Musée des Timbres et des Monnaies B2

*11 terrasse de Fontvieille - ℘ 00 377 93 15 41 50 - ♿ - juil.-sept. : 10h-18h ; oct.-juin : 10h-17h - 3 € (12-18 ans 1,50 €).*

Dans un cadre très moderne, il présente une intéressante rétrospective des collections princières. Le premier timbre à l'effigie d'un souverain monégasque a été émis en 1885 sous le règne de Charles III. Auparavant, l'affranchissement du courrier s'effectuait avec des timbres sardes. À partir du Second Empire (1860), ils sont surchargés de la mention « Monaco ». Pendant un demi-siècle, ils furent imprimés avec une rotative en taille-douce. La salle des timbres rares enchantera les philatélistes.

### Musée de la chapelle de la Visitation C2

*Pl. de la Visitation - ℘ 00 377 93 50 07 00 - ♿ possibilité de visite guidée (15mn) - tlj sf lun. 10h-16h - fermé 1er janv., 1er Mai, w.-end. de l'Ascension, 19 nov., 25 déc. et les 4 j. du Grand Prix automobile de Monaco - 3 € (enf. 1,50 €).*

Cette chapelle baroque abrite la riche collection d'**art sacré du 17e s.** de Barbara Piasecka-Johnson. Dès l'entrée, un ensemble d'apôtres vous accueille, magnifiquement peint en grisaille par un anonyme de l'école espagnole ; plus hommes que saints, ils sont habillés de drapés tourmentés, comme leur visage qui implore le ciel sombrement nuageux. Plus juvénile, voire primesautier, le saint Sébastien de **Zurbarán**, est néanmoins accablé par des flèches qui le font tourner de l'œil. Les superbes gaillards que sont saint Pierre et saint Paul vous narguent du haut de leur ciel, enveloppés des belles couleurs de **Rubens**. Cantarini nous dépeint une Madone tout à son enfant, accoudée, dans une attitude très humaine. **Ribera** accentue la souffrance de saint Barthélemy en le traitant dans ce puissant clair-obscur qui a fait la gloire de ce disciple du Caravage.

*Le lagon aux requins au Musée océanographique.*

# Découvrir

## FAUNE ET FLORE DANS LA PRINCIPAUTÉ

### Musée océanographique★★ C2

*Av. Saint-Martin - Monaco -* ℰ *00 377 93 15 36 00 - www.oceano.mc -* ♿ *- juil.-août : 9h30-19h30 ; avr.-juin et sept. : 9h30-19h ; oct.-mars : 10h-18h - 11 € (6-18 ans 6 €).*

👥👤 Dans un site exceptionnel, ce majestueux édifice forme sur le rocher une falaise en pierre de taille dominant la mer de 85 m. Également institut de recherches scientifiques, le musée a été fondé en 1910 par le prince Albert Iᵉʳ pour y abriter les collections scientifiques de ses campagnes menées depuis 1885. Le commandant **Jacques-Yves Cousteau** (1910-1997) en fut le directeur de 1957 à 1988. À bord de la *Calypso*, équipé de soucoupes plongeantes (trônant devant l'entrée monumentale), ou vêtu de son scaphandre autonome, il pouvait mener ses recherches tout en réalisant les films qui ont consacré sa notoriété : *Le Monde du silence* et *Le Monde sans soleil (projetés parfois dans la salle de cinéma du musée)*. Il milita activement pour la protection des mers et de l'environnement, et fut membre de l'Académie française.

L'**aquarium★★** au sous-sol est l'un des plus remarquables avec ses 6 000 locataires (350 espèces de poissons) présentés en deux zones, « tropicale » et « méditerranéenne ». Les plus bariolés et les plus insolites vous transporteront vers les mers chaudes des tropiques, dont on a ici reproduit fidèlement le biotope (90 bassins). Les acteurs nous invitent à un ballet en technicolor : clown orange, murène étoilée, mérou à pois, arlequin jaune et bleu, requin léopard nous dévisagent. Très poétique, le poisson-vache ; si fragile et si gracieux, l'hippocampe majestueux ; le napoléon, as du camouflage ; le mortel poisson-pierre, sans oublier l'inquiétant poisson-chirurgien, ni l'étonnant apogon des îles Banggai. 25 000 l sont nécessaires au requin-nourrice pour qu'il ait de bonnes relations de voisinage avec les grandes tortues vertes et les tortues à écailles. Enfin, inaugurée en décembre 2000, l'impressionnant **lagon aux requins**, immense aquarium de 400 m³ d'eau présentant une barrière de corail et, derrière une vitre de 9 m sur 6 m, de grands prédateurs des fonds marins : requins, raies et poissons Napoléon.

Le musée proprement dit possède des collections de faune marine, d'animaux naturalisés et d'impressionnants squelettes de mammifères marins : orque, cachalot, lamantin, narval et une baleine de 20 m, échouée sur le rivage italien. Les salles de l'étage ont été restituées selon leur architecture originelle, avec leurs passerelles de métal évoquant un décor de Jules Verne. La **salle océanographie physique★** évoque les campagnes scientifiques du prince Albert Iᵉʳ avec, notamment, le laboratoire reconstitué de son dernier bateau, l'*Hirondelle II*, et la baleinière qui lui permit de chasser des cétacés et de récupérer dans leur estomac des animaux de grandes profondeurs. À bord de la *Princesse Alice II*, il rapporta des poissons d'une profondeur record de -6 000 m et atteignit, lors d'expéditions au Spitzberg, les 80° de latitude nord.

En outre, le musée propose de grandes expositions thématiques.

La **terrasse** abrite un restaurant offrant une vue jusqu'à la Riviera italienne.

### Jardin exotique★★ A2

*52 bd du Jardin-Exotique - ℰ 00 377 93 15 29 80 - www.jardin-exotique.mc - de mi-mai à mi-sept. : 9h-19h ; reste de l'année : 9h-18h - fermé 19 nov. et 25 déc. - 6,90 € (enf. 3,60 €) billet combiné avec la grotte de l'Observatoire et le musée d'Anthropologie préhistorique.*

Dépaysement garanti dans cette insolite collection de cactées qui apprécient – certaines depuis plus de cent ans – le microclimat exceptionnel de ce jardin suspendu le long d'une falaise rocheuse. Depuis les allées, **panorama★** grandiose sur la principauté, le cap Martin et la Riviera italienne. Les couleurs du Mexique et de l'Afrique australe éclatent à travers les 900 variétés de la flore semi-désertique : cactus et autres plantes « succulentes » telles que les espèces arborescentes : euphorbes en forme de candélabres, aloès géants, « coussins de belle-mère » ou figuiers de Barbarie.

**Grotte de l'Observatoire★** – *Visite guidée 30mn, toutes les heures.* Elle est creusée dans le calcaire de la Tête de Chien. En bas des 279 marches, une magnifique forêt de stalactites, stalagmites et concrétions délicates pare des salles superposées sur 40 m. Dans la salle d'entrée, des fouilles ont révélé la présence de l'homme (outillage), il y a environ 200 000 ans, et livré des ossements d'animaux préhistoriques : ces objets sont exposés à côté, dans le musée d'Anthropologie préhistorique.

**Musée d'Anthropologie préhistorique★** – *Accès par le Jardin exotique.* Par sa richesse, sa diversité et une présentation particulièrement soignée, ce musée intéressera même les profanes. Les collections régionales permettent de constater que la Côte d'Azur a été fréquentée, selon les variations climatiques, par le renne, le renard polaire, l'ours des cavernes, aussi bien que par l'hippopotame ou l'éléphant. Batterie impressionnante de squelettes d'*Homo sapiens* : négroïdes de Grimaldi, Grand Cro-Magnon, et leur sépulture collective. La salle Albert Ier présente une rétrospective des principaux jalons de l'évolution de l'humanité.

### Jardin japonais★ C1

*Accès par le bd Louis-II - Av. Princesse-Grace - de 9h au coucher du soleil - gratuit.*

Réalisation, par l'architecte paysagiste nippon **Yasuo Beppu**, d'un vœu de la princesse Grace. Ce jardin est une oasis de verdure et de calme, apportant une touche spirituelle dans le luxueux **quartier du Larvotto**, à deux pas du casino. Tout est symbole dans cet espace de 7 000 m$^2$ régi par des principes shintoïstes. Véritable bonsaï du monde, chaque élément s'y retrouve, mais à une échelle miniaturisée. Moins exotique, la provenance, française, des minéraux (granit, porphyre, galets). Le **pont cintré** rouge (couleur du bonheur) illustre le passage vers les dieux, représentés par les îles centrales : celle ornée de deux pins présente la forme d'une tortue, symbole de longévité ; la petite, tout en hauteur, plantée d'un seul pin, représente une grue qui nidifie, autre symbole de longévité. À proximité de la maison de thé, le **jardin zen** invite à la méditation avec son paysage délimité par sept pierres du cap Corse, dans une mer de gravier ratissé en ellipse, symbole du mouvement perpétuel de l'univers.

### Jardin animalier B2

*Terrasse de Fontvieille - ℰ 00 377 93 50 50 30 - juin-sept. : 9h-12h, 14h-19h ; mars-mai : 10h-12h, 14h-18h ; oct.-fév. : 10h-12h, 14h-17h - 4 € (8-14 ans 2 €).*

Perroquets et perruches à l'insurpassable vert font l'animation de ce superbe enclos fleuri, par ailleurs habité de macaques, pythons et autres jaguars… qui savourent, depuis leur terrasse accrochée au Rocher, leur belle vue sur le port de Fontvieille.

### Parc paysager B3

*Laisser la voiture dans le parking situé sous le stade Louis-II.* Un magnifique parc de 4 ha dans le **quartier de Fontvieille** réunit des végétaux du monde entier. Dans la **roseraie** « Princesse Grace » attenante prospèrent 4 000 plans de 150 variétés différentes, dont une partie est l'œuvre de célèbres jardiniers. La statue de la princesse a été réalisée à la suite de sa disparition par Kees Verkade en 1983.

## Randonnées

### Sentier touristique du cap Martin★★

*Au départ de Monte-Carlo. Schémas p. 329. À Monte-Carlo Beach, prendre à gauche un petit escalier situé entre deux villas (voir Roquebrune-Cap-Martin, « Séjourner », sentier touristique, en sens inverse). 3h AR.* Les touristes désirant abréger la promenade peuvent aller en voiture jusqu'à la gare de Roquebrune-Cap-Martin : ils retrouveront le sentier en contrebas de celle-ci.

## Principauté de Monaco pratique

### Adresse utile

**Office du tourisme de Monaco** – *2A bd des Moulins - 98030 Principauté de Monaco - ✆ 00 377 92 16 61 66 - www.visitmonaco.com - 9h-19h, dim. : 10h-12h.*

### Mode d'emploi

**Poste** – L'affranchissement du courrier se fait avec des timbres de Monaco et leur dépôt dans les boîtes aux lettres orange de la Principauté.

**Téléphone** – Les appels téléphoniques à destination de la Principauté débutent par **00-377**, suivi du n° du correspondant, et ceux vers la France doivent être précédés du **00 33**.

### Transports

**Voitures** – L'accès au Rocher est réservé aux véhicules immatriculés Monaco ou Alpes-Maritimes. Parkings publics et payants : centre commercial de Fontvieille, sous-sol du stade Louis-II, chemin des Pêcheurs et les Boulingrins.

**Ascenseurs** – Des ascenseurs de grande capacité permettent de traverser à la verticale certains quartiers. Principaux axes desservis : pl. Ste-Dévote vers le bd de Belgique (trajet le plus long), plages du Larvotto (et Musée national) vers la pl. des Moulins, av. Hector-Otto vers le bd de Belgique, Auditorium Rainier-III (bd Louis-II) vers les terrasses du casino, parking des Pêcheurs vers le Musée océanographique, av. de Grande-Bretagne vers l'av. des Citronniers, centre commercial de Fontvieille vers la pl. d'Armes, port de Monaco vers l'av. de la Costa.

**Bus** – N° 1 (Rocher-casino), n° 2 (Rocher-Jardin exotique) ou n° 4 (Gare-Larvotto plages), n° 5 (Gare-Fontvieille-Hôpital), n° 6 (Fontvieille - Larvotto).

**Héli Air Monaco** – *Av. des Ligures - ✆ 00 377 92 050 050 - www.heliairmonaco.com.* Héliport de Monaco-Fontvieille, cette compagnie assure 50 vols quotidiens entre Nice et Monaco en 6mn de vol. Elle propose également des vols privés toutes destinations (vers Saint-Tropez, l'Italie, la Corse...), des vols panoramiques, des vols photos (possibilité de travail aérien).

### Visite

**Monaco Tours** – *✆ 00 377 92 05 64 38 - été : 10h-17h ; hiver : 10h30-17h - fermé janv. et de mi-nov. au 26 déc. - 6 €.* Circuit touristique en petit train, départ face au Musée océanographique Monaco ville.

### Se loger

⊖ **Hôtel Miramar** – *126 av. du 3-Septembre - 06320 Cap d'Ail - 1,5 km de Monaco - ✆ 04 93 78 06 60 - www.monte-carlo.mc/hotel-miramar-capdail - fermé 5-20 janv. - P - 25 ch. 43/63 € - ☕ 6,50 €.* Dans une petite localité balnéaire voisine de Monaco, hôtel familial dont la façade ne paie pas de mine mais dont les chambres, pas trop chères et plutôt agréables, offrent un niveau de confort très valable. Elles ont bénéficié d'une rénovation et six d'entre elles, à l'arrière, s'agrémentent d'une terrasse avec vue sur mer. WIFI dans tout l'établissement.

⊖⊖ **Hôtel de France** – *6 r. de la Turbie - 98000 Monaco - près de la gare - ✆ (00 377) 93 30 24 64 - monte-carlo.mc/france - 26 ch. 70/98 € - ☕ 9 €.* Cet hôtel vient de s'offrir une sympathique cure de jouvence : chambres bien insonorisées, parées de jolies couleurs provençales ; salle des petits-déjeuners moderne garnie d'un plaisant mobilier en bois et métal.

⊖⊖⊖ **Hôtel Alexandra** – *35 bd Princesse-Charlotte - 98000 Monaco - ✆ (00 377) 93 50 63 13 - www.monaco-hotel.com/montecarlo/alexandra/ - 56 ch. 125/153 € - ☕ 15 €.* La façade richement ouvragée témoigne du goût ostentatoire de la Belle Époque. Petit-déjeuner servi uniquement dans les chambres, dont le décor est aimablement désuet.

### Se restaurer

⊖ **Costa à la Crémaillère** – *Pl. de la Crémaillère - 98000 Monte-Carlo - ✆ (00 377 93) 50 66 24 - fermé dim. - 12 € déj. - 10/22 €.* Ce pavillon-véranda d'inspiration 1900 a conservé les structures métalliques de l'ancienne gare du train à crémaillère qui montait à La Turbie. Quelques photos et fresques évoquent son passé. Ambiance brasserie moderne avec son banc d'écailler.

⊖ **Le Bistroquet** – *Galerie Charles III, avenue des Spéluges - 98000 Monte-Carlo - ✆ (00 377) 93 50 65 03 - www.mcpam.com - fermé 24-25 déc. - 11/14 €.* Face aux jardins du casino, agrégé à un centre commercial, restaurant devancé d'une grande terrasse abritée et chauffée, où défile sans mondanité le « tout-Monte-Carlo ». Carte mi-classique, mi-bistrotière et sélection de vins au verre. Animation musicale en soirée *(vend. et sam.)*.

⊖⊖ **Castelroc** – *Pl. du Palais - 98000 Monaco - ✆ (00-377) 93 30 36 68 - caslroc@libello.com - fermé janv., déc., le soir d'oct. à avr. et sam. - 21/43 €.* Quelle belle terrasse pour s'adonner au farniente le temps d'un déjeuner, sous les arbres de la place du Palais... Vous y savourerez une cuisine du cru, entre ombre et soleil, à moins que vous ne préfériez la fraîcheur de la salle à manger.

⊖⊖ **Polpetta** – *2 r. Paradis - 98000 Monaco - ✆ (00-377) 93 50 67 84 - fermé 5-25 juin, 1er-15 nov., sam. midi et mar. - 23 €.* Ce petit restaurant italien vous propose trois cadres différents pour apprécier sa cuisine : la véranda côté rue ; la salle à manger rustique ; enfin, un

espace plus intime et cossu à l'arrière.
Cuisine transalpine dont quelques
spécialités familiales.

⊖⊜ **La Maison du Caviar** – *1 av.*
*St-Charles - 98000 Monaco -*
℘ *(00-377) 93 30 80 06 - fermé sam. midi*
*et dim. - 25/30 €.* L'un des plus anciens
restaurants de la ville. Dans un
chaleureux décor composé de casiers à
bouteilles, de cuivres et de boiseries,
vous dégusterez… du caviar bien sûr,
mais aussi du foie gras ou du saumon.
Un classique à découvrir.

⊖⊜ **Loga** – *25 bd des Moulins - 98000*
*Monte-Carlo -* ℘ *(00-377) 93 30 87 72 -*
*fermé 11-27 août, mar. soir et dim. - 26/52 €.*
Sympathique petite adresse familiale
proposant une cuisine régionale et une
ardoise du jour très prisée des habitués.
Décor intérieur à base de bois blond en
terrasse-trottoir.

## En soirée

**Casino de Monte-Carlo** – *Pl. du Casino*
*98000 Monaco -* ℘ *(00 377) 98 06 23 00 -*
*www.casinomontecarlo.com - tlj de 14h*
*jusqu'au dép. du dernier client (12h le*
*w.-end).* Premier casino d'Europe, Il faut
voir les salons de jeux majestueux et le
luxueux restaurant au décor de train. La
terrasse donnant sur la mer vous offrira
une quiétude incomparable que vous
ressortiez les poches vides ou pleines.

**Le Jimmy'z** – *Quai Princesse-Grace - 98000*
*Monaco -* ℘ *377 92 16 22 77 - tlj 23h à*
*l'aube. Réservation conseillée.* C'est un
sacrilège de quitter Monaco sans avoir
goûté à l'atmosphère du célèbre Jimmy'z.
Le costume et la cravate sont exigés dans
ce sanctuaire de la jet-set où vous
croiserez des top models en paillettes, des
stars et autres célébrités. C'est tout petit
mais grandiose, unique, magique !

**Bar du Vistamar (hôtel Hermitage)** –
*Sq. Beaumarchais - 98000 Monaco -*
℘ *(00 377) 92 16 40 00 - www.*
*montecarloresort.com - 12h-14h30, 19h-0h -*
*fermé juil.-août à midi.* Superbe palace de
style Belle Époque abritant, entre autres,
un élégant bar dont la terrasse offre une
vue splendide sur le port et le Rocher.
Carte de champagnes et de cocktails.
Tenue correcte exigée.

**Sass Café** – *11 av. Princesse-Grace - 98000*
*Monaco -* ℘ *(00 377) 93 25 52 00 - rest. : été :*
*tlj 20h-2h ; hiver : tlj 20h-0h ; piano-bar : tte*
*l'année : tlj 23h-aube.* Ce bar-restaurant de
standing au décor feutré est le passage
obligé de la jet-set avant de se rendre au
« Jimmy'z ». Piano-bar chaque soir à partir
de 23h.

**Stars'N'Bars** – *6 quai Antoine-Ier - sur le*
*port - 98000 Monaco -* ℘ *(00 377) 97 97*
*95 95 - www.starsnbars.com - tlj 11h-0h ; 4h*
*pour le dancing - fermé lun. en hiver.* C'est le
grand bar américain à la mode, et
l'ambiance y est plus jeune et moins
mondaine que dans d'autres
établissements monégasques. En guise de

*Verrière Eiffel de l'hôtel de l'Hermitage.*

décor : une F1 suspendue, une perche de
Bubka, une robe de Sharon Stone, un sac à
main de Catherine Deneuve, etc. Les
enfants sont pris en charge par une
animatrice. Terrasse sur le port.

**Le Cabaret** – *Pl. du Casino, Monte-Carlo -*
*98000 Monaco -* ℘ *(00 377) 98 06 24 30 -*
*www.montecarloresort.com - ouv. merc.-*
*sam - fermé de mi-juin à mi-sept.* Le cabaret
du casino de Monte-Carlo présente trois
shows différents (danse). Concerts
exceptionnels de variétés internationales
et de jazz.

## Que rapporter

👁 **Bon à savoir** – Toutes les grandes
marques de luxe sont représentées à
Monte-Carlo et dans les galeries de
certains palaces (Métropole, Park Palace).
Les boutiques d'articles traditionnels sont
regroupées dans les ruelles du Rocher,
face au palais. À noter la Boutique du
Rocher, av. de la Madone, boutique
officielle de l'artisanat monégasque.

## Loisirs

🏊 **Aquavision** – *Quai des États-Unis -*
*98000 Monaco -* ℘ *(00 377) 92 16 15 15 -*
*www.aquavision-monaco.com - se*
*renseigner pour les horaires - 11 € (3-18 ans*
*8 €).* Promenades en mer avec vision
sous-marine (55mn).

## Événements

Outre le Rallye Automobile de Monte-
Carlo qui a lieu fin janvier depuis 1911, il
faut signaler la fête de Sainte-Dévote
(27 janvier), le Festival international de
télévision (juillet), le Printemps des arts
(℘ *00 377 93 25 58 04 et www.*
*printempsdesarts.com*) et les Masters
Series Monte-Carlo (avril), le Concours
international de bouquets et le Grand Prix
automobile de Monaco qui se déroule
dans les rues de la Principauté sur un
circuit sinueux de 3 145 km (mai), la fête
de la Saint-Jean avec le groupe folklorique
« La Palladienne de Monaco », les concerts
dans la Cour d'Honneur du Palais princier
et le Concours international de feux
d'artifice (juillet-août), la Fête nationale
monégasque (19 novembre), le Festival
international du cirque (janvier).

# Mons★
## Mouns

671 MONSOIS
CARTE GÉNÉRALE C2 – CARTE MICHELIN LOCAL 340 P3 – VAR (83)

Mons est un petit coin de paradis entre ciel et terre. Le site, sauvage et ensoleillé, présente tous les aspects de la végétation provençale du haut Var. Maisons en pierres sèches, charmantes ruelles, placettes ornées de vieilles fontaines… un vrai bonheur.

- ◗ **Se repérer** – Perché à 800 m d'altitude, Mons se situe à 13,5 km au nord de Fayence et à 16,5 km à au nord-ouest de Saint-Cézaire-sur-Siagne *(voir Grasse)*.

- 👁 **À ne pas manquer** – La vue panoramique depuis la place Saint-Sébastien ; l'église en visite guidée ; les dolmens de Riens, de la Colle et de la Brainée et l'aqueduc de la Roche Taillée.

- 🅿 **Se garer** – La place Saint-Sébastien, plantée d'oliviers (uniques à cette altitude), fait aussi office de parking.

- 🕐 **Organiser son temps** – Pour faire un petit tour dans le vilage, comptez 30mn. Votre visite de l'église (sur réservation) prendra 1h. Les randonnées menant aux dolmens proches du village varient entre 30mn AR et 4h AR.

- 👶 **Pour poursuivre la visite** – Voir aussi Fayence et son circuit « Lac de Saint-Cassien » et les Gorges de la Siagne *(voir circuit « Préalpes de Grasse » à Grasse)*.

*Une terrasse de café raffraîchie par une fontaine, un classique en Provence !*

## Comprendre

Mons est un village mais aussi un territoire qui s'étend en étage sur 7 663 ha, depuis **Pont de Siagne** (242 m) au plus haut sommet du Var : le **Mont Lachens** (1 715 m). Les hommes y sont présents depuis la fin du néolithique comme en témoignent ses nombreux dolmens. Plus tard, les romains construisent un **aqueduc** de 42 km qui conduit l'eau de la Siagnole vers Fréjus. Il est toujours visible à Rochetaillée. C'est au 10e s. enfin qu'une colonie de Ligures, les « figouns » venus de « Figounia », appelés aussi les « Moussencs » en provençal, grâce au Seigneur de Mons, s'installe véritablement. Malgré plusieurs épidémies de peste qui sévissent aux 14e et 15e s, le village se développe progressivement puis prospère.

## Se promener

Jadis, bien au-delà des portes seigneuriales, l'authentique **vieux village** ne se résumait pas qu'au cœur actuel de Mons *(circuit balisé)* que l'on arpente aujourd'hui par ses vieilles rues et ruelles sombres jusqu'aux ruines du Château vieux. Il s'étendait en fait sur tout l'ancien domaine du seigneur de Mons, vaste de 7 663 ha.

### Place Saint-Sébastien

Agrémentée d'une jolie fontaine du 18e s., du monument aux Morts et de l'ancienne chapelle des Pénitents, investie en partie par la mairie, la terrasse depuis ses 814 m d'altitude offre une **vue★★** exceptionnelle des vallées de la Siagne et de la Siagnole aux îles de Lérins et à la Corse (par temps très clair!), et de Coudon (près de Toulon) aux Alpes de la frontière italienne (table d'orientation).

### Église

*℘ 04 94 76 39 54 - possibilité de visite uniquement sur demande à l'office de tourisme sur RV tlj 14h-16h - gratuit.*

De style roman haut provençal à l'origine, elle fut transformée aux 15e et 17e s. Elle renferme un mobilier religieux d'une rare homogénéité : cinq beaux retables baroques dont un triptyque monumental de 1680 au maître-autel dédié à l'Assomption de la Vierge, à saint Pierre et saint Paul. À droite du maître-autel, belle croix processionnelle en argent (15e s.). Le clocher carré abrite trois cloches dont une de 1438.

### Les fontaines et lavoirs

Véritable préoccupation régionale, l'eau ne manque pas à Mons. Détentrice de plusieurs sources et cascades très enviées, elle récompense tous les visiteurs par une vision rafraîchissante. La fontaine la plus ancienne (1790) et la plus belle fontaine en pierre prend le nom provençal de « Plu louancho fouan ». Le lavoir de la Rouguière et celui dit Sous la Barre, tout comme la fontaine de la place Frédéric Mistral datent du 19e s.

## Randonnées

### Les dolmens

La commune possède 11 dolmens dont 3 sont classés monuments historiques datant de la fin du néolithique. Aujourd'hui, seul le dolmen de Riens, intéressant par ses piliers en ogive, se visite.

🐾 Pour y accéder, suivez depuis la mairie la rue Jean-Vadon et traversez Mons. Empruntez la D 56 sur 30 m sur votre droite puis prenez la première route à gauche jusqu'à la chapelle Saint-Pierre. Continuez sur 70 m environ et prenez le sentier à droite *(panneau de signalisation).*

Possibilité de reprendre la route de la chapelle et monter vers Louquiers pour entrevoir 3 km plus loin le dolmen de la Colle, puis en direction d'Escragnolles et 7 km plus loin, le dolmen de la Brainée.

### L'aqueduc de la Roche Taillée

Pour alimenter Fréjus en eau potable, les Romains décidèrent de capter au pied du promontoire de Mons les sources de Neissou (qui se jettent dans les gorges de la Siagnole). Ils creusèrent à coups de barres de fer un canal de 2,5 m de large, de 50 m de longueur et une dizaine de mètres de profondeur ; un tronçon reste toujours en service aujourd'hui.

🐾 *7 km - 2h AR.* Pour l'apercevoir, prenez la D 56 en direction des gorges de la Siagnole puis suivez la direction La Roche Taillée-belvédère aqueduc romain.

## Mons pratique

♿ Voir aussi l'encadré pratique de Fayence.

### Adresse utile

**Office du tourisme de Mons –** *Pl. St-Sébastien - 83440 Mons - ℘ 04 94 76 39 54 - de mi-juin à mi-sept. : 10h-12h30, 14h30-18h30 ; reste de l'année : 14h-18h - fermé 1er janv., 25 déc.*

### Se restaurer

⊖ **Auberge Provençale** – *7 r. du Rempart-du-Midi - ℘ 04 94 76 38 33 - fermé mi-nov. à mi-déc. et merc. sf juil.-août - 16/30 €.* En contrebas de la place St-Sébastien, ce restaurant offre une vue panoramique grandiose par ses baies vitrées le long de la terrasse. La cuisine régionale mérite aussi un passage à l'auberge. Salon de thé l'après-midi.

### Que rapporter

👁 **Bon à savoir –** En juillet-août, dans le quartier Barriguetou, un **souffleur de verre** ouvre ses portes au public.

**Marché potier** – 1er dimanche d'août.

### Événements

**Fête des femmes à la Sainte-Agathe –** 1er week-end de février.

**Fête de la Saint-Pierre** – Fin juin.

**Fête patronale** – 15 août.

# Mougins★

16 051 MOUGINOIS
CARTE GÉNÉRALE C2 – CARTE MICHELIN LOCAL 341 C6 – ALPES-MARITIMES (06)

Dans un site extraordinaire de verdure, Mougins s'aperçoit de loin, juché sur sa colline. Son visage provençal et médiéval n'a pas changé depuis le temps où le village était plus important que Cannes. Ses rues étroites, aux maisons bien restaurées, abritant nombre de galeries et ateliers, s'enroulent en colimaçon.

- ▶ **Se repérer** – Entre Cannes (6 km) et Grasse (11 km) par la N 85. Des vestiges de remparts, qui datent de l'ancien fief des abbés de Lérins, marquent la limite piétonne du village

- 🅿 **Se garer** – Parkings à l'extérieur du village.

- 👁 **À ne pas manquer** – À Mougins, le musée de la photographie ; aux alentours, le site et le panorama offert depuis l'ermitage ; le musée de l'Automobiliste et l'espace de l'Art concret de Mouans-Sartoux.

- 🕐 **Organiser son temps** – Consacrez une demi-journée à ce charmant village : 30 à 40mn par visite de musée avant d'aller apprécier le calme et la beauté de l'environnement à l'Ermitage Notre-Dame-de-Vie (30mn).

- ⏱ **Pour poursuivre la visite** – Voir aussi Cannes, Grasse, Vallauris et Valbonne.

## Visiter

Vous partirez de la place du Commandant-Lamy *(plan avec itinéraire commenté disponible à l'office de tourisme)* que vous repérerez facilement car son animation, ses restaurants, son vieil ormeau et sa fontaine lui donnent un petit air de fête. Vous terminerez votre promenade place des Patriotes qui offre un beau **panorama★** sur les environs et la côte (table d'orientation).

### Espace culturel

*Pl. du Commandant-Lamy - 𝄐 04 92 92 50 42 - 9h-17h, w.-end et j. fériés 11h-18h - fermé nov., 1er janv., 1er Mai et 25 déc. - gratuit.*
L'ancienne chapelle Saint-Bernardin des Pénitents blancs abrite les salles du conseil municipal, des mariages, des expositions temporaires et le **musée Maurice Gottlob** (1885-1970) où sont exposées peintures, céramiques et statuettes de music-hall de la main de cet artiste qui vécut à Mougins de 1924 à 1960.

### Musée de la Photographie

*Porte Sarrazine - 𝄐 04 93 75 85 67 - juil.-août : 10h-20h ; sept.-juin : 10h-18h, w.-end et j. fériés 11h-18h - fermé nov., 1er janv., 1er Mai et 25 déc. - gratuit.*
Derrière le clocher de l'église et accolé à la porte sarrazine (12e s.), ce musée a été créé grâce à André Villers, ami et photographe attitré de **Picasso**. ces photos du peintre sont de savoureux témoignages de complicité et de vie, que complètent d'autres portraits par Clergue, Doisneau, Duncan, Lartigue, Roth, Otero, Denise Colomb et

*Mougins a su conserver son charme provençal.*

le reporter Ralph Gatti. Belle collection d'anciens appareils photographiques, comme l'ancêtre du dessin animé, le cidoscope. Des expositions temporaires de photographie contemporaine sont également organisées.

# Aux alentours

### Ermitage Notre-Dame-de-Vie

*6 km. Quitter Mougins au nord-ouest par la D 235, puis prendre à droite la D 35 ; 2 km plus loin se trouve, à droite, une route signalée vers Notre-Dame-de-Vie. 📞 04 93 90 03 39 - dim. pdt les offices (se renseigner pour connaître les dates et horaires).*

La beauté du **site★** est frappante : l'ermitage, du haut de sa prairie, laisse échapper entre ses gigantesques cyprès une **vue★** divine sur Mougins et un paysage à l'allure toscane. Belle croix de pierre du 15e s. sous les arbres, à droite de l'ermitage. On comprend que Picasso ait choisi ce lieu pour y vivre ses dernières années, de 1961 à sa mort en 1973, avec sa femme Jacqueline. Cachée dans la verdure et jouxtant l'ermitage, sa propriété, « l'antre du minotaure », devint un lieu de création et de rencontres artistiques.

La **chapelle** date du 17e s. ; sa tour est surmontée d'un clocheton de tuiles vernissées. Notre-Dame-de-Vie était « sanctuaire de répit ». On y amenait, parfois de fort loin, des enfants mort-nés : pendant la messe, ceux-ci étaient censés ressusciter provisoirement, le temps d'être baptisés. La collection d'ex-voto naïfs et le beau retable de l'Assomption, sculpté bleu et or sont visibles à travers une paroi vitrée.

*Un chemin carrossable rejoint la D 3 d'où l'on peut regagner Mougins.*

### Étang de Fontmerle

*3 km par la D 35 en direction du golf, puis, au rond-point l'avenue de Grasse et, à droite, la promenade de l'Étang.*

Naguère en piteux état, cet étang de 5 ha, en bordure du Parc départemental de la Valmasque *(voir Valbonne)*, a été réaménagé, protégé et peuplé de lotus *(Nelumbo nucifera)*. Occupant la moitié de sa superficie, ils constituent la plus importante colonie européenne de cette plante sacrée qui fleurit entre juillet et mi-septembre. Mystérieusement avertis du miracle, les oiseaux migrateurs (aigrettes, hérons cendrés, canards) viennent y faire escale. Un point d'observation a été aménagé pour les amateurs.

### Musée de l'Automobiliste★

*5 km. Quitter Mougins au nord-ouest par la D 235, prendre la route de Cannes, la D 3, que l'on quitte peu avant le passage sur l'autoroute pour prendre à gauche le chemin du Belvédère, prolongé par le chemin des Collines. À la 2e intersection, prendre à gauche le chemin de Ferrandou, puis à gauche encore pour passer au-dessus de l'autoroute. Le chemin de Font-de-Currault, à droite, mène au parking du musée. Si l'on vient de l'A 8, dans le sens Nice-Cannes, le musée est situé sur l'aire nord des Bréguières. Possibilité d'accès à pied par une passerelle au départ de l'aire sud. - 📞 04 93 69 27 80 - www.musauto. fr.st - 10h-13h, 14h-18h - fermé nov., 1er janv. et 25 déc. - 7 € (12-18 ans. 5 €).*

Le bâtiment futuriste, qui s'élève en bordure de l'autoroute, présente une façade de béton et de verre évoquant une calandre. Deux passionnés de l'automobile, Adrien Maeght et Antoine Raffaelli ont rassemblé dans ce lieu, avec l'aide de la société d'autoroute ESCOTA, des automobiles de collection exposées par roulement (environ 90 à la fois). Parmi les modèles rutilants, remarquablement présentés et tous en état de marche, on relève les noms prestigieux de Benz (1er véhicule construit en série, 1894), Bugatti (57, 1938), Ferrari, Hispano-Suiza, Delage, Rolls-Royce, etc. À l'étage consacré aux voitures de compétition, dont quelques-unes ont remporté des grands prix, on remarque une série de Matra des années 1967 à 1974. Chaque année, deux expositions thématiques soulignent un aspect particulier de l'automobile. Le cinéma du musée propose des films qui évoquent l'histoire de l'automobile et la part prise par chaque marque. La visite sera encore plus attrayante si l'on vient aux bourses d'échange, ventes aux enchères publiques et concours d'élégance qui sont organisés au cours de l'année. Tous les amateurs de voitures anciennes s'y retrouvent.

### Mouans-Sartoux

*À 3 km au nord-ouest de Mougins par la N 2085.*

Il réunit les communes de Sartoux, village médiéval ruiné par les Sarrasins, et de Mouans, ancienne forteresse protégeant la route de Grasse. En 1588, Suzanne de

Villeneuve, veuve d'un huguenot, défendit son village contre les troupes du duc de Savoie. Après avoir rasé le château malgré l'accord passé, celui-ci fut pourchassé par Suzanne jusqu'à Cagnes où il dut indemniser lourdement les habitants.

**Espace de l'Art concret★** – *Château de Mouans - ℰ 04 93 75 71 50 - http://art. concret.free.fr - juil.-août : 11h-19h ; reste de l'année : tlj sf lun. 11h-18h - fermé 1er janv. et 25 déc. - 3 €.*

👥 *Ateliers pédagogiques et expositions au « Préau » organisés pour les enfants, sept.-juin (inscription obligatoire).*

Dans un beau parc, le château de Mouans (19e s., assises 16e s.) accueille les expositions temporaires d'art contemporain tandis que la **donation Albers-Honegger** se trouve désormais dans un bâtiment carré en béton vert-jaune encastré dans une pente boisée. Avis aux amateurs d'art abstrait, géométrique, minimaliste ou de design : ils apprécieront la collection exceptionnelle répartie dans 15 salles.

*« Méditerranée » d'Eileen Gray, tapis, velours pure laine vierge Woolmark tufté main par la Manufacture des tapis de Bourgogne.*

**Exposition « Reflets d'un monde rural »** – Dans les écuries du château, l'exposition rassemble objets et photos évoquant les activités traditionnelles locales (parfumerie, huile d'olive, vigne).

## Mougins pratique

👤 Voir aussi l'encadré pratique de Cannes.

### Adresses utiles

**Office du tourisme de Mougins** – *15 av. Jean-Charles-Mallet - 06250 Mougins - ℰ 04 93 75 87 67 - www.mougins-coteazur. org - du 15 juin au 15 sept. : 9h-19h ; reste de l'année : tlj sf dim. 9h-17h30 - fermé 1er Nov. et 25 déc.*

**Office du tourisme de Mouans-Sartoux** – *258 av. de Cannes - 06370 Mouans-Sartoux - ℰ 04 93 75 75 16 - www. mouans-sartoux.com - mai-sept. : 9h-12h30, 14h-18h, sam. 9h-12h ; oct.-avr. : 9h-12h30, 14h-17h30, sam. 9h-12h - fermé j. fériés.*

### Se loger

🛏 **Hôtel du Val de Mougins** – *95 av. Mar.-Juin - ℰ 04 92 28 37 77 - www.val-de-mougins.com - 23 ch. 58/80 € - ☐ 7 €.* Cet établissement familial au bord de la route Napoléon, en contrebas du vieux Mougins, dispose de chambres dotées d'une petite literie et, pour la plupart, d'un petit balcon. Les plus tranquilles se distribuent sur l'arrière, à flanc de colline.

### Se restaurer

🍴 **Le Grill Mougins** – *10 av. St-Basile - ℰ 04 93 90 03 74 - fermé lun. - 📷 - 19/28 €.* Avec ses terrasses, dont une bordant partiellement un petit ruisseau, et sa salle à manger

superbement décorée, ce restaurant offre un cadre des plus charmants. On se laisse séduire par des plats simples, copieux et joliment présentés. Bon rapport qualité-prix.

🍴 **Brasserie de la Méditerranée** – *Au village - ℰ 04 93 90 03 47 - www. restaurantlamediterranee.com - fermé 4-20 janv. et mar. de nov. à fin mars - réserv. conseillée - 25/35 €.* Sur la place du village, sa belle terrasse ouvre sur la rue principale. À l'intérieur, son décor de brasserie feutrée accueille une clientèle nombreuse venue se restaurer d'une cuisine au goût du jour qui n'a pas oublié ses origines provençales.

🍴 **L'Amandier de Mougins** – *Au village - ℰ 04 93 90 00 91 - www.amandier. fr - fermé 15-26 nov. - 25 € déj. - 34/44 €.* Ce pressoir du 14e s. est une ravissante halte. Choisissez sa jolie salle à manger voûtée agrémentée de mosaïques et de tableaux contemporains, ou, dès les premiers beaux jours, sa petite terrasse prisée.

### Sports & Loisirs

**École de cuisine du Moulin de Mougins** – *ℰ 04 93 75 35 70.* Cours de 2h30 destinés aux cuisiniers amateurs. Démonstration de deux plats et dégustation. Possibilité de déjeuner au Moulin de Mougins.

# Nice

## Nissa

347 100 NIÇOIS
CARTE GÉNÉRALE D4 – CARTE MICHELIN LOCAL 341 E5 – SCHÉMAS P. 308 ET 328 –
ALPES-MARITIMES (06)

Le charme de Nice « l'Italienne » se conjugue au pluriel dans un **site** superbe, entre mer et montagne. Les couleurs de sa vieille ville baroque, la saveur de sa cuisine et la richesse de ses grands musées combleront le visiteur qui pourra à tout moment contempler la capitale de la Riviera depuis la colline du château ou respirer la douceur de l'air marin (hélas trop souvent mêlée aux vapeurs d'échappements) sur la célébrissime promenade des Anglais.

- **Se repérer** – De l'A 8, au nord de la ville, cinq sorties vous mènent dans des quartiers différents. Le torrent du Paillon divise Nice en deux : à l'ouest, la partie moderne ; à l'est, la vieille ville, la « colline du Château », et derrière, le port. Au nord, la colline de Cimiez, l'ancienne cité romaine.

- **Se garer** – Difficile de se déplacer en voiture à Nice ! Les travaux pour la mise en place du tramway *(première ligne en service en septembre 2007)* ajoutent aux difficultés de circulation. Dès que possible, garez votre véhicule dans l'un des nombreux parkings payants, pour ensuite découvrir tranquillement la ville à pied ou en transport en commun.

- **À ne pas manquer** – Le front de mer et la promenade des anglais ; flâner dans « le Vieux » ; et visiter le fief culturel niçois (les musées des Beaux-Arts Jules Chéret, Matisse, Marc-Chagall, d'Art morderne et d'Art contemporain).

- **Organiser son temps** – Une journée au moins est nécessaire à la découverte de Nice. Consacrez la matinée au front de mer et à la vieille ville ; l'après-midi sera réservé à Cimiez. Les visiteurs disposant de plus de temps verront le musée des Beaux-Arts, le musée d'Art moderne et d'Art contemporain et/ou le musée des Arts asiatiques.

- **Avec les enfants** – Le parc botanique Phoenix, le Muséum d'Histoire naturelle, le musée de Terra Amata ; le petit train touristique *(voir l'encadré pratique)*.

- **Pour poursuivre la visite** – Voir aussi à l'est, Villefranche-sur-mer, Beaulieu-sur-mer, la Principauté de Monaco, Menton et les Corniches de la Riviera. À l'ouest, Cagnes-sur-Mer, Antibes et Cannes.

# Comprendre

**Des Grecs aux Savoyards** – Le sol de Nice a révélé une occupation humaine vieille de 400 millénaires. Citadelle ligure à l'aube de l'histoire, elle devient, vers le 4ᵉ s. av. J.-C., un comptoir des Grecs de Marseille. Cette petite bourgade, bâtie autour du rocher qui domine le port alors à l'est de l'actuel quai des États-Unis, est éclipsée trois siècles plus tard par les riches Romains, qui portent leur effort colonisateur sur la colline de Cemenelum, ou « Cimiez », d'où ils assurent une meilleure défense.

Revirement de l'histoire, les invasions barbares et sarrasines réduisent Cimiez à peu de chose et c'est l'ancienne Nikaia (du grec *niké*, « victoire ») qui, à partir du 10ᵉ s., redevient importante grâce aux comtes de Provence.

En 1388, Nice choisit son camp au terme d'une guerre civile : à Louis d'Anjou, comte de Provence, elle préfère **Amédée VII**, comte de Savoie, pour qui le port de Nice est un enjeu capital dans sa maîtrise de la route d'Italie. Cette puissante maison, déjà riche de la province du Piémont, va transformer durablement l'identité niçoise : quittant l'habit provençal, Nice s'italianise avec la Savoie qui établit sa capitale à Turin au 16ᵉ s. et annexe la Sicile puis la Sardaigne au 18ᵉ s.

### 👁 Le saviez-vous ?

Chaque jour, un **coup de canon** rappelle aux Niçois l'heure du déjeuner. L'origine de cette coutume est due à Sir Thomas Coventry, un de ces Anglais à la vie réglée comme du papier à musique : las de prendre ses repas à des heures fluctuantes, il proposa l'achat et l'entretien sur ses deniers d'un canon afin que soit donnée du haut de la colline du Château, à midi précise, l'heure du déjeuner à tous les Niçois. Si la tradition s'est maintenue, le canon a été remplacé par un gros pétard.

En 1793, Nice et son arrière-pays deviennent, sous la Convention, le département des Alpes-Maritimes. À la chute de l'Empire, en 1814, le roi de Piémont-Sardaigne les récupère par le traité de Paris.

**Le plébiscite** – Napoléon III accepte de s'allier au Piémont-Sardaigne et de chasser les Autrichiens des provinces du Nord de l'Italie pour reprendre Nice et la Savoie. Le **traité de Turin** (1860), entre Napoléon III et le roi de Sardaigne Victor-Emmanuel II, stipule le retour de Nice à la France « sans nulle contrainte de la volonté des habitants ». Le plébiscite est triomphal : 25 743 oui contre 260 non, parmi lesquels Garibaldi, bien sûr. Le 12 septembre, l'empereur et l'impératrice Eugénie reçoivent du maire de Nice les clés de la ville sur l'actuelle place Garibaldi. La région de Tende et de la Brigue devait demeurer territoire italien pendant encore 87 ans, jusqu'au traité du 10 février 1947.

## Deux héros niçois

**André Masséna** (1758-1817), général dès 1793, s'illustre pendant la campagne d'Italie à Rivoli. Bonaparte l'appelle « l'enfant chéri de la victoire ». Il remporte la bataille de Zurich sur les Autrichiens et les Russes, et permet à Bonaparte de gagner celle de Marengo sur les Italiens. Il conquiert le royaume de Naples (1806). Son génie militaire s'accompagne d'une âpreté au gain et d'un opportunisme qui le fait successivement crier au cours de sa carrière : « Vive la nation ! Vive l'empereur ! Vive le roi ! »
Des convictions plus solides ont animé **Giuseppe Garibaldi** (1807-1882), fils de marin génois, qui s'est battu aux côtés de Mazzini pour l'unité de l'Italie lors de la Révolution de 1848 puis celle de 1859. Exilé en Amérique du Sud, il défend les républicains uruguayens et brésiliens. Ce « Che Guevara » niçois a bien mérité son surnom de « héros des Deux-Mondes ».

**Aujourd'hui** – En 1860, Nice ne comptait que 40 000 habitants. Son rattachement à la France marqua le début d'un développement exceptionnel fondé sur le commerce, le transport et surtout le tourisme, grâce au chemin de fer. Nice rivalise avec Cannes en têtes couronnées anglaises et russes qui embellissent leur villégiature.
Actuellement 5ᵉ ville de France, elle est devenue un pôle technologique de dimension internationale grâce à la technopole de Sophia-Antipolis et au palais des congrès Acropolis. Centre administratif, Nice a aussi vocation culturelle, d'autant qu'elle a accueilli nombre de créateurs rassemblés au sein de l'**école de Nice** : musées prestigieux, conservatoire de musique, centre national d'art contemporain *(voir Villa Arson)* et université. Son climat, doux en hiver et tempéré par la brise en été, fait le bonheur des retraités, en nombre croissant. Un équipement hôtelier hors pair finit de faire de Nice l'un des hauts lieux du tourisme en France.

**Le roi Carnaval** – Célèbre et fort ancienne, la tradition du **carnaval de Nice**★★ est déjà mentionnée en 1294 lors du passage du comte de Provence, Charles II. Cette grande fête fut toujours un dérivatif aux tensions de la société et aux difficultés nées des conflits que la situation géographique de Nice ne cessait d'engendrer. Après une longue interruption pendant la Révolution et l'Empire, un premier défilé de chars eut lieu en 1830 pour honorer le retour à la souveraineté sarde.
Sa forme moderne date de 1873, ses décors ayant été enrichis par le peintre niçois Alexis Mossa. De nos jours, l'entrée de Sa Majesté Carnaval a lieu environ trois semaines avant le Mardi gras ; il est brûlé en effigie ce soir-là. Pendant les festivités, des corsos de 20 chars et 800 grosses têtes loufoques défilent les week-ends, en journée ainsi que certains soirs. La fabrication de chaque char nécessite en moyenne 1 tonne de carton-pâte.

# Se promener

## LE FRONT DE MER★★

*Compter 2h. Partir de l'intersection de la promenade des Anglais et du bd Gambetta.*

### Promenade des Anglais★★

*Fermée à la circulation un dimanche par mois.*
Exposée en plein midi, cette magnifique avenue épouse l'immense courbe de la baie des Anges. La grande bleue vous convie à un tête-à-tête où n'interfèrent ni l'intense circulation automobile ni les promeneurs et autres sportifs qui s'ébattent dans ce cadre grandiose. En contrebas, les plages de galets invitent à la baignade…

Jusqu'en 1820, la côte, à cet endroit, était d'un accès difficile. La colonie anglaise, nombreuse depuis le 18ᵉ s., prit à sa charge l'établissement du chemin riverain qui a donné son nom à la voie actuelle. En 1931, c'est encore un Anglais, le fils de la reine Victoria, qui donne à la promenade des Anglais sa dimension actuelle. Témoin somptueux de cette splendeur passée, le **Négresco**, avec ses rondeurs Belle Époque. Pour voir la superbe verrière de Gustave Eiffel, ornée d'un lustre de cristal de Baccarat, don du tsar Nicolas II, entrez prendre un verre. Un peu plus loin, la monumentale façade Art déco, seul vestige du majestueux **palais de la Méditerranée** conçu en 1928 par Frank Jay Gould et décoré par le sculpteur niçois Sartorio, qui habilla le béton armé de pierres sculptées. Menacée de démolition, suite à la fermeture de l'établissement, la façade fut préservée grâce à un classement aux Monuments historiques et le reste du bâtiment, détruit. Restaurée à l'identique, elle ouvre désormais sur le lieu destiné au tourisme d'affaire (hôtel de luxe, casino…). On aperçoit également, dissimulé dans la façade latérale de l'*Élysée Palace (r. Honoré-Sauvan)*, la *Vénus de bronze* du sculpteur Sacha Sosno (1989), de 26 m de haut.

Par l'avenue de Verdun, on longe le **jardin Albert-I**ᵉʳ comprenant un théâtre de verdure, une belle fontaine signée Volti et une sculpture de Bernard Venet qui dessine un immense arc dans l'espace.

## Place Masséna

Sur la promenade du Paillon qui recouvre le torrent, ce bel ensemble architectural de style turinois colore de ses arcades ocre-rouge le cœur de la ville. L'**avenue Jean-Médecin** s'ouvre au nord, animée de ses grands magasins. À l'ouest se situe ce que les Anglais du 18ᵉ s. nommaient Newborough (quartier neuf). La **rue Masséna** et la **rue de France**, qui la prolonge, sont deux artères piétonnes agréablement parsemées de cafés, restaurants et commerces de toutes sortes.

À l'est, au-delà de la gare routière et du musée d'Art moderne, une belle perspective s'étend vers des collines au charme toscan. À l'angle du jardin Maréchal-Juin entouré de fontaines, se trouve la **Tête Carrée** de Sacha Sosno qui abrite la bibliothèque Louis-Nucéra.

*La Promenade des Anglais fréquentée à toute heure de la journée.*

## Le port

Deux millénaires durant, les bateaux abordant à Nice venaient simplement accoster au pied du rocher du château. Charles-Emmanuel III, duc de Savoie, ordonna le creusement du port en 1750 dans les marécages de Lympia. Des travaux d'extension furent entrepris au 19ᵉ s. La **place de l'Île-de-Beauté** face au port, avec ses immeubles à portiques aux jolies façades ocre, a été aménagée à la même époque.

Navires de fret (exportation de ciment niçois), paquebots de croisière, bateaux de pêche et de plaisance, car-ferries pour la Corse entretiennent dans le port une constante activité. Sur le quai de Lunel, vous pourrez faire un tour au petit marché aux puces avant de rejoindre la Promenade des Anglais.

# Découvrir

## LE VIEUX NICE★

*Voir le plan II.*

Encore ébloui par le grand large, ses embruns et sa lumière, vous vous laisserez envoûter par le Nice baroque, construit entre la rue des Ponchettes et la colline du Château. Son dédale de venelles abrite du vent en hiver et procure une délicieuse fraîcheur en été. Ancien mais vivant, le cœur de Nice séduit le touriste par son charme méridional, animé de commerces aux couleurs de la Provence, de bistrots ou petits restaurants qui fleurent bon la cuisine du pays. Les immeubles pastel sont habillés du linge qui sèche aux fenêtres jusqu'à ce que les persiennes se ferment à l'heure de la sieste. Le vieux Nice se fige alors dans un calme étrange.

### Cours Saleya

La vieille ville se découvre comme par inadvertance après une flânerie sur le **cours Saleya**, rassasié des odeurs et des couleurs du marché aux fleurs et aux primeurs : œillets, fruits, légumes, mesclun et olives sont un enchantement.

Au 18e s., le cours était une artère élégante et mondaine, comme en témoignent la **chapelle de la Miséricorde** ou, à l'extrémité est, celle jaune du **palais Caïs de Pierla**, où Matisse vécut de 1921 à 1938 au 3e puis au 4e étage, avec vue sur la mer.

À gauche de la chapelle, la place P.-Gautier donne sur l'ancien palais du Gouverneur et des princes de Savoie (actuelle préfecture) du 17e s., tandis qu'apparaît, à l'ouest, la tour de l'Horloge (18e s.). Faites un détour par la rue Saint-François-de-Paule, où se trouve l'**église** (18e s.) du même nom, à la belle façade beige et bleu et au campanile coloré. *Tlj sf w.-end 8h-12h, 15h-19h - fermé juil.-août sf 8h pour l'office chanté.*

Elle fait face à l'**opéra** (1885), construit selon les plans de l'architecte niçois François Aune, approuvés par Charles Garnier.

### Chapelle de la Miséricorde★

*2 pl. Pierre-Gautier - ℘ 04 93 81 45 34 -mar.14h/14h30-17h - fermée de déb. juil. au 10 sept.*

Petit chef-d'œuvre du baroque niçois, cette chapelle appartient à la confrérie des Pénitents Noirs. Elle fut édifiée en 1740 par Vittone d'après les plans du célèbre prêtre-architecte italien du 17e s., Guarini. L'élégante symétrie de son architecture extérieure est parsemée de volutes et contre-courbes, depuis sa façade ventrue à ses oculi ovoïdes, surmontés de lucarnes enguirlandées.

L'intérieur, à couper le souffle, n'est que coupoles et absidioles recouvertes d'anges virevoltants entre les dorures et les faux-marbres. Si le décor démesurément riche est du 19e s. (voûte peinte par Bistolfi), le volume ample et mouvementé, le plan elliptique sont caractéristiques du baroque piémontais. La sacristie recèle les trésors d'art primitif niçois dont deux **retables★** qui représentent une Vierge de Miséricorde. Si l'œuvre de Jean Miralhet, de 1429, est encore teintée du hiératisme byzantin de l'école siennoise, le panneau central de la seconde Vierge, peinte par **Louis Brea** en 1515, possède la grâce de la Renaissance italienne et fait apparaître peut-être la plus ancienne vue de Nice.

*Prendre à gauche la rue de la Poissonnerie.*

### Chapelle de l'Annonciation

*℘ 04 93 62 13 62 - 8h-12h, 14h30-18h.*

Anciennement consacrée à saint Giaume, la chapelle est plus connue des Niçois sous le nom de **Sainte-Rita**, car cette patronne italienne des causes désespérées y reçoit un culte fervent, comme en témoignent les fleurs et les cierges qui entourent son autel *(à gauche en entrant)*. Bâti au 13e s., entièrement restructuré au 17e s., l'édifice oppose la simplicité de sa façade, caractéristique de l'architecture niçoise, à la profusion baroque de ses **décors★** : balustrades et autels ornés de marqueterie de marbre, retables somptueux, voûtes ornées de peintures et de caissons, belles boiseries, le tout réalisé entre le 17e et le 19e s. Le décor baroque s'épanouit en effet dans un ordre hiérarchique qui lui est propre : dépouillé au niveau des hommes, il s'enrichit en montant vers la voûte, niveau du divin, entourée d'anges, de ciel et de nuages.

*Continuer tout droit, puis prendre à droite la rue de la Place-Vieille, qui offre une belle percée sur le Château. Prendre ensuite à gauche.*

### Église Saint-Jacques ou Gesù★

*℘ 04 93 92 01 35 - possibilité de visite sur demande à la paroisse Bien-Heureux-Jean-XXIII chaque 2e dim. du mois 9h-12h - jeu. apr.-midi, sam. matin et dim. 19h.*

Les jésuites, pour qui cette chapelle a été édifiée au 17e s. (façade de 1825), se sont inspirés du modèle romain, mais surtout des canons de la Contre-Réforme. D'où une nef unique, large et peu élevée. Ici, les lignes droites, bien plus importantes qu'ailleurs, sont assouplies par le foisonnement majestueux et théâtral des ornements et des dorures : du haut de leur frise, de merveilleux angelots (164 peints et 48 sculptés) vous regardent, comme surpris en plein vol. Remarquez la chaire d'où se faisait le prêche, dotée d'un bras tenant une croix. La **sacristie**, ancienne salle de réunion des religieux, se visite pour son plafond et ses 14 stalles de noyer massif (17e s.) qui abritent le trésor de l'église.

*La rue du Jésus (en face en sortant de l'église) vous mène à la rue Sainte-Réparate.*

## Cathédrale Sainte-Réparate

*Pl. Rossetti - ℰ 04 93 92 01 35 - 9h-12h, 14h-18h, dim. 15h-18h - messes sam. 18h30, dim. 10h et 12h.*

Point de repère précieux, son superbe dôme de style génois du 18e s. illumine le cœur de la vieille ville de ses 14 000 tuiles vernissées, tandis que sa belle façade 19e s., équilibrée et colorée dans le goût baroque, participe à l'animation de la très agréable place Rossetti, qui prolonge la place aux Herbes où se tenait autrefois le marché aux légumes.

Construite en 1650 par l'architecte niçois J.-A. Guiberto, la cathédrale est dédiée à la patronne de la ville, jeune martyre dont la mer aurait porté le corps de la Palestine jusqu'aux rivages niçois, dans une barque halée par les anges. Cette légende permettrait d'expliquer le nom de la « baie des anges », face à la promenade des Anglais, à moins qu'il ne s'agisse d'une allusion au poisson-ange qui abondait dans la mer.

C'est à l'**intérieur★** de la cathédrale que le baroque déploie toute sa fantaisie dans le stuc et le marbre. Remarquez au-dessus du maître-autel, à droite du tableau *La Gloire de sainte Réparate*, une vue de Nice et de son château au 17e s. La frise, armoriée des initiales des ducs de Savoie, et la corniche sont particulièrement pittoresques. Belles boiseries du 17e s. dans la sacristie.

*En sortant, prendre en face la rue Rossetti et tourner à la 3e à gauche, rue Droite.*

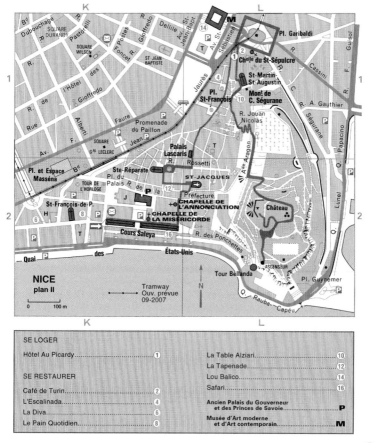

| SE LOGER | | |
|---|---|---|
| Hôtel Au Picardy | ❶ | |

| SE RESTAURER | | |
|---|---|---|
| Café de Turin | ❷ | |
| L'Escalinada | ❹ | |
| La Diva | ❻ | |
| Le Pain Quotidien | ❽ | |

| | |
|---|---|
| La Table Alziari | ❿ |
| La Tapenade | ⑫ |
| Lou Balico | ⑭ |
| Safari | ⑯ |
| **Ancien Palais du Gouverneur et des Princes de Savoie** | **P** |
| **Musée d'Art moderne et d'Art contemporain** | **M** |

## Palais Lascaris

*15 r. Droite - ℘ 04 93 62 72 40 - tlj sf mar. 10h-18h - possibilité de visite commentée vend. 15h et sur RV - fermé 1ᵉʳ janv., Pâques, 1ᵉʳ Mai et 25 déc. - gratuit - 3 €.*

Ce palais de style génois fut construit en 1665 par J.-B. Lascaris, un neveu du grand-maître de l'ordre de Malte, issu des comtes de Vintimille, dont la dynastie se prévalait d'une alliance antique avec les empereurs byzantins Lascaris qui régnèrent au 13ᵉ s. à Nicée, en Asie Mineure, alors que Constantinople était occupé par les croisés.

Le palais est habillé d'une somptueuse façade parée de balcons à balustres sur consoles de marbre sculpté et pilastres avec chapiteaux à guirlandes de fleurs ; un fronton brisé à volutes surmonte la porte.

Dès l'entrée, on est ébloui par la majesté de l'escalier d'apparat. Avant de monter, admirez à droite la belle **pharmacie** dans ses boiseries, vases et chevrettes (récipients à bec) de 1738, de Besançon. Le prestigieux **escalier★** à balustres mène à l'« étage noble » *(deuxième étage)* par un ensemble époustouflant de voûtes, peintures du 17ᵉ s. et statues de Mars et de Vénus du 18ᵉ s. dans leurs niches rocaille. La décoration est représentative du mode de vie d'une grande famille du comté de Nice avant la Révolution. Tapisseries flamandes d'après des cartons de Rubens dans l'antichambre ; sur le plafond du grand salon, fresque en trompe l'œil du 18ᵉ s., la *Chute de Phaéton* : proche de celle du château de Cagnes *(voir ce nom)*, elle est attribuée au peintre génois Carlone. De superbes atlantes et cariatides supportent la cloison de stuc qui introduit à la chambre d'apparat. De l'autre côté de l'escalier, l'appartement privé avec ses plafonds du 18ᵉ s. et ses médaillons peints cernés de stuc. Les boiseries Louis XV sont incrustées de cuivre argenté et surmontées de trumeaux à paysages.

## Place Saint-François

C'est le domaine des poissonnières qui l'animent le matin autour de la jolie fontaine. À droite, la belle façade 18ᵉ s. de l'ancienne maison communale, aujourd'hui bourse du travail. Derrière pointe le **clocher Saint-François** de l'ancien couvent franciscain transféré à Cimiez. Continuez par la très vivante rue Pairolière où, en cas de « petit creux », vous ne manquerez pas de déguster la **socca**.

## Place Garibaldi

C'est une des plus belles places de Nice, avec ses élégantes maisons ocre-jaune à arcades à la mode piémontaise. Contemporaine du nouveau port à l'est et de la route royale de Turin (d'où le café du même nom, spécialisé en excellents fruits de mer), elle devient un carrefour essentiel de la ville au 18ᵉ s. Au centre, la statue de Garibaldi campe fièrement. Sur le côté sud, la **chapelle du Saint-Sépulcre** (18ᵉ s.), propriété de l'archiconfrérie des Pénitents Bleus, présente un décor baroque aux tonalités bleues.

*À l'angle du Café Turin, prendre la rue Neuve jusqu'à l'église St-Martin-St-Augustin.*

### Des œillets célèbres

Nice, qui a pour emblème l'œillet, est fier de vous présenter ses nouveau-nés : l'œillet J. Garibaldi et l'œillet J. Médecin. Ces deux créations émanent d'un seul et même homme : le célèbre alchimiste local, **Ferrate Lanari** déjà à l'origine de plus de 2000 variétés différentes. Le premier revêt une robe rouge carmin et des pétales très frisés, le second se distingue par des pétales rouge vif. De quoi magnifier les étals des marchés de fleurs sur le cours Salaya.

## Église Saint-Martin-Saint-Augustin

*1 pl. Sincaire - tlj sf lun. et w.-end 9h-12h, 14h-17h - gratuit.*

C'est la plus ancienne paroisse de Nice (1510). Luther, alors catholique, y aurait célébré une messe et Garibaldi y fut baptisé. L'**intérieur★** forme un bel ensemble baroque. Dans le chœur, à gauche, on peut admirer une **Pietà** au centre du retable de **Louis Brea**.

En sortant de l'église, remarquez de l'autre côté de la rue le **monument de Catherine Ségurane**, *eroïna nissarda*, bas-relief sculpté en 1923. Nice, assiégé en 1543 par les Français et leurs alliés turcs, aurait été défendu par cette femme du peuple qui symbolise depuis lors l'esprit de résistance des Niçois. Hommage lui est rendu le premier dimanche de septembre.

*Par la rue Saint-Augustin (à droite en sortant de l'église), rejoindre la rue de la Providence pour emprunter les escaliers qui mènent au Château (attention, ça grimpe !).*

*Les toits de la vieille ville de Nice.*

S. Sauvignier / MICHELIN

## Château

*Accès par l'ascenseur du Château – juin-août 9h-20h, avr.-mai et sept. 9h-19h, oct.-mars 10h-18h30 (dernière montée 30mn av. fermeture) - 0,80 €, 1,10 € AR (–10 ans 0,50 €, 0,70 € AR).*
On désigne ainsi la colline, haute de 92 m, aménagée en promenade ombragée, sur laquelle s'élevait le château fort de Nice détruit en 1706 par les armées de Louis XIV. En longeant le cimetière, vues plongeantes sur les toits de la vieille ville et la baie des Anges. Vers le sud-est de la colline gisent les vestiges de l'**ancienne cathédrale**, dont on a dégagé la base des absides et des absidioles (11ᵉ s.), ce qui a permis de mettre en évidence, sous les ruines, un niveau romain et grec. De la vaste plate-forme établie au sommet, **vue★★** à peu près circulaire *(table d'orientation)*. Sous la terrasse jaillissent les cascades artificielles alimentées par les eaux de la Vésubie.
*Continuer vers la tour Bellanda.*

## Tour Bellanda

Cet énorme bastion circulaire où Hector Berlioz aurait composé l'ouverture du *Roi Lear* a été bâti au 19ᵉ s. sur une ancienne tour de la citadelle médiévale. Elle abrite le **Musée naval** qu'apprécieront les amoureux de la mer (maquettes de navires, instruments de navigation, évocation de la plaisance…). ℘ *04 93 80 47 61 - tlj sf lun. et mar. 10h-12h, 14h-17h (19h juin-sept.) - fermé 1ᵉʳ janv., dim. de Pâques, 1ᵉʳ Mai et 25 déc.*
*Descendre les escaliers qui mènent au quai des États-Unis d'où l'on peut rejoindre la promenade des Anglais.*

# L'ART MODERNE ET CONTEMPORAIN

## Musée des Beaux-Arts Jules-Chéret★★ D6

*Voir le plan I. 33 av. des Baumettes, bus 38 (arrêt Chéret) - ℘ 04 92 15 28 28 - www.musee-beaux-arts-nice.org - possiblité de visite guidée (1h) - tlj sf lun. 10h-18h - fermé 1ᵉʳ janv., dim. de Pâques, 1ᵉʳ Mai et 25 déc. - 4 € (enf. gratuit), gratuit 1ᵉʳ et 3ᵉ dim. du mois : visite guidée 7 € (enf. gratuit).*
Cette ravissante demeure, construite en 1878 pour la princesse ukrainienne Kotschoubey dans le style Renaissance des palais génois du 17ᵉ s., abrite une riche collection fondée sur un noyau d'œuvres envoyées à Nice par Napoléon III en 1860 pour l'édification du premier musée des Beaux-Arts.
Des chefs-d'œuvre des 17ᵉ, 18ᵉ et 19ᵉ s. européens sont répartis dans les trois salles attenantes du rez-de-chaussée. Remarquez notamment une œuvre rarissime de A. Tassi : *Paysage avec Jésus guérissant l'aveugle*, la *Tête de vieillard* de Fragonard, peinte de façon si moderne, et l'ambiance à la fois lumineuse et tragique d'Hubert Robert dans Les *Gorges d'Ollioules*. Une salle est consacrée à l'importante dynastie des Van Loo, dont le plus illustre représentant, Carle, premier peintre du roi, est né à Nice en 1705 : devant l'immense toile *Thésée, vainqueur du taureau de Marathon* ou le merveilleux *Polichinelle,* on perçoit une touche virtuose qui annonce celle d'un Fragonard. De superbes portraits féminins parent les murs de la grande galerie, ainsi que le beau *Thamar* de Cabanel. Le patio abrite *L'Âge d'airain* de Rodin et le *Triomphe de Flore* de Carpeaux. L'escalier d'honneur, où se donnaient des concerts, conduit à la

## DÉCOUVRIR LES SITES

période fin 19ᵉ-début 20ᵉ s., introduite par la gaieté fraîche des œuvres de l'inventeur de l'affiche moderne, **Jules Chéret**, mort à Nice en 1932.

Les courants académique, romantique et orientaliste du 19ᵉ s. s'illustrent dans la galerie, avec notamment les sculptures de J.-B. Carpeaux. Une salle permet de découvrir R. **Dufy** avec *Bois de Boulogne*, *Nature morte* ; une autre **Van Dongen** et ses couleurs fauves qui teintent ses figures de passion et d'insolence : *Chimère pie* (1895), *Tango de l'Archange*. À noter aussi la peinture du paysage en France à travers d'intéressantes

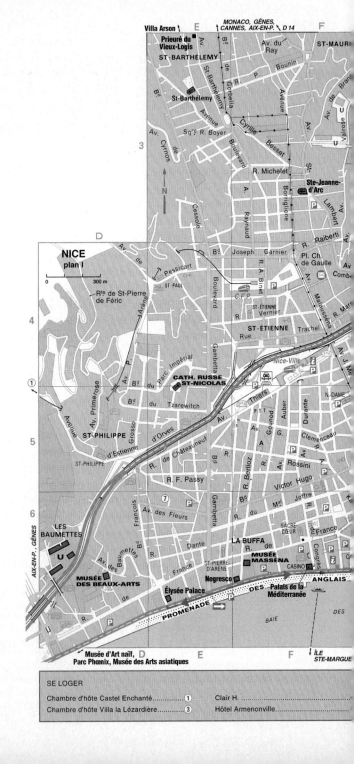

œuvres de Boudin, Camoin, Lebasque, Monet, Sisley, Bonnard, Marie Laurencin… et petits maîtres du 19ᵉ s. regroupés par genre : nus, scènes de genre, paysages. On retrouve le style de Renoir chez Louise Breslau, l'intimisme de Carrière, des portraits de Desboutin et l'univers étrange du symboliste Mossa.

### Musée Matisse ★★ H3

*Voir le plan I. Villa des Arènes, Cimiez. Bus 15, 17, 20, 22 (arrêt Arènes) - ℘ 04 93 81 08 08 - www.musee-matisse-nice.org - ♿ - possibilité de visite guidée (1h15) - tlj sf mar. 10h-18h*

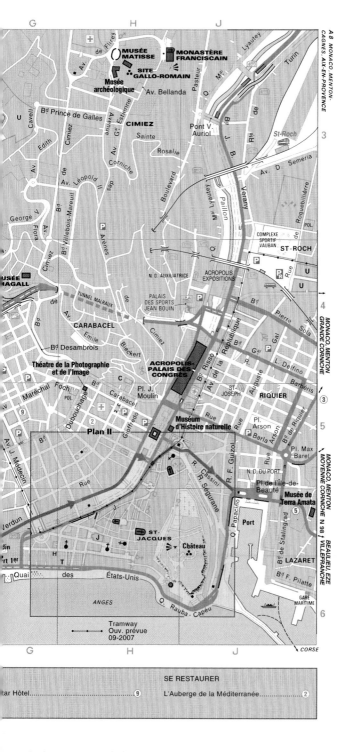

| SE RESTAURER | |
|---|---|
| ...tar Hôtel............................................⑨ | L'Auberge de la Méditerranée....................② |

*(dernière entrée 17h30)*- fermé 1er janv., dim. de Pâques, 1er Mai et 25 déc. - 4 € (enf. gratuit), gratuit 1er et 3e dim. du mois.

Dominant la mer du haut de l'antique site de Cimiez, cette splendide villa du 17e s., de style génois et couleur terre de Sienne, se prête merveilleusement à exposer le peintre de *Luxe, calme et volupté*. Associées à son beau mobilier, une trentaine de **toiles** résument parfaitement l'itinéraire d'**Henri Matisse** (1869-1954).

Chemin faisant, on passe d'une palette assez sombre à des toiles éclairées de la lumière méditerranéenne. Sa facture se libère sous l'influence de Cézanne, puis de Signac à Saint-Tropez. À Collioure, en 1905, ses couleurs posées en aplat et son émotion s'expriment de manière plus violente, alors qu'il est à la tête du **fauvisme**. Après un séjour au Maroc, puis à Nice (1916), la couleur pure se déploie à l'intérieur d'un simple cerne noir de plus en plus virtuose et évocateur *(Portrait de Laurette)*. Une grande sensualité se dégage de ses gouaches, huiles ou dessins, nourrie de ses voyages et de sa vue sur la mer depuis ses ateliers niçois (1921-1938) : *Odalisque au coffret rouge* (1926), *Fenêtre à Tahiti* (1935), *Nu dans un fauteuil* (1937), *Lectrice à la table jaune* (1944), *Nature morte aux grenades* (1947). L'été niçois apparaît chaud et langoureux, dans *Nu renversé au grand feuillage* (1936) et *Figure endormie* (1941), pour celui qui recherchait dès 1908 « un art d'équilibre, de pureté, de tranquillité ». Désormais, le tracé épuré de ses papiers découpés dans la gouache « bleu absolu » traduit avec bonheur la femme, la lumière, la mer : *Nu bleu IV*, *Baigneuse dans les roseaux* (1952). Et encore : *Océanie la mer et Océanie le ciel*, célèbres sérigraphies de 1947, *Polynésie*, immense tapisserie de Beauvais.

Matisse sculpteur s'illustre dans ses **bronzes** dont *Le Serf* (vers 1900) et la *Serpentine* (1909), d'une extrême élégance. Une forme de plus en plus abstraite transparaît dans la série des *Jeannette* (1910-1913), des *Nus*, des *Henriette* (1925-1929), ou monumentale dans les *Nus de dos* (1913, 1916).

Enfin, deux ensembles sont présentés par roulement : les esquisses et maquettes pour la **chapelle du Rosaire** à Vence *(voir ce nom)* retracent la construction de ce chef-d'œuvre d'un art de l'essentiel (1948-1951) et constituent un complément indispensable à sa visite ; et, d'autre part, 41 études préparatoires (dessins, gouaches découpées, gravures et huiles sur toile) à la *Danse de Merion* (1930-1933).

## Musée Marc-Chagall★★ G4

*Voir le plan I. Av. du Docteur-Ménard, Cimiez. Bus 15 (arrêt Chagall) - ℰ 04 93 53 87 20 - www.musee-chagall.fr - ᪣- juil.-sept. : tlj sf mar. 10h-18h ; oct.-juin : tlj sf mar. 10h-17h - fermé 1er janv., 1er Mai et 25 déc. - 6,50 € (enf. gratuit), gratuit 1er dim. du mois.*

Suite à la donation de Marc Chagall (1887-1985) de ses 17 grandes toiles du **Message biblique** (1954-1967), ce musée national fut conçu comme une « maison », selon le vœu du peintre, par A. Hermant (collaborateur de Le Corbusier). L'architecte a donc privilégié la simplicité et su habilement ménager la lumière du Sud, pour mettre en valeur cette imposante collection. En outre, inspirés de la création du monde, trois grands vitraux inondent l'auditorium (où se déroulent concerts et conférences) de leur lueur bleutée. Le bâtiment est entouré d'un jardin à dominante blanche et bleu, et le prophète Élie, représenté sur une **mosaïque** extérieure (1970), se reflète dans un bassin *(visible de l'intérieur du musée)*.

« Depuis ma première jeunesse, j'ai été captivé par la Bible et il me semble encore que c'est la plus grande source de poésie de tous les temps. » déclare Chagall dans son volet IV du « Cantique des cantiques ». Son enfance russe et israélite, puis son rêve de paix pour l'humanité, sont à l'origine de cette œuvre qu'une grande poésie inonde d'un même souffle. Dans la grande salle, la gravité des sujets traités, extraits de l'**Ancien Testament** (12 toiles), n'exclut pas la naïve féerie chère à l'artiste et une débauche de couleurs d'un lyrisme puissant. Dans la salle attenante, le **Cantique des cantiques** (5 toiles) est magnifiquement illustré par des créatures de rêve qui voguent au-dessus de villes endormies dans un rougeoiement somptueux.

Gouaches de 1931, planches gravées à l'eau-forte pour la Bible éditée par Tériade en 1956 et esquisses finissent de montrer les cheminements de l'artiste.

👁 **Bon à savoir** – À la faculté de droit *(à l'ouest de la ville)*, vous pourrez voir, sur le mur du hall du premier étage, une admirable **mosaïque★** : Ulysse, triomphant de toutes ses épreuves, retrouve la paix auprès de Pénélope à Ithaque. *Faculté de droit - Av. Doyen Louis Trotobas - ℰ 04 92 15 70 22 - visite sur RV préalable obligatoire - ᪣- tlj sf w.-end 9h-11h, 14h-16h - fermé de mi-juil. à fin août, vac. de Noël et j. fériés - gratuit.*

## Musée d'Art moderne et d'Art contemporain★★

*Voir le plan II. Promenade des Arts - ℰ 04 97 13 42 01 - www.mamac-nice.org - ᪣- tlj sf lun. 10h-18h (dernière entrée 17h15) - fermé 1er janv., dim. de Pâques, 1er Mai et 25 déc. - 4 € (enf. gratuit), gratuit 1er et 3e dim. du mois.*

Ce château fort moderne de marbre gris, construit par Yves Bayard et Henri Vidal, expose les œuvres de l'**école de Nice** et les courants qui en découlent des années 1960 jusqu'à nos jours, et ceux, américains, dont elle émane. Les collections sont présentées par roulement sur les deux étages supérieurs (expositions temporaires au 1er).

Au début des années 1960, Nice devient l'un des foyers artistiques les plus exubérants d'Europe avec notamment les **nouveaux réalistes**. Nourris des maîtres qui ont marqué la Côte d'Azur du début du siècle, ils s'en distinguent par des œuvres conçues non plus isolément, mais où vie et art sont mêlés. À l'instar du **pop art**, ils tentent d'exprimer la réalité quotidienne de la vie moderne et de la société de consommation. Si le courant américain, Andy Warhol en tête, se réapproprie la culture médiatique (découvrez la *Samarkand* de Rauschenberg, à travers une sérigraphie sur patchwork de tissus), le courant niçois développe une réflexion critique sur les objets industriels en les accumulant ou les cassant (Arman), les compressant (César), les piégeant sous verre (Spoerri), les empaquetant (Christo et Marie-Jeanne)… Une place de choix est réservée à **Yves Klein** (1928-1962), instigateur du mouvement, avec d'une part, ses happenings qui traduisent l'idée d'un art total, et, d'autre part, ses monochromes, or et surtout bleus, qui expriment le concept d'un art abstrait épuré.

Cette idée d'un art total est reprise par le mouvement néo-dada **Fluxus**, que Filliou définit ainsi : « L'art est ce qui rend la vie plus intéressante que l'art. » **Ben** en est le principal représentant niçois, connu par ses réflexions qui se lisent sur de nombreux supports.

Les développements de l'abstraction en France sont illustrés par **Supports/Surfaces** qui poursuit les voies ouvertes par l'abstraction américaine (Morris Louis, Frank Stella). Viallat, Pagès, Dezeuze, Dolla… et les Niçois du Groupe 70 réduisent la peinture à sa réalité matérielle en jouant sur le support ou le mode d'application de la couleur. Sur les traces des pliages de Simon Hantaï, la toile hors châssis est découpée, suspendue, pliée.

Issu de l'**art minimal** américain (Sol Le Witt, Richard Serra), le **BMPT** (Buren, Mosset, Parmentier, Toroni) réduit l'œuvre à sa plus simple expression : le support, la couleur et la composition de la matière.

Les années 1980 voient le retour à la figuration (fabuleuse donation de **Niki de Saint-Phalle**), en référence à la tradition (Gérard Garouste, Jean-Charles Blais) ou à la culture rock et à la bande dessinée chez les artistes de la figuration libre (Robert Combas, Hervé Di Rosa, Blanchard…). Savourez la beauté classique de l'Italie à travers les interventions au dessin d'**Ernest Pignon-Ernest** sur le crépi vétuste des murs de Naples ; ressentez l'Afrique du Nord avec *Le Tigre de papier* de J.-C. Blais réalisé à partir d'affiches collées, creusées, déchirées.

## Villa Arson

*Voir le plan I. 20 av. Stephen-Liégeard. Bus 4, 7 (arrêt Fanny) - juil.-sept. : tlj sf mar. 14h-19h ; oct.-juin : tlj sf mar. 14h-18h. Fermé entre deux expositions - gratuit.* ☎ *04 92 07 73 73. www.villa-arson.org.*

Au nord de la ville, elle s'étage sur la colline de Saint-Barthélemy au milieu d'un jardin méditerranéen offrant une belle vue sur la Baie des Anges. La villa du 18e s. est intégrée dans un ensemble architectural d'influence Bauhaus (labellisé Patrimoine du 20e s.) qui abrite une École nationale supérieure d'Art, des résidences d'artistes et un Centre national d'art contemporain. Les expositions (quatre par an) présentent des artistes de renommée internationale, que vous pourrez découvrir en compagnie d'un guide si vous le désirez.

## 2 600 ANS D'HISTOIRE À CIMIEZ

*Voir le plan I. Le bus no 15 y mène aussi (arrêt Arènes).*

Bien avant la reine Victoria ou le consul de Nice Gubernatis, les riches Romains s'établissent au 1er s. av. J.-C. à « Cemelenum », qui devient le chef-lieu des Alpes-Maritimes : on en compte 20 000 au 2e s. apr. J.-C. À partir du 16e s., les franciscains s'installent à l'est de la colline et nous livrent leurs trésors.

## Arènes

De proportions modestes, elles forment une ellipse de 67 m sur 56 m et pouvaient recevoir 4 000 spectateurs. Autrefois, des jeux de lance, des luttes de gladiateurs y étaient proposés. Aujourd'hui, grands noms du jazz et fêtes traditionnelles y attirent d'autres nombreux Gaulois *(voir l'encadré pratique)*. On aperçoit quelques vestiges des couloirs d'accès et des consoles de la façade extérieure, destinées à porter les mâts soutenant la toile *(velum)* qui protégeait du soleil.

## Musée archéologique

*160 av. des Arènes - ☎ 04 93 81 59 57 - ♿ - tlj sf mar. 10h-18h (dernière entrée 17h) - possibilité de visite guidée (1h) merc. 15h - fermé 1er janv., dim. de Pâques, 1er Mai et 25 déc. - 4 € billet combiné avec le site archéologique, gratuit 1er et 3e dim. du mois.*

Issus de fouilles et de donations, de riches bronzes et céramiques illustrent les grandes civilisations méditerranéennes. Au rez-de-chaussée, le monde ligure puis romain de la province des Alpes-Maritimes (14 av. J.-C.) est évoqué : statuette archaïque du guerrier du mont Bégo, matériel des *oppida* (habitats perchés), bornes milliaires de la via Julia Augusta (1er s.), monnaies, maquettes des ensembles thermaux de Cimiez et culte romain. Un magnifique **masque de Silène★** retient l'attention. Les usages funéraires sont expliqués au sous-sol : incinération aux 1er et 2e s. (stèles) et inhumation à partir du 3e s. (sarcophages). Un ensemble paléochrétien (4e-5e s.) termine la visite.

## Site archéologique gallo-romain★

*Mêmes conditions de visite que le Musée archéologique.*

L'immense quartier des thermes, de part et d'autre du *decumanus* I (axe est-ouest), reflète le haut degré de technologie atteint par cette brillante civilisation au 3e s. apr. J.-C. Au nord se trouvent les thermes réservés au procurateur de la province et aux notables, qui avaient leur piscine d'été en marbre entourée d'un péristyle à chapiteaux corinthiens. À droite, on reconnaît les latrines. Plus au nord s'élève le **frigidarium**, salle des bains froids, vaste et voûtée. Au sud du *decumanus* I, la passerelle franchit des restes d'habitations, puis domine les thermes de l'est : il s'agit de bains populaires, plus modestes dans leur décor, mais semblables aux autres dans leur équipement et la proportion de leurs salles. On arrive ensuite dans le quartier des habitations limité par le *decumanus* II, dallé (boutiques en bordure). Une voie nord-sud (*cardo*) se dirige vers la villa des Arènes. À gauche de cette voie se trouvent les **thermes de l'ouest**, réservés aux femmes, dont le dispositif en est assez bien conservé. Réutilisées successivement dès le 5e s. en baptistère paléochrétien, certaines parties de ces thermes conservent les traces des transformations en cathédrale : le chœur se situe dans le *frigidarium*, et dans une rotonde apparaît le **baptistère**.

*Traverser le jardin public planté d'oliviers.*

*Vestiges des thermes de la cité romaine de Cimiez.*

J.Malburet / MICHELIN

## Monastère franciscain★

Bordée de magnifiques jardins, l'église, bâtie sur un couvent bénédictin du 9e s., a été remaniée par les franciscains qui en assument toujours la charge.

Auparavant situé sur la place Saint-François de la vieille ville, le **calvaire de Cimiez**, désormais installé sur la place du Monastère, est une colonne torse en marbre blanc portant une croix tréflée datant de 1477 avec, d'un côté, le séraphin crucifié qui apparut à saint François et imprima sur son corps les stigmates de la Passion, de l'autre, sainte Claire et saint François entourant la Vierge.

À côté s'étend le **cimetière de Cimiez**, où l'on peut voir les tombes de Raoul Dufy, Roger Martin du Gard et Henri Matisse.

**Église Sainte-Marie-des-Anges** – *Pl. du Monastère* - 📞 *04 93 81 00 04 - fermée juil.-août*. Les **trois œuvres maîtresses**★★ du célèbre primitif niçois **Louis Brea** *(voir le chapitre « Comprendre la région »)* rendent la visite de l'église incontournable. À droite en entrant, une **Pietà** datée de 1475, très siennoise, est une œuvre de jeunesse et pourtant l'une des plus parfaites. À l'intérieur d'une composition horizontale sévèrement marquée par les bras de la croix et le corps raidi du Christ, Marie apparaît, étrangement seule, en dépit des angelots pleureurs qui voltigent autour de la croix. Un paysage s'esquisse sur un fond d'or guilloché de rinceaux. Le volet de gauche du panneau retient l'attention : il représente saint Martin, jeune cavalier plein de grâce, partageant son manteau écarlate, dans un mouvement incurvé qui donne une rare élégance à la composition.

D. Pazery / MICHELIN

*Détail de la fresque de Saint-Martin par Bréa.*

Très différente mais aussi belle est la **Crucifixion**, qui figure à gauche du chœur. Plus tardive (1512), elle n'a plus rien de gothique ; le fond doré a fait place à un paysage très fouillé, où la perspective s'affirme. La prédelle offre une savante mise en scène : remarquez, soulignée par les lances, la composition rayonnante de l'*Arrestation de Jésus* et la composition oblique du *Portement de croix*.

La **Déposition**, complète la *Crucifixion* et marque également l'assimilation des données picturales de la Renaissance ; ici, la disposition des personnages est oblique, s'alignant sur celle du corps de Jésus, les verticales du paysage rétablissant l'équilibre.

Enfin, un monumental retable de bois sculpté mi-Renaissance mi-baroque, doré à la feuille, sépare le chœur des fidèles de celui des moines où se trouvent 40 stalles et un lutrin à 3 pans, beau travail de noyer du 17ᵉ s.

**Musée franciscain** – 📞 *04 93 81 00 04 - tlj sf dim. 10h-12h, 15h-18h (17h30 du 15 oct. au 30 avr.) - fermé j. fériés - gratuit*. Intéressante évocation du franciscanisme à Nice, du 13ᵉ s. à nos jours, et de son message spirituel et social. Entre autres œuvres d'art et documents, remarquez un magnifique antiphonaire (recueil de chants liturgiques) enluminé (17ᵉ s.), ainsi que la chapelle des novices et la cellule reconstituées.

### Jardin du monastère★

Au sud du monastère (où se trouvait à l'origine le jardin des moines), il séduit par son calme et sa simplicité : parcelles gazonnées plantées de citronniers, parterres fleuris, pergolas où serpentent des rosiers… Un bosquet de cyprès et de chênes-verts marque l'emplacement des anciennes fortifications ligures. Enfin, surplombant la vallée du Paillon, il constitue un **balcon** de rêve sur Nice, le Château et la mer, le mont Boron, l'Observatoire.

## L'HÉRITAGE RUSSE À NICE

Dès la fin du 19ᵉ s., à la suite de l'installation en 1881 de la princesse Katia Dolgorouki, veuve du tsar Alexandre II, de riches aristocrates russes choisissent Nice comme lieu de villégiature. Plus encore qu'à Cannes, avec l'église Saint-Michel-Archange (1894), ou à Menton, où s'élève la chapelle de l'ancien sanatorium russe (1908), ces « excentriques » (c'est ainsi que les Niçois surnommaient les Russes) rivalisèrent ici de prodigalité pour recréer un coin de leur patrie sur la Côte avec des architectures qui mêlèrent l'inspiration slave à celle méditerranéenne. Le baron von Dewies, créateur des chemins de fer russes, fit élever le gothique **château de Valrose** *(faculté des sciences de Nice, au nord de la ville)* et installa une **isba** de Kiev dans son immense parc. À l'entrée ouest de Nice, près de la voie ferrée, le **château des Ollières** *(actuellement hôtel-résidence)* dresse son étonnant donjon encadré de quatre petites tourelles. À proximité, le musée des Beaux-Arts est installé dans les murs du **palais Kotschoubey**. La résidence Palladium *(bd Tsarévitch)* a été construite pour un banquier russe.

## Cathédrale orthodoxe russe Saint-Nicolas★ E4-5

*Voir le plan I. Av. Nicolas-II - ☎ 04 93 96 88 02 - www.egliseorthodoxerusse-nice.com - mai-sept. : tlj sf dim. matin 9h-12h, 14h30-18h ; de mi-fév. à fin avr. et oct. : tlj sf dim. matin 9h15-12h, 14h30-17h30 ; de déb. nov. à mi-fév. : tlj sf dim. matin 9h30-12h, 14h30-17h - fermé 1er janv. - 3 € (−12 ans gratuit).*

Construite par un architecte russe en 1912, cette cathédrale est l'édifice religieux orthodoxe le plus grand à avoir été édifié hors de Russie. Avec ses six coupoles à bulbes et sa façade de briques ocre, elle jette une touche d'exotisme inattendu dans le ciel de Nice et symbolise l'importance de la colonie russe sur la Côte d'Azur.

La magnificence du tsar Nicolas II s'exprima dans le choix des matériaux : les tuiles vernissées des coupoles et les croix dorées qui les surmontent proviennent d'Italie, les briques, d'Allemagne ; la coupole du clocher est recouverte de feuilles d'or fin et les mosaïques des façades furent réalisées à la main par des artistes russes.

L'intérieur a la forme d'une croix grecque et son décor de fresques, de boiseries et d'icônes relevées d'orfèvrerie est d'une richesse extraordinaire. Le chœur est fermé par une somptueuse **iconostase★**, synthèse des plus belles réussites de l'art religieux russe, empruntée aux églises de Moscou. À droite du chœur, l'icône de **Notre-Dame-de-Kazan**, peinte sur bois, est rehaussée d'argent ciselé et de pierreries.

Dans le **parc**, une **chapelle byzantine** perpétue la mémoire du tsarévitch Nicolas, fils du tsar Alexandre II, qui mourut dans la villa Bermond cédée en 1900 par l'impératrice Alexandra pour l'édification de la nouvelle cathédrale.

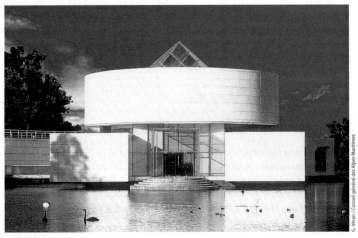

*Le musée des Arts Asiatiques dû à l'architecte Kenzo Tange.*

G. Véran / Conseil général des Alpes Maritimes

# Visiter

## Musée des Arts asiatiques★★

*Voir le plan I. De la promenade des Anglais, suivre la direction de l'aéroport Nice-Côte d'Azur, puis prendre à droite la contre-allée signalée « parc Phœnix » dans le nouvel ensemble de l'Arenas. Parking payant en sous-sol. 405 promenade des Anglais - ☎ 04 92 29 37 00 - www.arts-asiatiques.com - ♿ - de déb. mai à mi-oct. : tlj sf mar. 10h-18h ; reste de l'année : tlj sf mar. 10h-17h - fermé 1er janv., 1er Mai et 25 déc. - 4,50 € (−18 ans gratuit), gratuit 1er dim. du mois.*

Délicatement posé sur le lac du parc Phœnix *(voir ci-après)*, cet écrin de marbre blanc recèle des objets d'art sacré et traditionnels provenant d'Asie. L'architecture conçue par le Japonais **Kenzo Tange** (1998) symbolise la cosmogonie extrême-orientale, associant le cercle (le ciel) au carré (la terre) avec ses quatre points cardinaux. Il est à l'image d'un chapeau traditionnel de jeune mariée. Un audioguidage facilite la découverte de ces passionnantes civilisations.

Au 1er étage, un parcours de la route du bouddhisme est proposé, superbement esthétique mais également pédagogique. Les bouddhas en pierre de l'art gandhara (4e s.) ou khmer (12e s.) invitent à un voyage spirituel hors du temps et de l'espace.

Au rez-de-chaussée, chaque salle est consacrée à une civilisation d'Asie : Chine, Japon, Cambodge et Inde. D'une grande qualité et significatives du monde religieux et matériel du pays, sculptures, céramiques ou peintures sont mises en scène dans un dépouillement minimaliste qui suscite la contemplation et l'émotion.

Le sous-sol, plus contemporain, est consacré aux expositions temporaires. Des bornes multimédias « branchées » sur l'Asie présentent les collections des musées d'Art asiatique du monde entier.

Le très épuré **salon de thé japonais**, situé après la librairie, accueille des cérémonies du thé. *Dim. (sf 1er dim. du mois) 15h et 16h sur réservation au ☎ 04 92 29 37 02. 10 € (visite du musée comprise).*

## Parc Phœnix★

*Voir le plan I. 405 promenade des Anglais - ☎ 04 92 29 77 00 - ⌂ - possibilité de visite guidée (2h) - avr.-sept. : 9h30-19h30 ; oct.-mars : 9h30-18h30 (dernière entrée 1h av. fermeture) - 2 € (–12 ans gratuit).*

👪 Cet immense parc botanique (7 ha) vous fait sentir la nature comme si vous étiez en plein cœur de la jungle, les moustiques en moins ! 1 500 espèces végétales, toutes latitudes confondues, se découvrent par thème. L'**infothèque** fournit tout sur les végétaux exotiques par banques de données télématiques.

Au milieu d'un grand lac, « l'île des temps révolus » remonte à l'origine de la vie à travers des fossiles végétaux vivants : cycas, gingkos bilobas, fougères arborescentes. À côté, étonnants cratères fleuris. Plus loin, une **volière** abrite un ensemble fantastique de perroquets et autres oiseaux exotiques. Une chute d'eau rassemble une centaine de tortues. L'oued-oasis reconstitue l'écosystème saharien.

La **serre géante★**, « le diamant vert » (7 000 $m^2$ sous 25 m de haut), fait cohabiter sept climats à la température et à l'hygrométrie différentes. On admire successivement des orchidées et des broméliacées, la serre australe, un vivarium-insectarium souterrain, des plantes carnivores, des fougères du monde entier et, au centre, le grand jardin tropical qui réunit palmiers, bananiers, arbres du voyageur (Madagascar) et cultures vivrières tropicales (arbres à pain, caféiers, papayers…).

Enfin, la « grande pyramide aztèque » présente l'envers de la végétation et la vie animale souterraine avec une superbe collection de lépidoptères.

## Musée d'Art naïf A.-Jakovsky★

*Voir le plan I. Av. du Val-Marie. Quitter le centre-ville par la promenade des Anglais - ☎ 04 93 71 78 33 - tlj sf mar. 10h-18h - fermé 1er janv., lun. de Pâques, 1er Mai et 25 déc. - 4 € (–18 ans gratuit), gratuit 1er et 3e dim. du mois.*

L'élégant château Sainte-Hélène abrite la riche donation d'Anatole Jakovsky. Un fonds de 600 toiles témoigne de la fraîcheur et de l'étonnant pouvoir d'invention des « peintres de l'éternel dimanche ». Une histoire de l'art naïf est retracée depuis le 17e s. et à travers le monde. Les Croates, maîtres du genre, sont à l'honneur : Generalic'Rabuzin, Kovacic'Petrovic'. La France est abondamment représentée, notamment par Bauchant, Vivin, Vieillard, les Niçois Restivo et Crociani et des peintures plus oniriques de Vercruyce ou Lefranc. Les Suisses comme Luthé et les Belges apportent une large contribution, sans compter les États-Unis (O'Brady) et l'Amérique latine – le Brésil surtout. Une salle est réservée à une série de savoureux portraits d'A. Jakovsky !

## Musée Masséna★ F6

*35 promenade des Anglais - ☎ 04 93 88 11 34 - Fermé jusqu'en juin 2007.*

Entouré de ses jardins, ce très bel édifice construit en 1898 par le petit-fils du maréchal a le charme d'une résidence italienne du Premier Empire. L'intérieur est fastueusement décoré de **salons** Premier Empire, et directement inspiré du château de Lucien Bonaparte à Govone (Piémont).

## Théâtre de la Photographie et de l'Image H5

*Voir le plan II. 27 bd Dubouchage - ☎ 04 97 13 42 20 - www.tpi-nice.org - tlj sf lun. 10h-18h - fermé j. fériés - gratuit.*

L'ancien théâtre de l'Artistique qui a fait peau neuve vaut le coup d'œil rien que pour son architecture. Outre les expositions temporaires, il abrite un centre de documentation (collection de photographie sur Nice et sa région).

## Muséum d'Histoire naturelle H5

*Voir le plan II. 60 bis bd Risso - ☎ 04 97 13 46 80 - www.mhnnice.org - tlj sf lun. 10h-18h - possibilité de visite guidée merc. - fermé j. fériés - gratuit.*

👪 Ce premier musée de Nice créé au milieu du 19e s. par deux naturalistes niçois, Jean-Baptiste Vérany et Jean-Baptiste Barla, compte dans ses réserves de nombreux spécimens (zoologie, botanique et géologie) du monde méditerranéen. Actuellement, il présente une exposition sur les céphalopodes (pieuvres, seiches, nautiles…).

## Musée de Terra Amata J6
*Voir le plan II. 25 bd Carnot - ℘ 04 93 55 59 93 - www.musee-terra-amata.org - tlj sf lun. 10h-18h - fermé 1er janv., Pâques, 1er Mai et 25 déc. - 4 € (enf. gratuit), gratuit 1er et 3e dim. du mois.*

👥 Ce musée est installé sur le lieu même de la découverte d'un site préhistorique ayant livré l'un des plus anciens habitats connus en Europe, aménagé voici 400 000 ans. Les outils de pierre taillée, les restes osseux de la faune chassée, les moulages des sols d'habitat et les analyses de laboratoire concernant l'environnement et le climat sont présentés le long d'un parcours didactique qui conduit le visiteur depuis les fouilles jusqu'aux reconstitutions. Commentaires audiovisuels et diaporama des fouilles.

## Acropolis-palais des Congrès★
*À proximité du musée d'Art moderne - 1 espl. Kennedy - ℘ 04 93 92 83 00 - possibilité de visite guidée sur demande préalable.*

Sur le Paillon, ce vaisseau de verre et de béton ancré sur ses cinq voûtes est équipé pour recevoir de grandes manifestations de plusieurs milliers de personnes. Des œuvres d'artistes contemporains sont disposées à l'intérieur et à l'extérieur du palais, en parfaite harmonie avec l'architecture : Volti, Arman, César, Paul Belmondo, Moretti, Cyril de la Patellière, etc.

## Prieuré du Vieux-Logis E3
*Voir le plan I. 59 av. St-Barthélemy - ℘ 04 92 00 41 90 - sam. 15h-17h - possibilité de visite guidée (2h) dans le cadre d'un parcours découverte de la colline Saint-Barthélemy - juin-sept. : sam. 17h ; reste de l'année : sam. 15h - fermé 1er janv., dim. Pâques, 1er mai et 25 déc. - gratuit (visite libre), 3 € visite guidée (–15 ans gratuit).*

Un intérieur de la fin du Moyen Âge a été reconstitué dans une ferme du 16e s. : belles œuvres d'art (Pietà franc-comtoise du 15e s.), mobilier du 14e au 17e s., ustensiles de la vie quotidienne, remarquable cuisine.

## Église Saint-Barthélemy
*13 montée Claire-Virenque - 8h-12h, 14h-18h30.*

Elle abrite, au fond du bas-côté droit, le beau triptyque de **François Brea** : Vierge en majesté entre saint Jean-Baptiste et saint Sébastien.

## Église Sainte-Jeanne-d'Arc
*11 r. Gramont.* D'une modernité révolutionnaire pour l'époque (1934), l'église Sainte-Jeanne-d'Arc en béton est l'œuvre de l'architecte **Jacques Droz**. Son clocher formé de flammes torsadées (65 m), ses trois coupoles et son porche ellipsoïdal la rendent futuriste. À l'intérieur, on est frappé par le bel élan des voûtes. Chemin de croix peint à fresque par Klementief.

# Nice pratique

## Adresses utiles

**Office du tourisme de Nice** – ℘ 0 892 707 707 (0,34 €/mn) - www.nicetourisme.com - 5 promenade des Anglais - 06000 Nice - juin-sept. : 8h-20h, dim. 9h-19h ; oct.-mai : tlj sf dim. 9h-18h.
**Antenne Aéroport Nice Côte d'Azur** – T1 - juin-sept. : 8h-21h ; oct.-mai : tlj sf dim. 8h-20h. **Antenne Gare de Nice** – av. Thiers - juin-sept. : 8h-20h, dim. 9h-19h ; oct.-mai : 8h-19h, dim. 10h-17h.

## Transports

👁 **Bon à savoir** – Venir en avion est un moyen intéressant pour les courts séjours (voir p. 16).
**Transports urbains/Ligne d'azur** – Ticket à l'unité (correspondance autorisée dans un délai de 74mn), carte 10 trajets et « Pass » permettant de voyager pendant 1 ou 7 jours en vente av. Félix-Faure ou 29 av. Malausséna - ℘ 0 810 061 006 - www.lignedazur.com.
Le réseau assure une large desserte des environs de la ville. Un plan « infobus » est disponible à l'office de tourisme.
**Tramway** - Livraison prévue fin été 2007. La **ligne 1** relie six quartiers dans un axe Nord-Sud/Sud-Est depuis Comte de Falicon à Pont Michel (de 5h à 1h - billet : 1,30 € - correspondance bus/tramway possible).
**TAM** – Gare routière - 5 bd Jean-Jaurès - ℘ 04 93 85 61 81. www.rca.tm.fr. Réseau de cars qui assure les liaisons interurbaines (ligne 100 : Nice-Menton, ligne 200 : Nice-Cannes, ligne 500 : Nice-Grasse, etc.).

**TER** – *gare - av. Thiers, ℘ 0 891 70 30 00 (0,34 €/mn). www.ter-sncf.com/paca.* Il permet de rejoindre nombre de villes : Draguignan, Fréjus, Saint-Raphaël, Cannes, Grasse, Antibes, Menton, Vintimille, etc. La ligne Nice-Cuneo traverse les vallées de la Bévéra et de la Roya *(voir le train des Merveilles, p. 48).*

## Visites

👁 **Bon à savoir** – Les musées municipaux sont gratuits les 1ᵉʳ et 3ᵉ dimanches de chaque mois.

**Carte Passe-Musées 7 jours** – *6 €.* Entrée dans tous les musées, sauf le musée Marc-Chagall et le musée des Arts asiatiques.

**Visite guidée de la ville** – *S'adresser au Centre du Patrimoine - 75 quai des États-Unis - ℘ 04 92 00 41 90 - durée : de 1h30 à 2h - 3 €.* Visites guidées permettant la découverte du patrimoine niçois (10 thèmes selon les jours de la semaine).

**Petits trains touristiques** – *℘ 06 16 39 53 51 - ♿ - www.petittrainnice.com - visite commentée (40mn) juil.-août : 10h-20h ; reste de l'année : 10h-19h - fermé de mi-nov. à mi-déc. et de déb. janv. à mi-janv. - 6 € (−10 ans 3 €, −3 ans gratuit).* Ils partent du front de mer, face à l'hôtel Méridien et au jardin Albert 1ᵉʳ.

**Nice le Grand Tour** – *Dép. ttes les 30mn ; se renseigner pour les horaires - ℘ 04 92 29 17 00 - 17 € (enf. 9 €).* Circuit en bus à impériale (1h30) au départ de la Promenade des Anglais *(face au théâtre de Verdure).* 12 arrêts permettent de moduler la visite de la ville.

**Trans Côte d'Azur** – *Quai Lunel - ℘ 04 92 00 42 30 - fév.-oct et déc. : promenade côtière commentée (1h) mar., merc., vend. et dim. à 15h (+ jeu. pdt vac. scol.) 12,50 € (enf. 7 €) ; juin-sept. : excursions vers les îles de Lérins, Corniche d'Or (massif de l'Estérel), St-Tropez, Monaco - 26 € à 49 € AR (enf. 19 € à 35 €).*

## Mise en garde

Le « **vol à la portière** » est devenu un véritable fléau à Nice et dans les autres villes de la Côte… Le mode opératoire est simple : vous êtes arrêté à un feu rouge lorsqu'un quidam ouvre soudain la portière côté passager pour s'emparer des vestes et sacs qui pourraient s'y trouver avant de s'enfuir en scooter. Prenez donc la précaution élémentaire de verrouiller vos portières lorsque vous circulez en ville.

## Se loger

😊 **Au Picardy** – *10 bd Jean-Jaurès - ℘ 04 93 85 75 51 - ⊟ - 11 ch. 25/45 € - 🍽 3 €.* Au bord d'une artère passante, entre la gare routière et le vieux Nice, petit hôtel familial où vous logerez dans des chambres fonctionnelles, correctement insonorisées côté boulevard mais tout de même plus calmes à l'arrière, côté cour. Prix sages stationnaires toute l'année ; accueil aussi prévenant que souriant.

😊 **Armenonville** – *20 av. des Fleurs - ℘ 04 93 96 86 00 - www.hotel-armenonville.com - 🅿 - 13 ch. 48/96 € - 🍽 9 €.* Au bout d'une impasse de l'ex-quartier des émigrés russes, villa 1900 aux aménagements « rétro » ; quelques meubles proviennent du Negresco. Certaines chambres sont rajeunies.

😊 **Star Hôtel** – *14 r. Biscarra - ℘ 04 93 85 19 03 - star-hotel@wanadoo.fr - fermé nov. - 24 ch. 52/72 € - 🍽 6 €.* Atouts majeurs de ce petit hôtel : une situation centrale (près du centre commercial Nice Étoile) et des prix doux pour la ville. Les chambres sont sobrement meublées et bien tenues ; certaines bénéficient même d'un balcon.

😊😊 **Clair H.** – *23 bd Carnot - impasse Terra-Amata - ℘ 04 93 89 69 89 - hotel. clair@wanadoo.fr - 10 ch. 75 € - 🍽 7,50 €.* Une ancienne école sert de cadre à cet hôtel familial dont les calmes chambres, de plain-pied, mettent à profit les ex-salles de classe, ouvrant sur la cour où les tracés de marelle ont fait place à des graviers et des plantes. Petits-déjeuners en chambre ou en terrasse. Emplacement un peu excentré.

😊😊 **Chambre d'hôte Villa la Lézardière** – *87 bd de l'Observatoire - ℘ 04 93 56 22 86 - www.villa-nice.com - 🅿 - 5 ch. 90/160 € - 🍽.* Postée sur la Grande Corniche, cette villa de style provençal offre une vue magnifique sur la ville et les Alpes. Chambres personnalisées, piscine et jardin clos. Cuisine traditionnelle ou thaïlandaise.

😊😊 **Chambre d'hôte Castel Enchanté** – *61 rte St-Pierre-de-Féric - ℘ 04 93 97 02 08 - www.castel-enchante.com - ⊟ - 3 ch. et 1 suite 100 € - 🍽.* Accessible par un étroit chemin escarpé, belle maison du 19ᵉ s. précédée d'une large terrasse verdoyante dominant un vallon. La quiétude règne dans les trois spacieuses chambres.

## Se restaurer

👁 **Bon à savoir** – Situé dans le vieux Nice, entre la mairie, le Château et la plage, le **cours Saleya** compte, à lui seul, une cinquantaine de restaurants, presque aussi variés que nombreux.

**Spécialités** – Salade niçoise, poutine, tourte aux blettes, beignets de fleurs de courgettes…, tant de spécialités qui donnent à l'art culinaire local ses lettres de noblesse et son appellation. Pour en apprécier toutes les saveurs, rendez-vous dans les établissements affichant le label « Cuisine nissarde ». Guide des restaurants disponible à l'office de tourisme.

😊 **Le Pain Quotidien** – *3 r. St-François-de-Paul (cours Saleya) - ℘ 04 93 62 94 32 - 6/15 €.* Au début du cours Saleya. Décor où domine le bois, odeurs de pain chaud et carte de tartines, salades et brunchs le week-end.

😊 **Lou Balico** – *20-22 av. St-Jean-Baptiste - ℘ 04 93 85 93 71 - www.loubalico.com - fermé dim. midi en juil.-août - 12/35 €.* Trois générations d'une même famille œuvrent parfois côte à côte dans ce restaurant restituant bien l'âme de la cuisine nissarde. Salle à manger de mise simple, où trône un piano, ambiance au beau fixe et réputation dépassant les frontières du pays niçois.

**La Table Alziari** – *4 r. François-Zanin - ☎ 04 93 80 34 03 - fermé 9-20 janv., 4-9 juin, 2-6 oct., 4-15 déc., dim. et lun. - 15/30 bc €.* Le charme d'une petite adresse familiale dans une ruelle de la vieille ville : spécialités niçoises et provençales sont suggérées sur l'ardoise du jour et servies dans un cadre sans chichi. La poche de veau (poitrine de veau farcie) compte parmi les classiques de la maison. Menue terrasse sur le devant.

**Safari** – *1 cours Saleya - ☎ 04 93 80 18 44 - www.restaurantsafari.com - 20/40 €.* Adresse à la mode dont le nom revient sur toutes les lèvres, ce restaurant ne doit pas son succès au hasard. Avec sa belle terrasse, sa façade rénovée conservant son caractère, il propose des spécialités locales qu'on ne trouve presque plus ailleurs et une généreuse carte de poissons. Service impeccable.

**La Diva** – *4 r. de l'Opéra - ☎ 04 93 85 96 15 - fermé dim. soir - 17/30 €.* Ce refuge gourmand où l'on vient faire de savoureux repas traditionnels se situe dans une petite rue reliant la place Masséna et la rue St-François-de-Paule. Installation assez confortable, décor intérieur feutré et mise en place soignée. Les jours de grande affluence, une deuxième salle, à l'étage, joue les vases communicants.

**La Tapenade** – *6 r. Ste-Réparate - ☎ 04 93 80 65 63 - 🍴 - 17/23 €.* Décor sympathique reconstituant une rue typique, avec ses volets, pots de fleurs et chapelets d'ail. Ambiance chaleureuse et familiale, où déguster, bien sûr, la tapenade, la cuisine régionale ou une pizza. Terrasse fermée et chauffée en hiver. Pas de réservation : on vous installe à table s'il y a de la place !

**L'Auberge de la Méditerranée** – *21 r. Delille - ☎ 04 93 91 35 65 - fermé 14-27 août, 25 déc.-1ᵉʳ janv., lun. soir, mar. soir, merc. soir, sam. midi et dim. - 19 € bc.* Chaleureuse atmosphère familiale, décor sobre et plaisant, goûteuse cuisine régionale (l'ardoise change chaque jour selon le marché) : bonne petite adresse.

**Café de Turin** – *5 pl. Garibaldi - ☎ 04 93 62 29 52 - www.cafedeturin.com – 21/35 €.* Institution niçoise depuis plus de 200 ans, ce grand café propose, dans un cadre simple et convivial, une carte de fruits de mer à prix attractif. La générosité et la fraîcheur des plateaux, la terrasse urbaine chauffée et l'ambiance animée du lieu en font une adresse attachante. Service en continu jusqu'à 23h.

**L'Escalinada** – *22 r. Pairolière - ☎ 04 93 62 11 71 - www.escalinada.fr - fermé 15 nov.-15 déc. - 🍴 - 23 €.* Cette maison traditionnelle, dans les ruelles du vieux Nice, compte 55 ans d'existence. Petite salle rustique pimpante, où la tradition des plats niçois est cultivée autour d'un attrayant menu. Atmosphère sympathique et conviviale.

## En soirée

**Casino Ruhl** – *1 prom. des Anglais - ☎ 04 97 03 12 22 - tlj 10h à l'aube.* 300 machines à sous, roulettes française et anglaise, black jack, punto banco, stud poker. Bar américain. Dîner et spectacle dansant (vendredi et samedi).

**Le Mélisande (Hôtel Palais Maeterlinck)** – *30 bd Maurice-Maeterlinck, quartier le cap de Nice - ☎ 04 92 00 72 00 - www.palais-maeterlinck.com - tlj 11h-0h.* Ce bar est installé dans un très bel hôtel qui fut jadis propriété du poète Maurice Maeterlinck, prix Nobel de littérature en 1911. Salon feutré accueillant des expositions de peintures, bar à champagne et cave à cigares. Depuis la terrasse, vue magnifique sur la mer, le cap Ferrat et d'Antibes.

**Le Relais de l'Hôtel Negresco** – *37 prom. des Anglais - ☎ 04 93 16 64 00 - 11h-1h, jusqu'à minuit en hiver.* Les boiseries en noyer de ce bar somptueux ont été créées en 1913 pour l'ouverture de l'hôtel Negresco. Vous boirez du champagne entouré d'œuvres d'art : tapisserie de Bruxelles (1683), peintures du 18ᵉ s., réplique des appliques de la salle de Bal du château de Fontainebleau, et un tapis inspiré de celui choisi par Napoléon Iᵉʳ pour la chambre du roi de Rome. Piano-bar tous les soirs.

**La Trappa** – *R. de la Préfecture et r. Gilly, lieu-dit Vieux Nice - ☎ 04 93 80 33 69 - tlj sf dim. et lun. 18h-2h30.* L'endroit où est situé ce bar à tapas s'appelait déjà La Trappa en 1886. Ambiance conviviale et musique latino-américaine dans une grande salle aux murs rouges. Spécialités de cocktails cubains et tapas espagnols, sans oublier vins et spécialités niçoises. Tous les jeudis, soirée à thème ou soirée musicale.

## Que rapporter

**Rues commerçantes** – Les rues rayonnant autour de la cathédrale Sainte-Réparate satisferont les acheteurs de **tissus provençaux** (r. Paradis, r. du Marché), d'artisanat (r. du Pont-Vieux, r. de la Boucherie) et de **santons** (r. St-François-de-Paule).

### HUILE D'OLIVE

**Alziari** – *14 r. St-François-de-Paule - ☎ 04 93 85 76 92 - www.alziari.com.fr - tlj sf dim. 8h30-12h30, 14h15-19h.* Spécialiste de l'huile d'olive. Produits du terroir. Il est possible de visiter le moulin *(téléphoner au préalable : ☎ 04 93 44 45 12).*

**À l'Olivier** – *7 r. St-François-de-Paule - ☎ 04 93 13 44 97 - 9h30-13h, 14h-19h (19h30 en été) - fermé 1ᵉʳ janv. et 25 déc.* Cette enseigne, fondée en 1822 et débarquée à Nice en 2004, propose toutes les huiles d'olive françaises distinguées par une AOC. Vous y trouverez aussi des variétés étrangères, quelques macérations aromatiques, d'autres produits de bouche, de la vaisselle, du linge et des accessoires de table raffinés. Cadre design.

**La Maison de L'Olive** – *18 r. Pairolière - ☎ 04 93 80 01 61 - tlj sf lun. 9h30-19h, dim. 10h-14h - fermé janv.* Les produits vendus dans cette boutique, destinés au corps (savon de Marseille, parfums d'ambiance…) ou au palais sont pour la plupart à base d'olives dont les vertus sont reconnues depuis des millénaires. Vous trouverez également des tomates séchées, des citrons confits, des câpres, des épices…

### GOURMANDISES

**Confiserie Auer** – *7 r. St-François-de-Paule - ☎ 04 93 85 77 98 - www.maison-auer.com - tlj sf dim. 9h-13h30, 14h30-18h.* Près du cours Saleya, jolie boutique au cadre un peu « rétro » où se procurer des **fruits confits** de fabrication artisanale de tout premier choix. Cette famille de confiseurs perpétue à Nice depuis plus de cent ans ce savoir-faire représentatif de la gastronomie provençale.

**Florian** – *14 quai Papacino - sur le port de Nice - ☎ 04 93 55 43 50 - www.confiserieflorian.com - 9h-12h, 14h-18h30 - fermé 25 déc.* **Visite** guidée et gratuite des ateliers de fabrication artisanale des produits de la **confiserie** : confits de fleurs, sirops de fleurs, fruits confits, confitures d'agrumes, fleurs cristallisées, orangettes au chocolat, bonbons acidulés, chocolats maison, etc. Dégustation offerte et salon de vente.

**L'Art Gourmand** – *21 r. du Marché - vieille ville - ☎ 04 93 62 51 79 - www.nice-ville.com - juil.-août : 10h-23h ; le reste de l'année : 10h-19h.* Cette boutique du vieux Nice propose toutes sortes de douceurs en libre-service et en dégustation sur place : nougats, calissons, pâtes de fruits, sablés, pâtisseries, glaces, etc. Petit salon de thé en mezzanine ; décor frais égayé de peintures murales. En dépit des apparences, la plupart des produits présentés viennent du Nord de la France !

### PARFUMERIE

**Maison Poilpot - Aux Parfums de Grasse** – *10 r. St-Gaëtan - ☎ 04 93 85 60 77 - tlj sf lun. 10h-12h30, 14h30-18h - fermé 2 sem. en nov. et apr.-midi des j. fériés.* Ce fabricant artisanal de parfums propose un choix de 80 senteurs différentes (lavande, mimosa, rose, violette, citron…)

## Sports & Loisirs

**Plages** – Immenses plages de galets sur 5 km surveillées et publiques en dehors des 15 plages privées, animées de diverses activités sportives.

**Randonnées** – *CAF - 14 av. Mirabeau - ☎ 04 93 62 59 99 - www.cafnice.org - tlj sf w.-end 16h-20h - fermé j. fériés.* Le Club Alpin Français organise depuis Nice des randonnées pédestres à la découverte du Parc du Mercantour avec hébergement possible dans ses différents refuges.

**Ski** – La proximité des stations de ski d'**Auron**, **Valberg** et **Isola 2000** (*voir* Le Guide Vert Alpes du Sud), accessibles en une ou deux heures par la route, est, pour une nombreuse clientèle, un des attraits de Nice.

À Nice, le galet règne.

## Événements

👁 **Bon à savoir** – Fêtes traditionnelles et autres manifestations sont multiples, demandez le programme à l'office de tourisme.

**Carnaval de Nice** – Il attire chaque année plus d'un million de spectateurs enchantés par les coloris des fleurs. Les réjouissances ont lieu au moment de Mardi gras, pendant 2 semaines : corsos carnavalesques, feux d'artifices, batailles de fleurs, de confettis, charivari dans les quartiers…

**Festin des cougourdons** – Fin mars ou début avril, place du monastère de Cimiez et dans les jardins et les arènes. Les cougourdons sont des courges séchées et peintes (décoratives ou utilitaires).

**Fête de la Mer et de la Saint-Pierre** – Week-end fin juin, sur le quai des États-Unis et au port. Procession de pêcheurs, évolution de barques fleuries, animations…

**Fête de la San Bertoumiéu** – Week-end début septembre. À l'instar de l'ancienne grande foire de Nice : produits du terroir, artisanat, animations… dans le Vieux Nice.

**Crèche vivante lou Presèpi** – Semaine de Noël, place Rossetti.

**Nice Jazz Festival** – Dernière quinzaine de juillet dans les jardins et les Arènes de Cimiez. Il accueille les plus grandes vedettes de la scène internationale.

S. Sauvignier / MICHELIN

# Circuits de découverte

*Pour l'ensemble de ces circuits, se reporter au schéma de l'arrière-pays niçois.*

## LES DEUX MONTS★★ ☐1

*11 km – environ 1h15. Quitter Nice à l'est par la place Max-Barel et la Moyenne Corniche (N 7). Au bout de 2,5 km, au milieu de la montée, tourner à droite à angle aigu dans une route forestière, puis à gauche dans la route menant au fort du mont Alban (itinéraire balisé).*

### Mont Alban★★

Alt. 222 m. **Vue★★** splendide sur la côte : à l'est, le cap Ferrat, le cap d'Ail, la pointe de Bordighera et les hauteurs calcaires de la Tête de Chien ; à l'ouest, la baie des Anges et la Garoupe. Par un petit sentier sauvage, on peut faire à pied le tour du fort du 16e s. commandé par Emmanuel Philibert, duc de Savoie, de ses bastions et échauguettes *(accès au fort interdit).*

*Revenir à la précédente bifurcation et aller tout droit vers le mont Boron.*

### Mont Boron★

Alt. 178 m. **Vues★** étendues sur la rade de Villefranche et la côte jusqu'au cap d'Antibes. À l'horizon, les montagnes de Grasse et l'Esterel.

Sur les pentes occidentales de ce mont, des ossements, des outils de pierre, des traces de feu ont permis d'identifier l'un des plus anciens habitats connus en Europe : celui de chasseurs acheuléens (paléolithique inférieur), vieux de 400 millénaires. Tout cela est expliqué au **musée Terra Amata** *(voir ci-dessus, la rubrique « Visiter »).*

🚶 Aujourd'hui forêt communale, le mont attire les promeneurs. Un **sentier botanique** de 650 m recense plusieurs dizaines d'espèces végétales méditerranéennes, exotiques, aromatiques, médicinales et protégées (panneaux explicatifs) et superbe **panorama★** sur la baie des anges.

*Rentrer à Nice par la Corniche Inférieure.*

## PLATEAU SAINT-MICHEL★★ ☐2

*19 km – environ 1h. Quitter Nice à l'est par l'avenue des Diables-Bleus et la Grande Corniche (D 2564).*

La route offre, à l'arrière, des vues sur Nice et la baie des Anges, puis sur le cap d'Antibes, l'Esterel, le bassin du Paillon ; en avant, vue sur le fort de la Drète au premier plan, et sur celui du mont Agel au fond.

### Observatoire du Mont-Gros

*À droite de la Grande Corniche se détache la route privée de l'observatoire de Nice. ☎ 04 93 85 85 58 - www.astrorama.net - visite guidée (2h, 2 km de marche) merc. et sam. 14h45 - fermé 1er janv. et 25 déc. - 5 € (enf. 2,50 €).*

Classé monument historique, ce centre international de recherche astronomique réputé réunit les talents de **Charles Garnier** qui l'édifia en 1881 et de **Gustave Eiffel**, concepteur de la structure métallique de sa grande coupole (26 m de diamètre). La lunette dite « grand équatorial », de 18 m de long et de 76 cm de diamètre optique, fut un temps le plus grand instrument de cette catégorie au monde. L'observatoire est entouré d'un parc de 35 ha qui domine Nice et son littoral. Après le col des Quatre-Chemins, on voit se dégager la presqu'île du cap Ferrat, puis la rade de Villefranche-sur-Mer.

*Reprendre la D 2524 en direction d'Èze sur 1,5 km puis la D 34 à droite ; 500 m plus loin, laisser la voiture à une plate-forme de stationnement.*

### Point de vue du plateau Saint-Michel★★

Une table d'orientation permet de situer tous les points où porte la vue, du cap de Sainte-Hospice à Nice en passant par le cap Ferrat.

🚶 À gauche de l'aire de stationnement, dans un environnement forestier couvert de pins et de chênes verts, empruntez le petit **sentier botanique** long de 750 m.

La D 34 rejoint la Moyenne Corniche (N 7) qu'on prend à gauche. Peu après un long tunnel, **vue★** merveilleuse sur Beaulieu, le cap Ferrat, Villefranche-sur-Mer, Nice et le cap d'Antibes. La route contourne la rade de Villefranche. Passé le col de Villefranche, le regard se porte sur Nice avec la colline du Château, le port et la baie des Anges ; à l'horizon se profilent l'Esterel et les montagnes calcaires de Grasse.

*Rentrer à Nice par la place Max-Barel.*

# LE TOUR DU MONT CHAUVE★ ③

*51 km au départ de Nice – 1/2 journée. Quitter Nice au nord par le bd de Cessole, l'av. Saint-Sylvestre et l'av. du Ray puis, à gauche à angle aigu, l'av. de Gairaut (D 14). 1 km après être passé sous l'autoroute, continuer à droite sur la D 14 et prendre à gauche la route signalisée.*

## Cascade de Gairaut

Ses deux ressauts font dévaler ses eaux dans une belle piscine naturelle, eaux venant du canal de la Vésubie alimentant Nice. Continuez jusqu'à l'esplanade de l'église d'où l'on a une belle **vue★** sur la ville.

*Revenir à la D 14.*

Peu après, beau paysage sur la gauche vers Nice avec le mont Boron, le cap d'Antibes. Puis la route s'élève vers Aspremont, et l'horizon s'étend sur les *baous*, la vallée du Var, les montagnes du haut pays.

## Aspremont

Le village, joliment perché à 550 m d'altitude sur les contreforts des monts Cima et Chauve, est bâti suivant un plan concentrique. L'**église** a une nef gothique, peinte à fresque, retombant sur de solides chapiteaux cubiques. Jolie Vierge à l'Enfant en bois polychrome. ☎ *04 93 08 00 23 - pdt les offices.*

Contournez l'église et montez jusqu'à la terrasse de l'ancien château (rasé) qui domine le village : le **panorama★** s'étend sur le cours inférieur du Var avec le pays de Vence, le cap d'Antibes, les collines niçoises, le mont Chauve et le mont Cima.

À la sortie du village, une petite route sur la gauche, signalée Mont Cima, mène à une bergerie *(laissez la voiture place des Selettes pour y accéder à pied)*. De là, belle vue sur Aspremont et la vallée du Var.

*Revenir sur ses pas et poursuivre sur la D 719 qui franchit le petit col d'Aspremont entre le mont Chauve et le mont Cima et mène au riche bassin de Tourrette-Levens (plusieurs parcs de stationnement pour apprécier les panoramas).*

## Tourrette-Levens

Encerclé de montagnes, ce village de la route du sel s'accroche à son rocher, en forme de lame de couteau.

La petite **église** du 18ᵉ s. abrite, derrière le maître-autel, un beau retable de bois sculpté de même époque (la Vierge entre saint Sylvestre et saint Antoine). ☎ *04 93 91 00 41 - dim. pdt les offices ou en allant chercher la clé à l'auberge « Chez Lucien », face à la mairie.*

Suivant la montée du château, arrêtez-vous entre l'église et la tour du château à la Maison des remparts qui abrite le **musée des Métiers traditionnels** et ses 6 000 outils mis en scène sous forme d'ateliers des métiers d'antan. ☎ *04 97 20 54 60 - avr.-sept. : tlj sf lun. 14h30-18h (dernière entrée 17h30) ; oct.-mars : tlj sf lun. 14h-17h30 (dernière entrée 17h) - fermé 1ᵉʳ janv., 1ᵉʳ Mai et 25 déc.- gratuit.*

Poursuivez l'ascension, votre effort sportif sera récompensé par la visite du **musée d'Histoire naturelle**, au centre des arts et traditions populaires, qui présente une intéressante collection de papillons exotiques et un diorama des animaux du monde entier, ainsi que par une vue panoramique sur les sommets voisins (mont Chauve, Férion) et les vallées du Gabre et du Rio Sec. En outre, en été, vous pourrez assister dans les jardins aux « **Nuits du château** » : concerts de musique baroque, chants polyphoniques ou conférences. ☎ *04 93 91 03 20 - mai-oct. : tlj sf lun. 14h-18h30 ; nov.-avr. : tlj sf lun. 14h-17h30 - fermé 1ᵉʳ janv. et 25 déc. - gratuit.*

*Rejoindre la D 19 que l'on prend à gauche, descendant la vallée du Gabre.*

Les **gorges du Gabre** sont taillées dans des parois calcaires.

*Prendre à droite la très sinueuse D 114 vers Falicon.*

## Falicon

Les lecteurs de **Jules Romains** (1885-1972) connaissent ce petit village niçois typique, serré sur son rocher et entouré de figuiers et d'oliviers : l'écrivain l'a choisi pour cadre d'un épisode des amours de Jallez et de la petite marchande de journaux niçoise dans son roman *La Douceur de la vie*. L'auberge où ils dînèrent *(le Bellevue)* existe toujours, avec sa terrasse panoramique ; quelques souvenirs de l'auteur y sont exposés.

Le village reçut d'autres hôtes illustres séduits par l'agrément du site. La reine Victoria venait en voisine de Cimiez et savourer le thé, comme le clame fièrement l'enseigne : *Au Thé de la Reine*. Vous aussi vous apprécierez les maisons anciennes blotties les unes contre les autres (les « Giaïnes »), le rempart percé de portes fortifiées, les ruelles tortueuses et étroites, les placettes pavées reliées par des passages voûtés. L'**église**,

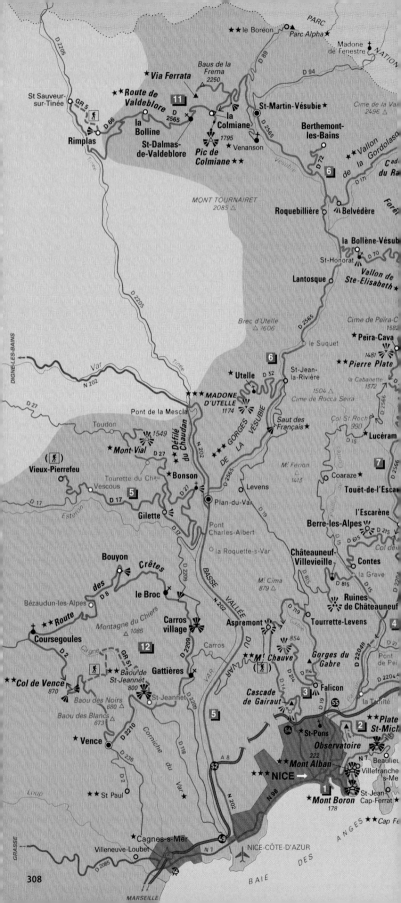

PARC
NATION

★★ le Boréon
Parc Alpha ★
Madone
de Fenestre

D 2205

GR 5

St Sauveur-
sur-Tinée

D 66

Rimplas

Via Ferrata ★
★★ Route de
Valdeblore
la
Bolline
St-Dalmas-
de-Valdeblore

Baus de la
Frema
2250

D
2565

la Colmiane

1795
★ Venanson

Pic de
Colmiane ★★

St-Martin-Vésubie ★

Berthemont-
les-Bains

D 89

D 94

Cime de la Val
2496 △

D 2565

D 72

★★ Vallon de
la Gordolasq

6

D 171

Cad
du Ra

MONT TOURNAIRET
2085 △

Roquebillière

Belvédère

la Bollène-Vésub

St-Honorat

D 70

Lantosque

Vallon de
Ste-Elisabeth ★

D 2205

D 2565

Brec d'Utelle
△ 1606

Cime de Peïra-C
1582

le Suquet

★ Peïra-Cava

1481

★★ Pierre Plate

la Cabanette
1372

DIGNE-LES-BAINS

Var

N 202

Tinée

D 27

Toudon

Pont de la Mescla

Utelle

MADONE
D'UTELLE
1174

D 32

St-Jean-
la-Rivière

6

1504 △
Cime di Rocca Seira

D 566

Lucéram

D 27

1549
Mont Vial ★

Défilé
du Chaudan

Bonson

N 202

D 2565

GORGES
DE
LA
VÉSUBIE

Saut des
Français ★

Mt Férion
1413 △

Col St-Roch
990

D 15

7

Coaraze ★

Touët-de-l'Esca

D 2565

Vieux-Pierrefeu

Vescous

D 17

5

Gilette

D 17

D 17

Plan-du-Var

Pont
Charles-Albert

Levens

D 19

l'Escarène

Berre-les-Alpes

D 215

D 615

Col deu

Bouyon

Crêtes

des

D 8

le Broc

Bézaudun-les-Alpes

★★ Route

Coursegoules

D 2

Montagne du Chiers
△ 1085

12

GR 51

Baou de
St-Jeannet
800

★★ Col de Vence
870

Baou des Noirs
680 △

Gattières

St-Jeannet

Baou des Blancs
673 △

★ Vence

D 2210

D 236

D 2

★★ St Paul ★

BASSE

VALLÉE

la Roquette-s-Var

Carros
village

D 2209

Carros

D 2209

DU

Aspremont

854 △

★★ Mt Chauve

VAR

N 202

Châteauneuf-
Villevieille

Contes

la Grave

D 815

Ruines
de Châteauneuf

Tourrette-Levens

D 2204

4

D 21

Pont
de Pei

Mt Cima
879 △

Gorges du
Gabre

D 2204 A

D 214

114 △

Falicon

3

D 19

la Trinité

55

2 ★★ Plate
St-Mich

N 7

★ St-Pons

★★ Route

Cascade
de Gairaut

Observatoire
222

★★ Mont Alban

★★★ NICE →

Beaulie

Villefranche
-s-Me

N 98

1

Mont Boron ★
178

St-Jean
Cap-Ferrat

★★ Cap Fe

GRASSE

Loup

★ Cagnes-s-Mer ★

Villeneuve-Loubet

D 2085

N 1

A 8

N 202

NICE-CÔTE-D'AZUR

ANGES

DES

BAIE

MARSEILLE

308

ARRIÈRE-PAYS NIÇOIS

fondée par les bénédictins de Saint-Pons, présente un clocher carré et une façade en trompe l'œil. Elle possède une nef unique. À droite de l'abside, belle Nativité du 17e s. auréolée d'or. *℘ 04 92 07 92 70 - sam. pdt les offices et possibilité de visite sur demande préalable à la mairie.*

Prendre à gauche de l'église un large escalier, puis tourner à droite dans le sentier qui s'élève jusqu'à une terrasse d'où la **vue★** porte sur Nice et la mer, les collines niçoises et le mont Agel.

*Rejoindre la D 114 à gauche. À la chapelle Saint-Sébastien se détache, à droite, la D 214, étroite et dangereuse, vers le mont Chauve. Laisser la voiture au terminus de la route.*

## Mont Chauve d'Aspremont

*30mn AR.* Comme son nom l'indique, son sommet (854 m) est pelé, à l'exception de la silhouette du fort désaffecté. De là, magnifique **panorama★★**, au nord sur les Alpes aux cimes enneigées, au midi sur Nice, ses collines et tout le littoral de Menton au cap Ferrat. Par temps (très) clair, on aperçoit la Corse.

*Revenir à la D 114 et tourner à gauche ; après 2 km, prendre à droite à angle aigu dans la D 19. Passer sous l'autoroute ; 1 km plus loin se détache à droite une rampe qui monte vers Saint-Pons.*

## Église Saint-Pons★

L'abbaye bénédictine de Saint-Pons, fondée à l'époque de Charlemagne, a joué un rôle important dans l'histoire locale durant un millénaire. L'église, reconstruite au début du 18e s. sur un piton dominant la vallée du Paillon, déploie de tous côtés sa gracieuse silhouette et l'un des plus jolis campaniles génois de la région. Ce charmant édifice baroque dresse une haute façade à courbes et contrecourbes précédée d'un péristyle qui épouse la forme ondulante de l'ensemble.

L'intérieur de l'église est formé d'un grand vaisseau elliptique, précédé d'un vestibule et prolongé par un chœur en hémicycle. Il est étayé de chapelles rayonnantes entre de hauts et puissants piliers et est richement décoré de stuc.

# LES DEUX PAILLONS★ 4

*90 km au départ de Nice – compter une journée.*

Le Paillon principal ou Paillon de l'Escarène prend sa source au nord-est du col Saint-Roch, le Paillon de Contes descend de la cime de Rocca Seira, au nord-ouest du même col ; ils se rejoignent à Pont-de-Peille pour déboucher à Nice. L'itinéraire proposé emprunte d'abord la vallée du Laghet, avec un crochet par la Turbie et Peille, puis il fait découvrir les cours moyens des deux Paillons.

*Quitter Nice au Nord par le boulevard J.-B.-Vérany et la route de Turin (D 2204). À la Trinité, prendre à droite vers Laghet.*

La route remonte la vallée du Laghet, très verdoyante. La voie romaine de la Turbie à Cimiez empruntait l'autre rive.

## Notre-Dame-de-Laghet

Son cadre sylvestre au charme italien est connu de nombreux pèlerins qui y viennent, de Nice ou d'Italie, célébrer la Vierge en mémoire de ses miracles de 1652. Dans l'église on ne peut plus baroque, la statue de la Madone de Laghet apparaît au maître-autel, dans sa robe de bois sculpté. Le cloître et l'église, qui ont été fondés alors, regorgent d'innombrables **ex-voto**, qui témoignent de cette ferveur populaire. D'une naïveté touchante et amusante, les plus beaux sont exposés dans le petit **musée** de la place du Sanctuaire. Ils remontent au 19e s., la Révolution ayant détruit ceux qui la précédèrent. *℘ 04 93 41 50 50 - http://nice.cef.fr/laghet - ᵼ - sanctuaire : 7h-21h30 - musée de déb. mai au 15 oct. : tlj sf mar. 15h30-17h30 ; de mi oct. à fin avr. : 15h-17h - gratuit.*

*Montée sinueuse dans les oliviers vers la Grande Corniche où l'on tourne à gauche.*

### La Turbie★ *(voir ce nom)*

*Quitter la Turbie au nord par la D 53 qui ménage des vues sur la mer et le bassin du Paillon. À gauche de la route, on aperçoit la **chapelle Saint-Martin**.*

## Saint-Martin-de-Peille

L'**église**, isolée, s'élève dans un beau cadre de montagnes plantées d'oliviers. Moderne, elle est d'une grande simplicité : vitraux en plastique, base d'autel faite d'un tronc d'olivier massif. De grandes baies s'ouvrent de chaque côté de l'autel sur la montagne. *Fermeture pour travaux.*

La route serpente au pied du **mont Agel** puis descend sur Peille. Près du dernier tunnel, on a un beau coup d'œil sur le village et son site.

*Notre-Dame-de-Laghet renferme de nombreux d'ex-voto.*

### Peille★ *(voir ce nom)*

*À la Grave, la route rejoint la vallée du Paillon. 2,5 km plus loin, prendre à gauche la D 121 d'où se détache le pittoresque nid d'aigle de Peillon.*

### Peillon★ *(voir ce nom)*

*Par la D 21 que l'on reprend à droite, on remonte la vallée du Paillon.*

Bientôt, sur la droite, apparaît le village de Peille, bâti au flanc du mont du Castellet.

### Gorges du Paillon★

Beaux défilés, frais et verdoyants, entre des murailles boisées.

### L'Escarène

Bâti à la croisée de l'accès à la station de Peïra-Cava *(voir forêt de Turini, circuit* 7*)* et à l'amorce des lacets du col de Braus, ce gros bourg s'étend au fond d'une vallée parcourue par le Paillon. Dès 1591 et jusqu'au 19ᵉ s., il est un important relais muletier sur l'ancienne route de Nice à Turin, appelée la **route du sel** *(voir Sospel)*. L'ancien pont à arche unique et la place de la Gabelle en conservent le témoignage. Du pont de l'Armée-des-Alpes, qui enjambe le Paillon, le vieux village se profile élégamment.

Du 17ᵉ s., flanquée de deux chapelles de Pénitents blancs et noirs, l'**église Saint-Pierre★** est l'œuvre de l'architecte niçois Guibert, concepteur de la cathédrale de Nice. Elle est parée d'une intéressante façade baroque très ouvragée. L'intérieur, remarquablement grand, présente un décor de la même époque. À droite du vestibule, le bénitier est creusé dans un antique autel gallo-romain surmonté d'une statuette dorée du 17ᵉ s. L'orgue, daté de 1791, est signé des **frères Grinda**, célèbres facteurs d'orgues niçois. ℘ 04 93 79 62 93 - 10h-17h.

Sur la route du col de Turini (D 2566), au nord du village, un imposant **mausolée dédié à la 1ʳᵉ DFL**, inauguré en le 23 octobre 1960 par le général de Gaulle, rappelle les sacrifices et les combats de la Libération.

*Monter au col de Nice par la D 2204 puis tourner à droite dans la D 125 qui mène à Berre-les-Alpes par de belles vues renouvelées sur le village.*

### Berre-les-Alpes

Ce village perché (675 m) est un charmant belvédère naturel dans un très joli site. Aux abords du cimetière, **panorama★** sur les Préalpes de Nice et la mer. Son **église**, remaniée régulièrement depuis le 14ᵉ s. conjugue plusieurs styles : décoration intérieure baroque, façade néorenaissance et vitraux contemporains. ℘ 04 93 91 88 36 - *uniquement dans le cadre de la visite guidée du village par l'office de tourisme - gratuit.* Pendant la révolution, la sœur de Mirabeau se réfugia dans le **château** de Berre avant de fuir en Italie. Aujourd'hui, seuls les remparts, les échauguettes et les cours d'Honneur sont toujours accessibles et visibles en arpentant le lacis de ruelles pavées disposées tels des gradins.

## DÉCOUVRIR LES SITES

*Redescendre par la même route et prendre à droite la D 615.*

La route, très tourmentée, qui mène à Contes est un enchantement. Les bouquets de châtaigniers alternent avec les pins d'Alep, les cyprès, les mimosas, les oliviers et les cultures en terrasses pour composer un paysage typique de l'arrière-pays niçois.

### Contes

Les Romains l'ont bâti comme ses voisins sur un rocher formant, ici, une proue surplombant la vallée du Paillon de Contes. À l'époque carolingienne, le village était séparé en deux parties : le *villum* dans la plaine et le *castrum*, les bases de la ville d'aujourd'hui. Après une crue terrible du Paillon en 1530, la population se replia sur le castrum. Rien ne fut conservé du villum enseveli sous plusieurs mètres de terre.

Outre une élégante fontaine à deux étages de 1587, l'**église** renferme un retable de sainte Madeleine *(chapelle de droite)* de l'**école niçoise** (1525), remarquable pour sa **prédelle★** qui raconte la vie de la sainte en 5 petits tableaux, et un retable de Canavesio daté de 1632. Remarquez aussi les belles boiseries du 17ᵉ s.

En bordure du Paillon *(D 15, en direction de Coaraze)*, le **site des moulins** comprend le moulin à huile (13ᵉ s.) du village toujours en activité *(déc.-mars)* et le moulin à fer (14ᵉ s.) où l'on fabriqua des outils agricoles jusqu'en 1958. Outre l'atelier du forgeron, vous verrez au 1ᵉʳ étage une cuisine paysanne de 1900. 𝄞 04 93 79 19 17 - *sam. 9h30-12h30, 14h-17h - fermé nov. - 2 €.*

*Prendre la D 715 qui longe, puis traverser le Paillon à la Grave, et la D 815 parmi les pins et les oliviers.*

### Châteauneuf-Villevieille

Ce fief dominant la vallée du Paillon est occupé depuis longtemps, comme en témoigne le magnifique paysage de ruines de la ville médiévale, située 2 km plus loin *(🚶 30mn)*, d'où se dégage un vaste **panorama★**, du mont Chauve et du Férion (ouest) aux Alpes (nord-est).

Dans le village actuel, réinvesti au 18ᵉ s., la présence romaine se lit dans l'inscription encastrée à la façade de l'**église**, la « Madone de Villevieille ». Cette dernière est du 11ᵉ s., comme l'attestent ses festons et ses bandes lombardes. Elle a été rhabillée au 17ᵉ s. par une voûte à fresque et un beau retable en stuc qui entoure une Vierge à l'enfant du 15ᵉ s. *Possibilité de visite sur demande la veille à Mme Martin,* 𝄞 *04 93 91 00 97, à Mme Morand,* 𝄞 *04 93 79 14 71 ou à Mme Quaranta,* 𝄞 *04 93 79 14 85.*

De la place partent les ruelles ombragées et tranquilles. Certaines maisons, construites tels des à-pics au-dessus du vide vous donneront le vertige.

*Revenir à la D 15, qui, de Contes, ramène à Nice par la vallée du Paillon.*

## VALLÉES DU VAR ET DE L'ESTERON ⑤

*66 km – une demi-journée.*

Voie de passage, le **Var** a toujours été, aux confins de la Provence et du comté de Nice, l'une des deux grandes voies de pénétration vers les Alpes de Haute-Provence ; l'autre étant la route Napoléon *(voir le circuit Préalpes de Grasse à Grasse)*. Large dans son cours inférieur et en voie d'industrialisation et d'urbanisation poussées, sa vallée se prête à une intense circulation. Son charme augmente à mesure que l'on remonte son cours qui se resserre en amont du confluent de la Vésubie.

### Gilette, la cité solidaire

Le Moulin à huile coopératif, né avec l'arrivée de l'électricité à Gilette, a été construit grâce aux dons de Louis d'or des villageois et à leur participation à des journée de travail collectif. Il a longtemps servi à tous les Gilettois qui souhaitaient extraire de leur récolte d'olives leur huile pour leur consommation personnelle (il sert encore aujourd'hui).

Pour les différents travaux de réhabilitation du village, les initiatives et les bénévoles n'ont pas manqué non plus. Il y a quelques années, la toiture de la chapelle Saint-Pancrace du 15ᵉ s. fut ainsi rénovée par des riverains. L'intérieur fut confiée bénévolement à une école de fresquistes en 1999.

En 1994, la mairie se charge de la restauration des toitures et façades de l'église baroque du 17ᵉ s., tandis que l'association *Arts Cultures et Traditions* est à l'origine de la réalisation du chœur, de l'autel et de l'achat des bancs. Jean-Paul Belmondo qui avait tourné à Gilette, 18 ans auparavant, le début de *La Scoumoune* aurait même subventionné une partie des travaux. Des peintres gilettois, qui ont poussé leur sérieux jusqu'à « monter à Paris » pour se documenter précisément sur les couleurs et compositions des enduits, ont mené à bien la remise en état des fresques intérieures.

*Gilette, un village accroché au-dessus d'un ravin.*

*Quitter Nice par la promenade des Anglais prolongée par la promenade Corniglion-Molinier, agréable parcours le long de la baie des Anges. Rejoindre la N 98, puis prendre à droite vers Plan-du-Var.*

La N 202 qui longe le Var permet un accès rapide dans l'arrière-pays niçois. Dans un décor de cultures florales et potagères, de vignobles et d'oliveraies apparaissent tour à tour les villages perchés de l'arrière-pays niçois et vençois. À gauche, au pied des *baous*, Gattières, puis Carros et le Broc, à droite, Aspremont et Castagniers au pied du mont Chauve, Saint-Martin-du-Var, la Roquette-sur-Var… À l'horizon, la **vue**★ se porte sur les cimes enneigées des Alpes. À Saint-Martin-du-Var, l'Esteron se jette dans le Var.

*Gagner la rive droite du Var par le pont Charles-Albert et prendre la D 17 en direction de Gilette.*

On aperçoit, à droite, le site de Bonson, village qui couronne un à-pic vertigineux au-dessus de la rivière, et bientôt, le curieux site de Gilette, bâti dans une brèche.

## Gilette
♣♥ 4 km avant le village, faites une halte au surprenant **musée Lou Ferouil**★. C'est le maître des lieux, Pierre-Guy Martelly, qui vous guide dans la convivialité. Passionné d'anciens outils qui sont pour la plupart des dons (auxquels vous pouvez contribuer si l'envie vous en dit), il les remet en état et en situation en recréant des ateliers (menuiserie, ferronerie, mécanique, etc.). Il vous fera découvrir les métiers d'autrefois mais aussi l'histoire locale à travers eux, et partager sa passion pour le travail du métal en œuvrant devant vous, car le collectionneur-conteur est également sculpteur (ne manquez pas sa gigantesque reproduction de la vallée de l'Esteron, façon forgeron). Belle collection d'automobiles également. *℘ 04 92 08 96 04 et 06 80 45 12 08- mai-sept. : tlj sf lun. 9h-19h ; oct.-avr. : tlj sf lun. 10h-17h30 - lun. et j. fériés sur demande - 4 € (–12 ans 2 €).*

Imprenable aux temps troublés, Gilette, accroché au-dessus d'un ravin, garde sa réputation d'accès difficile, comme la plupart de ses voisins perchés. De la place de la Mairie, suivre le parcours fléché qui monte aux ruines du château (12ᵉ s.), d'où le **panorama**★ porte sur d'impressionnantes routes en corniche, la vallée du Var, son confluent avec l'Esteron et les Préalpes. Une agréable allée, bordée de platanes et d'acacias, passe sous le château, livrant de belles vues sur les villages perchés de Bonson et de Tourette-du-Château ainsi que sur les Grandes Alpes, au nord.

*Reprendre la D 17 au nord de Gilette, qui remonte la vallée de l'Esteron, puis, 2 km après Vescous, s'engager à droite dans la petite route qui monte à Vieux-Pierrefeu.*

## Vieux-Pierrefeu
*Accès interdit en voiture.* Ancien poste romain du nom de Petra Ignaria, Vieux-Pierrefeu était le maillon de la longue chaîne qui s'étirait entre le Mur d'Hadrien (frontière entre l'Écosse et l'Angleterre) et Rome, servant à transmettre des messages optiques. Austère et fier, ce beau village perché (618 m), vêtu de ses vieilles pierres bien restaurées, donne envie de s'y attarder. L'Esteron tout proche, avec son lit escarpé et son eau turquoise, réjouit les amateurs de canyoning.

L'église (16e s.) abrite le **musée « Hors du temps »**, collection unique de peintures contemporaines sur le thème de la Genèse, où l'on relève, parmi la quarantaine de signatures, les noms de Brayer, Carzou, Folon, Erni, Vicari, Villemont, Moretti et Dupuis.
℘ 04 93 08 58 18 - *visite uniquement sur demande à la mairie 2 j. av. - 2 €.*

*En redescendant par la superbe D 17, vous apercevrez la vallée du Var et les villages rocheux de Bonson et de La Roquette.*

### Bonson★

Bâti dans un site remarquable, au bord d'un éperon sur le Var, Bonson offre de la terrasse de l'église une **vue★★** exceptionnelle sur le confluent du Var et de la Vésubie, le défilé du Chaudan, les gorges de la Vésubie ; en bas coule le Var, au pied de nombreux villages perchés. Le cadre sylvestre réputé de Bonson a malheureusement subi les ravages d'un terrible incendie en août 1994.

L'**église** renferme trois œuvres de **primitifs niçois**, pleines d'une touchante dévotion populaire à une époque de peurs, d'épidémies et de guerres. Au revers de la façade, le **retable de saint Antoine**, où l'on reconnaît sainte Gertrude (invoquée contre la peste) aux rats qui l'escaladent. Sur le bas-côté droit, le **retable de saint Jean-Baptiste**, attribué à Antoine Brea (repeints fâcheux au centre). Au maître-autel, enchâssé dans un cadre Renaissance, le **retable de saint Benoît★**, émouvant par son style naïf et direct, avec sainte Agathe retenant ses seins coupés, sainte Catherine armée d'un glaive, saint Sébastien au corps transpercé de flèches, traité à la manière byzantine.
℘ 04 93 08 58 39 - *demander la clé à la mairie tlj sf jeu. et w.-end 9h-12h, 15h-17h ou au bar-tabac sur la place contre une pièce d'identité - gratuit.*

*Quitter le village à l'Ouest par la D 27 en direction de Puget-Théniers.*

La route serpente à flanc du relief et offre de belles échappées sur Gilette. Après Tourette-du-Château, prendre à droite la route en forte déclivité qui sinue jusqu'à la crête du **mont Vial★** avant d'atteindre le sommet (1 549 m). Un **panorama★★** impressionnant récompense les courageux de leur ascension. Par beau temps, la vue s'étend sur le cours du Var depuis Puget-Théniers jusqu'à l'embouchure.

*Retourner à Bonson par le même itinéraire.*

Par de belles **vues★**, de grands lacets descendent sur le Var qu'on atteint au pont Charles-Albert. À gauche, la N 202 conduit à **Plan-du-Var**, où l'on franchit la Vésubie à son confluent avec le Var. On laisse à droite les gorges de la Vésubie.

### Défilé du Chaudan★★

Jusqu'à proximité du pont de la Mescla, le Var développe ses méandres au fond d'une gorge étroite aux superbes parois verticales. La route, serrée de près par le fleuve, contourne ces méandres dans un spectacle éblouissant.
Au **pont de la Mescla**, la Tinée se jette dans le Var.

*Revenir à Nice par la N 202.*

🖈 À partir du pont de la Mescla, vous pourrez rejoindre la vallée de la Tinée. Depuis Pierrefeu, possibilité de poursuivre dans la vallée de l'Esteron pour atteindre la clue du Riolan. Dans les deux cas ses itinéraires sont décrits dans *Le Guide Vert Alpes du Sud.*

## VALLÉE DE LA VÉSUBIE ⑥ *(voir ce nom)*
*De Plan-du-Var à Saint-Martin-Vésubie.*

## FORÊT DE TURINI ⑦ *(voir ce nom)*
**L'Authion★★**
**Vallon de Sainte-Elisabeth★**
**Route du col de Braus★★**

## ROUTE DU COL DE CASTILLON ⑧
*De Menton à Sospel. Voir les « circuits » de Menton.*

## ROUTE DU COL DE BROUIS ⑨
*De Sospel à la Giandola. Voir les « circuits » de Sospel.*

## GORGES DE SAORGE ET DE BERGUE ⑩
*Voir « Aux alentours » à Saorge.*

## ROUTE DE VALDEBLORE ⑪
*Le Boréon et la Madone de Fenestre. Voir les « alentours » de Saint-Martin-Vésubie.*

## ROUTE DES CRÊTES ⑫
*Voir Vence.*

## Arrière-pays niçois pratique

Voir aussi les encadrés pratiques de Lucéram, forêt de Turini, vallée de la Vésubie, Saint-Martin-Vésubie, Utelle, Sospel, Saorge, Breil-sur-Roya, Vence, Peille, Peillon, la Turbie, Tende, La Brigue.

### Adresses utiles

**Syndicat d'initiative de Gilette Val d'Esteron** – *pl. du Docteur-Morani - 06830 Gilette - ℘ 04 92 08 98 08 - www.esteron. fr - horaires sur demande.*

**Office du tourisme de l'Escarène** – *6 pl. Carnot - 06440 L'Escarène - ℘ 04 93 79 62 93 - tlj sf jeu. et w.-end 9h-12h, 14h-17h - fermé j. fériés sf 14 Juil. et 15 août.*

**Office du tourisme de Contes** – *13 pl. Jean-Allardi - 06390 Contes - ℘ 04 93 79 13 99 -14h-17h - fermé j. fériés.*

**Maison de pays et des traditions - Office du tourisme de Berre-les-Alpes** – *6 pl. Bellevue - 06390 Berre-les-Alpes - ℘ 04 93 91 88 36 -http://monsite.wanadoo.fr/mdp. berre-les-alpes/ - de mi-juin à mi-sept. : lun., mar. et jeu. 9h-12h, 14h30-17h30, vend., sam. et dim. 9h-12h, 14h30-18h30 ; reste de l'année : vend., sam. et dim. 9h-12h, 14h-17h- fermé merc. en saison, lun., mar., merc. et jeu. hors saison, 1ᵉʳ janv., 1ᵉʳ Mai et 25 déc. Visite du village gratuite sur demande (48h av.).*

### Se loger

**Chez Michel** – *06670 Castagniers - ℘ 04 93 08 05 15 - hotel.restaurant.chez-michel@wanadoo.fr - fermé 31 oct.-4 déc. - 20 ch. 51 € ⊡. Restaurant de style rustique agrémenté d'outils agricoles ; cuisine niçoise avec notamment daubes et raviolis. Quelques chambres simples et bien tenues dans une annexe.*

**Chambre d'hôte La Maïoun aux Oliviers** – *360 rte des Mortissons - 06910 Pierrefeu - ℘ 04 97 02 12 81 - www.maioun-aux-oliviers.com - ⊠ - 3 ch. 55/60 € - repas 25 €. Un peu perdue dans l'arrière-pays niçois, dans le calme de la montagne, cette jolie maison offre une vue agréable sur la vallée et les bois alentour. Les 3 chambres misent sur une décoration fraîche et claire. Sanitaires privatifs (sur le palier pour 2 d'entre elles). Piscine hors-sol entourée de verdure.*

**Chambre d'hôte les Cyprès** – *289 rte de châteauneuf - 06390 Contes - ℘ 04 93 62 58 77 - www.lescypres.fr - ⊠ - 3 ch. 68/75 € ⊡. Récemment rafraîchie, cette maison niçoise des années 1920 compte 3 chambres, toutes au rez-de-chaussée, donnant chacune sur l'extérieur. On appréciera la décoration à la fois sobre*

et raffinée, jusque dans les salles d'eau, ornées de jolies faïences. Petits-déjeuners servis sous la pergola ou sous la treille.

### Se restaurer

**La Capeline** – *06830 Toudon - 9 km de Gilette par D 17 rte de Roquesteron - ℘ 04 93 08 58 06 - ouv. mars-oct., w.-end de nov. à fév. et fermé merc. - réserv. obligatoire - 20/26 €. Poussez la porte de cette petite maison dans la vallée de l'Esteron, vous ne le regretterez pas ! Le patron mitonne chaque jour un menu aux saveurs régionales qui vous sera annoncé verbalement. Petit plus : l'huile d'olive maison. Décor rustique simple et terrasse ombragée de canisses.*

**Au Rendez-vous des Amis** – *176 av. de Rimiez, Aire St-Michel - 06100 Nice - 9 km au N de Nice - ℘ 04 93 84 49 66 - rdvdesamis@msn.com - fermé 23 oct.-22 nov., 26 fév.-14 mars, mar. sf juil-août et merc. - 23/29 €. Isabelle et Thierry vous reçoivent comme à la maison dans leur restaurant coloré. C'est elle qui prépare les entrées et les desserts, pendant que monsieur mitonne de savoureuses recettes aux accents du Sud. Pas de carte à rallonge ici, mais un menu à prix sage dont le choix restreint garantit la fraîcheur des produits.*

### Que rapporter

**VIN DE PAYS**

**Domaine de la Source** – *303 chemin de Saquier - 10 km de Nice par N 202 - 06200 St-Roman-de-Bellet - ℘ 04 93 29 81 60 - www. domainedelasource.fr - 9h-21h. Une famille d'horticulteurs convertis à la vigne est à la tête de ce domaine produisant des vins rouge, blanc et rosé bien représentatifs de l'appellation Bellet. Exposition de vieux outils dans la cave ; techniques viticoles privilégiant l'écologie. Propriétaire au caractère bien trempé, maniant volontiers la galéjade !*

**Via Julia** – *10 km de Nice par N 202 - 06200 St-Roman-de-Bellet - ℘ 04 93 32 81 76 - viajulia@wanadoo.fr. Avec ses 2 ha de vignes, le domaine Via Julia produit le bellet rouge, rosé ou blanc en restant fidèle aux méthodes artisanales. Terres en restanques étroites ou en pente nécessitent un travail à la main. La vinification s'effectue en fûts de chêne, garantie d'une production de grande qualité. Si vous êtes dans la région, allez visiter la propriété : la grande maison rouge décorée d'une frise représentant des grappes de raisin est très accueillante.*

# Peille★

## Pelha

2 045 PEILLASQUES
CARTE GÉNÉRALE E4 – CARTE MICHELIN LOCAL 341 F5 – SCHÉMA P. 309 –
ALPES-MARITIMES (06)

Son nom d'origine ligure (*Pilia*), qui signifie « hauteur nue et herbeuse », est en parfait accord avec sa situation ! Ce bourg médiéval de caractère s'étage dans un site exceptionnel, à la fois désolé avec ses montagnes escarpées, vert avec ses oliveraies, et sauvage, surplombant le profond ravin du Faquin.

- ▶ **Se repérer** – À 11 km au nord de La Turbie par la D 53.
- 🅿 **Se garer** – Un seul parking public prévu à l'entrée du village.
- 👁 **À ne pas manquer** – Chaussez vos baskets pour visiter le vieux bourg et adhérer au sol des calades qui font le charme de ce village.
- 🕐 **Organiser son temps** – Comptez 1h30 pour visiter le village, et 30mn supplémentaires pour apprécier les objets et outils du musée du Terroir.
- 👣 **Pour poursuivre la visite** – Voir aussi Peillon et le circuit des deux Paillons (*voir le circuit* ④ *à Nice*).

À Peille, les maisons s'accrochent à flanc de colline.

## Se promener

### Bourg

Tout respire le calme dans ce village dont les vénérables habitants parlent encore un dialecte à eux, le « pelhasque », à mi-chemin entre nissart et gavouot du Haut-Pays. Depuis la place de la **Tour** (13ᵉ s.) en bordure de la D 53, les marches descendent la rue de la Sauterie, rocailleuse, entrecoupée d'escaliers et de passages voûtés ; la rue dégringole ensuite vers la place A.-Laugier. À droite, la rue Centrale mène à la mairie sise dans l'ancienne **chapelle Saint-Sébastien** (13ᵉ s.), couronnée d'un dôme. En tournant deux fois à gauche, on tombe sur la rue Saint-Sébastien : à gauche se dresse l'ancien **hôtel de la Gabelle** du sel, restauré après les tremblements de terre de 1909. À nouveau sur la place A.-Laugier, admirez l'ancien **hôtel des Consuls** ou « palais du juge Mage » avec ses portails et ses fenêtres géminées. Derrière une **fontaine gothique**, sous une maison, deux demi-arches s'appuient sur un pilier roman. Celle de droite conduit à la rue Lascaris, puis vers le monument aux morts, d'où le point de vue est superbe. Celle de gauche ouvre sur l'**Arma**, le plus vieux quartier qui présente encore l'ancien portail d'entrée du village lorsque celui-ci était ceinturé d'un solide rempart. Un **musée du Terroir** évoque les us et coutumes locales à travers des objets, meubles, outils et vêtements donnés par les habitants. ☎ *04 93 91 71 71 - w.-end et j. fériés 14h-17h - gratuit.*

## Église

*04 93 91 71 71 (mairie) - apr.-midi.*

Flanquée d'un élégant clocher lombard pyramidal, l'église (12e-13e s.) est formée de deux chapelles accolées. À gauche en entrant, un retable à quinze compartiments (1579) d'Honoré Bertone décore un autel. À droite, Peille est représenté tel qu'il était au Moyen Âge. Sainte Anne, la Vierge et l'Enfant figurent sur une fresque du 14e s.

# Randonnée

## Via ferrata

*Se garer sur le parking public à l'entrée du village et suivre la signalétique spécifique.*
*Longueur totale du parcours : 800 m ; compter 3h30 environ. Tarif d'accès : 3 €. Location d'équipement sur place, s'adresser au bar l'Absinthe - 04 93 79 95 75. Pour un encadrement, s'adresser aux guides de haute montagne.*

Cet itinéraire de randonnée sportive riche en émotions, au-dessus du village de Peille, offre une succession de passerelles, ponts de singe et tyrolienne en toute sécurité.

---

### Peille pratique

Voir aussi l'encadré pratique de Nice.

**Adresse utile**

**Syndicat d'initiative** – *Pl. Carnot - 06440 Peille - 04 93 79 89 37 - tlj sf w.-end 9h-12h.*

**Se restaurer**

**Le Relais St-Martin « Chez Cotton »** – *06440 St-Martin-de-Peille - 6 km au S de Peille dir. La Turbie - 04 93 41 16 03 - www.chezcotton.com - fermé nov., le soir de sept. à juin et lun. - 18/32 €. Lorsqu'il fait bien chaud au bord de l'eau, les gens montent ici avec délectation pour profiter de la fraîcheur. Recettes du terroir et grillades servies dans la grande salle vitrée (flambées dans la cheminée en hiver) ou sur la terrasse ombragée. Vue sur la vallée et la montagne.*

---

# Peillon★

### Pelhéon

1 227 HABITANTS
CARTE GÉNÉRALE E4 – CARTE MICHELIN LOCAL 341 F5 – SCHÉMA P. 309 – ALPES-MARITIMES (06)

Ce village, juché en nid d'aigle sur un rocher étroit et abrupt, est l'un des plus spectaculaires de la Côte d'Azur. Une rigoureuse unité architecturale, imposée par le site et les nécessités de la défense, en compose harmonieusement les formes jusqu'au sommet occupé par l'église.

- **Se repérer** – Un peu en retrait de la vallée du Paillon, Peillon se rejoint facilement depuis Nice.

- Sur l'ancienne voie romaine, un sentier relie Peillon à Peille (village dont il fut séparé au 13e s.) en 2h depuis l'église.

- **Se garer** – Stationnez en bordure de la route d'accès au village ou sur la place Annulf proposant une dizaine de places de parking.

- **À ne pas manquer** – La visite du vieux village qui mène de la place Annulf à la plaça dei Gleia pour un superbe panorama. Pensez à réserver auprès de la mairie votre visite de la chapelle et l'église, incontournables.

- **Organiser son temps** – L'été, préférez visiter le village à la fraîche (tôt le matin ou en fin d'après-midi) car fatigue et coup de chaud ne font pas bon ménage. 1h30 suffisent à en faire le tour et à se rendre sur le site des moulins, dans la vallée.

- **Pour poursuivre la visite** – Voir aussi Peille et le circuit des deux Paillons *(voir le circuit 4 à Nice).*

# Visiter

## Village

Il a gardé intégralement son aspect médiéval. Partout des escaliers en calades qui serpentent parmi les maisons fleuries, et de nombreux passages voûtés.

À l'entrée (derrière les monuments aux morts), subsistent les vestiges d'une partie de tour carrée. C'est le « portail », l'ancienne porte d'accès à la forteresse. Dans le prolongement sud, trônant sur la place Arnulf, à l'ombre des platanes, une fontaine datée de 1800. Les maisons les plus basses en pierre grise sont accrochées les unes aux autres par des « pountins » et font corps avec la roche pour dessiner un rempart. D'autres les surmontent et se superposent à flanc de montagne jusqu'au clocher qui domine le village tout entier.

*Peillon, un charmant village perché de l'arrière-pays niçois.*

## Église Saint-Sauveur

☎ 06 24 97 42 25 - *ouverture de l'église sur demande tlj sf w.-end 9h-12h.*

Dominant le ravin et très austère, elle fut construite au début 16$^e$ s., incluant l'abside et une autre église romane du 12$^e$ s. Sa façade est de style classique tandis que l'intérieur affiche un goût baroque (ses colonnes et ses trompe-l'œil).

Depuis la plaça dei Gleia (place de l'Église), superbe **panorama**★ sur le massif de l'Esterel, le mont Massourda, le vallon de Saint-Martin, le vallon de Longa (table d'orientation).

## Chapelle des Pénitents-Blancs

*Une minuterie extérieure permet de voir à travers la grille les fresques.* ☎ *06 24 97 42 25 - ouverture de la chapelle sur demande tlj sf w.-end 9h-12h.*

L'intérêt de cette chapelle réside dans les **fresques**★ de **Jean Canavesio**, datées de la fin du 15$^e$ s. Au fond, la Crucifixion, avec les portraits de saint Antoine et de sainte Pétronille. Sur les murs et les voûtes sont peintes des scènes de la Passion, remarquables par la vigueur de leur mouvement (voir notamment la Flagellation et le Baiser de Judas) et le goût de l'anecdote. La parenté avec les fresques de Notre-Dame-des-Fontaines *(voir La Brigue)* est évidente. Sur l'autel, remarquez une belle Pietà de bois polychrome.

## Les moulins à huile et à farine

Au confluent de la Launa et du Paillon, s'étend le petit hameau des Moulins qui, comme son nom l'indique, possède l'intérêt de recenser sur son territoire deux moulins du 19$^e$ s. parfaitement conservés et toujours en activité. Moulins à huile et à farine (seul moulin à grain de la vallée du Paillon) utilisent la même roue à canon (d'origine !) pour fonctionner.

# Le Pradet

## Lou Pitchoun prat

**10 975 HABITANTS**
**CARTE GÉNÉRALE B4 – CARTE MICHELIN LOCAL 340 L7 – VAR (83)**

Jolies plages entre les rochers, promenades bucoliques et musée minéralogique surprenant font de cette station balnéaire une bouffée d'oxygène pour Toulon et un agréable lieu de séjour.

▶ **Se repérer** – À la lisière est de Toulon, au pied ouest de la colline de Paradis et du mont des Oiseaux, à deux pas de la plage ou, plus prosaïquement, sur la D 559 qui mène à l'aéroport d'Hyères.

👁 **À ne pas manquer** – Le musée de la Mine de Cap-Garonne en souvenir de l'ancien gisement de cuivre local. Les parties accessibles du sentier du littoral.

🕐 **Organiser son temps** – Débutez votre journée par une balade au grand air sur le sentier du littoral : 3h de pur bonheur pour les habitués de marche ! Mais attention, certaines portions sont fermées au public (renseignez-vous à l'office de tourisme). Pour une visite guidée du musée de la Mine de Cap-Garonne, comptez une bonne heure.

👫 **Avec les enfants** – Le musée de la Mine de Cap-Garonne, très instructif.

🐾 **Pour poursuivre la visite** – Voir aussi Toulon, Hyères et les îles d'Hyères.

## Séjourner

### Plages

De remarquables **criques** ponctuent la baie de la Garonne jusqu'au cap de Carqueiranne. Certaines sont accessibles par la route, mais l'idéal est de les découvrir par le sentier du littoral.

Parmi les 5 **plages**, celle de Monaco de part son isolement en fait un lieu discret, idéal pour ceux qui aiment la tranquillité. Pour les activités nautiques, vous choisirez celle de la Garonne (plus au sud, en direction du cap).

## Bienfaisante posidonie contre maléfique Caulerpa

Ville pilote dans la surveillance et la lutte contre la Caulerpa taxifolia, le Pradet poursuit l'éradication totale de cette algue verte à la main pour éviter d'endommager l'écosystème avec des traitements trop lourds. Elle assure aussi une veille constante sur les herbiers de posidonie, fragilisés par l'action anthropique et les ancres des bateaux qui les arrachent. La posidonie permet de lutter contre l'érosion du littoral et la disparition des plages en amortissant les vagues sur le rivage.

### Le port (les Oursinières)

Ce joli petit port qui allie pêche et plaisance, typiquement méridional, offre en arrière-plan des maisons provençales accrochées au flanc de la colline. Les pêcheurs y font l'animation, tout comme les joueurs de boules et les visiteurs qui embarquent en saison pour les îles d'Hyères.

## Les espaces verts

À côté de l'office de tourisme, le **parc Cravéro** présente une collection de palmiers ainsi qu'un cadre ombragé et arboré dans lequel évoluent perruches, chèvres et autres animaux parfaitement adaptés à la vie citadine ! Au sein du parc, la Galerie Cravéro Le Camus, installée dans une ancienne pergola de roses, propose des expositions d'art contemporain (℘ 04 94 08 69 79 -sam.-jeu. : 15h-18h ; vend. 10h-12h, 15h-18h). Également en plein cœur de la ville, le **bois de Courbebaisse** offre une belle balade botanique (5 ha). Coup d'œil impératif sur le charmant pavillon d'inspiration mauresque.

# Randonnée

### Sentier du littoral★

🥾 7 km pour le littoral pradétan, 12 km du Pin de Galle (au Pradet) au port des Salettes (à Carqueiranne). Prévoir au moins 3h45 (sentier sinueux et parfois abrupt). Un escalier raide taillé dans le rocher donne souvent accès aux plages.

Attention, l'incendie qui a ravagé le massif de la **Colle-Noire** en a modifié le tracé. À l'ouest, au pied d'une pente escarpée, la **plage du Pin de Galle**, surplombée d'un amphithéâtre embrasse la rade de Toulon. On traverse une pinède bâtie de nombreux cabanons, puis un parc. Descente raide vers la **plage de Monaco** (en partie naturiste). Au-delà d'un muret, le sentier escalade la falaise. Un peu plus loin, un cap procure une belle **vue★** sur les échancrures successives de la côte. Une descente bien tracée mène aux **Bonnettes**, au pied d'une ravissante calanque (guinguette). L'ancien tracé reliant cette plage à la **plage de la Garonne** est fermé à cause de l'incendie de l'été 2005 qui a détruit les aménagements de sécurité réalisés en 2005 (falaise dangereuse et chutes de pierres), tout comme entre le Pas des Gardéens et la Mine. Rejoindre les **Oursinières** par la route. Au-delà du port, un sentier à droite, détaché de la route du Pradet, conduit au-dessus des falaises jusqu'au **baou Rouge**. Belles vues sur la crique des Gardéens et vers Carqueiranne, que l'on pourra bientôt rejoindre par une extension du sentier en projet (l'accès par le massif de la Colle-Noire est fermé).

# Visiter

### Musée de la Mine de Cap-Garonne★

*Au Pradet, prendre la D 86 au sud et suivre les panneaux. Après la plage de la Garonne, ne pas manquer le tournant à gauche, dans une route en montée - 1 000 chemin du Bau Rouge - ℘ 04 94 08 32 46 - www.mine-capgaronne.fr - ৬ - visite guidée (1h, température 15 °C) - 14h-17h - fermé 1ᵉʳ janv., 24-25 et 31 déc. - 5,40 € (6-18 ans 3,80 €).*

👥 Coiffé d'un casque de chantier, le visiteur explore le passé de ce modeste gisement de cuivre, exploité industriellement de 1862 à 1917. Animation « son et lumière » illustrant le quotidien des mineurs prennent du relief dans le silence et l'obscurité de cette vaste caverne, creusée par les mineurs venus du Piémont italien. Une salle abrite une très belle collection de **minéraux★** du monde entier. Une pause vidéo dans une sorte de caisson de bois permet d'en savoir plus sur la transformation du minerai et les multiples usages du cuivre.

## Il aura suffi d'un incendie

Les 4 et 5 août 2005, le massif de la **Colle-Noire** a été ravagé par le feu. Depuis, son accès est fermé au public sauf sur la route menant au musée de la Mine et sur les pistes forestières C27 et C30. Impossible donc de suivre l'ancien sentier de découverte à la sortie du musée.

### Église Saint-Raymond
*Dans le centre-ville.* Édifiée au 19$^e$ s., l'intérieur a été refait dans un style Renaissance romaine. Le chemin de croix a été ramené en 1962 de l'église Saint-Cyprien-de-la-Celle en Algérie. Fresques et peintures signées Michel Deguil et Daniel Ballay derrière un autel tout en marbre.

## Le Pradet pratique

Voir aussi l'encadré pratique de Toulon.

### Adresse utile
**Office du tourisme du Pradet** – *Pl. du Gén-de-Gaulle - 83220 Le Pradet - $\mathscr{C}$ 04 94 21 71 69 - www.ot-lepradet.fr - juil.-août : 9h30-13h, 15h-19h, sam. et j. fériés : 10h-17h, dim. 9h30-13h ; sept.-juin. : tlj sf dim. 9h-12h30, 14h-17h30, sam. et j. fériés - fermé 1$^{er}$ janv., 1$^{er}$ Mai et 25 déc.*

### Visites
**Balades Nature Accompagnées** – *Voir le Massif des Maures pratique.*

### Se restaurer
La Chanterelle – *50 r. Tartane, port des Oursinières - $\mathscr{C}$ 04 94 08 52 60 - www.hotel-escapade.com - fermé janv., fév., 7-25 nov. et lun. de sept. à avr. - 35/45 €.* Un plafond en bois sculpté agrémente la salle à manger ; aux murs, vitraux colorés représentent des natures mortes. Plaisant jardin fleuri. Cuisine régionale actualisée.

### Sports & Loisirs
**Bon à savoir** – Une piste cyclable relie Le Pradet à Hyères.

# Ramatuelle★

**2 131 RAMATUELLOIS**
CARTE GÉNÉRALE C4 – CARTE MICHELIN LOCAL 340 O6 – SCHÉMAS P. 249 ET 357 – VAR (83)

Blotties en colimaçon, les maisons de Ramatuelle forment une architecture défensive typique des vieux bourgs provençaux. Isolé sur sa colline de maquis et de vignes, le village devient en été une station très fréquentée, avec la plage de Pampelonne à deux pas et ses festivals.

- **Se repérer** – Ramatuelle est situé à 11 km à l'est de La Croix-Valmer *(voir massif des Maures)* et à 11 km au sud de Saint-Tropez par la D 93.
- **Se garer** – Pour vous garer, parkings près de l'église, du cimetière et de la mairie.
- **À ne pas manquer** – Les plages ; musarder dans le village.
- **Organiser son temps** – Consacrez une demi-journée à cette jolie cité ensoleillée, entre une agréable balade dans le village et une dégustation modérée des crus du golfe de Saint-Tropez. Poursuivez, si vous le désirez, par une séance de farniente sur l'une des plages de la cité.
- **Pour poursuivre la visite** – Voir aussi Saint-Tropez, le massif des Maures, Grimaud.

## Se promener

### Village
Les ruelles sinueuses, étroites, enjambées de voûtes et d'arceaux, invitent à une balade agréable et paisible. Le linteau des maisons restaurées et serrées contre l'**église** romane à chevet plat, qui renferme deux retables baroques (17$^e$ s.) aux splendides boiseries dorées, rappelle que le village fut reconstruit

### Le saviez-vous ?
**Gérard Philipe** (1922-1959) repose dans une émouvante tombe du cimetière local, rejoint en 1990 par son épouse, l'écrivain Anne Philipe.

en 1620, après sa destruction pendant les guerres de Religion. Remarquez, rue du Moulin-Roux *(en bas du village)*, les **prisons** construites par Napoléon III dans un style si arabisant qu'on les attribue aux Sarrasins.
Face au cimetière du village, un monument aux morts des Services spéciaux de la Défense nationale rappelle que sur la côte, à la Roche-Escudelier, venaient accoster les sous-marins qui assuraient la liaison avec la Résistance de la France occupée.

*Ramatuelle ressemble à un énorme escargot sur la colline.*

## Plages

La plage « paradisiaque » de **Pampelonne**, qui s'étend sur 5 km entre la plage de Tahiti et la pointe de la Bonne Terrasse, se trouve sur la commune de Ramatuelle, bien qu'on l'associe à Saint-Tropez *(voir ce nom)*. Ses plages privées sont accessibles par la D 93, puis parkings payants devant, supplément pour l'ombre et le forfait à la journée.

# Aux alentours

### Moulins de Paillas

*À 3 km au nord de Ramatuelle.*

À 325 m d'altitude se trouvent trois moulins en activité jusqu'au 19$^e$ s., puis laissés à l'abandon. L'un d'eux a été restauré. *De mars à mi-oct. : mar. 10h-12h (juil. et août 13h) - Gratuit.* ℘ 04 98 12 64 00.

### Gassin

*À 5,5 km au nord de Ramatuelle.*

Fièrement campé à 201 m d'altitude, Gassin a préservé le caractère typiquement provençal de ses maisons et entrelacs de ruelles reliées parfois d'escaliers. La visite est encore plus vivante le dimanche, jour de marché. Pour connaître les manifestations qui rythment l'année et les bonnes adresses de domaines viticoles, consultez l'encadré pratique.

De la **terrasse des Barri**, plantée de micocouliers, et qui fleure l'ambiance méridionale, admirable **vue★** sur le golfe de Saint-Tropez, la baie de Cavalaire, les îles d'Hyères, la chaîne des Alpes à l'est par mistral et au-dessous, la forêt de chênes-lièges restée vierge.

## Ramatuelle pratique

**&** Voir aussi l'encadré pratique de Saint-Tropez.

### Adresse utile

**Office du tourisme de Ramatuelle** – *Pl. de l'Ormeau - 83350 Ramatuelle -* ℘ *04 98 12 64 00 - www.ramatuelle-tourisme.com - juil.-août : 9h-13h, 15h-19h30, w.-end et j. fériés 10h-13h, 15h-19h ; sept.-oct. : tlj sf dim. 9h-12h30, 14h30-18h30, sam. et j. fériés 10h-12h30, 14h-18h30 ; oct.-mars : tlj sf w.-end et j. fériés 9h-12h30, 14h-18h ; avr.-mai : 9h-12h30, 14h-18h30, dim. 10h-12h, 14h-18h30 ; juin : tlj sf dim. 9h-13h, 14h30-19h, sam. et j. fériés 10h-13h, 15h-19h.*

### Se loger

**Chambre d'hôte Leï Souco** – *Plaine de Camarat - 3,5 km de Ramatuelle sur D 93, rte de St-Tropez -* ℘ *04 94 79 80 22 - www.leisouco.com - fermé 15 oct.-31 mars - 9 ch. dont 1 familiale 73/112 € .* Au cœur des vignes, entouré d'oliviers et de mûriers, ce mas est un havre de paix. Chambres charmantes avec leurs tomettes et boiseries ; la familiale offre 4 couchages, dont 2 en mezzanine. Chacune dispose d'une terrasse où il fait bon savourer un copieux petit-déjeuner. Tennis.

**Ferme d'Hermès** – *2,5 km au SE de Ramatuelle par rte l'Escalet et chemin* privé - ☏ 04 94 79 27 80 - lafermedhermes@aol.com - ouv. 1er avr.-1er nov. et 27 déc.-10 janv. - 🅿 - 9 ch. 140/160 € - ☵ 13 €. Au milieu des vignes, cette maison provençale accueille ses hôtes dans de jolies chambres claires, décorées de meubles en bois blond cirés à l'ancienne. Toutes ouvrent sur le délicieux jardin planté d'oliviers et de lauriers roses. Calme absolu. Piscine.

## Se restaurer

⊖🍽 **Au Fil à la Pâte** – 7 r. Victor-Léon - ☏ 04 94 79 16 40 - fermé 5 nov.-1er mars - 24/35 €. L'enseigne de ce tout petit restaurant officiant à deux pas de l'office de tourisme donne un indice majeur quant aux préférences du chef. Minisalle à manger d'esprit rustique provençal, quelques places au sous-sol, fourneaux à vue et sympathique ambiance familiale. Une terrasse a récemment été réalisée.

⊖🍽 **Key West Beach** – Plage de Pampelonne - 4 km à l'E de Ramatuelle, dir. St-Tropez - ☏ 04 94 79 86 58 - 30/48 €. Maquettes et photos de voiliers, reproductions de poissons colorés, scaphandres et antiquités marines décorent ce restaurant sur la célèbre plage de Pampelonne. Une agréable baignade vous attend avant de prendre un verre, louer un matelas ou vous y sustenter.

⊖🍽🏠 **Chez Camille** – À la Bonne Terrasse - 5 km à l'E de Ramatuelle par D 93 et rte de Camarat - ☏ 04 98 12 68 98 - fermé 4 oct.-2 avr., lun. midi, jeu. midi, vend. midi et mar. en sais. et lun. soir en avr.-mai - réserv. obligatoire en été et le w.-end - 33/62 €. On se presse pour déguster la bouillabaisse et les poissons grillés dans ce sympathique restaurant familial. Il faut dire que cette ancienne buvette, fondée en 1913, jouit d'une situation formidable au bord de la plage.

⊖🍽🏠 **La Forge** – R. Victor-Léon - ☏ 04 94 79 25 56 - laforge-ramatuelle@wanadoo.fr - fermé 16 nov.-14 mars, le midi en juil.-août et merc. - 35 €. L'imposant soufflet témoigne du passé de ce restaurant : autrefois les villageois venaient y ferrer leurs montures.

Aujourd'hui, le feu crépite encore, mais pour rôtir à la broche viandes et poissons. Sympathique cadre rustique et cuisine provençale.

## Que rapporter

**Marchés** – Jeu. et dim. matin.

**Domaine du Bourrian et domaine de Pin-Pinon** – 2496 chemin du Bourrian - 83580 Gassin - ☏ 04 94 56 16 28 - www.domainedubourrian.com - mars-oct. : 8h-12h, 14h30-19h ; janv.-fév. : 8h-12h, 14h-18h ; nov.-déc. : 8h-12h, 13h-17h - fermé dim. et j. fériés. Depuis trois générations, la famille Chapelle gère ce domaine viticole (l'un des plus vieux de la presqu'île de Saint-Tropez) installé sur le site d'un ancien village gallo-romain. Il produit, avec le domaine de Pin-Pinon, des vins de pays des Maures et des AOC côtes-de-provence. **Visite** d'un chai plus que centenaire et dégustation.

## Sports & Loisirs

**Team Water Sports** – Rte de l'Épi, baie de Pampelonne - 3 km à l'E de Ramatuelle par la D 93 - ☏ 04 94 79 82 41 - mai-sept. : 17h-20h. Jet-ski et scooter des mers vous permettront de concilier sensations fortes et rafraîchissement.

## Événements

**Santons et couleurs de Provence** – En avril, salon consacré à l'art du santon.

**Les Temps musicaux** – 2e quinzaine de juillet : musique classique.

**Festival de Ramatuelle** – 1re quinzaine d'août : théâtre et variétés.

**Jazz Festival Ramatuelle** – www.jazzfestivalramatuelle.com. Mi-août au théâtre de Verdure.

**Provence de Noël** – De mi-décembre à début janvier, exposition de crèches, de santons, animations autour du Père Noël.

**Grand aïoli de la Saint-Laurent** – À Gassin, le 2e dimanche d'août, en l'honneur du patron du village.

**Fête des vendanges** – À Gassin le 2e dimanche de septembre.

# Domaine du **Rayol**★★

## Jardin des Méditerranées

CARTE GÉNÉRALE C4 – CARTE MICHELIN LOCAL 340 N7 – SCHÉMA P. 249 – VAR (83)

Le site exceptionnel du Rayol, qui s'étage en amphithéâtre sur les pentes boisées de chênes-lièges, mimosas et pins, est l'un des plus beaux du littoral varois. Témoin d'une époque fastueuse, le domaine du Rayol a vu le jour au début du 20e s. lorsqu'industriels et banquiers firent construire des villégiatures dans des sites encore vierges de toute construction, en belvédère sur la mer au milieu d'une végétation luxuriante.

- ▶ **Se repérer** – En venant de Saint-Tropez, l'embranchement pour le domaine est à gauche à l'entrée du village du Rayol-Canadel-sur-Mer *(voir le massif des Maures)*.

- 👁 **À ne pas manquer** – Sur réservation, la visite guidée du jardin pour parcourir le monde en senteurs et en couleurs, la visite approfondie pour les connaisseurs et passionnés des belles plantes ; le sentier marin et les balades thématiques *(tous les lundis de l'année, demander le programme)*. Le jardin austral dévoile tous ses charmes en hiver et le jardin boréal en été.

- 🕐 **Organiser son temps** – Deux circuits de visite, rapide *(30mn)* ou plus approfondie *(1h30 à 2h)* sont proposés, ainsi que des promenades naturalistes en compagnie d'un guide *(2h30, sur réservation)*.

- 👫 **Avec les enfants** – Le sentier marin, à partir de 8 ans et l'excursion sous-marine, très pédagogiques.

- 🌿 **Pour poursuivre la visite** – Voir aussi la plage du Canadel-sur-Mer *(voir le massif des Maures)*.

---

### Le saviez-vous ?

👁 Le Rayol est le ruisseau qui serpente dans le domaine ; l'étymologie latine *radicum* qui signifie « terrain défriché » est en tout cas appropriée.

👁 Grâce à une institution, le **Conservatoire du littoral**, et un homme, le paysagiste **Gilles Clément**, vous pouvez y découvrir une flore insolite et la faune méditerranéenne, inouïe.

---

# Visiter

## Le domaine★★

*Av. des Belges - 📞 04 98 04 44 00 - www.domainedurayol.org - visites guidées thématiques possibles (2h) - juil.-août : 9h30-19h30 ; avr.-juin et sept.-oct. : 9h30-18h30 ; nov.-mars : 9h30-17h30 - 7 € (enf. 3,50 €).*

Un banquier parisien, **Courmes**, ayant visité de nombreux pays, y fit construire en 1910 une résidence entourée d'un jardin exotique. Le krach de 1929 interrompit brutalement le développement du domaine.

Le constructeur aéronautique **Henri Potez**, contraint en 1940 de se réfugier sur le littoral, met à nouveau en valeur le domaine et son jardin. Une majestueuse volée d'escaliers raccorde le belvédère du Patek, garni d'une pergola circulaire, au littoral, et le jardin atteint sa plus grande splendeur. Après plusieurs décennies d'abandon, le Conservatoire du littoral rachète en 1989 l'ensemble du domaine (20 ha) afin de préserver un des derniers rivages sauvages de la corniche des Maures.

Le paysagiste Gilles Clément réalisa sur ces lieux une mosaïque de jardins présentant les végétations associées aux climats méditerranéens dans le monde : dragonniers des Canaries, agaves d'Amérique centrale, rarissimes palmiers à miel chiliens ou araucarias des Andes, eucalyptus, bottle-brush et gommiers bleus d'Australie, strelitzias sud-africains, bambouseraies chinoises. Entre chaque continent, au détour des allées ou de la pinède, on a de belles échappées sur la mer turquoise.

👁 **Bon à savoir** – Les mains vertes profiteront des ateliers-formations pour s'initier ou approfondir des sujets variés en compagnie de professionnels et de spécialistes (jardinage, ethnobotanique, plantes médicinales et aromatiques…).

*Le jardin marin du domaine du Rayol*

### Sentier sous-marin★

*Juil.-août : visite guidée (1h30-2h) de la faune et la flore marines méditerranéennes, tous les jours sauf le lun. Sur réservation préalable. 15 € (8-18 ans 12 €). Tout l'équipement est fourni (combinaison, masque, palmes et tuba). À partir de 8 ans.*

La petite plage du Domaine est le point de départ d'une originale et passionnante découverte de la vie sous-marine en Méditerranée.

Cette visite, accompagnée par des moniteurs du Conservatoire, est précédée d'une présentation des principales espèces marines susceptibles d'être rencontrées, de leurs spécificités et de la meilleure façon de les reconnaître dans leur milieu lié à l'**herbier de posidonies** *(voir le chapitre « Nature » dans la partie « Comprendre la région »)*. On découvre ainsi la vie étonnante du concombre de mer (holothurie), la curiosité inlassable des gobies, véritables concierges des mers, ou l'étrange sexualité des girelles. On pourra déceler la présence de la limace de mer (espèce endémique), se laisser distraire par le ballet d'un banc de saupes, admirer les couleurs chatoyantes de labres solitaires et espérer déjouer la vigilance du congre à l'affût dans une anfractuosité des rochers qui parsèment la baie.

## Domaine du Rayol Jardin des Méditerranées pratique

⚓ Voir aussi les encadrés pratiques du massif des Maures et du Lavandou.

### Adresse utile

**Office du tourisme de Rayol-Canadel** – *Pl. Michel Goy - BP 14 - 83820 Rayol-Canadel-sur-Mer -* ☏ *04 94 05 65 69 - horaires sur demande.*

### Événement

**Concerts** – *Sur réservation au* ☏ *04 98 04 44 00 - 25 €.* En juillet et août, des concerts de musiques classique et méditerranéenne sont organisés en nocturne dans le domaine, permettant au cours de l'entracte une promenade originale dans les jardins illuminés.

# Corniches de la **Riviera**★★★

CARTE GÉNÉRALE D/E4 – CARTE MICHELIN LOCAL 341 F/G5 – ALPES-MARITIMES (06)

Entre Nice et Menton, la montagne plonge brusquement dans la mer. Trois routes célèbres, la Grande, la Moyenne et la Basse Corniche, sillonnent les hauteurs dominant les plages. La plus haute multiplie les panoramas saisissants, la deuxième, les perspectives sublimes, celle du bas arpente les stations élégantes de la côte.

▶ **Se repérer** – La Grande corniche correspond à la D 2564, la Moyenne Corniche à la N 7 et la Corniche inférieure la N 98. Périlleux exercices de construction hier, les corniches requièrent aujourd'hui de la prudence au volant. Savourez le paysage en passager plutôt qu'en conducteur…

👁 **À ne pas manquer** – La Grande Corniche pour ses somptueux panoramas ; la Moyenne Corniche pour ses vues généreuses, ses sentiers de randonnée, un stop magnifique au village d'Èze ; la Corniche inférieure pour découvrir les nombreuses stations balnéaires qui agrémentent le trajet.

🕐 **Organiser son temps** – Si vous n'avez que quelques heures devant vous, privilégiez la Grande Corniche (3h). Ceux qui souhaitent profiter de chaque instant compileront en une journée la Grande Corniche (en début de journée : le lever du jour est fabuleux !) à la Corniche inférieure, voyage entrecoupé de quelques baignades.

👶 **Pour poursuivre la visite** – Voir aussi Nice, Principauté de Monaco et Menton.

## Le saviez-vous ?

👁 **La Riviera** est le nom donné au littoral italien du golfe de Gênes, depuis la frontière française jusqu'au golfe de la Spezia. Mais c'est aussi le nom porté par la Côte d'Azur entre le massif des Maures, Hyères et la frontière italienne. Même climat, mêmes paysages, même beauté, même nom donc…

👁 Les réalisateurs adorent les corniches. Grace Kelly y joue à faire peur à Cary Grant dans *La Main au collet* d'A. Hitchcock ; Roger Moore et Tony Curtis font la course dans la série *Amicalement vôtre* ; Pierce Brosnan-James Bond rivalise de virtuosité avec une belle espionne dans *Golden Eyes*.

# Circuits de découverte

## GRANDE CORNICHE★★★ ①

*31 km de Menton à Nice – environ 3h.*

La Grande Corniche, la plus élevée, passe à la Turbie, à 450 m au-dessus de Monaco. Elle suit en partie le tracé de l'ancienne voie romaine, **via Julia Augusta**, et fut construite sur ordre de Napoléon Ier, faute de mieux ; il la jugeait en effet dangereuse et aurait préféré une route le long de la côte. Outre des vues saisissantes, elle permet de visiter le village perché de Roquebrune.

*Quitter Menton par les avenues Carnot et de la Madone (N 7).*

Laissant à gauche la Moyenne Corniche, la route (D 2564) s'élève au-dessus de la ville et du cap Martin. 400 m après la plaque de Roquebrune-Cap-Martin, à droite, à angle aigu, une petite route mène au village perché.

### Roquebrune-Cap-Martin★ *(voir ce nom)*

*Revenir à la D 2564.*

### Le Vistaëro★★

À hauteur de l'hôtel du même nom, à 300 m au-dessus de la mer. Merveilleuse **vue**★★ sur la pointe de Bordighera, le cap Mortola, Menton, le cap Martin, Roquebrune et, en contrebas, Monte-Carlo Beach ; à droite, Monaco et Beausoleil dominés par la Tête de Chien ; plus à droite, la Turbie et son Trophée.

### La Turbie★ *(voir ce nom)*

La Grande Corniche révèle de jolies **vues** sur le cap Ferrat, puis sur le village d'Èze. On atteint le point le plus élevé de la route (près de 550 m). Au lieu dit Pical, la croix de pierre, à gauche, rappelle le passage du pape Pie VII de retour d'exil en 1814.

### Col d'Èze

Alt. 512 m. **Vue** au nord sur les montagnes des hautes vallées de la Vésubie et du Var. À gauche, le mont Bastide fut un oppidum celto-ligure, puis un *castrum* romain.

*À la sortie du col d'Èze, direction Nice, prendre à droite la route sinueuse en montée signalée « Parc départemental de la Grande Corniche-Astrorama ».*

### Astrorama

*Col d'Èze - Parc départemental de la Grande-Corniche - 06340 La Trinité -* 𝄢 *04 93 85 85 58 - visite guidée (3h) - www.astrorama.net - juil.-août : tlj sf dim. 18h-22h30 ; sept.-juin : vend. et sam. 18h-22h30 - 10 €, pour un spectacle aux étoiles : conférence, animations et observations ou 7 € pour une soirée à ciel ouvert - animations et observations (enf. 7 € ou 5 €).*

L'ancienne **batterie des Feuillerins**, élément du système défensif de Séré de Rivières, entre les forts de la Drète et de la Revère, abrite un centre d'initiation grand public à l'observation astronomique. On passe de la théorie à la pratique de la découverte et de l'observation célestes. Assez épargné par la pollution lumineuse, l'endroit permet l'utilisation encadrée de matériels sophistiqués.

*Après Astrorama, continuer jusqu'au parking du fort de la Revère (accès interdit).*

### Parc de la Revère

De là, superbe **panorama★★** sur toute la côte, du Var à l'Italie (table d'orientation). En hiver, un matin clair vous montrera même, au sud-est, le profil de la Corse.

*1h.* Un sentier nature est ponctué de panneaux explicatifs sur la flore et la géologie.

### Belvédère d'Èze

1 200 m après le col, virage à droite, à hauteur d'une buvette : **vue★★** panoramique sur la Tête de Chien, Èze et la « mer d'Èze », le cap Ferrat, le mont Boron, le cap d'Antibes, les îles de Lérins, l'Esterel, le cap Roux et les Alpes françaises et italiennes.

### Col des Quatre-Chemins

Alt. 327 m. Peu après le col, par l'échancrure de la vallée du Paillon, on découvre les Alpes.

Depuis la route en forte descente, **vues★** sur les Préalpes, Nice et la colline du Château, le port, la baie des Anges, le cap d'Antibes, l'Esterel. La nuit, féerique paysage illuminé.

*On pénètre à Nice par l'est, avenue des Diables-Bleus.*

## MOYENNE CORNICHE★★ 2

*31 km de Nice à Menton – environ 2h.*

La Moyenne Corniche a été construite à mi-pente de 1910 à 1928. C'est une belle et large route, moins sinueuse et plus courte que la Grande Corniche. Elle franchit en tunnel les arêtes rocheuses les plus importantes et offre de belles perspectives sur la côte et les stations ; elle permet de visiter l'étonnant village d'Èze.

*Roquebrune vu de la Moyenne Corniche.*

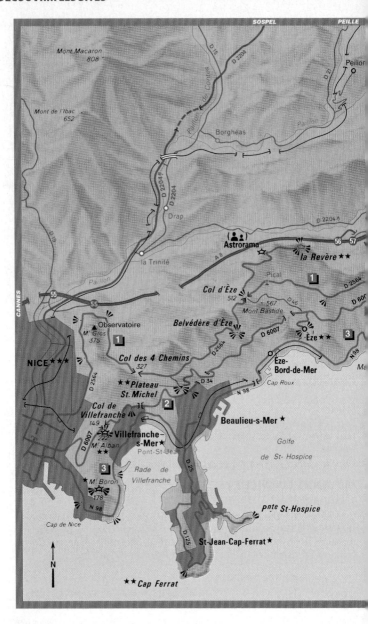

*Quitter Nice à l'est par la place Max-Barel et la N 7. Un parapet masque beaucoup de vues côté mer. Heureusement, des parkings sont prévus pour les admirer… et les photographier !*

Au départ, le regard porte sur la ville, la colline de l'ancien château, le port et la baie des Anges ; à l'horizon, l'Esterel et les montagnes calcaires de Grasse.

## Col de Villefranche

Alt. 149 m. Dans un coude de la route, peu après le col, vue sur la rade de Villefranche-sur-Mer et le cap Ferrat.

Juste avant un tunnel long de 180 m, **vue★★** sur Beaulieu, le cap Ferrat, Villefranche-sur-Mer, Nice et le cap d'Antibes. À la sortie apparaît le vieux village d'Èze, perché sur son rocher. Légèrement à droite, le promontoire massif de la Tête de Chien.

*Après le tunnel, prendre à droite l'étroite D 34. Se garer à 2 km (plate-forme).*

De la table d'orientation (alt. 731 m), **vue★★** du cap d'Ail jusqu'à l'Esterel.

**Èze★★** *(voir ce nom)*

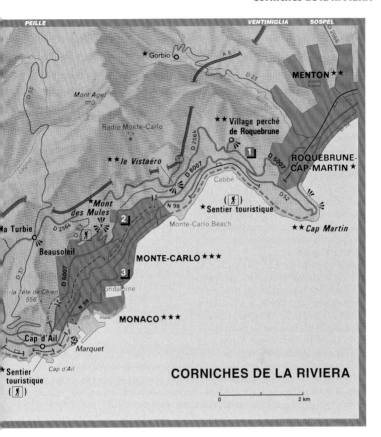

CORNICHES DE LA RIVIERA

Au-delà d'Èze, la route contourne la Tête de Chien et offre de nouveaux horizons vers le cap Martin et Bordighera. En contrebas, la principauté de Monaco. À l'entrée de Monaco, la route de gauche (N 7) contourne la Principauté : **vues★** sur Monaco, le cap Martin, la côte italienne, les montagnes du littoral.

### Beausoleil
Bien que située en territoire français, la station ne forme avec Monte-Carlo qu'une seule agglomération. Véritable balcon sur la mer, elle étage maisons et rues en escaliers sur les pentes du mont des Mules.

### Mont des Mules★
*1 km par la D 53.* 🔁 *30mn AR, sentier signalé.* Du sommet, beau **panorama★** (table d'orientation). Passant sous le belvédère du Vistaëro, la route rejoint à Cabbé la Corniche inférieure.

### Cap Martin★★ *(voir Roquebrune-Cap-Martin)*

## CORNICHE INFÉRIEURE★★ ③
*33 km de Nice à Menton – environ 6h.*

Esquissés au 18ᵉ s. par un prince de Monaco, les travaux de la Basse Corniche, ou Corniche inférieure, furent inaugurés en 1857 par l'impératrice de Russie et achevés en 1881. Route de bord de mer, sa construction était déjà très avancée au milieu des années 1960. Suivant tous les contours du littoral, au pied des pentes, la Corniche inférieure dessert toutes les stations de la Riviera.

*Quitter Nice au sud-est par le boulevard Carnot (N 98).*

Contournant la base du mont Boron, la route révèle de jolies **vues★**, sur la baie des Anges, l'extrémité du cap Ferrat, la rade de Villefranche-sur-Mer, Èze et la Tête de Chien.

### Villefranche-sur-Mer★ *(voir ce nom)*

### Cap Ferrat★★ *(voir ce nom)*

### Beaulieu-sur-Mer★ *(voir ce nom)*

La route contourne le **cap Roux** : vues sur la « mer d'Èze » et le cap d'Ail.

### Èze-Bord-de-Mer

Station abritée par de hautes falaises et le nid d'aigle d'Èze. La route serre la côte rocheuse ; vues sur le cap d'Ail.

### Cap-d'Ail

Dominée par l'escarpement de la Tête de Chien (500 m), dont elle occupe les dernières pentes, la station étage jusqu'à la mer ses propriétés fleuries (parmi elles plus de 70 villas début 20ᵉ s.), noyées de palmiers, cyprès et pins. Nombre de célébrités y résidèrent : Sacha Guitry (villa Les Funambules), Greta Garbo (Villa le Rock), les sœurs Caritta (Villa Le Chien Bleu dite aussi « la cabane bambou »), Auguste, l'un des frères Lumière… Toute une belle époque !

Ses 6 parcs et jardins, pauses rafraîchissantes quand le soleil est au zénith, embaument de leurs effluves méditerranéennes les rues du village (parc Sacha Guitry, le jardin des Oliviers) et offrent de somptueux panoramas sur la mer et le petit port (le Balcon des Salines). La

> ## Il était une fois le Cap-d'Ail
>
> C'est le **baron de Pauville**, magnat controversé de la bourse, fondateur du « Petit niçois » et amoureux de la petite station qui lui donnera, en 1879, un premier essor. Les ouvertures successives de la ligne de chemin de fer et de la route nationale à la fin du 19ᵉ s. prolongèrent son développement. Cet ancien quartier de La Turbie-sur-mer jusqu'alors préservé et peu connu, vit arriver chaque hiver l'aristocratie du monde entier et de nombreux artistes. La station balnéaire vit le jour en 1908, et les charmes d'un cadre de vie particulièrement favorisé perdurent.

**pointe des douaniers**, tout droit surgie d'un site volcanique sauvage attire les promeneurs par sa flore atypique et sa vue imprenable sur la grande bleue.

Côté baignades, la **plage Marquet**, proche du port est accessible à tous. Les sauvages **plage Mala** nichée dans la roche et **les Pissarelles**, bordée de rochers, malgré leur difficile accès attirent les amoureux de cadres exceptionnels.

### Principauté de Monaco★★★ *(voir ce nom)*

Près de la plage de Cabbé, la route rejoint la Moyenne Corniche.

### Cap Martin★★ *(voir Roquebrune-Cap-Martin)*

## Randonnées

### Sentier touristique du cap d'Ail★

*À droite de la gare, descendre l'escalier qui passe sous une voûte et débouche sur une route, puis à gauche jusqu'au restaurant. À droite, autre escalier vers la mer.*

🚶‍♀️ **1h AR.** Long de 4 km, le sentier du littoral aménagé, doté d'une remarquable flore méditerranéenne, contourne le cap d'Ail vers l'est et le rocher de Monaco. Belles vues sur les jardins et les façades des villas Belle époque. À l'horizon, Beaulieu, le cap Ferrat. Le sentier aboutit à la plage Mala.

---

## Corniches de la Riviera pratique

♿ Voir aussi les encadrés pratiques de Nice, Menton, Èze, Roquebrune, la Turbie, Villefranche, Beaulieu-sur-Mer.

### Adresse utile

**Office du tourisme du Cap-d'Ail** – *87 bis av. du 3-Septembre - 06320 Cap-d'Ail - ✆ 04 93 78 02 33 - www.cap-dail.com - juil.-août : 9h-12h, 14h-18h, dim. 9h-12h ; reste de l'année : tlj sf dim. et j. fériés 9h-12h, 14h-18h, sam. 9h-12h. Il propose des visites guidées hors saison et offre plusieurs dépliants pour visiter seul la cité balnéaire (plan de la ville, guides des plages et guides des visites…).*

### Se restaurer

😋🍽 **La Réserve de la Mala** – *Plage Mala - 06320 Cap-d'Ail - descendre par av. Combattants-Afrique-du-Nord (au magasin Spar) - ✆ 04 93 78 21 56 - fermé 4 nov.-24 mars - 30/120 €.*

Petit coin de paradis situé à même la plage et accessible à pied par le sentier touristique du cap d'Ail ou par le centre-ville. Multiples terrasses, ponton où il fait bon paresser en contemplant le coucher du soleil, décoration d'esprit « zen ». Cuisine vouée aux poissons de Méditerranée et saveurs du monde.

# Roquebrune-Cap-Martin★

## Rocabruna

**11 692 HABITANTS**
CARTE GÉNÉRALE E4 – MICHELIN LOCAL 341 F5 – SCHÉMA P. 329 – ALPES-MARITIMES (06)

De Monte-Carlo à Menton en passant par le cap Martin, cette vaste commune littorale est couronnée par le village perché de Roquebrune et le donjon de son château. Ce dernier représente le seul vestige en France de château carolingien, embryon de ceux qui, deux siècles plus tard, marquèrent l'apogée de la féodalité. Sublime, la vue du haut du donjon plonge sur la mer, les toits rouges et les cyprès !

- **Se repérer** – Roquebrune surplombe la Grande Corniche *(voir Corniches de la Riviera)* et au-dessous, le tissu urbain continu que forment Menton et Roquebrune-Cap-Martin.

- **Se garer** – Parking à l'entrée du village.

- **À ne pas manquer** – La visite du village perché médiéval avec son donjon offrant un somptueux panorama. Les amoureux de nature ne regretteront pas leur détour par la presqu'île du cap Martin et son sentier du littoral.

- **Organiser son temps** – Roquebrune pousserait bien à musarder sur ses terres une bonne journée. Pour un réveil en beauté, rejoignez la terrasse du donjon : vous aurez la vue pour vous tout seul ! Poursuivez votre séjour par la visite du village (1h). Enfin, si le courage vous en dit, consacrez un après-midi entier au Cap-Martin (la grande promenade sur le sentier du littoral vous prendra 4h AR).

- **Pour poursuivre la visite** – Voir aussi Menton, la Principauté de Monaco et les Corniches de la Riviera.

---

### Cortèges traditionnels

Depuis plus de cinq siècles a lieu, dans l'après-midi du 5 août, une procession représentant les principales scènes de la **Passion**. Elle est exécutée telle qu'elle fut conçue à son origine par les auteurs du vœu prononcé en 1467 durant une épidémie de peste. Dans la nuit du Vendredi saint, à 21h, a lieu la **procession du Christ Mort★**, représentant la Mise au tombeau, instituée par la confrérie des Pénitents Blancs, aujourd'hui disparue. Un cortège composé d'une soixantaine de personnages parcourt les rues du village ornées de motifs lumineux rappelant les symboles de la Passion et éclairées par une multitude de lumignons formés de coquillages et de coquilles d'escargot.

---

## Se promener

### LE VILLAGE PERCHÉ★

Le **château** fut édifié à la fin du 10e s. par Conrad Ier, comte de Vintimille, pour résister aux Sarrasins. Comme celui de Menton, il appartint plusieurs siècles aux Grimaldi *(voir Monaco)* qui renforcèrent sa défense. À l'origine, le donjon et le village étaient réunis dans l'enceinte du château, percée de six portes fortifiées. Au 15e s., le donjon prenait la dénomination de **château** et le reste de la forteresse devint le village qui, jusqu'à aujourd'hui, a conservé intact son caractère médiéval.

Le charme si italien du village perché de Roquebrune se saisit en flânant dans le dense lacis des ruelles, couvertes, en pente raide ou en escalier. Ces dernières ont conservé leur physionomie ancienne malgré les boutiques touristiques qui investissent les vieilles maisons à tuiles rouges ou en pierre.

*De la place de la République, ancienne barbacane (défense avancée du donjon), gagner la place des Deux-Frères (deux rochers) pour prendre la rue Grimaldi. Prendre la première rue à gauche.*

### Rue Moncollet★

Taillée dans la roche, elle est surprenante avec ses longs passages voûtés, étroits et coupés d'escaliers, ses demeures médiévales aux fenêtres à barreaux, où résidaient jadis les invités de la cour seigneuriale.

*Rue du Château (prendre à gauche pour le donjon, voir « Visiter »), prendre à droite puis à gauche la rue de la Fontaine.*

### Olivier millénaire

Sur le chemin de Menton *(200 m après la sortie du village)*, se trouve un olivier qui passe pour l'un des plus vieux au monde.

En revenant prenez à droite pour rejoindre le **cimetière** où repose Le Corbusier, dans une tombe conçue par lui-même *(carré J, n° 3)*.

# Visiter

### Donjon★

*Château médiéval - pl. William-Ingram - Roquebrune Village - ℰ 04 93 35 07 22 - visite audio-guidée (1h) juil.-août : 10h-12h30, 15h-19h30 ; avr.-juin et sept. : 10h-12h30, 14h-18h30 ; fév.-mars et oct. : 10h-12h30, 14h-18h ; nov.-janv. : 10h-12h30, 14h-17h - 3,70 € (7-18 ans 1,60 €).*

Puissant et austère du haut de ses 26 m, il se découvre après avoir traversé l'« enceinte fleurie ». Les murailles du donjon, de 2 à 4 m d'épaisseur, sont dotées de tous les éléments nécessaires à une parfaite défense : mâchicoulis, créneaux, meurtrières, archières… Vingt marches montent à la salle des Cérémonies féodales, au 1$^{er}$ étage, où l'on voit une citerne de forme cubique ; la fenêtre à meneaux, du 15$^e$ s., remplace les regards de 20 cm de côté qui donnaient jour. En contrebas, le magasin aux vivres, creusé dans le roc. Au 2$^e$ étage, on traverse la petite salle des Gardes ; à droite, une confortable prison ; plus loin, le dortoir des Archers. Au 3$^e$ étage se trouve la demeure seigneuriale, meublée : salle des armes, salle à manger, cuisine avec four à pain. Enfin, on accède à la terrasse et au chemin de ronde. La plate-forme supérieure d'artillerie procure un fabuleux **panorama★★** sur les toitures du village, la mer, le cap Martin, Monaco, le mont Agel (base militaire aérienne).

### Église Sainte-Marguerite

*ℰ 04 93 57 24 68 ou 04 93 35 62 87 - tlj sf dim. 15h-17h.*

Baroque, elle recouvre, avec sa jolie façade sobre et pastel, une construction du 12$^e$ s. L'intérieur, décoré de stucs polychromes, abrite une Crucifixion *(2$^e$ autel)* et une Pietà *(au-dessus de la porte)* du 17$^e$ s. attribuée au peintre Roquebrunois **Marc-Antoine Otto**.

# Séjourner

### LE CAP MARTIN★★

Annexe aristocratique de Menton, la presqu'île du cap Martin a conservé intact son visage Belle Époque, avec ses somptueuses résidences cachées dans la luxuriante végétation. Des routes odorantes la traversent, ombrées de pinèdes et d'olivettes, de bouquets de cyprès et de massifs de mimosa. Au milieu se dresse la tour à l'allure féodale du **sémaphore**, devenu relais de TDF. À ses pieds, les ruines du prieuré et de la basilique Saint-Martin (11$^e$ s.), détruits par les pirates vers 1400.

De la rive est du cap Martin, vous découvrirez une **vue★★** merveilleuse sur Menton, son cadre de montagnes et la rive italienne jusqu'à Bordighera. Dominée par le vieux

*Le cap Martin invite à une promenade sur le sentier du littoral.*

village, la **station balnéaire** compte plusieurs plages sableuses, notamment celle de Carnolès, dans le prolongement de celle de Menton.

### Le « Cabanon » de Le Corbusier

*Visite guidée mar. et vend. 10h sur réservation à l'office de tourisme - ℘ 04 93 35 62 87. 8 € (–12 ans gratuit).*

Bâti en 1952, il est magnifiquement situé en contrebas de la promenade Le Corbusier, qui longe le bord de mer entre Cap-Martin et Cabbé. L'architecte vécut chaque été (jusqu'à sa mort en 1965) dans cette construction à l'aspect faussement banal. Constituée d'une simple pièce de 10 m² et d'un couloir orné d'une fresque, il s'agit en fait d'un exemplaire unique, appliquant au cabanon marseillais traditionnel des dimensions calculées selon son système de **modulor**. Cet outil de mesure à échelle humaine fut conçu par l'architecte comme référence pour réaliser ses Unités d'habitation modulaire (« Cité radieuse » à Marseille). Donnant vue sur la baie, les fenêtres – certaines sont articulées – apportent clarté et ventilation latérale. Le mobilier dépouillé est multifonctionnel. Les couleurs sont lumineuses. Cette construction demeure un élément de référence pour les écoles d'architectes.

# Randonnée

### Sentier touristique★

*Laisser la voiture au parking, avenue Winston-Churchill, à la pointe du cap. Près d'un restaurant s'amorce le sentier signalisé : promenade Le Corbusier.*

*4h AR. Du cap Martin à Monte-Carlo Beach.* La végétation méditerranéenne, dense et sauvage, parfume le sentier qui serpente entre de belles perspectives sur la mer et les villas nostalgiques du début du siècle. Depuis certains rochers culminants, tout l'amphithéâtre de Monaco se découvre peu à peu, avec la pointe du cap Ferrat, la Tête de Chien, le mont Agel, la Turbie, le vieux village de Roquebrune et son château.

*Un escalier, à droite, franchit la voie ferrée et permet d'abréger la promenade en gagnant, par la mairie, la plage de Carnolès.*

Le sentier côtoie ensuite la voie ferrée, surplombant la mer par un à-pic impressionnant, et gagne la gare de Cap-Martin-Roquebrune. Longeant les belles plages de Cabbé et les rochers de Bon Voyage, on continue en direction de Monte-Carlo, puis on passe derrière la pointe de la Veille et on débouche, par un escalier, près du Monte-Carlo Beach Hotel.

## Roquebrune-Cap-Martin pratique

### Adresse utile

**Office du tourisme de Roquebrune-Cap-Martin** – *218 av. Aristide-Briand - 06190 Roquebrune-Cap-Martin - ℘ 04 93 35 62 87. www.roquebrune-cap-martin.com - juil.-août : 9h-19h, dim. 10h-17h ; juin et sept. : 9h-12h30, 14h-18h, dim. 10h-12h30 ; oct.-mai : tlj sf dim. 9h-12h30, 14h-18h - fermé j. fériés.*

### Se loger

⌣☺ **Hôtel Westminster** – *14 av. Louis-Laurens, par N 98, rte de Monaco par Basse Corniche - ℘ 04 93 35 00 68 - fermé 22 nov.-6 fév. -* 🅿 *- 28 ch. 75/90 € - ⌓ 6,50 €.* L'atout de cet hôtel simple, situé dans une rue calme, est son joli jardin en terrasses qui semble suspendu au-dessus de la mer. Certaines chambres disposent d'un balcon où vous pourrez prendre votre petit-déjeuner en profitant de la vue.

### Se restaurer

⌣ **La Roquebrunoise** – *Av. Raymond-Poincaré (au vieux village) - ℘ 04 93 35 02 19 - www.laroquebrunoise.com - fermé nov.-déc., lun. sf le soir en juil.-août, mar. midi, merc. midi, jeu. midi et vend. midi - formule déj. 9,90 € - 19,90/22,90 €.* Cette maison rose à l'entrée du village est une petite halte sympathique au cours de votre promenade. La salle à manger campagnarde est décorée de tableaux. Cuisine simple et goûteuse, à savourer aussi en terrasse avec vue sur la mer et le château.

⌣☺ **Au Grand Inquisiteur** – *18 r. du Château (au vieux village - accès piétonnier) - ℘ 04 93 35 05 37 - fermé 28 juin-5 juil., 8 nov.-10 déc., mar. sf juil.-août et lun. - réserv. obligatoire - 30/38 €.* Rassurez-vous : malgré son nom, la seule question à laquelle vous serez soumis dans ce restaurant concernera le choix de votre menu. La maison accueille ses hôtes dans une jolie cave voûtée du 14e s. et les régale d'une appétissante cuisine traditionnelle, préparée avec des produits locaux, biologiques pour certains.

# Roquebrune-sur-Argens

### Roco Bruno

**11 349 ROQUEBRUNOIS**
**CARTE GÉNÉRALE C3 – CARTE MICHELIN LOCAL 340 O5 – SCHÉMA P. 249 – VAR (83)**

Surplombant l'Argens qui forme la limite des Maures, la petite ville née après la victoire sur les Sarrasins s'installe au 11e s. au pied du rocher de Roquebrune. Le site est superbe et conserve un patrimoine intéressant.

▶ **Se repérer** – À 12 km à l'ouest de Fréjus par la D 8, puis la D 7. De l'A 8, sortir à Puget-sur-Argens, prendre la N 7 vers l'ouest puis tourner à gauche sur la D 7.

🅿 **Se garer** – Parkings en contrebas du village.

👁 **À ne pas manquer** – La Maison du patrimoine retrace Roquebrune de la Préhistoire à aujourd'hui ; le rocher de Roquebrune ; le marché dominical du Muy dédié aux produits du terroir.

🕐 **Organiser son temps** – Comme la ville est étendue, mieux vaut vous organiser. La visite du village, de ses ruines, de son église et de la Maison du Patrimoine vous prendra 1h30 si elle est guidée. Le circuit menant au rocher de Roquebrune vous prendra 1h et, alentour, Le Muy vous dévoilera tous ses secrets en 2h.

♿ **Pour poursuivre la visite** – Voir aussi le massif des Maures, Fréjus, Saint-Raphaël.

## Visiter

### Village

En contrebas de l'église, sur le boulevard de la Liberté, on peut deviner les traces d'anciens **remparts** sous les maisons : avec le beffroi, ils représentent le *castrum* élargi près de l'église à partir de la simple maison forte de départ. L'enceinte a été détruite en 1592 lors des guerres de Religion. Au pied de la **tour de l'Horloge** (beffroi) se dressent la fontaine Vieille et, en face, des maisons à portique remontant pour certaines au 16e s. Les ruelles étroites et sinueuses ainsi que de vieux portails évoquent le passé médiéval de Roquebrune.

### Église Saint-Pierre-Saint-Paul

Construite au 16e s. dans le style gothique sur des vestiges du 12e s., elle est dotée d'une curieuse façade ajoutée au 18e s. Elle conserve de l'église primitive deux chapelles *(côté gauche)* couvertes de remarquables croisées d'ogives, épaisses et à section rectangulaire. La première de ces chapelles contient un retable en bois de 1557 avec un saint Jean-Baptiste en haut-relief entouré de saint Claude et sainte Brigitte, la seconde un retable de même époque figurant le Jugement dernier. Dans la nef, un autre retable du 16e s. comprend 6 panneaux sculptés représentant des scènes de la Passion qui entourent un grand Christ en croix. À voir : deux autres panneaux peints du 16e s. *(tribune)* et d'importantes peintures ajoutées au 19e s.

### Maison du Patrimoine

*Impasse Barbacane, dans le prolongement de la rue des Portiques -* 📞 *04 98 11 36 85 -* ♿ *- possibilité de visite guidée (1h) - juil.-août : 9h-12h, 14h30-18h30 ; reste de l'année : tlj sf dim. et lun. 9h-12h, 14h-18h - fermé 1er janv., 17 avr., 1er et 8 Mai, 1er et 11 Nov., 25 déc. - 3 € (−10 ans gratuit).*

Elle rassemble des vestiges préhistoriques dont la plupart proviennent des grottes de la Bouverie (situées sur le territoire de Roquebrune) habitées de façon continue de 30 000 à 8 000 ans avant notre ère. Le matériel trouvé permet de définir une culture propre au sud-est de la France : le **bouvérien** (environ 15 000 à 10 000 av. J.-C.), correspondant ailleurs au magdalénien. Autres beaux vestiges du néolithique et remarquables témoignages de la présence romaine (reconstitution d'une tombe sous *tegulae*). À noter également l'intéressante collection d'ex-voto (17e-18e s.) et les documents d'archives retraçant l'histoire du village.

### Chapelle Saint-Pierre

*À la sortie sud-est de Roquebrune sur la D 7. Se visite lors d'expositions de peintures.*
Elle conserve une abside carolingienne, mais fut reconstruite en roman au 11e s. après les invasions sarrasines *(voir La Garde-Freinet)*. Un enfeu d'époque Renaissance a été aménagé sur la façade. Le chevet est entouré d'un cimetière primitif, dont les tombes ont été creusées dans le roc, peut-être à l'emplacement du premier village.

# Aux alentours

### Le Muy

*À 8 km à l'ouest de Roquebrune par la D 7, puis la N 7.*

L'important marché du dimanche matin *(plus petit le jeudi)*, attire les foules alléchées par les bons produits du terroir à accompagner d'un côte-de-provence du cru bien sûr ! Il se tient autour de l'**église** (16ᵉ s.) surmontée d'un élégant campanile en fer forgé. Attenant à la **tour Charles-Quint** *(à l'entrée du village sur la N 7)* qui accueille des expositions temporaires, se trouve le **musée de la Libération**. Dans une pièce exiguë chargée d'émotion sont rassemblés objets et documents relatifs à l'opération aéroportée qui se déroula dans la nuit du 14 au 15 août autour du Muy pour soutenir le débarquement de Provence *(voir la « Corniche des Maures », au massif des Maures)*. ℘ 04 94 45 12 79 - *juil.-août : tlj sf lun. 10h-12h, 15h-18h ; avr.-juin : dim. 10h-12h - gratuit.*

# Circuit de découverte

## AUTOUR DU ROCHER DE ROQUEBRUNE

*14 km – environ 1h. Nous ne décrivons pas l'ascension au sommet de Roquebrune, la randonnée étant périlleuse. Sachez en outre que l'essentiel du site appartient à des particuliers et qu'il vous faudra suivre exclusivement le GR 51.*

Partiellement boisé de chênes-lièges et de résineux, le rocher forme, avec sa fière silhouette en avant-garde des Maures, un petit massif isolé, dont les rochers déchiquetés de grès rouge s'apparentent plutôt à l'Esterel et dominent de façon spectaculaire la vallée de l'Argens.

*Quitter Roquebrune-sur-Argens par la petite route au sud, face au cimetière.*

### Notre-Dame-de-Pitié

La chapelle couronne l'une des premières éminences des Maures parmi les eucalyptus et les pins. Des abords de la chapelle, **vue★** sur la plaine de l'Argens, Fréjus, Saint-Raphaël et le massif de l'Esterel. À travers la grille, on aperçoit au maître-autel un retable du 17ᵉ s. encadrant une **Pietà** apparentée à une œuvre d'Annibal Carrache *(collections du Louvre)*.

*Revenir à Roquebrune et tourner à gauche dans la D 7. Au bout de 500 m, tourner à gauche. 1 km plus loin, tourner encore à gauche dans la route forestière.*

J. Malburet / MICHELIN

*Le rocher de Roquebrune.*

Le **rocher de Roquebrune★** apparaît sur la droite. Il est surmonté de trois croix de formes différentes, œuvres du sculpteur Vernet. Elles ont été placées là en hommage à trois célèbres crucifixions peintes par Giotto, Grünewald et le Greco, le sommet du rocher symbolisant le Golgotha.

*Tourner à droite dans la D 25 que l'on emprunte pendant 1 km (vue sur l'Argens) et la quitter pour passer, à droite, au pied du versant nord de la montagne. La route suit de près l'autoroute la Provençale. Dépasser le hameau de la Roquette.*

### Notre-Dame-de-la-Roquette

*Laisser la voiture sur un parking aménagé au bord de la route et prendre le sentier à droite.*
⬤ *30mn AR*. La chapelle en ruine, rendez-vous des promeneurs et antique lieu de pèlerinage, avoisine un **site★** étonnant par son important chaos rocheux de grès rouge, peuplé de micocouliers, de châtaigniers et de houx. De la terrasse, à 143 m d'altitude, la **vue** porte sur la vallée du bas Argens et les Plans de Provence.

*Regagner la route et prendre à droite pour rejoindre la D 7 et Roquebrune.*

## Roquebrune-sur-Argens pratique

♿ Voir aussi les encadrés pratiques de Fréjus et du massif des Maures.

### Adresses utiles

**Office du tourisme de Roquebrune-sur-Argens** – *BP 42 - 12 av. Gabriel-Péri - 83520 Roquebrune-sur-Argens -* ☎ *04 94 19 89 89/80 - www.roquebrunesurargens.fr - juil.-août : 9h-19h, dim. 10h-12h30, 15h30-18h ; sept.-juin : tlj sf dim. 9h-12h, 14h-18h - fermé 1er janv., 1er Mai et 25 déc.*

**Office du tourisme des Issambres** – *Pl. San Peïre - 83380 Les Issambres -* ☎ *04 98 11 37 25 - www.roquebrunesurargens.fr - horaires sur demande.*

### Se loger

⌂⌂ **Chambre d'hôte Au Bois Fleuri** – *Rte de Marchandise, quartier la Commande - 8,3 km au N de Roquebrune-sur-Argens, dir. la Bouverie -* ☎ *04 94 45 42 28 - www.auboisfleuri.com - 3 ch. + 2 studios 70/110 € ⊟. Cette maison au cœur de la forêt propose 2 petits studios avec terrasses privatives au rez-de-chaussée et 3 chambres à l'étage. L'ensemble, flambant neuf, est garni d'un joli mobilier en mélèze. Piscine.*

### Que rapporter

**Marchés** – lun. matin, pl. San Peïre aux Issambres ; vend. matin, pl. Alfred-Perrin à Roquebrune-village.

**L'Amie Ailée** – *19 r. Jean-Aicard -* ☎ *04 94 45 30 20 - tlj sf dim. et lun. 10h30-12h30.* Vente de miel, pollen, gelée royale, propolis et produits de la ruche. Nougats de Provence, pains d'épice.

### Événements

**Fête du miel** – 1er week-end d' octobre. Les apiculteurs de la région se réunissent pl. G. Ollier.

**Sculpture en liberté** – 2 semaines entre juillet et août : expositions à l'Espace Barbacane.

**Salon des saveurs d'hier et d'aujourd'hui** – Dernier week-end de mars. Présentation de produits agricoles, viticoles et culinaires.

# Saint-Cyr-sur-Mer

## Sant Ceri

8 898 SAINT-CYRIENS
CARTE GÉNÉRALE A4 – CARTE MICHELIN LOCAL 340 J6 – SCHÉMA P. 110 – VAR (83)

Entre Marseille et Toulon, Saint-Cyr-sur-Mer donne un avant-goût des stations balnéaires de la Côte d'Azur avec sa longue plage des Lecques (1,25 km) et ses multiples activités. Il conserve aussi les vestiges de Tauroentum, unique villa romaine de bord de mer sur la côte méditerranéenne française.

▶ **Se repérer** – Saint-Cyr-sur-Mer se trouve à 6 km au nord-ouest de Bandol. Trois quartiers principaux : au nord, la voie ferrée longe le centre-ville ; par une longue avenue flanquée de lotissements, on parvient au bord de mer avec, à l'ouest, le port des Lecques ; à l'est, celui de la Madrague.

👁 **À ne pas manquer** – Le musée de Tauroentum ; le Centre d'Art Sébastien, dédié à l'art contemporain et le sentier du littoral qui s'étend du port de la Madrague à Bandol.

🕐 **Organiser son temps** – Réservez une matinée pour la randonnée sur le sentier du littoral qui invite à la contemplation. Enchaînez avec les deux lieux culturels (environ 2h. Attention : le musée de Tauroentum n'est ouvert que le week-end d'oct. à mai).

👫 **Avec les enfants** – L'Aqualand de Saint-Cyr-sur-Mer *(voir la rubrique « Sports & Loisirs » dans l'encadré pratique)* et le sentier sous-marin *(à partir de 6 ans)*.

♿ **Pour poursuivre la visite** – Voir aussi Bandol, Sanary, Six-Fours-les-Plages.

# Séjourner

Au cœur du village, sur la place Portalis protégée par des platanes centenaires, trône une réplique miniature dorée de la **statue de la Liberté** de New York. Installée depuis 1903, cette œuvre du sculpteur Bartholdi fait la fierté des Saint-Cyriens et attire la curiosité des visiteurs !

## Plages

2 km de sable s'inscrivent en demi-cercle dans la baie, entre Les Lecques et La Madrague. D'abord un peu étroite et dominée par la promenade du front de mer, la plage s'élargit vers La Madrague. Plus à l'ouest *(10mn en voiture)*, la calanque de Port d'Alon, cernée par une pinède, est nettement plus intime.

# Visiter

## Musée de Taurœntum★

*131 rte de la Madrague. Longer la côte vers la Madrague, en direction du port des Lecques - 𝒫 04 94 26 30 46 - juin-sept. : tlj sf mar. 15h-19h ; oct.-mars : w.-end et j. fériés 14h-17h ; avr.-mai : jeu., vend. et w.-end 14h-17h - fermé 1ᵉʳ janv. et 25 déc. - 3 € (–7 ans gratuit). La visite est souvent accompagnée par les maîtres de ces lieux saisissants. Respectez les vieilles pierres et les mosaïques particulièrement fragiles.*

Au 5ᵉ s. av. J.-C., un bateau grec (dont la figure de proue était une tête de taureau) se serait échoué dans la baie actuelle des Lecques. Les navigateurs se seraient installés ici, à Taurois, renommé Taurœntum après l'arrivée des Romains à la fin du 1ᵉʳ s. av. J.-C. Le musée est astucieusement construit sur les vestiges de la seule **Villa maritima romaine** de la région, occupée et prospère jusqu'au 3ᵉ s.

Dans la pinède, **four à tuilier**, utilisé jusqu'au 18ᵉ s. (vue magnifique sur le golfe de Lecques), traces de fresques visibles jusqu'en 1910, péristyle bordé d'un impluvium (fossé qui recueillait les eaux de pluie évacuées dans la mer). Devant l'entrée du musée, magnifique **dolium** de 1 500 l, daté du 1ᵉʳ s., destiné à conserver de l'huile d'olive ou du vin, **sarcophage** monolithe d'un militaire de 2,6 t, **tombeau-maison** unique en France qui aurait accueilli le sarcophage d'un enfant mort à l'âge de 5 ans, 8 mois et 14 jours.

Le musée s'organise autour de trois **mosaïques** noir et blanc (la couleur déjà maîtrisée à l'époque n'était pas à la mode) dans trois anciennes pièces (une chambre, un office et une salle à manger). Les objets funéraires, familiers (outils, bijoux, pièces en laiton et en cuivre, vases lacrimatoires, amphores, céramiques, contre-poids de métier à tisser, beaucoup de miniatures, et des colonnes torsadées en marbre retrouvés sur le site ou à proximité dans les thermes ponctuent la visite.

## Centre d'Art Sébastien

*12 bd Jean-Jaurès - 𝒫 04 94 26 19 20 - www.saintcyrsurmer.fr/sebastien - juin-sept. : tlj sf mar. 9h-12h, 15h-19h ; oct.-mai : tlj sf mar. 9h-12h, 14h-18h (dernière entrée 15mn av. fermeture) - fermé 25 déc.-1ᵉʳ janv. - 1 € (enf. gratuit).*

Installé dans une ancienne usine à câpres, il présente depuis 1993 des expositions temporaires et un ensemble d'œuvres de **Sébastien** (1909-1990), artiste ami de Picasso, Cocteau, Matisse et Gide.

# Randonnée

## Sentier du littoral

*De Saint-Cyr prendre la D 87, puis longer le littoral jusqu'au port de la Madrague. Le sentier débute au niveau de la pointe Grenier. Parcours sans difficultés, mais prévoyez chaussures de marche et réserve d'eau. Et surtout, ne laissez pas gambader sans surveillance vos jeunes enfants au-dessus des falaises ou de la voie ferrée.*

4,5 km jusqu'au Port d'Alon (balisage jaune) ou 6 km de plus jusqu'à Bandol (voir ce nom, possibilité de revenir en bus). Au sommet de la pointe Grenier s'élève une **batterie Napoléon III**, avec chapelle, caserne et poudrière. Côté terre, fours à plâtre, vue sur les domaines viticoles, les espèces endémiques : violette « arborescente » (en automne) et champignon hygrophore, surnommé « pousse-que-là »… Côté mer, jolis fonds marins et invitation à la baignade : calanque de Port-Alon, plages de la Moutte et des Engraviers.

## Sentier des vignes

*Laissez votre voiture sur le parking jouxtant les résidences des Aigues Marines et du hameau de la Madrague. Rejoindre la rue Abbé Dol jusqu'à l'arrêt de bus (départ du sentier en face). Demander la documentation à l'office de tourisme.*

🐚 *2 km - environ 1h. De la Madrague au Port d'Alon* (*tables d'explication*). Accédez au sous-bois par l'escalier et rejoignez les pieds de vignes de La Bastide de la Nartette et le vignoble du Bandol. Continuez jusqu'à la **pelouse à orchidées,** sublime en période de floraison. À gauche, ralliez la **dune éolienne plaquée** (La colline de Sable) puis passez devant le portail d'entrée du domaine de la Nartette pour retrouver la route. Le sentier se poursuit en face, sur l'allée d'oliviers menant à **l'arbre immortel** (l'Olivier). Longez à droite le grillage et pénétrez dans le sous-bois. Devant une chaîne, tournez à droite en suivant le sentier qui conduit à la **table des Cultures Traditionnelles.** Reprenez le chemin en sens inverse.

Possibilité de poursuivre votre route jusqu'à la calanque du Port d'Alon et de revenir à La Madrague par le sentier du littoral (*comptez 3h de plus pour les marcheurs avérés et bien chaussés*).

## Sentier sous-marin

*Entre 2h et 2h30 - combinaisons, palmes, masques et tubas fournis -* 🕿 *04 94 88  06 15 - juin et sept. : tlj sf w.-end 2 départs 9h30 et 14h ; juil.-août : tlj sf lun. 2 départs 9h30 et 14h - fermé oct.-mai - 18 € (-6 ans 15 €).*

Au port d'Alon, découverte du milieu marin, de sa faune et de sa flore en partenariat avec la mairie de Saint-Cyr, du Conservatoire du littoral, propriétaire de la calanque et de l'Atelier bleu de la Ciotat.

## Saint-Cyr-sur-Mer pratique

♿ Voir aussi l'encadré pratique de Bandol.

### Adresse utile

**Office du tourisme de Saint-Cyr-sur-Mer** – Pl. de l'Appel-du-18-Juin - Les Lecques - 83270 St-Cyr-sur-Mer - 🕿 04 94 26 73 73 - www.saintcyrsurmer.com - juil.-août : 9h-19h, dim. et j. fériés 10h-13h, 16h-19h ; sept. et juin : tlj sf dim. 9h-18h ; oct., mars-mai : 9h-18h, sam. 9h-12h, 14h-18h, w.-end de Pâques, Ascension et dim. de Pentecôte 10h-12h, 16h-18h ; nov.-fév. : 9h-17h, sam. 9h-12h, 13h-17h (dim. déc. 10h-13h, 15h-18h) - fermé 1er janv. et 25 déc.

### Se loger

➾ **Le Petit Nice** – Les Lecques - 83270 St-Cyr-sur-Mer - 🕿 04 94 32 00 64 - petitnice@icm.fr - 🅿 - 31 ch. 53/76 € - ⊠ 8,50 €. Le calme du beau jardin arboré fait l'attrait de cette avenante pension. Petites chambres au décor actuel ; celles de l'annexe sont plus simples mais plus spacieuses. Les baies du restaurant, en partie sous charpente, s'ouvrent sur la piscine et la verdure.

➾ **Grand Hôtel des Lecques** – Les Lecques - 83270 St-Cyr-sur-Mer - 🕿 04 94 26 23 01 - www.lecques-hotel.com - fermé 16 nov.-22 mars - 🅿 - 60 ch. 64/180 € - ⊠ 14,50 € - rest. 29/33 €. Palmiers, pins et fleurs volubiles bordent les allées d'un parc luxuriant : un écrin de verdure tout à fait séduisant pour cet hôtel logé dans une bâtisse de la fin du 19e s. Chambres très calmes et joliment aménagées, sympathique salle à manger, piscine et tennis.

### Sports & Loisirs

🏊 **Aqualand de St-Cyr-sur-Mer** – ZAC des Pradeaux - 🕿 04 94 32 08 32 - www.aqualand.fr - 3 juin-3 juil. et 29 août-4 sept. : 10h-18h ; 4 juil.-3 sept. : 10h-19h - fermé de déb. sept. à déb. juin - 23 € (3-12 ans 16,50 €). Parc aquatique équipé de toboggans, piscine à vagues, rivière à bouée et autres activités bienvenues dans la chaleur de l'été. Restauration et bar.

**Lecques Aquanaut** – Nouveau port de Lecques - 83270 St-Cyr-sur-Mer - 🕿 04 94 26 42 18 - www.lecques-aquanaut.fr - 9h-12h, 14h-18h. Club de Plongée.

**Golf de dolce Frégate** – Rte de Bandol - 🕿 04 94 29 38 00 - www.fregate.dolce.com - nov.-mars : 8h-18h, août-oct. 7h30-19h - 31/68 €. Ce beau golf dessiné par Ronald Fream, entouré de vignes et de champs d'oliviers, domine la mer. Parcours de 9 et 18 trous (dont 12 avec vue plongeante sur la « grande bleue »), hôtel, deux restaurants, tennis et salle de musculation.

**Nouveau port des Lecques** – Capitainerie - 83270 St-Cyr-sur-Mer - 🕿 04 4 26 21 98. 431 places.

**Port de la Madrague** – 83270 St-Cyr-sur-Mer - 🕿 04 94 26 39 81. 400 places dont 37 réservées aux bateaux de passage.

### Événement

**Fête des vendanges** – En septembre.

# Saint-Martin-Vésubie★

### San Marti Vesubio

1 098 SAINT-MARTINOIS
CARTE GÉNÉRALE D1 – CARTE MICHELIN LOCAL 341 E3 – SCHÉMA P. 308 –
ALPES-MARITIMES (06)

Fraîchement bâti entre les deux eaux du Boréon et de la Madone de Fenestre, ce village est situé dans un cadre magnifique de forêts et de montagnes, que l'on a même qualifié de « Suisse niçoise »! Les sportifs n'auront que l'embarras du choix entre alpinisme, randonnées, canyoning, vol libre, équitation…

- ▶ **Se repérer** – En venant de Nice, à 71 km au sud, par la D 2565, vous arriverez à la pointe de la vieille ville.

- 🅿 **Se garer** – Trois parkings au nord-ouest, deux aires autour du groupe scolaire, une petite zone de stationnement fait face à l'office de tourisme et un parking sur la place Frairie.

- 👁 **À ne pas manquer** – La visite du village, la vue somptueuse depuis le nid d'aigle de Venaison et le parc Alpha au Boréon.

- 🕐 **Organiser son temps** – Entre la balade dans le village médiéval et votre vue vertigineuse sur Saint-Martin-Vésubie depuis Venaison, comptez 2h. Pour prendre le temps d'apercevoir une truffe, un pelage, ou échanger un regard avec un loup, comptez rester environ 2h30 au parc Alpha. Appelez le parc pour connaître l'heure exacte du nourrissage des mammifères qu'il serait dommage de manquer *(en général, entre 14h30 et 15h tous les jours sf lun.).*

- 👫 **Avec les enfants** – Le parc Alpha.

- 🐾 **Pour poursuivre la visite** – Voir aussi la vallée de la Vésubie et Utelle.

*Saint-Martin-Vésubie est surnommée la capitale de la Suisse niçoise.*

## Se promener

### LE VILLAGE

De la belle **place Félix-Faure** (le président de la République séjourna dans la ville le 27 avril 1893) ombragée de platanes, on s'enfonce au sud dans le cœur de la cité médiévale.

### Rue du Dr-Cagnoli

Regardant paisiblement couler le canal (le beal) qui les sépare, de jolies maisons gothiques habillées de porches et de linteaux longent cette étroite ruelle pentue. Arrêtez-vous devant la maison du Coiffeur datant du 14ᵉ s. Plusieurs maisons de même style ont miraculeusement résisté au terrible incendie de 1487 qui a ravagé presque tout le village.

### Chapelle des Pénitents-Blancs

Remarquez son charmant clocher à bulbe, et sa façade ornée de bas-reliefs. Sous l'autel, statue du Christ en bois peint gisant entouré d'angelots qui tiennent les instruments de la Passion. Beau tableau représentant la descente de croix signé Rocca, célèbre peintre niçois du 17ᵉ s.

*Poursuivez dans la rue du Dr-Cagnoli.*

### Palais des Gubernatis

En descendant la rue jusqu'en bas, on trouve, au n° 25, la maison à arcades des comtes de Gubernatis.

### Place de la Frairie

La rue du Plan mène à cette place en terrasse, ornée d'un lavoir, avec **vue** sur l'abondante rivière de la Madone et les montagnes voisines (cime de la Palu, cime du Piagu). Cette place accueillait dès le 16ᵉ s les réunions importantes dans le village.

*Gagnez l'église derrière la place.*

### Église

*Juin-sept. : 9h-18h - fermée le reste de l'année.*

Cet édifice roman orné d'une belle décoration 17ᵉ s. présente à droite du chœur une statue de Notre-Dame-de-Fenestre assise en bois polychrome (12ᵉ s.). La statue est transportée en procession chaque année, le dernier samedi de juin, dans son sanctuaire montagnard. Elle y passe l'été jusqu'au 2ᵉ dimanche de septembre, puis regagne ses quartiers d'hiver (pèlerinage également les 26 juillet, 15 août et 8 septembre). Deux panneaux de retable attribués à **Louis Brea** *(2ᵉ chapelle du bas-côté gauche)* : à gauche saint Pierre et saint Martin, à droite saint Jean et sainte Pétronille. Bel autel du Rosaire du 17ᵉ s., en bois sculpté et doré : Vierge à l'Enfant entourée de scènes de la vie du Christ *(3ᵉ chapelle)*. De la terrasse devant l'église, **vue** partielle sur la vallée du Boréon et le village de Venanson dominé par la Tête du Siruol, ronde et boisée.

## Aux alentours

### Venanson★

*4,5 km. Quitter Saint-Martin-Vésubie au nord-ouest par le pont sur le Boréon et la D 31. Depuis la place de ce village bâti sur un piton rocheux triangulaire, belle* **vue★** *sur Saint-Martin, la vallée de Vésubie et son cadre de montagnes.*

**Chapelle Saint-Sébastien** – ☎ 04 93 03 25 11 - la clé est disponible au restaurant Le Bella Vista, pl. Saint-Jean ou s'adresser à l'épicerie à côté. Cette chapelle du 15ᵉ s. est l'un des ensembles les plus achevés de l'art niçois, entièrement couverte des **fresques★** de Baleison, remarquablement composées. La vie de saint Sébastien, imploré contre la peste, y est narrée avec la simplicité d'un conte d'enfant. Vous serez saisis par le réalisme avec lequel sont dépeints les costumes, le naturel des personnages, les marques du supplice du saint, et son visage, aux traits si gracieux. Cette fresque est l'une des mieux conservées du comté, avec celles de Notre-Dames-de-Fontaines *(voir la Brigue)*.

*Détail de fresque, chapelle Saint-Sébastien.*

**Église paroissiale** – Pl. de l'Église - ☎ 04 93 03 23 05. En entrant, à gauche, un triptyque représente une Vierge à l'Enfant, entourée de saint Jean-Baptiste et de sainte Pétronille. Au maître-autel, dans un retable baroque, une grande toile de 1645 évoque le Couronnement de la Vierge où figure le donateur. À droite, retable du Rosaire.

### Le Boréon★★

*8 km. Quitter Saint-Martin-Vésubie au nord par la D 2565, sur la rive droite du Boréon.* À la limite du **Parc national du Mercantour** *(voir Vallée des Merveilles)*, cette petite station alpestre occupe à 1 500 m d'altitude un site superbe où tombe sur 40 m de haut, la **cascade★** du Boréon dans une gorge étroite. Un petit **lac** de retenue, investi de mars à octobre par les pêcheurs de truites Fario, saumonées ou arc-en-ciel, ajoute une note de beauté au paysage verdoyant de pâturages et de bois qui incite à se lancer à l'assaut des sommets et des lacs de montagne.

**Parc Alpha★** – ℘ 04 93 02 33 69 - www.alpha-loup.com - de déb. juin au 1er w.-end de sept. : 10h-18h30 (dernière entrée 17h) ; du 3e w.-end d'avr. à fin mai et sept. : 10h-17h30 (dernière entrée 16h) ; de déb. janv. à mi-fév., de déb. mars à mi-avr. et les 2 dern. sem. de fév. : merc., sam. et dim. 10h-17h (dernière entrée 15h30) - fermé 1er janv., 25 déc. et du 15 nov. au 15 déc. - 9 € (4-12 ans 7 €).

👥♿ À 1 500 m d'altitude, au sein du **Parc national du Mercantour**, découvrez ce lieu unique conçu dans un but pédagogique. Le parc Alpha, qui tire son nom du couple dominant de la meute, tente de réconcilier l'homme avec l'écologie et le loup. Après la traversée d'un espace naturel préservé et surprenant (« Le Pas du Loup », grandiose et rafraîchissant, entouré de mélèzes, sapins et épicéas), vous franchissez le Boréon, pour accéder au « Temps des Hommes », dédié aux scénovisions®, courts spectacles audiovisuels commentés depuis d'anciennes vacheries par quatre personnages clés de la montagne. Après ce débat sur la réintroduction du loup dans la région, vous rejoindrez le parc de 10 ha, dont 6 ha sont réservés aux trois meutes vivant en semi-liberté dans de vastes enclos (24 loups en 2006). Chaque année, les naissances nombreuses (entre 6 et 7 louveteaux par portée) sont vécues comme une preuve de l'adaptation réussie de ces mammifères dans le parc. En effet, une équipe de soigneurs veille sur leur santé et des scientifiques et étudient leur comportement. À votre tour d'aller les regarder dans le silence le plus absolu pour ne pas les effrayer. Depuis les chalets d'observation de l'espace « Le Temps du Loup », patientez un peu et appréciez le spectacle qui se joue sous vos yeux. À l'heure du **nourrissage** (6j/7, entre 14h30 et 15h), depuis la maison des Soigneurs, vous pourrez les voir guetter leur butin (ils sont très peureux), puis s'en rapprocher avant de se régaler d'impressionnantes pièces de bœuf, poulets, poissons et de rongeurs.

## Le retour naturel du loup

Des traces relevées en 1992, l'avaient fait supposer : au printemps 1995, la présence de 8 loups évoluant en meute et, probablement, d'un couple isolé était confirmée. Provenant par migrations successives des Abruzzes en Italie centrale (plus de 500 individus), le loup cherche constamment de nouveaux territoires et ses capacités d'adaptation se révèlent étonnantes. Dans le Parc national du Mercantour, on en dénombrait 19 en 2000, 12 en 2002. Une politique active de sensibilisation auprès des bergers, exposés à cette délicate cohabitation, est gérée au niveau national. C'est que le loup n'a pas bonne presse, c'est le moins que l'on puisse dire ! La solution ? Des mesures de précaution, telles que parcage des troupeaux la nuit et introduction d'un chien de berger (le patou des Pyrénées) très dissuasif contre les attaques de loups… Et surtout, apprendre à mieux connaître cet animal à l'origine de tant de fantasmes. Le centre du loup de Boréon contribuera peut-être à changer les mentalités.

♿ **Pour poursuivre la visite** – On peut aller en voiture, à l'est, jusqu'à la **Vacherie du Boréon** (2,5 km), où se détache la silhouette si particulière de la Cougourde. À l'ouest, longeant le parc, une route permet de remonter sur 4 km le **vallon de Salèse**.

## Vallon de la Madone de Fenestre
*12 km à l'est. Quitter Saint-Martin par l'avenue de Saravalle.*
La D 94 suit le vallon de la Madone en s'élevant rapidement entre les cimes du Piagu et de la Palu, traversant plusieurs fois le torrent. On parcourt une admirable forêt de sapins et de mélèzes, et de beaux sous-bois. Puis on arrive dans un site pittoresque d'alpages et de haute montagne.
La route se perd dans un **cirque★★** sauvage, très apprécié des alpinistes. Tout près, à l'est, se dresse le Caïre de la Madone (2 532 m), massif et pointu ; vers le nord-est, dominant la frontière, la cime du Gélas (3 143 m), aux pentes couvertes de névés, ferme l'horizon. **Victor de Cessole** qui dirigea pendant quarante ans le Club alpin français eut son premier contact avec l'alpinisme dans cette vallée. Il y aménagea un refuge dès 1901. Le musée Masséna à Nice conserve sa remarquable bibliothèque.
La **chapelle de la Madone de Fenestre** est un lieu de pèlerinage, derrière lequel partent de nombreux sentiers de randonnée. ℘ 04 93 02 83 19 - mai-oct. : 9h-19h - fermé reste de l'année - gratuit.

# Circuit de découverte

## ROUTE DE VALDEBLORE★★ 11
*29 km – environ 2h15 – schéma p. 308. Quitter Saint-Martin au nord par la D 256.*
Immense territoire qui fait communiquer les vallées de la Vésubie et de la Tinée, la commune de Valdeblore est couverte de pâturages verdoyants et de hautes mon-

tagnes boisées. Les noms géographiques des rivières de la région se réfèrent au souvenir d'un des seigneurs du Valdeblore, sorte de Barbe-Bleue. Les gémissements des épouses du monstre, enfermées et mourant de faim, ont donné naissance à Valdeblore (« val des pleurs ») et à Bramafan (« crie la faim »).

La route s'élève en laissant derrière elle la vallée et les villages de Saint-Martin et de Venanson. Juste avant le tunnel, la **vue★** est particulièrement belle, à gauche, sur la Vésubie, Saint-Martin, le vallon de la Madone et, à l'extrême gauche, sur le cirque de montagnes du Boréon.

## La Colmiane

Dispersés au milieu des mélèzes et des sapins, chalets et hôtels font du **col Saint-Martin** (alt. 1 500 m) une station de sports multiples d'hiver et d'été, et le théâtre d'un jardin extraordinaire au printemps où se côtoient plus de 2 000 espèces végétales.

*Au col de Saint-Martin (voir « Randonnée »), prendre à gauche la petite route qui mène au télésiège remontant le pic de La Colmiane.*

### Pic de La Colmiane★★

*Télésiège –  📞 04 93 02 83 54 - juil.-août : 10h-18h ; sept.-juin : w.-end 10h-18h - 2,50 € (possibilité de forfait).*

Du sommet, on découvre un immense **panorama★★** : au sud, sur le Tournairet et, au-delà de la Vésubie, sur les hauteurs de la forêt de Turini ; à l'est, sur la chaîne du Mercantour ; au nord et à l'ouest, du Baus de la Frema jusqu'au mont Mounier avec tout le Valdeblore au premier plan.

Après le **col Saint-Martin**, on débouche sur une cuvette verdoyante, partie haute du Valdeblore.

## Saint-Dalmas-de-Valdeblore

Arpentez les ruelles de cet ancien village fortifié, avant de visiter l'**église Sainte-Croix**. D'époque romane, elle est magnifique avec son haut clocher alpin en forme de « pointe de diamant », ses puissants contreforts et les bandes lombardes de son chevet. De plan basilical, elle a été construite sur une crypte préromane ; l'intérieur a été voûté au 17ᵉ s. Dans l'abside de droite, les fresques du 14ᵉ s. (histoire de saint Jean-Baptiste) sont cachées par un retable du Rosaire (17ᵉ s.). Sur la voûte, Christ en majesté. Au-dessus du maître-autel, on remarque un polyptyque du 16ᵉ s., à fronton et à prédelle, de G. Planeta : les évangélistes, saint Roch et **saint Dalmas**. Le culte de ce dernier, un soldat romain martyrisé, s'est répandu dans les Alpes avec ferveur, grâce à la communauté piémontaise. Dans le bas-côté gauche, retable de saint François, attribué à A. de Cella.  📞 04 93 23 25 90 - juil.-août : 10h-18h ; reste de l'année : sur demande à l'office de tourisme.

La route domine le vallon de Bramafan et traverse le village de La Roche, au pied d'un éperon gris.

## La Bolline

Centre administratif de la commune de Valdeblore, c'est une agréable station d'été au cœur d'une claire châtaigneraie qui contraste avec le bois noir du versant opposé.

*Après la Bolline, prendre à droite la D 66.*

## Rimplas

Le village frappe par son **site★** très curieux sur une arête rocheuse à 1 000 m d'altitude. Au pied du fort, à l'extrémité de l'arête, les abords de la chapelle de la Madeleine offrent une **vue** étendue sur la vallée de la Tinée, le vallon de Bramafan, les villages du Valdeblore.

🥾 *2h AR.* Une promenade agréable et facile permet de descendre sur **Saint-Sauveur-sur-Tinée** *(voir* Le Guide Vert Alpes du Sud*)* par le GR 5 au nord-ouest du village.

*Par la route, on longe le Valdeblore par la D 2565, puis la Tinée par la D 2205, à droite pour Saint-Sauveur, à gauche pour Nice.*

# Randonnée

### Via ferrata du Baus de la Frema★

*Au col Saint-Martin, prendre la route à droite face au minigolf fléché « Via ferrata ». Possibilité de stationnement dans la montée. Départ de la via ferrata au bout de la piste, après le panneau d'information.  📞 04 93 02 83 54 ou 04 93 23 25 90 - www.colmiane. com - mai-oct. : se renseigner pour les horaires - 3 € - fermé nov.-avr.*

Ludique et intéressant, cet aménagement permet de s'initier à l'escalade et de tester sa maîtrise du vertige. Son accès est direct, sans marche d'approche. Le parcours où se succèdent passerelle, pont de singe et passages aériens s'effectue en 4h environ jusqu'à la cime du Baus de la Frema. Plusieurs sorties (ou échappatoires) permettent aux moins endurants d'interrompre l'expérience. Un sentier, parallèle au circuit, permet d'accéder au sommet. Les amateurs de sensations apprécieront particulièrement deux temps forts : la passerelle de 35 m de long qui, à 50 m de hauteur, relie les deux pics rocheux des Aiguillettes, et le pont de singe donnant accès à la partie sommitale.

## Saint-Martin-Vésubie pratique

### Adresses utiles

**Office du tourisme de Saint-Martin-de-Vésubie** – Pl. Félix-Faure - 06450 St-Martin-Vésubie - &#8416; 04 93 03 21 28 - www.saintmartinvesubie.fr - du 10 juil. à fin août : 9h-19h ; du déb. juin au 9 juil. : 9h-12h, 14h-18h ; sept.- mai : 9h-12h, 14h-18h, dim. 9h-12h.

**Office du tourisme de Valdeblore-la-Colmiane** – La Roche - 06420 Valdeblore - &#8416; 04 93 23 25 90 - www.colmiane.com - juin-sept. et des vac. de Noël à fin mars : 9h-12h, 14h-18h ; reste de l'année : tlj sf dim. 9h-12h, 14h-18h - fermé 1er janv., 1er et 11 Nov., 25 déc. Pour effectuer une balade ou une randonnée dans le Valdeblore, demandez les itinéraires à l'office du tourisme.

### Visites

**Bon à savoir** – Depuis juillet 2006, les visiteurs du **Parc national du Mercantour** peuvent s'équiper de **GPS** de poche. Délivrés au chalet d'accueil du parc Alpha Loup au Boréon, ils permettent de leur faire découvrir via **4 itinéraires** toutes les richesses du Mercantour, de la faune à la flore, en passant par des jeux établis sous forme de quiz. Au programme, images, sons et textes se succèdent le long de chaque parcours tout en visualisant son évolution et sa position à l'instant T.

**Visite guidée de Saint-Martin-Vésubie** – Mar. et le jeu. à 15h. RV devant l'office - 2 €. L'office de tourisme propose une visite du village médiéval (1h30).

### Se loger

**La Châtaigneraie** – Au village - &#8416; 04 93 03 21 22 - www.raiberti.com - fermé 30 sept.-15 mai - 37 ch. 60/70 € - &#9974; 5 € - rest. 18,50 €. Dans un parc tranquille, cette maison accueille ceux qui souhaitent profiter de leurs vacances pour se balader dans le Parc du Mercantour, faire de l'escalade ou se mettre au vert... Chambres rustiques et confortables. Cuisine traditionnelle ; menu unique.

**Auberge des Murès** – Rte du col St-Martin - 06420 St-Dalmas-Valdeblore - &#8416; 04 93 23 24 60 - http://auberge-mures.ifrance.com - fermé 3-25 nov., mar. et merc. - 7 ch. 50/61 € - &#9974; 9 € - rest. 26 €. Petite auberge familiale aux allures de chalet offrant une jolie vue sur la montagne depuis les balcons des chambres. L'hiver, salle à manger avec pierres et poutres apparentes ; l'été, agréable terrasse face aux sommets.

### Se restaurer

**Le Pic Assiette** – 06420 La Colmiane - au sommet du Pic de La Colmiane - &#8416; 06 21 01 63 68 - fermé nov. (se renseigner) - réserv. obligatoire - 14,50/21,50 € - 1 ch. 50 €. À 1 800 m d'altitude, le grand air creuse l'appétit, vous apprécierez donc ce restaurant offrant une vue époustouflante sur les sommets. Vous pourrez, même en été, y accéder en télésiège, et après avoir un peu forcé sur les buffets de hors-d'œuvre ou de desserts, redescendre tranquillement en VTT.

**Hostellerie de Rimplas** – 1 chemin des Cavaliers - 06420 Rimplas - &#8416; 04 93 02 86 80 - 27 € - 9 ch. 60/68 € - &#9974; 14 €. Cette grosse maison en pierre du pays est située dans un charmant village perché bâti au 11e s. Chambres fonctionnelles dotées d'une literie neuve. Sobre salle à manger où l'on présente un menu unique composé de plats régionaux.

### Que rapporter

**Marchés** – Mardi, samedi et dimanche, pl. du marché en saison estivale.

### Sport & Loisirs

**Ski** – Le Boréon offre 30 km de piste de fond.

**Luge d'été** – Pic de La Colmiane - &#8416; 04 93 02 83 54 - www.colmiane.com - juil.-août : 10h-18h ; juin et sept. : w.-end 10h-18h. Luge sur monorail, avec montée en télésiège 9 €, descente seule 7,50 € (carnet de 10 montées en télésiège et descentes en luge 75 €).

# Saint-Paul★★

### San Pàu

**2 847 SAINT-PAULOIS**
**CARTE GÉNÉRALE D2 – CARTE MICHELIN LOCAL 341 D5 – SCHÉMA P. 308 –**
**ALPES-MARITIMES (06)**

Dans un site plein de charme, sa silhouette effilée apparaît de loin entre paisibles collines et riches vallons du pays de Vence. Ce ravissant village, l'un des plus visités de France, a su conserver son visage féodal propre aux cités fortifiées qui gardaient la frontière du Var jusqu'en 1870. Depuis 1964, la fondation Maeght en fait un des hauts lieux de l'art moderne.

*Difficile de passer à côté de Saint-Paul-de-Vence…*

- ⏵ **Se repérer** – À 4 km au sud de Vence par la D 2.
- 🅿 **Se garer** – Parking payant Route des Serres.
- 👁 **À ne pas manquer** – Le magnifique panorama sur la vallée depuis les remparts ; la fondation Maeght.
- 🕐 **Organiser son temps** – En été et le week-end, les visiteurs affluent dans la Rue-Grande ! Visitez donc (si vous le pouvez) Saint-Paul hors saison, faute de quoi la magie des lieux risque de céder le pas à l'agacement… En outre, vous pourrez découvrir les collections permanentes de la fondation Maeght, remplacée aux beaux jours par des expositions temporaires.
- 👶 **Pour poursuivre la visite** – Voir aussi Vence, Cagnes-sur-mer, Biot et, un peu plus loin, Grasse.

## Se promener

### Rue Grande

Cette belle artère qui traverse la ville de bout en bout se découvre tôt le matin, avant que la foule, compacte, n'arrive et que n'ouvrent les boutiques de plus ou moins bon aloi et les galeries, où le pire côtoie le meilleur, qui ont investi les belles maisons blasonnées, à arcades et loggias, des 16e et 17e s. L'ensemble témoigne de la prospérité

---

### Le saviez-vous ?

- 👁 Vous avez le choix entre deux appellations : Saint-Paul et Saint-Paul-de-Vence (rappelant la proximité du village avec Vence) que chantèrent Trenet et Montand.
- 👁 Dans les années 1920, alors que la ville déclinait depuis un siècle au profit de Vence, sa rivale, un certain **Paul Roux** la relança, en gardant ses amis artistes à coucher. Modigliani, Signac, Bonnard, Soutine, Chagall (qui repose au cimetière), puis gens de lettres et du spectacle ont ainsi contribué à la notoriété de Saint-Paul.

de cette ancienne cité royale, autonome depuis le 13e s. La célèbre **fontaine** de 1850 qui capte toujours les sources du Malvan et de la Font Renaude et son lavoir voûté donnent beaucoup de cachet à la petite place.

En entrant à droite, la tour carrée à mâchicoulis abrite l'office de tourisme et le **musée de Saint-Paul** qui propose des expositions photographiques sur la vie de Saint-Paul ainsi qu'une exposition de printemps des artistes Saint-Paulois.

*Monter la ruelle en escalier, tourner dans la première ruelle à droite et, enfin, dans la première à gauche pour atteindre l'église.*

## Église

🕾 04 93 32 86 95 - été : 10h-20h ; hiver : 10h-18h.

De cet édifice du début du 14e s., situé sur le point le plus haut du village, on a refait les voûtes au 17e s. et le clocher au 18e s.

L'intérieur à 3 nefs et 4 chapelles renferme de belles œuvres d'art : un tableau attribué à Claudio Coello représente sainte Catherine d'Alexandrie couronnée, dans un somptueux manteau rouge, une épée à la main *(au fond de la nef gauche)*. Belles stalles de noyer sculptées au 17e s. dans le chœur. La chapelle de droite attire l'attention par la richesse de sa décoration en stuc ; le devant d'autel est un bas-relief qui représenterait le martyre de saint Clément. Au-dessus de l'autel, belle toile de l'école italienne du 17e s. : saint Charles Borromée offrant ses œuvres à la Vierge ; à gauche, Assomption de l'école de Murillo. La chapelle suivante est ornée d'une Madone du Rosaire de 1588, où l'on reconnaît dans la foule des fidèles le visage de Catherine de Médicis. Chemin de croix moderne, peint suivant une technique du 16e s., la détrempe à la colle.

Situé dans la nef collatérale, le **trésor** est riche en pièces du 12e au 15e s. Des statuettes, un ciboire, une croix processionnelle et des reliquaires témoignent du talent des orfèvres provençaux, en particulier une belle Vierge à l'Enfant en vermeil (13e s.) et un parchemin signé du roi Henri III.

## Donjon

En face de l'église, l'ancien donjon seigneurial, seul vestige de l'ancien château de Saint-Paul, abrite la mairie. Levez la tête pour apercevoir, au sommet, sa belle cloche fondue en 1443 !

*Revenir sur ses pas jusqu'à la rue Grande et pousser jusqu'à la porte du sud.*

## Remparts★

Les remparts n'ont guère subi d'altération depuis François Ier, qui les fit élever comme réplique à la citadelle de Nice de 1537 à 1547. Par endroits, on peut emprunter l'ancien chemin de ronde. Depuis le bastion sud et vers l'est, la promenade procure un beau **panorama** sur la vallée cultivée d'orangers et de fleurs, ses vignes, la mer (cap d'Antibes), l'Esterel et les Alpes.

### Une certaine idée du bonheur

Tous les jours, c'est le même rituel. Ici, on a la blague facile mais il y a un sujet avec lequel on ne plaisante pas : les boules ! À l'entrée du village, la place du marché, renommée « place du jeu de boules », une fois libérée de ses obligations commerciales se transforme en terrain de championnat, où pression et performances sont de la partie, sous le regard tantôt amusé tantôt concentré des passants. Vous reviennent alors en tête les images qui ont fait le tour de la France en vacances sur lesquelles Yves Montand et Lino Ventura s'adonnaient eux aussi, avec leurs amis Saint-Paulois, à cette passion locale. Ici, on rend hommage aux aînés et on tire, on pointe sous les platanes sans jamais se lasser.

# Visiter

## Fondation Maeght★

*Une seule salle de collection permanente lors des expositions temporaires. Chemin des Fumerates -* 🕾 *04 93 32 81 63 - www.fondation-maeght.com - juil.-sept. : 10h-19h ; oct.-juin : 10h-12h30, 14h30-18h - fermé 1er janv., 1er Mai et 25 déc. - 11 € (enf. 9 €).*

Ce temple de l'art moderne est admirablement situé au nord-ouest de Saint-Paul, sur la colline des Gardettes. L'architecte **José Luis Sert** (collaborateur de Le Corbusier et successeur de Gropius) a réussi une parfaite intégration du bâtiment dans le paysage méditerranéen par ses matériaux – béton blanc et briques roses – et ses grandes baies qui ouvrent sur le jardin d'arbres et de sculptures.

Comme le souhaitait Aimé Maeght (1906-1981), les œuvres qui animent le parc sont des monuments, tout comme le sont les arbres ou l'édifice : mosaïques de Braque, Tal-Coat, Chagall, mobiles et stabiles géants de Calder, le bronze de Zadkine, le *Pépin géant* d'Arp, la fontaine mobile de Pol Bury et de l'autre côté, les sculptures et céramiques du *Labyrinthe* de Miró ou la *Sirène* de Laurens peuplent l'espace de façon surnaturelle… et toute naturelle tant elles donnent l'impression d'être ici dans leur élément.

La cour Giacometti avec ses troublantes figures sépare le musée en deux. La fabuleuse collection de la fondation y est présentée par roulement. Pour vous mettre en appétit, vous pourrez y trouver, outre les noms déjà cités : Léger, Kandinsky, Bonnard, Soulages, Van Velde, de Staël, Bazaine, Hartung, Tapiès, Alechinsky, etc., mais aussi des artistes marquants de la jeune génération : Adami, Garache, Messagier, Viallat… et tant d'autres qui nous laissent sans voix.

Très actif, le centre organise de grandes expositions thématiques ou des rétrospectives qui font souvent événement. Librairie, projections de films, bibliothèque contribuent à faire de la fondation un lieu total.

## Musée d'Histoire locale

*Pl. de l'Église - 📞 04 93 32 41 13 - tlj sf mar. et dim. 10h-12h, 14h-17h - fermé nov., 1ᵉʳ janv. et 25 déc. - 3 € (enf. 2 €).*

Cet édifice offre un intéressant raccourci de l'histoire de la commune, et donc de la Provence. Des scènes historiées de figures grandeur nature relatent la venue à Saint-Paul du comte de Provence, Raymond Béranger V, en 1224, de la reine Jeanne, de François Iᵉʳ lors de la « trêve de Nice », de Vauban (intégration du village dans le système défensif des frontières) et enfin, les épisodes locaux de la guerre entre les républicains français et la coalition austro-sarde.

Au rez-de-chaussée, les expositions temporaires de photographies (20ᵉ s.), issues de la photothèque municipale J. Gomot, apportent une note contemporaine à cette évocation historique.

## Saint-Paul pratique

♿ Voir aussi l'encadré pratique de Vence.

### Adresse utile

**Office du tourisme de Saint-Paul** – *Maison de la Tour - 2 r. Grande - 06570 St-Paul - 📞 04 93 32 86 95 - www.saint-pauldevence.com - juin-sept. : 10h19h ; oct.-mai : 10h-18h - fermé 1ᵉʳ janv. et 25 déc.*

### Visites

**Visites guidées** – L'office de tourisme propose 5 thèmes de découverte : le patrimoine, le patrimoine religieux, les sentiers (entre terre et pierre), les artistes, et la pétanque *(8 €)*. De plus, la visite nocturne du village (1h30) est possible sur demande.

### Se loger

😋😋 **Les Bastides de St-Paul** – *880 chemin Blanquières, D 336 - 📞 04 92 02 08 07 - bastides@fr.fm - 🅿 - 20 ch. 84/125 € - 🍽 10 €.* En léger retrait d'une route passante, demeure colorée abritant des chambres spacieuses, fonctionnelles et bien insonorisées. Piscine en forme de trèfle.

😋😋 **Hostellerie des Messugues** – *Quartier des Gardettes - 2 km par rte Fondation Maeght - 📞 04 93 32 53 32 - www.messugues.com - fermé nov. à Pâques - 🅿 - 15 ch. 85/130 € - 🍽 10 €.* Cette grande villa provençale située à proximité de la fondation Maeght est nichée dans un paisible jardin agrémenté d'une piscine originale où l'on trouve un îlot planté de bananiers. Les portes des chambres, confortables et calmes, proviennent d'une prison du 19ᵉ s.

### Se restaurer

😋 **Chez Andréas** – *Remparts Ouest - 📞 04 93 32 98 32 - 15/25 €.* Idéale pour admirer le coucher de soleil, la charmante petite terrasse s'ouvre sur une salle à manger décorée avec goût : du mobilier au moindre objet, tout est « sur mesure » ! Quelques salades, un plat du jour et des vins régionaux au programme…

😋 **La Cocarde de Saint Paul** – *23 r. Grande - 📞 04 93 32 86 17 - 15/35 €.* Au cœur du village, dans la rue piétonne principale, ce restaurant-salon de thé capte l'attention par son harmonie de couleurs méditerranéennes. La table et notamment les pâtisseries du propriétaire, conforteront votre choix.

😋😋 **La Ferme de St-Paul** – *1334 rte de la Colle - entre la Colle et St Paul - 📞 04 93 32 82 48 - fermé 31 oct.-26 déc. - 25/79 €.* Ancienne ferme magnifiquement restaurée où le charme du décor (tonalités provençales, poutres, fer forgé et superbe vaisselle) rivalise avec les plaisirs de l'assiette, dédiée au poisson. Jolie terrasse avec vue sur le village.

SAINT-RAPHAËL

### En soirée

**Café de la Place** – Pl. du Gén.-de-Gaulle -
℘ 04 93 32 80 03 - juil.-août : 8h-1h ; reste
de l'année : 8h-20h - fermé de déb. nov. à fin
déc. Incontournable, ce café l'est d'emblée
par son emplacement central. C'est là que
les Paulois boivent un verre entre deux
parties de pétanque. Il appartient au
mythique hôtel de la Colombe d'Or (situé
juste en face) - ancienne propriété d'Yves
Montand - qui accueillit par le passé
Picasso, Prévert et bien d'autres artistes.

### Que rapporter

**Marchés** – Marché pl. de Gaulle, dite
« pl. du jeu de boules » mardi, jeudi et
samedi toute la journée. Mercredi matin
pour le marché provençal.

### Sports & Loisirs

**Balades** – L'office de tourisme propose
une brochure comprenant
**4 itinéraires** : circuit des fortifications
(30mn), circuit de la voie romaine et du
Malvan (1h30), circuit du canal de la
reine Jeanne (1h30) et chemin de Saint-
Paul à Vence (1h30).

### Événements

**Les Nuits de la Courtine** – En juillet-
août, la place de la Courtine est le cadre
de manifestations (concerts, théâtre,
etc.).
**La fête de la Sainte-Claire** – Fête
patronale organisée le 2e week-end
d'août. Embrasement et feu d'artifice le
dimanche, suivis d'un bal.

# Saint-Raphaël★

## Sant Rafèu

**30 671 RAPHAÉLOIS**
**CARTE GÉNÉRALE C3 – CARTE MICHELIN LOCAL 340 P5 – SCHÉMAS P. 172 ET 249 – VAR (83)**

Couché sur les dernières pentes de l'Esterel, Saint-Raphaël épouse l'anse sud
du golfe de Fréjus, sa voisine. Sa plage bien abritée, son front de mer vivant et
une ambiance animée en font une station balnéaire appréciée. Le chemin de fer
a créé la cité de la IIIe République et un siècle d'histoire l'a transformée en une
grande ville moderne.

▶ **Se repérer** – La commune s'étend au pied du **massif de l'Esterel** sur 35 km de
côte et la ville, sur plusieurs quartiers : le port, la vieille ville, Valescure au nord,
sans compter les stations balnéaires qui en dépendent, de Boulouris au Trayas.

👁 **À ne pas manquer** – Les belles villas aux styles variés dans le quartier de la
marine ; les ruelles étroites de la vieille ville ; la basilique Notre-Dame-de-la-Vic-
toire-de-Lépante et le musée archéologique. Sur le front de mer, la promenade
de l'Espace Bonaparte, les criques et calanques d'Anthéor et du Trayas.

🕑 **Organiser son temps** – Lors de votre balade à pieds dans la vieille ville, n'oubliez
pas de vous rendre au marché aux fleurs et aux légumes, typiquement provençal
et quotidien. Flâner sur la Promenade Bonaparte. Comptez une journée pour vous
laisser séduire par la ville et son littoral surprenant.

👫 **Avec les enfants** – Le parc zoologique ; Luna Parc et parc Aquatica à Fréjus (voir
ce nom) feront varier les plaisirs et animations ; l'école de Cirque à Cap Esterel
Village (voir la rubrique « Sorties » dans l'encadré pratique).

♿ **Pour poursuivre la visite** – Voir aussi le massif de l'Esterel, Fréjus.

## Le saviez-vous ?

👁 Au 11e s., la ville porte déjà le nom de l'archange qui figure sur ses armoiries.
👁 Des hôtes illustres marquèrent leur séjour à Saint-Raphaël par la création d'œuvres
artistiques : Gounod y composa Roméo et Juliette en 1869, Scott Fitzgerald y écrivit
Tendre est la nuit et Félix Ziem y peignit certaines de ses toiles.

# Comprendre

**Saint-Raphaël, fille de Rome, comme Fréjus** – Une villégiature gallo-romaine était
installée sur l'emplacement occupé aujourd'hui par le casino. Les riches familles de
Fréjus y venaient en cure. Au Moyen Âge, les villas gallo-romaines sont ravagées par
les pirates sarrasins. Après leur expulsion (fin 10e s.), le comte de Provence abandonne

ces territoires déserts aux abbayes de Lérins et de Saint-Victor de Marseille. Les moines créent un village autour de l'église. Au 12e s., on en confie la garde aux templiers. Au 18e s., les pêcheurs et les paysans qui vivent à Saint-Raphaël occupent les vieux quartiers actuels. Le paludisme y anémie les habitants : on leur donne le nom de « visages pâles ». Après le rattachement de la Corse à la France en 1768, le port devient la tête de ligne d'une éphémère liaison maritime avec l'île de Beauté.

**Bonaparte à Saint-Raphaël** – Le 9 octobre 1799, **Bonaparte** débarque à Saint-Raphaël, de retour d'Égypte, après 48 jours de voyage *(obélisque à l'angle nord-est du port)*. En 1814, le 28 avril, Saint-Raphaël revoit Napoléon, vaincu, partant pour l'île d'Elbe, son nouvel et minuscule « empire ».

**Deux artisans du développement de la station balnéaire** – Personnalité extravagante, **Alphonse Karr** (1805-1890) exerce ses talents de journaliste (directeur du *Figaro* en 1839) et de pamphlétaire à l'encontre de Napoléon III, depuis Nice où il s'est exilé. Ses compétences d'horticulteur l'amènent à se fixer en 1864 à Saint-Raphaël où il vit à la villa dite « **maison Close** ». Il en fait une description enthousiaste à ses amis parisiens qui le rejoignent. À sa suite, **Félix Martin**, maire de la localité et ingénieur des Ponts et Chaussées, transforme le village en une pimpante station balnéaire, favorisée par l'arrêt de la ligne de chemin de fer dès 1864. Avec l'architecte Pierre Aublé, le centre originel de la station est bâti selon un urbanisme propre à la IIIe République.

*Le casino et Notre-Dame-de la Victoire-de-Lépante.*

# Séjourner

👁 Pour vous repérez, reportez-vous au schéma des circuits du massif de l'Esterel.

Outre les plages du centre-ville, Saint-Raphaël, au sens large, offre au pied de l'Esterel des anses, des criques, des rochers rouges et la mer couleur turquoise. Une invitation permanente à piquer une tête !

## Boulouris

Cette petite station aux villas dispersées dans les pins tire son nom de « Boulerie » ou « jeu de boules ». Plusieurs petites plages de sable et de galets et un port de plaisance.

Un peu plus loin, la plage du Débarquement est bordée par la forêt domaniale du **Dramont** qui couvre le cap *(voir le massif de Esterel, sémaphore du Dramont* 5*)*.
Au pied du cap de Dramont, ne manquez pas le petit port de pêche du **Poussaï** très animé en matinée.

## Agay

La station est dominée par les splendides versants de porphyre rouge du **Rastel d'Agay**, au bord de la meilleure rade de l'Esterel. Ligures, Grecs et Romains l'ont fréquentée ; on a retrouvé sous l'eau des amphores romaines provenant sans doute d'un naufrage, il y a 2 000 ans. La grande plage (base nautique), se prolonge à gauche jusqu'à une petite jetée ; au-delà, plage ombragée plus fréquentée.

### Anthéor

Les sommets du cap Roux surplombent cette station coquette. Anthéor-Plage se situe en amont, en aval se trouvent les calanques.

### Le Trayas

Criques et calanques festonnent la côte et abritent plusieurs plages. Le Trayas fut au 17ᵉ s. un grand centre de pêche au thon. Des filets posés au large restaient en place pendant quatre mois. Pour les surveiller, une tour avait été élevée sur le rivage.

👁 **Le saviez-vous ?**

Guy de Maupassant et Maurice Donnay ont fréquenté, aimé et séjourné à Agay. **Antoine de Saint-Exupéry** s'y est marié en 1932, son beau-frère, Pierre d'Agay y vivait. L'auteur du *Petit Prince* disparut le 31 juillet 1944 au cours d'une mission de reconnaissance sur la Côte. Rendez-lui hommage à la Fontaine du Petit Prince. Albert Cohen y a situé une partie de l'action de *Belle du Seigneur*.

🔭 *20mn AR.* L'autre partie du village s'étage sur les pentes : cheminez sur la route bordée de villas fleuries et suivez la direction « Gare SNCF » *(sur la gauche)* pour accéder au belvédère. Là, vous apprécierez le beau **panorama★**.

## Se promener

### Front de mer

Bordant le vieux port, le cours Jean-Bart et le quai Albert-Iᵉʳ connaissent une grande animation sur leurs larges trottoirs où se pressent commerces et restaurants.
À l'angle du **casino** s'élève une statue offerte par la ville de Gand, copie du « Communier » (homme de la milice), qui orne le beffroi de cette ville. La promenade René-Coty et le boulevard du Gén.-de-Gaulle, plantés de platanes et de palmiers, offrent une belle **vue** sur la mer et les rochers jumeaux rouges appelés : le Lion de terre et le Lion de mer. Ils mènent au port de plaisance de **Santa-Lucia**, bordé de terrasses, de restaurants, de boutiques.

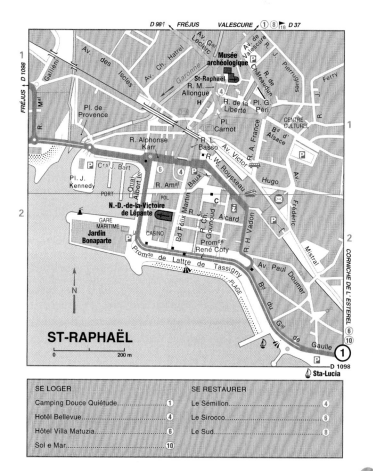

| SE LOGER | | SE RESTAURER | |
|---|---|---|---|
| Camping Douce Quiétude | ① | Le Sémillon | ④ |
| Hôtel Bellevue | ④ | Le Sirocco | ⑥ |
| Hôtel Villa Matuzia | ⑥ | Le Sud | ⑧ |
| Sol e Mar | ⑩ | | |

### Jardin Bonaparte

Au-dessus du parking, s'étend un jardin paysager **belvédère★** dominant la baie. On y accède par une passerelle bétonnée donnant l'impression d'embarquer sur un paquebot solidement ancré au port ou par les marches *(accès possible depuis le parking)*. Ici, tout n'est que déambulation, calme et volupté offerts par le seul bleu azur de la Méditerranée et l'ambiance du port de pêche en contrebas.

### Villas

Le réaménagement du quartier résidentiel compris entre la promenade René-Coty et la rue Alphonse-Karr a malheureusement entraîné la disparition de nombreuses façades de villas aux décorations exotiques ou aux allures de chalet normand. Malgré leur rareté, il vous restera toutefois de très belles villas à découvrir : voyez, sur la promenade René-Coty, le décor exubérant de la **villa Roquerousse** (1900) ; bd Félix-Martin, le charme oriental de la **villa Sémiramis**, le décor en céramique de la **villa Pâquerettes** ; av. du Touring-Club, l'ombre de Gounod hante encore l'**Oustalet dou Capelan** (en provençal « maison du curé »).

### Église Notre-Dame-de-la-Victoire-de-Lépante

*04 94 19 81 29 - juil.-août : 7h-22h ; reste de l'année : 7h30-21h.*

L'appellation de l'église a été voulue par son créateur, originaire de Grèce : **Pierre Aublé**. Architecte de nombreuses villas raphaëlloises, il a construit en 1883 cet édifice original en grès rose de l'Esterel, dans un style néobyzantin : dôme typique des édifices de ce style offrant à l'édifice intérieure une hauteur de 35 m, peinture orientale de la voûte du chœur rappelant la décoration de la basilique Sainte-Sophie d'Istanbul et ouvertures de la nef de type mauresque.

### Église Sant Rafeù (ancienne Église-Saint-Pierre-des-Templiers)

*04 94 19 25 75 - juil.-août : tlj sf dim. et lun. 9h30-12h30, 14h30-18h30 ; reste de l'année : tlj sf dim. et lun. 9h-12h30, 14h-17h30.*

Cette église à nef unique, construite au $12^e$ s. dans le style roman provençal sur les fondations d'un édifice préroman de plan basilical remis au jour par les fouilles récentes, servait de forteresse et de refuge pour la population en cas d'attaque des pirates. La tour de guet qui remplace l'absidiole sud rappelle les constructions militaires des templiers. Une chapelle latérale contient un monolithe de grès rouge, ancien autel païen qui sert de support à la table de l'autel. Remarquez également un buste de saint Pierre (patron des pêcheurs) en bois doré ; il est porté en procession au mois d'août jusqu'au Lion de mer par des pêcheurs.

## Visiter

### Musée archéologique

*04 94 19 25 75 - juil.-août : tlj sf dim. et lun. 9h30-12h30, 14h30-18h30 ; reste de l'année : tlj sf dim. et lun. 9h-12h30, 14h-17h30 - fermé nov. et j. fériés - gratuit.*

Au carrefour d'importantes voies de communication terrestres (voie Aurélienne) et maritimes (entre Massalia et les comptoirs de la Méditerranée occidentale), le site de Saint-Raphaël offre un riche gisement de vestiges antiques déposés dans ce musée : intéressante reconstitution du chargement d'un navire romain *(rez-de-chaussée)* ; borne milliaire de l'an 3 av. J.-C. du cap Roux (jardin). Une remarquable collection d'**amphores★** du $5^e$ s. av. J.-C. au $5^e$ s. apr. J.-C. rend ce musée incontournable sur le plan de l'archéologie marine. Séquence technologique avec des prototypes d'appareils de plongée autonome et de photographie sous-marine, ou avec la technique de conservation des bois immergés. Retour à la préhistoire de l'Esterel depuis le paléolithique jusqu'à l'âge du bronze à travers les produits des fouilles, ou les dolmens et menhirs de l'est varois. On peut voir dans le jardin du musée, ainsi que dans la rue Allongue, des vestiges des remparts qui entouraient jadis la vieille ville.

# Saint-Raphaël pratique

& Voir aussi l'encadré pratique de Fréjus.

## Adresse utile

**Office du tourisme de Saint-Raphaël** – *Quai Albert-1er- BP 210 - 83702 St-Raphaël Cedex - & 04 94 19 52 52 - www.saint-raphael.com - juil.-août : 9h-19h ; sept.-juin : tlj sf dim. 9h-12h30, 14h-18h30 - fermé 1er Mai.*

## Transports

**Les bateaux de Saint-Raphaël** – *Gare maritime - & 04 94 95 17 46. Juil.-août : 5 traversées par j. pour St-Tropez (50mn, dép. du vieux port) ; avr.-juin et sept. : 2 traversées par j. 20 € AR. Également, excursions dans l'Estérel ou les îles de Lérins. À Agay, bateau à vision sous-marine.*

## Visites

**Visite guidée de la ville** – *S'adresser à l'office de tourisme - visite guidée (2h) jeu. 10h - 2,30 €.*

**Autres visites** – *Possibilité de visites guidées thématiques et de « balade nature » sur le sentier du littoral et des « balades pédestres » dans le massif de l'Esterel, en partenariat avec l'ONF.*

## Se loger

⊖ **Camping Douce Quiétude** – *3435 bd J.-Baudino - 3 km de St-Raphaël par sortie NE vers Valescure - & 04 94 44 30 00 - ouv. 31 mars au 29 sept. - réserv. conseillée - 400 empl. 37,35 € - restauration.* L'ombre des pins rafraîchira votre sieste avant de rejoindre la plage à quelques minutes de ce camping, pour caravaniers seulement. Enfants et parents pourront partager de multiples activités sportives. Bungalows et mobile homes à louer.

⊖ **Hôtel Villa Matuzia** – *Bd Sainte-Guitte, N 98 - 83530 Agay - & 04 94 82 79 95 - www.villamatuzia – 3 ch. 50/85 € ☐ - rest. 21/27,50 €.* Pas vraiment un restaurant, pas exactement une table d'hôte, cette adresse hors du commun ne vous laissera pourtant pas cogiter bien longtemps. En effet, le charme des lieux et la saveur de la cuisine (la parillade de poissons, le baba au pastis) mettent tout le monde d'accord : quel bonheur !

⊖⊖ **Hôtel Bellevue** – *22 bd Félix-Martin - & 04 94 19 90 10 - hotel. bellevue3@wanadoo.fr - P - 20 ch. 68 € - ☐ 6 €.* Ce petit établissement sans prétention vaut par sa situation centrale, à deux pas du casino et de la plage. Chambres sobrement décorées, climatisées et bien insonorisées. Prix abordables pour la station.

⊖⊖ **Sol e Mar** – *Rte de la Corniche-d'Or - 83530 Agay - 6 km de St-Raphaël par N 98 - & 04 94 95 25 60 - www.monalisahotels. com - P - 45 ch. 70/150 € - ☐ 10 €.* Un authentique hôtel balnéaire : chambres tournées pour la plupart vers les îles d'Or, piscine à perspective azuréenne, plage-solarium et bassin d'eau de mer à débordement creusé dans la roche du rivage. Restaurant panoramique coiffé d'un toit ouvrant et complété par une belle terrasse.

## Se restaurer

⊖ **Le Sud** – *16 bd Darby - & 04 94 44 67 86 - fermé 1er-10 juin, mar. et merc. sauf juil.-août, sam. midi, dim. midi et lun. midi - 16 € déj. - 29/39 €.* Dans un centre commercial de plein air, restaurant ensoleillé, orné de peintures et de photos anciennes. Terrasse entourée d'un jardin. Alléchante carte provençale actualisée.

⊖⊖ **Le Sirocco** – *35 quai Albert-1er - & 04 94 95 39 99 - www.lesirocco.fr.st - fermé 15 déc.-15 janv. - réserv. conseillée - 18,50/46 €.* Le vent chaud et sec d'origine saharienne vous portera peut-être vers ce restaurant ancré depuis bientôt vingt ans en face du vieux port. Une savoureuse cuisine d'orientation littorale s'y concocte dans la stabilité. Mise en place soignée sur les tables, petite terrasse d'été sur le devant, ambiance balnéaire.

⊖ **Le Sémillon** – *12 r. de la République - & 04 94 40 56 77 - 17 € déj. - 26/37 €.* Il règne une ambiance conviviale dans ce minuscule restaurant voisin de l'église. Intérieur de type bistrot et terrasse profitant de l'animation de la rue. Appétissante cuisine régionale et ardoise de suggestions du jour : régalez-vous de magrets, de poissons poêlés ou de fleurs de courgette farcies.

## En soirée

👁 **Bon à savoir** – Grands et petits auront de quoi se distraire à Saint-Raphaël qui, avec sa voisine Fréjus, regorge d'activités : casino, golfs, sports nautiques… Sa vie nocturne n'est pas moins animée, grâce aux nombreux pubs, bars et glaciers.

**Casino de St-Raphaël** – *Sq. Gand - & 04 98 11 17 77 - juil.-août : 10h-5h ; reste de l'année : 10h-4h.* Ce casino fut construit en 1881 sur l'emplacement d'une villa romaine. Il est doté de plus de 150 machines à sous et de jeux traditionnels. Un piano-bar assure chaque soir une animation musicale.

## Que rapporter

**Marché** – Marché pl. de la République et Victor Hugo tous les matins ; marché aux poissons tous les matins au vieux port à partir de 7h30.

**Le Salon des Saveurs** – *17 pl. Châteaudun - & 04 94 83 11 00 - tlj sf lun. 9h-12h30, 15h-19h, dim. 9h-12h30 - fermé 1 sem. en nov.* La propriétaire de ce salon sélectionne avec une grande exigence ses produits et ses fournisseurs. Elle peut ainsi s'enorgueillir de vendre le meilleur de la région. Les rayons accueillent des huiles d'olive, diverses tapenades, des rillettes de Provence, une savoureuse terrine de canard aux figues, des bocaux de soupe de poisson et de bouillabaisse, des confitures, des jus de fruits, une sélection de vins de Provence et des côtes du Rhône et des apéritifs locaux tels ve le vin d'orange, la liqueur de farigoule et l'absinthe.

## Sports & Loisirs

👁 **Bon à savoir** – Saint-Raphaël est labellisé « **station nautique** » ce qui atteste de la diversité et de la qualité des activités proposées. *Renseignements à l'office de tourisme ou www.france-nautisme.com.*

👥 **École de Cirque** – *Cap Esterel Village - 83530 Agay - ℰ 04 94 82 58 11/04 94 82 58 14 - www.capesterel.com - tlj sf w.-end 9h-12h, 16h-18h - fermé déb. janv. à déb. fév. et déb. nov. à déb. déc.* Stages de cirque (trapèzes, jonglage, grand ou minitrampoline, acrobaties, etc.) pour les enfants de 6 à 12 ans. Trapèze volant pour les adultes et les adolescents de plus de 13 ans ; cours à la séance ou stages.

**Golf de Valescure** – *Av. des Golfs - ℰ 04 94 82 40 46 - juil.-août : 8h-20h ; mai-juin, sept.-oct. : 8h-19h ; nov.-avr. : 8h-17h.* Ce beau golf de 18 trous est également doté d'un restaurant situé dans une charmante maison, d'un hôtel et d'un bar.

## Événements

**Les fêtes de la lumière** – En décembre, la ville est illuminée et animée : théâtre de rue, marché de Noël.

**La fête du mimosa** – 2$^e$ semaine de février : corso le dimanche après-midi.

**Fête traditionnelle de la Saint-Pierre** – début août : procession, joutes, feu d'artifice.

**Le Mai de l'Art** – Au mois de mai : expositions de peintures, sculptures, ateliers, conférences au Jardin Bonaparte, Centre culturel, mairie d'honneur, Musée archéologique...

**Compétition de Jazz** – 3 jours en juillet.

# Saint-Tropez★★

## San Troupé

**5 444 TROPÉZIENS**
**CARTE GÉNÉRALE C3 – CARTE MICHELIN LOCAL 340 O6 – SCHÉMA P. 249 – VAR (83)**

Indémodable « Saint-Trop' », toujours aussi séduisant, quoi qu'on en dise, et aussi couru des stars, des étrangers et des Parisiens. À quoi tient son succès ? Admirablement ancrées au bout du golfe de Saint-Tropez, ses jolies maisons pastel observent la côte, épaulées de collines aux rivages de roche et de sable idylliques. Coquet, Saint-Tropez se fait beau pour ressembler à l'image dépeinte au début du 20$^e$ s. par les plus grands artistes, conservée au musée de l'Annonciade. Il plaît ainsi au monde entier, associant un charme à l'allure provençale à une ambiance internationale, avec ses adresses chic et snob propices à la fête de jour comme de nuit.

▶ **Se repérer** – À 8,5 km à l'est de Cogolin, sur le rivage opposé à Sainte-Maxime. Colette a tellement vanté Saint-Tropez que l'arrivée depuis La Foux est un cauchemar l'été. Mieux vaut préférer les autres saisons, circuler tôt le matin ou pas du tout et rester entre l'Est et le Sud de la presqu'île.

👁 **À ne pas manquer** – Les ruelles étroites ; le musée de l'Annonciade ; la maison des Papillons et la citadelle. Sans oublier le port, les plages de sable blanc et la visite de la presqu'île par les caps, sensationnelle.

🕐 **Organiser son temps** – Luxe, calme et volupté sont à apprécier entre 8h et 10h quand les oiseaux de nuit, nombreux en cette contrée, sont encore endormis. En hiver ou au printemps, profitez d'un décor fabuleux qui mérite plusieurs jours d'immersion. Sans oubliez de passer par la place des Lices, refuge des boulistes. Attention, hors saison, les cafés, palaces et autres établissements ferment leurs portes jusqu'au printemps suivant.

👥 **Avec les enfants** – La maison des Papillons.

👣 **Pour poursuivre la visite** – Voir aussi Ramatuelle, Cogolin et les promenades dans le massif des Maures.

## Le saviez-vous ?

👁 Comme beaucoup de saints patrons de la Côte, Torpetius, centurion chrétien décapité par ordre de l'empereur Néron, fut mis dans une barque avec un coq et un chien. Le tout aurait abordé à l'emplacement de la ville. Saint-Torpès devient Saint-Tropez à la Révolution… puis Saint-Trop' au 20e s. !

👁 Parmi les Tropéziens célèbres, **Roger Vadim**, qui épousa Brigitte Bardot, Hamilton et ses flous artistiques, Barclay et ses soirées en blanc.

👁 Pour retrouver le Saint-Trop' des années 1960, mythique avec B.B., cocasse avec de Funès, revoyez *Et Dieu créa la femme* et *Les Gendarmes de Saint-Tropez*.

# Comprendre

**La république de Saint-Tropez (15e-17e s.)** – En 1470, le grand sénéchal de Provence accepte l'offre d'un gentilhomme génois de s'installer avec 60 familles génoises à Saint-Tropez pour relever et défendre la ville, à condition d'être affranchi de toute taxe ou charge. La renaissance est rapide, sous forme de petite république autonome consulaire.

**Le bailli de Suffren (18e s.)** – Parmi les navigateurs tropéziens qui contribuèrent à l'essor de la ville et à la défense du royaume à partir du 17e s., le plus illustre est le chevalier puis bailli de l'ordre de Malte, **Pierre-André de Suffren** (1729-1788 – vous verrez sa statue quai Suffren). Capitaine de vaisseau de la marine royale, il est envoyé en renfort aux Indes où il se distingue par plusieurs victoires sur les Britanniques dans une prodigieuse campagne. Il est ensuite promu vice-amiral quand la paix de Versailles est signée.

**La notoriété** – À bord de son yacht le *Bel Ami*, **Maupassant** découvre Saint-Tropez, alors charmant petit village isolé, à peine desservi par un chemin de fer à voie étroite. Dans le port se balancent pointus des pêcheurs et tartanes chargées d'huile, de liège, de sable et de vin. **Paul Signac** et ses amis peintres, conquis par la beauté lumineuse de la ville, l'immortalisent de leur célèbre touche. **Matisse** tropézien (1904) y prépare la toile *Luxe, calme et volupté*, et peint *Mme Matisse en kimono*, une *Vue de Saint-Tropez*, *Place des Lices*. **Colette**, qui, depuis 1925, y passe l'hiver dans sa villa « La Treille Muscate », contribue par ses écrits à sa notoriété : « Aucune route ne traverse Saint-Tropez. Une seule vous y mène et ne va pas plus loin. Si vous voulez repartir, il vous faut rebrousser chemin. Mais voudrez-vous repartir ? Craignez de faire comme moi, qui me suis amarrée à ce port, que de loin j'avais vu suspendu, étiré sur la mer. ». Après la guerre, qui détruit le port, Colette se bat pour que ce dernier soit reconstruit à l'ancienne. Saint-Tropez accueille encore Anaïs Nin, Errol Flynn, Paul Poiret, le fastueux couturier, et, plus tard, Jean Cocteau. À partir des années 1950, Saint-Tropez connaît l'engouement des milieux littéraires de Saint-Germain-des-Prés, puis du monde du cinéma drainant son public de curieux, ce qui lui vaut désormais une célébrité internationale.

*Le port de Saint-Tropez, plus paisible hors saison.*

**La Nioulargue ou les voiles de Saint-Tropez** – Ce grand événement de l'arrière-saison tropézienne réunit les authentiques amoureux de la mer et l'aristocratie des voiliers de tradition (swans, ketchs et goélettes) construits dans les années 1920 pour des vedettes ou des célébrités. Depuis sa création en 1981, plus de 250 concurrents (dont la plupart ont participé auparavant à l'*America's Cup*) se pressent début octobre pour participer à cette course dont le trajet débute à la tour du Portalet pour contourner le haut-fond signalé par la bouée de la **Nioulargue** (« le nid au large », en provençal) et revenir au port.

Le spectacle inoubliable de cette forêt de mâts sur l'horizon remplira d'admiration celui qui a réussi à dénicher un poste d'observation satisfaisant. Ketchs et goélettes exécutent des ballets sur l'eau dont la majesté fait oublier les prouesses techniques dans l'anticipation du choix des manœuvres et les contraintes imposées par les immenses voilures (la traction au pied du mât central peut atteindre 500 t !).

La meilleure solution pour bien suivre la course est de s'embarquer sur les vedettes de la société MMG *(voir l'encadré pratique)*. Une vue d'ensemble plus paisible s'offre des contreforts de la citadelle, à condition de s'être muni d'une bonne paire de jumelles.

## Les Bravades

Deux bravades ont lieu chaque année. La première est à l'origine (13ᵉ s.) une simple procession religieuse en l'honneur de saint Tropez. Elle est devenue une fête municipale, en souvenir des temps heureux où, génoise, Saint-Tropez était une ville franche. À cette occasion, un capitaine de ville est élu et escorte le buste du saint avec le conseil municipal ainsi que le corps de bravade, les 16, 17 et 18 mai. Une foule euphorique assiste à ce spectacle explosif en rouge et blanc, aux couleurs des corsaires.

La seconde manifestation commémore la victoire du 15 juin 1637, grâce à la défense énergique de la milice tropézienne, sur vingt-deux galères espagnoles qui tentaient de surprendre la ville et d'enlever quatre vaisseaux du roi mouillés dans le port.

# Séjourner

## Port★★

Bercé par le cliquetis des haubans, vous vous mêlerez à la population cosmopolite dans le cœur grouillant de la vie tropézienne. Les yachts les plus clinquants s'y amarrent pour l'été, l'arrière tourné non vers le large mais vers les quais : c'est qu'il s'agit avant tout de montrer qui on est ! Un théâtre où chacun se pavane, sur les quais et dans les rues voisines, devant les vitrines des cafés, glaciers, restaurants, boutiques de nippes ou de luxe, au pied des façades jaunes et roses des maisons traditionnelles, que couronne l'altier clocher vivement coloré de l'église.

## Plages

Elles sont divines, nappées de sable fin, entrecoupées de rochers formant parfois de délicieuses criques sous des pins parasols gorgés de pignons l'été. Vous n'aurez que l'embarras du choix sur 10 km. Les plus courageux les dénicheront à pied par le **sentier du littoral** qui fait le tour de la presqu'île jusqu'à la baie de Cavalaire *(voir « randonnée »)* ou à travers la campagne par le chemin de la Belle Isnarde qui mène à la plage Tahiti (Pampelonne).

Pas d'embouteillage pour atteindre les plages proches et assez tranquilles de la **Bouillabaisse** (idéal pour la planche à voile par temps de mistral), à l'ouest ; la plage ombrée des **Graniers** *(accès par la rue Cavaillon)*, à l'est, avant la baie des Cannebiers, plage privilégiée entre la citadelle et les rochers. Le long de la **baie des Cannebiers**, vous apercevrez les villas « La Hune » de Paul Signac, « La Treille Muscate » de Colette et « La Madrague » de B.B. Plus à l'est encore se trouve la **plage des Salins** *(accès par l'avenue Foch)*.

Sur la commune de Ramtuelle *(voir ce nom)*, bien protégées du mistral, les **plages de Pampelonne**, souvent privées, affichent toutes les tendances.

# Se promener

## Môle Jean-Réveille

Cette jetée qui ferme le port ménage l'une des meilleures **vues★** sur Saint-Tropez (côté ville et côté citadelle), le fond du golfe, Grimaud et les ruines de son château,

Beauvallon, Sainte-Maxime, le cap des Sardinaux, la pointe des Issambres, le Dramont, l'Esterel avec le sommet du Cap-Roux, les Alpes par temps clair.

## Quartier de la Ponche

Serré entre le port et la citadelle, c'est le plus ancien, le plus charmant des quartiers, où vivaient pêcheurs et artisans. Du quai J.-Jaurès, on atteint la place de l'Hôtel-de-Ville où se trouve, en face, la belle porte sculptée de Zanzibar et, à gauche, la tour de l'ancien **château de Suffren** des seigneurs de Saint-Tropez au 16ᵉ s. Après l'hôtel de ville, prenez à gauche l'anse de la Glaye, crique entre deux tours de l'ancienne fortification. Puis la rue de la Ponche, passant sous une porte ancienne, mène à une grève, ancien port de pêche.

*Emprunter la rue, puis la place des Remparts, si mignonne, et le boulevard d'Aumale.*

## Église Notre-Dame de l'Assomption

*R. du Cdt Guichard - 9h30-12h.*

Du début du 19ᵉ s., imbriquée dans le tissu serré de la vieille ville, elle se repère à son clocher surmonté d'un petit campanile et à son style baroque italien. À l'intérieur, belles statues et boiseries sculptées datant de la Restauration. Le **buste de saint Tropez**, pièce maîtresse de la bravade des 16-18 mai, repose dans la chapelle de gauche, entouré de vieux tromblons dont les pétarades accompagnent les processions. En période calendale, magnifique crèche provençale du 19ᵉ s.

*Descendre la rue du Clocher, puis prendre à gauche la rue des Commerçants, et à droite la rue du Marché.*

L'adorable **place aux Herbes**, comme Marquet l'a dépeinte inondée de lumière, est le cadre rêvé de l'ancien petit marché, qui a toujours lieu le matin. On passe devant les étals des pêcheurs sous la porte de la Poissonnerie pour retomber sur le quai J.-Jaurès et l'office de tourisme.

## Place des Lices

Depuis le port, empruntez l'une des ruelles commerçantes aux belles adresses internationales : Laugier puis Gambetta ou F.-Sibilli, G.-Clemenceau pour rejoindre l'incontournable place ombragée des Lices, balayée par la brise marine et animée toute l'année d'une vie locale, avec ses cafés, platanes, marché provençal et parties de pétanque dans lesquelles les vedettes consentent à se mêler aux Tropéziens lorsque les photographes de presse sont là.

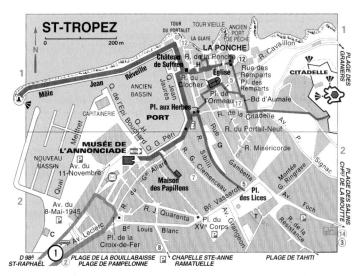

| SE LOGER | | SE RESTAURER | |
|---|---|---|---|
| Hôtel Bastide des Salins..........③ | Au Vieux Gassin..............② | Leï Salins.................⑭ |
| Hôtel Bello Visto....................⑤ | La Cantina......................⑤ | Régis Restaurant.......⑰ |
| Hôtel Lou Cagnard.................⑧ | La Table du Marché.........⑦ | |
| Hôtel Ponche........................⑫ | Leï Mouscardins..............⑫ | |

# Visiter

### L'Annonciade, musée de Saint-Tropez★★

*Pl. Grammont - ☎ 04 94 17 84 10 - juil.-oct. : 10h-13h, 15h-19h ; déc.-juin : tlj sf mar. 10h-12h, 14h-18h - fermé nov., 1er janv., 1er et 17 mai, Ascension et 25 déc. - 5,50 € juil.-oct., 4,50 € reste de l'année (enf. 4 € juil.-oct. et 2,50 € reste de l'année).*

À deux pas du port agité et pourtant loin des frasques de la ville, cette chapelle du 16e s. recueille, avec la donation Georges-Grammont (1955), des chefs-d'œuvre de la peinture de la fin du 19e s. et du début du 20e s., pour la plupart, interprétations merveilleuses du site tel qu'il se présentait alors.

Paul Signac, installé à Saint-Tropez depuis 1892, y attire par sa forte personnalité Matisse, Bonnard, Marquet, Camoin, Dunoyer de Segonzac... La lumière exceptionnelle de la région va révolutionner leur palette et leur technique, générant les grands mouvements du post-impressionnisme : pointillisme, fauvisme, nabi et expressionnisme, révélés par le Salon des indépendants et le Salon d'automne.

La touche **pointilliste** de Signac rayonne d'emblée avec le bleu scintillant de son *Orage*. Éblouissante aussi, la nature méridionale vue par ses disciples H.-E. Cross *(Plage de Saint-Clair)*, T. Van Rysselberghe, Maximilien Luce et Picabia. Le **fauvisme**, qui simplifie les formes et les transfigure par la couleur, s'exprime avec Matisse *(La Gitane)*, Van Dongen et Manguin, Braque *(L'Estaque)*, Vlaminck, Camoin, Derain, Friesz, Marquet. La peinture des **nabis** décrit une atmosphère intimiste et subjective, aplanissant la réalité de ses couleurs franches : celles fondues de Bonnard irradient ses œuvres *(Paysage du Cannet)*. Plus sombres et mystérieuses, celles de Vuillard et Vallotton. Plus noires, les toiles des **expressionnistes** Rouault, Chabaud *(Hôtel-Hôtel)*, Utrillo, Suzanne Valadon. Enfin, des sculptures de Maillol et Despiau, des vases de grès d'E. Decœur finissent d'illustrer l'époque.

### Citadelle★

*Montée de la Citadelle - ☎ 04 94 97 54 37 - du 20 juin à fin sept. : 10h-20h (mer. et vend. 22h) ; oct.-fév. : 10h-12h30, 13h30-17h ; de déb. mars au 19 juin : 10h-12h30, 13h30-18h30 - fermé 1er janv., 1er et 17 mai, Ascension, certains j. en juil., 15 août, 1er Nov et 25 déc. - 5,50 € juin.-sept., 4 € reste de l'année (enf. 4 € juin.-sept. et 2,50 € reste de l'année).*

Sentinelle du golfe pendant des siècles, elle domine la ville à l'est de son beau donjon et de ses trois tours rondes du 16e s. Au siècle suivant, on y ajouta une enceinte bastionnée. Jusqu'à la fin du 19e s., elle joue un rôle stratégique et jusqu'à la Seconde Guerre mondiale un rôle militaire. Au pied des remparts, **vue★** somptueuse de jour comme au coucher du soleil sur Saint-Tropez, son golfe, Sainte-Maxime, les Maures et l'Esterel. Des canons surveillent symboliquement le golfe.

L'ancien Musée naval abrité dans la Citadelle a définitivement fermé.

### Maison des Papillons (musée Dany-Lartigue)

*9 r. Étienne-Berny - ☎ 04 94 97 63 45 - http://maisondespapillons.ifrance.com - possibilité de visite guidée sur demande - tlj sf dim. 14h30-18h - fermé 1er Mai - 3 € (−8 ans gratuit).*

👤👤 Dans une venelle à l'écart de la cohue se cache une fantastique collection de 4 500 papillons. Dans la charmante maison de famille du photographe J.-H. Lartigue, son fils Dany, peintre et entomologiste, présente avec art les fruits de sa chasse en France ou les donations de spécimens du monde entier. Les espèces exotiques les plus remarquables sont disposées dans de superbes compositions esthétiques : les ornithoptères de Nouvelle-Guinée (les plus grands papillons diurnes du monde) voisinent avec les morphos d'Amérique du Sud aux magnifiques ailes irisées de chatoiements bleus (mâles). Peintures illustrant les fêtes tropéziennes dans le patio, photos de famille de J.-H. Lartigue (petit-fils du compositeur A. Messager) conduisent à l'étage où des compositions artistiques permettent d'apprécier les capacités de mimétisme des insectes placés dans leur biotope : le talent de l'artiste nous ravit encore à travers

## Le sentier des douaniers

Il ourle l'ensemble du littoral varois au plus près du rivage. Sa destination initiale, voulue par le ministre Fouché sous le Premier Empire, était de faciliter les patrouilles de douaniers armés, chargés de réprimer le trafic du sel puis celui du tabac et des armes. La réhabilitation du sentier, depuis 1976, a entraîné une servitude de passage obligatoire à 3 m minimum sur toute propriété privée donnant sur le rivage. Cette obligation ne s'applique pas aux clôtures en dur et murs édifiés avant cette date. Dans le Var, près de 200 km de littoral sont concernés par cette disposition.

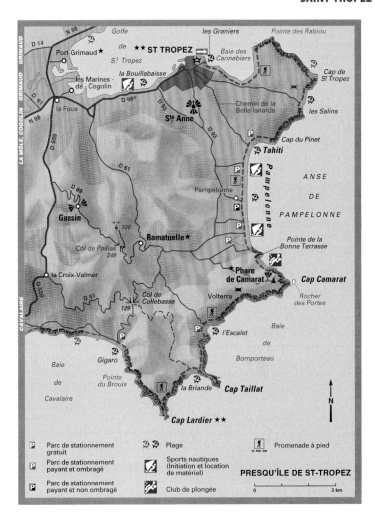

**PRESQU'ÎLE DE ST-TROPEZ**

Légende de la carte :
- **P** Parc de stationnement gratuit
- **P** Parc de stationnement payant et ombragé
- **P** Parc de stationnement payant et non ombragé
- Plage
- Sports nautiques (Initiation et location de matériel)
- Club de plongée
- Promenade à pied

0     3 km

une intéressante carte du monde des papillons ou un tableau-herbier reproduisant le biotope des papillons. De nombreuses vitrines regroupent des espèces rares dont le fameux Apollon noir du Mercantour, le Parnassius et le Zerynthia.

# Aux alentours

### Chapelle Sainte-Anne

*Au sud - ouverte pendant les Bravades (17 et 18 mai), le 26 juil. et 15 août.* Bâtie en 1620 sur un piton volcanique à l'ombre de grands arbres, cette jolie chapelle provençale dédiée à la patronne des gens de la mer n'est ouverte au public que le jour de la sainte Anne *(26 juillet)*. Elle accueille sur ses murs intérieurs des ex-voto. **Vue**★étendue sur le golfe et la mer, le Pays des Maures et même le début de la chaîne des Alpes du Sud.

### Ramatuelle★

*À 11 km au sud de Saint-Tropez par la D 93. Voir ce nom.*

# Randonnée

### PRESQU'ÎLE PAR LES CAPS★★

🥾 *S'équiper de bonnes chaussures de marche. Éviter évidemment les heures les plus chaudes de la journée, la visibilité étant réduite par les brumes de chaleur.*

Les 40 km du littoral de la presqu'île, préservés de l'emprise du béton par la politique d'acquisitions du Conservatoire du littoral, se répartissent entre les à-pics rocheux et sauvages des caps Camarat, Taillat et Lardier, et les longs rubans de sable fin de l'anse de Pampelonne et de la baie de Cavalaire. Plages de sable à Gigaro, Briande et l'Escalet, mais multitude de criques sinueuses que le sentier épouse, comme autant d'invites à une baignade privilégiée dans une nature préservée comme par miracle.

## De Saint-Tropez à la plage de Tahiti

*Environ 3h.* Le sentier part de la plage des Graniers à l'extrémité ouest du port. Il épouse les sinuosités du rivage en offrant de superbes belvédères sur les contreforts des Maures et les premières avancées de roches rouges de l'Esterel. Par la pointe des Rabiou et le cap de Saint-Tropez, on accède à la plage des Salins, première étape où l'on peut trouver réconfort et ravitaillement auprès des guinguettes ouvertes en saison estivale. En contournant le cap du Pinet, on débouche sur la plage de Tahiti qui ferme le nord de l'anse de Pampelonne.

## De la plage de Tahiti au cap Camarat

*Environ 2h.* Jusqu'à la pointe de la Bonne-Terrasse, le sentier se confond sur 5 km avec le chemin parallèle à l'immense plage de sable de **Pampelonne**. En abordant la baie de la Bonne-Terrasse, le sentier escalade les premiers rochers au milieu d'une végétation plus dense. À proximité du rocher des Portes, un sentier s'engage à droite en direction du phare de Camarat qui émerge d'une forêt d'arbousiers et de fougères arborescentes.

## Phare de Camarat★

*En voiture, depuis la D 93 de Ramatuelle, prendre la route fléchée « Route du phare » qui serpente sur la crête du promontoire au-delà du camping.*

Ce noble phare de 129,80 m est l'un des plus hauts de France par rapport au niveau de la mer et a une portée lumineuse de 60 km. Mis en service en 1831, il fut électrifié après la Seconde Guerre mondiale et entièrement automatisé en 1977. Il domine l'anse de Pampelonne, l'ensemble de la presqu'île et le golfe de Saint-Tropez.

## Du cap Camarat au cap Taillat

*Environ 2h. Restauration uniquement à l'Escalet.* Après avoir contourné le rocher des Portes, le sentier mène à la plage de l'Escalet que l'on atteint après une succession de criques d'accès aisé et bien isolées par de grandes dalles rocheuses idéales pour parfaire votre bronzage. La vision du majestueux **château de Volterra** *(ne se visite pas)* qui domine la baie est pour le moins inattendue. Il a été le cadre de la série télévisée *Les Cœurs brûlés*.

*Possibilité de rejoindre la route depuis la cabane de douaniers qui marque l'entrée du parking de l'Escalet.*

Le sentier s'enfonce ensuite dans une végétation de maquis dominée par les chênes verts à la base du cap. Le **cap Taillat** est en fait un tombolo en formation qui rattache l'écueil rocheux au littoral, le transformant en presqu'île. À l'extrémité s'élève un sémaphore.

*Le cap Lardier.*

## Du cap Taillat à Gigaro par le cap Lardier

*Environ 2h.* Le **site★★** du cap Lardier présente une belle unité d'essences forestières, protégé par le Conservatoire du littoral. Au-delà de la forêt, les domaines viticoles occupent la totalité de l'espace. De la baie de Briande à Gigaro en passant par le cap, le sentier longe une suite ininterrompue de falaises abruptes.

À la Belle Époque, un remarquable vignoble s'étendait à l'emplacement des lotissements et du mas de Gigaro ; ce dernier date des années 1950 lorsque le domaine fut vendu et transformé en camping. Au début des années 1970, un établissement bancaire racheta l'ensemble, y incluant de nouvelles parcelles jusqu'à la plage de Brouis en vue d'y aménager un port de plaisance. La mobilisation des riverains, puis l'acquisition en 1976 de l'ensemble par le Conservatoire de l'espace littoral ont permis de conserver à cette portion de la côte varoise son aspect primitif.

*À Gigaro, parking sur le front de mer ou à gauche juste avant la pinède. En saison, un poste d'information est installé à proximité du panneau de situation à l'entrée de la pinède.*

# Saint-Tropez pratique

## Adresse utile

**Office du tourisme de Saint-Tropez** – *Quai Jean-Jaurès (le Port) - 83990 St-Tropez - ℰ 0 892 68 48 28 (0,34 €/mn) - www.ot-saint-tropez.com - juil.-août : 9h30-20h ; avr.-juin et sept.-oct. (pendant « les Voiles de St-Tropez ») : 9h30-12h30, 14h-19h ; fév.-mars, oct. (après « les Voiles de St-Tropez »), déc. : 9h30-12h30, 14h-18h ; janv. et nov. : tlj sf dim. 9h30-12h30, 14h-18h - fermé 25 déc.*

## Transports

**Transports maritimes EMC/Les bateaux verts** – *ℰ 04 94 49 29 39 - www.bateauxverts.com - navettes régulières au départ de St-Tropez pour Ste-Maxime : fév.-déc. 11,50 € AR ; pour Port-Grimaud : de fin mars à déb. oct. 10,50 € AR ; pour les Issambres : de mi-mai à fin sept. 12,50 € AR ; pour St-Aygulf : de mi-mai à fin sept. 15,50 € AR ; pour la baie des Canoubiers : de déb. fév. à déb. nov. depuis St-Tropez (8,50 € AR) et depuis Ste-Maxime (12,50 € AR).*

## Se loger

⊜ **Hôtel Lou Cagnard** – *18 av. Paul-Roussel - ℰ 04 94 97 04 24 - hotel-lou-cagnard.com - fermé 3 nov.-27 déc. -* **P** *- 19 ch. 56/112 € - ⊡ 8 €.* Façade jaune et volets bleus égayent cette vieille maison tropézienne proche de la célèbre place des Lices. Les chambres, majoritairement rénovées, bénéficient toutes d'une tenue impeccable. Aux beaux jours, le petit-déjeuner est servi dans un jardinet, à l'ombre des mûriers. Prix raisonnables… pour Saint-Tropez !

⊜ **Bello Visto** – *Pl. Deï-Barri - 83580 Gassin - ℰ 04 94 56 17 30/47 33 - www.bello-visto.com - fermé janv. et nov. - 9 ch. 60/85 € - ⊡ 8 € - rest. 26/45 €.* Enseigne-vérité pour cet hôtel-restaurant familial posté sur la place des remparts (barri) au sommet de Gassin : la plupart des chambres, comme la terrasse, ménagent en effet une « belle vue » sur le pays des Maures et le golfe de St-Tropez. Salle à manger avec cheminée ; plats provençaux, pêche locale, bouillabaisse…

⊜⊜⊜ **Hôtel Ponche** – *Pl. Révelin - ℰ 04 94 97 02 53 - www.laponche.com - fermé 1er nov.-13 fév. - 18 ch. 145/415 € - ⊡ 19 € - rest. 23/35 €.* Romy Schneider aima sa chambre bleue, avec sa terrasse blottie dans les toits, entre citadelle et clocher. Installé dans quatre anciennes maisons de pêcheurs, cet hôtel intime a tout le charme des maisons provençales. Détails raffinés et couleurs du soleil vous enchanteront.

⊜⊜⊜ **Bastide des Salins** – *4 km au SE de St-Tropez - ℰ 04 94 97 24 57 - www.bastidedessalins.com - fermé 6 oct. - 31 mars -* **P** *- 13 ch. 190/480 € - ⊡ 20 €.* Vous serez reçu comme des amis dans cette ancienne bastide au milieu d'un grand jardin. Son isolement est un atout précieux à 5mn à peine de la place des Lices. Ses vastes chambres provençales, meublées avec sobriété, et sa belle piscine devraient vous combler…

## Se restaurer

⊜⊜ **La Cantina** – *16 r. des Remparts - ℰ 04 94 97 40 96 - fermé 3 nov.-mars - 18/38 €.* Entre deux tequilas, découvrez une cuisine du monde assortie de plats mexicains, fajitas, enchilada, calamars à la plancha… dans un tout nouveau décor épuré, de tendance zen. Petite terrasse sur la place. Ambiance jeune et décontractée.

⊜⊜ **La Table du Marché** – *38 r. Georges-Clemenceau - ℰ 04 94 97 85 20 - www.christophe-leroy.com - 18/26 €.* À toute heure, poussez la porte de cette « épicerie-bistrot » proche de la place des Lices : du petit-déjeuner au dîner en passant par le goûter avec ses pâtisseries, dont le fameux « gendarme de St-Tropez ». Salle rétro et boutique aux produits régionaux choisis.

⊜⊜⊜ **Au Vieux Gassin** – *Pl. Deï-Barri - 83580 Gassin - ℰ 04 94 56 14 26 - fermé nov.-janv. et le soir du 6 oct. à fin mars - 19,50 € déj. - 24,50/55 €.* Un ravissant village perché sert de cadre à ce repaire gourmand dont la terrasse panoramique, partiellement protégée et chauffée durant l'arrière-saison, colonise un tout petit morceau de la place des Barri. Carte régionale rehaussée de touches exotiques, menu « provençal » et plats du jour. Accueil et service charmants.

⊜⊜⊜ **Leï Salins** – *Plage des Salins - rte des Salins - ℰ 04 94 97 04 40 - fermé 15 oct.-31 mars - 30/50 €.* Dans ce restaurant de plage protégé du mistral, vous pourrez déguster les salades et la pêche du jour grillée devant vous. La beauté du site ajoute au plaisir de cette escale face à la mer et au rocher de la « Tête de chien ».

⊜⊜⊜ **Régis Restaurant** – *19 r. de la Citadelle - ℰ 04 94 97 15 53 - www.regisrestaurant.com - fermé 30 oct.-15 mars - 30/49 €.* Les salles à manger de ce restaurant accroché à une ruelle pentue du vieux St-Tropez ont été entièrement redécorées. À table, sélection de pâtes, sushis et plats cuisinés au wok. Terrasse sous une tonnelle.

⊜⊜⊜⊜ **Leï Mouscardins** – *10 r. Portalet - ℰ 04 94 97 29 00 - www.lei-mouscardins.com - fermé 9 janv.-4 fév., 14 nov.-17 déc. et mar. hors sais. - 69/89 €.* Passerelle reliant le restaurant à la tour du Portalet, deux salles dont une panoramique offrant une superbe vue sur le golfe de St-Tropez, cadre contemporain égayé d'objets marins et cuisine créative faisant la part belle aux saveurs du Sud : cette adresse séduit un public de connaisseurs.

## Faire une pause

**La Tarte Tropézienne** – *Pl. des Lices -*
℘ *04 94 97 04 69 - info@tarte-tropezienne.
com - 6h30-22h - fermé lun. en hiver.*
Pâtissier, traiteur, épicerie fine, salon de
thé et espace de petite restauration, cet
établissement est le lieu incontournable
pour se procurer la célèbre tarte
tropézienne. Cette spécialité, créée en
1955 par Alexandre Micka, se présente
sous la forme d'une brioche fourrée d'une
crème moelleuse et riche à souhait.

*Une tarte tropézienne.*

**Sénéquier** – *Quai Jean-Jaurès -* ℘ *04 94 97
00 90 - juil.-août : 7h-3h ; le reste de l'année
8h-19h - fermé 4 janv.-19 fév.* La terrasse et
les chaises rouges de ce salon de thé-
pâtisserie sont mondialement connues.
Colette, Jean Cocteau, Jean Marais, Errol
Flynn et bien d'autres y passèrent pour
boire un café glacé ou déguster un nougat
maison (fabriqué ici depuis 1887, année de
création de l'entreprise !).

## En soirée

👁 **Bon à savoir** – Saint-Tropez est une
ville à deux temps : ville du spectacle, des
yachts, des palaces et... des
embouteillages l'été, elle se transforme
l'hiver en ville fantôme. En effet,
l'armistice du 11 Novembre sonne aussi la
fin des ébats estivaux avec la fermeture
jusqu'en avril de la plupart des palaces,
bars et restaurants. Reste alors la mince
consolation de croquer voluptueusement
dans une tarte tropézienne, seul sur la
célébrissime terrasse du « Sénéquier »...

**Bar du Château de la Messardière** – *Rte
de Tahiti -* ℘ *04 94 56 76 00 - www.
messardiere.com - mi-mars à oct. : à partir de
18h.* Ce bar de standing est celui de l'un des
plus prestigieux hôtels méditerranéens.
Atmosphère feutrée dans le bar de cette
ancienne demeure familiale du 19e s. De la
terrasse, vue sur le golfe de St-Tropez.

**Bar Sube** – *15 quai de Suffren -* ℘ *04 94 97
30 04 - www.hotel-sube.com - 18h-23h ;
juil.-août : jusqu'à 3h - fermé 5-31 janv.* C'est
l'un des plus beaux bars de la ville. Des
maquettes de bateau sont exposées à

l'intérieur. La cheminée et les fauteuils en
cuir en font un lieu chaleureux et
confortable. De petites tables sont
installées sur le balcon, offrant une belle
vue sur le vieux port.

## Que rapporter

**Marché** – Mardi et samedi, pl. des Lices.

**Foires de la Sainte-Anne** – 26 juillet
(toute la journée), pl. des Lices.

**Rues commerçantes** – Les commerces
des rues Clemenceau, Gambetta et Allard
proposent une grande variété d'articles de
qualité : poteries, verreries.

**Petit Village** – *Rd-pt de la Foux - près du
centre commercial, dir. Cogolin - 83580
Gassin -* ℘ *04 94 56 40 17 - www.mavigne.
com - juin-15 sept. : tlj sf dim. 8h30-13h,
14h30-19h30 ; le reste de l'année : tlj sf dim.
8h30-12h30, 14h30-19h.* Cette grande
boutique commercialise la production
d'un groupement de huit domaines
viticoles (dont le prestigieux Château de
Pampelonne) et d'une coopérative de
l'arrière-pays toulonnais (Cave Saint-Roch
les Vignes à Cuers). Dégustation gratuite
et vente de produits du terroir : huiles,
tapenade, miels, olives, etc.

**Les Sandales Tropéziennes Rondini** –
*16 r. Georges-Clemenceau -* ℘ *04 94 97
19 55 - rondini@infonie.fr - oct.-mars : tlj sf
dim. et lun. 9h30-12h et 14h30-18h30 ; juin-
août : jusqu'à 20h - fermé mi-oct. à fin nov.,
25 déc. et 1er janv.* L'atelier Rondini fabrique
la sandale tropézienne depuis 1927.
Différents types de sandales sont
proposés : sachez que la plus vendue est
la sandale en cuir naturel, mais le modèle
en peau de serpent n'est pas non plus
dénué de séduction.

## Sports & Loisirs

**Marine Air Sport** – *Villa Arthisand - Rte des
Plages -* ℘ *06 07 22 43 97 - www.marine-
air-sport.com - mai-oct : 9h-20h.* Au
programme de vos journées, que des
sensations fortes : ski nautique et
parachute ascensionnel. Pour les férus de
nautisme et détenteurs du permis bateau,
louez un de leurs petits bijoux sur l'eau
pour une balade, une semaine ou un mois
inoubliable.

**Octopussy Plongée** – *Capitainerie du
port -* ℘ *04 94 56 68 71 ou 06 83 25 34 83 -
www.octopussy-plongee.fr - avr.-nov. : 9h-
12h, 14h-18h ; reste de l'année : sur
demande.* Propose des baptêmes, des
plongées découverte, des explorations et
des formations sous la grande bleue
tropézienne.

## Événement

**Les voiles latines** – *Renseignements à
l'office de tourisme.* 4 jours mi-mai,
rencontres du patrimoine maritime
méditerranéen : salon du livre maritime,
expositions, démonstrations de
matelotage, visite guidée de Saint-Tropez.

# Saint-Vallier-de-Thiey

**2 261 VALLÉROIS**
**CARTE GÉNÉRALE C2 – CARTE MICHELIN LOCAL 341 C5 – ALPES-MARITIMES (06)**

Au milieu d'un plateau verdoyant, le dernier avant les Préalpes, cette villégia-ture des Grassois comblera les randonneurs amateurs de nature « lunaire » ou sous-terraine. Ancien château seigneurial (mairie), enceinte avec belle porte à archères (sous l'alignement des maisons voisines) et église témoignent d'un passé important, d'abord romain, puis médiéval.

- **Se repérer** – À 12 km au nord-ouest de Grasse par la N 85.
- **Se garer** – Parking place du Grand-Pré *(marché l'été, vend.)* et place Saint-Roch *(marché le reste de l'année, vend.).*
- **À ne pas manquer** – D'un point de vue géologique, le circuit sillonnant le plateau de Caussols menant de Saint-Vallier-de-Thiey au charmant village de Gourdon ; la visite de l'observatoire du CERGA.
- **Organiser son temps** – Comptez 2h pour effectuer tranquillement le circuit. Consacrez 1h30 à la visite de l'observatoire astronomique.
- **Avec les enfants** – Les amoureux de sciences hésiteront entre la visite de l'ob-servatoire du CERGA et celle du Souterroscope de la Sainte-Baume.
- **Pour poursuivre la visite** – Voir aussi Grasse et le circuit « les Préalpes de Grasse », et le village de Cabris.

---

## Le saviez-vous ?

👁 Il dérive de Saint-Valerio ou Valerius, le 1er évêque d'Antibes, martyrisé au 4e s. Thiey peut venir de Théodose, empereur à la même époque, qui fit du christianisme la religion officielle. Cela atteste que Saint-Vallier était une ancienne place forte romaine.

👁 **Napoléon Bonaparte** passa à Saint-Vallier le 2 mars 1815 comme le rappelle la co-lonne portant son buste sur la place *(voir le circuit Préalpes de Grasse, à Grasse)*. La route, renommée enuite Route Napoléon, puis N 85, n'était alors qu'un chemin muletier.

---

# Visiter

## Église

Romane (12e s.), puis remaniée au 17e, elle possède une belle nef du 13e s. voûtée en berceau brisé et abrite deux retables baroques. Son clocher, avec sa tour (de 17 m) à arcatures lombardes, autrefois utilisée comme tour de guêt, est coiffé d'un gracieux campanile du 19e s.

## Souterroscope de la Baume Obscure

*À la sortie sud de Saint-Vallier-de-Thiey en direction de Saint-Cézaire, prendre à droite la route du cimetière signalée « Grotte Baume Obscure ». Après le cimetière, la route non revêtue se poursuit sur 2 km avant d'atteindre un vaste parking en face d'une construction abritant la billetterie de la grotte. S'équiper de chaussures à semelles antidérapantes. Prévoir un pull pour les frileux : la température y est constante à 15 °C. - ☎ 04 93 42 61 63 - visite audioguidée (1h) juil.-août : 10h-19h (dernière entrée 18h) ; mai-juin et sept. : 10h-18h (dernière entrée 17h), dim. et j. fériés 10h-19h (dernière entrée 18h) ; de déb. oct. à mi-déc. et de déb. fév. à fin avr. : tlj sf lun. 10h-18h (dernière entrée 17h) - fermé de mi-déc. à déb. fév. - 7,65 € (enf. 3,80 €).*

👫 Équipé d'une lampe de sécurité confiée à l'entrée, suivez le fil bleu qui part du chalet pour accéder à la grotte. Ce véritable réseau souterrain a été mis en évidence seulement en 1958 à cause des longs et étroits boyaux d'accès aux salles qui décou-ragèrent les premiers découvreurs. Sur une longueur totale de 1 200 m, la visite ne s'étend que sur un parcours de 700 m, mais descend à 56 m de profondeur (« galerie du pas de course »). Après un long corridor, à l'origine comblé d'argile, le visiteur décou-vre dans les neuf salles successives les vastes dômes, des multitudes de stalactites filiformes, véritable forêt d'aiguilles parsemant les plafonds, et les gours cascadants, issus de l'assèchement de petits lacs formés par les rivières souterraines. Ces cuvettes se sont creusées peu à peu sous l'action du carbonate de chaux. Dans la **salle des gours**, on admire la couleur particulière de l'eau, mise en valeur par un éclairage approprié, et le sol constitué d'une gigantesque coulée de stalagmite, tandis que la musique vient accentuer le caractère d'irréalité.

### Grottes des Audides
*À 3,5 km au sud par la N 85, puis la D 4. Voir Cabris.*

## Circuit de découverte

### LE PLATEAU DE CAUSSOLS★

*30 km de Saint-Vallier-de-Thiey à Gourdon (voir ce nom) - 2h (visite de l'observatoire non comprise). Sortir au nord du village par la N 85 vers le pas de la Faye (superbes vues sur le bassin de Saint-Vallier), puis à droite, la D 5 qui serpente à flanc de montagne. Après le col de Ferrier, la route surplombe le vallon boisé de Nans. Laisser la route principale qui contourne la montagne de l'Audibergue et prendre à droite la D 12 signalée « Caussols ».*

À une altitude moyenne de 1 000 m, le plateau est un rare exemple de **relief karstique** en France. Il est lui-même encaissé dans des plans plus élevés. La partie nord présente un paysage de culture et de prairies grâce à l'apport de terre fertile ; en revanche, au sud, dans un secteur plus chaotique, une succession de dolines, gouffres ou avens offre un incroyable panorama de formes dissolues de calcaire. À proximité des cavités, le promeneur devra faire attention de ne pas glisser, particulièrement par temps de pluie. On peut d'ailleurs en observer un exemple impressionnant en empruntant la petite route à droite à la sortie est du village de **Caussols**, à l'habitat très dispersé. Elle traverse diagonalement le plateau pour atteindre les **claps★** (les « pierres » en provençal). Il s'agit en fait d'un remarquable chaos, dont l'absence de végétation aux alentours renforce le caractère minéral. Quelques cabanes en pierres sèches marquent la présence de l'homme. En se retournant, sur le plateau faisant face, on aperçoit les dômes des installations du CERGA.

*Revenir à la D 12 et poursuivre vers Gourdon. Après 1,5 km à gauche de la D 12 se détache une route signalée « Saint-Maurice – Observatoire du CERGA ». Après les habitations, continuer au-delà de la pancarte « Route privée » marquant l'accès au domaine du CERGA.*

La route, dans une série de lacets, offre de belles vues sur la dépression de Caussols.

### Observatoire du CERGA

*2 130 rte. de l'observatoire - ☏ 04 93 85 85 58 - www.astrorama.net - visite guidée (2h) - mai-sept. : dim. 15h30 - 5 € (enf. 2,50 €).*

Situé à 1 300 m d'altitude, le **plateau de Calern** est un site unique du point de vue géologique. Le CERGA en occupe une partie. Créé en 1974, ce centre d'études et de recherches géodynamiques et astronomiques est spécialisé dans le développement d'instrumentations modernes en astronomie et l'observation des mouvements de la Terre. L'observatoire comprend également celui de Nice. La visite permet d'approcher les équipes qui travaillent autour des interféromètres (mesure des diamètres stellaires), du télescope de Schmidt (surveillance du ciel), des télémètres laser (mesure la distance Terre-Lune et vers les satellites) et des astrolabes (positions des étoiles).

*Revenir à la D 12 et prendre la direction de Gourdon.*

S. Sauvignier / MICHELIN

*Berger sur le plateau de Caussols.*

La route droite jusqu'à l'extrémité est du plateau serpente ensuite vers Gourdon. **Vue★** magnifique sur la vallée du Loup *(voir ce nom)* au premier grand virage.

## Saint-Vallier-de-Thiey pratique

🚶 Voir aussi l'encadré pratique de Grasse.

### Adresse utile

**Office du tourisme de Saint-Vallier-de-Thiey** – *10 pl. de la Tour - 06460 St-Vallier-de-Thiey - ✆ 04 93 42 78 00 -http://saintvallier.ifrance.com/saintvallier - juil.-août : 9h-12h, 15h-18h, dim. 10h-12h ; sept.-oct. et mars-juin : tlj sf dim. 9h-12h, 15h-18h ; nov.-fév. : tlj sf dim. 9h-12h, 15h-17h - fermé 1ᵉʳ janv., 1ᵉʳ et 8 Mai, 1ᵉʳ et 11 Nov. et 25 déc.*

### Se loger

🛏 **Chambre d'hôte Villa Quercus** – *2 chemin Blaqueirette, à l'entrée du village, face à la pharmacie - ✆ 04 92 60 03 84 - claudine.henry@wanadoo.fr - fermé de nov. aux vac. de fév. -⚹ - 4 ch. 55/70 € ⚏.* Les atouts majeurs de cette villa : son immense jardin ombragé où paresse une piscine, et sa plaisante terrasse couverte pour les petits-déjeuners d'été. Étonnant mélange de styles dans les chambres. Cuisine commune pour les hôtes désirant manger sur place.

# Sainte-Maxime★

## Santo Massimo

**11 785 MAXIMOIS**
**CARTE GÉNÉRALE C3 – CARTE MICHELIN LOCAL 340 O6 – SCHÉMA P. 249 – VAR (83)**

Les moines de Lérins occupant les lieux vers le 7ᵉ s. lui donnèrent le nom de cette sainte de leur ordre, qui avait fondé le couvent de Callian. Idéal pour un séjour au bord de la mer : site superbe, vieille ville restaurée avec goût, port de pêche et de plaisance sont les atouts de cette station familiale, bien moins mondaine que sa voisine Saint-Tropez. En plein midi et abritée du mistral par des collines boisées, sa belle plage de sable fin fait la joie de fidèles estivants.

▶ **Se repérer** – En lisière du massif des Maures et face à Saint-Tropez, à 14 km par la N 98.

👁 **À ne pas manquer** – Le front de mer ; le musée des Traditions locales ; l'église et le parc Saint-Donat à une dizaine de kilomètres.

🕐 **Organiser son temps** – Un court séjour s'impose dans cette cité animée en toute saison. Il fait bon y déambuler sans but précis pour profiter du cadre, de son front de mer et de ses plages particulièrement agréables. Le marché couvert quotidien vous fera commencer la journée en saveurs et senteurs provençales.

👫 **Avec les enfants** – Le petit train touristiques des Pignes qui permet de visiter en 40mn la ville ; Aqualand *(voir l'encadré pratique)*.

🚶 **Pour poursuivre la visite** – Voir aussi les balades nature accompagnées dans le massif des Maures, la route de la corniche et ses stations balnéaires *(voir Massif des Maures)* et Saint-Tropez.

## Mystérieuse sainte Maxime

Difficile de savoir qui était la sainte Patronne de cette cité tranquille. On ne connaît ni ses date et lieu de naissance ni sa date exacte de décès. La tradition la situerait entre 650 et 750, à l'époque où les abbayes de Lérins et du Thoronet étaient en pleine expansion. Elle serait la fille du conte de Grasse, seigneur d'Antibes qu'elle aurait quitté pour rejoindre les ordres et la pauvreté. Sage et aimable, elle aurait été particulièrement appréciée par la communauté du monastère d'Arluc, sur la colline de Saint-Cassien dans lequel elle aurait prononcé ses vœux. Plus tard, elle aurait été choisie pour diriger le couvent de Caillan près de Fayence (là-bas reposent la plupart de ses reliques). Fêtée le 15 mai lors de la sainte Maxime, son buste est porté en procession dans toute la ville, buste que l'on retrouve dans la chapelle latérale à droite de l'église.

# Séjourner

Gardienne du golfe, cette station balnéaire familiale se révèle très agréable. Moins fastueuse que sa voisine Saint-Trop', dont on peut de la plage déjà sentir l'effervescence en saison, vous y passerez un séjour plus calme et reposant.

La vieille ville aux façades colorées et aux venelles pavées est un refuge quand le soleil inonde les plages avoisinantes. Ce centre piétonnier, très animé, abrite places et placettes ombragées, fontaines rafraîchissantes et marchés savoureux en matinée.

Côté baignade, Sainte-Maxime totalise 10 km de plage de sable. Pour la vue vous choisirez celle du centre, pour les activités nautiques il vous faudra aller à l'est pour trouver les plages de la Nartelle, de la Garonnette et de l'Éléphant ou à l'ouest, pour la plage de la Croisette.

## Bord de mer

La **promenade Simon-Lorière** (du port au Pont du Préconil) propose une belle vue sur Saint-Tropez, à l'ombre de magnifiques platanes, pins parasols et palmiers.

Non loin de la place du 15 Août 1944, qui commémore le jour de la libération de la ville, la **borne n° 1** de la voie libératrice Sainte-Maxime-Langres, rappelle le débarquement des Alliés.

La **Promenade de la Croisette**, à l'ouest, mène au **Jardin botanique** des Myrtes qui s'étend sur 3 ha.

## Plages

Sainte-Maxime totalise 10 km de plages de sable. En ville, de part et d'autre de la plage du Casino, vous trouverez celle de la Croisette (à l'est) avec son école de voile et celle de la Madrague (à l'ouest) qui n'est pas surveillée. Au-delà de la pointe des Sardinaux, se succèdent **La Nartelle**, dont la belle plage fut l'un des points du débarquement des troupes alliées en août 1944, la plage des Éléphants et enfin celle de la Garonnette.

### Babar de Sainte-Maxime

Le papa de *Babar*, le héros de notre enfance a longtemps vécu dans la région. C'est de Sainte-Maxime que **Jean de Brunhoff** s'inspira pour écrire son premier album. Dans *Le Voyage de Babar* deux pages représentent une des plages de Sainte-Maxime. Cette plage s'appelle d'ailleurs aujourd'hui la **plage des Éléphants**.

# Se promener

### Vieux village

*Circuit environ 1h30. Demander le plan à l'office du tourisme.*

De ses origines médiévales connues via une charte datée du milieu du 11e s., Sainte-Maxime ne conserve que son nom. Ravagée au milieu du 14e s par la peste noire, ce n'est qu'au 16e s. que la ville semble vouloir renaître, habitée par les moines de l'abbaye de Thoronet. La **tour carrée** est à mettre à leur actif. Mais il faudra attendre la construction du chemin de fer et de la route qui longe la grande bleue au 19e s. et l'entre-deux-guerres pour que Sainte-Maxime devienne une station balnéaire réputée.

Le port de Sainte-Maxime.

D. Pazery / MICHELIN

En 25 étapes incontournables et points de chute primordiaux, découvrez l'histoire de la belle Sainte, de sa construction et de ses principales curiosités.

### Villas Belle Époque
*Circuit environ 2h30. Demandez le plan détaillé à l'office de tourisme.*

Sainte-Maxime est l'une des rares villes du Var à avoir voulu et su conserver son riche patrimoine architectural édifié entre les années 1920 à 1940. Les 38 villas aux styles variés (Antiquité, Renaissance italienne, architecture locale) habitées par de riches propriétaires industriels, artistes ou autres célébrités… vous mènent après le pont Préconil, en direction de Saint-Raphaël sur le boulevard Jean-Moulin (au n° 5 : « La belle Aurore » autrefois appelée « La Bagnarello » conçue par R. Darde en 1925 ; au n° 1 « Villa Croisette » surprend par ses bas-reliefs inspirés par la mythologie). En continuant sur le front de mer, arrêtez-vous à gauche au n° 26 avenue De-Lattre-de-Tassigny (bas reliefs « les Tritons »). Plusieurs villas de caractère sur l'avenue Charles-de-Gaulle, la promenade (aux n°s 6, 24, 30, 54, 110). En face, au n° 1 de l'avenue Jean Jaurès, « le Palais des Sirènes » abrite un établissement bancaire sous un superbe fronton d'inspiration japonisante. L'avenue Berthie-Albrecht, parallèle au front de mer, recèle de petits trésors (aux n°s 37, 56, 72, 78, 79, 85, 87, 91). Regagnez la mer par la traverse de la Fourmi et jetez un œil sur la « Villa Terracotta ». Sur l'avenue du Général-Leclerc que vous reprendrez en sens inverse, vous saurez apprécier les styles des villas des n°s 27, 24, 21, 5.

### Église
Construite en 1672, elle a connu plusieurs périodes d'agrandissements, jamais suffisants. Remarquez à l'extérieur l'élégant campanile en fer forgé et le portail décoré d'un tympan moderne en céramique. À l'intérieur, bel autel baroque en marbre ocre et vert provenant du monastère de la Verne (17e s.) et stalles du 15e s. Jetez également un œil au trois têtes d'angelots de l'école de Puget et aux vitraux contemporains.

# Visiter

### Tour carrée des Dames
*Face au port.* Tour défensive érigée au 16e s. par les moines, elle servit par la suite aux audiences de justice et abrite aujourd'hui le **musée des Traditions locales** : la nature, l'histoire et les traditions de Sainte-Maxime et de sa région y sont évoquées (mer, artisanat, costumes provençaux…). Vous y apprendrez qu'à partir du 18e s., la ville connut la prospérité grâce au transport maritime des produits des Maures vers Marseille et l'Italie : huile, bois, liège, vin. Le chemin de fer mit fin à ce trafic, mais permit l'avènement du tourisme. *℘ 04 94 96 70 30 - tlj sf lun. apr.-midi et mar. 10h-12h, 15h-18h (juil.-août 19h) - fermé 1er janv., 1er Mai, 25 déc. - 2,30 € (enf. 0,75 €).*

# Aux alentours

### Parc Saint-Donat
*10 km au nord. Quitter Sainte-Maxime par le boulevard G.-Clemenceau, D 25.*

Entre le col de Gratteloup et la chapelle de Saint-Donat, la forêt a été aménagée en un lieu de détente.

Le **musée du Phonographe et de la Musique mécanique** en constitue la principale attraction. La façade du musée évoque un orgue mécanique (limonaire) des années 1900. On y découvre une étonnante collection de 350 instruments de musique et appareils à reproduire le son. Pièces rares comme le mélophone de 1780 (ancêtre de l'accordéon), orgues de Barbarie et pianolas, une série de phonographes de 1878 (Edison) à nos jours, un pathégraphe pour l'étude des langues étrangères (premier appareil audiovisuel), et même un oiseau chanteur (Bontemps, 1860). *℘ 04 94 96 50 52 - ♿ - mai-sept. : tlj sf lun. et mar. 10h-12h, 15h30-18h - possibilité de visite guidée (45mn) - fermé oct.-avr. - 3 € (6-18 ans 1,50 €).*

# Sainte-Maxime pratique

## Adresse utile

**Office du tourisme de Sainte-Maxime** – *1 promenade Simon-Loriere -BP 27 - 83120 Ste-Maxime - ℘ 04 94 55 75 55 - www.sainte-maxime.com - juil.-août : 9h-20h, dim. 10h-12h, 16h-19h ; juin et sept. : 9h-12h, 14h-19h, dim. 10h-12h, 15h-18h ; oct.-mai : tlj sf dim. 9h-12h, 14h-18h - fermé 1er janv. et 25 déc.*

## Transport

**Les bateaux Verts** – *14 quai Léon-Condroyer - ℘ 04 94 49 29 39 - www.bateauxverts.com - de Pâques à oct.* Excursions côtières : tour du golfe de Saint-Tropez, calanques de l'Estérel, îles d'Hyères, Cannes-îles de Lérins, Baie des Canoubiers… Et suivi des « Voiles de Saint-Tropez » *(1re sem. oct., voir p. 353).*

## Visite

**♣♣ Le Petit train des Pignes** – *Départ av. Charles-de-Gaulle (centre ville) - avr.-nov. : 10h30-12h, 14h30-19h ; soirée féérique de mi-juin à mi-sept. : 21h-0h - 6 € (4-13 ans 3 €).* Ce parcours commenté (40mn) réserve de jolis points de vue sur tout le golfe de Saint-Tropez depuis la colline du Sémaphore.

## Se loger

**☞ Le Chardon Bleu** – *29 r. de Verdun - ℘ 04 94 55 52 22 - www.aubergeduchardonbleu.fr - 25 ch. 47/80 € - ☐ 6,50 €.* Cet établissement profite d'une situation intéressante au centre de la station et à 150 m de la plage. La plupart des chambres sont climatisées et dotées d'un balcon ; deux possèdent une grande terrasse où l'on peut prendre le petit-déjeuner (également servi au jardin en été).

**☞ L'Auberge Provençale** – *19 bd Aristide-Briand - ℘ 04 94 55 76 90 - fermé 20 déc.-10 janv. - 15 ch. 55/60 € - ☐ 5,50 € - rest. 18/37,50 €.* Une façade ocre-rouge signale ce petit hôtel où flotte une chaleureuse ambiance méridionale. Les chambres, simples et fonctionnelles, adoptent les couleurs de la Provence, au même titre que la salle des repas voûtée. Terrasse d'été close de murs et ombragée de platanes. Proximité de la plage.

**☞☞ Croisette** – *2 bd Romarins - ℘ 04 94 96 17 75 - contact@hotel-la-croisette.com - fermé 2 déc.-28 fév. - 19 ch. 70/170 € - ☐ 11 €.* Lauriers roses, palmiers et figuiers entourent cette villa située dans un quartier pavillonnaire. Chambres fraîches et soignées ; certaines offrent la vue sur le large.

## Se restaurer

**☞ La Maison Bleue** – *48 r. Paul-Bert - ℘ 04 94 96 51 92 - fermé 6 nov.-27 déc. - 14/25,50 €.* Les pâtes ont pris possession de cette maison provençale : vieilles affiches publicitaires, plaques en émail et anciens paquets de pâtes alimentaires ornent les murs ocre. Elles tiennent aussi une bonne place sur la carte. Belle terrasse sous les platanes.

**☞ Chez Sophie** – *4 pl. des Sarrasins - ℘ 04 94 96 71 00 - fermé nov.-déc. - formule déj. 9 € - 19,50/23,50 €.* Une petite adresse qui sent bon la Provence : intérieur aux tons ensoleillés où domine le bois et terrasse sous un immense platane, idéal pour boire le pastis en été. Les plats aux parfums du Midi et les appétissants desserts maison sont servis « avé l'assent ».

## Faire une pause

**La Tarte Tropézienne** – *112 av. Charles-de-Gaulle - ℘ 04 94 96 01 65 - www.tarte-tropezienne.com - été : 6h-20h ; le reste de l'année : tlj sf lun. 6h-18h30.* Situé sur le front de mer, face au port de plaisance, ce point de vente de la fameuse et authentique tarte tropézienne est une halte toute indiquée pour s'offrir une petite pause sucrée ou salée avant de partir à la découverte des charmes balnéaires de Sainte-Maxime.

## En soirée

**☞ Bon à savoir** – À la différence de Saint-Tropez, situé de l'autre côté du Golfe, les cafés et les pubs de Sainte-Maxime sont ouverts toute l'année, ce qui en fait une station balnéaire tout aussi vivante l'hiver que l'été.

**Bar de l'Amarante Golf Plaza** – *Av. Célestin - domaine du Golf - ℘ 04 94 56 66 66 - www.golf-plaza.fr - mars-janv. à partir de 18h.* Bar aménagé au sein d'un grand hôtel dominant Sainte-Maxime et le golfe de Saint-Tropez. Atmosphère cossue et… « so british » !

**Café de France** – *Pl. Victor-Hugo - ℘ 04 94 96 18 16 - juil.-août : 7h-2h ; oct.-mars : 7h-20h ; sept., avr.-juin : 7h-00h - fermé lun.-mar. d'oct. à mars.* Miroirs d'origine, clichés d'antan, lustres et appliques façon 1900 confèrent un charme « rétro » à cette brasserie fondée en 1852. En haute saison, fonctionnement de type restaurant à l'heure du dîner, avec une mise en place et une cuisine plus élaborées qu'à midi. Vaste terrasse en face de la marina. Écailler d'octobre à mi-avril.

**Théâtre de la Mer - SMACT** – *1 prom. Simon-Lorière - ℘ 04 94 55 75 55 - www.ste-maxime.com - juin-sept. : 21h-23h30 - 30 à 35 €.* Ce théâtre en plein air propose chaque été des spectacles très variés : chanteurs et humoristes de renommée nationale et internationale, danse, bals ainsi que des feux d'artifice. Se renseigner à l'office de tourisme.

## Que rapporter

**Marchés** – Marché couvert très animé tous les matins (sauf le lundi en hiver), pl.

du Marché ; marché forain le vendredi matin, pl. Jean-Mermoz ; marché de produits régionaux le jeudi matin, pl. des Sarrazins ; marché des Artisans (mi-juin à mi-septembre, de 17h à 23h) dans les rues piétonnes du centre-ville.

### Sports & Loisirs

**Club nautique de Ste Maxime** – *Bd Jean-Moulin -* ℘ *04 94 96 07 80 - www.cnsm83. fr.st - vac. scol. : 8h30-18h30, vac. été 9h-19h - fermé vac. de Noël, j. fériés et dim. sf en été.* En juil.-août : stages de voile ; location de planches à voile et de catamarans.

**Héli Sécurité** – *Quartier Perrat-ZA Grimaud - 83310 Grimaud -* ℘ *04 94 55 59 99 - helisecurite@wanadoo.fr - 9h-19h30.* Ce centre organise des circuits touristiques, mais aussi des transferts d'aéroport (ou autres), des transports de charge… Prix : 38,11 € pour voler au-dessus de la presqu'île de Saint-Tropez. Il est également possible d'y apprendre à piloter.

**Golf de Ste-Maxime** – *Rte du Débarquement -* ℘ *04 94 55 02 02 - www. bluegreen.com - été : 7h-20h30 ; hiver : 9h-17h30.* Un golf magnifique et spectaculaire, situé sur les contreforts du massif des Maures : le parcours (18 trous) est très vallonné et offre souvent une vue superbe sur la baie de Saint-Tropez. Club-house avec restaurant, bar et boutique. Voiturette obligatoire sur les 9 derniers trous.

### Événements

La station vit aussi hors saison :

**Fête du Mimosa** – Le 1er dimanche de février.

**Fête de Sainte-Maxime** – Bravade le 15 mai.

**Fête de la Vigne et des Vendanges** – En septembre.

**Fête de l'Huile et de l'Olive** – En novembre.

# Sanary-sur-Mer★

## San Nazaire

16 995 SANARYENS
CARTE GÉNÉRALE A4 – CARTE MICHELIN LOCAL 340 J7 – SCHÉMA P. 110 – VAR (83)

Rose et blanche, cette charmante station est fréquentée en toute saison, animée par son petit port de pêche et de plaisance bordé de palmiers. La ville et la baie sont protégées du mistral par les collines boisées que domine le Gros Cerveau.

- ▶ **Se repérer** – À 5 km de Bandol par la D 559. Sanary jouxte Six-Fours-les-Plages, à l'est.

- 👁 **À ne pas manquer** – Le port et l'agréable petite ville ; la découverte de la chaîne du Gros Cerveau et les gorges d'Ollioules côté terre, la presqu'île du Cap Sicié côté mer.

- 🕐 **Organiser son temps** – Le grand marché du mercredi sur le port a parfaite réputation. Réservez 1h de votre temps pour aller y flâner puis partez à la découverte du cap Sicié (2h) et du Gros Cerveau (1h15).

- 👪 **Avec les enfants** – Le jardin exotique et le zoo de Sanary-Bandol ; l'Aquascope (voir l'encadré pratique).

- 👣 **Pour poursuivre la visite** – Voir aussi Bandol, Six-Fours-les-Plages et les îles voisines : Bendor et les Embiez.

## Comprendre

**Sanary, « capitale de la littérature allemande » d'avant-guerre** – Le petit port varois, déjà réputé en 1920 et habité par des artistes et écrivains étrangers (Huxley, Kisling), devint à partir de 1933 le refuge d'un grand nombre d'intellectuels fuyant le régime d'Hitler. Parmi les plus connus, Thomas Mann et son frère Heinrich, Lion Feuchtwanger, Alma Mahler et Franz Werfel, Stefan Zweig… Lors de l'armistice de 1940, grâce à l'intervention de l'épouse du président Roosevelt, la plupart purent se réfugier aux États-Unis. Certains, moins connus, furent internés au camp des Milles, près d'Aix-en-Provence *(voir* Le Guide Vert Provence*)*.

◥ À côté de l'office de tourisme, une plaque rappelle les noms des artistes réfugiés à Sanary. C'est le point de départ du circuit « Les lieux de vie des intellectuels exilés à Sanary-sur-Mer » *(livret avec plan de localisation des villas disponible à l'office de tourisme)*.

## Séjourner

### Plages

La côte alterne anses sableuses et pointes rocheuses. Entre Sanary et Bandol : plages Dorée et de Gorguette ; sur la baie de Cousse : plage de Beaucours (galets) ; baie de Portissol : plage de Portissol ; entre Sanary et Six-Fours : plage de Bonnegrâce.

## Se promener

*Partir de l'office de tourisme, longer le port jusqu'à la place Michel-Pacha, sur la droite.*

### Église Saint-Nazaire

Elle fut reconstruite par **Michel Pacha**, alors maire de la ville en 1890. Fresques intérieures contemporaines aux couleurs de la Provence (aux plafonds et sur les murs) : les 12 Saints apôtres, scènes du Christ et fresques de saint Nazaire et de sainte Marie Madeleine.

*Les quais du port de Sanary offrent une agréable flânerie.*

*Contournez l'église et à gauche remontez la rue du Moulin par la rue Louis Blanc.*

### Chapelle des Pénitents-Blancs

Datant du 16$^e$ s., sa façade comprend une porte en plein cintre, encadrée de deux faux pilastres à linteau droit. Sa nef unique, à trois travées avec une voûte romane, se termine par une absyde polygonale. Remarquez deux tableaux de la confrérie des pêcheurs et deux bustes reliquaires du 17$^e$ s. : celui de saint Nazaire (patron de la ville) et de saint Pierre.

*Revenir au port.*

### Tour romane

Cette tour de guet (fin 13$^e$ s.), enceinte par un hôtel, pointe du haut de ses 21,50 m. Elle abrite un **musée** dédié à **Frédéric Dumas**, l'un des pionniers, avec Taillez et Cousteau, de la plongée sous-marine. Le premier étage est consacré à l'ancien matériel de chasse sous-marine. Le deuxième expose des équipements de plongeurs des années 1940 à 1970. Le troisième étage présente des objets et amphores provenant des épaves antiques du fond de la baie de Sanary. Vue panoramique sur la ville. ✆ 04 94 74 01 04 - 10h-12h30, 15h-18h30 - gratuit.

*Continuer de longer le port et ses terrains de boules.*

### Chapelle Notre-Dame-de-Pitié

*En travaux jusqu'en avr. 2007 -* ✆ *04 94 74 59 90 - horaires sur demande à la paroisse.* Des marches bordées d'**oratoires modernes** et dorés, en pierre de taille, y mènent depuis le port *(attention les 4 premiers oratoires se situent respectivement sur le parvis de l'église Saint-Nazaire, dans la rue de la Prud'homie, la traverse Pierre-Sorel et le quai Esmenard).* Profitez du panorama qui évolue au fil de votre ascension et arrivez en haut, admirez la **vue★** sur la baie de Sanary, les collines de Toulon, la côte jusqu'à l'archipel des Embiez, les hauteurs du cap Sicié. La chapelle de 1560 renferme de beaux ex-voto classés, naïfs pour la plupart et une pietà en bois polychrome du 17ᵉ s. Jadis, elle était habitée par un ermite qui prévenait du mauvais temps ou signalait l'arrivée d'une attaque ennemie. Il vivait de son petit potager, encore visible à gauche de la chapelle.

*Descendre le chemin de la Colline, et prendre à droite l'escalier des Baux. Possibilité de rejoindre la plage du Portissol par le sentier du littoral (⟵⟶ 30mn) ou de revenir au port.*

## Circuits de découverte

### LE GROS CERVEAU★★ 1

*13 km au nord – environ 1h15. Quitter Sanary à l'est par l'avenue de l'Europe-Unie.*

La D 11 traverse un bassin fertile où l'on cultive fleurs, arbres fruitiers et vigne.

*À l'entrée d'Ollioules, prendre à gauche la D 20.*

À travers les cultures en terrasses, la vue porte alternativement sur la butte du fort de Six-Fours et la Petite Rade de Toulon dominée par le mont Faron. À mesure que l'on monte, le panorama s'étend vers le sud-est sur Toulon et la presqu'île du cap Sicié. Plus loin, la **vue★** est magnifique, à droite, sur les grès de Sainte-Anne (énormes rochers percés de grottes), la plaine du Beausset, le massif de la Sainte-Baume, les collines d'Évenos, les gorges d'Ollioules, puis, à nouveau, sur la côte.

*8 km après Ollioules, on atteint une plate-forme (possibilité de faire demi-tour).*

Belle **vue★** dégagée sur le littoral.

Poursuivez à pied vers le sommet du Gros Cerveau par la piste sinuant dans le maquis. Au pied du fortin (alt. 443 m), **vue★★** merveilleuse sur la côte, depuis la presqu'île de Giens jusqu'à l'île Verte au sud de la Ciotat.

---

### Ex-voto de Provence-Côte-d'Azur

Présents dans toute la Provence et jusqu'en pays niçois, les ex-voto sont de naïves peintures religieuses, déposées dans les églises pour l'accomplissement d'un vœu ou en remerciement d'une grâce obtenue. Le tableau illustre le contexte de manière souvent aussi fraîche qu'expressive : un bateau dans la tempête, un accident, une chute, un malade se relevant dans son lit… ; dans un angle, entourés d'une aura lumineuse, apparaît la Vierge, plus rarement le saint, auquel s'adressent les remerciements du donateur.

Au 17ᵉ s., grande période de production, les ex-voto illustrent un esprit très prononcé de contre-réforme, marqué par l'importance de l'intercession de la Vierge dont les représentations sont majoritaires. On les trouve ainsi dans les sanctuaires dédiés à Marie.

♿ **Voir** : N.-D.-du-Beausset-Vieux près de Bandol, N.-D.-du-Mai au cap Sicié, N.-D.-du-Peuple à Draguignan, N.-D.-des-Anges près de Gonfaron, collégiale Saint-Paul à Hyères (autrefois à N.-D.-de-Consolation), N.-D.-de-l'Ormeau à Seillans, N.-D.-de-Vie près de Mougins, N.-D.-de-Laghet en pays niçois.

---

### LE MONT CAUME★★ 2

*23 km au nord-est – environ 2h. Quitter Sanary à l'est par l'avenue de l'Europe-Unie et suivre la D 11 jusqu'à Ollioules.*

#### Ollioules

Au pied des vestiges d'un château féodal, ses rues sont bordées de vieilles maisons à arcades où se sont installés des artisans d'art. L'église est de style roman provençal. Bâti sur du basalte noir, Ollioules l'exploita dès 1 000 ans av. J.-C. en fabriquant meules, mortiers et auges. Vers le 11ᵉ s., la petite ville tire sa richesse de la **culture de l'olivier** (d'où son nom), ainsi que du raisin, de l'amande, des figues. Au 19ᵉ s., elle se spécialise dans la **culture florale** qu'elle expédie dans toute l'Europe. Elle devient la capitale de l'immortelle jaune. Le village vit encore de cette culture florale, malgré l'avancée de l'urbanisme. Chaque année paire, pendant quatre jours à la fin mai, se déroule la **Fête des Fleurs** : exposition, vente. Corso fleuri les années impaires *(renseignements à l'office de tourisme, ☎ 04 94 63 11 74).*

*À la sortie d'Ollioules, prendre à gauche la N 8 qui s'enfonce dans des gorges.*

## DÉCOUVRIR LES SITES

### Gorges d'Ollioules★

Comme les a peintes Hubert Robert au 18ᵉ s. *(voir musée des Beaux-Arts de Nice)* et les a décrites avec enthousiasme Victor Hugo, les gorges sont arides, sinueuses, déchirées. La Reppe y a creusé une profonde faille avant de se jeter dans la baie de Sanary. Plus haut, on voit les grès de Sainte-Anne, étonnants rochers sculptés par l'érosion.

*À Sainte-Anne-d'Évenos, tourner à droite dans la D 462.*

On remonte un ravin encaissé, dominé à gauche par l'abrupte **barre des Aiguilles**.

*Prendre à droite vers Évenos et laisser la voiture à hauteur d'un rocher surmonté d'une croix.*

### Évenos★

🚶 *15mn AR.* Incroyablement perché sur des pentes escarpées, le village est fait d'un enchevêtrement de maisons, aujourd'hui restaurées, entre lesquelles s'insinuent des calades. Cette « cité de basalte qui meurt autour de son donjon » s'élève sur un volcan dont on peut encore voir les scories. L'église du 13ᵉ s. présente un clocher à deux baies. Le tout est dominé par les ruines d'un château du 16ᵉ s. De la plate-forme, la **vue** s'étend sur les gorges du Destel et le Croupatier tout proches, le cap Sicié, les gorges d'Ollioules et le Gros Cerveau, la Sainte-Baume à l'horizon.

*Reprendre la voiture et emprunter la D 62. Au col du Corps-de-Garde, prendre à gauche la D 662.*

### Mont Caume

Il culmine à 801 m d'altitude. La route, en forte pente, propose de beaux points de vue et, à l'endroit où elle se termine *(monter sur la butte)*, un magnifique **panorama★★** sur la côte, du cap Bénat à la baie de la Ciotat et, à l'intérieur, sur la Sainte-Baume.

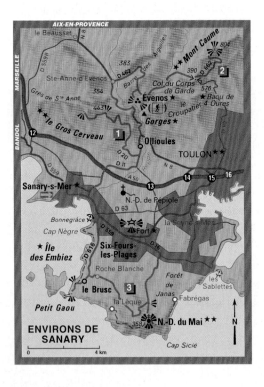

### PRESQU'ÎLE DU CAP SICIÉ★ ③

🚶 Pour les bons marcheurs, un sentier longe le littoral de Sanary à Notre-Dame-du-Mai en passant par Le Brusc *(voir Six-Fours-les-Plages)*.

*Circuit de 25 km – environ 2h (île des Embiez non comprise). Quitter Sanary par l'av. d'Estienne-d'Orves (direction Six-Fours). La route longe la plage de Bonnegrâce. Tourner à droite à la racine du cap Nègre.*

### Parc de la Méditerranée
*Corniche de la Coudoulière -* 📞 *04 94 07 02 21 - juin-sept. : 8h-22h ; avr.-mai et oct. :
8h-20h ; nov.-mars : 8h-18h - gratuit.*

👤👤 La partie paysagée du parc plaira aux amateurs d'espèces exotiques, tandis que
les enfants apprécieront l'aire de jeux et les sportifs, le parcours aménagé.

Depuis la pointe du **cap Nègre**, jolie vue sur la baie de Sanary. La **batterie** (19ᵉ s.)
abrite un centre d'interprétation sur le thème de l'activité maritime et le passé militaire.
Répartie sur deux niveaux, l'exposition présente des moulages de graffiti marins
découverts sur le territoire de Six-Fours, des maquettes de navires méditerranéens
et une reconstitution du cadre de vie des anciens soldats garde-côte…

*Revenir sur la D 616.*

### Le Brusc
Village de pêcheurs et station bien située qui possède un petit port d'où l'on peut
s'embarquer pour l'**île des Embiez** *(voir ce nom).*

### Petit Gaou
C'est une ancienne île maintenant rattachée à la côte et dont les rivages rocheux,
furieusement battus par la mer, ont des airs de paysage breton. De la pointe, la **vue**
s'étend largement sur la côte et l'archipel des Embiez.

### Grand Gaou
Accessible par une passerelle, cette île a été aménagée afin d'en préserver l'aspect
sauvage (dans le cadre d'un classement « Natura 2000 »). On chemine entre des
barrières en bois délimitant des parcelles où la végétation se régénère (sentier
botanique). Possibilité de pique-niquer *(aires réservées).* En été, ce cadre enchanteur
accueille le « Festival des Voix du Gaou » *(voir la rubrique « Événements » dans l'encadré
pratique).*

*Revenir au Brusc et prendre à droite la D 16 qu'on laisse à gauche au lieu dit « Roche-
Blanche ».*

Suivre la route tracée à 1 km environ en retrait du littoral, mais offrant quelques
belles échappées sur la Ciotat, Bandol, Sanary. Cette route débouche sur celle de
Notre-Dame-du-Mai : la **vue★★** porte sur la rade de Toulon, le cap Cépet, la presqu'île
de Giens et les îles d'Hyères.

*Tourner à droite et aller jusqu'au parc de stationnement de la TDF. Accès en voiture interdit
de mi-juin à mi-septembre.*

### Chapelle Notre-Dame-du-Mai★★
*Gagner la chapelle en contournant les installations de la TDF. Rte forestière -* 📞 *04 94 25
60 49 - oct.-avr. : 1ᵉʳ sam. mat. du mois ; mai, lun. Pâques, 15 août et 14 sept. : se renseigner
pour les horaires.*

Point culminant de la presqu'île (318 m), elle surplombe dans un à-pic vertigineux
le **cap Sicié** dans les flots et procure un **panorama★★** splendide des îles d'Hyères
aux calanques de la région marseillaise.

De nombreux et intéressants **ex-voto** ornent l'intérieur de ce lieu de pèlerinage
(14 septembre).

*Faire demi-tour ; au carrefour d'accès, continuer tout droit.*

La route, étroite, traverse la belle **forêt de Janas**, plantée de résineux, et rejoint la
D 16 qu'on prend à gauche.

### Six-Fours-les-Plages *(voir ce nom)*
*Rentrer à Sanary par la D 559.*

# Sanary-sur-Mer pratique

⟰ Voir aussi l'encadré pratique de Six-Fours.

## Adresses utiles

**Office du tourisme de Sanary-sur-Mer** – *Jardins-de-la-ville - BP 24 - 83110 Sanary-sur-Mer - ☏ 04 94 74 01 04 - www.sanarysurmer.com - juil.-août : 9h-19h, dim. 9h30-12h30 ; reste de l'année : tlj sf dim. 9h-12h, 14h-18h, sam. 9h-12h, 14h-17h - fermé 1ᵉʳ janv. et 25 déc.*

**Office du tourisme d'Ollioules** – *116 av. Philippe-de-Hautecloque - 83190 Ollioules - ☏ 04 94 63 11 74 - www.ollioules.com - juil.-août : tlj sf dim. 9h-12h, 15h-19h, sam. 9h-13h, 16h-19h ; avr.-juin et sept. : tlj sf dim. 9h-12h, 14h-18h ; oct.-mars : tlj sf dim. 8h45-12h, 14h-17h30, sam. 9h-12h, 14h-18h - fermé 1ᵉʳ janv., 1ᵉʳ Mai et 25 déc.*

## Se loger

⌂ **Camping Campasun Parc Mogador** – *167 chemin de Beaucours - ☏ 04 94 74 53 16 - www.campasun.com - ouv. pâques-1ᵉʳ nov. et 15-31 déc. 217/840 € par sem. de 4 à 6 pers.* En changeant de propriétaire, ce camping a évolué de façon significative. De nouveaux mobile homes et chalets bordent maintenant les allées fraîchement goudronnées. Plantation de haies et construction d'un bloc sanitaire tout neuf, associant confort et hygiène, pour une structure déjà très agréable.

⌂ **Hôtel Synaya** – *92 chemin Olive - ☏ 04 94 74 10 50 - www.hotelsynaya.fr - fermé 8 nov.-29 mars - ☒ - 11 ch. 60/90 € - ☒ 8,50 €.* Petit hôtel dans une grande maison aux volets bleus avec un jardin au calme. La plage est à 200 m. L'ambiance et la cuisine sont familiales, pourquoi ne pas opter pour une demi-pension ?

⌂⌂ **Chambre d'hôte Villa Lou Gardian** – *646 rte de Bandol - ☏ 04 94 88 05 73 ou 06 60 88 05 73 - www.lou-gardian.com - ⌂ - 4 ch. 80 € ☒.* Malgré la proximité de la route, cette villa récemment rénovée, entourée d'arbres centenaires et de palmiers, vous offrira un séjour agréable. Les chambres, sobrement décorées, sont climatisées et ont toutes un accès direct sur l'extérieur. La grande piscine et le tennis vous séduiront.

## Se restaurer

⌂ **Chez Mico** – *18 r. Barthélemy-de-Don - ☏ 04 94 74 16 73 - fermé lun. et mar. hors sais. - 11/26 €.* Une institution locale où l'on se régale d'une cuisine méditerranéenne dans un décor d'ustensiles de cuisine, de souvenirs de voyage, de masques et de sorcières (une salle réservée aux non-fumeurs)… Brochettes, grillade ou pizza, un plat vous suffira !

⌂ **L'Océan Jazz** – *74 rte de la Gare - ☏ 04 94 07 36 11 - fermé sam. midi et dim. sf juil.-août et j. fériés - formule déj. 11,50 € -* 13/37 €. Comme son nom l'indique, cette petite adresse aime le jazz. Des soirées sont organisées tous les samedis d'avril à septembre et les menus portent des noms évocateurs : Armstrong, Ray Charles, Lionel Hampton et Charles Mingus. La cuisine aux accents provençaux utilise au maximum les produits frais locaux.

⌂ **Restaurant du Théâtre** – *Imp. de l'Enclos - près du théâtre - ☏ 04 94 88 04 16 - fermé dim. soir et lun. - 15 € déj. - 14/40 €.* Quelques petites marches à descendre, et vous voilà installé dans une salle d'esprit rustique, originalement disposée en U. Votre attention sera vite captée par la belle cheminée où rôtissent viandes (spécialités de l'Aubrac et charolaises), saumons, gambas et brochettes. Cuisine du marché. Salle climatisée.

## En soirée

**Centre National de création et de diffusion culturelles** – *Chateauvallon - 83190 Ollioules - ☏ 0 820 222 004 - www.chateauvallon.com - tlj sf dim. 9h-12h, 14h-19h - fermé août - 10 à 20 €.* Cette structure située à Châteauvallon dispose d'un théâtre couvert de 400 places et d'un amphithéâtre en plein air de 1 200 places. Programmation diversifiée consacrée aux arts de la scène (danse, théâtre, cirque, musique, etc.) ; rencontres et ateliers d'activités artistiques sont également organisés sur place.

## Que rapporter

**Marché** – Mercredi sur le port.

## Sports & Loisirs

☉ **Bon à savoir** – Sanary est un des centres de la **pêche au gros** en France. La pêche au thon ou à l'espadon ne s'improvise pas, embarquez avec des professionnels qui vous initieront aux techniques. *Renseignements à l'office de tourisme.*

**Sanary Parachute ascensionnel** – *Port de Sanary (face à la mairie) - ☏ 04 94 74 52 52 ou 06 11 55 34 08 - mai-sept. : 10h-19h sur RV uniquement - vol de 10mn - 45 € (1 pers.), 70 € (2 pers.) et 90 € (3 pers. dont 1 enf.).* Une bonne idée pour admirer Sanary d'en haut.

**Sanary Plongée** – *Port de Sanary - bateau Le Galoubet - ☏ 06 28 05 24 57 - www.sanary-plongee.com - mars-nov. : RV 8h pour un dép. à 8h30 et 14h pour un dép. à 14h30 - fermé reste de l'année.* Entre un baptême de plongée, une excursion à 20 ou 40 m encadrée ou autonome, une visite des épaves, des secs et des tombants et la découverte de la faune et de la flore méditerranéenne, les amoureux de la mer n'auront que l'embarras du choix.

## Événements

**Les Floralies** – Mai (tous les 2 ans, les années impaires).

**Fête de la Saint-Pierre et de la Lavande** – Dernier week-end de juin.

**Festival brésilien** – En juillet.

**Fête de la Saint-Nazaire** – Août, joutes provençales.

**Le Vent des Arts** – Mai (tous les 2 ans, les années paires).

**Fête de l'Olivier** – À Ollioules, le 1er week-end d' oct. : animations, démonstrations et dégustations d'olives et de ses succulents dérivés.

**Les Médiévales d'Ollioules** – En juillet, aninations dans le village sur le thème du Moyen Âge.

# Saorge★★

**396 SAORGINS**
CARTE GÉNÉRALE D1 – CARTE MICHELIN LOCAL 341 G4 – SCHÉMA P. 309 –
ALPES-MARITIMES (06)

À la sortie de ses admirables gorges, la perle de la région apparaît entre ses deux falaises rocheuses, dans un site extraordinaire. Bâtie en amphithéâtre comme les autres villes de la haute vallée de la Roya, son architecture médiévale est particulièrement intacte. Protégeant la vallée de ses châteaux forts, elle était en effet réputée imprenable. Aujourd'hui, cette région sauvage a pour principales ressources des usines hydro-électriques et des exploitations forestières.

- ▶ **Se repérer** – En venant de Breil-sur-Roya (à 11,5 km au sud), dépasser Saorge et prendre à droite dans le centre de Fontan.
- 🅿 **Se garer** – Laisser la voiture à l'entrée nord du village.
- 👁 **À ne pas manquer** – Le vieux village et la vue imprenable depuis la terrasse du couvent des franciscains.
- 🕐 **Organiser son temps** – Débutez votre journée en accordant 2h à la visite du vieux village et de son couvent. Puis, en voiture, partez admirer les gorges alentour. Fraîcheur et sensations fortes sont au rendez-vous !
- 🚶 **Pour poursuivre la visite** – Voir aussi Breil-sur-Roya, Tende, La Brigue et la Vallée des Merveilles.

*Saorge, longtemps réputé inexpugnable, se livre désormais aux promeneurs.*

## Se promener

Ancienne ville ligure, puis romaine, son importance stratégique en fit au Moyen Âge une place forte invincible. Saorge céda tout de même aux Français commandés par Masséna en 1794, et une deuxième fois au cours des opérations d'avril 1945.

### Vieux village★

Le village est construit sur trois niveaux : à chacun sa fontaine et sa place. Ses ruelles en dédale, presque toujours en escalier, souvent voûtées, sont amusantes à parcourir. On y découvre des maisons du 15e s. abritées de lauzes et des portes aux linteaux sculptés. Les fiers clochers des trois chapelles des Pénitents (l'une d'elle abrite la bibliothèque) dominent le village.

### Église Saint-Sauveur

Construite au 16e s. et revoûtée au 18e, elle est composée de trois nefs, séparées par des colonnes à chapiteaux corinthiens dorés. Outre ses retables, on remarque un beau tabernacle Renaissance, une Vierge en bois doré avec baldaquin (1708), des fonts baptismaux du 15e s., surmontés d'un petit tableau peint en 1532 par un notable saorgin, et enfin, un primitif du 16e s. sur l'autel de l'Annonciation.

L'**orgue** de l'église, fabriqué en 1847 par les Lingiardi, facteurs à Pavie, fut transporté du port de Nice à Saorge à dos de mulet, après un voyage par mer de Gênes à Nice.
*Traverser le village vers le sud. À une bifurcation, prendre le chemin de droite.*

### Madonna del Poggio
*Propriété privée.* Exemple marquant de l'architecture romane primitive de la région, il s'agirait de son plus vieil édifice religieux. On admirera le **clocher** élancé à six étages de bandes lombardes et le chevet. Le chemin de retour offre un beau point de vue sur Saorge et ses terrasses d'oliviers.
*À la bifurcation, prendre à droite à angle aigu vers le monastère.*

### Couvent des franciscains
𝄐 *04 93 04 55 55 - possibilité de visite guidée (1h) et visite obligatoirement guidée pour une partie du parcours - avr.-oct. : tlj sf mar. 10h-12h, 14h-18h ; reste de l'année : tlj sf mar. 10h-12h, 14h-17h - fermé 1ᵉʳ janv., 1ᵉʳ Mai, 1ᵉʳ et 11 Nov., 25 déc. - 5 € (enf. gratuit).*
Dans un bel environnement d'oliviers, il domine au sud le village. L'église du 17ᵉ s., de style baroque italien, possède un porche surmonté de balustres et un clocher à bulbe couvert de tuiles polychromes. On visite également le réfectoire orné de fresques du 17ᵉ s. ainsi qu'un petit **cloître** décoré de jolies peintures pieuses et rustiques.
De la terrasse, la **vue**★★ porte sur Saorge, la Roya et ses gorges.

# Circuit de découverte

## GORGES DE SAORGE ET DE BERGUE 🔟
*39 km – environ 4h – voir schéma p. 309.*

### Breil-sur-Roya *(voir ce nom)*
*Quitter Breil-sur-Roya au nord par la N 204.*
On laisse à gauche la route du col de Brouis *(voir Sospel).*

### La Giandola *(voir Sospel)*
La route remonte la vallée de la Roya, qui se resserre de plus en plus.

### Gorges de Saorge★★
La route longe le torrent, puis surplombe, en corniche étroite sous les rochers, les gorges parmi les plus belles de la région avec celles de Bergue. La voie ferrée de Nice à Cuneo a réussi aussi à s'y frayer un passage au prix de nombreux ouvrages d'art. Ces premières gorges s'interrompent par le fantastique tableau que compose Saorge parmi ses oliviers.

### Gorges de Bergue★
Après Saorge et Fontan, les gorges apparaissent, grandioses, creusées dans un défilé de schistes feuilletés et colorés de rouge. On peut rejoindre le mignon hameau de **Granile** *(voir Tende)* par un joli sentier. La vallée s'élargit ensuite dans le bassin de Saint-Dalmas-de-Tende.

## Saorge pratique

☙ Voir aussi les encadrés pratiques de Breil-sur-Roya, la Brigue, Sospel et Tende.

### Adresses utiles
**Mairie** – 06540 Saorge - 𝄐 *04 93 04 51 23 - www.saorge.fr - tlj sf w.-end 10h-12h, 14h-17h - fermé j. fériés.*
**Pôle touristique de Roya-Bévéra** – *Voir Breil-sur-Roya.*

### Se restaurer
⊖☺ **Le Bellevue** – *5 r. Louis-Périssol - 𝄐 04 93 04 51 37 - fermé lun. soir et mar. - 17/26 €.* Au cours de votre promenade dans les ruelles, venez vous restaurer en toute confiance dans sa salle à manger décorée dans les tons blanc et bordeaux, au plafond lambrissé. Vue panoramique sur les gorges de la Roya et le village.

### Sports et loisirs
👁 **Bon à savoir** – Pour les amateurs de sensations fortes, les **gorges de Saorge** sont à découvrir en kayak, canoë, raft ou canyoning. S'adresser à l'office du tourisme de Breil-sur-Roya pour la liste des prestataires.

# Seillans

2 115SEILLANAIS
CARTE GÉNÉRALE C2 – CARTE MICHELIN LOCAL 340 O4 – VAR (83)

Village surréaliste par excellence. D'abord parce que Max Ernst l'a élu pour y vivre ses dernières années. Ensuite parce qu'il est incroyablement bâti en pente, bien plus que ses voisins. Depuis son château médiéval, on descend avec plaisir des ruelles pavées de galets, ponctuées par les étages de maisons blondes, roses et fleuries.

▶ **Se repérer** – Sur les contreforts du plan de Canjuers *(voir circuit « Le col du Bel-Homme » à Fayence).*

▣ **Se garer** – Parkings tout en haut, avant le château et l'office de tourisme ou à l'entrée du village.

👁 **À ne pas manquer** – La visite du vieux village commentée par un guide de l'office de tourisme ; la collection Max Ernst et Dorothéa Tanning.

🕐 **Organiser son temps** – Parcourez en détail les ruelles de Seillans en 1h30. La visite guidée de la chapelle Notre-Dame-de-l'Ormeau prend 1h supplémentaire. 30mn suffiront pour le détour par le musée des collections Ernst-Tanning, plus reposant pour les pieds, mais pas pour les yeux.

👣 **Pour poursuivre la visite** – Voir aussi Mons, Fayence.

*Seillans, un paisible village varois.*

## Se promener

### Village
*Départ de l'office de tourisme.*
Avant le 19ᵉ s., la petite place perchée du **Thouron** signifiant « petit monticule surmonté d'un plan d'eau » abritait un moulin à huile, quelques boutiques et une carrière de gypse. Les platanes et une jolie fontaine ont remplacé les ormeaux disparus dans les années 1950. Remontez la route de la parfumerie jusqu'à la placette du Jeu-de-Ballon. Au bout, la **porte Sarrasine** (12ᵉ s.) clôturait la première enceinte du village constituée de maisons médiévales qui se sont toutes écroulées dans les années 1960. Seuls subsistent aujourd'hui « deux rocs ». Dans le prolongement, la **rue du Valat** suit les anciens fossés du château. La **mairie,** ancien bastion d'arrêt qui fermait le village par 3 portes situées sous la voûte, a été bâtie au 12ᵉ s. Contournez l'église pour accéder à la **placette Font-Jordany** située sur une partie du second rempart constitué d'habitations très élevées et accolées. L'accès se faisait autrefois par un pont-levis, aujourd'hui par des pavés classés ! La **rue de la boucherie** rend hommage à ce métier que seuls les nobles pouvaient exercer au 15ᵉ s. (en vendant la viande et le cuir aux tanneurs de Grasse). Par la rue de l'Église et la route de la Parfumerie, rejoindre la **fontaine Font d'Amont**, autrefois « Font d'Amour », est un des points d'eau les plus anciens du village qui porte les armes de Seillans.

## Église

Rebâtie en 1477, elle a gardé quelques parties du 11e s. Elle abrite, sur le côté droit, deux beaux triptyques dont un Couronnement de la Vierge, peint sur bois au 16e s., et un bénitier en marbre de 1491.

# Visiter

### Collection Max Ernst et Dorothéa Tanning

*℘ 04 94 76 85 91 - possibilité de visite guidée - juil.-août : tlj sf dim. 14h30-18h ; juin-sept. : tlj sf dim. et lun. 15h-17h30 - fermé 1er janv., 1er et 8 Mai, 14 juil., 1er et 11 Nov. et 25 déc. - 2 € (–15 ans gratuit).*

**Max Ernst** (1891-1976) fut un animateur très actif du mouvement dada, qui se transforma en surréalisme. Il s'installa à Seillans en 1964, avec son épouse peintre, Dorothéa Tanning. Ce petit musée, qui a pris possession de la **Maison Waldberg**, expose les 71 belles lithographies de ce peintre de l'imaginaire, de l'humour et du rêve.

### Notre-Dame-de-l'Ormeau

*2 km au sud-est sur la route de Fayence - ℘ 04 94 76 85 91 - visite obligatoirement guidée dans le cadre de la visite du village organisée par l'office de tourisme juil.-août : mar. 17h30-18h30, jeu. 11h-12h ; sept.-juin : jeu. 11h-12h.*

Les hauts cyprès de cette **chapelle romane** rivalisent avec son clocher en pierre de taille. Ultérieur, le porche dépare un peu avec le lieu, mais l'ensemble reste harmonieux. À l'intérieur, on est saisi par la profusion décorative des œuvres, en particulier de l'exubérant **retable★★** en bois taillé dans la masse et peint au 16e s. par un moine italien. Richement ouvragé dans un cadre Renaissance, il est dédié à la Vierge : la prédelle représente sa vie, le fronton, l'Ascension. Au centre, quantité de personnages escaladent l'Arbre de Jessé. À gauche, l'Adoration des bergers, à droite l'Adoration des Mages. Elles sont toutes deux d'un expressionnisme frappant.

Également, un beau bas-relief de l'Assomption (17e s.), une pierre tombale romaine avec inscription, de nombreux ex-voto de l'époque 1800, naïfs et touchants, qui montrent l'importance de ce sanctuaire.

La statue de Notre-Dame-de-l'Ormeau (14e s.) est portée en procession chaque 16 juillet, la chapelle ayant été la paroisse du village primitif.

## Seillans pratique

### Adresse utile

**Office du tourisme de Seillans** – *Maison Waldberg - Pl. du Thouron - 83440 Seillans - ℘ 04 94 76 85 91 - www.seillans-var.com - du 15 juin au 15 sept. : tlj sf dim. 10h-12h30, 14h30-18h ; reste de l'année : tlj sf dim. 10h-12h, 15h-17h30 - fermé j. fériés sf 15 août et 1 sem. déb. nov.*

### Visites

**Visites guidées** – *2 € - organisées par l'office de tourisme - jeu. 10h (rdv devant l'office) pour le village ; jeu. 11h (rdv devant la chapelle N.-D. de l'Ormeau) pour la chapelle (1h). Visite supplémentaire en juil-août : mar. 16h30 pour le village, et mar. 17h30 pour la chapelle.*

### Se loger et se restaurer

**☺ Chambre d'hôte Le Mas des Combes Longues** – *Les Hautes Combes Longues - 4 km au N par D 53, rte de Mons et chemin à gauche - ℘ 04 94 47 65 27 - www.leshautescombes@wanadoo.fr - ⊁ - 3 ch. 60/90 € - ⊡ - repas 27,50 €.* Cette ferme en pierre du 18e s. totalement perdue dans la forêt ravira les amateurs de calme. Parmi les 3 chambres, celle aménagée dans l'écurie offre une superbe vue sur la vallée. Cuisine « bio » du jardin.

**☺ Hôtel restaurant Les Deux Rocs** – *Pl. Font-d'Amont - ℘ 04 94 76 87 32 - www.hoteldeuxrocs.com - fermé janv.-fév. - 14 ch. 63/125 € - ⊡ 9,50 € - rest. 25/35 €.* Cette belle bastide située sur les hauteurs du bourg abrite une hostellerie de caractère. Le vieil escalier mène aux chambres personnalisées, garnies de meubles anciens. Repas servis dans le petit salon jaune, la salle de restaurant aux vieilles pierres ou, l'été, sur la terrasse ombragée de platanes et dressée autour de la fontaine du village.

### Que rapporter

**Marché des potiers** – *Le 15 août, très grand rassemblement de marchands sur la pl. de la République (10h-12h30, 14h30-18h) ; ateliers pour enfant.*

### Événements

**Fête des fleurs** – *Pentecôte (tous les deux ans, années paires).*

**Fête de Notre-Dame-des-Selves** – *1er w.-end de juil.*

**Fête de Saint-Cyr et Saint-Léger** – *Dernier w.-end de juil.*

# Six-Fours-les-Plages

### Sièis-Fours en proùvenço

**32 742 SIX-FOURNAIS**
**CARTE GÉNÉRALE A4 – CARTE MICHELIN LOCAL 340 K7 – SCHÉMA P. 370 – VAR (83)**

Plutôt que « six fours », il semble qu'il faille comprendre « six forts » : ceux-ci remonteraient à la colonisation des Phocéens venus de Massilia. Plages, littoral sauvage, lieux de culte antique sont les richesses de cette vaste commune qui s'étend sur la partie ouest de la presqu'île de Sicié, la partie est étant occupée par La Seyne-sur-Mer. À partir des 18e-19e s., les villageois ont préféré la plaine de Reynier au vieux Six-Fours fortifié et perché sur la colline dont il ne reste que la précieuse collégiale Saint-Pierre.

- ▶ **Se repérer** – Six-Fours se trouve à 11 km à l'ouest de Toulon. Autour du centre-ville Reynier, la commune se disperse sur 125 hameaux et des quartiers résidentiels. Mieux vaut se munir d'une carte à l'office de tourisme situé en bord de mer (D 559).

- 👁 **À ne pas manquer** – L'exceptionnel panorama depuis le fort ; le vieux Six-Fours et le sentier du littoral.

- 🕐 **Organiser son temps** – La vieille ville se visite en 1h. Quant à la balade que vous aurez choisie sur le sentier du littoral, elle vous prendra entre 1h30 et 4h selon l'itinéraire.

- 👪 **Avec les enfants** – Les balades à vélo : 4 circuits sont balisés dont deux sont particulièrement bien adaptés aux enfants.

- 🐾 **Pour poursuivre la visite** – Sanary-sur-Mer, Bandol, Bendor et l'île des Embiez.

## Le caviar de la Méditerranée

Depuis l'Antiquité, l'**oursin**, appelé familièrement châtaigne de mer, est apprécié pour la finesse de ses « œufs ». La partie comestible est constituée par les organes sexuels, répartis en cinq branches, orange chez la femelle et blanchâtres chez le mâle. Mais sa récolte intense entraîne sa raréfaction sur les rivages méditerranéens, au grand dam des gourmands qui sont bien punis de leur gloutonnerie !

Pour assurer sa **protection**, des campagnes d'information sont menées par des organismes tel l'Institut océanographique Paul-Ricard aux Embiez. L'interdiction de la pêche d'avril à octobre correspond à la période où l'animal est vide. La pêche professionnelle, en plongée avec bouteille, se pratique à l'aide d'un gabarit permettant de calibrer les prises supérieures à 5 cm de diamètre.

# Séjourner

## Plages

La commune en comprend plusieurs : la plus proche et la plus vaste (2 km de sable) est celle de **Bonnegrâce** qui jouxte Sanary *(voir ce nom)*. Les autres s'étendent jusqu'au **Brusc**. Ensuite, la corniche, très découpée, n'est accessible que par la mer. Seule la **plage des Fosses** peut être atteinte par le sentier du littoral, au niveau de la Haute-Lèque.

# Se promener

## VIEUX SIX-FOURS

*Accès par l'avenue du Mar.-Juin (D 559 en venant de La Seyne-sur-Mer) ; prendre à gauche la petite route du fort.*

La montée, très raide, alterne des perspectives sur la baie de Sanary et sur la rade de Toulon. Regroupée au sommet de la colline dès le haut Moyen Âge, la communauté villageoise était protégée par trois rangées de remparts. Elle est descendue s'installer dans la plaine vers le 19e s.

## Fort de Six-Fours★

Alt. 210 m. Construit au 19e s., il ne se visite pas. La plate-forme offre un superbe **panorama★** sur la rade de Toulon, la presqu'île de Saint-Mandrier, le cap Sicié, la baie de Sanary, le Brusc et l'archipel des Embiez.

### Collégiale Saint-Pierre

*04 94 34 24 75 - juin-oct. : tlj sf mar. 15h-19h ; nov.-mai : tlj sf mar. 10h-12h, 14h-18h.*
Persécutés, les premiers chrétiens se réfugièrent dans cette collégiale au pied de la forteresse. Celle-ci fut ensuite occupée au 5ᵉ s. comme l'attestent l'autel, le baptistère et des parties de l'abside. Les moines de Montmajour puis de Saint-Victor y édifièrent un prieuré et une chapelle au 11ᵉ s.
Cette église présente la particularité d'avoir deux nefs perpendiculaires, l'une romane, l'autre bâtie au 17ᵉ s. dans le style gothique pour agrandir le sanctuaire. On y remarque un magnifique polyptyque attribué à **Louis Brea**, une Descente de croix de l'école flamande (fin 16ᵉ s.) et une Vierge attribuée à Pierre Puget.

## SENTIER DU LITTORAL

*Il se décompose en deux parties : la première de 6 km est facile, la seconde de 10 km est plus sportive.*

*1h30. Départ de la plage de Bonnegrâce.* Le sentier longe les plages en passant par le **cap Nègre** *(voir le circuit* ③ *à Sanary-sur-Mer)* pour arriver au petit port de pêche du **Brusc**, animé par les jolies embarcations de pêcheurs, les « pointus ».

*4h. Départ du Brusc.* Du rond-point, montez par le chemin de la Gardiole et, via le chemin de la Lèque, gagnez les Hautes Lecques. Vous quittez le bitume au bout du chemin des Gargadoux *(balisage jaune).* Cette partie du sentier du littoral est appelée la « corniche Merveilleuse ». La nature schisteuse de la roche, les sols acides, qui font exception dans la région, favorisent le développement d'une végétation mixte de résineux méditerranéens, de feuillus (chêne vert, chêne kermès et chêne-liège), d'eucalyptus, de sorbiers, d'arbousiers et de plantes aromatiques. La faune n'est pas en reste. On grimpe ainsi jusqu'à la **chapelle Notre-Dame-du-Mai** *(voir p. 371).*
La randonnée se poursuit jusqu'au **cap Sicié** et longe la face est du massif jusqu'à la plage de Fabrégas.

*Variante par la route, voir le circuit* ③ *à Sanary-sur-Mer.*

# Aux alentours

### Notre-Dame-de-Pépiole

*4 km au nord. Par la D 63 (venant de la plage de Bonnegrâce), après 2 km, tourner à gauche et suivre la petite route balisée. Laisser la voiture sur une terrasse, à 100 m de la chapelle. Chemin de Pépiole -* *04 94 63 38 29 - 15h-18h.*
Cette adorable chapelle, bâtie en pierres roses, jaunes et grises, et dotée de deux charmants campaniles et de trois absidioles, occupe un **site★** merveilleux : un paysage composé de pins, cyprès, oliviers, vignes et genêts sur fond de montagne toulonnaise. Les enduits qui la recouvraient ont fait méconnaître pendant des siècles l'un des plus antiques monuments paléochrétiens de France. Ses trois chapelles primitives, indépendantes aux 5ᵉ-6ᵉ s., ont été réorganisées en un unique lieu de culte au 12ᵉ s. par le percement de grandes arcades latérales de pierre bleue. À l'intérieur, statue du 17ᵉ s. de Notre-Dame-de-Pépiole.

*Absides de Notre-Dame-de-Pépiole.*

# Six-Fours-les-Plages pratique

## Adresse utile

**Office du tourisme intercommunal de l'Ouest-Var** – *Prom. Charles-de-Gaulle - 83140 Six-Fours-les-Plages -* ☏ *04 94 07 02 21 - www.six-fours-les-plages.com - juil.-août : 9h-13h, 14h-19h, dim. 10h-13h ; avr.-juin et sept. : tlj sf dim. 9h-12h, 14h-18h ; oct.-mars : tlj sf dim. 8h45-12h, 14h-17h30, sam. 9h-12h, 14h-17h30.*

## Transport

**Accès aux Îles des Embiez** – *Voir ce nom.*

## Se loger

**Hôtel du Parc** – *112 r. Marius-Bondil, le Brusc -* ☏ *04 94 34 00 15 - fermé nov.-15 mars - 17 ch. 50/70 € -* ⌑ *6,80 €.* À deux pas du port du Brusc et à 250 m de la plage, c'est aussi le point de départ idéal pour les randonnées à pied et en VTT dans la forêt du cap Sicié. L'hôtel (demi-pension uniquement) est établi dans une grande maison. Demandez l'une des chambres récemment rénovées dans des tonalités fraîches. La salle à manger lumineuse donne sur un jardin.

**Clos des Pins** – *101 bis r. de la République -* ☏ *04 94 25 43 68 - closdespins@wanadoo.fr -* 🅿 *- 27 ch. 55/67 € -* ⌑ *8 € - rest. 18/24 €.* Cet hôtel bordé de quelques pins borde une voie fréquentée, mais bénéficie d'une bonne insonorisation. Ses chambres sont avant tout fonctionnelles.

## Se restaurer

**Le Chant des Elfes** – *70 r. de la Citadelle, le Brusc -* ☏ *04 94 34 01 21 - www.lechantdeselfes.com - 14,50/30 €.* À deux pas du port, Christine et Steven vous accueillent dans une salle conviviale et vous proposent salades composées, plats de viande ou de poisson, moules frites, camembert au four et autres spécialités maison.

**Le Ligure** – *60 av. John-Kennedy, rte de Playes -* ☏ *04 94 25 63 87 - fermé 15 nov.-15 déc., dim. soir et lun. hors sais. - 10,90 € déj. - 14,90/25,50 €.* Cet établissement offre, depuis sa vaste terrasse, un panorama assez exceptionnel sur la mer et la baie de Sanary. Intérieur peint aux couleurs provençales et agrémenté d'une fresque. La carte privilégie le poisson et les pizzas cuites au feu de bois.

**Saint-Pierre - Chez Marcel** – *47 r. de la Citadelle, le Brusc -* ☏ *04 94 34 02 52 - www.lesaintpierre.fr - 18/36 €.* Près du port, ancienne maison de pêcheur proposant, dans sa lumineuse salle à manger, un choix de préparations imprégnées de saveurs littorales.

## Sports & Loisirs

**Bon à savoir** – Six-Fours/les Embiez est labellisé **« station nautique »** ce qui atteste de la diversité et de la qualité des activités proposées. Renseignements à *l'office de tourisme ou www.france-nautisme.com.*

**À pied** – *Renseignements à l'office de tourisme.* Outre le sentier du littoral *(voir « se promener »)*, le massif du cap Sicié (1 000 ha) offre 5 itinéraires de découverte (d'environ 2h) à parcourir seul ou accompagné d'un guide (attention, le massif est inaccessible en voiture du 15 juin au 15 sept.). Tout au long du littoral, 3 sentiers de découverte botanique ont été balisés et les plants jalonnés : le sentier du Parc de la Méditerranée (1h30), le sentier du cap Nègre (1h) et le sentier de la presqu'île du Gaou (1h).

**En vélo** – Six-Fours compte 5 circuits cyclotouristiques à thème balisés (10 à 25 km). Carte disponible à l'office de tourisme. Location de vélos sur place.

## Événements

**Fête de la Bouillabaisse** – En juin, dégustations et animations à savourer en ville.

**Les Voix du Gaou** – Programmation internationale : salsa ou raggamuffin mais aussi soul, reggae, rock, raï et variétés… Ce festival se tient la dernière quinzaine de juillet dans l'île du Gaou, accessible à pied.

**Voix de la Collégiale** – En juillet, la Collégiale prend des airs classiques et fascine les amateurs de belles voix.

# Sospel★

2 885 SOSPELLOIS
CARTE GÉNÉRALE D2 – CARTE MICHELIN LOCAL 341 F4 – SCHÉMA P. 309 –
ALPES-MARITIMES (06)

Cette petite cité chargée d'histoire regarde aujourd'hui paisiblement la Bévéra couler face aux montagnes qui la cernent. Son site verdoyant d'oliviers fut un lieu de passage obligé sur la « route du sel » qui reliait le littoral à Turin, alors capitale sarde. D'où de nombreux sentiers de muletiers et routes en corniche qui feront la joie des randonneurs.

- ▶ **Se repérer** – À 19 km au nord de Menton par la D 2566. Un vieux pont relie les deux rives qui composent la ville.
- 👁 **À ne pas manquer** – Une balade dans le vieux village et sur le vieux pont ; le fort Saint-Roch, le village perché de Piène-Haute aux alentours et les beaux panoramas offerts en sillonnant la route du col de Brouis.
- 🕐 **Organiser son temps** – Accordez à Sospel une demi-journée dont 1h au fort Saint-Roch et 1h à la route du col de Brouis.
- ♿ **Pour poursuivre la visite** – Voir aussi Breil-sur-Roya, Lucéram et le circuit des deux Paillons *(voir le circuit* 4 *à Nice)*.

*Le vieux pont de Sospel enjambe la Bévéra.*

E. Baret / MICHELIN

## Se promener

### VIEUX VILLAGE★

*Dépliant de découverte du village disponible à l'office de tourisme.*

#### Rive droite

La charmante **place Saint-Michel** compose, avec l'église et les maisons gothiques, un ensemble très agréable. La plus vieille maison (palais Ricci), à droite de l'église, accueillit Pie VII en 1809 : chassé par Napoléon des États pontificaux annexés à l'Empire, il se vengea en excommuniant l'Empereur. Parmi les **fontaines** sculptées qui attestent du passé commercial de la cité, la plus imposante, est celle de la place de la Cabraïa, à deux niveaux.

#### Église Saint-Michel

*9h-12h, 14h-17h.* Romane (clocher, bandes lombardes), elle fut rebâtie au 17e s. dans le goût baroque, comme le montrent sa belle façade et la richesse de sa décoration intérieure : autel, fresques, dorures. Parmi les retables, une des œuvres les plus remarquables de **François Brea** de 1520, la **Vierge immaculée★**, nimbée d'angelots et dominant un superbe paysage de mer et montagne.
Patron du village, l'archange saint Michel « peseur d'âmes » trône au-dessus du porche de l'ancienne cathédrale.

## Le saviez-vous ?

👁 La localité était appelée au 11e s. *Hospitellum*, probablement en raison de l'établissement d'un relais par l'ordre des Hospitaliers sur la route de Turin.

👁 Sospel fut tour à tour évêché au 5e s., commune libre de la Provence puis de la Savoie au Moyen Âge, de nouveau évêché rattaché au pape d'Avignon suite au Grand Schisme, académie littéraire au 17e s., comté avec les fiefs de Moulinet et de Castillon au 18e s. et enfin titulaire de la croix de guerre en 1944.

Depuis le parvis, flâner à la découverte des ruines d'un couvent de carmélites *(en haut des escaliers)*, de fortifications (tour d'angle du 15e s.) puis, après une porte d'enceinte et un escalier, dans la **rue Saint-Pierre** où arcades, placette, jolie fontaine et linteaux armoriés (nos 3, 20 et 29) ponctuent la promenade. Au n° 30, intéressante façade en bel appareil ornée de deux fenêtres Renaissance et rez-de-chaussée gothique avec fenêtre et porte en ogive.

### Vieux pont★

Trait d'union des deux rives depuis le 11e s., ce passage sur la route du sel était le lieu idéal pour installer un péage, dans sa tour, reconstituée après la guerre de 1939-1945. Il abrite l'office de tourisme et en saison, un bureau d'informations sur le Parc du Mercantour.

### Rive gauche

On y admire la **place Saint-Nicolas**, avec ses maisons anciennes et son pavement de galets colorés (calades). Sous les arcades de l'ancienne maison communale, ornée d'un agneau pascal en bas-relief, belle **fontaine** du 15e s. (la plus ancienne). À droite, la rue de la République bordée de linteaux (nos 14, 15, 23, 51) était animée de nombreux négoces ; elle abrite de vastes caves qui servaient d'entrepôts pour les commerçants de passage avant d'acquitter les taxes du pont. Après le n° 51, dans un renfoncement à droite, élégante fontaine provençale. En prenant la pittoresque et étroite rue des Tisserands, vous découvrirez la chapelle Sainte-Croix (17e s.).

# Aux alentours

### Fort Saint-Roch★

*À 1 km du centre du village, sur la route de Nice, D 2204. À droite après le cimetière, prendre une ancienne route militaire signalée. 📞 04 93 04 00 70 - juil.-août : tlj sf lun. 14h-18h ; avr.-juin et sept.-oct. : w.-end et j. fériés 14h-18h - 5 € (enf. 3 €).*

Véritable ville souterraine à 50 m de profondeur, le fort faisait partie de la **ligne Maginot** des Alpes construite pendant les années 1930 dans la région. Il a été conçu pour verrouiller la vallée de la Bévéra, couvrir le col de Brouis et la sortie du tunnel ferroviaire de Breil. Pouvant tenir un siège de trois mois, le fort abritait dans ses 2 km de galeries tout le nécessaire vital (cuisine, centrale électrique, bloc opératoire, salles de ventilation), et même le superflu : une salle de cinéma ! Un funiculaire menait au poste de tir et aux salles d'artillerie.

Des périscopes permettent d'avoir une vue intéressante des environs. Visite sonorisée, scénographies au niveau de la chambre du commandant du fort, de la salle des officiers et présentation d'une séquence de réglage de tir de mortier dans la salle du commandant de l'artillerie du fort. Outre un musée de l'artillerie, une rétrospective de l'armée des Alpes de 1939-1945 est également proposée.

### Fort Suchet (dit du Barbonnet)

*Un peu plus au sud. Voir forêt de Turini, circuit 7.*

### Piène-Haute (par le col Vescavo)★

*9 km – 1/2 journée. Quitter Sospel à l'est par la D 2204. Après 2 km, une route se détache à droite, signalée « Piène-Olivetta ». Après 4 km, la D 93 atteint le col de Vescavo (478 m) qui domine le versant italien de la Bévéra, elle descend ensuite en Italie sur le village d'Olivetta, au nom inspiré des oliviers qui l'entourent. Prendre à gauche la D 193.*

On atteint le charmant village de **Piène-Haute** isolé à 613 m d'altitude. Stationnez à l'entrée du village sur l'esplanade. Avant de s'engager à pied dans la descente, belle **vue★** sur les vieilles maisons serrées et dominées par les ruines du château. De petites rues fleuries conduisent à la pittoresque placette de la mairie. L'église, située en hauteur, est accolée d'un beau clocher sculpté et abrite un curieux retable en marbre rouge. Au-dessus, les ruines du château offrent des vues impressionnantes sur la vallée de la Roya et le hameau de Piène-Basse, poste frontière.

*Le village perché de Piène-Haute.*

# Circuit de découverte

## ROUTE DU COL DE BROUIS ⑨

*21 km – environ 1h – voir schéma p. 309. Quitter Sospel à l'est par la D 2204.*

C'est l'ancienne « **route du sel** » du col de Braus *(voir Forêt de Turini)* à Turin. Elle relie la vallée de la Bévéra à celle de la Roya.

En gagnant de la hauteur, belle vue en arrière sur Sospel et le fort du Mont-Barbonnet qui la commande.

### Col du Pérus

Alt. 654 m. La route y domine le profond ravin de la Bassera.

### Col de Brouis ★

Alt. 879 m. Le brouis est un buisson de bruyère particulièrement abondant en ces lieux. Au-dessus du parking, un monument commémore la dernière offensive française en 1945 contre les forces allemandes repliées dans les vallées.

À l'amorce de la descente du col, belle **vue**★ sur les crêtes de la rive gauche de la Roya. Une pente raide puis sinueuse conduit à la vallée encaissée de la Roya et au hameau de la Giandola.

### La Giandola

Rural et plaisant à souhait dans son beau paysage de montagne, ce village possède un clocher Renaissance.

*Revenir par le même itinéraire : possibilité de faire un détour par Breil-sur-Roya (voir ce nom), ou remonter la vallée de la Roya, Saorge est à 5 km (voir ce nom).*

---

### La route du sel

Par son rôle économique primordial pour la conservation des viandes et le tannage des peaux, le sel a présenté de tout temps un intérêt stratégique. Depuis le Moyen Âge, les salines provençales approvisionnaient le Piémont, via la mer jusqu'à Nice, puis à dos de mulet jusqu'à Turin, en passant par Sospel et Saorge. Au retour, les caravanes étaient chargées de riz piémontais, de chanvre et de tissus. Cet intense trafic (plus de 5 000 t par an) d'environ 15 000 mulets à la fin du 18e s. obligea les autorités à rendre cette route royale carrossable et à concevoir les plans d'un tunnel sous le col de Tende, achevé seulement en 1883. Ce trajet demeure l'axe principal de la Côte d'Azur aux cités piémontaises.

---

# Randonnées

### Sentier botanique

*Prendre la D 2204, puis la D 93 vers le poste frontière d'Olivetta. Descendre à droite vers la voie de chemin de fer, puis à gauche sous le pont. Le sentier est annoncé près d'une ruine.*

🚶 *1h15 AR*. Agréable et pédagogique, ce parcours traverse une forêt de chênes, un bosquet d'aulnes qui apprécient l'humidité régnante, une garrigue qui a colonisé les anciennes cultures et une autre forêt de chênes.

## Mont Agaisen

*7 km en voiture. Quitter Sospel par la route qui longe le bâtiment des Postes et remonte la rive gauche de la Bévéra. Après 1,5 km, tourner à droite et monter en direction des serres de Bérins. La route serpente à flanc de collines, au milieu des vergers, avec de belles échappées sur la vallée. À Bérins, prendre la route à droite qui s'engage vers le sud. Après une traversée sous bois, l'ancienne route militaire atteint les premiers fortins de l'ensemble fortifié du mont Agaisen (on ne visite pas). Stationner sur les espaces libres de la montée.*

🚶 *1h AR*. Poursuivez le sentier qui atteint le sommet (alt. 745 m), parsemé de casemates et tourelles de tir. Le rebord du sommet se trouve plein sud, près d'une grande croix métallique. On est récompensé par une belle vue sur le village, la vallée de la Bévéra et le mont Barbonnet, reconnaissable aux glacis fortifiés. Un peu plus loin, d'autres points de vue sur le col de Brouis, et au nord, la vallée encaissée, dominée par le sommet dénudé du mont Mangiabo (1 801 m).

🚶 *environ 3h*. Les marcheurs entraînés peuvent partir à pied du village. En haut du groupe scolaire, suivre la route qui s'engage à gauche, balisée GR 52 sur 1 km, puis balisage jaune. Prendre à gauche une route goudronnée (1 km) avant de rejoindre les premières ruines de bâtiments militaires et l'itinéraire décrit ci-dessus.

# Sospel pratique

♿ Voir aussi les encadrés pratiques de Menton et Breil-sur-Roya.

## Adresses utiles

**Office du tourisme de Sospel** – *19 av. Jean-Médecin - 06380 Sospel - ☎ 04 93 04 15 80 - www.sospel-tourisme.com - du 15 juin à fin oct. : 9h30-12h30, 14h-18h ; de déb. nov. à mi-juin : 9h30-12h30, 14h30-17h30, dim 9h30-12h30, lun. 14h30-17h30 - fermé 1er janv., 1er Mai et 25 déc.*

**Pôle touristique de Roya-Bévéra** – *Voir Breil-sur-Roya.*

## Se loger

🛏 **Chambre d'hôte Le domaine du Paraïs** – *La Vasta Supérieure - ☎ 04 93 04 15 78 - domaine.du.parais@wanadoo.fr - ⤢ - 3 ch. 55/75 € ⬜. Un peu sur les hauteurs de Sospel, cette grosse maison de maître a gardé tout son charme. Dans l'ancienne cuisine se trouvent encore l'évier et son égouttoir d'origine, en pierre de Tende. Parmi les 3 chambres, on préférera la plus spacieuse.*

🛏🛏 **Hôtel des Étrangers** – *7 bd de Verdun - ☎ 04 93 04 00 09 - www.sospel. net - fermé 1er nov.-3 mars - 30 ch. 70/85 € - ⬜ 7,50 € - restaurant 22/33 €. Cet hôtel-restaurant sans prétention, au décor fraîchement refait, est un bon point de chute. À table : de bons produits locaux, frais, préparés avec goût. Piscine.*

## Se restaurer

🍴🍴 **Le St-Donat** – *Quartier La Vasta - 3 km au NO par rte du Col de Turini - ☎ 06 03 26 96 07 - www.camping-mas-fleuri.com - fermé nov., lun. et mar. - réserv. obligatoire hors sais. - 18/33 €. Ce bâtiment, situé dans le camping du Mas*

Fleuri, abrite un restaurant ouvert toute l'année. Aux fourneaux, le chef cuisine tous les plats, des raviolis aux pizzas, même les desserts. En nouveauté, le menu pêcheur vient compléter la carte.

## Que rapporter

**Marchés** – Marchés le jeudi sur la pl. Gianotti et le dimanche matin sur la pl. de la Cabraïa : fromages de chèvre et miel. Marché des producteurs régionaux à la Saint-Michel.

## Sports & Loisirs

**Randonnées** – Itinéraires des sentiers pédestres et de VTT au départ du village disponibles auprès de l'office de tourisme. Possibilités randonnées équestres, canyoning, escalade, parapente…

**ABC d'Air** – *☎ 04 93 21 11 39 ou 06 81 09 80 52 - www.abcdair.fr - 10h-19h sur RV - 70 €.* Le sommet du mont Agaisen dominant le village est l'occasion de découvrir la vallée d'en haut. Baptêmes de parapente avec moniteur (durée : 20mn).

**Azalpe** – *3 pl. Auguste-Cotta - ☎ 08 00 59 83 25 - www.azalpe.com - 17h-20h.* Guide de montagne proposant canyoning et via ferrata (La Colmiane, Tende et Peille), avec location de matériel.

## Événement

**Les Baroquiales festival d'art baroque** – *Se renseigner à l'office de tourisme.* Dans le cadre du festival qui se déroule dans les vallées de la Roya et de la Bévéra la 1re quinzaine de juillet, Sospel accueille pendant 3 jours concerts de musique baroque, animations de rues, dégustations culinaires…

# Massif du **Tanneron** ★

CARTE GÉNÉRALE C2/3 – CARTE MICHELIN LOCAL 341 C6 – SCHÉMA P. 173 –
ALPES-MARITIMES (06)

Hors des sentiers battus et pourtant si près de Cannes, ce beau tapis de verdure se transforme en or de mi-janvier à mi-mars, par la magie du mimosa. Prolongeant l'Esterel au nord, il s'apparente davantage aux Maures par ses formes massives et arrondies, la nature de ses roches (gneiss) et sa végétation.

- ▶ **Se repérer** – Il s'étend entre le lac de Saint-Cassien et la Siagne. La N 7 et l'autoroute La Provençale le séparent du massif de l'Esterel.

- 👁 **À ne pas manquer** – La chapelle de Notre-Dame-de-Peygros ; le village d'Auribeau-sur-Siagne ; la route de Mandelieu-la-Napoule généreusement fleurie en début d'année. En toute saison, remonter le cours de la Siagne par le sentier balisé vous procurera un bienfait magistral.

- 🕑 **Organiser son temps** – Itinéraire à emprunter au moment de la floraison du mimosa, c'est-à-dire entre janvier et mars.

- ⚓ **Pour poursuivre la visite** – Voir aussi Cannes, Mandelieu-la-Napoule et le Massif de l'Esterel.

*Le massif du tanneron est magnifique à la floraison des mimosas.*

# Comprendre

**Le mimosa** – Jadis le massif était couvert essentiellement de pins maritimes et de châtaigniers. Mais la forêt a considérablement reculé sous la triple agression des hommes (un « droit d'usage à culture » existe depuis le Moyen Âge), de la cochenille (insecte parasite, ennemi mortel du pin maritime) et des incendies. À partir de 1839, le mimosa est importé d'Australie en Europe méditerranéenne ; on signale sa présence autour de Cannes dès 1864. Depuis, il est parti à l'assaut des pentes du massif du Tanneron abandonnées par la forêt ; à l'aube du 20e s., il faisait la fortune de la région. Le mimosa a beaucoup souffert des chutes de neige et des fortes gelées des hivers 1985 et 1986.

Le mimosa appartient au genre acacia (ne pas confondre avec l'acacia commun ou robinier, qui est un « faux acacia »). Il existe de nombreuses espèces de mimosas qui se présentent sous forme d'arbustes ou d'arbres pouvant atteindre 12 m de hauteur, et qui fleurissent à des époques différentes entre novembre et mars ; le mimosa dit « des 4 saisons » fleurit même toute l'année. Le mimosa le plus répandu vit pratiquement à l'état sauvage par massifs étendus. On peut avancer ou améliorer la floraison par la technique du **forçage** : les branches coupées prématurément sont enfermées dans une chambre close (la « forcerie ») où elles passent 2 à 3 jours dans l'obscurité, à une température de 22 à 25 °C, avec une hygrométrie très forte. Les rameaux de mimosa peuvent aussi être coupés en bouton et expédiés non fleuris avec une poudre spéciale qui, diluée dans de l'eau chaude, provoque l'éclosion. Des milliers de tonnes de fleurs coupées du Tanneron sont expédiés annuellement dans toute la France et à l'étranger.

# Circuit de découverte

## LE TANNERON AU DÉPART DE CANNES

*65 km – 1/2 journée. Quitter Cannes par l'Ouest, en direction de Fréjus, N 7. Jusqu'au carrefour du Logis-de-Paris, le parcours est décrit au circuit* ②️ *du massif de l'Esterel.*

Prendre ensuite à droite la D 237 qui offre de belles échappées sur le golfe de La Napoule et le mont Vinaigre. Après les Adrets-de-l'Esterel, on aperçoit les Préalpes de Grasse. On traverse le bois de Montauroux et on passe au-dessus de l'autoroute La Provençale avant de longer le lac de Saint-Cassien.

*Avant le pont de Pré-Claou, tourner à droite dans la D 38.*

### Lac de Saint-Cassien *(voir Fayence)*

La route s'élève dans un bois de pins, offrant d'agréables **coups d'œil** sur le lac, le barrage et sur les crêtes à l'horizon.

Autour du hameau des Marjoris, le parcours sinueux s'effectue sur les versants chargés de mimosas du vallon de la Verrerie.

*Avant l'entrée du village de Tanneron, prendre à droite une route étroite en forte montée.*

### Notre-Dame-de-Peygros★

Alt. 412 m. Depuis la terrasse de cette petite chapelle romane, superbe **panorama★** sur le lac de Saint-Cassien, la vallée de la Siagne et Grasse ; à l'est, le mont Agel et les Alpes franco-italiennes ; au sud, la vue porte sur l'Esterel et les Maures.

*Traverser le village de Tanneron et tourner à gauche au carrefour.*

Au cours de la descente, de belles **vues** se révèlent sur Auribeau et ses abords, Grasse et la vaste dépression de la Siagne.

### Auribeau-sur-Siagne★

Fondé au 12ᵉ s., Auribeau fut reconstruit en 1490 par une colonie génoise. La porte Soubran, c'est-à-dire supérieure (16ᵉ s.), mène aux ruelles en escalier qu'il faut prendre le temps de parcourir. Les vieilles maisons restaurées se groupent autour de l'**église**, où l'on peut voir un reliquaire du 15ᵉ s. en vermeil avec émaux et un calice du 16ᵉ s. 📞 *04 93 42 25 46/20 99 – dim 10h-16h ; en semaine, possibilité de visiter sur demande préalable.*

De la place de l'église, la **vue** porte sur les collines boisées de la Siagne, la ville de Grasse et ses montagnes, le pic de Courmettes et le plateau de Valbonne. Les degrés descendent ensuite vers la porte Soutran, c'est-à-dire inférieure, fortifiée en plein cintre (15ᵉ s.).

🥾 Si vous en avez le temps, remontez le cours de la **Siagne** en direction de ses gorges par le sentier qui s'amorce sur la rive gauche au nord d'Auribeau, en bordure de la D 38.

*Rejoindre la D 9 (direction Pegomas), puis la D 109 en direction de Mandelieu-la-Napoule. Prendre à droite la D 309 (direction Tanneron), au carrefour, tourner à gauche dans la D 138.*

### Route de Mandelieu★★

La D 92 grimpe sur les pentes du massif occupées par un maquis. La descente rapide sur Mandelieu-la-Napoule, parmi les mimosas, est merveilleuse, offrant à plusieurs reprises des **vues★★** sur l'Esterel, la ville et son aérodrome, le golfe de La Napoule, Cannes et les îles de Lérins, la vallée de la Siagne, Grasse et les Préalpes ; au loin les cimes des Alpes franco-italiennes.

🥾 La **forêt du Grand Duc** offre 3 itinéraires à partir de l'aire de pique-nique. *Renseignements à l'office du tourisme de Mandelieu.*

### Mandelieu-la-Napoule★ *(voir ce nom)*

*Retour à Cannes par le bord de mer (D 92 puis N 98).*

## Massif du Tanneron pratique

&#9855; Voir aussi les encadrés pratiques de Cannes et de Mandelieu.

### Se loger

&#9749; **Auberge de Nossi-Bé** – *66 rte du Village - 06810 Auribeau-sur-Siagne - au centre du village - &#9743; 04 93 42 20 20 - info@nossi-be.net - fermé 1er nov.-30 nov. et mar. sf le soir en été - 6 ch. 59/68 € - &#9860; 7,50 € - rest. 23,50/34 €.* Cette engageante auberge en pierre offre, depuis sa vaste terrasse, un joli panorama sur la vallée et les collines boisées de la Siagne. Chambres de style rustique, d'ampleur variée, mais bien tenues. Plats traditionnels.

### Que rapporter

**Vial Bernard** – *Les Carreiros - 83440 Tanneron - &#9743; 04 93 60 66 32 – tlj 9h-12h, 13h30-18h30.* La **visite** de cette exploitation entourée de 10 ha (mimosas, eucalyptus, serre d'agrumes) est un enchantement : le site et la vue sur les alentours sont superbes. Les ruches installées sur place et dans les Alpes et le Mercantour produisent un **miel** parfumé que l'on peut déguster et acheter sur place. Produits dérivés (pollen, gelée royale…), plants et fleurs sont également en vente ici.

# Tende★

**1 844 TENDASQUES**
**CARTE GÉNÉRALE D1 – CARTE MICHELIN LOCAL 341 G3 – SCHÉMA P. 309 –
ALPES-MARITIMES (06)**

Sévère avec ses hautes maisons sombres aux toits de lauzes, alpestre (816 m) entre montagne et rivière (la Roya), Tende compose un site surprenant. Commandant le principal col avec l'Italie, elle ne devint française qu'en 1947, avec La Brigue. Comme Saint-Dalmas, Tende est le point de départ des excursions pour la vallée des Merveilles, dont elle introduit la visite par un intéressant musée.

- &#9654; **Se repérer** – En montant à Tende depuis Sospel et Breil-sur-Roya, on passe d'un paysage de rocaille et d'oliviers à celui de prairies et de pommiers, en traversant la belle forêt de châtaigniers de Saint-Dalmas-de-Tende. La vieille ville s'étage sous les ruines de son château sur la rive gauche de la Roya. Tende, en lacet jusqu'à son col, était l'ancienne route du sel pour Cuneo et Turin.

- &#128065; **À ne pas manquer** – Après une promenade dans la vieille ville et la visite du musée des Merveilles, profitez pleinement, été comme hiver, de la montagne.

- &#9201; **Organiser son temps** – Une journée ne sera pas de trop pour visiter la ville et son cadre réoxygénant. Les rues grimpent et le pavage est inégal, prévoyez donc des chaussures confortables.

- &#128106; **Avec les enfants** – Le très pédagogique musée des Merveilles.

- &#9855; **Pour poursuivre la visite** – Voir aussi La Brigue, Breil-sur-Roya et la vallée des Merveilles.

## Comprendre

**Française** – Lorsque le comté de Nice fut rattaché à la France, le roi italien Victor-Emmanuel II réussit à conserver la **haute vallée de la Roya**… pour pouvoir continuer à y chasser le chamois ! Le traité de paix avec l'Italie, confirmé le 12 octobre 1947 par un plébiscite, mit un terme à cette situation : les hautes vallées de la Roya, de la Tinée et de la Vésubie furent rattachées à la France, faisant ainsi coïncider la frontière avec la ligne de partage des eaux.

## Se promener

### Vieille ville★

Les demeures, dont certaines datent du 15e s., sont souvent habillées des schistes verts et violets de la haute vallée de la Roya. Balcons à tous les étages pour profiter du soleil, larges toits débordants contre les chutes de neige, l'architecture est définie par le climat alpin. Dans le lacis des rues étroites ponctué de passages voûtés, de nombreux **linteaux** armoriés ou historiés rappellent un passé glorieux. Derrière la collégiale, on voit, au passage, les clochers Renaissance des chapelles des Pénitents-

*À Tende, le schiste vert de la Roya recouvre les maisons.*

Noirs et des Pénitents-Blancs. En haut de la ville, un pan de mur aigu de 20 m est le dernier vestige de la grandeur des Lascaris, comtes souverains de Vintimille-Lascaris dont Tende était le chef-lieu (jusqu'en 1575, passant à la Savoie ensuite). Le **château** fut démantelé par les Français au cours de la guerre de la Ligue d'Augsbourg (1692). Près des ruines, un curieux **cimetière** étagé ajoute une note d'étrangeté. De là-haut, belle **vue★** sur clochers et lauzes.

### Collégiale Notre-Dame-de-l'Assomption

Elle aussi est en schiste vert et du début du 15$^e$ s., à l'exception d'une tour lombarde romane à coupole. Le magnifique **portail** Renaissance est constitué de deux colonnes doriques reposant sur deux lions d'inspiration romane ; l'entablement, orné des statuettes du Christ et des apôtres, est couronné par un tympan semi-circulaire où l'Assomption se détache en bas-relief. L'intérieur, qui conserve les tombes des Lascaris, est divisé en trois nefs par de grosses colonnes en schiste. Bel orgue des facteurs lombards Serrassi.

## Visiter

### Musée des Merveilles★

*Av. du 16-Septembre-1947 - ℘ 04 93 04 32 50 - www.museedesmerveilles.com - ⅃ - juil.-août : 10h-18h30 ; de déb. mai à fin juin et de déb. sept. à mi-oct. : tlj sf mar. 10h-18h30 ; de mi-oct. à fin avr. : tlj sf mar. 10h-17h - fermé 12-24 mars, 13-25 nov., 1$^{er}$ janv., 1$^{er}$ Mai et 25 déc. - 4,55 € (14-18 ans 2,30 €), gratuit 1$^{er}$ dim. du mois.*

👤👥 Il est incontournable, aussi bien d'un point de vue esthétique, avec les douze colonnes de sa façade moderne (parvis tapissé de motifs rupestres), que d'un point de vue pédagogique, complément précieux de la randonnée autour du **mont Bégo** *(voir vallée des Merveilles)*. Le contexte géologique régional est d'abord présenté à l'appui de maquettes en relief et de tables d'animation. Ensuite la section archéologique, prépondérante, évoque les croyances et explique la vie quotidienne des populations des Alpes méridionales à l'âge du cuivre et à l'âge du bronze ancien, notamment à partir de la stèle originale dite du « **Chef de tribu** », de dioramas et de nombreuses vitrines d'objets. Enfin, la partie des arts et traditions populaires de la vallée de la Roya décrit la vie économique de la région, aux activités pastorales continues depuis cinq mille ans. Un mannequin animé récite contes et légendes de la vallée de la Roya.

## Aux alentours

### Saint-Dalmas-de-Tende

*5 km au sud.* Agréable petite station de séjour pour rayonner à pied, à cheval, à vélo ou à ski, notamment jusqu'à la **vallée des Merveilles** *(voir ce nom)*. La gare, avec son immense et luxueuse façade, rappelle qu'elle fut dans les années 1930 l'important poste-frontière de la ligne Nice-Cuneo.

### La Brigue★

*6,5 km au sud-est. Voir ce nom.*

## Granile

*10 km au sud. Prendre la direction Casterino (D 91), après 1 km tourner à gauche. La route serpente sur 5 km au milieu de châtaigniers et de pins sylvestres avant de se terminer en cul-de-sac (garer la voiture avant les premières maisons).*

Ce charmant hameau, encerclé de montagnes, présente une belle unité de style montagnard, avec ses habitations ornées de balcons de bois, recouvertes de dalles de lauze. Impressionnante vue sur les gorges de la Roya et à l'Est sur la crête des cimes frontalières.

## Tende pratique

### Adresses utiles

**Office du tourisme de Tende** – *Av. du 16-Septembre-1947 - 06430 Tende -* ☎ *04 93 04 73 71 - www.tendemerveilles.com - juil.-août : 9h-12h, 14h-18h ; reste de l'année : tlj sf dim. 9h-12h, 14h-17h - fermé j. fériés sf 14 Juil. et 15 août.*

**Pôle touristique de Roya-Bévéra** – *Voir Breil-sur-Roya.*

**Point d'information estival du Parc national à Castérino** – *Voir la vallée des Merveilles.*

### Transport

**Train des Neiges** – *Renseignements et tarifs à l'office du tourisme de Tende et et au Centre nordique de Casterino* ☎ *04 42 37 14 08. De janvier à mars, le Centre nordique de Castérino propose des départs de Nice tous les dimanches pour rejoindre la vallée enneigée !*

### Se loger

☺ **Prieuré** – *R. Jean-Médecin - 06430 St-Dalmas-de-Tende - 4 km au S de Tende par N 204 -* ☎ *04 93 04 75 70 - www.leprieure.org - fermé mars -* 🅿 *- 24 ch. 48/64 € -* ☕ *7 € - rest. 17/24 €. Cet ancien prieuré restauré avec goût dans un style actuel accueille un centre d'aide par le travail. Petites chambres dotées de beaux meubles rustiques et impeccablement tenues. Salle à manger voûtée donnant sur un agréable patio ; terrasse sous la treille. Cuisine traditionnelle.*

☺☺ **Chambre d'hôte Le Mouton Dort** – *28 av. des Martyrs-de-la-Résistance - 06430 St-Dalmas-de-Tende - 4 km au S de Tende par N 204, au dessus de la gare SNCF -* ☎ *04 93 79 18 08 - www.lemoutondort. com -* 🚭 *- 5 ch. 80 € -* ☕ *- repas 20 €. Cette maison, perchée sur un terrain escarpé à deux pas de la frontière italienne, abrite 5 chambres à la décoration simple mais soignée, rehaussée par un mobilier en bois fait sur mesure. Deux d'entre elles se distinguent par leur plafond voûté en pierre. Table d'hôte dans le petit restaurant attenant.*

### Se restaurer

☺ **Auberge Tendasque** – *65 av. du 16-Septembre-1947 -* ☎ *04 93 04 62 26 - fermé vac. de fév., mar. soir et jeu. soir de juin à oct. - 13,50/21 €. Cette haute maison au toit de lauzes flanquée d'une tonnelle est* situé au pied du village médiéval de Tende. Une salle à manger rustique agrémentée d'un joli plafond peint et la terrasse ombragée servent de cadre à une copieuse cuisine régionale.

### Sports & Loisirs

**Via ferrata** – *Dépliant du parcours et vente des billets à l'office de tourisme - 3,50 € (12-18 ans 1 €). Interdit aux –12 ans.* Comme Peille *(voir ce nom)*, Tende fait partie du circuit des comtes Lascaris. Le parcours intégral est assez sportif (la « Voie des Hérétiques » 2h30) mais vous pourrez opter pour la « Voie du Château », plus courte (1h15).

**Ski** – *Renseignements à l'office de tourisme.* Les amateurs de ski de piste se rendront en Italie, à la station de **Limone Piemonte** (accessible en train) qui offre 80 km de pistes. Ceux qui préfèrent le ski de fond ou les raquettes iront à **Casterino** qui compte 15 km de pistes.

**Lucien Bérenger** – ☎ *04 93 04 77 85 - www.berengeraventures.com. Ce guide de haute montagne depuis 1981, fait partager sa passion de l'aventure et met à disposition son expérience pour proposer des activités de montagne : canyoning, escalade, ski, alpinisme…*

### Événements

**Fête de la Saint-Éloi** – Bien que les **muletiers** ont cessé leur activité, ils sont encore honorés à la Saint-Éloi (10-11 juillet) : ils défilent avec leurs mulets richement carapaçonnés. Feux de la Saint-Éloi, animations folkloriques.

**Fête des bergers de la Saint-Roch et fête paysanne** – Foire aux produits locaux le week-end le plus proche du 15 août. Rencontre de tous les producteurs de la Roya, de la Bévéra et du Piémont italien. Dégustations, ateliers de démonstration et de fabrication de fromage, préparation de pâtes fraîches (sugelli), de bougies en cire d'abeille, de distillation de lavande, intermèdes musicaux, et, le dimanche, un troupeau de moutons traverse le village.

**La Vallée des Santons** – De mi-décembre à mi-janvier, de Breil à Tende en passant par Fontan, Saorge et la Brigue, les ruelles, églises et places se décorent de crèches et de compositions traditionnelles de Noël.

# Abbaye du **Thoronet**★★

CARTE GÉNÉRALE B3 – CARTE MICHELIN LOCAL 340 M5 – SCHÉMAS P. 129 ET 248 – VAR (83)

*Toron* ou *teron* en préceltique signifie « source jaillissante ». Outre le sens symbolique, l'abbaye s'est implantée entre une rivière et une source. Chef-d'œuvre de pureté, la plus ancienne des trois abbayes cisterciennes de Provence (avec Sénanque et Silvacane) procure un moment de beauté et de sérénité, loin des préoccupations terrestres. Elle se cache parmi les chênes dans un site sauvage et isolé qui s'accorde bien avec la règle austère de l'ordre de Cîteaux.

*La salle capitulaire de l'abbaye du Thoronet.*

▶ **Se repérer** – Entre Lorgues et le lac de Carcès (*voir circuit* 1 *à Brignoles*). De l'A 8, suivez la sortie Le Cannet-Le Luc.

🅿 **Se garer** – Parking et buvette aux beaux jours à 100 m du site.

🕓 **Organiser son temps** – La visite est libre mais des visites guidées (1h) sont proposées (sans supplément tarifaire). Le dimanche à 12h, les portes s'ouvrent à tous ceux qui désirent assister à la superbe **messe chantée** par les sœurs de Bethléem, voisines discrètes du lieu (elles résident à 300 m de l'abbaye).

👣 **Pour poursuivre la visite** – Voir aussi Brignoles, Cotignac, massif des Maures.

## Comprendre

**Des origines à nos jours** – D'abord installés en 1136 à Floriège, près de Tourtour, des moines venus de l'abbaye de Mazan (Ardèche) s'établirent définitivement au Thoronet, sur un domaine que leur céda **Raymond Bérenger V**, comte de Barcelone et marquis de Provence. L'abbaye ne tarda pas à connaître la prospérité, à la suite des nombreuses donations qui affluèrent, notamment de la part des seigneurs de Castellane. L'église, le cloître et les bâtiments monastiques virent le jour entre 1160 et 1190. Au 14ᵉ s., le Thoronet, comme bien d'autres abbayes cisterciennes, connut peu à peu le déclin. Les révoltes internes, puis plus tard les guerres de Religion entraînèrent la défection des moines de l'abbaye qui, en 1787, fut rattachée à l'évêché de Digne. Vendue à la Révolution, puis de nouveau délaissée, elle fut rachetée par l'État en 1854. Grâce à l'intervention de **Prosper Mérimée**, elle échappa à la ruine. Depuis, les travaux de consolidation et de restauration se sont succédé. Ils étaient devenus d'autant plus indispensables que l'abbaye souffrait de l'exploitation de la bauxite à proximité.

## Visiter

🖉 04 94 60 43 90 - avr.-sept. : 10h-18h30, dim. 10h-12h, 14h-18h30 ; oct.-mars 10h-13h, 14h-17h - fermé 1ᵉʳ janv., 1ᵉʳ Mai, 1ᵉʳ et 11 Nov., 25 déc. - 6,50 €.

La qualité de l'ensemble conservé (église et cloître) ainsi que la recherche de simplicité et de rigueur dont elle témoigne valent à l'abbaye du Thoronet d'être l'un des joyaux de l'architecture cistercienne de l'école romane provençale.

## Église★

👁 **À savoir** – Bien connue des spécialistes du chant sacré, l'église offre une accoustique exceptionnelle : toute note émise s'éteint 10 secondes après sa diction.

On est ébloui d'emblée par la pureté des lignes de l'édifice. La belle pierre blonde y contribue : finement taillée, elle présente un remarquable appareillage. La façade occidentale est percée symétriquement de petites ouvertures : sous l'oculus, quatre baies et deux portes latérales. Les frères convers entraient dans l'église par la porte de gauche. Sur le flanc droit, on voit un des rares « **enfeus** » extérieurs de Provence : il s'agit d'un « dépositoire » pour les morts du village.

La présence d'un petit **clocher carré** en pierre constitue une exception dans les prescriptions architecturales de l'ordre cistercien, qui ne tolérait que de modestes ouvrages en bois. Il est justifié ici par la violence des vents et les risques d'incendie.

La beauté de l'espace intérieur coupe le souffle. En respect à la règle de saint Bernard, le décor sculpté est quasiment absent de l'église, soulignant la majesté des formes. On remarque simplement l'arrondi des impostes des piliers et celui des demi-colonnes qui reçoivent les doubleaux et s'interrompent à 2,90 m du sol selon l'usage adopté par les cisterciens. La hauteur, le dénuement, la pénombre, tout ici invite au silence de la méditation, à l'élévation de l'âme, loin du monde et de ses futilités.

Le plan, en forme de croix latine, ressemble étonnamment à celui de Sénanque. Les trois travées de la nef se terminent à l'est par le chœur entouré de deux chapelles : semi-circulaires à l'intérieur et comprises dans un massif rectangulaire à l'extérieur. Le chœur, en cul-de-four, comme à Sénanque, est percé de trois baies, symbole de La Trinité. L'oculus qui le surmonte appelle le regard vers la magnifique voûte, en berceau légèrement brisé.

## Cloître★

Une étonnante sérénité se dégage de ce monde clos qui s'ouvre sur le ciel par les toits roses, les collines de chênes verts. Dépouillement et proportions puissantes apportent ce sentiment d'équilibre. La forme trapézoïdale est justifiée par le dénivelé du terrain, compensé par 12 marches.

Voûtées en parfaits berceaux sur doubleaux, les galeries offrent leur ombre et leur fraîcheur. Les murs épais sont percés en plein cintre par d'austères arcades géminées, simplement ajourées d'un oculus au tympan, laissant transparaître un jeu d'ombres et de lumière sur la pierre.

Face à la porte du réfectoire (disparu aujourd'hui), comme il se doit, le **lavabo** ou fontaine servait à la consommation d'eau. Une architecture hexagonale l'abrite, voûtée d'une coupole restaurée.

*La fontaine du cloître.*

E. Baret / MICHELIN

## Bâtiments conventuels

Ils s'ouvrent au nord de l'église. Au rez-de-chaussée, on trouve l'**armarium** ou bibliothèque dont la porte est surmontée d'un linteau en bâtière.

La **salle capitulaire★** était consacrée à la lecture de la règle de saint Benoît (6e s.), réaffirmée par saint Bernard. Les moines s'y réunissaient tous les matins pour la lecture d'un chapitre. Dans ce seul lieu non dévolu à la prière, on décèle une architecture plus ornementée, influencée par le premier art gothique. On y découvre les seules sculptures de l'abbaye sur les chapiteaux des colonnes qui soutiennent les voûtes d'ogives. Feuilles d'eau (roseau ou cistel d'où vient le nom de Cîteaux), pommes de pin (vérité), branches de palmiers, main refermée sur une crosse (l'abbé est un guide comme le berger) sont autant de messages dans ce lieu où le père-abbé était élu démocratiquement.

À côté, le **parloir** (seul lieu où l'on pouvait discuter) forme passage entre le cloître et le jardin extérieur : on y distribuait les tâches avant les travaux des champs.

Un escalier voûté dessert le **dortoir**, couvert d'un berceau brisé sur doubleaux. Il offre un accès direct à l'église, permettant aux moines de se rendre facilement aux offices de nuit et de jour. Les dix-huit baies et les pierres du sol délimitent l'espace attribué à chaque moine. L'abbé avait sa propre cellule. Les portes au nord donnaient sur la salle des moines, le chauffoir, le réfectoire et la cuisine.

À l'ouest du cloître, dans le **cellier**, on produisait le vin (cuves du 18$^e$ s.) et l'huile d'olive de l'abbaye. Une belle voûte en berceau brisé le recouvre. On peut y voir un pressoir à raisin en châtaigner du 15$^e$ s.

Le **bâtiment des frères convers** ou « lais » (des hommes d'origine paysanne, car au 12$^e$ s., seuls les enfants sachant lire pouvaient devenir moine), à l'angle nord-ouest du cellier, comprend le réfectoire au rez-de-chaussée et le dortoir au 1$^{er}$ étage. Les lais déchargeaient les moines des travaux manuels les plus contraignants, mais suivaient une règle de vie plus souple. Les frères convers ne devaient pas rencontrer les moines pour les laisser à la contemplation et au silence.

### Bâtiments annexes

En bordure du torrent, les bases de l'ancienne **hôtellerie** ont été dégagées. Dans la **grange dîmière**, située au sud de l'église et transformée par la suite en moulin à huile, on peut voir des meules et un mortier.

## Abbaye du Thoronet pratique

Voir aussi l'encadré pratique de Lorgues.

### Se restaurer

⌣ **Le Tournesol** – 9 r. des Trois-Ormeaux - 83340 Le Thoronet - 4 km de l'abbaye - ☎ 04 94 73 89 81 - fermé janv. - 📷 - 15/17 €. Malgré la modeste taille de cette maison du 17$^e$ s., au cœur du petit village, vous serez charmé par les couleurs gaies des murs et du mobilier, par la simplicité de la cuisine et par le charme de la terrasse située dans la ruelle.

### Événement

**Rencontres de musique médiévale** – Elles se déroulent durant la 3$^e$ semaine de juillet dans l'abbaye et les églises alentour.

# Toulon★★

**168 100 TOULONNAIS**
**CARTE GÉNÉRALE B4 – CARTE MICHELIN 340 K7 – VAR (83)**

Toulon est d'abord une rade, l'une des plus belles de la Méditerranée, qui s'arrondit majestueusement en une nappe bleu sombre bordée de bâtiments aux tons clairs, crème et rosés. Les croiseurs et frégates du port militaire ont depuis longtemps remplacé galères et forçats ; l'ombre de Vidocq a dû souvent entendre ce refrain résonner dans les petites rues du vieux Toulon : « C'est nous, les gars de la marine… »

▶ **Se repérer** – Le boulevard de Strasbourg et l'avenue du Gén.-Leclerc, tracés sur d'anciennes fortifications, raccordent les tronçons de l'A 57 et de l'A 50, laissant au sud la vieille ville et le port, au nord la ville moderne et les banlieues qui grimpent sur les collines. L'arsenal et le port militaire sont interdits au public.

👁 **À ne pas manquer** – Le port militaire ; le musée national de la Marine et la vieille ville. Pour observer Toulon d'en-haut, l'ascension du mont Faron en téléphérique s'impose. Au sol, un tour de la rade en voiture poursuivra votre promenade.

🕐 **Organiser son temps** – Un week-end vous permettra de faire le tour des principales curiosités de la ville, de traverser le temps et ses traces laissées.

👪 **Avec les enfants** – Le musée de la Marine, la montée du mont Faron en téléphérique et le zoo. À l'heure du goûter, passage obligé chez Chichi Fregi G. Toine pour son beignet incomparable.

🕯 **Pour poursuivre la visite** – Voir aussi Bandol, Sanary-sur-Mer, Six-Fours-les-Plages.

# Comprendre

**Les galères** – À partir du 17ᵉ s. et jusqu'en 1748, les voyageurs de passage à Toulon ne manquent pas d'aller admirer les galères amarrées dans la Darse Vieille : majestueux bâtiments aux voiles triangulaires, décorés par les maîtres sculpteurs et peintres de l'arsenal, elles glissent puissamment à la surface de l'eau. Les milliers de galériens ont, eux, une autre vision de la chose. Il faut quatre hommes pour chacun des 25 ou 26 avirons d'une galère : malfaiteurs variés, esclaves turcs, condamnés politiques, huguenots, « volontaires » conduits là par la misère. Ils ne quittent leur place ni pour manger ni pour dormir.

**Bagnard à Toulon** – En 1748, la suppression des galères transforme le galérien en forçat, employé à la construction navale ou à l'entretien de la rade. Enchaîné en permanence à un autre condamné, il porte un bonnet rouge (peine limitée), vert (perpétuité) ou brun (déserteur) et occupe ses rares loisirs à fabriquer de menus objets à vendre. Le bagne de Toulon a compté jusqu'à 4 000 forçats. Quoique les bagnes soient transférés aux colonies (Guyane et Nouvelle-Calédonie) dès 1854, celui de Toulon ne ferme définitivement qu'en 1874. De cet endroit sinistre où Victor Hugo et Balzac ont fait évoluer les personnages antithétiques de Jean Valjean et de Vautrin, il ne reste qu'un pan de mur dans l'arsenal.

**Les premières armes de Bonaparte** – Le 27 août 1793, Toulon est livré par les royalistes à une flotte anglo-espagnole. Une armée républicaine accourt. L'artillerie est sous les ordres d'un petit capitaine au nom obscur de Bonaparte. Entre la Seyne et Tamaris, les Anglais construisent un ouvrage si puissant qu'on lui donne le nom de « petit Gibraltar », et où s'élève aujourd'hui le fort Carré ou Napoléon. Une batterie est installée face au fort anglais. Elle subit un feu terrible et ses servants fléchissent. Le jeune Corse fait planter un écriteau sur lequel on peut lire : « Batterie des hommes sans peur ». Aussitôt, les volontaires affluent. Bonaparte donne l'exemple : il pointe et manie l'écouvillon. Le petit Gibraltar est pris le 17 décembre. La flotte étrangère s'enfuit après avoir incendié les navires français, l'arsenal, les magasins de vivres et embarqué une partie de la population. Tandis que Bonaparte est fait général de brigade, Toulon frise la destruction. La Convention renonce, au dernier moment, à ce projet, mais débaptise la ville en signe d'opprobre : pour un temps, elle s'appellera « Port la Montagne ».

*La rade de Toulon sereine à la tombée du jour.*

**Le sabordage de la flotte de la Méditerranée** – C'est le 27 novembre 1942 que la flotte française, bloquée dans le port de Toulon par son commandement, choisit de se saborder pour ne pas tomber aux mains de l'armée allemande en train d'envahir la « zone libre ».

75 bâtiments, privés par le gouvernement de Vichy des moyens d'appareiller, se sabordent. Parmi les rescapés, plusieurs sous-marins dont le *Casabianca* qui assurera la liaison entre les Forces françaises libres et la Corse. Les épaves demeureront sur place pendant le restant du conflit. À la Libération, le nettoyage de la rade prendra dix années au cours desquelles seront enlevées près de 400 000 tonnes de ferraille.

# Se promener

## DE LA GARE À L'ARSENAL 1

### Place de la Liberté F2

Au cœur du Toulon moderne trône la **fontaine de la Fédération**, œuvre du sculpteur Allar inaugurée en 1889 pour le centenaire de la République. En arrière-plan, la façade très 19ᵉ s., du **Grand Hôtel**, dernier vestige des constructions de la Belle Époque toulonnaise. Au sud de la place, le défilé incessant des bus rythme le trafic du boulevard de Strasbourg.

### Place Victor-Hugo G2

Un peu plus loin sur le même boulevard apparaît le **théâtre** de Toulon, une des plus belles salles de province, construite en 1862 d'après les plans de Charles Garnier. Faites le tour pour apprécier la belle façade principale restaurée, donnant sur la place et des terrasses de café.

*Prendre la rue J.-Jaurès, puis à gauche la rue A.-France.*

### Place d'Armes F2

Colbert l'avait conçue pour la revue des troupes. Elle s'appelait alors « champ de Bataille ». La bourgeoisie toulonnaise et les officiers en partance en firent le lieu de rendez-vous à la mode, avec kiosque à musique, cafés, restaurants et siège de grands quotidiens locaux comme *Le Petit Marseillais*. Aujourd'hui, l'endroit est plus calme.

### Corderie E2

*Au sud de la place d'Armes. Domaine militaire fermé au public.* L'ancienne fabrique de cordage de la Marine, conçue par Vauban, est longue de 320 m. La **porte**★, ornée d'allégories de la Loi et de la Force, date de 1689, mais provient de l'ancien séminaire des jésuites. Elle a été plaquée sur la façade en 1976.

*Poursuivre la rue A.-France.*

### Musée de la Marine★ F2

*Pl. Monsenergue - ☏ 04 94 02 02 01 - www. musee-marine.fr - ♿ - possibilité de visite guidée en juil. et août (1h) : 14h30-15h30 et 15h30-16h30 ; fév.-déc. : 10h-18h - 5 € (−18 ans gratuit) - fermé janv., 1ᵉʳ Mai et 25 déc.*

Porte de l'Arsenal.

👥 Les p'tits mousses auront le choix entre 5 parcours pédagogiques pour découvrir le musée. On entre par l'ancienne **porte de l'Arsenal** (18ᵉ s.). Quatre colonnes encadrant des trophées d'armes supportent le fronton ; à gauche, statue de Mars, à droite, statue de Minerve. À l'intérieur, deux niveaux retracent le passé et le présent de la marine de guerre à Toulon : *Vue du port* d'après J. Vernet, spectaculaires maquettes de la frégate *la Sultane* et du vaisseau *Duquesne* (18ᵉ s.), curieuse torpille « écorchée », rutilant tableau de manœuvres du porte-avions *Clemenceau*. Des cordages aux cadrans…

## LA MARINE MILITAIRE 2

### Port★

La construction de la Darse Vieille commence sous le règne de Henri IV, aux frais de Toulon, qui la finança par une taxe de 25 % sur l'huile. L'arsenal militaire, destiné à construire et réparer la flotte royale, est créé par le cardinal de Richelieu. C'est pour l'arsenal que Vauban creuse la Darse Neuve, de 1680 à 1700, et c'est encore l'arsenal qui bénéficie de plusieurs agrandissements successifs (annexe du Mourillon, darses de Castigneau, de Missiessy) au 19ᵉ s. Aujourd'hui, l'arsenal est la base logistique des bâtiments de la Marine nationale opérant en Méditerranée. En chiffres : plus de 268 ha, 10 km de quais et 30 km de routes, environ 12 000 employés, civils pour la moitié. La zone de la Force d'action navale est interdite au public. Seule solution pour les curieux : engagez-vous ! Quant à la Darse Vieille, elle est maintenant consacrée au transport de voyageurs (vers les îles d'Hyères, la Corse, la Sardaigne) et à la plaisance. Le port de commerce occupe l'anse de Brégaillon, du côté de La Seyne-sur-Mer.

### Quai Cronstadt F/G3

Le port fut bombardé pendant la Seconde Guerre mondiale. Aujourd'hui, un rideau d'immeubles, guère harmonieux, des années 1950, cache la vieille ville. Les célèbres **Atlantes★** de Pierre Puget, sauvés des bombes, soutiennent le balcon de la mairie d'honneur : l'un est fort, l'autre, fatigué. Sur le quai, cafés et magasins attirent la foule des promeneurs. C'est de là qu'on embarque pour la visite ou la traversée de la rade.

### Tour de la rade en bateau★

*Réservations : les Bateliers de la Côte d'Azur -* 📞 *04 94 93 07 56 - embarcadère : quai Cronstadt, côté préfecture maritime - de fév. à la Toussaint, départ ttes les heures : circuit commenté (1h) dans la rade - 9 € (4-10 ans 5,50 €).*

On sort de la Darse Vieille pour explorer la Petite Rade et longer (de loin) les installations militaires, surtout les bassins Vauban. Dans le cimetière marin, les navires en fin de carrière attendent leur « désossage » au chalumeau.

Le bateau passe devant le port de commerce, l'institut IFREMER, l'ex-chantier naval de la Seyne. Les forts de l'Éguillette et de Balaguier encadrent les parcs à moules de la corniche de Tamaris. Le circuit se termine par la côte de Saint-Mandrier, elle aussi colonisée par la marine, et la digue déchiquetée qui protège la Petite Rade. Tout au long de la promenade, magnifiques **vues★** sur Toulon, couché de tout son long entre la mer et les montagnes.

*Au rond-point du Gén.-Bonaparte, poursuivre l'avenue de la Tour-Royale.*

### Tour Royale

*Possibilité de visite, se renseigner à l'office de tourisme.*

Ouvrage défensif (murs épais de 7 m à la base), la Grosse Tour, ou tour de la Mitre, fut construite au début du 16e s. et servit surtout de prison. Du chemin de ronde, beau **panorama★** sur Toulon, le mont Faron, les rades et la côte, de la presqu'île de Giens au cap Sicié.

## DANS LA VIEILLE VILLE★ ③

La vieille ville enchevêtre ses ruelles entre les rues Landrin *(au nord)* et Anatole-France *(à l'ouest)*, et le cours Lafayette *(à l'est)*, soit le tracé des fortifications de l'époque Henri IV. Rénové progressivement depuis 1985, le vieux Toulon, avec ses placettes et ses fontaines *(l'office de tourisme propose un dépliant « circuit des fontaines »)* vaut toujours la promenade.

*Entrer place de l'Amiral-Senès et tourner à droite dans la rue Notre-Dame.*

### Église Saint-Louis F2

*R. Louis-Jourdan -* Belle façade néoclassique (fin 18e s.), assez inattendue ici. L'intérieur est à l'avenant : trois nefs à double colonnade dorique et une coupole à lanternon, soutenue par dix colonnes corinthiennes et ornée d'une frise de rinceaux.

*Continuer dans la rue Vezzani.*

La reproduction d'une **proue de navire** du 18e s. semble jaillir d'un mur, en hommage aux constructions navales.

*Prendre à droite la rue Pomet.*

La curieuse fontaine de la place du Globe évoque le bagne de Toulon.

### Maison de la Photographie G2

*Pl. du Globe, R. Nicolas-Laugier -* 📞 *04 94 93 07 59 - juil.-août : 10h-12h30, 13h30-18h ; reste de l'année : tlj sf dim. et lun. 12h-18h - gratuit.*

La maison de la Photographie accueille six expositions temporaires par an, d'artistes régionaux mais aussi nationaux.

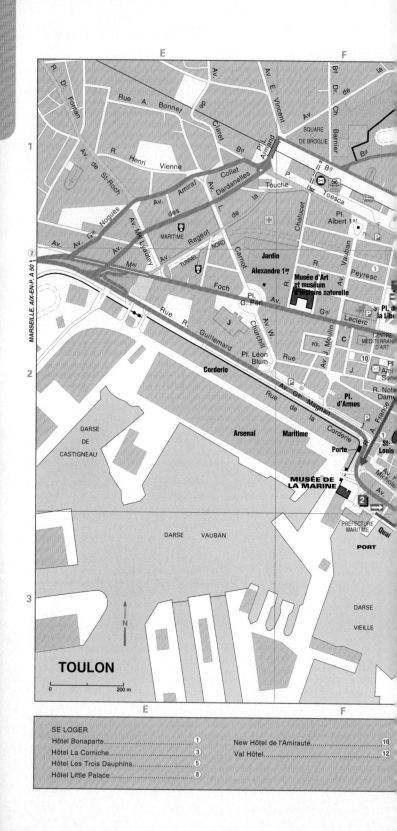

TOULON

0 ———— 200 m

N

SE LOGER

Hôtel Bonaparte.............................................①
Hôtel La Corniche..........................................③
Hôtel Les Trois Dauphins.............................⑤
Hôtel Little Palace.........................................⑧

New Hôtel de l'Amirauté..............................⑩
Val Hôtel.......................................................⑫

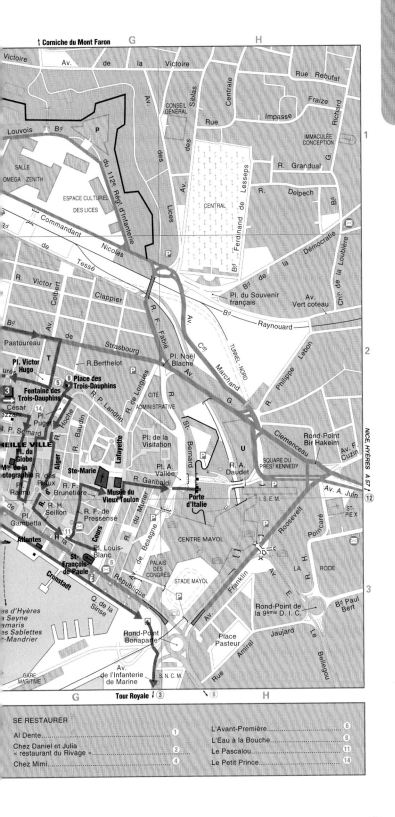

## Hommages aux artistes

**Raimu**, le Marseillais des films de Pagnol était toulonnais ! Jules Muraire, dit Raimu (1887-1947), est né au n° 6 rue Anatole-France. La partie de cartes de *Marius* est peinte place Victor-Hugo (où se trouve aussi la statue du comédien) et sculptée place Raimu. L'acteur a aussi son buste place des Trois-Dauphins. Quant à **Félix Mayol**, l'auteur de « Viens Popoule », il est en médaillon sur la façade d'un bâtiment en face du stade *(av. Franklin-Roosevelt).*

*Prendre la rue du Noyer qui aboutit à la place Raimu. Jeter un œil à droite pour voir la peinture murale rue Micholet, qui illustre la construction navale et les filles à matelots. Rejoindre la rue de la Glacière (avec ses passages voûtés) à gauche et poursuivre rue Andrieux.*

### Fontaine des Trois-Dauphins G2

La place Puget, ombragée et nantie de nombreuses terrasses, s'orne depuis 1780 de cette curieuse fontaine-jardin due à deux artistes toulonnais et à mère Nature : la végétation a comblé les vasques et les fameux dauphins disparaissent sous la mousse, les fougères, un figuier, un néflier et un laurier-rose !

C'est un buste de Raimu qui occupe, un peu plus haut, la minuscule place des Trois-Dauphins.

*Revenir place Puget et descendre par la rue Hoche.*

### Rue d'Alger G2

La principale artère, modernisée, de la vieille ville, débouche sur la Darse Vieille.

*Tourner à gauche dans la rue Seillon, puis suivre la rue de la Fraternité.*

### Église Saint-François-de-Paule G3

Construite en 1744 par les récollets, elle évoque le baroque niçois par sa façade rose doublement cintrée et son clocher génois.

*Rebrousser chemin et tourner dans la première rue à droite.*

De la place à l'Huile (jadis lieu d'un marché aux huiles), on atteint la place de la Poissonnerie ; les dernières halles au poisson, hauts lieux du verbe toulonnais, ont été détruites en 1988.

*Remonter sur la droite par les rues Pressensé, puis des Boucheries.*

### Cathédrale Sainte-Marie G2

*9h-12h, 14h-18h.*

La belle façade classique date des agrandissements du 17e s. Le clocher est encore plus récent (1740). L'intérieur, plutôt sombre, associe roman et gothique, les architectes du 17e s. ayant voulu respecter les lignes de l'édifice primitif (11e s., restauré au 12e s.). La chapelle du Corpus est d'influence baroque. La chapelle de la Croix renferme des objets de culte.

*Continuer vers le cours Lafayette.*

### Cours Lafayette G2-3

Bécaud a chanté le marché qui se tient chaque jour (sauf le lundi) sur cette voie qu'on appelait autrefois « le pavé d'amour ». La mercerie, la fripe et les gadgets tiennent les deux extrémités, les fruits et légumes règnent sur le reste. Olives, herbes de Provence, figues de Barbarie pour la couleur, verbe aussi haut que coloré.

### Musée du Vieux Toulon et de sa région G2

☎ 04 94 62 11 07 - www.avtr-org - tlj sf dim. et lun. 14h-18h - fermé j. fériés - gratuit.

Installé dans une maison du 17e s. (ancien évêché) ; les marches de l'escalier sont couvertes de tomettes. Impressionnante collection de plaques de cheminées (ce qui restait des maisons bombardées en 1943-1944) et d'autres souvenirs de l'ancien Toulon (tableaux, gravures, maquette). Une salle est dédiée à l'art sacré.

*Sortir de la vieille ville par la rue Garibaldi.*

### Porte d'Italie H2

Porte bastionnée construite en 1790. C'est l'unique vestige des fortifications de Toulon.

*Revenir sur ses pas et choisir entre trois possibilités : tranquille, remonter le cours Lafayette vers la ville moderne ; aquatique, le redescendre vers le port ; aventureuse, retraverser la vieille ville au hasard des ruelles…*

# Visiter

### Muséum d'Histoire naturelle de Toulon et du Var F2

*113 bd du Mal-Leclerc - ☏ 04 94 36 81 10 - www.museum-toulon.org - ♿ - 9h-18h, w.-end 11h-18h - fermé j. fériés - gratuit.*

Il occupe l'aile droite d'un édifice de style Renaissance, l'aile gauche est réservée au musée d'Art *(voir ci-dessous)*. Belles collections permanentes de minéralogie et d'animaux naturalisés (oiseaux principalement), complétées par deux expositions à thème par an. L'accueil est confié à une célébrité locale, le tigre Clem, ancienne mascotte du porte-avions *Clemenceau*, né au mont Faron *(voir « Aux alentours »)*, mort de vieillesse.

### Musée d'Art F2

*113 bd du Mal-Leclerc - ☏ 04 94 36 81 01 - tlj sf lun. 12h-18h - fermé j. fériés - gratuit.*

Une grande salle expose des tableaux des écoles flamande, hollandaise, italienne et française (16e-18e s.), et un fonds du 19e s. où figurent des œuvres de peintres provençaux comme le paysagiste toulonnais Vincent Courdouan. Un vaste choix de peintures et de sculptures contemporaines est exposé par roulement.

Dans le **jardin Alexandre I**er qui jouxte le musée d'Art, le buste de *Puget*, par Injalbert, et la bien nommée *fontaine du Buveur*, par Hercule, se cachent parmi les cèdres, palmiers et magnolias.

# Séjourner

### Plage du Mourillon

*À l'est, le long du littoral Frédéric-Mistral, entre le fort Saint-Louis et la base nautique. Postes de secours. Restaurants, sanitaires. Grand parking gratuit de 1 300 places.*

La grande plage (artificielle) de Toulon, séparée de la route par un vaste jardin botanique, est constituée de quatre anses de sable fin, de galets ou d'un mélange des deux, selon les endroits. Pente douce vers la mer et baignade abritée par des digues.

### Plages des anses Méjean et Magaud

*Du Mourillon, suivre la direction La Garde-Le Pradet.* À l'entrée de La Garde, le chemin de la Mer mène à deux plages de sable naturelles, les anses Magaud *(à gauche)* et Méjean *(à droite)*.

🚶 *1h30 AR.* Du fort Saint-Louis en passant par le cap Brun, le **sentier des douaniers** vous conduit à l'anse Méjean. Belle vue sur la rade.

# Aux alentours

### Mont Faron★★★

Le massif calcaire du mont Faron (alt. 584 m) domine Toulon. La montée est l'occasion de découvrir de belles **vues★** sur la ville, les rades, Saint-Mandrier, le cap Sicié et Bandol. À quelques pas du parking démarre le **sentier des Crêtes**, agréable promenade balisée (🚶 *1h30 AR. Plan à l'office de tourisme de Toulon)*. Du fort de la Croix-Faron *(ne se visite pas)*, belle vue sur la côte, la presqu'île de Giens, Bandol. Une centaine de mètres au nord du fort, vue sur les Alpes de Provence.

*Le téléphérique du mont Faron.*

**Téléphérique du mont Faron★** – *Gagner le boulevard Sainte-Anne, puis suivre les panneaux « Téléphérique du mont Faron ». Gare de départ av. Perrichi. En cas d'affluence, laisser la voiture à gauche en contrebas de la station.* 📞 04 94 92 68 25 - juil.-août : 9h30-20h ; fév.-juin et sept.-nov. : se renseigner pour les horaires - fermé déc.-janv., lun. (sf juil.-août, lun. Pâques, lun. Pentecôte), 22 et 23 juin, 7 et 8 sept. - 6,10 € (enf. 4,30 €). Montée (et descente !) spectaculaires : si vous êtes sujets au vertige, fermez les yeux ; sinon profitez de la vue sur la ville et la rade, et aussi sur les pentes, habitées, puis assez vertes, puis franchement cailloutteuses et peu accueillantes. La terrasse de la station d'arrivée n'est ouverte qu'aux consommateurs, mais on aura une vue agréable sur la route d'accès au mont Faron, une dizaine de mètres à gauche.

**Musée-mémorial du Débarquement en Provence★** – 📞 04 94 88 08 09 - de déb. juil. à mi-sept. : 10h-13h, 14h-18h30 ; mai-juin et 2ᵉ quinz. de sept. : tlj sf lun. 10h-13h, 14h-18h30 ; oct.-avr. : tlj sf lun.10h-13h, 14h-17h30 - fermé 1ᵉʳ janv., 25 déc. - 3,80 € (enf. 1,55 €). Installé dans la **tour Beaumont**, construite entre 1840 et 1845, le musée commémore la libération du Sud-Est de la France par les Alliés en août 1944. Les premières salles présentent des souvenirs des combattants dans la région lors de la Libération : Anglais, Américains, Canadiens, Français, Allemands. Un diorama met en scène la libération de Toulon et de Marseille. Dans la salle de cinéma sont projetés des documents filmés lors du débarquement *(15mn)*. Du haut de la terrasse *(accessible avec la visite du musée)* : superbe **vue★★★** sur Toulon, la rade, la Méditerranée, les îles et les montagnes alentour (trois tables d'orientation).

**Zoo** – 📞 04 94 88 07 89 - ♿ - juil.-août : 10h-18h30 ; reste de l'année : 14h-17h30 - fermé j. de pluie - 8 € (enf. 5 €), 11 € (enf. 7,50 €) pass téléphérique + zoo (vendu au téléphérique). 👥 Centre de reproduction d'espèces menacées, spécialisé dans les fauves : panthère des neiges, ocelot, caracal. On y trouve également singes, ours, hyènes et lémuriens.

### La Garde

*9 km par la D 29 à l'est, en direction de la Valette.*
Aujourd'hui banlieue industrielle de Toulon, cette petite cité a ouvert un **musée Jean-Aicard - Paulin-Bertrand** dans la maison où l'auteur de *Maurin des Maures* recevait disciples et amis, dont le peintre Paulin Bertrand (1852-1940). Son atelier a été aménagé et des toiles sont exposées. Au rez-de-chaussée, une salle présente des céramiques de **Clément Massier** (fin 19ᵉ-déb. 20ᵉ s.). 📞 04 94 14 33 78 - visite guidée (1h) tlj sf dim. et lun. 12h-18h (dernière entrée 30mn av. fermeture) - fermé j. fériés - gratuit.

### Solliès-Ville

*15 km au nord-est. Quitter Toulon par l'A 57. Sortie La Farlède, puis direction Solliès-Ville par la D 67.*
On entre dans Solliès-Pont (grand producteur de figues) avant de monter à Solliès-Ville, qui domine la plaine. Sur l'**esplanade de la Montjoie**, ruines du château des Forbin, seigneurs de Solliès, et **vue★** sur la vallée du Gapeau et les Maures. L'**église**, une ancienne salle capitulaire, abrite, au maître-autel, un curieux monolithe qu'on suppose être un ciborium *(15ᵉ s.)*. *Mêmes conditions de visite que la maison Jean-Aicard.*
On visite (ici aussi !) la **maison Jean Aicard** (1848-1921), présentant du mobilier, des tableaux de maîtres et un point de vue remarquable depuis le dernier étage de la maison, consacré aux expositions sur le massif des Maures. Voisin, le **musée du Vêtement provençal** est installé dans un ancien moulin à huile ; il compte plus de 200 tenues, des années 1800 à 1915. 📞 04 94 33 72 02 - www.solliesville.fr - possibilité de visite guidée (1h30) mai-sept. : tlj sf mar. 10h, 14h30 et 16h30, dim. et lun. 14h30 et 16h30 ; oct.-avr. : tlj sf dim. et lun. 10h, 14h et 16h - fermé 1ᵉʳ janv., Pâques, 1ᵉʳ Nov. et 25 déc. - gratuit.

# Circuits de découverte

## TOUR DE LA RADE EN VOITURE★★ 1

*17 km au sud – environ 1h30. Quitter Toulon par l'autoroute A 50, puis la D 559, et tourner à gauche vers La Seyne.*

### La Seyne

Port de pêche et de plaisance, autrefois connu pour ses chantiers des Constructions navales et industrielles de la Méditerranée, créés en 1856 et qui construisaient des bâtiments pour la marine marchande et la flotte de guerre. L'ancien **pont levant** à l'entrée des chantiers a été conservé.

Une petite baie, limitée par les forts de l'Éguillette et de Balaguier construits au 17e s. pour verrouiller, avec la tour Royale, l'entrée de la Petite Rade, donne une vue d'ensemble sur Toulon, le Faron et le Coudon. C'est en fin d'après-midi que vous bénéficierez du meilleur éclairage.

*Le pont levant du port de la Seyne.*

### Fort Balaguier

*℘ 04 94 94 84 72 - possibilité de visite guidée (1h) - juil.-août : tlj sf lun. 10h-12h, 15h-19h ; reste de l'année : tlj sf lun. 10h-12h, 14h-18h - fermé j. fériés - 3 € (enf. 2 €).*

En 1793, ce fort aux murs épais de 4 mètres fut repris aux Anglais par un jeune commandant nommé Bonaparte. Aujourd'hui, outre un aperçu du confort très relatif dont bénéficiait la garnison, on y trouve un **Musée naval** qui présente des expositions temporaires relatives à l'histoire de la marine et, dans la chapelle (17e s.), des objets et des documents sur le bagne et les galères.

Du chemin de ronde, très belles **vues★** sur Saint-Mandrier, Toulon et la rade. Charmant jardin, agrémenté d'un bassin et d'une volière où se promène un paon.

### Tamaris

Agréable petite station ombragée, étalée au flanc d'une colline, avec une belle vue sur la presqu'île de Saint-Mandrier. Elle se développa à partir des années 1880 sous l'impulsion du maire de Sanary, « Michel Pacha », mais ne s'est jamais imposée durablement. Il reste de cette époque la **villa Tamaris Pacha**, somptueuse demeure à l'italienne que Michel Pacha fit construire pour sa femme, avant d'arrêter les travaux à la mort de celle-ci, assassinée en 1893. Inhabitée pendant un siècle, la maison, située dans un beau parc, accueille aujourd'hui des expositions d'art contemporain. *Av. de la Grande Maison - ℘ 04 94 06 84 00 - & - possibilité de visite guidée sur RV (1h30) - tlj sf lun. 14h-18h30 - fermé j. fériés - gratuit.*

En bordure de la baie du Lazaret, une belle **villa mauresque** *(ne se visite pas)*, autre création de Michel Pacha, abrite l'Institut de biologie marine de l'université de Lyon. Côté mer, des cabanes sur pilotis jalonnent les parcs à moules.

### Les Sablettes

Longue plage de sable fin tournée vers le large, le long de l'isthme reliant le continent à Saint-Mandrier. Le **parc Fernand Braudel** invite à la déambulation, ceux qui s'intéressent à la botanique apprécieront les nombreuses variétés de plantes méditerranéennes.

### Presqu'île de Saint-Mandrier★

La côte sur la rade est largement occupée par la base aéronavale et les écoles des mécaniciens et nageurs de combat de la Marine, domaine militaire isolé de la route par un mur. Les plages et quartiers résidentiels se trouvent sur le versant tourné vers le large. Le Creux Saint-Georges abrite un joli petit port. À l'entrée de Saint-Mandrier-sur-Mer, une route à droite et en forte montée atteint un petit cimetière, d'où le **panorama★★** s'étend vers Toulon, le cap Sicié, les îles d'Hyères.

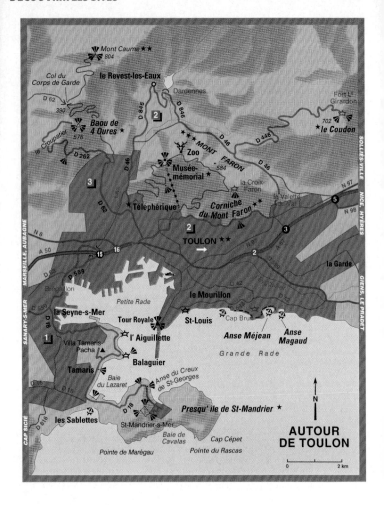

## GRAND TOUR DU MONT FARON★★ ②

*40 km - 2h. Gagner la corniche par le pont de Sainte-Anne, l'av. de la Victoire et le bd Sainte-Anne à gauche.*

### Corniche du Mont Faron★★

La magnifique corniche Marius-Escartefigue donne la meilleure **vue**★ d'ensemble des rades de Toulon : la Petite Rade entre le Mourillon et La Seyne, la Grande Rade limitée au sud par la presqu'île de Saint-Mandrier, à l'est par le cap Carqueiranne ; plus loin encore, le golfe et la presqu'île de Giens. Sans oublier, bien sûr, la vieille ville, le port et les faubourgs adossés à la montagne.

*Au bout de la corniche, prendre à gauche l'avenue Canaillette qui mène à la D 46, puis tourner à droite dans la D 446, étroite et en forte montée.*

### Le Coudon★

Alt. 702 m. Il apparaît d'abord tout entier, dominant la plaine de la Crau. La route traverse une pinède puis une région plantée d'oliviers, et atteint la garrigue peuplée de chênes verts ; la **vue**★ s'élargit jusqu'à l'entrée du fort du Lieutenant-Girardon, d'où le regard embrasse toute la côte, de la presqu'île de Giens à l'ancienne île de Gaou près du Brusc.

*Revenir à la D 46 et prendre à droite. 2,5 km plus loin, la D 846 atteint Le Revest-les-Eaux, en passant à hauteur d'un barrage de retenue.*

### Le Revest-les-Eaux

Charmant vieux village ombragé, construit au pied du mont Caume et dominé par une « tour sarrasine ». Le château date de la fin 16e s. avec ses deux tours en poivrière (occupé par un bar-tabac). L'église est de la même époque. Dans la **maison des**

**Comoni** est installé un des trois musées de France consacrés exclusivement aux monnaies. Visitez aussi le surprenant petit **Musée copte et byzantin** : collection d'icônes coptes et byzantines, objets liturgiques du 4e au 19e s. *Se renseigner pour les périodes, horaires et tarifs au syndicat d'initiative, ✆ 04 94 98 94 78.*

*Rentrer à Toulon par le vallon du Las (D 846) qui s'ouvre entre le Faron et le Croupatier.*

## BAOU DE QUATRE-OURES★ 3

*11 km au nord-ouest – environ 1h. Quitter Toulon par l'avenue Saint-Roch. Tout droit, puis à gauche dans l'avenue des Routes. Place Macé, prendre à droite la D 62 (avenue Clovis-Hugues), puis 4 km plus loin, à gauche dans la D 262.*

Après 3 km, une plate-forme procure une magnifique **vue**★★ sur Toulon et sa rade ainsi que sur la côte.

*Au-delà, la route étroite qui conduit au sommet (4 km) traverse un champ de tir.*

Du sommet, on découvre un beau **panorama**★★ sur la côte, du cap Bénat à la Ciotat, et sur l'intérieur, de la Sainte-Baume aux Maures.

## Toulon pratique

### Adresses utiles

**Office du tourisme de Toulon** – *334 av. de la République - Le Port - 83000 Toulon - ✆ 04 94 18 53 00 - www.toulontourisme.com - juil.-août : 9h-20h, mar. 10h-20h, dim. 10h-12h (14 juil. et 15 août 9h-18h ou 10h-18h si mar.) ; reste de l'année : 9h-18h, mar. 10h-18h, dim. 10h-12h - fermé 1er janv., 1er Mai et 25 déc.*

**Office du tourisme de La Seyne-sur-mer** – *Corniche Georges-Pompidou - 83500 La Seyne-sur-mer - ✆ 04 98 00 25 70 - www.ot-la-seyne-sur-mer.fr - juil.-août : 9h-19h, dim. 9h-13h ; avr.-mai et sept. : tlj sf dim. 9h-12h, 14h-18h ; oct.-mars : tlj sf dim. 8h45-12h, 14h-17h30, sam. 9h-12h, 14h-17h30 - fermé 1er janv., 1er Mai, 1er et 11 Nov. et 25 déc.*

### Transports

**Zone piétonne** – Le secteur de la vieille ville délimité par la r. Anatole-France, l'av. de la République, l'av. de Besagne et le bd de Strasbourg n'est pas accessible aux véhicules de passage. Les parkings les plus vastes se situent pl. d'Armes, pl. de la Liberté/Palais Liberté et au centre Mayol.

**Bus** – *Plan, horaires et billetterie au kiosque, 11 r. Revel ou dans les différents points Réseau Mistral - ✆ 04 94 03 87 03. www.reseaumistral.com.* Les lignes du Réseau Mistral desservent Toulon et les communes voisines.

**Pass Téléphérique** – *✆ 04 94 03 87 03. www.reseaumistral.com - 6 €.* Billet journalier valable sur tout le Réseau Mistral (bus et bateau) et donnant droit à un trajet AR sur le téléphérique du Mont Faron.

**Tour de la rade en bateau** – *Voir le circuit 2 dans « Se promener ».*

**Navettes maritimes Toulon Provence Méditerranée/Réseau Mistral** – *Vente de titre de transport aux kiosques à La Seyne centre, 12 quai Saturnin-Fabre, et au ponton du quai Cronstadt à Toulon. Se renseigner : tlj sf w.-end 7h30-19h, sam. 7h30-12h, 13h30-18h - ✆ 04 94 03 87 03 - 2 €, possibilité d'un Pass 10 voyages (bus et bateau), 9,60 €.* Les localités de La Seyne-sur-Mer, Sablettes, Tamaris et St-Mandrier-sur-Mer sont desservies toute l'année par des vedettes, à partir de Toulon. Ces lignes font partie intégrante du réseau de transport urbain de l'agglomération.

### Visites

**Circuit des fontaines** – Document à disposition à l'office de tourisme.

**Visites guidées de la ville** – *Réservation obligatoire, tarifs et horaires disponibles à l'office de tourisme.* Visite guidée (2h) du Toulon insolite par un conteur de rue, visite guidée (2h) de Toulon au gré des fontaines (dans le vieux Toulon) et visite guidée (2h) de Toulon, ville royale et impériale.

**Train touristique** – *✆ 06 20 77 44 42 - départ du Carré du Port - se renseigner pour les horaires - 5 € (enf. 2,50 €).* Circuit commenté (50mn) de la vieille ville aux plages du Mourillon.

### Se loger

⊖ **Les Trois Dauphins** – *9 pl. des Trois-Dauphins - ✆ 04 94 92 65 79 - 14 ch. 28/42 € - ☕ 7 €.* Les fenêtres de ce sympathique hôtel tout juste rénové s'ouvrent sur une minuscule place où trône un buste de Raimu. Décoration réussie dans les chambres, petites mais illuminées par de jolies couleurs ensoleillées. Accueil charmant.

⊖ **Little Palace** – *6-8 r. Berthelot - ✆ 04 94 92 26 62 - www.hotel-littlepalace.com - 23 ch 40/50 € - ☕ 7 €.* Derrière une façade étroite, un petit hôtel de charme au mobilier simple rehaussé de tons chauds et à l'atmosphère lumineuse et sereine. Accueil chaleureux. Remarquables petits-déjeuners conjuguant choix et qualité.

**Hôtel Bonaparte** – *16 r. Anatole-France - ℰ 04 94 93 07 51 - www.hotel-bonaparte.com - 19 ch. 50/60 € - ☐ 7 €.* Avec ses murs en crépis ocre et ses sols dans les tons de terre cuite, cet hôtel du centre-ville, entièrement rénové, fleure bon le charme provençal. Pas forcément très grandes mais bien agencées, les chambres offrent, selon leur emplacement, une jolie vue sur la ville. Climatisation au dernier étage, utile en été.

**Val Hôtel** – *Av. René-Cassin, ZA Paul-Madon - 83160 La Valette - ℰ 04 94 08 38 08 - www.monalisahotels.com - 42 ch. 49/72 € - ☐ 7 € - rest. 15/20 €.* L'environnement verdoyant, les chambres spacieuses et colorées (rénovées en 2005) dotées de balcons ou de terrasses, la piscine extérieure et les tarifs attractifs du week-end font vite oublier la proximité d'une sortie d'autoroute.

**New Hôtel de l'Amirauté** – *4 r. Adolphe-Guiol - ℰ 04 94 22 19 67 - www.new-hotel.com - 58 ch. 70/85 € - ☐ 9 €.* Bien situé au centre-ville, cet hôtel vous permettra de concilier affaires et tourisme si vous en avez le temps. Dans un décor qui s'inspire de celui des grands navires de croisière, ses chambres fonctionnelles sont bien insonorisées.

**La Corniche** – *Face au port St-Louis et à proximité des plages du Mourillon - ℰ 04 94 41 35 12 - www.bestwestern-hotelcorniche.com - fermé dim. - 21 ch. 85/125 € - ☐ 12 € - rest. 28/53 €.* Cet hôtel à deux pas des plages du Mourillon, et avec vue sur la mer, est parfait si vous envisagez votre week-end comme un petit séjour farniente.

## Se restaurer

**Le Petit Prince** – *16 r. Charles-Poncy - ℰ 04 94 93 03 45 - fermé 3 sem. en août, 2 sem. en hiver, sam. midi et dim. - 10/25 €.* Un tout petit restaurant dans une toute petite ruelle qui porte vraiment bien son nom. Cuisine française du sud-ouest et provençale. Ambiance chaleureuse.

**Al Dente** – *30 r. Gimelli - ℰ 04 94 93 02 50 - fermé sam. et dim. midi - 11,20/18,80 €.* Une carte de pâtes et de plats italiens complétée par des menus très abordables attirent une clientèle d'habitués qui apprécie également l'atmosphère créée par la décoration contemporaine et colorée.

**Chez Mimi** – *Square Léon-Vérane - ℰ 04 94 24 97 42 - fermé juil. et lun. - 11,60/26,94 €.* La salle à manger simplement aménagée, les tableaux traditionnels tunisiens, la gentillesse de l'accueil, l'ambiance familiale, la carte des couscous et les plats vous feront passer un chaleureux moment sans avoir à traverser la Méditerranée voisine.

**Le Pascalou** – *3 pl. à l'Huile - ℰ 04 94 62 87 02 - fermé lun., ouv. le midi du mar. au dim. - formule déj. 13,50 € - 15 €.* Restaurant très simple attenant à l'étal du marchand de poissons du même nom, sur une placette typique. Idéal pour y manger la pêche du jour.

**L'Avant-Première** – *60 r. de la Pomme-de-Pin - ℰ 04 94 46 05 99 - fermé vac. scol. sf juil.-août, sam. midi, lun. midi et dim. - 22 €.* Bistrot à vins et cuisine de terroir. Salle en contrebas de la rue dans un décor rustique et chaleureux. Une bonne adresse.

**L'Eau à la Bouche** – *54 r. Muiron - ℰ 04 94 46 33 09 - fermé vac. de Pâques, 1er-6 juin, vac. de Noël, lun. sf juin à sept., sam. midi et dim. - 22 €.* Restaurant voisin de l'arsenal du Mourillon, sur la route de la Tour royale. Le coquet décor est bien évidemment de style… marin ! Les suggestions du jour, présentées sur ardoise, ne manqueront pas de vous mettre l'eau à la bouche…

**Chez Daniel et Julia « restaurant du Rivage »** – *83500 La Seyne-sur-Mer - 4 km au S de La Seyne par rte de St-Mandrier et rte secondaire - ℰ 04 94 94 85 13 - fermé nov., dim. soir et lun. de sept. à juin - 38/75 €.* Charmant restaurant familial niché au fond d'une jolie petite crique. Vous pourrez y déguster de bons produits de la mer ou ceux tout juste sortis des viviers de la maison. Ne manquez pas la collection de vieux outils exposés dans la salle à manger, joliment rénovée dans un esprit rustico-provençal.

*La partie de carte de Pagnol.*

## Faire une pause

**Bon à savoir** – Comme toute vraie ville, Toulon grouille de monde. Sa rade (la plus belle d'Europe), ses salles de spectacles et ses nombreux organismes de loisirs en font un centre d'activités touristiques, culturelles et sportives. Les soirées y sont animées, grâce à ses nombreux bars et restaurants.

**Spécialités** – Escabèche de sardine, « pompe à l'huile » (galette dure, huilée et parfumée à la fleur d'oranger). On déguste le chichi-fregi (beignet sucré) et la cade (galette de pois chiche, cousine de la socca niçoise) devant les étals du marché Lafayette.

**La Cade à Dédé** – *17 r. Charles-Poncy -* 𝒸 *04 94 89 32 32 - tlj sf lun. 8h30-12h30 - fermé 3 sem. en janv.* Il faut se lever tôt pour voir Dédé s'activer autour de son four et préparer la cade pour la journée. C'est une spécialité toulonnaise d'origine italienne (galette de farine de pois chiches cuite au feu de bois), que vous pourrez également trouver sur les marchés du cours Lafayette et du Mourillon, ainsi que sur le marché de Sanary (cuisson directe face à la clientèle).

## En soirée

**Café-Théâtre** – *Pl. Armand-Vallée -* 𝒸 *04 94 92 99 75 - fermé juin-sept.* Ce café-théâtre organise toute l'année des concerts (jazz, clarinette), des pantomimes et des spectacles comiques.

**Opéra Toulon Provence Méditerranée** – *7 r. Racine -* 𝒸 *04 94 92 58 59 - tlj sf dim. et lun. 10h-12h30, 14h30-17h - fermé août.* Construit en 1862, l'opéra de Toulon est la deuxième salle de France en terme de capacité et d'acoustique.

## Que rapporter

**Marché** – Cours Lafayette (tous les matins sauf lun.). Marché du Pont du Las et marché du Mourillon (tous les matins sauf lun.).

**Rues commerçantes** – Rues d'Alger, Jean-Jaurès, Hoche et place Victor-Hugo.

**Moulin du Partegal** – *159 chemin de la Pierre-Blanche - 12 km au NE par N 97, rte de Cuers - 83210 La Farlède -* 𝒸 *04 94 48 48 85 - www.moulindupartegal.com.* Au cœur d'une oliveraie comptant 800 arbres, et sur un site existant depuis le 14e s. ce moulin à huile travaille toujours selon les méthodes de fabrication ancestrales. Plus encore qu'une simple **visite**, les maîtres mouliniers font découvrir leur passion du métier et leur savoir-faire authentique.

**Les Navires de la Royale** – *30 r. des Riaux -* 𝒸 *06 11 18 55 61 - tlj sf lun. 9h-12h, 14h-18h - fermé j. fériés.* À voir absolument !

Jean-Michel Delcourte est un artiste passionné de bateaux, dont il réalise ou restaure les maquettes : bâtiments de la marine nationale, navires, voiliers… Il se fera un plaisir de tout vous raconter sur la vie de ses bateaux.

## Événements

**Bacchus, fête des vins et de la gastronomie** – 𝒸 *04 94 91 56 87 - entrée gratuite.* Le dernier week-end de mars, la pl. d'Armes accueille de nombreux exposants de vins et de produits du terroir, ateliers d'œnologie, dégustations, animations musicales.

**Festival de musique de Toulon et sa région** – 𝒸 *04 94 93 55 45.* De mi-juin à mi-juillet, ce festival de musique classique et estival investit trois lieux exceptionnels : le Fort Lamalgue à Toulon, Châteauvallon à Ollioules et la Collégiale de Six-Fours-les-Plages.

**Festival de jazz à Toulon** – 𝒸 *04 94 09 71 00.* Pendant 10 jours, en juillet, le centre-ville et les quartiers de Toulon ne pensent plus qu'à swinguer. Au rythme des concerts gratuits donnés chaque soir.

**Festival de Noël** – Tout le mois de décembre, marché, crèche, patinoire, sapin géant… animent la ville.

**Festival du cirque** – La Seyne-sur-Mer, en janvier, propose des numéros de rue, des stages et des initiations sous chapiteau.

**Fête de la mer et des pêcheurs** – Le port de La Seyne-sur-mer est en pleine effervescence le dernier week-end de juin : animations autour de la pêche et le poisson, aussitôt pêché est aussitôt dégusté.

**Grand Marché de Noël** – En décembre, La Seyne-sur-mer propose des animations, des ventes de produits du terroir et des dégustations avant-fête.

**Principaux aïolis de l'été** – Solliès-ville rime avec aïoli le 3e dimanche d'août.

# Tourrettes-sur-Loup★

**3 870 TOURRETTANS**
**CARTE GÉNÉRALE C2 – CARTE MICHELIN LOCAL 341 D5 – ALPES-MARITIMES (06)**

C'est le pays des violettes, cultivées sur les « planches » d'oliviers. Mais c'est surtout un ravissant village, bâti au bord d'un à-pic de pierre et de verdure, vision saisissante qu'on découvre depuis la route de Vence. Un rempart de maisons, étroites et hautes sur leur socle de roche, dissimule les ruelles du village où il est particulièrement agréable de s'adonner à la flânerie.

- ▶ **Se repérer** – À 5 km à l'ouest de Vence par la D 2210.

- 🅿 **Se garer** – Laissez votre voiture sur le parking à l'entrée de Tourrettes (devant la place de la Libération) et gagnez le village à pied (chemin piétonnier) ou en navette gratuite depuis l'arrêt de bus.

- 👁 **À ne pas manquer** –La visite du vieux village médiéval et de sa chapelle sans oublier la belle vue en venant de Grasse (à 20 km au sud-ouest) et le panorama depuis le chemin de ronde.

- 🕐 **Organiser son temps** – Consacrez une heure pour faire le tour de ce beau village. Si vous avez la chance de venir en hiver ou au printemps, prenez 30mn supplémentaires pour aller respirer la violette sur ses champs de culture.

- ♿ **Pour poursuivre la visite** – Voir aussi Grasse, le Bar-sur-Loup, la vallée du Loup et Gourdon.

## Comprendre

**Bienvenue au pays de la violette** – Depuis 1880, la violette a élu domicile sur les sols fertiles de Tourrettes-sur-Loup. L'ex super-star des violettes, la « Parme » a laissé place à la « Victoria », seule variété aujourd'hui cultivée. Très odorante, il est très agréable de longer les parcelles colorées, entre les mois d'octobre et de mars *(voir « Visites » dans l'encadré pratique)*. Une douzaine d'exploitations, réparties sur 6 ha cultivent la violette, en plein air ou sous abri. Du 15 octobre au 15 mars, les fleurs sont récoltées en bouquets de 25 ; en fin de saison, quand la floraison est plus abondante, la fleur est cueillie sans la tige pour la confiserie (7 600 fleurs au kilogramme!).

S. Sauvignier / MICHELIN

*Produits à la violette.*

Début mai et fin juillet, la feuille est fauchée et livrée le jour même dans les usines de Grasse pour y être transformée et entrer dans la composition de nombreux parfums.

## Se promener

### Vieux village★

*Prendre la porte à beffroi, dans l'angle sud de la place.*

Restauré et habité par des artisans, artistes et restaurateurs, c'est une succession de ruelles, de passages parfois voûtés, de petits escaliers où somnolent des chats. Un charme fou ! La **Grand'Rue**, bordée d'ateliers d'artisanat et de galeries d'art, traverse le village en arc de cercle et aboutit de l'autre côté de la place. En cours de route, on peut descendre le long du chemin de ronde, planté de figuiers de Barbarie, où les remparts du 16e s. sont encore visibles, profiter d'un large **panorama★** (table d'orientation) et jeter un coup d'œil au château *(expositions en saison).*

Sur la place de la Libération, l'**église** abrite un beau triptyque du 15e s. dont la facture évoque l'école des Bréa : saint Antoine entre saint Pancrace et saint Claude. Remarquez également l'autel en bois doré de Saint-Antoine et l'Autel de Mercure, gros bloc de calcaire gravé et datant du 3e s.

Traversez la route de Grasse, l'artère principale de Tourrettes-sur-Loup pour une pause rafraîchissante, près du **lavoir**. Adossé à une demi-cavité sous roche, il est alimenté par une source depuis 1900, bénéficiant d'une fontaine, elle-même flanquée d'un abreuvoir et d'un bassin découvert.

## Chapelle Saint-Jean

*Route de Saint-Jean - avr.-sept.*

Au sud du village, la route Saint-Jean conduit à cette chapelle décorée en 1959 de fresques naïves par **Raphaël Soupault**, représentant les Tourrettans dans leur quotidien. La cueillette de la violette se mêle aux scènes religieuses.

## Tourrettes-sur-Loup pratique

&#9855; Voir aussi les encadrés pratiques de Saint-Paul et de Vence.

### Adresse utile

**Office du tourisme de Tourrettes-sur-Loup** – *2 pl. de la Libération - 06140 Tourrettes-sur-Loup - &#9742; 04 93 24 18 93 - www.tourrettessurloup.com - avr.-oct. : tlj sf dim. 10h-18h30 (et dim. juil.-août : 10h-18h30) ; nov.-mars : tlj sf dim. 9h30-18h - fermé 1er janv., 1er et 11 Nov., 25 déc.*

### Visites

&#128065; **Bon à savoir** – L'office de tourisme organise des visites guidées du village toute l'année et des visites de **champs de violettes** de janvier à mars *(sur RV).*

### Se loger

&#128715;&#128715; **Chambre d'hôte Mas des Cigales** – *1673 rte des Quenières - 1,5 km de Tourrettes rte de St-Jean - &#9742; 04 93 59 25 73 - www.lemasdescigales.com - 5 ch. 92/97 € &#8998;.* Le plus dur est de quitter cette belle villa entourée d'un jardin. De la terrasse qui borde la piscine, vous découvrirez en contrebas une petite cascade, le tennis et la mer dans le lointain. Les chambres, climatisées, sont confortables et joliment aménagées. VTT à disposition, spa et accès Internet (Wifi).

### Se restaurer

&#128714; **Auberge des Gorges du Loup** – *Le Pont du Loup - 8 km à l'O par D 2210, rte de Grasse - &#9742; 04 93 59 38 01 - www.auberge-gorgesduloup.com - fermé dim. et lun. - 14,50 € déj. - 18/25 €.* Joliment flanquée de palmiers et des cyprès, cette auberge vous accueille dans une grande salle à manger qui fleure bon la tradition. Mise en place classique et cuisine simple, pour des prix très abordables. Terrasse bien agréable aux beaux jours.

&#128714;&#128714; **Le Médiéval** – *6 Grande-Rue - &#9742; 04 93 59 31 63 - fermé 15 déc.-15 janv., merc., jeu. et le soir de nov. à mars - 20/30 €.* En déambulant dans les ruelles de ce pittoresque village, vous découvrirez ce restaurant familial qui abrite une longue salle à manger rustique. La cuisine traditionnelle est sans surprise, mais copieuse et à prix plutôt sages.

### Que rapporter

**Confiserie des Gorges du Loup (Florian)** – *Pont-du-Loup - 06140 Tourrettes-sur-Loup - &#9742; 04 93 59 32 91 - www.confiseriefiorian.com - 9h-12h, 14h-18h30 ; mars-fin oct. : 9h-18h30 - fermé 25 déc.* Cette confiserie artisanale, fondée en 1949, propose la **visite guidée** de ses ateliers de fabrication où s'élaborent fruits confits, confitures d'agrumes… Visite d'un jardin d'agrumes et de fleurs à confiserie. Musée de la fleur sucrée.

### Événement

**Fête des violettes** – 1er ou 2e week-end de mars (selon la floraison) : marché provençal, samedi visite d'exploitation l'après-midi, dimanche corso fleuri.

# Tourtour★

472 TOURTOURAINS
CARTE GÉNÉRALE B2 – CARTE MICHELIN LOCAL 340 M4 – VAR (83)

Site unique pour humer l'air frais depuis sa crête boisée de chênes et de pins, entre deux châteaux, de vieilles rues blotties sur elles-mêmes et une place où il fait bon contempler le panorama infini sur la côte. Tourtour est l'un de ces bouts du monde où le temps semble s'être arrêté… hors saison !

&#9673; **Se repérer** – À 14 km à l'est d'Aups.

&#128505; **Se garer** – Parking à l'entrée du village et derrière l'église.

&#128065; **À ne pas manquer** – Le vieux village médiéval ; le panorama depuis la place de l'église et le musée des Fossiles.

&#128336; **Organiser son temps** – À vous de choisir le rythme de votre tour à Tourtour… mais prévoyez en gros 2h.

&#128106; **Avec les enfants** – Le musée des Fossiles.

&#128694; **Pour poursuivre la visite** – Voir aussi Villecroze, Aups et Entrecasteaux.

# Se promener

## Village★

Médiéval à souhait avec ses vestiges de fortifications, ses maisons restaurées avec goût, ses fontaines où se désaltérer, ses ruelles étroites en pente qui communiquent par des passages voûtés et se rejoignent sur la place centrale. Les ormeaux semés sur cette place par Anne d'Autriche en 1638 ont aujourd'hui fait

place à deux gros oliviers et à des platanes qui, avec les restaurants et la terrasse où se disputent des parties de boules, font toute l'animation du village.

Depuis la place centrale, le passage sous voûte conduit à la **tour de l'Horloge** puis au musée des Fossiles *(voir « Visiter »)*, installé dans un ancien moulin. À gauche, on atteint le **vieux château** du 12ᵉ s., restauré, qui abrite une galerie d'art et d'antiquités. En poursuivant sur 1 km, on rejoint une tour médiévale de deux étages, la **tour Grimaldi**. Au bord de la route en montée, remarquez, à droite, un charmant **lavoir**.

De l'autre côté de la place centrale, la mairie occupe l'ancien **château des Raphelis**, solide bâtisse du 16ᵉ s. cantonnée de tours en poivrière. Plus haut, isolée à l'extrémité sud-est de la crête, se trouve l'**église Saint-Denis** qui date du 11ᵉ s. mais a été très remaniée au siècle dernier.

## Point de vue

De l'esplanade devant l'église, on découvre un splendide **panorama★** (table d'orientation) sur les dépressions de l'Argens et du Nartuby. La vue s'étend jusqu'aux Maures à l'est et à la Sainte-Baume, la montagne Sainte-Victoire et au Luberon à l'ouest.

# Visiter

## Musée des Fossiles

*R. des Moulins - ☎ 04 94 70 59 47/54 74 - www.tourisme-tourtour.com - ♿ - possibilité de visite guidée (15mn) - de mi-juin à mi-sept. : tlj sf mar. 11h-12h30, 15h30-19h - gratuit.*
👥 Intéressante présentation de fossiles provenant de la région. On y remarque des œufs de dinosaure, des empreintes de fossiles et des ammonites, grandes ou déroulées. Ces dernières, fossiles de mollusques à coquille enroulée, abondent dans les terrains secondaires (130 millions d'années).

## Moulin à huile

*R. des Moulins - ☎ 04 94 70 59 47 - www.tourisme-tourtour.com - de mi-mai à fin-sept. et de mi-déc. à déb. fév. : se renseigner pour les horaires - gratuit.*
Ce moulin communal possède 3 pressoirs et fonctionne depuis le 17ᵉ s. En période de production, à l'automne, 5 000 litres d'huile sortent de ses cuves, démontrant l'importance de la tradition oléicole dans la région. L'été, le moulin abrite un autre genre d'huiles : celle des peintures qui y sont exposées.

Moulin à huile de Tourtour.

E. Baret / MICHELIN

## Tourtour pratique

&#9855; Voir aussi les encadrés pratiques d'Aups, d'Entrecasteaux et Cotignac.

### Adresse utile

**Office du tourisme de Tourtour** – *Château communal - 83690 Tourtour - &#8505; 04 94 70 59 47 - www.tourisme-tourtour. com - de déb. juin à mi-sept. : 10h-12h30, 15h-19h ; reste de l'année : tlj sf w.-end 10h-12h30, 14h-18h (ouvert merc., jeu. et vend. en hiver).*

### Se loger

&#9973; **Auberge St-Pierre** – *3 km à l'E de Tourtour par D 51 et rte secondaire - &#8505; 04 94 50 00 50 - www.guideprovence. com/hotel/saint-pierre/ - fermé 18 oct.-3 avr. -* **P** *- 16 ch. 86/93 € - &#9209; 9 € - restaurant 24/33 €.* Séjour nature garanti dans cette demeure régionale isolée sur un domaine de 90 ha. Non loin du joli village de Tourtour, vous goûterez au calme de la campagne dans ses chambres sobrement meublées. Pour les adeptes du sport : piscine, tennis, VTT et fitness.

### Que rapporter

**Marché** – Mercredi matin et samedi matin, pl. des Ormeaux.

**La Ferme de Tourtour** – *Rte de Villecroze - &#8505; 04 94 70 56 18 - fermé j. fériés.* Vente de terrines, tapenade noire ou verte, crème d'anchoïade et spécialités provençales (mousseline de sardine ou de thon, caviar d'aubergine, crème d'artichaut ou de saumon fumé, pistou…).

### Événement

**Noël Pastorale** – En décembre et janvier, animations autour de Noël dans tout le village.

# La Turbie★

## La Turbia

**3 021 TURBIASQUES**
**CARTE GÉNÉRALE E4 – CARTE MICHELIN LOCAL 341 F5 – SCHÉMAS P. 309 ET 329 –**
**ALPES-MARITIMES (06)**

La Turbie est avant tout l'endroit où s'élève l'un des deux seuls trophées romains qu'ait conservés le monde moderne : un site archéologique majeur. Mais sa position sur la grande corniche, à 480 m d'altitude, en fait aussi un point de vue splendide et imprenable sur la côte, surtout le soir, quand s'illuminent Monaco et Monte-Carlo.

&#9655; **Se repérer** – La Turbie est située au point culminant de la via Julia Augusta, qui conduisait de Gênes à Cimiez, à 450 m juste au-dessus de Monaco, sur le promontoire de la Tête de Chien. Le Trophée est visible de loin.

**P** **Se garer** – Parking en contrebas du Trophée.

&#128065; **À ne pas manquer** – Le Trophée des Alpes ; la visite du vieux village et de son église baroque. Vous resterez coi devant le panorama !

&#9201; **Organiser son temps** – Accordez 2 à 3h selon la saison et la fréquentation à ce petit village.

&#128106; **Avec les enfants** – Le Trophée des Alpes, impressionnant par ses dimensions exceptionnelles.

&#9855; **Pour poursuivre la visite** – Voir aussi la Principauté de Monaco et Èze.

## Un trophée pour Auguste

À la mort de César, la Gaule et l'Espagne sont romaines, mais les peuplades insoumises des Alpes contrarient la communication entre Rome et ses possessions transalpines. **Auguste** entreprend alors une série de campagnes (25-14 av. J.-C.), auxquelles il participe sans doute en personne, aidé de Drusus et Tibère. Il en résulte de nouvelles provinces, faisant la liaison entre l'Italie, la Gaule et la Germanie : parmi elles, les « Alpes maritimes », avec Cimiez pour capitale.

&#128065; L'autre trophée romain qui subsiste encore aujourd'hui se trouve à Adamklissi (Roumanie), à 150 km de Bucarest.

## Se promener

*Départ avenue Charles-de-Gaulle.*

À la **fontaine** de l'avenue Charles-de-Gaulle, construite au 19e s., aboutit l'aqueduc romain remis en service à la même époque. En bas, au sud-ouest de la **place Neuve**, belle **vue★** sur tout le littoral jusqu'aux Maures.

### Rue Comte-de-Cessole

C'est l'ancienne **via Julia Augusta**, qui passe sous le portail de l'ouest, entre deux rangs de demeures médiévales. À droite, gravés sur une pierre d'angle de maison, les vers que Dante consacra à La Turbie. Une autre inscription précise que la ville figurait sur l'itinéraire d'Antonin : liste de villes-étapes (avec distances intermédiaires) sur les grandes routes de l'Empire romain.

### Église Saint-Michel-Archange

*Éclairage : 1ʳᵉ chapelle à droite en entrant.* Bel exemple de baroque niçois : façade légèrement concave à deux étages, clocher à coupole en tuiles vernissées et plan ellipsoïdal. À l'**intérieur★**, la nef et les chapelles, voûtées en berceau sur de hauts pilastres, sont couvertes de fresques et de stucs. Table de communion (17e s.) en onyx et agate, maître-autel en marbre polychrome provenant de l'abbaye de Saint-Pons près de Nice *(voir ce nom, circuit* ③*)*, où il servit, sous la Révolution, au culte de la Raison. L'église est décorée de nombreux tableaux : dans la chapelle à gauche du chœur, *Pietà* (école des Brea), *Saint Marc écrivant l'Évangile* (attribué à Véronèse) ; dans la 1ʳᵉ chapelle de droite, *Sainte Dévote* (attribué à Ribera) ; dans la 2ᵉ chapelle, *Marie Médiatrice* (école de Murillo), *Flagellation* à la manière de Rembrandt.

*Revenir dans la rue de Cessole.*

En haut de la montée, coup d'œil sur le trophée. Redescendre vers la **rue Droite** qui emprunte aussi le tracé de la via Julia vers l'Italie, avant de passer sous le portail est. Des **terrasses**, splendide **panorama★★★** sur la principauté de Monaco, la côte italienne, le cap Martin, Èze, le cap Ferrat, l'Esterel, les hauteurs de la corniche, le vallon du Laghet, le mont Agel.

*Remonter vers l'avenue Charles-de-Gaulle.*

*L'impressionnant Trophée des Alpes.*

## Visiter

### Trophée des Alpes★

☎ 04 93 41 20 84 - ♿ - de mi-mai à mi-sept. : 9h30-18h30 (dernière entrée 30mn av. fermeture) ; de mi-sept. à mi-mai : tlj sf lun. 10h-13h30, 14h30-17h - fermé 1ᵉʳ janv., 1ᵉʳ Mai, 1ᵉʳ et 11 Nov., 25 déc. - 5 € (-18 ans gratuit, 19-25 ans 3,50 €).

Vénéré pendant l'Antiquité, puis mutilé et dépouillé de son décor, il fut converti en ouvrage fortifié à l'époque féodale, d'où une relative conservation. Louis XIV le fit miner, sans parvenir à une totale destruction. Exploité ensuite comme carrière, notamment pour l'église de la Turbie, il n'était plus qu'une tour ruinée entourée de décombres, avant la restauration menée de 1929 à 1933 par l'architecte Jules Formigé et financée par le mécène américain Edward Tuck.

**Monument** – Une grande partie de la ruine a été laissée intacte ; les arcatures aveugles au sommet datent du Moyen Âge. Construit surtout en belle pierre blanche de la Turbie, le trophée mesurait 50 m de haut (35 m aujourd'hui) et 38 m de long. Des escaliers accèdent à tous les niveaux. Le soubassement carré portait un petit étage en retrait, puis une colonnade dorique circulaire, avec des niches abritant les statues des généraux ayant pris part aux campagnes. Une face du soubassement portait une immense dédicace à Auguste et l'énumération des 44 peuples soumis. Elle a été reconstituée grâce à une citation de Pline. C'est la plus longue inscription lapidaire connue de l'Antiquité romaine. Une coupole conique à degrés servait de piédestal à une colossale statue d'Auguste, peut-être flanquée de deux captifs.

**Musée** – Plans, dessins, photos, film retracent l'histoire du trophée et de sa restauration (maquette). Également des bornes milliaires, inscriptions, fragments du Trophée, moulages, documents sur les autres monuments romains en Europe.

## La Turbie pratique

&#9855; Voir aussi les encadrés pratqiues d'Èze et Monaco, Nice.

### Adresse utile

**Point d'information** – *Pl. Detras - 06320 La Turbie - &#9742; 04 93 41 13 99 - www.ville-la-turbie.fr - juil.-août : 9h30-13h, 14h30-18h30, dim. 9h30-13h ; avr.-juin et sept.-oct. : tlj sf dim. 9h30-13h, 14h30-18h, merc. et sam. 9h30-13h ; nov.-mars : tlj sf*

*dim. 10h-13h, 15h-17h, merc. et sam. 10h-13h - fermé 1er janv., 1er Mai et 25 déc.*

### Événements

**Soupe au pistou et retraite aux flambeaux** – Le 13 juillet sur la pl. Neuve.
**Les Musicales du Trophée** – &#9742; 04 93 41 21 15. Concerts classiques en l'église Saint-Michel et au Trophée, la 2e quinzaine de juillet.

# Forêt de **Turini**★★

CARTE GÉNÉRALE D1 – CARTE MICHELIN LOCAL 341 F4 – SCHÉMA P. 308 – ALPES-MARITIMES (06)

Son nom évoque fraîcheur et dépaysement pour les habitants de la côte. Depuis les pins maritimes et les chênes au sud, on monte parmi les hêtres, les châtaigniers et les érables, et surtout, les magnifiques sapins et épicéas grands de plus de 35 m au nord. Entre 1 500 et 2 000 m règne le mélèze. L'ensemble représente une forêt de 3 500 ha entre les vallées de la Vésubie et de la Bévéra.

- ▶ **Se repérer** – Du col de Turini, plusieurs routes invitent à rayonner dans la région, point incontournable pour passer de la vallée de la Bévéra *(voir Sospel)* à la vallée de la Vésubie *(voir ce nom)*.

### &#128065; Le saviez-vous ?

En hiver les concurrents du **rallye de Monte-Carlo** s'affrontent dans l'une des épreuves chronométrées les plus difficiles. Même sans neige, vous comprendrez bientôt pourquoi !

- &#128065; **À ne pas manquer** – La route de l'Authion et ses panoramas magiques ; la route du col de Braus, ses stations de caractère en altitude et ses gorges du Païon, vertigineuses. Les randonneurs endurants et les promeneurs profiteront de leur venue pour s'oxygéner.
- &#128336; **Organiser son temps** – La forêt de Turini vous dévoilera ses secrets en 45mn vers l'Authion et sa vraie magie en une journée, si vous sillonnez la route du col de Braus. Les marcheurs profiteront des sentiers fabuleux en choisissant entre deux randonnées, de 2h30 ou de 3h30.
- &#9855; **Pour poursuivre la visite** – Voir aussi la vallée des Merveilles, Lucéram, la vallée de la Vésubie, les deux Paillons *(voir Nice, circuit 4)*.

# Circuits de découverte

### L'AUTHION★★ 7

*18 km au départ du col de Turini – environ 45mn – voir schéma p. 309.*

*Pour ne pas se perdre en hiver, un circuit d'interprétation est aménagé, qui facilite une meilleure compréhension des paysages traversés quand les routes sont obstruées par la neige, parfois jusqu'au printemps.*

Depuis le col de Turini, la route de l'Authion (D 68), au milieu des sapins et des mélèzes, parcourt un paysage de montagnes de plus en plus grandiose à mesure qu'on s'élève. À 4 km du col, un monument aux morts fait face à un **panorama**★ étendu.

### Monument aux morts

Le massif de l'Authion fut à deux reprises le théâtre d'opérations militaires. En 1793, les troupes de la Convention se battirent contre les Austro-Sardes. En avril 1945, la 1re DFL livra de durs combats avant de déloger les Allemands de cette partie stratégique de la **ligne Maginot**.

*Près de là se rejoignent les extrémités de la boucle formée par la D 68, prendre à droite.*

Après les Cabanes Vieilles, casernes endommagées en 1945, on traverse les alpages des Vacheries révélant de très belles **vues**★ sur la vallée de la Roya.

*À la hauteur d'un monument, emprunter à droite une piste qui mène en 500 m à une plate-forme où l'on peut faire demi-tour.*

### Pointe des Trois-Communes★★

Un merveilleux **panorama**★★ se découvre du haut de ses 2 082 m, sur les cimes du Mercantour et des Préalpes de Nice.

*Revenir à la D 68, et, au monument aux morts, reprendre la route de l'aller.*

### VALLON DE SAINTE-ÉLISABETH★ 7

*18 km au départ du col de Turini – environ 1h – voir schéma p. 308.*

La D 70 s'insinue entre la cime de la Calmette et la tête du Scoubayoun, surplombant le profond vallon où coule la petite Sainte-Élisabeth, affluent de la Vésubie.

### Gorges de Sainte-Élisabeth

Très sauvages, elles sont creusées dans des roches aux plis violemment redressés.

*Peu après un tunnel, dans un coude de la route, s'arrêter près de la chapelle.*

### Point de vue de la chapelle Saint-Honorat★

De la terrasse, le beau village perché de La Bollène s'aperçoit tout près ; au-delà, la vallée de la Vésubie, de Lantosque à Roquebillière ; au nord, les cimes du Mercantour.

### La Bollène-Vésubie

Ce village de montagne, qui a conservé sa tradition pastorale, domine agréablement une forêt de châtaigniers, au pied de la cime des Vallières. Ses rues concentriques montent vers l'église, serrées de demeures du 18e s. En hiver, la **station Turini Camp-d'Argent** (alt. 1 700 m) permet de découvrir la forêt de Turini à ski ou en raquettes.

*Par de nombreux lacets, on descend vers la vallée de la Vésubie et la D 2565 qui rejoint Nice, offrant des vues plongeantes.*

### ROUTE DU COL DE BRAUS★★ 7

*76 km au départ du col de Turini – compter la journée – voir schéma p. 309.*

Jusqu'à Peïra-Cava, la D 2566 traverse la partie la plus dense et la plus verte de la forêt de Turini. À flanc de pente, elle offre de belles **vues** sur la vallée de la Vésubie et son cadre de montagnes.

### Peïra-Cava★

Charmante station d'été et d'hiver (une piste de ski alpin) boisée de conifères, ce véritable belvédère (1 450 m) se situe sur une arête étroite entre les vallées de la Vésubie et de la Bévéra, d'où l'on a une vue quasi aérienne sur la région.

*À la sortie de la station, une route à droite (à angle aigu) mène à une plate-forme de stationnement. De là, faire 50 m à pied jusqu'à un escalier, à gauche.*

### Pierre Plate★★

Après la pierre creuse *(cava),* la pierre plate ! Mais qu'importe, puisque le **panorama**★★ y est tout aussi splendide (table d'orientation).

Revenir à la D 2566, toujours en forêt, et prendre à la Cabanette la route de Lucéram (D 21) qui descend en lacets très serrés, offrant des **vues**★ magnifiques de tous côtés. Soudain

*La Bollène-Vésubie, une étape appréciable dans la traversée du massif de Turini.*

changement de décor : on quitte la forêt de sapins pour un paysage d'oliviers, laissant sur la gauche la route pittoresque qui rejoint le col de Braus par le col de l'Orme.

## Lucéram★ *(voir ce nom)*

*À partir de Lucéram, la D 2566 descend la vallée du Paillon jusqu'à L'Escarène.*

Peu avant L'Escarène, un imposant **mausolée dédié à la 1ʳᵉ DFL**, inauguré en 1964 par le général de Gaulle, rappelle les sacrifices et les combats de la Libération sur la route du col de Turini (D 2566).

## L'Escarène *(voir Nice, circuit [4])*

La D 2204 au nord de L'Escarène remonte le torrent de Braus. Jusqu'à Sospel, elle n'est qu'une étonnante suite de lacets escaladant les Préalpes niçoises. Cette route, qui relie les vallées du Paillon et de la Bévéra, est un tronçon de l'ancienne route du Piémont, de Nice à Turin. On traverse **Touët-de-l'Escarène**, coquet petit village avec une église baroque. Quittant les oliviers, le paysage se dénude et fait place à une garrigue de genêts.

## Clue de Braus

Courte mais impressionnante, elle s'ouvre après le village de Touët. Du hameau de Saint-Laurent, on peut accéder à la cascade de Braus (👣 *15mn AR)*, avant d'attaquer les 16 lacets répartis sur 3 km.

Tandis que l'on s'élève, la **vue★** s'étend progressivement à l'observatoire de Nice dont on aperçoit la coupole blanche au sommet du mont Gros et jusqu'à la mer dans laquelle se découpent le cap d'Antibes et le massif de l'Esterel.

## Col de Braus

Alt. 1 002 m. Quel soulagement de voir d'en haut les lacets tourmentés qu'on vient de parcourir ! Mais sachez qu'il en reste 18 à négocier avant d'atteindre Sospel…

Le col franchi, on descend en parcourant du regard les **vues★★** étendues sur les montagnes du bassin de la Bévéra, notamment l'Authion et la cime du Diable. La route contourne le **mont Barbonnet** couronné des fortifications du fort Suchet.

## Col Saint-Jean

À gauche, entre les habitations, se détache l'ancienne route militaire qui donne accès au porche d'entrée du **fort Suchet**, dit du Barbonnet, construit de 1883 à 1886, puis modernisé dans les années 1930. On remarque notamment sur le sommet les deux imposantes tourelles. *Juil.-août - se renseigner à l'office du tourisme de Sospel, ✆ 04 93 04 15 80 ou 06 85 96 72 88.*

Après le col Saint-Jean, la route se rapproche de la vallée du Merlanson, puis atteint Sospel. À la hauteur des casemates du fort Saint-Roch *(voir Sospel)*, belle vue sur le village.

## Sospel★ *(voir ce nom)*

Les oliviers font leur réapparition dans le large bassin de Sospel. Puis la D 2566 remonte, en forêt, la **vallée de la Bévéra★**. La rivière a creusé de profonds méandres très serrés dominés par de hautes arêtes rocheuses et boisées. Jolie **cascade**, à droite.

### Gorges du Piaon★★

En corniche et parfois sous un toit rocheux, la route surplombe de façon impression-nante le lit du torrent, chamboulé par d'énormes blocs de rochers.

### Chapelle Notre-Dame-de-la-Menour

Du chemin qui y mène à droite (petit oratoire à l'entrée), on bénéficie d'un aperçu vertigineux de la vallée et des gorges. Un escalier monumental donne accès à la chapelle ornée d'une façade Renaissance à deux étages.

La route traverse **Moulinet**, charmant village établi dans un petit bassin frais et verdoyant, puis regagne le col de Turini à travers la forêt.

---

## Forêt de Turini pratique

♿ Voir aussi les encadrés pratiques de Nice, Lucéram et Sospel.

### Sports et loisirs

**Randonnées** – La forêt de Turini ravit les marcheurs endurants. Deux randonnées faciles, « Crêtes de l'Arpiha » *(2h30)* et « Tour de la Calmette » *(3h30)* sont présentées dans le *Guide Randoxygène*

« Haut Pays » *(disponible dans les offices de tourisme)*.

👥 **Peïra-Cava Aventures** – *Les Granges du Lac - 06440 Lucéram - ☎ 04 93 91 36 25 - sais. : 10h-19h, vend.-sam. nocturne sur réserv. - 14 € (13 € parcours enf.), 23 € (2 parcours), 30 € (3 parcours). 5 parcours au choix dans les arbres.*

---

# Utelle★

**488 UTELLOIS**
CARTE GÉNÉRALE D3 – CARTE MICHELIN LOCAL 341 E4 – SCHÉMA P. 308 – ALPES-MARITIMES (06)

Après les gorges de la Vésubie, vous découvrirez l'un des plus beaux panoramas de la région en montant au sanctuaire de la Madone, isolé dans son plateau verdoyant. Entre les deux, Utelle procure une halte très agréable. Loin de tout, ce fut pourtant un véritable chef-lieu entre la Tinée et la Vésubie, comme en témoignent ses fortifications, ses maisons anciennes, ses cadrans solaires et sa jolie fontaine.

▶ **Se repérer** – À la sortie des gorges *(voir Vallée de la Vésubie)*, prendre à gauche à Saint-Jean-la-Rivière. Les terrasses d'oliviers et la vue, de plus en plus belle, vous font presque (car il vous faut rester vigilant) oublier les 9 km de lacets de la route.

🅿 **Se garer** – Stationnez à l'entrée du village.

👁 **À ne pas manquer** – La somptueuse église Saint-Véran, le panorama depuis la Madone d'Utelle et la visite du sanctuaire.

🕐 **Organiser son temps** – Comptez deux heures, entre une flânerie dans le village, l'ascension au sanctuaire de la Madone (30mn) et une pause très méritée de 30mn au sommet.

♿ **Pour poursuivre la visite** – Voir aussi la vallée de la Vésubie, Lucéram et Levens.

## Se promener

Il fait bon arpenter les ruelles de ce village paré de superbes façades en trompe l'œil, de linteaux sur des portes sculptées dans la pierre.

### Église Saint-Véran★

Bâtie au 14e s. sur un plan basilical et remaniée au 17e s., elle offre à l'intérieur un surprenant contraste entre l'architecture sobre de montagne (voûtes d'arêtes ou en plein cintre sur des colonnes et chapiteaux romans archaïsants) et l'abondante décoration baroque (beaux stucs jusque sur les arcs).

Saint Véran, le saint patron de l'église, figure dès la porte d'entrée sous l'élégant porche gothique. Douze superbes vantaux sculptés au 16e s. racontent la légende de la vie de ce moine, vainqueur du dragon du mal… et réputé très efficace lors des épidémies de

*Faites un arrêt au village d'Utelle avant de vous rendre au panorama de la Madone.*

peste. Derrière le maître-autel, la statue du saint se détache sur un grand **retable en bois sculpté**★ (16ᵉ s.) représentant des scènes de la Passion. Sur l'autel du bas-côté gauche, un intéressant retable de l'Annonciation, de l'**école niçoise**. Sous l'autel du bas-côté droit, un Christ gisant (13ᵉ s.) en bois polychrome. On remarquera enfin les belles boiseries du 17ᵉ s. (chœur, chaire), les fonts baptismaux de pierre et de bois sculptés (16ᵉ s.) et, dans la sacristie, les ornements sacerdotaux en velours de Gênes et soie, les plats à offrandes en cuivre (fin 16ᵉ s.), et une belle croix paroissiale.

### Chapelle des Pénitents-Blancs
Près de l'église, elle abrite un retable en bois sculpté reproduisant la Descente de croix de Rubens et six grands tableaux du 18ᵉ s.

## Aux alentours

### Panorama de la Madone d'Utelle★★★
*6 km au sud-ouest.*
Lieu de pèlerinage, le sanctuaire de Notre-Dame-des-Miracles, reconstruit en 1806, fut fondé en 850 par des marins espagnols ou portugais qui remercièrent ainsi la Vierge de les avoir sauvés d'un naufrage en les guidant par une étoile. Ensuite, des guérisons miraculeuses s'y produisirent, la première mentionnée étant celle du comte de Tende, George Lascaris, au 16ᵉ s. L'intérieur contient les ex-voto des pèlerins reconnaissants. Les étoiles à cinq branches qui couronnent la Madone sont des fossiles d'animaux marins (proches des oursins) retrouvés sur le site. La tradition des pèlerinages s'est perpétuée jusqu'à aujourd'hui *(voir l'encadré pratique)*.
À peu de distance, sous un dôme, depuis la table d'orientation (alt. 1 174 m), vous découvrirez un **panorama** sur l'ensemble des Alpes-Maritimes et la mer.

## Utelle pratique

 & voir aussi les encadrés pratiques de Nice et Saint-Martin-de-Vésubie.

### Se restaurer
◒ **L'Aubergerie Del Campo** – *Rte d'Utelle*
◒ **Le Bellevue** – ☎ *04 93 03 17 19 - fermé 8 janv.-5 fév. et merc. - 13/29 €.* À la sortie du petit village perché sur un plateau, ce restaurant familial séduira les amoureux de la montagne. Chambres proprettes. Piscine avec vue panoramique sur les sommets avoisinants. La cuisine est simple, préparée avec les légumes du potager.

◒◒ **L'Aubergerie Del Campo** – *Rte d'Utelle - 06450 St-Jean-la-Rivière - 5 km à l'E d'Utelle par D 132 - ☎ 04 93 03 13 12 - www.aubergeriedelcampo.com - fermé 1 sem. en juil. - 🍴 - réserv. conseillée le soir - 21/45 €.*

Il règne une ambiance un rien bohème en cette petite auberge bâtie sur les ruines d'une ancienne bergerie.
Salle toute simple éclairée par de minuscules fenêtres et superbe terrasse surplombant les gorges de la Vésubie. Cuisine provençale.

# Valbonne

**10 746 VALBONNAIS**
**CARTE GÉNÉRALE C2 – CARTE MICHELIN LOCAL 341 D6 – ALPES-MARITIMES (06)**

La « **bonne vallée** » *(vallis bona)* fut exploitée dès l'Antiquité. Sur son doux plateau verdoyant, les moines Chalaisiens fondèrent une abbaye au 12e s., puis les moines de Lérins installèrent un village au 16e s. Dans les années 1970 est créé le technopôle Sophia-Antipolis relié au centre historique par une couronne verte composée de forêts soigneusement entretenues et protégées.

- **Se repérer** – Entre Grasse (11,5 km) et Biot (9 km) par la D 4. Le plateau valbonnais, à 200 m d'altitude moyenne, descend doucement des Préalpes de Grasse au littoral par un manteau vert de 2 000 ha, arrosé de rivières.

- **À ne pas manquer** – Le vieux village de Valbonne ; le musée du Patrimoine pour retrouver le passé ; le Parc de Valmasque pour une petite randonnée.

- **Organiser son temps** – Accordez 2h à la visite du vieux village et du musée du Patrimoine. Prolongez votre matinée par une agréable balade dans le Parc de Valmasque.

- **Pour poursuivre la visite** – Voir aussi Grasse, Biot, Mougins.

*La place des Arcades, ici bat le le cœur de Valbonne.*

## Se promener

### Village

*Plan commenté disponible à l'office de tourisme.*

Construit au 16e s. sous la direction des moines de Lérins, le village est dessiné selon un plan en damier, depuis les maisons-remparts jusqu'à la **place des Arcades** (17e s) qui a très fière allure et que les terrasses de restaurants animent. Contrairement à l'agitation qui règne dans le technopôle voisin, à Valbonne village tout est calme et rappelle un passé scellé dans les murs et au sol : l'abreuvoir et la fontaine datant du 19e s., les anneaux qui servaient à attacher mûles et chevaux, les nombreux cadrans solaires, les bornes de « chasses roues » qui ralentissaient autrefois les charrettes trop rapides, les emmarchements extérieurs en sont les principaux témoignages.

### Église

D'une sobre beauté, elle fait partie de l'abbaye fondée en 1199 par l'ordre de Chalais, passée ensuite dans l'obédience de Lérins avant de devenir **église** paroissiale. Malgré de nombreux remaniements, l'édifice en forme de croix latine et à chevet plat a gardé le caractère d'extrême dépouillement des constructions chalaisiennes.

L'abbaye abrite un intéressant **musée du Patrimoine** constitué d'objets, outils, costumes, photographies confiés par les villageois. Une cuisine et une chambre de conservation du « servan » ont été reconstituées. ✆ 04 93 12 96 54 - www.abbyvalb. org - possibilité de visites guidées - juin-sept. : tlj sf lun. 15h-19h ; reste de l'année : tlj sf lun. 14h-18h - 2 € - fermé j. fériés.

## Parc de Valmasque

Il s'étend sur les communes de Valbonne Sophia Antipolis et Mougins *(voir ce nom)*, offrant aux marcheurs 20 km de sentiers à travers bois de pins et de chênes. Il intègre le centre d'activités Sophia-Antipolis qu'il cache de sa verdure aux deux tiers.

*9 km*. Côté est, un sentier a été aménagé le long de la **Brague** permettant de rejoindre Biot.

# Découvrir

## Sophia-Antipolis (technopôle)

Sur ses 2 400 ha, ce site, à l'architecture intégrée dans de vastes espaces verts, est conçu sur le modèle des campus américains. Sophia-Antipolis est née d'une association du même nom créée en 1969 par le directeur de l'École des mines, Pierre Laffitte.

La proximité de l'autoroute et de l'aéroport international Nice-Côte d'Azur rend la situation privilégiée pour les plus de 1 200 entreprises françaises et étrangères qui y sont implantées. Celles-ci appartiennent à quatre grands secteurs d'activité : l'informatique, l'électronique et les télécommunications ; les sciences de la santé et les biotechnologies ; l'enseignement et la recherche ; les sciences de l'environnement. Au total, 26 000 personnes travaillent ici.

Premier technopôle européen, Sophia-Antipolis termine la **route des hautes technologies** qui relie, entre Aix-en-Provence et Valbonne, un certain nombre de centres de pointe.

# Valbonne pratique

Voir aussi les encadrés pratiques de Grasse et Antibes.

## Adresse utile

**Office du tourisme de Valbonne** – *1 pl. de l'Hôtel-de-Ville - 06560 Valbonne - 04 93 12 34 50 - www.tourisme-valbonne.com - de mi-juin à mi-sept. : tlj sf dim. 9h-12h30, 13h30-17h30 ; reste de l'année : tlj sf dim. 9h-12h30, 13h30-17h30, sam. 9h-12h30 - fermé j. fériés.*

## Visite

**Visite guidée du village** – *Réserv. obligatoire - 8 €.* L'office de tourisme vous propose de découvrir l'histoire de l'église romane de l'abbaye chalaisienne, le musée du Patrimoine, les souffleurs de verre et l'atelier de poterie (1h30).

## Se loger

**Chambre d'hôte Le Cheneau** – *205 rte d'Antibes - 04 93 12 13 94 - www.ibbp.com - 3 ch. 70/80 € .* Le propriétaire vous accueille dans une grosse maison située en résidence pavillonnaire. Les 3 chambres sans fioritures allient confort et bonne tenue. Salle de bains assez vaste et cuisine équipée à disposition. Grande terrasse ombragée avec mobilier de jardin.

**Château de la Bégude** – *06650 Opio - 2 km au NE de Valbonne par rte de Biot - 04 93 12 37 00 - www.*

*opengolfclub.com/begude - fermé 16 nov.-19 déc. - 34 ch. 100/170 € - 14 € - restaurant 31/43 €.* Cette bastide du 17ᵉ s. s'avère un lieu de séjour idéal pour les adeptes du golf ou du farniente au bord de la piscine. Chambres spacieuses dans la demeure ancienne ; celles de la bergerie sont plus contemporaines. Le restaurant sert aussi de club-house et de bar au golf.

## Se restaurer

**L'Auberge Fleurie** – *Rte de Cannes - 1,5 km par D 3 - 04 93 12 02 80 - fermé 6 déc.-12 janv., lun. et mar. - 24/30 €.* Enseigne-vérité : un plaisant jardin fleuri entoure cette auberge. Vous serez placé à votre convenance dans la salle à manger intérieure, en véranda ou sur la terrasse pour apprécier une généreuse cuisine traditionnelle.

## Événements

Tous les ans, autour de la Saint-Blaise (3 février), a lieu la Fête du « **servan** » qui réunit habitants, visiteurs et producteurs locaux. Ce raisin doré tardif est conservé en plongeant les sarments dans des bocaux remplis d'eau (la grappe pendant à l'extérieur), entreposés dans une pièce à température ambiante de 4-5 °C.

**Marché de Noël** – Les 22, 23 et 24 décembre dans le village de Valbonne, Noël prend des airs d'animations, de grand marché et d'ateliers pour enfants.

# Vallauris
## Valauri

25 773 VALLAURIENS
CARTE GÉNÉRALE C2 – CARTE MICHELIN LOCAL 341 D6 – SCHÉMA P. 146 –
ALPES-MARITIMES (06)

À deux pas de la mer, cette commune s'étend largement sur ses douces collines. Rasée en 1390, la vieille ville fut reconstruite en damier au 16ᵉ s. et repeuplée de familles génoises. L'activité traditionnelle de la ville, la poterie, déclinait lorsque Picasso lui insuffla un sang nouveau. La vogue qui en découla contribua à une urbanisation accélérée. Mais la Biennale internationale de la céramique continue d'en faire la « Ville française de la céramique ».

▶ **Se repérer** – Formant commune avec Golfe-Juan (distant de 2 km par la D 135), la ville moderne s'étend en longueur à l'est du vieux quartier et du château. Parking en haut de la ville (au-dessus du château) ou en bas (à côté de l'office de tourisme).

👁 **À ne pas manquer** – Le château-musée et la visite d'ateliers de poterie à Vallauris ; la station balnéaire de Golfe-Juan.

🕐 **Organiser son temps** – Accordez la matinée à la visite du village, du musée et de ses ateliers. En saison, poursuivez par un après-midi dédié au farniente ou aux sports nautiques.

👶 **Pour poursuivre la visite** – Voir aussi Mougins, Cannes, Mandelieu-la-Napoule.

---

## Au commencement était l'argile

Les Romains, les moines, puis les Génois exploitent la riche terre argileuse des environs et font de Vallauris un centre de céramique culinaire. Aux 18ᵉ et 19ᵉ s., de grandes familles font la réputation de la ville avec le fameux décor provençal uni de belles couleurs vernissées ou orné de magnifiques jaspures. La poterie est alors exportée par mer et par dos de mulet. La céramique d'art apparaît au 19ᵉ s. avec les **Massier**, qui excellent dans l'Art nouveau. Au 20ᵉ s., c'est l'âge d'or, avec une riche production, innovante ou décorative, grâce à des céramistes tels que Valentin (Les Archanges), Ferlay et Bourguet, les Batigue, Baud, Capron, Derval, Innocenti… et les Ramié, Picasso et, avec lui, tous les artistes qui s'essayèrent à la céramique : Chagall, Brauner, Jean Marais pour ne citer que les plus connus.

---

# Visiter

### Château-Musée★

*Pl. de la Libération -* 📞 *04 93 64 16 05 - www.vallauris-golfe-juan.fr - de mi-juin à mi-sept. : tlj sf mar. 10h-12h, 14h-18h ; reste de l'année : tlj sf mar. 10h-12h, 14h-17h - fermé 1ᵉʳ janv., 1ᵉʳ Mai, 1ᵉʳ et 11 Nov., 25 déc. - 3,10 € (–16 ans gratuit), gratuit 1ᵉʳ dim. du mois.*
Avec ses quatre tours rondes coiffées en poivrière, le château, reconstruit au 16ᵉ s., rare exemple d'architecture Renaissance en Provence, est l'ancien prieuré des moines de Lérins qui possédaient la ville. Ne reste de cette époque que la chapelle du 12ᵉ s. Il abrite aujourd'hui trois musées : le musée national « La Guerre et la Paix », le musée Magnelli et le musée de la Céramique.

**Musée national « La Guerre et la Paix »** – Réalisée par **Picasso** en 1952 et donnée à l'État en 1956, cette unique composition *La Guerre et la Paix* remplit de son intensité le vestibule de la **chapelle romane**. Dans un cheminement narratif puissant, deux panneaux se confrontent : dans l'un, dominé de noir, des envahisseurs foulent les symboles de la civilisation, juste (balance) et pacifique (colombe). L'autre est une explosion de couleurs vives où les personnages savourent les joies innocentes de la paix et s'adonnent aux travaux féconds. *Les Quatre Parties du Monde* figure au fond.

**Musée Magnelli** – L'importante **donation Alberto Magnelli** (1888-1971), peintre né à Florence mais français d'adoption, retrace l'évolution de son œuvre : depuis ses larges à-plats figuratifs aux couleurs pures, il passe à l'abstraction *(Explosion lyrique)* qu'il abandonne dans les années 1920 pour y revenir définitivement en 1931 *(Attention naissante, Rien d'autre, Volontaire nᵒ 3)*. Parmi les collages, on remarque surtout les « râteaux japonais ».

**Musée de la Céramique** – Ce musée est l'un des rares lieux en France qui représente la création céramique contemporaine. On peut y admirer les pièces primées lors des Biennales internationales de la céramique d'art et données par des céramistes maintenant connus (salles voûtées).

Au 1er étage, autour de la grande collection Declein, on découvre la production traditionnelle de Vallauris, et surtout l'**Art nouveau**, en France et à Vallauris, avec l'œuvre superbe des Massier, aux formes et motifs naturalistes et symbolistes nappés d'onctueuses couleurs lustrées. Également, céramique Art déco et des années 1950. Par ailleurs, un étonnant ensemble de **céramiques précolombiennes** montre l'ingéniosité de leurs auteurs (vase en forme d'acrobate, sifflet).

Un bel escalier à balustres mène aux céramiques de **Picasso**, qui se passionna pour cet art en 1946, alors qu'il habitait Golfe Juan, lorsqu'il rencontra les Ramié, propriétaires de l'atelier Madoura, chez qui il alla réaliser des pièces, parfois aidé de leur tourneur. Parmi les 4 000 originales qu'il créa en vingt ans, quelques-unes sont exposées ici : superbes ou fantaisistes, elles sont la géniale synthèse de son art de la peinture et de la sculpture à travers des formes humaines ou animales.

### Musée de la Poterie et de la Céramique

*21 r. Sicard - ☎ 04 93 64 66 51 - &. - mai-oct. : 9h-18h, dim. et j. fériés 14h-18h ; fév.-avr. : 14h-18h - fermé nov.-janv. - 2 € (–6 ans gratuit).*

Initiative d'un céramiste passionné et généreux, ce musée présente une intéressante rétrospective du travail de l'argile tel qu'il se pratiquait pendant la première moitié du 20e s. : techniques d'extraction de la terre, machines à battre et à filtrer l'argile, à préparer les vernis, fours à bois, collections de poteries anciennes… La visite de l'atelier actuel permet ensuite de mesurer l'évolution du métier. Les créations de l'atelier sont en vente à l'entrée du musée.

### Espace Jean-Marais

*3 av. des Martyrs-de-la-Résistance - ☎ 04 93 63 46 11 -www.vallauris-golfe-juan.fr - &. - juil.-août : 10h-12h30, 14h-18h30 ; reste de l'année : tlj sf dim., j. fériés et lun. 9h-12h30, 14h-17h30 - 1,50 €.*

Dans l'ancienne galerie de l'artiste, vous découvrirez une autre facette de Jean Marais à travers ses sculptures, peintures et céramiques (une centaine d'œuvres originales), qui rappellent l'univers des films de Jean Cocteau dans lesquels l'acteur joua (*La Belle et la Bête*, *Orphée*). Allez voir aussi sa pierre tombale au cimetière.

# Séjourner

### Golfe-Juan

C'est sur la plage de Golfe-Juan que **Napoléon** et son armée de 1 100 hommes débarquèrent de l'île d'Elbe avec le brick l'*Inconstant* et quelques voiliers, le 1er mars 1815. Sur le quai du port, une mosaïque commémore l'événement et une reconstitution du débarquement a lieu tous les ans *(voir l'encadré pratique)*.

Il n'y avait alors qu'une auberge sur le bord de la route ; Napoléon s'y reposa avant de partir sur Cannes *(voir le circuit « Préalpes de Grasse » à Grasse.)*. Ce petit port de pêche se développa ensuite dans la deuxième moitié du 19e s. en exportant les céramiques culinaires faite dans la région.

*Farniente à Golfe-Juan.*

Avec ses 3 km de sable fin et ses activités nautiques, Golfe-Juan est devenue une station très fréquentée. Les plages (publiques et privées) s'étendent de part et d'autre du Vieux Port, où sont ancrés les « pointus » à la proue surmontée d'une roue pour remonter les filets, et du complexe Camille-Royon réservé exclusivement à la plaisance. Sa rade, bien abritée par les collines fleuries de Vallauris, le cap d'Antibes *(voir Antibes)* et les îles de Lérins *(voir ce nom)*, forme un excellent mouillage.

# Vallauris pratique

&#9855; Voir aussi les encadrés pratiques d'Antibes, Cannes.

## Adresses utiles

**Office du tourisme de Vallauris** – *Square du 8-Mai-1945 - 06227 Vallauris Cedex - &#9742; 04 93 63 82 58 - www.vallauris-golf-juan.fr - juil.-août : 9h-19h ; reste de l'année : tlj sf w.-end et j. fériés 9h-12h15, 13h45-18h.*

**Office du tourisme du Golfe-Juan** – *Parking du Vieux-Port - Vallauris - &#9742; 04 93 63 73 12 - www.vallauris-golf-juan.fr - juil.-août : 9h-19h ; reste de l'année : tlj sf w.-end et j. fériés 9h-12h15, 13h45-18h.*

## Visites

**Visite d'ateliers traditionnels de poterie** – *S'adresser à l'office de tourisme - tlj sf w.-end 10h-12h, 14h-16h - gratuit.*

**Stage de découverte des techniques de la terre** – *École Municipale des Beaux-Arts - Espace Grandjean - bd des Deux-Vallons - &#9742; 04 93 63 07 61 - été : tlj sf w.-end (10h, 20h ou 30h) - 170 €.* Modelage, tournage et décor ou raku (enfants et adultes).

## Se loger

&#128468; **Hôtel Val d'Aurea** – *11 bis bd Maurice-Rouvier - &#9742; 04 93 64 64 29 - fermé 15 sept.-mars - 27 ch. 51 €.* Ne rebroussez pas chemin devant la façade un peu insignifiante de cet hôtel. Vous passeriez à côté d'un accueil chaleureux et familial. Parmi les chambres, toutes de qualité standard et fonctionnelles, on préférera celles, plus calmes, qui donnent sur l'arrière. Salles de bains parées de jolies faïences colorées.

&#128468; **De la Mer** – *226 av. de la Liberté - &#9742; 04 93 63 80 83 - www.hotelmer.com - fermé nov. -* &#128452; *- 33 ch. 59/115 € -* &#128716; *7 €.* Pour pallier la proximité de la N 7, les chambres, sobres et actuelles, sont bien insonorisées et tournées sur l'arrière de l'immeuble ; certaines ont un balcon côté piscine.

## Se restaurer

&#128473; **Le Clos Cosette** – *1 av. du Tapis-Vert - &#9742; 04 93 64 30 64 - 12,50 € déj. - 23,50/34 €.* En dépit d'une apparence extérieure assez banale, ce restaurant du centre-ville abrite un vrai salon d'accueil spacieux. À côté, la salle à manger offre le charme des murs en pierre sèche rehaussé de dessins et de tableaux. Cuisine traditionnelle, variant au gré des produits du marché, mais de qualité constante.

&#128473;&#128473; **Nounou** – *À la plage - 06220 Golfe-Juan - &#9742; 04 93 63 71 73 - www.nounou.fr - fermé 12 nov.-25 déc., dim. soir hors sais., mar. en hiver et lun. - 30/60 €.* Pour manger poissons et cuisine régionale en profitant de la vue sur la mer, attablez-vous dans l'une des salles ou sur la terrasse de ce restaurant familial. Préférez ses menus, plus intéressants que la carte.

## Que rapporter

&#128065; **Bon à savoir** – Afin de vous assurer de ne pas acheter n'importe quelle poterie, procurez-vous le dépliant sur la « charte qualité » disponible à l'office de tourisme.

**Galerie Madoura** – *R. Suzanne et Georges-Ramié - &#9742; 04 93 64 66 39 - www.madoura.com - tlj sf w.-end 10h-12h30, 15h-18h - fermé nov. et j. fériés.* Exposition et vente des céramiques éditées par Picasso.

## Sports & Loisirs

&#128065; **Bon à savoir** – Vous trouverez dans les offices de tourisme les nombreuses informations sur les activités nautiques au Golfe-Juan.

## Événements

**Céramique** – La **Biennale** (juillet-octobre) a lieu l'été dans 7 salles d'exposition dans le village. Aujourd'hui, concours international de céramique contemporaine, elle fonctionne comme une exposition dont les œuvres sont sélectionnées par un commissaire. Auparavant, 200 pièces étaient choisies parmi 1 500 venant du monde entier, puis primées par un autre jury. Données par leurs auteurs au musée, elles rendaient compte de la création contemporaine la plus récente.

**Fête de la Saint-Pierre et de la Marine** – Le 1er week-end de juillet, la pêche et les pêcheurs sont en fête au Golfe-Juan.

**Festival Jean Marais** – En juillet, l'espace Jean Marais est entièrement dédié au théâtre.

**Fête de la poterie** – 2e dimanche d'août.

**Fête de la Saint-Sauveur** – Le 1er week-end d'août, c'est au tour des paysans d'être célébrés. Défilé, procession aux flambeaux, corso, messe solennelle avec offrandes de produits locaux, défilé des paysans avec leur charrette, ponctués d'une bénédiction et de l'embrasement du pin de la Saint-Sauveur.

**Reconstitution du débarquement de Napoléon** – Elle a lieu tous les ans, le 1er week-end de mars, sur la plage de Golfe-Juan.

# Vence★

### Vénço

16 982 VENÇOIS
CARTE GÉNÉRALE D2 – CARTE MICHELIN LOCAL 341 D5 – SCHÉMA P. 308 –
ALPES-MARITIMES (06)

Au pied des Baous, Vence est entouré de sa belle nature provençale, baigné de ravins à l'eau pure. Posté sur son rocher, il regarde la mer de loin, trop occupé à rassembler les villages voisins les jours de marché ou à faire le bonheur du visiteur avec sa vieille ville où abondent les galeries d'art moderne et contemporain.

▶ **Se repérer** – À 10 km au nord de Cagnes-sur-Mer, par la D 36.

🅿 **Se garer** – La ville s'étend bien au-delà de ses remparts, vers l'ouest, où l'on pourra se garer dans l'un des trois parkings.

👁 **À ne pas manquer** – Une promenade dans la vieille ville s'impose tout comme la visite de la chapelle du Rosaire. Les passionnés d'art ne manqueront pas d'aller à la rencontre des créations vençoises exposées au château de Villeneuve.

🕐 **Organiser son temps** – Comptez deux heures pour apprécier le cadre médiéval de cette ville surprenante.

👪 **Avec les enfants** – Pensez à rendre visite à l'office de tourisme (voir « Adresse utile » dans l'encadré pratique) qui propose pour les familles de nombreuses balades et occupations

*Fontaine de la place du Peyra.*

S. Sauvignier / MICHELIN

à thème : journées provençales avec prêt de jeu de boules, circuit guidé botanique, randonnées au coucher du soleil…

👣 **Pour poursuivre la visite** – Voir aussi Tourrettes-sur-Loup, Saint-Paul et la vallée du Loup.

# Comprendre

**Une ville épiscopale depuis le 4ᵉ s.** – Fondée par les Ligures, la cité romaine de *Vintium*, vit croître sa puissance avec le christianisme et devint une importante ville épiscopale. Parmi les évêques qui s'y succédèrent, on compte saint Véran (5ᵉ s.) et saint Lambert (12ᵉ s.), Alexandre Farnèse (16ᵉ s.), le futur Paul III (qui n'y mit jamais les pieds), Antoine Godeau et Surian (18ᵉ s.), autre brillant prélat.

**Les seigneurs de Vence** – Les évêques de Vence durent, de tout temps, disputer le pouvoir aux barons de Villeneuve, coseigneurs de la ville. Cette famille tirait son renom de **Romée de Villeneuve**, l'habile sénéchal d'origine catalane qui, au 13ᵉ s., rétablit les affaires du comte de Provence et de Forcalquier. Le comte avait un trésor à sec et quatre filles à marier. Fin diplomate, il parvint à en faire des reines, regonflant du même coup ses finances.

**En attendant Godeau** – Le souvenir d'**Antoine Godeau** est resté vivant dans le pays. Ses débuts ne semblaient pas devoir le conduire à l'épiscopat : il était l'oracle de l'hôtel de Rambouillet. On le surnomme le « nain de Julie » (fille de la marquise de Rambouillet) et le « bijou des Grâces ». Petit, maigrichon, noiraud, fort laid, Godeau n'en fait pas moins fureur chez les précieuses par son esprit, sa parole facile et sa veine poétique. Sa réputation est inouïe. D'un texte qui bravera les siècles, on dit : « C'est du Godeau ». Sans attendre, Richelieu en fait le premier membre de l'Académie française. À 30 ans, sans doute fatigué de composer des vers, et à la suite d'une déception sentimentale, Godeau entre dans les ordres et, l'année suivante, il est nommé évêque de Grasse et de Vence. Il reste pourtant plusieurs années entre deux mitres avant d'opter pour Vence. L'ancien précieux prend son rôle au sérieux ; il relève sa cathédrale qui tombe en ruine, introduit diverses industries :

parfumerie, tannerie, poterie, et rend prospère son pauvre et rude diocèse. En 1672, à 67 ans, en toute humilité d'esprit, il rend son âme à Dieu.

# Se promener

## VIEILLE VILLE

*Voir le plan II. Partir de la place du Grand-Jardin, puis de la place du Frêne.*

Médiévale à souhait, avec son beau **château** *(voir « Visiter »)* situé sur la place du Frêne, ombragée par un arbre vénérable planté selon la tradition (apocryphe bien entendu) par François Ier et le pape Paul III en 1538, et son enceinte elliptique à cinq portes dont celle du Peyra (1441), la vieille ville abrite un charmant lacis de ruelles, animées de marchés, galeries d'art, restaurants, boutiques d'artisanat et de spécialités provençales.

## Place du Peyra★

Ancien forum de la ville romaine et ancienne place du marché, c'est la plus mignonne, avec les eaux chantantes et fraîches de sa jolie fontaine en forme d'urne (1822) et sa tour carrée.

*Prendre au sud de la place la rue du Marché et tourner à gauche pour atteindre la place Clemenceau.*

## Vers les remparts

En sortant par la porte du chevet de la cathédrale *(voir description dans « Visiter »)*, on débouche sur la **place Godeau**, avec au centre une colonne romaine, d'où l'on voit le clocher carré couronné de merlons, et de vieilles maisons. La ville ne recèle que deux **colonnes romaines** élevées au dieu Mars et données en cadeau par la ville de Marseille en 230 en gage de bonnes relations. La deuxième de ces colonnes se dresse sur la place du Grand-Jardin.

*Par la rue Saint-Lambert et la rue de l'Hôtel-de-Ville, gagnez la porte de Signadour (13ᵉ s.) et tournez à gauche.*

Poursuivant vers le nord, on trouve, à gauche, la **porte de l'Orient**, ouverte au 18ᵉ s. (la date de 1592 gravée sur une pierre, en haut à gauche, est celle du siège de Lesdiguières).

Le boulevard Paul-André, vers lequel dégringolent des calades, borde des vestiges importants de remparts ; il offre de belles **vues** sur les *baous* et les contreforts des Alpes.

Franchissez le **portail Lévis** (13ᵉ s.), à arcature gothique, et suivez la rue du Portail-Lévis (belles maisons anciennes) qui ramène à la place du Peyra.

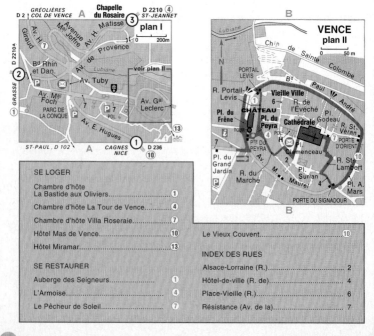

# Visiter

### Cathédrale Notre-Dame-de-la-Nativité

*Pl. Clémenceau.* Construite sur l'emplacement d'un temple de Mars puis d'une église mérovingienne, elle surprend par son caractère hétéroclite : roman, gothique, baroque.

L'intérieur est composé de cinq nefs. On peut y voir *(2ᵉ chapelle de droite)* la tombe de saint Lambert avec son épitaphe, un sarcophage du 5ᵉ s. *(3ᵉ chapelle de droite)* dit tombeau de saint Véran ; dans le bas-côté, retable des saints Anges, du 16ᵉ s. Dans le chœur, remarquez les deux bustes en cuivre argenté contenant les reliques de saint Véran et saint Lambert et l'autel en marbre polychrome, rouge et blanc, réalisé par le génois Schaffini en 1768. Dans plusieurs piliers sont encastrées des **pierres carolingiennes** à très beau décor d'entrelacs. Dans le baptistère, une mosaïque de Chagall représente Moïse sauvé des eaux. Remarquez la **tribune** *(ouverture exceptionnelle)* avec son lutrin et les **stalles★** qui viennent du chœur : montants, accoudoirs et surtout miséricordes ont été traités avec une verve qui frôle parfois la grivoiserie par le sculpteur grassois, Jacques Bellot, au 15ᵉ s.

### Chapelle du Rosaire★ (chapelle Matisse)

*466 av. Henri-Matisse - ℘ 04 93 58 03 26 - mar. et jeu. 10h-11h30, 14h-17h30 ; lun., merc. et sam. 14h-17h30 ; vend. pdt vac. scol. seulement 14h-17h30 ; dim. 10h (visites réservées à la messe) - dernière entrée 30mn av. fermeture - fermé de mi-nov. à mi-déc. - 3 € (enf. 1,50 €).*

Matisse disait de cette chapelle (1951) : « Je la considère, malgré toutes ses imperfections, comme mon chef-d'œuvre… un effort qui est le résultat de toute une vie consacrée à la recherche de la vérité. »

Cet édifice très discret se repère à ses tuiles bleues et blanches et à sa croix en fer forgé de 13 m de haut ornée de croissants de lune et de flammes dorées.

À l'intérieur, on est littéralement saisi : tout est blanc et de ce blanc, par les vitraux hauts et serrés, explosent les couleurs pures de Matisse, qui transfigurent ce lieu dénudé en une hymne à Dieu. Le mobilier, les objets liturgiques, les vêtements sacerdotaux sont d'une simplicité extrême. L'autel en biais est le trait d'union entre la nef des religieuses et celle des fidèles. Le trait éminemment essentiel de Matisse cerne les grandes figures du mur droit, saint Dominique et la Vierge à l'Enfant, qui remplissent l'espace de leur douceur et de leur présence, telles des ombres humaines. Plus débridé et gestuel est le trait qui dessine le chemin de croix, ascension tragique vers le Calvaire. Dans la galerie sont réunis les études faites pour la réalisation de la chapelle (d'autres études préparatoires sont présentées au musée Matisse à Nice, complément indispensable à la visite de la chapelle) et quelques modèles de chasubles dessinés eux aussi par Matisse.

### Château de Villeneuve-Fondation Émile-Hugues

*2 pl. du Frêne - ℘ 04 93 58 15 78 - www.museedevence.com - tlj sf lun. 10h-12h30, 14h-18h - fermé 1ᵉʳ janv., 1ᵉʳ Mai et 25 déc. - 5 € (enf. 2,50 €).*

L'ancien château des barons de Villeneuve édifié au 17ᵉ s. englobe la tour de garde datant du 13ᵉ s. Dans sa belle décoration intérieure ont lieu des expositions temporaires d'art contemporain.

## Aux alentours

### Tourettes-sur-Loup★
*À 6 km à l'ouest par la D 2210. Voir ce nom.*

### Saint-Paul-de-Vence★★
*À 4 km au sud par la D 2. Voir ce nom.*

## Circuit de découverte

### LA ROUTE DES CRÊTES★★ �012

*59 km – voir schéma p. 308 – compter 1/2 journée. Quitter Vence par le nord-est, route de Saint-Jeannet.*

La D 2210, longeant les fiers *baous* des Blancs, des Noirs et de Saint-Jeannet, permet de contempler à loisir le **site★** de Saint-Jeannet *(voir le circuit à Cagnes-sur-Mer).*

### Gattières
Perché parmi les vignes et les oliviers, le village regarde la vallée du Var et ses voisins. Sa charmante **église** romano-gothique renferme une sculpture naïve polychrome,

*Parmi les villages perchés, Bouyon se distingue.*

saint Nicolas et trois enfants *(à droite du chœur)*, et un beau Christ en terre émaillé *(chœur). La porte principale est ouverte et un sas vitré permet de voir à l'intérieur.*

*À la sortie ouest de Gattières, prendre la D 2209.*

La route en corniche contourne le rebord des Préalpes de Grasse dominant le Var.

### Carros village

Groupé autour de son château (13e-16e s.), le vieux village occupe un **site**★ remarquable. En contrebas, un rocher couronné des vestiges d'un vieux moulin permet d'admirer le **panorama**★★ (table d'orientation).

Les **vues**★ magnifiques se prolongent sur la route de Carros au Broc avec les nombreux villages perchés et le confluent de l'Esteron et du Var.

*Poursuivre sur la D 1.*

### Le Broc

Ce village perché est doté d'une jolie place à arcades et à fontaine. L'**église** du 16e s. a été décorée, à l'époque moderne, par le peintre Guillonet. ℘ 04 92 08 27 30 - *visite guidée obligatoire sur RV à la mairie.*

La route s'encastre dans les contreforts des Alpes du Sud, surplombant le confluent de l'Esteron et du Var, puis le ravin du Bouyon.

### Bouyon

Ce village est un véritable **belvédère**★ donnant sur un paysage découpé entre torrents et montagne. Le Cheiron rocailleux domine à 1 778 m.

*La D 8, au sud de Bouyon, longe la montagne du Chiers.*

### Coursegoules

Dans une nature qui invite à la balade, ce beau village, sis au pied du Cheiron, domine de ses hautes maisons le ravin de la Cagne naissante.

*Prendre la route de Vence (D 2).*

La route traverse alors un paysage désertique splendide, contrastant avec la Provence de Vence si proche. En dessous, la Cagne se transforme, en période d'orages, en une belle cascade.

### Col de Vence★★

Alt. 970 m 🥾 *4h.* Un sentier partant après le col à gauche permet de rejoindre Saint-Jeannet par le GR 51 qui longe la Cagne, avec vue sur les *baous* : superbe.

Peu après le col, la route plonge dans un **panorama**★★ spectaculaire : la rive gauche du Var jusqu'au mont Agel ; la côte avec le cap Ferrat, la baie des Anges, le cap d'Antibes, l'île Sainte-Marguerite, l'Esterel. À l'arrière, les barres blanches du Cheiron se détachent violemment du ciel.

La route dégringole au sud des Préalpes de Grasse, dans une garrigue calcaire.

# Vence pratique

♿ Voir aussi l'encadré pratique de Saint-Paul.

## Adresse utile

**Office du tourisme de Vence** – Pl. du Grand-Jardin - 06140 Vence - ℘ 04 93 58 06 38 - www.vence.fr - de mi-juin à mi-sept. : 9h-19h, dim. et j. fériés 10h-17h ; reste de l'année : tlj sf dim. 9h-18h - fermé 1er janv., 1er Mai et 25 déc.

## Se loger

⊜⊜ **Miramar** – 167 av. Bougearel, plateau St-Michel - ℘ 04 93 58 01 32 - resa@hotel-miramar-vence.com - fermé 17 nov.-12 déc. - ᴾ - 18 ch. 78/118 € - � 12 €. Cette jolie bâtisse des années 1920 à la façade rose domine baous et vallée. Les chambres, accueillantes et entièrement refaites, portent chacune le nom d'une fleur.

⊜⊜ **Mas de Vence** – 539 av. E.-Hugues - ℘ 04 93 58 06 16 - www.azurline.com/mas - ᴾ - 41 ch. 80/97 € - ⊃ 8 € - rest. 29/38 €. Cette construction récente aux tons ocre surplombe un axe passant. Chambres bien insonorisées, à la tenue impeccable, souvent avec loggia. Hall sous verrière. Vaste salle à manger et terrasse à arcades bordant la piscine. Plats traditionnels et méditerranéens.

⊜⊜ **La Bastide aux Oliviers** – 1260 chemin de la Sine - rte de Tourrettes-sur-Loup - ℘ 04 93 24 20 33 - www.bastideauxoliviers.com - ⊄ - 4 ch. 100/175 € ⊃. Trois belles chambres et une suite, harmonieusement décorées aux couleurs provençales, ont été aménagées dans une bastide en pierre blonde plantée au milieu des pins et des oliviers. La terrasse offre une jolie vue sur la vallée du Loup.

⊜⊜⊜ **Villa Roseraie** – Rte de Coursegoules - ℘ 04 93 58 02 20 - fermé 16 nov.-14 fév. - ᴾ - 14 ch. 110/140 € - ⊃ 13 €. Un soin particulier est apporté à la décoration de cet hôtel de charme aménagé dans une jolie villa 1900. Les chambres sont petites mais agréablement personnalisées. La piscine et le jardin invitent au repos.

⊜⊜⊜ **La Tour de Vence** – 310 chemin du Baou-des-Noirs - au NE de Vence dir. St-Jeannet - ℘ 04 93 24 59 00 - www.latourdevence.com - fermé nov.-déc. - ⊄ - 5 ch. 150/460 € - ⊃ 12 € - repas 30/60 €. Difficile de ne pas succomber au charme de cette splendide demeure construite avec les pierres d'un ancien monastère de Bourgogne. Chambres douillettes, exhalant le raffinement. Beau parc avec piscine et tennis. La vue panoramique sur la côte et les montagnes est à couper le souffle.

## Se restaurer

⊝ **Le Pêcheur de Soleil** – 1 pl. Godeau - ℘ 04 93 58 32 56 - www.pecheurdesoleil.com - fermé 15 nov.-1er fév. - 6,50/22,90 €. Cette pizzeria du vieux Vence mériterait une inscription dans le Livre des Records : sa carte propose quelque 600 variétés de pizzas, cuites au feu de bois et servies dans une salle à manger rustique (non-fumeurs) où sont exposés de vieux ustensiles de cuisine. L'été, terrasse au pied de la cathédrale.

⊜⊜ **Le Vieux Couvent** – 37 av. Alphonse-Toreille - ℘ 04 93 58 78 58 - www.restaurant-levieuxcouvent.com - fermé 15 janv.-15 mars, jeu. sauf le soir en sais. et merc. - 27/36 €. Pierres apparentes, piliers et voûtes d'ogives composent le décor de ce restaurant installé dans la chapelle d'un séminaire daté du 17e s. Plats régionaux

⊜⊜⊜ **Auberge des Seigneurs** – Pl. du Frêne - ℘ 04 93 58 04 24 - fermé 2 nov.-14 mars, dim. et lun. - 31/42 € - 6 ch. 75/100 €. Des artistes célèbres (Renoir, Modigliani) fréquentèrent jadis cette chaleureuse auberge du 17e s. logée dans une aile du château de Villeneuve. On y déguste des grillades préparées à l'ancienne dans la grande cheminée et des plats amoureusement mitonnés, comme la caille fermière cuite au four ou la terrine de foie gras.

⊜⊜⊜ **L'Armoise** – 9 pl. du Peyra - ℘ 04 93 58 19 29 - www.larmoise.com - fermé 23-30 juin, 10-30 nov., 1er-10 fév., dim. soir hors sais., mar. midi et lun. - 34 €. Ce petit restaurant dédié aux saveurs de la mer borde la jolie place du Peyra. Au programme : grands classiques (bouillabaisse) et recettes maison régulièrement renouvelées.

## Que rapporter

**Marchés aux fleurs et de producteurs** – Tous les jours sauf lundi sur les pl. du Grand-Jardin et Surian.

**Brocanteurs et bouquinistes** – Mercredi pl. du Grand-Jardin.

## Événements

**Fêtes de Pâques** – Durant le week-end de Pâques, elle commémore chaque année le siège victorieux que Vence soutint lors des guerres de Religion contre le huguenot Lesdiguières en 1592. Elle est prétexte à une fête villageoise et provençale de plusieurs jours : musiques et danses folkloriques, messe en plein air, bataille de fleurs…

**Autres festivités** – Festival « Les Nuits du Sud » : de mi-juillet à mi-août ; fête patronale Sainte-Elizabeth : 1er week-end d'août ; le Moyen Pays fête ses traditions début octobre.

# Vallée de la **Vésubie**★★

CARTE GÉNÉRALE D3 – CARTE MICHELIN LOCAL 341 E3/4 – SCHÉMA P. 308 –
ALPES-MARITIMES (06)

Alimentée par les neiges des derniers hauts massifs alpins, la Vésubie, l'une des plus belles vallées de l'arrière-pays niçois, présente des aspects très variés. Dans son cours inférieur, à partir du Plan-du-Var, le torrent a taillé des gorges aux parois verticales pour rejoindre le Var. Le paysage est encore méditerranéen entre Saint-Jean-la-Rivière et Lantosque : les versants les moins abrupts et les mieux exposés de la vallée moyenne se couvrent de cultures en terrasses, de vignes et d'oliviers. La haute vallée est, elle, résolument alpestre, alternant pâturages verdoyants, forêts de sapins, cascades et hauts sommets.

▶ **Se repérer** – La Vésubie, affluent de la rive gauche du Var, est formée de deux torrents : la Madone de Fenestre et le Boréon, nés près de la frontière italienne.

👁 **À ne pas manquer** – Le panorama depuis la Madonne d'Utelle ; la randonnée depuis Belvédère menant à la cascade de l'Estrech et la visite du village de Saint-Martin-Vésubie.

🕐 **Organiser son temps** – Consacrez une pleine journée à la découverte de la vallée de la Vésubie. Entre les balades dans les villages et dans la nature, vous garderez de cette journée un excellent souvenir.

🕯 **Pour poursuivre la visite** – Voir aussi Utelle, Saint-Martin-Vésubie, la vallée des Merveilles et la forêt de Turini.

## Circuit de découverte

### DE PLAN-DU-VAR À SAINT-MARTIN-VÉSUBIE ⑥

*122 km – environ 1 journée – schéma p. 308.*

👁 **Bon à savoir** – Si vous souhaitez vous arrêter pour prendre une photo, faites-le dans les rares refuges, le long de la route. Ailleurs, c'est d'autant plus impensable que les conducteurs locaux, totalement insensibles à la beauté des paysages, ne vous laisseront guère le loisir de ralentir !

La D 2565 suit le fond des **gorges de la Vésubie**★★★, étroites, sinueuses, abruptes, sauvages. Les parois de ces roches sont stratifiées de couleurs changeantes. À Saint-Jean-la-Rivière, prendre à gauche la D 32 qui monte vers Utelle.

### La Madonne-d'Utelle★★★ *(voir Utelle)*

*Faire demi-tour vers Saint-Jean-la-Rivière et reprendre à gauche la D 2565.*

La vallée se serre entre des barres rocheuses, ne s'élargissant qu'au Suquet, dominée alors par le Brec d'Utelle (1 606 m) sur la gauche.

*Prendre la D 173.*

### Lantosque

Ce village apparaît curieusement perché sur une arête de calcaire, entre le Rio et la Vésubie. Il a survécu comme par miracle à de nombreux tremblements de terre

## La réintroduction du « casseur d'os »

Si vous recevez sur la tête un os de belle taille, au lieu de vous lamenter, levez alors les yeux : peut-être aurez-vous la chance d'apercevoir dans le ciel de la vallée un **gypaète barbu**. Ce majestueux vautour de 2,80 m est l'une des espèces menacées d'Europe. Le plus grand oiseau alpin a un mode de vie bien particulier : alternant vol planant et périlleuses acrobaties, il survole les versants escarpés des pâturages pour se nourrir des charognes de chamois ou de brebis dont il détache les gros os (jusqu'à 3 kg). Il les lâche ensuite sur les rochers afin de les briser. Il était considéré autrefois comme l'auxiliaire naturel du berger.

Décimé au 19ᵉ s. dans les Alpes, il a subsisté dans les Pyrénées et en Corse. Dans le cadre d'un vaste programme international de réintroduction, il y eut des lâchés en Haute-Savoie en 1986, puis dans le **Parc national du Mercantour** en 1993. En 1997, la première reproduction d'un couple sauvage réussit. Depuis, 14 poussins sont nés et on dénombre en 2004 au moins 73 oiseaux sur toutes les Alpes. Depuis, environ 14 poussins naissent chaque année et on dénombre en 2006 une centaine d'oiseaux sur toutes les Alpes.

*Le vallon de la Gordolasque dénudé.*

depuis le 17ᵉ s. Vous arpenterez le dédale de ruelles pour découvrir de belles portes sculptées, des passages voûtés et une fontaine de 1866. Petit arrêt mérité au sommet du village, sur le parvis de l'église Saint-Sulpice intéressante par sa porte sculptée du (17ᵉ s.), d'où vous aurez une vue sur les toits du village.

Ses mélèzes marquent le seuil de la haute montagne. Ceux qui souhaitent faire un peu d'exercice apprécieront la **via ferrata** *(2h de parcours)* aménagée dans les gorges de Lantosque. *Renseignements à la mairie,* ☎ *04 93 03 00 02.*

## Roquebillière

Six fois depuis le 6ᵉ s., Roquebillière a été détruit par des éboulements ou des inondations. Et six fois, les habitants l'ont reconstruit au même endroit. Sauf une fois, la dernière, après le glissement de terrain de 1926 : la majeure partie des habitants a quitté les hautes maisons sévères du vieux village pour la rive droite, où se trouvait déjà une église du 15ᵉ s.

Entre le vieux village et le nouveau village, l'**église Saint-Michel-du-Gast** est un exemple de prolongement tardif d'éléments romans (clocher à flèche de pierre et piliers trapus à l'intérieur) associés à du gothique (trois nefs). Remarquez surtout un **retable** de l'école niçoise, voué à saint Antoine, avec les scènes de sa légende sur la prédelle. La cuve baptismale en pierre volcanique, sculptée d'une croix de Malte, atteste l'origine hospitalière de l'église. À la sacristie, on peut admirer des vêtements sacerdotaux des 17ᵉ et 18ᵉ s. ☎ *04 93 03 51 60 - www.roquebilliere.com - visite guidée (1h30) 10h30 et 14h - gratuit.*

*À la sortie de Roquebillière-Vieux, prendre à droite la D 171.*

Cette route remonte le **vallon de la Gordolasque**★★, qui s'insinue sauvagement entre les cimes minérales du Diable et de la Valette.

## Belvédère

Charmant village, dont le **site**★ domine à la fois la Vésubie et la Gordolasque. De la terrasse derrière la mairie, on a un excellent **point de vue**★ sur l'aval de la Vésubie avec le mont Férion, la forêt de Turini *(voir ce nom)* à gauche, le Tournairet à droite et Roquebillière-Vieux à ses pieds.

La D 171 s'élève parmi les roches grandioses et les jolies cascades, dont la **cascade du Ray**★, qui s'écoule abondamment en deux branches.

La route continue de monter parallèlement à la vallée des Merveilles *(voir ce nom)* dont elle est séparée par la cime du Diable. Plus loin se profilent les rochers découpés du Grand Capelet.

## Cascade de l'Estrech★

🥾 *1h. Laisser la voiture au parking du pont de Countet.* La route se perd en un sentier qui longe le torrent de la belle cascade de l'Estrech dévalant un **cirque**★★ de hautes montagnes enneigées.

Ici règnent la **nigritelle**, orchidée des montagnes herbeuses, de couleur rose à pourpre, le **passereau** nommé accenteur, l'**aigle royal**, le **chocard à bec jaune** et le **bouquetin**.

À plus de 3 000 m, dominent la cime du Gélas et le mont Clapier.

*Revenir à la D 2565, puis prendre à droite la D 72.*

## Berthemont-les-Bains

Dans un site ombragé, la principale **station thermale** de la Côte d'Azur était déjà connue des Romains. Son eau sulfureuse radioactive à 30 °C soigne les affections respiratoires, la rhumatologie et les troubles articulaires.

L'église présente un clocher carré coiffé d'une coupole et un porche à colonnes. À l'intérieur, remarquez deux panneaux de l'école de Brea et le maître-autel en bois sculpté (17e s.).

La D 2565 remonte la vallée qui change de caractère à mesure qu'on s'élève : châtaigniers, sapins et verts pâturages justifient l'appellation de « Suisse niçoise » qu'on a donnée à la région de Saint-Martin-Vésubie. À gauche, on aperçoit le village perché de Venanson.

## Saint-Martin-Vésubie★ *(voir ce nom)*

# Vallée de la Vésubie pratique

&. voir aussi l'encadré de Saint-Martin-Vésubie.

### Adresses utiles

**Office du tourisme de la Bollène-Vésubie** – *Pl. du Gén.-de-Gaulle - 06450 La Bollène-Vésubie -* 🐾 *04 93 03 60 54 - www.labollenevesubie.fr - juil.-août : lun. et merc. 14h30-17h30, mar., jeu. et vend. 9h-12h, 14h30-17h30, sam. 10h-12h ; reste de l'année : mar. et vend. 9h30-11h30, 14h30-17h30, merc. 14h30-17h30, sam. 9h-12h - fermé j. fériés.*

**Syndicat d'initiative de Belvédère** – *R. Victor-Maurel - 06450 Belvédère -* 🐾 *04 93 03 51 66 - www.vesubian.com - juil.-août : 9h-12h, 15h-18h, dim. 10h-12h ; reste de l'année : mar. et vend. 9h-12h, merc. et sam. 9h-12h, 14h-17h*

### Se loger

🍽 **Chambre d'hôte chez Annie et Patrick** – *Le Mirail - 15 km au S par D 2565 et D 32 -* 🐾 *04 93 03 02 24 - fermé oct.-mars -* 📶 *- 4 ch. 60 € -* 🍽 *- repas 18 €.* Bordant une petite route de la sortie du bourg, cette maison offre l'occasion de faire une halte agréable aux portes du Parc national du Mercantour. Ses

4 chambres, aux étages, allient confort et simplicité, se parant çà et là d'un joli lambris. Petits-déjeuners servis sur la terrasse couverte ou dans le jardinet.

### Se restaurer

🍽🍽 **Auberge du Bon Puits** – *06450 Le Suquet - 5,5 km au S de Lantosque dir. Nice -* 🐾 *04 93 03 17 65 - fermé fin nov. à Pâques et mar. sf du 15 juil. au 30 août -* 📶 *- 22/32 €.* L'auberge construite en pierres du pays borde la route qui longe les gorges de la Vésubie. L'hiver, une cheminée réchauffe la grande salle à manger rustique coiffée de poutres massives ; cuisine d'inspiration régionale. Parc d'agrément avec poneys et jeux pour enfants. Chambres traditionnelles.

### Événements

**Fête du retour des bergers** – Descente des Alpages vers la vallée, le dernier week-end de septembre.

**Festin de Saint-Pierre et de Saint-Paul** – Fin août à Belvédère.

**La Polente** – En février, Belvédère accueille un grand festin où l'on peut déguster cette spécialité, une galette à base de maïs, servie en daube.

# Villecroze

**1 087 VILLECROZIENS**
**CARTE GÉNÉRALE B2/3 – CARTE MICHELIN LOCAL 340 M4 – VAR (83)**

Pas besoin d'être grand pour attirer les curieux ! Ce petit village, entouré de vergers, de vignes et d'oliviers, et adossé aux premiers contreforts des plans de Provence, vous réserve de bonnes surprises.

- **Se repérer** – À 8 km au nord d'Aups.
- **Se garer** – À l'entrée du village, en venant d'Aups, parking proche de tout.
- **À ne pas manquer** – Le vieux village ; les grottes.
- **Organiser son temps** – 2h agréables vous attendent à Villecroze.
- **Pour poursuivre la visite** – Voir aussi Tourtour, Aups et Entrecasteaux.

*Parc, grottes et cascade, un havre de fraîcheur.*

## Se promener

### Vieux village
Enserré dans d'anciennes murailles reconverties en murs de soutènement, il a conservé ses rues étroites. Non loin se dresse l'église Notre-Dame, du 18e s. De la **tour de l'Horloge** (15e s.), on atteint la rue de France qui a conservé son charme médiéval, puis la surprenante **rue des Arcades**.

### Parc municipal
Une cascade d'une quarantaine de mètres dévale de la falaise et coule en ruisseau dans le jardin. Un chemin fléché monte vers les grottes.

### Belvédère
À 1 km, en bordure de la route vers Tourtour. Sentier fléché, parking en face.
**Panorama★** circulaire sur Tourtour, les plans de Provence, Villecroze, Salernes, le Gros Bessillon et, plus loin à l'est, sur les Maures et la Sainte-Baume (table d'orientation).

## Visiter

### Les grottes
*04 94 70 63 06 - visite guidée (30mn) juil.-août : tlj sf lun. 10h-12h, 14h30-18h30 ; fév.-avr. et nov. : uniquement pdt les vac. scol. de la zone B w.-end 14h-17h (17h30 en mars-avr.) ; mai-juin : merc., vend. et w.-end 14h-17h30 ; sept.-1re sem. d'oct. : w.-end 10h-17h - fermé déc. et janv. - 2 € (–16 ans 1 €).*
Ce sont les seigneurs de Villecroze qui aménagèrent une partie des grottes en repaire, au 16e s. Du dehors, on aperçoit d'insolites fenêtres à meneaux encastrées dans la roche. Dedans, plusieurs petites salles avec de jolies concrétions.

## Villecroze pratique

♿ Voir aussi l'encadré pratique d'Aups.

### Adresse utile

**Office du tourisme de Villecroze** – R. Ambroise-Croizat - 83690 Villecroze - ☎ 04 94 67 50 00- http://provencetourisme. chez-alice.fr - tlj sf dim. 9h30-13h, 16h-18h30 - fermé j. fériés et 26 déc.-2 janv.

### Se restaurer

☕ **La Cascade - Chez Martine** – Av. Ambroise-Croizat - au centre du village - ☎ 04 94 67 57 10 - fermé dim. soir et lun. - 16/27 €. Une cuisine mi-traditionnelle, mi-provençale s'emploie à combler votre faim dans ce petit restaurant familial établi sur la traversée du village, à hauteur de la place du Gén.-de-Gaulle. Salle à manger simplement dressée où flotte une atmosphère conviviale.

### Que rapporter

**Marché** – Jeudi matin, pl.du Général-de-Gaulle. Foire à la brocante : 2e dimanche de mai. Marché d'arts : 2e dimanche de juillet.

### Événements

**Mai théâtral** – Représentations durant tout le mois.

**Foire aux bestiaux et aux vieux métiers** – Le 3e dimanche de juillet.

**Greniers dans la rue** – Le 3e dimanche d'août.

**Marché de Noël** – Le 2e dimanche de décembre.

# Villefranche-sur-Mer★

**6 833 VILLEFRANCHOIS**
**CARTE GÉNÉRALE D4 – CARTE MICHELIN LOCAL 341 E5 – SCHÉMAS P. 308 ET 328 – ALPES-MARITIMES (06)**

Le neveu de Saint Louis, le comte de Provence Charles II d'Anjou, fonda la ville au 13e s. et lui accorda des libertés ou « franchises » commerciales, d'où le nom. Ce joli port de pêche a gardé tout son charme avec ses couleurs, ses ruelles imbriquées et sa citadelle. La station balnéaire de Villefranche est surtout connue pour sa rade, encadrée de pentes boisées, l'une des plus belles de la Méditerranée. La baie s'étend entre la presqu'île du cap Ferrat et les hauteurs du mont Boron ; profonde (25 à 60 m), elle peut accueillir une escadre entière.

▶ **Se repérer** – À 6 km à l'est de Nice par la Corniche inférieure (voir Corniches de la Riviera). La rade est signalée par un phare et un sémaphore.

🅿 **Se garer** – Pour les voitures, parkings gratuits autour de la citadelle et sur la darse.

👁 **À ne pas manquer** – Une promenade dans la vieille ville, entre ruelles charmantes, citadelle grandiose où vous marquerez un stop au musée Volti, et chapelle Saint-Pierre décorée par Cocteau.

🕑 **Organiser son temps** – Prévoir 2h pour faire le tour de cette charmante cité.

👪 **Avec les enfants** – Le petit train qui relie Beaulieu-sur-Mer à Villefranche-sur-Mer.

♿ **Pour poursuivre la visite** – Voir aussi les Corniches de la Riviera, Beaulieu-sur-Mer, Menton et Nice.

## Comprendre

**La rade de Villefranche** – Les fonds sous-marins de la rade atteignant jusqu'à 60 m ont attiré les bateaux romains avant que ne s'y relâchent bâtiments de guerre russes, yachts ou paquebots. « Port de toute la Côte d'Azur » selon P. Morand, la rade de Villefranche fut, du 14e au 18e s., le grand port de l'État savoyard puis sarde, avant que Nice n'ait le sien. De 1945 à 1962, la base navale américaine y prit ses quartiers.

**La présence russe à Villefranche** – Elle remonte à la fin du 18e s. et a fait preuve depuis d'une originale constance. L'intérêt stratégique de la rade n'avait pas échappé aux autorités maritimes russes de l'époque qui y mouillaient à chaque conflit avec l'empire ottoman. Elle leur devient essentielle quand, au lendemain de la guerre de Crimée en 1856, la flotte militaire russe est privée d'accès à la Méditerranée par le Bosphore : le roi de Sardaigne accepte alors de céder à la Russie le lazaret et la darse de Villefranche qui lui servent de dépôt à vivres et à combustibles. La rade devient alors le port d'attache de la noblesse impériale en villégiature sur la Côte, et ce, malgré le rattachement du comté de Nice.

Puis l'intérêt pour le site évolue à la fin du siècle : en 1893, une équipe de scientifiques de Kiev remplace les militaires pour pratiquer des recherches océanographiques en profitant de la présence d'un courant ascendant dans la rade. Ces études, malgré les aléas politiques, se poursuivent jusqu'aux années 1930, lorsque les locaux sont repris par l'Université de Paris qui y établit une station de zoologie marine de réputation internationale.

# Se promener

### Vieille ville★

Elle s'ouvre sur le charmant port de pêche par un front de hautes façades vivement colorées. La **rue du Poilu** forme l'artère principale de ce bel enchevêtrement de ruelles, parfois en escalier ou voûtées, comme la curieuse **rue Obscure**, dont les fondations remontent au 13e s., qui longeait les remparts médiévaux. Couverte sur 130 m, elle permettait aussi aux habitants d'y trouver refuge en cas de bombardements.

### Église Saint-Michel

*6 r. Baron-de-Brès.* Discrètement baroque, elle abrite des retables du 18e s. et des statues : en bois polychrome du 16e s., saint Roch et son chien *(à gauche, contre un pilier)*, et un Christ gisant du 17e s., sculpté par un galérien dans un tronc de figuier, d'un réalisme impressionnant *(croisillon gauche)*. À la tribune, **orgue** typiquement français de 1790, œuvre des frères Grinda, facteurs niçois de grande réputation.

### Darse

C'est l'ancien port militaire où se construisaient les galères et où embarquaient les forçats ; aujourd'hui y mouillent yachts et canots de plaisance.

👓 Pour admirer la rade d'en haut, monter sur la colline superbement boisée des monts Alban et Boron *(voir les circuits* ① *et* ② *à Nice)*, ainsi qu'au quartier Saint-Michel *(itinéraire à l'office de tourisme)* où vous trouverez une table d'orientation.

# Visiter

### Chapelle Saint-Pierre★

*℘ 04 93 76 90 70 - possibilité de visite guidée (25mn) - de mi-juin à mi-sept. : tlj sf lun. 10h-12h, 16h-20h ; de mi-mars à mi-juin : tlj sf lun. 10h-12h, 15h-19h ; de mi-sept. à mi-déc. : tlj sf lun. 10h-12h, 14h-18h - fermé de mi-nov. à mi-déc. et 25 déc. - 2 €.*

**Jean Cocteau** (1889-1963), qui découvrit Villefranche dès 1924, décora la chapelle en 1957. De part et d'autre de la porte peinte intérieurement, les flammes des chandeliers de l'Apocalypse (traités en céramique) sont des yeux grands ouverts. Les fresques affirment la primauté du dessin, ample et précis, qui cerne des images figuratives et populaires : elles racontent la vie de saint Pierre, patron des pêcheurs, mais traitent aussi de sujets profanes comme l'*Hommage aux demoiselles de Villefranche* ou *Les Gitans*. Un décor géométrique relie les différentes scènes.

S. Sauvignier / MICHELIN

*Petite pause avant la visite de la chapelle Saint-Pierre.*

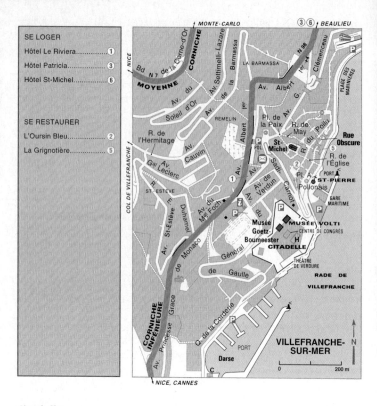

## Citadelle

𝄞 04 93 76 33 27 (musées)/𝄞 04 93 76 33 63 (collection Roux) - juil.-août : 10h-12h, 14h30-19h, dim. 14h30-19h ; juin et sept. : 9h-12h, 14h30-18h, dim. 14h30-19h ; oct.-mai : 9h-12h, 14h-17h30, dim. 13h30-18h - fermé mar., nov. - gratuit.

Restaurée à la perfection en 1981, elle a été élevée en 1557 par le duc de Savoie pour protéger la rade. Elle faisait l'admiration de Vauban et fut épargnée par Louis XIV avec le fort du mont Alban lors de la destruction des défenses du comté de Nice. Elle abrite l'hôtel de ville, l'ancienne **chapelle Saint-Elme**, qui accueille des expositions temporaires, un auditorium de 200 places, un théâtre de verdure, trois musées *(voir ci-dessous)* et une salle-souvenir du 24ᵉ bataillon des chasseurs alpins (dernier corps d'armée ayant occupé les lieux).

**Musée Volti★** – La grande cour de la citadelle et le dédale de casemates voûtées mettent admirablement en valeur les corps voluptueux de d'**Antoniucci Volti** (1915-1989), sculpteur de Villefranche que l'on sent formé à l'art de Maillol. L'humour n'est pas exclu, comme dans les *Cavaliers du ciel*, véritables hommes-cheminées en cuivre martelé *(dans la cour)*. Mais Volti excelle surtout dans la représentation inlassable de la femme, dressée avec la suprême élégance des Parisiennes, couchée avec grâce *(Nikaïa)*, noblement assise *(Maternité de Cachan)* ou enroulée comme un œuf *(Lotus)*. Certaines des œuvres les plus récentes atteignent à une majesté monumentale *(La Reine, Minerve…)*. De très belles sanguines accompagnent, çà et là, les sculptures.

**Musée Goetz-Boumeester** – Une centaine d'œuvres, représentant cinquante ans de recherches picturales allant du figuratif à l'abstrait, parmi lesquelles celles du peintre-graveur **Henri Goetz** (1909-1989), et de son épouse Christine Boumeester (1904-1971) qui donnèrent leur collection à la ville de Villefranche. Également des œuvres-souvenirs signées Picasso, Miró, Hartung, Picabia, etc.

**Collection Roux** – Figurines de céramique évoquant des scènes de la vie quotidienne au Moyen Âge et à la Renaissance, réalisées d'après des traités et ouvrages datant de cette époque.

# Villefranche-sur-Mer pratique

Ⓖ Voir aussi les encadrés pratiques de Nice et Beaulieu-sur-mer.

## Adresse utile

**Office du tourisme de Villefranche-sur-Mer** – *Jardin François-Binon - 06230 Villefranche-sur-Mer - ℰ 04 93 01 73 68 - www.villefranche-sur-mer.com - juil.-août : 9h-19h ; oct.-mai : tlj sf dim. 9h-12h 14h-18h, j. fériés 10h-12h, 14h-16h ; juin et sept. : tlj sf dim. 9h-12h, 14h-18h30, Ascension 10h-12h, 14h-16h - fermé 1er janv. et 25 déc.*

## Visites

**Visites guidées de la ville** – *S'adresser à l'office de tourisme - visite guidée (1h45) merc. à 10h - 5 €. Visites thématiques : « Les petits matins de la Citadelle » mai-sept. : vend. petit-déjeuner dans les jardins du musée, visite de la citadelle et de la vieille ville ; visite spectacle de la citadelle. Sur réservation. 8 €*

**Petit train touristique** – *Demander les horaires à l'office de tourisme - sur réserv. - 6,50 € (3 €).* La micheline relie Villefranche-sur-Mer à sa voisine, Beaulieu. Comptez 1h AR de promenade commentée. De Villefranche, le départ s'effectue Pl. Wilson et vous mène successivement à la Citadelle, aux fossés, sur la Basse Corniche jusqu'à Beaulieu-sur-mer.

## Se loger

Ⓖ **Le Riviera** – *2 av. Albert-Ier - ℰ 04 93 76 62 76 - www. hotelrivieravillefranche.com - fermé janv. - 22 ch. et 1 appart. 49/160 € - ☕ 9,50 €.* Cet hôtel simplement (mais joliment) rénové offre une halte agréable sur la Corniche inférieure. Les chambres, climatisées et progressivement améliorées, sont accessibles à toutes les bourses ; certaines ont vue sur la mer.

Ⓖ **Hôtel Patricia** – *Av. de l'Ange-Gardien - E : par la Petite Corniche - ℰ 04 93 01 06 70 - http://hotel-patricia.riviera.fr - fermé en déc. - 🅿 - 13 ch. 54/68 € - ☕ 6 €.* Même si la voie ferrée passe tout près, cet hôtel simple et modeste bénéficie d'une situation privilégiée à 500 m de la plage. Repris récemment, il abrite 13 petites chambres aménagées avec goût, à des prix très raisonnables. On préférera celles de l'étage, qui ont vue sur la mer. Un accueil vraiment agréable.

Ⓖ **Hôtel St-Michel** – *2000 av. Olivula - ℰ 04 93 01 80 42 - 30 ch. 60/75 € - ☕ 7 €.* Installé sur les hauteurs de la ville, cet hôtel bénéficie du calme paisible d'un quartier résidentiel. Dans le bâtiment principal, les chambres, toutes rénovées, disposent désormais de sanitaires complets et de baignoires. Celles de l'annexe, partiellement rafraîchies, offrent plus d'espace. Confort standard.

## Se restaurer

Ⓖ **La Grignotière** – *3 r. du Poilu - ℰ 04 93 76 79 83 - fermé le midi sf dim. et merc. soir hors sais. - 10/30 €.* L'enseigne peut induire en erreur, mais les assiettes gargantuesques, se chargeront de vous rassurer. Fi donc des grignotages, on vient ici pour la qualité des produits, cent pour cent frais, et les portions généreuses. Les habitués ne s'y trompent pas ! La carte s'est récemment enrichie de spécialités de couscous.

Ⓖ Ⓖ Ⓖ **L'Oursin Bleu** – *11 quai Courbet - ℰ 04 93 01 90 12 - fermé 10 janv.-10 févr., et mar.de nov. à mars - 32 €.* Accueillant décor marin sur l'un des quais du charmant port de pêche. Un aquarium géant égaie la salle à manger où les nombreux habitués apprécient la cuisine au goût du jour.

## Événements

**Combat naval fleuri, défilé de pointus et bataille de fleurs** – *ℰ 04 93 76 33 40.* Chaque lundi gras au port de la santé.

**Salon floral et potagers** – À Pâques, la citadelle fleure bon.

**La relève de la Garde** – En juillet et août, rendez-vous tous les soirs à 19h au Pont-Louis de la Citadelle pour assister à un spectacle haut en couleur.

**Moments musicaux de la Citadelle** – *Se renseigner à l'office de tourisme.* Sur le parvis de l'hôtel de ville à la Citadelle, courant juillet.

# Villeneuve-Loubet

**12 935 VILLENEUVOIS**
CARTE GÉNARAL D4 – CARTE MICHELIN LOCAL 341 D6 – SCHÉMA P. 137 –
ALPES-MARITIMES (06)

Villeneuve désigne une agglomération neuve au Moyen Âge, fondée par un seigneur qui s'appelle Villeneuve, de surcroît! Loubet, ancien fief voisin, tire son nom du Loup qui se jette ici dans la mer. Deux villes en une, contenant tous les contrastes de la Côte : d'une part, le château médiéval dominant la vieille ville provençale, d'autre part, la moderne Marina-Baie-des-Anges sur le littoral. Côté mer, 4 km de plage de galets et un label « station kid » s'offrent à vous. Côté tradition, les villageois pratiquent toujours la pelote provençale à main nue.

▶ **Se repérer** – Entre le Loup et la Brague, la plage de Villeneuve prolonge celle de Cagnes. Derrière se trouvent la ville moderne puis, la vieille ville.

👁 **À ne pas manquer** – Le musée Escoffier de l'Art Culinaire et la visite guidée de Marina-Baie-des-Anges *(voir l'encadré pratique).*

🕐 **Organiser son temps** – Accordez 1h30 à la gourmandise en optant pour une balade gourmande *(se renseigner à l'office de tourisme).*

👪 **Avec les enfants** – Le musée Escoffier de l'Art Culinaire pour éveiller leurs papilles.

♿ **Pour poursuivre la visite** – Antibes, Biot, Cagnes-sur-Mer, Nice.

## Le saviez-vous ?

👁 Due à André Minangoy, **Marina-Baie-des-Anges** est l'une des réalisations immobilières les plus prestigieuses de la Côte d'Azur… Une réussite ? En tout cas, cette vague en béton se voit de partout! Elle a même été reconnue par le ministère de la Culture « Patrimoine architectural du 20$^e$ s. » À vous d'en juger…

👁 Natif de Villeneuve, l'illustre cuisinier **Auguste Escoffier** (1846-1935) fit ses armes à Nice, puis à Paris au Petit Moulin Rouge avant de se forger une réputation dans les palaces qu'il créa avec César Ritz. « Cuisinier des Rois et Roi des Cuisiniers », il sut plaire aux grands de ce monde en leur concoctant des plats attitrés (il créa ainsi la pêche Melba, en l'honneur d'une cantatrice du même nom) tout en innovant dans la légèreté, la simplicité et la qualité.

## Se promener

*Plan commenté disponible à l'office de tourisme.*

Le vieux village, aux ruelles pentues agréables, à arpenter est blotti au pied du **château** des Villeneuve, du 13$^e$ s., restauré au 19$^e$ s. Le haut donjon pentagonal fut en partie édifié au 9$^e$ s. C'est dans ce château, où résidait François I$^{er}$, que fut signée en 1538 l'éphémère paix de Nice avec Charles Quint (elle ne dura que cinq ans!). *Visites guidées toute l'année les 1$^{er}$ et 3$^e$ dim. de chaque mois à 10h30 - visites supplémentaires pdt les vac. scol. sur inscription à l'office de tourisme - 5 €.*

🚶 *2 km, au départ du village.* Vous pourrez vous promener sur les berges ombragées du Loup.

🚶 *Accès par la RN 7.* Le **Parc naturel départemental de Vaugrenier** s'étend sur 100 ha partagés entre prairie et bois (pins et différentes variétés de chênes). 6 km de sentiers à parcourir et un étang où observer les oiseaux.

## Visiter

### Musée Escoffier de l'Art Culinaire★

*Voir le schéma p. 137. 3 r. Escoffier - 📞 04 93 20 80 51 - www.fondation-escoffier.org - juil.-août : 14h-19h, merc. et vend. 10h-12h, 14h-19h ; reste de l'année : tlj sf sam. 14h-18h - fermé nov. et j. fériés - 5 € (11-18 ans 2,50 €).*

👪 Les petits marmitons recevront un quiz qui leur donnera l'eau à la bouche pour les bonnes choses.

Dans la maison natale d'**Auguste Escoffier** sont réunis souvenirs, objets personnels et témoignages du rayonnement international de cet ambassadeur de la cuisine française

*Marina-Baie-des-Anges, visible de loin et imposante de près.*

qui s'illustra au Savoy et au Carlton de Londres ainsi qu'au Ritz à Paris. Ustensiles d'époque, cuisine provençale reconstituée, collection de voitures miniatures (pour le service en salle) et de 1 500 menus, de 1820 à nos jours, panneau chronologique de la cuisine de la préhistoire à nos jours illustrent l'art culinaire. Possibilité de visionner des recettes de grands chefs.

### Galerie du Musée d'Histoire et d'Art
*Voir le schéma p. 137. R. de l'Hôtel-de-Ville -* 📞 *04 92 02 60 39/50 - 9h-12h, 15h-18h, sam. 9h30-12h30, dim. 11h-13h - fermé j. fériés - gratuit.*
Au 1$^{er}$ étage, expositions temporaires d'art. Les 2$^e$ et 3$^e$ étages sont consacrés aux grands conflits dans lesquels la France a été engagée au 20$^e$ s. : les deux guerres mondiales, les guerres d'Indochine (1945-1954) et d'Algérie (1954-1962), les interventions au Tchad et au Zaïre (1969-1984), au Liban (1982-1987) et la guerre du Golfe (1991).

## Villeneuve-Loubet pratique

♿ Voir aussi les encadrés pratiques de Cagnes-sur-mer et Antibes.

### Adresse utile
**Office du tourisme de Villeneuve-Loubet** – *16 av. de la Mer - 06270 Villeneuve-Loubet -* 📞 *04 92 02 66 16 - www.ot-villeneuveloubet.org - juil.-août : 9h-13h, 14h-19h, sam. 9h30-12h30, 15h-19h, dim. 10h-13h ; reste de l'année : tlj sf dim. 9h-12h, 14h-18h, sam. et j. fériés 9h30-12h30 - fermé 1$^{er}$ Mai.*

### Visites
**« Balade gourmande »** – *Sur demande à l'office de tourisme - 6 €. Elle associe la découverte du village, la visite du musée Escoffier et une dégustation surprise (1h15).*
**Visite guidée de Marina-Baie-des-Anges** – *Sur demande à l'office de tourisme - 3 €. Visite d'une heure.*

### Se loger
🛏 **Villages Hôtel** – *1810 rte N 7 - A 8 sortie 46 villeneuve-Loubet-Plage, derrière Mac-Donald's -* 📞 *08 92 70 75 72 -* ⌷ *-*
70 ch. 39/43 € - ⊑ 4,20 €. Cet hôtel de chaîne ne déroge pas à la règle. Confort standard, sans surprise. Climatisation dans toutes les chambres, pratique en été. Si on éprouve quelques difficultés à se réjouir de sa situation dans la zone commerciale, on appréciera, en revanche, de trouver la plage à 500 m. Prix corrects toute l'année.
🛏 **Galoubet** – *174 av. Castel - 06270 Villeneuve-Loubet-Plage -* 📞 *04 92 13 59 00 - www.galoubet.fr.st -* ⊡ *- 22 ch. 56/75 € -* ⊑ *8 €. Pas d'inquiétude : le son du galoubet (instrument à vent méridional) ne viendra pas troubler vos nuits, passées dans des chambres actuelles et meublées en rotin.*

### Se restaurer
🍴🍴 **Daniel** – *Marina-Baie-des-Anges - 06270 Villeneuve-Loubet-Plage -* 📞 *04 93 73 41 66 - fermé janv., 1$^{er}$ nov.-15 déc., mar. et merc. - 32 € bc. Salle climatisée conçue dans un esprit « bistrot chic » et terrasse fleurie face à la marina. La carte d'inspiration régionale met les poissons à l'honneur. Service prévenant.*

# INDEX

**Nice** : villes, curiosités et régions touristiques.
**Matisse, Henri** : noms historiques et termes faisant l'objet d'une explication.
**Les sites isolés** (châteaux, abbayes, grottes…) sont répertoriés à leur propre nom.

Nous indiquons par son numéro, entre parenthèses, le département auquel appartient chaque ville ou site. Pour rappel :
**06** : Alpes Maritimes
**83** : Var

# CARTES ET PLANS

## PLANS DE VILLES

## PLANS DE MONUMENTS

## CARTES THÉMATIQUES

## CARTES DES CIRCUITS

## LES CARTES ROUTIÈRES QU'IL VOUS FAUT

Vous trouverez la liste complète des cartes Michelin qu'il vous faut pour voyager sur cette destination en p. 25.

---

### Changement de numération routière !

Sur de nombreux tronçons, les routes nationales passent sous la direction des départements. Leur numérotation est en cours de modification. La mise en place sur le terrain a commencé en 2006 mais devrait se poursuivre sur plusieurs années. De plus, certaines routes n'ont pas encore définivement trouvé leur statut au moment où nous bouclons la rédaction de ce guide. Nous n'avons donc pas pu reporter systématiquement les changements de numéros sur l'ensemble de nos cartes et de nos textes.

👁 **Bon à savoir** – Dans la majorité des cas, on retrouve le n° de la nationale dans les derniers chiffres du n° de la départementale qui la remplace.
Exemple : N 16 devient D 1016 ou N 51 devient D 951.

*Manufacture française des pneumatiques Michelin*
Société en commandite par actions au capital de 304 000 000 EUR
Place des Carmes-Déchaux - 63000 Clermont-Ferrand (France)
R.C.S. Clermont-Fd B 855 200 507

Imprimeur : AUBIN ; Ligugé
Imprimé en France : janvier 2007
Compograveur : MAURY ; Malesherbes
ISSN : 0293-9436
Dépot légal : février 2007

# QUESTIONNAIRE
# LE GUIDE VERT

**VOTRE AVIS NOUS INTÉRESSE…**
**TOUTES VOS REMARQUES NOUS AIDERONT À ENRICHIR NOS GUIDES.**

Merci de renvoyer ce questionnaire à l'adresse suivante :
MICHELIN
Questionnaire Le Guide Vert
46, avenue de Breteuil
75324 PARIS CEDEX 07

En remerciement,
les 100 premières réponses recevront en cadeau
la carte Local Michelin de leur choix !

## VOTRE GUIDE VERT

Titre acheté : ...........................................................................................................

Date d'achat : ...........................................................................................................

Lieu d'achat (librairie et ville) : ...............................................................................

## VOS HABITUDES D'ACHAT DE GUIDES

1) Aviez-vous déjà acheté un Guide Vert Michelin ?

       O oui           O non

2) Achetez-vous régulièrement des Guides Verts Michelin ?

       O tous les ans

       O tous les 2 ans

       O tous les 3 ans

       O plus

3) Sur quelles destinations ?
– régions françaises : lesquelles ? .......................................................................
..............................................................................................................................
– pays étrangers : lesquels ? ...............................................................................
..............................................................................................................................
– Guides Verts Thématiques : lesquels ? .............................................................
..............................................................................................................................

4) Quelles autres collections de guides achetez-vous ?
..............................................................................................................................

5) Quelles autres sources d'information touristique utilisez-vous ?
O Internet : quels sites ? .......................................................................................
..............................................................................................................................
O Presse : quels titres ? ........................................................................................
..............................................................................................................................
O Brochures des offices de tourisme

*Les informations recueillies font l'objet d'un traitement informatique destiné à actualiser notre base de données clients et permettre l'élaboration de statistiques.*
*Ces données personnelles sont réservées à un usage strictement interne au groupe Michelin et ne feront l'objet d'aucune exploitation commerciale ni de transmission ou cession à quiconque pour des fins commerciales ou de prospection. Elles ne seront pas conservées au-delà du temps nécessaire pour traiter ce questionnaire et au maximum 6 mois, mais seulement utilisées pour y répondre.*
*Conformément à la loi « informatique et libertés » du 6 janvier 1978, applicable sur le territoire français, vous bénéficiez d'un droit d'accès, de modification, de rectification ou suppression des données vous concernant. Si vous souhaitez exercer ce droit, veuillez vous adresser à MICHELIN, Guide Vert, 46 avenue de Breteuil, 75324 Paris Cedex 07*

## VOTRE APPRÉCIATION DU GUIDE

1) Notez votre guide sur 20 : ......................................

2) Quelles parties avez-vous utilisées ? ......................................
......................................

3) Qu'avez-vous aimé dans ce guide ? ......................................
......................................

4) Qu'est-ce que vous n'avez pas aimé ? ......................................
......................................

5) Avez-vous apprécié ?

| | Pas du tout | Peu | Beaucoup | Énormément | Sans réponse |
|---|---|---|---|---|---|
| a. La présentation du guide (maquette intérieure, couleurs, photos...) | O | O | O | O | O |
| b. Les conseils du guide (sites et itinéraires) | O | O | O | O | O |
| c. L'intérêt des explications sur les sites | O | O | O | O | O |
| d. Les adresses d'hôtels, de restaurants | O | O | O | O | O |
| e. Les plans, les cartes | O | O | O | O | O |
| f. Le détail des informations pratiques (transport, horaires, prix…) | O | O | O | O | O |
| g. La couverture | O | O | O | O | O |

Vos commentaires ......................................
......................................

6) Vos conseils, vos avis, vos suggestions d'amélioration : ......................................
......................................

7) Rachèterez-vous un Guide Vert lors de votre prochain voyage ?

O oui          O non

## VOUS ÊTES

O Homme     O Femme     Âge : ....................     Profession : ......................................

Nom ......................................

Prénom ......................................

Adresse ......................................
......................................
......................................
......................................
......................................

Acceptez-vous d'être contacté dans le cadre d'études sur nos ouvrages ?

O oui               O non

Quelle carte Local Michelin souhaitez-vous recevoir ?

Indiquez le département : ............................

Offre proposée aux 100 premières personnes ayant renvoyé un questionnaire complet.
Une seule carte offerte par foyer, dans la limite des stocks disponibles.